MEYERS TASCHEN-LEXIKON BIOLOGIE

Band 2

A.W. Heidemann
Lennekndstr. 6
33605 Bielefeld
Tel. 05 21 / 2 34 91 95

MEYERS
TASCHEN-
LEXIKON
BIOLOGIE

in 3 Bänden

Herausgegeben und bearbeitet
von Meyers Lexikonredaktion
2., überarbeitete und ergänzte Auflage

Band 2:
He – Rd

B.I.-TASCHENBUCHVERLAG
Mannheim/Wien/Zürich

Redaktionelle Leitung:
Karl-Heinz Ahlheim
Redaktionelle Bearbeitung der 1. Auflage:
Franziska Liebisch, Dipl.-Biol., und Dr. Erika Retzlaff
Redaktionelle Bearbeitung der 2. Auflage:
Dr. Erika Retzlaff

CIP-Titelaufnahme der Deutschen Bibliothek
Meyers Taschenlexikon Biologie: in 3 Bd./hrsg. u. bearb.
von Meyers Lexikonred. [Red. Leitung: Karl-Heinz Ahlheim].
Mannheim; Wien; Zürich: BI-Taschenbuch-Verl.
ISBN 3-411-02970-6 kart. in Kassette
ISBN 3-411-01990-5 (gültig für d. 1. Aufl.)
NE: Ahlheim, Karl-Heinz [Hrsg.]
Bd. 2. He – Rd. – 2., überarb. u. erg. Aufl. – 1988
ISBN 3-411-02972-2

Als Warenzeichen geschützte Namen
sind durch das Zeichen Ⓦ kenntlich gemacht
Etwaiges Fehlen dieses Zeichens
bietet keine Gewähr dafür, daß es sich
um einen nicht geschützten Namen handelt,
der von jedermann benutzt werden darf

Das Wort MEYER ist für
Bücher aller Art für den Verlag
Bibliographisches Institut & F. A. Brockhaus AG
als Warenzeichen geschützt

Lizenzausgabe mit Genehmigung
von Meyers Lexikonverlag, Mannheim

Alle Rechte vorbehalten
Nachdruck, auch auszugsweise, verboten
© Bibliographisches Institut &
F. A. Brockhaus AG, Mannheim 1988
Satz: Bibliographisches Institut (DIACOS Siemens) und
Mannheimer Morgen Großdruckerei und Verlag GmbH
Druck: Klambt-Druck GmbH, Speyer
Einband: Großbuchbinderei Lachenmaier, Reutlingen
Printed in Germany
Gesamtwerk: ISBN 3-411-02970-6
Band 2: ISBN 3-411-02972-2

He

Head-Zonen [engl. hɛd; nach dem brit. Neurologen H. Head, *1861, †1940], Hautareale, die bestimmten inneren Organen zugeordnet sind und bei Erkrankung dieser Organe in charakt. Weise schmerzempfindl. sind.

Heberer, Gerhard, *Halle/Saale 20. März 1901, †Göttingen 13. April 1973, dt. Zoologe und Anthropologe. - Prof. in Jena und Göttingen; beschäftigte sich hauptsächl. mit der Evolutionsforschung, insbes. der menschl. Stammesgeschichte und entsprechenden anthropolog. Studien; Hg. des Werks „Die Evolution der Organismen" (1943, ²1959, 3. erweiterte Aufl. 1967ff. in 3 Bden.).

Hecht (Esox lucius), Hechtart in Europa (mit Ausnahme des größten Teils der Mittelmeerländer), in Asien (mit Ausnahme der S) und in N-Amerika; bis 1,5 m lange und bis 35 kg schwere Fische; Körper langgestreckt, seitl. wenig abgeflacht; Rückenflosse auffallend weit nach hinten gerückt; Schnauze schnabelartig abgeflacht, mit weiter Mundspalte und scharfer Bezahnung; Rücken dunkel olivgrün bis graugrün, Körperseiten heller mit dunkler Fleckung oder Marmorierung, Bauch weißl., Flossen z. T. rötlichgelb mit dunkler Fleckung; Speisefisch.

Hechtbarsch, svw. ↑Zander.

Hechte (Esocidae), Knochenfischfam. mit der einzigen Gatt. *Esox*, zu der sechs Arten gehören, darunter der ↑Hecht.

Hechtkopf, Bez. für einen Pferdekopf mit konkaver Nasenlinie (z. B. bei Araberpferden); Ggs. ↑Ramskopf.

Heck, Ludwig, *Darmstadt 11. Aug. 1860, †München 7. Juli 1951, dt. Zoologe. - Direktor der zoolog. Gärten von Köln und Köln. H. baute den Berliner Zoo zu einem der größten der Welt aus und hatte bed. Nachzuchterfolge.

Heckenbraunelle (Prunella modularis), Art der Braunellen; in Europa und Kleinasien verbreiteter, etwa 15 cm großer, spatzenähnl. Vogel mit unauffällig dunkelbraunem und schiefergrauem Gefieder; Oberseite schwarz gestreift; Schnabel pfriemförmig.

Heckenkirsche, svw. ↑Geißblatt.

Heckenrose ↑Rose.

Hecker, Erich [Walter], *Tübingen 7. Juli 1926, dt. Biochemiker. - Direktor des biochem. Instituts am Dt. Krebsforschungszentrum in Heidelberg und ebd. Professor; Arbeiten über den Stoffwechsel- und Wirkungsmechanismus östrogener Hormone und über den biochem. Mechanismus der Krebsentstehung.

Hedera [lat.], svw. ↑Efeu.

Hederich, (Ackerrettich, Raphanus raphanistrum) bis 45 cm hoher Kreuzblütler mit weißen oder gelben, hellviolett geäderten Blüten; kalkmeidend; Ackerunkraut.
♦ svw. ↑Rettich.
♦ (Falscher H.) ↑Ackersenf.

Hedysarum [griech.], svw. ↑Süßklee.

Heerwurm ↑Trauermücken.

Hefepilze (Hefen, Saccharomycetaceae), Fam. der Schlauchpilze mit kugeligen oder ovalen, einkernigen, mikroskop. kleinen Zellen, die sich meist durch Zellsprossung vermehren und dann in Zellketten verbunden bleiben; Zellen enthalten Glykogen als Reservestoff und zahlr. Vitamine (v. a. B-Gruppe).

Heide, baumlose Zwergstrauchformation auf nährstoffarmen (Sand)böden; häufig dominieren Heidekraut, Krähenbeere, Alpenrose und Wacholder.

Heidekraut (Besenheide, Calluna), Gatt. der Heidekrautgewächse mit der einzigen Art **Calluna vulgaris** (H. im engeren Sinn) auf Moor- und Sandböden Europas und an den Küsten N-Amerikas; 20-100 cm hoher Zwergstrauch mit bis 3 mm langen, nadelförmigen Blättern; Blüten in einseitswendigen Trauben; Blütenkrone fleischrot, selten weiß; in vielen Gartenformen kultiviert. - Abb. S. 6.

Heidekrautgewächse (Erikagewächse, Erikazeen, Ericaceae), weltweit verbreitete Pflanzenfam. mit über 2 500 Arten in 82 Gatt.; meist kleine Sträucher; Blätter ungeteilt, häufig immergrün; Kapsel- oder Beerenfrüchte. Z. B. ↑Heidekraut, ↑Glockenheide, ↑Alpenrose, ↑Azalee, ↑Heidelbeere und ↑Liebestraube.

Heidelbeere [zu althochdt. heitperi „auf der Heide wachsende Beere"] (Vaccinium), Gatt. der Heidekrautgewächse mit rd. 150 Arten in Europa und N-Asien. Eine auf sauren Böden in Nadel- und Laubwäldern weit verbreitete Art ist die **Blaubeere** (H. im engeren Sinn, *Bickbeere*, Vaccinium myrtillus), ein sommergrüner Zwergstrauch mit einzelnstehenden, kugeligen, grünl. bis rötl. Blüten, grünen, kantigen Stengeln und eiförmigen, fein gesägten Blättern. Die wohlschmeckenden blauschwarzen, bereiften Beeren *(Heidelbeeren)* werden u. a. zu Saft, Wein, Gelee, Mar-

Heidelbergmensch

melade und Kompott verarbeitet. - In der Volksmedizin werden H.n gegen Durchfall verwendet.

Heidelbergmensch ↑ Mensch (Abstammung).

Heidelerche ↑ Lerchen.
Heidenelke ↑ Nelke.
Heidewacholder ↑ Wacholder.
Heidschnucke, Rasse kleiner, sehr genügsamer, 40–70 kg schwerer, seit alters in der Lüneburger Heide gehaltener, kurzschwänziger Hausschafe; mischwollige Landschafe mit bis 25 cm langen Deck- und bis 6 cm langen Wollhaaren. Eine H. liefert jährl.

Heidekraut. Calluna vulgaris

Heidelbeere. Blaubeere

2–3 kg Schurwolle. Zwei Zuchtformen: graue, gehörnte H. und weiße, ungehörnte Heidschnucke.

Heilbetonie ↑ Betonie.

Heilpflanzen (Arzneipflanzen, Drogenpflanzen), Pflanzen, die wegen ihres Gehaltes an Wirkstoffen zu Heilzwecken verwendet werden. Nach der Wirkungsweise ihrer Inhaltsstoffe unterscheidet man weniger stark wirksame und stark wirksame („giftige") H., wobei die Heilwirkung der letzteren bei unsachgemäßer Anwendung (bes. Überdosierung) in eine schädl. Wirkung umschlagen kann. Heute werden die Wirkstoffe solcher H. (Digitalisglykoside, Atropin, Morphin) überwiegend industriell in chem. reiner und entsprechend exakt dosierbarer Form gewonnen. - Manche H. werden ganz, von anderen werden nur Teile verwendet, z. B. Blätter (Folia), Rinde (Cortex), Wurzel (Radix), Wurzelstock (Rhizoma), Blüten (Flores), Samen (Semen) und Frucht (Fructus). H., die mehrere wirksame Inhaltsstoffe haben, können je nach Zubereitung ganz verschieden wirken. Da frische Pflanzen i. d. R. nicht haltbar sind, werden sie meist in getrockneter und zerkleinerter Form weiterverarbeitet. Neben Pflanzensäften sind Pflanzentees und Teegemische (Spezies) bewährte Heilmittel. Übergießen der zarten Pflanzenteile wie Blätter, Blüten, Samen mit siedendem Wasser ergibt die **Infuse** (Aufgüsse), Abkochen der harten Teile wie Holz, Rinde, Stengel, Wurzeln die **Dekokte** (Abkochungen); **Mazerate** (aus schleimhaltigen Pflanzenteilen) gewinnt man durch Ansetzen mit kaltem Wasser und stundenlanges Stehenlassen.

Zu den wichtigsten Wirkstoffen der H. gehören die Alkaloide und die Glykoside, äther. Öle, Gerbstoffe, Schleimstoffe und Bitterstoffe.

Geschichte: H. sind die ältesten Arzneimittel. Bis zum Beginn des 20. Jh. stellten sie den größten Teil der verwendeten Arzneien. Obwohl sich die Erkenntnisse über ihre Wirksamkeit vergrößerten, blieben die seit ältester Zeit bestehenden mag. Vorstellungen bis heute in der Volksmedizin und bei den Naturvölkern erhalten. Seitdem die Inhaltsstoffe der wichtigsten H. isoliert und z. T. auch synthetisiert werden konnten, werden die H. als Arzneimittel immer mehr verdrängt.

📖 *Boros, G.: Unsere Heil- und Teepflanzen.* Stg. ³1980.

Heimchen (Hausgrille, Acheta domestica), bis 2 cm große, gelblichbraune Grille, v. a. in menschl. Wohnstätten und an Schuttabladeplätzen Europas, W-Asiens und N-Afrikas; Vorratsschädling.

Heinroth, Oskar [...ro:t], * Kastel am Rhein (= Wiesbaden) 1. März 1871, † Berlin 31. Mai 1945, dt. Zoologe. - Leiter der Vogelwarte Rossitten. Zus. mit seiner Frau Magdalena verfaßte er das Standardwerk „Die Vögel

HEILPFLANZEN (Auswahl)

dt. Name	lat. Name	verwendete Pflanzenteile	Inhaltsstoffe	Anwendung
Arnika	Arnica montana	Blüten, Wurzel	äther. Öl, Bitterstoffe, Gerbstoffe, Flavonglykoside	bei Fieber, Herzschwäche, äußerl. bei Blutergüssen
Baldrian	Valeriana officinalis	Wurzel	äther. Öl	bei Nervosität, Schlafstörungen
Bärentraube (Immergrüne Bärentraube)	Arctostaphylos uva-ursi	Blätter	Glykoside, Gerbstoffe	bei Entzündungen der Harnwege (nur bei alkal. Harn)
Beifuß (Gemeiner Beifuß)	Artemisia vulgaris	Kraut	äther. Öle, Bitterstoffe	bei Verdauungsbeschwerden, Magenschmerzen, Blähungen
Echte Kamille	Matricaria chamomilla	Blüten	äther. Öl mit Chamazulen	bei innerl. und äußerl. Entzündungen, leichte Magenkatarrhe
Eibisch (Echter Eibisch)	Althaea officinalis	Wurzel, Blätter	Schleime, Stärke, Pektin	bei Magen-Darm-Katarrhen, Bronchitis, Entzündungen des Nasenrachenraums
Engelwurz (Echte Engelwurz)	Angelica archangelica	Wurzelstock	äther. Öl, Bitterstoffe	bei Magenverstimmung, Verdauungsstörungen
Eukalyptus	Eucalyptus globulus	Blätter	äther. Öl mit Eukalyptol	bei chron. Bronchitis als schleimlösendes Mittel
Fenchel (Echter Fenchel)	Foeniculum vulgare	Früchte	äther. Öl	appetitanregend, verdauungsfördernd, bei Blähungen, Magen-Darm-Krämpfen, Erkrankungen der Atmungsorgane
Frauenmantel (Gemeiner Frauenmantel)	Alchemilla vulgaris	Kraut	Gerbstoffe, Bitterstoffe	bei Magen-Darm-Erkrankungen, Durchfall, Blähungen
Holunder (Schwarzer Holunder)	Sambucus nigra	Blüten	äther. Öl, Glykoside	bei fieberhaften Erkältungen (schweißtreibend)
Huflattich	Tussilago farfara	Blätter	Schleim, Bitterstoffe	bei entzündeten Schleimhäuten
Isländ. Moos	Cetraria islandica	ganze Pflanze (eine Flechte)	Schleime, Kohlenhydrate, Cetrarsäure	bei Husten, Entzündungen der Atmungsorgane, verdauungsfördernd
Knoblauch	Allium sativum	Zwiebeln	äther. Öl	appetitanregend, verdauungsfördernd
Lein (Echter Lein, Flachs)	Linum usitatissimum	Samen	fettes Öl, Schleim, Glykosid Linamarin	bei Magenschleimhautentzündung, Übersäuerung, Durchfall, chron. Verstopfung
Löwenzahn (Gemeiner Löwenzahn)	Taraxacum officinale	Wurzel, ganze Pflanze	Bitterstoffe	appetitanregend, bei Magenbeschwerden
Melisse	Melissa officinalis	Blätter	äther. Öl	bei Nervosität, Magen-Darm-Beschwerden
Myrrhe	Commiphora molmol	Harz	äther. Öl, Gummi, Harz	bei Entzündungen der Mundschleimhaut, Zahnfleischentzündung
Odermennig (Gewöhnl. Odermennig)	Agrimonia eupatoria	Kraut	Bitterstoffe, äther. Öl, Glykosid, Gerbstoffe	bei Magen-Darm-Entzündungen, Gallenblasenleiden
Pfefferminze	Mentha piperita	Blätter	äther. Öl mit Menthol, Gerb- und Bitterstoffe	bei Magenschleimhautentzündungen, Magen-Darm-Koliken, Gallenblasenleiden
Römische Kamille	Anthemis nobilis	Blüten	äther. Öl, Bitterstoffe	wie Echte Kamille
Sanikel (Gewöhnl. Sanikel)	Sanicula europaea	Kraut	äther. Öl, Gerb- und Bitterstoffe	bei Blähungen
Schafgarbe (Gemeine Schafgarbe)	Achillea millefolium	Blüten, Kraut	äther. Öl mit Azulen, Bitterstoffe	appetitanregend, verdauungsfördernd, bei Magenbeschwerden
Schlehe (Schlehdorn, Schwarzdorn)	Prunus spinosa	Blüten	Kohlenhydrate, Glykoside	bei Erkältungen, mildes Abführmittel
Spitzwegerich	Plantago lanceolata	Kraut	Glykoside, Schleim, Kieselsäure	bei Katarrhen der oberen Atemwege, Magen-Darm-Beschwerden
Wermut	Artemisia absinthium	Kraut	äther. Öl, Bitter- und Gerbstoffe	bei Verdauungsstörungen, Magenkrämpfen, Blähungen

Heldbock

Mitteleuropas" (3 Bde., 1925–28, Erg.-Bd., 1933).

Heldbock (Großer Eichenbock, Spießbock, Riesenbock, Cerambyx cerdo), mit 3–5 cm Länge größter Bockkäfer in Europa und W-Asien; Körper und Flügeldecken schwarzbraun mit gerunzeltem und seitl. bedorntem Halsschild und überkörperlangen Fühlern. Die bis 10 cm langen, fingerdicken Larven werden durch ihre bis 1 m langen Fraßgänge v. a. in Eichen schädlich.

Helenenkraut ↑Alant.

Helianthemum [griech.], svw. ↑Sonnenröschen.

Helianthus [griech.], svw. ↑Sonnenblume.

Helichrysum [griech.], svw. ↑Strohblume.

Heliconia [griech.-lat.], Gatt. der Bananengewächse mit rd. 150 Arten im trop. Amerika; mehrjährige Kräuter mit einem aus Blattscheiden gebildeten Scheinstamm und Blütenständen; Frucht eine in drei Teilfrüchte zerfallende Kapsel.

Heliolites [griech.], Gattung fossiler Korallen; vom oberen Silur bis zum Mitteldevon weltweit verbreitet; bildeten massive, etwa halbkugelförmige Kolonien.

Heliophyten, svw. ↑Sonnenpflanzen.

Heliotrop [zu griech. hélios „Sonne" und trépein „wenden"] (Sonnenwende, Heliotropium), Gatt. der Rauhblattgewächse mit mehr als 250 Arten in den Tropen und Subtropen sowie in den wärmeren gemäßigten Gebieten; Kräuter oder Halbsträucher mit kleinen, achselständigen oder in Wickeln stehenden Blüten. In S-Deutschland kommt das weißbläul. blühende, einjährige **Skorpionskraut** (Heliotropium europaeum) in Unkrautgesellschaften und in Weinbergen vor. Einige Arten sind beliebte Topf- und Gartenpflanzen.

Heliotropismus ↑Tropismus.

Heliozoa [griech.], svw. ↑Sonnentierchen.

Helix [griech. „Windung, Spirale"], Gatt. großer, auf dem Lande lebender Lungenschnecken mit mehreren Arten, darunter die ↑Weinbergschnecke.

◆ in der *Anatomie* Bez. für den äußeren, umgebogenen Rand der menschl. Ohrmuschel.

Helixstruktur, wendelförmige räuml. Anordnung der Bausteine (niedrigmolekulare Molekülreste) von Makromolekülen, die durch intramolekulare, zw. benachbarten Windungen auftretende Bindungskräfte (z. B. Wasserstoffbrückenbindungen) stabilisiert ist. Sie tritt u. a. bei den Polynukleotidketten der Nukleinsäuren und den Polypeptidketten der Proteine auf. - ↑auch Doppelhelix.

Hellempfindlichkeitsgrad, Maß für den mit helladaptiertem Auge wahrgenommenen Helligkeitseindruck; in Abhängigkeit von der Wellenlänge ergibt sich die sog. *Tageswertkurve*. Eine entsprechende Kurve, die *Nacht*- oder *Dämmerwertkurve*, ergibt sich für die mit dem dunkeladaptierten Auge wahrgenommene **Dämmerempfindlichkeit**.

Helligkeitssehen ↑Auge.

Hellroter Ara (Gelbflügelara, Arakanga, Makao, Ara macao), bis 90 cm großer Papagei (Gruppe Aras) in M- und S-Amerika; ♂ und ♀ rot, mit blauen Schwungfedern, blauem Bürzel und z. T. gelben Flügeldeckfedern.

Helmbasilisk (Basiliscus basiliscus), rd. 30 cm langer, mit Schwanz etwa 80 cm messender Leguan (Gatt. Basilisken), v. a. auf Bäumen an den Urwaldflüssen und -seen Panamas bis NW-Kolumbiens; Körper oberseits olivbraun mit dunklen Querstreifen, unterseits gelbl.; ♂♂ weisen einen knorpeligen, von einer Knochenleiste gestützten Helm am Hinterkopf auf und einen (durch Knorpelstrahlen gefestigten) Rücken- und Schwanzkamm. - Abb. S. 10.

Helmbohne (Faselbohne, Lablab, Dolichos lablab), 3–4 m hoch windender, ästiger Schmetterlingsblütler; wird in den Tropen und Subtropen in mehreren Kulturformen angebaut; Blätter dreizählig, Blättchen oval, zugespitzt; Blüten in Trauben, violett, seltener weiß; Hülsenfrüchte bis 6 cm lang, glänzend, purpurviolett; Samen etwas abgeplattet, braun, heller punktiert. Die jungen Hülsen und die Samen werden als Gemüse gegessen.

Helmholtz, Hermann [Ludwig Ferdinand] von (seit 1882), * Potsdam 31. Aug. 1821, † Charlottenburg (= Berlin) 8. Sept. 1894, dt. Physiker und Physiologe. - Prof. für Physiologie in Königsberg (Pr) (1849–55), Bonn (bis 1858) und Heidelberg; seit 1871 Prof. für Physik in Berlin. 1888 übernahm H. die Leitung der neugegründeten Physikal.-Techn. Reichsanstalt in Charlottenburg. Sein Arbeits- und Forschungsgebiet erstreckte sich von der Mathematik und Physik über die Physiologie und Medizin bis zur Psychologie, Musik und Philosophie. Untersuchungen über den Stoffwechsel und die Wärmeentwicklung bei der Muskeltätigkeit führten H. (unabhängig von J. R. Mayer) zur Formulierung des Gesetzes von der Erhaltung der Energie (Energiesatz), das er 1847 exakt begründete. 1852 gelang ihm als erstem, die Fortleitungsgeschwindigkeit von Nervenerregungen zu messen. H. bestimmte als erster Wellenlängen des ultravioletten Lichtes und stellte mit E. Abbe theoret. die Leistungsgrenze des Lichtmikroskops fest. In die gleiche Zeit fallen seine Arbeiten zur Akustik, in denen er u. a. eine Theorie der Luftschwingungen in offenen Röhren gab. Es folgten Arbeiten zur Hydrodynamik, zur Theorie der Elektrodynamik und zur Thermodynamik (mathemat. Formulierung des 1. Hauptsatzes). - Mit seinen mathemat. ausgearbeiteten Untersuchungen über Naturphänomene wie Wirbelstürme, Gewitter, Luft- und Wasserwellen oder Gletscher wurde H. zum Begründer der wissenschaftl. Meteorologie. In er-

Herde

kenntnistheoret. Schriften befaßte er sich v. a. mit den philosoph. Konsequenzen naturwissenschaftl. Forschung.

Helminthen [griech.], svw. ↑ Eingeweidewürmer.

Helmkasuar ↑ Kasuare.

Helmkraut (Scutellaria), Gatt. der Lippenblütler mit rd. 180 v. a. in den Tropen und den gemäßigten Zonen verbreiteten Arten; Kräuter oder Halbsträucher mit blauen, violetten, roten oder gelben Blüten in zweiblütigen Quirlen; Kelch zweilippig. Auf Flachmooren und in Bruchwäldern in Deutschland kommt v. a. das **Sumpfhelmkraut** (Scutellaria galericulata) vor; 10–50 cm hohe Staude mit einzelstehenden blauvioletten Blüten.

Helmvogel ↑ Nashornvögel.

Helodea [griech.], svw. ↑ Wasserpest.

Helophyten [griech.], svw. ↑ Sumpfpflanzen.

Helotismus [griech.], Bez. für Symbiosen, bei denen der eine Partner größeren Nutzen aus dem Zusammenleben zieht als der andere; bes. bei Ernährungssymbiosen.

Helvella [lat.], svw. ↑ Lorchel.

Hemichordata [griech.], svw. ↑ Kragentiere.

Hemigrammus [griech.], Gatt. kleiner, gesellig in Schwärmen schwimmender, südamerikan. Salmler mit zahlr. Arten, darunter bekannte Warmwasseraquarienfische z. B. **Rotmaulsalmler** (Hemigrammus rhodostomus), bis 4 cm lang, schlank, olivgrün, hintere Körperseite mit irisierendem Band, Kopf rot.

Hemikryptophyten [griech.] (Oberflächenpflanzen), Bez. für Pflanzen, deren jährl. Erneuerungsknospen unmittelbar an der Erdoberfläche liegen; z. B. Horstgräser und Rosettenpflanzen.

Hemimetabolie ↑ Metamorphose.

Hemiparasiten ↑ Parasiten.

Hemisphäre [griech.], anatom. Bez. für die beiden halbkugeligen Abschnitte des Klein- und Großhirns.

Hemlocktanne [engl./dt.] (Tsuga), Gatt. der Kieferngewächse mit 14 Arten in Asien und N-Amerika; immergrüne Bäume mit lineal. Nadelblättern, auf deren Unterseite sich zwei silbrige Streifen befinden; Zapfen meist kugelförmig. Die beiden Arten **Mertenstanne** (Tsuga heterophylla; mit sehr kleinen Zapfen) und **Kanadische Hemlocktanne** (Tsuga canadensis; bis 30 m hoch, Zapfen klein und gelbbraun) gewinnen in Deutschland immer stärker forstwirtschaftl. Bedeutung.

Hemmung, in der *Physiologie* die Unterdrückung eines Zustandes oder die Verhinderung bzw. Verlangsamung oder Unterbrechung eines Vorgangs. So sind z. B. in der Verhaltensphysiologie gewisse Auslöser bekannt, die etwa eine Aggressions- oder Tötungs-H. hervorrufen (z. B. die Demutsgebärde). In der *Neurophysiologie* versteht man unter H. eine vorübergehende Aktivitätsminderung von Nervenzellen. - Für die Koordination der Tätigkeit des Nervensystems spielen H.vorgänge sogar eine grundlegende Rolle. Schon bei einfachen Reflexen sind sie wesentl.; z. B. wird beim Schluckreflex die Atmung gehemmt. Im Stoffwechselgeschehen wird die Aktivität der Enzyme durch H.vorgänge den jeweiligen Bedürfnissen der Zelle angepaßt.

Hengst, Bez. für geschlechtsreifes ♂ Tier der Fam. Pferde (Zebras, Esel, Halbesel, Echte Pferde) und der Kamele (Trampeltier, Dromedar, Vikunja, Guanako, Lama, Alpaka); auch Bez. für ♂ Maulesel und Maultier.

Henle, [Friedrich Gustav] Jakob, * Fürth 19. Juli 1809, † Göttingen 13. Mai 1885, dt. Anatom. - Prof. in Zürich, Heidelberg und Göttingen; entdeckte 1862 die nach ihm ben. schleifenartigen Teile der Harnkanälchen im Nierenmark der Niere *(Henle-Schleifen)*.

Hennastrauch (Ägypt. Färbekrabt, Lawsonia inermis), ligusterähnl. Strauch der Weiderichgewächse; Blätter gegenständig; Blüten in Rispen, duftend, gelblichweiß bis ziegelrot; wird heute in den asiat. und afrikan. Tropen und Subtropen zur Gewinnung von Henna, einem rotgelben Farbstoff, angebaut.

Henne, Bez. für das ♀ der Hühnervögel.

Hensen, [Christian Andreas] Victor, * Schleswig 10. Febr. 1835, † Kiel 5. April 1924, dt. Physiologe und Meeresbiologe. - Prof. in Kiel; entdeckte (unabhängig von C. Bernard) 1857 das Glykogen und förderte die Erforschung des Meeresplanktons.

Hepar [griech.], svw. ↑ Leber.

Heparin [griech.], ein aus der Leber isolierbares Polysaccharid (Molekulargewicht 17 000–20 000); H. hemmt die Blutgerinnung.

Hepatica [griech.], svw. ↑ Leberblümchen.

Hepaticae [griech.], svw. ↑ Lebermoose.

Herbarium [lat., zu herba „Pflanze, Gras"] (Herbar), Sammlung gepreßter und getrockneter, auf Papierbögen aufgeklebter Pflanzen oder Pflanzenteile, geordnet nach systemat. oder pflanzensoziolog. Gesichtspunkten; wichtig für systemat. und florist. Arbeiten, da die in ihnen sachgemäß aufbewahrten Pflanzen ihre anatom.-morpholog. Merkmale beibehalten. Das älteste dt. H. mit 746 Pflanzen stammt von C. Ratzenburger (um 1550).

Herbivoren [lat.] ↑ Pflanzenfresser.

Herbstastern ↑ Aster.

Herbstfärbung, durch Abbauprozesse des Blattgrüns bedingte Umfärbung des Laubs vieler Holzgewächse vor dem herbstl. Laubfall. Durch diesen Vorgang werden zurückbleibende rote Anthozyane und/oder gelbe Karotinoide sowie braune Zersetzungsprodukte farbbestimmend.

Herbstzeitlose ↑ Zeitlose.

Herde, in der Zoologie Bez. für eine Ansammlung von meist größeren Säugetieren,

Herdentrieb

Helmbasilisk

auch von Vögeln. Die H. kann wenige Individuen bis viele tausend Tiere umfassen.

Herdentrieb (Herdeninstinkt, Gregarismus), Bez. für die manchen Tieren eigene Tendenz, in einer Herde zusammenzuleben und sich demgemäß zu verhalten (z. B. Einhalten einer Rangordnung); im übertragenen Sinn auch Bez. für die entsprechende Verhaltenstendenz menschl. Gruppen (kritiklose Unterordnung, Sicheinordnen bis hin zur Anonymität).

Hering, [Karl] Ewald [Konstantin], *Altgersdorf (= Neugersdorf, Lausitz) 5. Aug. 1834, † Leipzig 26. Jan. 1918, dt. Physiologe. - Prof. in Wien, Prag und Leipzig; arbeitete v. a. über Nerven- und Sinnesphysiologie. Entdeckte zus. mit J. Breuer die „Selbststeuerung der Atmung" durch sensible Nerven des Lungenvagus als ersten biolog. Regelmechanismus, wodurch er die Entwicklung der Biokybernetik einleitete. Bei seinen psychophysikal. Untersuchungen, insbes. der Raum- und Farbwahrnehmung, befaßte er sich u. a. mit den opt. Täuschungen und stellte eine Vierfarbentheorie auf.

Herz des Menschen (1 von vorn mit den Kranzgefäßen, 2 Frontalschnitt, 3 von hinten mit den Kranzgefäßen), aA aufsteigende Aorta, Ab Aortenbogen, Ak Aortenklappe (Valva aortae; Taschenklappenapparat am Anfang der Aorta), dA dreizipfelige Atrioventrikularklappe (Segelklappenapparat zwischen rechtem Herzvorhof und rechter Herzkammer), gH große Herzvene (Vena cordis magna), Ks Kammerseptum (muskulöser Teil; geht oben in einen häutigen Teil über), La Lungenarterie (mit sauerstoffarmem Blut), lHo linkes Herzohr (Auricula sinistra), lK linke Herzkammer, lKa linke Kranzarterie, Lv Lungenvene (mit sauerstoffreichem Blut), lV linker Herzvorhof, mHv mittlere Herzvene (Vena cordis media), oH obere Hohlvene, rHo rechtes Herzohr (Auricula dextra), rK rechte Herzkammer, rKa rechte Kranzarterie, rV rechter Herzvorhof, Sc Sinus coronarius (Erweiterung der großen Herzvene vor ihrer Einmündung in den rechten Herzvorhof), uH untere Hohlvene, zA zweizipfelige Atrioventrikularklappe (Segelklappenapparat zwischen linkem Herzvorhof und linker Herzkammer)

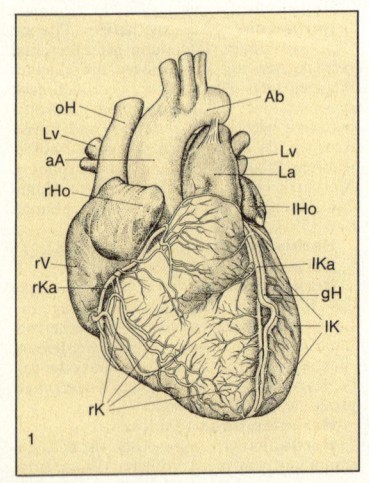

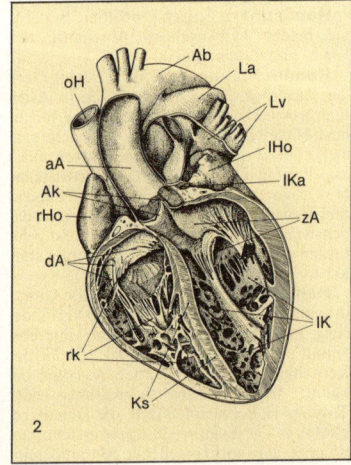

Heringe (Clupea), Gatt. bis 45 cm langer Heringsfische mit zwei Arten in gemäßigten und kalten Gewässern des nördl. Atlantiks und nördl. Pazifiks. Für Europa am wichtigsten ist der **Atlant. Hering** (Hering i. e. S., Clupea harengus) mit grünlich-blauem Rücken, silberglänzenden Körperseiten, bläul. durchscheinenden Flossen und gekielter Bauchkante. Er kommt in riesigen Schwärmen v. a. in planktonreichen Meeresgebieten vor. Nach Ort und Zeitpunkt der Laichabgabe werden zahlr. Heringsrassen unterschieden, z. B. *Herbstheringe* (laichen im Spätjahr in der Nordsee), *Frühjahrsheringe* (laichen im Frühjahr in den norweg. Fjorden ab). Ein ♀ legt etwa 20 000–70 000 Eier ab. Die Jugendentwicklung erfolgt im Küstenbereich, erst mit zwei bis drei Jahren wandern die etwa 20 cm langen Jung-H. vor die Küste ab. Die Geschlechtsreife tritt im Alter von drei bis sieben Jahren ein, die Lebensdauer beträgt rd. 20 Jahre. Der Atlant. Hering ist einer der wirtsch. wichtigsten Nutzfische, der in verschiedensten Formen auf den Markt gebracht (z. B. Vollhering, Matjeshering, Grüner Hering, Bückling, Brathering) und zu zahlreichen Konserven verarbeitet wird, daneben aber auch zur Gewinnung von Tran und Fischmehl dient. - Der **Pazif. Hering** (Clupea pallasii) im nördl. Pazifik und im Weißen Meer ist dem Atlant. Hering sehr ähnl., bleibt jedoch meist kleiner als dieser, wächst schneller und wird früher geschlechtsreif. Seine Bauchkante ist vor den Bauchflossen ungekielt. Auch er ist ein wirtsch. bed. Nutzfisch.

Heringsfische (Clupeidae), Fam. urspr. Knochenfische mit rd. 180 bis 50 cm langen Arten, v. a. im Meer, aber auch in Brack- und Süßgewässern; Körper meist schlank, seitl. zusammengedrückt, silberglänzend, mit dunklem Rücken, großen, häufig dünnen, leicht abfallenden Schuppen und gekielter Bauchkante. - Zu ihnen zählen verschiedene wirtschaftl. wichtige Arten, z. B. Atlant. Hering und Pazif. Hering (↑Heringe), Sardine und Sprotte. Die einheim. süßwasserbewohnenden Arten Alse und Finte haben keine wirtschaftl. Bedeutung.

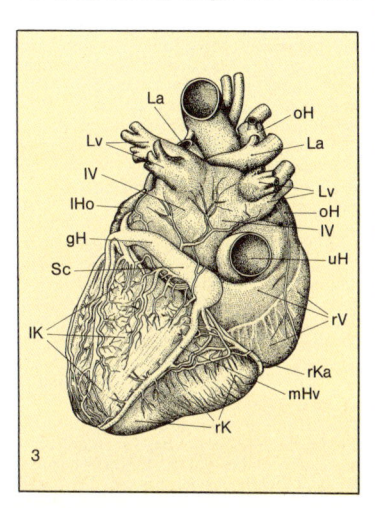

Heringshai ↑Makrelenhaie.

Heringskönig (Petersfisch, Zeusfisch, Martinsfisch, Christusfisch, Zeus faber), bis etwa 60 cm langer Knochenfisch im Mittelmeer und an der O-Küste des Atlantiks; Körper im Umriß oval, seitl. stark zusammengedrückt; Speisefisch.

Herkuleskeule (Clavaria pistillaris), Ständerpilz mit keulenförmigem, 8–20 cm hohem, ockergelben Fruchtkörper; Oberfläche runzlig, Fleisch schwammig, weich; v. a. in Buchenwäldern, jung eßbar.

Hermann, Ludimar, * Berlin 21. Okt. 1838, † Königsberg (Pr) 5. Juni 1914, dt. Physiologe. - Prof. in Zürich und Königsberg. Bekannt wurde H. durch seine Untersuchungen über Stimme und Sprache (photograph. Registrierung der Sprachlaute).

Hermaphrodit [griech., nach Hermaphroditos], svw. ↑Zwitter (↑auch Intersex).

Hermaphroditismus [griech., nach Hermaphroditos], svw. ↑Zwittrigkeit.

Hermelin ↑Wiesel.

Hermelinspinner ↑Gabelschwänze.

Herniaria [lat.], svw. ↑Bruchkraut.

Heroin [zu griech. hérōs „Held" (im Sinne von „stark, kräftig")] (Diacetylmorphin), $C_{17}H_{17}NO(OCO·CH_3)_2$, halbsynthet. Morphinderivat, das durch Acetylierung aus Morphin hergestellt wird. Das Rauschgift H. hat morphinähnl. Wirkungen, da es im Körper rasch zu Morphin abgebaut wird. Die Blut-Hirn-Schranke des Erwachsenen ist für das besser lipidlösl. H. wesentl. leichter durchlässig als für Morphin, daher hat es eine größere Rauschwirkung. Herstellung, Handel und Einfuhr von H. sind in zahlr. Ländern verboten; seine medizin. Anwendung ist unzulässig.

Herophilos, * Chalkedon (= Istanbul-Kadıköy) um 335 v. Chr., griech. Arzt. - Betrieb als einer der ersten anatom. Forschungen an menschl. Leichen. Hierbei entdeckte er u. a. die Nerven. Im Organismus unterschied H. die vier Grundvorgänge Ernährung, Erwärmung, Wahrnehmung und Denken. Außerdem unterschied er die Arterien von den Venen und erkannte den Zusammenhang von Puls und Herztätigkeit.

Herrentiere (Primaten, Primates), Ordnung bezügl. der Gehirnentwicklung sehr hochstehender, in den übrigen Merkmalen jedoch wenig spezialisierter Säugetiere, die sich aus den Spitzhörnchen ähnl. Insektenfressern entwickelt haben. Man unterscheidet außer dem Menschen rd. 170 rezente Arten (zusammengefaßt in den Unterordnungen Affen und Halbaffen).

Hershey, Alfred [Day] [engl. ˈhəːʃɪ], * Owosso (Mich.) 4. Dez. 1908, amerikan. Molekularbiologe. - Leitet seit 1963 die Abteilung für Genetik des Carnegie-Instituts in Cold Spring Harbor (N. Y.); seine Arbeiten galten den Reaktionen von Antigenen und Antikörpern, der Biologie des Bakterienwachstums, der Genetik der Bakteriophagen sowie der Chemie der Nukleinsäuren. Anfang der 50er Jahre konnte H. beweisen, daß die DNS und nicht das Protein Träger der Erbinformation ist. Für die Gewinnung neuer Erkenntnisse über die genet. Struktur und den Vermehrungsmechanismus von Viren erhielt er 1969 (zus. mit M. Delbrück und S. E. Luria) den Nobelpreis für Physiologie oder Medizin.

Hertwig, Oscar [Wilhelm August], * Friedberg (Hessen) 21. April 1849, † Berlin 25. Okt. 1922, dt. Anatom und Biologe. - Bruder von Richard H.; Prof. in Jena und Berlin; stellte als erster fest, daß eine Befruchtung durch Verschmelzung von Ei- und Samenzelle zustande kommt (Beobachtung des Vorgangs am Seeigelei, 1875). 1890 entdeckte er die Reduktionsteilung der Samenzellen und untersuchte die Einwirkung von Radiumstrahlen auf ihre Keimzellen.

H., Richard [Carl Wilhelm Theodor] von (seit 1910), * Friedberg (Hessen) 23. Sept. 1850, † Schlederloh (= Dorfen, Landkr. Bad Tölz-Wolfratshausen) 3. Okt. 1937, dt. Zoologe. - Bruder von Oscar H.; Prof. in Königsberg (Pr), Bonn und München; gilt als Begründer der experimentellen Zoologie. Er führte Untersuchungen über die Konjugation bei Protozoen, die künstl. Jungfernzeugung bei Seeigeln und die Geschlechtsbestimmung bei Fröschen durch.

Herz (Cor, Kardia), zentrales Pumporgan im Blutkreislauf der Tiere und des Menschen. Das etwa faustgroße, bei 25jährigen durchschnittl. 260 g (bei der Frau) bis 310 g (beim Mann) wiegende H. des Menschen liegt im Brustkorb hinter dem Brustbein zw. den beiden Lungenflügeln und hat die Gestalt eines stumpfen Kegels. Seine Spitze liegt etwa zur Mitte hin unter der linken Brustwarze. Das H. besteht aus zwei Hälften, die durch die *Herzscheidewand* (Septum) voneinander getrennt sind. Jede H.hälfte ist in einen muskelschwächeren oberen Abschnitt, den **Vorhof** (Vorkammer, Atrium) und in einen muskelstärkeren Abschnitt, die **Herzkammer** (Ventrikel), unterteilt. Die *Herzohren* sind blindsackartige Seitenteile der Vorhöfe. Die bindegewebige Hülle des H., der **Herzbeutel** (Perikard) ist hauptsächl. mit der vorderen Brustwand und dem Zwerchfell verwachsen. Seine innere Schicht *(Epikard)* ist fest mit der H.oberfläche verwachsen. Seine äußere Schicht besteht aus straffem Bindegewebe, durch dessen Fasern der H.beutel auch an der Wirbelsäule, am Brustkorb und an der Luftröhre verschiebbar aufgehängt ist. Zw. den beiden Schichten befindet sich eine seröse Flüssigkeit, die die Gleitfähigkeit der beiden Schichten gegeneinander gewährleistet. Unter der inneren Schicht folgt die Herzmuskelschicht (**Herzmuskel,** Myokard). Sie ist zur H.höhle hin von einer dünnen Innenhaut, dem *Endokard* (Herzinnenhaut), bedeckt, aus der auch die Ventilklappen entspringen. Die rechte Vorkammer (Atrium dextrum) nimmt das aus dem Körper kommende sauerstoffarme (venöse) Blut auf und leitet es in die rechte Herzkammer (Ventriculus dexter) weiter. Diese pumpt es durch die Lungenarterie in die Lungen. Von dort gelangt das Blut in die linke Vorkammer (Atrium sinistrum). Diese wiederum leitet es in die linke Herzkammer (Ventriculus sinister), die es durch die Aorta in den Körper preßt. Der Blutstrom im H. wird durch **H.klappen** (Valvulae cordis) gesteuert, Endokardfalten, die durch sehnige Faserplatten versteift sind und Klappenventile darstellen. So wird die Öffnung zw. Vorhof und Kammer jeder H.hälfte durch **Segelklappen** (Atrioventrikularklappen) verschlossen, um ein Rückfluß des Blutes bei der Kontraktion der H.kammern zu verhindern. Am Übergang jeder H.kammer in die Lungenarterie bzw. Aorta liegen je drei halbmondförmige **Taschenklappen** (Semilunarklappen: *Pulmonal-* bzw. *Aortenklappe*), die beim Erschlaffen der H.kammern ein Rückfluß des Blutes in die Kammern verhindern. - Da die linke H.hälfte stärker arbeiten muß als die rechte, ist die Wandung der linken H.kammer dicker.

Die Versorgung der H.muskulatur mit sauerstoff- und nährstoffreichem Blut erfolgt in einem Kreislauf über die **Herzkranzgefäße** (Koronargefäße), die mit zwei in der Herzkranzfurche zw. den Vorhöfen und Kammern liegenden, herzspitzenwärts der Aorta über den Taschenklappen entspringenden, nach rechts und links ziehenden Kranzarterien ihren Ausgang nehmen. Etwa 5–10 % des Blutstroms im Körperkreislauf werden dafür abgezweigt. Das H. eines erwachsenen Menschen schlägt bei leichter Tätigkeit 60- bis 70mal in der Minute (Herzfrequenz); das sind am Tag etwa 100 000 H.schläge. Bei jedem H.schlag fördert das H. zw. 70 und 100 ml Blut je H.kammer; das sind in der Minute 5–7 Liter. Die 75 Schlägen je Minute dauert ein H.schlag 0,8 Sekunden. Davon entfallen nur 0,3 Sekunden auf die eigentl. Arbeit, die Austreibung des Blutes (Systole), während die Erschlaffungsphase (Diastole) 0,5 Sekunden dauert. Rechnet man alle Arbeitsphasen zus., so arbeitet das H. von 24 Stunden 8 und ruht 16 Stunden.

Das Herz in der stammesgeschichtlichen Entwicklung: Bei Tieren mit Blutkreislauf wird das Blut i. d. R. durch mehrere H. oder durch ein H. bewegt. Dies sind muskulöse Gefäßabschnitte oder kräftige Hohlmuskeln, die Pumpbewegungen durchführen. Ventile (H.klappen) in ihnen und in den Gefäßen zwingen dem Blut eine bestimmte Fließrichtung auf. Unter den wirbellosen Tieren haben Ringelwürmer erstmals „Herzen" in Form von kontraktilen (sich zusammenziehenden) Gefäßabschnitten innerhalb ihres geschlossenen Blutkreislaufs. Bei den Gliederfüßern liegt das H. auf der Rückenseite und ist ein Schlauch mit seitl. Einlaßschlitzen (Ostien), die sich beim Pumpvorgang verschließen. Weichtiere haben ein sackförmiges, in einem H.beutel liegendes Herz. Das sauerstoffreiche Blut gelangt aus den Kiemen in die seitl. Vorhöfe des Herzens. Ihre Zahl entspricht meist der Zahl der Kiemen. Von den Vorhöfen fließt das Blut in die H.kammer und wird von dort in die Aorta gepreßt. Tintenfische mit einem nahezu geschlossenem Kreislauf haben außerdem in der Kiemenregion venöse Kiemenherzen. Bei den Manteltieren kehrt sich, im Unterschied zu allen übrigen Tieren, die Kontraktionsrichtung des einfachen, schlauchförmigen, ebenfalls von einem H.beutel umschlossenen H. period. um, so daß das Blut einmal in Richtung Kiemen, dann wieder zu den Eingeweiden fließt. Den Schädellosen (z. B. Lanzettfischchen) fehlt ein zentrales H.; sie haben venöse Kiemenherzen (Bulbillen). Bei allen Wirbeltieren ist ein H. ausgebildet. Bei den Fischen besteht es aus vier hintereinanderliegenden Abschnitten, die durch H.klappen getrennt sind: Der Venensinus (Sinus venosus) nimmt das Blut aus dem Körper auf und leitet es durch die Vorkammer in die Kammer. Von hier aus wird es in die Kiemen gepumpt. - Gleichzeitg mit der Entwicklung der Lungenatmung werden einerseits Venensinus und der muskulöse, mit Gefäßklappen versehene Endabschnitt des H., der in die Kiemenarterie übergeht (Conus arteriosus), zurückgebildet, andererseits kommt es zur Ausbildung eines Doppel-H. und damit zur Trennung von sauerstoffreichem und -armem Blut. Bei den Lurchen sind zwar zwei Vorkammern vorhanden, von denen die rechte das Blut aus dem Körper, die linke das aus der Lunge erhält. Doch gibt es nur eine Kammer, die das Blut aus beiden Vorkammern aufnimmt. In der H.wand sind Taschen und Falten ausgebildet, so daß es doch weitgehend getrennt bleibt. Sauerstoffarmes Blut wird in die Lungen, sauerstoffreiches in den Kopf und Mischblut in den Körper gepumpt. Bei den Reptilien beginnt die Trennung der H.kammer in eine rechte und linke Hälfte durch Ausbildung einer Scheidewand von der H.spitze aus. Die vollständige Trennung ist erst bei Vögeln und Säugetieren erreicht. Das Blut fließt hier über die rechte H.hälfte vom Körper zur Lunge, über die linke der Lunge in den Körper zurück.

Kulturgeschichte: In den verschiedensten Kulturen galt und gilt das H. als Zentrum der Lebenskraft, darüber hinaus als Ort des Gewissens und Sitz der Seele sowie der Gefühle. - Auch die Götter werden nach altem Aberglauben durch geopferte H. gestärkt und ernährt. - Seit dem griech.-röm. Altertum ist das H. am stärksten mit dem Gefühlsleben, insbes. mit der Liebe, verbunden, was auch in der Symbolsprache häufigen Ausdruck findet. - Abb. S. 10f.
📖 *Schweizer, W.: Einf. in die Kardiologie. Bern* ²*1979. - Das H. des Menschen. Hg. v. W. Bargmann u. W. Doerr. Stg. 1963. 2 Bde. - Puff, A.: Der funktionelle Bau der H.kammern. Stg. 1960.*

Herzautomatismus (Herzautomatie, Herzautonomie, Herzautorhythmie), Fähigkeit des Herzens, eigenständig rhythm. tätig zu sein. Die Erregung der Herzmuskelfasern wird in einem *Automatiezentrum* des Herzens selbst gebildet. Sie breitet sich von dort über das gesamte Herz aus *(Herzerregungsleitungssystem)*. Der H. kann auf Erregung nervöser Strukturen des Herzens (**neurogener Herzautomatismus**; bei Manteltieren, Krebsen, Insekten) oder spezif. Muskelzellen (**myogener Herzautomatismus**; bei Weichtieren und Wirbeltieren, einschließl. Mensch) beruhen. - Beim Menschen liegt im Sinus venosus, d. h. in der Wand des oberen Hohlvene, als primäres Automatiezentrum der **Sinusknoten** (primäres Erregungszentrum, primärer Herzschrittmacher, *Keith-Flack-Knoten*), der die Kontraktion der Vorkammern bewirkt. Über die Muskulatur der Vorkammerwand wird die Erregung mit einer zeitl. Verzögerung auf ein zweites, sekundäres Automatiezentrum in der Ebene der Segelklappen, den **Atrioventrikularknoten** (*Vorhofknoten, Aschoff-Tawara-Knoten*, sekundäres Erregungszentrum, sekundärer Herzschrittmacher), übertragen und von dort (bevor der Vorhofknoten eine eigene Erregung bilden kann) über das spezif. erregungsleitende Gewebe des *His-Bündels* und der *Purkinje-Fasern* auf die gesamte Kammermuskulatur weitergeleitet und löst damit deren Kontraktion aus. Taktgeber für die Schlagfrequenz des Herzens ist der Sinusknoten. Bei seinem Ausfall übernimmt der Atrioventrikularknoten dessen Funktion (jedoch mit nur etwa 40-50 Kontraktionen pro Minute). Das Zentralnervensystem kann über vegetative Nervenverbindungen *(Herznerven)* die Tätigkeit des Herzens beeinflussen: Der 10. Gehirnnerv vermindert, Äste des sympath. Nervensystems steigern die Schlagfrequenz.

Herzbeutel ↑ Herz.
Herzblatt (Parnassia), Gatt. der Steinbrechgewächse mit rd. 50 Arten in den kühleren Bereichen der Nordhalbkugel; Stauden mit eiförmigen oder längl. Blättern und großen Blüten an einem mit einem Blatt besetzten

Herzfrequenz

Blütenschaft. In Deutschland kommt nur das **Sumpfherzblatt** (Studentenröschen, Parnassia palustris) vor; 15–25 cm hohe Staude mit langgestielten, herzförmigen Grundblättern und nur einem herzförmigen, stengelumfassenden Stengelblatt.

Herzfrequenz, Anzahl der Herzschläge pro Minute, die mit der Pulsfrequenz übereinstimmt. Die H. ist in erster Linie vom Alter, von der körperl. und seel. Belastung sowie von der Körpertemperatur abhängig.

Mensch: Embryo im 5. Monat	155
Neugeborenes	135
zehnjähriges Kind	90
fünfzehnjähriges Kind	82
Erwachsener: normal	60–80
bei höchster sportl. Leistung:	
untrainiert	bis 170
trainiert	bis 240
Pferd: Fohlen	34–54
Hengst	28–40
nach Renngalopp	90–100
Rind: Kalb	80–100
Kuh	50–80
Bulle und Ochse	36–60
Schwein: Ferkel	80–140
Sau	60–80
Schaf: Lamm	80–100
Hammel	70–80
Hund	100–130
Katze	110–140
Ratte	260–600
Hausmaus	320–780
Elefant	22–53
Murmeltier: im Sommer	bis 200
während des Winterschlafs	4–10
Huhn	170–460
Sperling	400–850
Stieglitz	bis 925
Kolibri	bis 1 000
Zauneidechse (im Sommer)	60–66
Ringelnatter (im Sommer)	23–41
Sumpfschildkröte (im Sommer)	16–36
Frosch (im Sommer)	30–50
Karpfen	40–78
Aal	10–16
Ligusterschwärmer: Raupe	bis 82
kurz vor Verpuppung	etwa 39
Imago in Ruhe	40–50
Imago bei Aktivität	110–140
Manteltiere	26–140

Mittlere Herzfrequenzen (Herzschläge pro Minute) bei verschiedenen Lebewesen

Herzgespann (Leonurus), Gatt. der Lippenblütler mit neun Arten in W-Europa bis Z-Asien. In Deutschland kommen die beiden Arten **Echtes Herzgespann** (Löwenschwanz, Leonurus cardiaca) mit handförmig zerteilten, beiderseits weichhaarigen Blättern und rötl. Blüten in dichten Scheinquirlen sowie **Filziges Herzgespann** (Katzenschwanz, Leonurus marrubiastrum) mit gezähnten, unterseits graufilzigen Blättern und bleichrosa Blüten vor.

Herzglykoside ↑Digitalisglykoside.
Herzkirsche ↑Süßkirsche.
Herzklappen ↑Herz.
Herzkranzgefäße ↑Herz.
Herzkresse, svw. ↑Pfeilkresse.
Herzmuscheln (Cardiidae), Fam. mariner, nahezu weltweit verbreiteter Muscheln (Ordnung Blattkiemer) mit symmetr., rundl. herzförmigen, radial gerippten Schalen und langem, dünnem, einknickbarem Fuß, der ruckartig geradegestreckt werden kann und die H. zu Sprüngen bis über 50 cm befähigt. Gegessen werden v. a. die Arten der Gatt. Cardium mit der **Eßbaren Herzmuschel** (Cardium edule) im O-Atlantik (einschließl. Nord- und Ostsee), Mittelmeer, Schwarzem Meer, Kaspischen Meer und Aralsee; Schalenlänge etwa 3–5 cm, weißl. bis gelblich.
Herzschlag, der Schlagrhythmus des Herzens.
Herzschrittmacher (physiolog. H., natürl. H.), derjenige Teil des Herzens, von dem die elektr. Erregung für jeden Herzschlag ausgeht (↑Herzautomatismus).
Herzseeigel ↑Seeigel.
Herzspitzenstoß ↑Herzstoß.
Herzstoß (Ictus cordis), sichtbare und fühlbare Erschütterung der Brustwand durch die Herztätigkeit, am deutlichsten wahrnehmbar im vierten bis fünften Zwischenrippenraum links, wo die Herzspitze bei jeder Systole die Brustwand berührt (**Herzspitzenstoß**).
Herztöne, vom Herzen bei normaler Herztätigkeit ausgehende Schallerscheinungen (im physikal. Sinne Geräusche), die durch Vibrationen der sich schließenden Herzklappen, des tätigen Herzmuskels (samt Inhalt) und der großen herznahen Gefäße zustande kommen.
Hess, Walter [Rudolf], * Frauenfeld (Kt. Thurgau) 17. März 1881, † Muralto (Kt. Tessin) 12. Aug. 1973, schweizer. Neurophysiologe. - Prof. in Zürich; Forschungen v. a. über die Funktion des Nervensystems (seit 1925), die grundlegend waren für die experimentelle Verhaltensforschung und darüber hinaus auch für die Medizin große Bed. erlangten (insbes. die Gehirnchirurgie und Psychopharmakologie). Von H. stammt die Methode der lokalisierten elektr. Gehirnreizung (Einführung von Reizelektroden in das Gehirn zur Untersuchung verschiedener Gehirnbezirke). Er entdeckte ferner die Bed. des Zwischenhirns als Organ der Steuerung bzw. Koordination vegetativer Funktionen. Für diese Entdeckung erhielt er 1949 (zus. mit H. E. Moniz) den Nobelpreis für Physiologie oder Medizin.
Hessenfliege [nach der irrtüml. Meinung, sie sei während des Unabhängigkeits-

kriegs von hess. Soldaten nach N-Amerika eingeschleppt worden] ↑ Gallmücken.

heteroblastische Entwicklung [griech./dt.], die unterschiedl. Ausgestaltung pflanzl. Organe im Verlauf der Entwicklung einer Pflanze, so daß Jugend- und Folgeformen unterschieden werden können.

Heterochromatin ↑ Euchromatin.

heterodont [griech.] (anisodont), in der Zoologie für: verschiedenzähnig; 1. von einem Gebiß, dessen Zähne unterschiedl. gestaltet sind (z. B. Schneide-, Eck-, Backenzähne bei fast allen Säugetieren); Ggs. homodont; 2. vom Schalenschloß bei bestimmten Muscheln (Heterodonta), das mehrere ungleich gestaltete, zahnartige Fortsätze trägt; Ggs. isodont.

heterogametisch [griech.] (digametisch), unterschiedl. Gameten bildend; für das Geschlecht (bei Säugetieren und bei Menschen das ♂), das zweierlei Gameten ausbildet, solche mit dem X- und andere mit dem Y-(bzw. 0-)Chromosom, das also die XY-Chromosomenkombination in seinen Körperzellen aufweist. Das entsprechend andere Geschlecht, bei dem gleichartige Keimzellen entstehen, ist bzw. heißt **homogametisch**.

Heterogamie [griech.], (Anisogamie) Befruchtungsvorgang zw. morpholog. und/oder verhaltensmäßig unterschiedl. Gameten (↑ Befruchtung). - Ggs. Isogamie.

Heterogonie [griech.] (zykl. Jungfernzeugung), Wechsel zw. einer oder mehreren durch Jungfernzeugung entstandenen Generationen und einer oder mehreren bisexuellen Generationen; z. B. bei Blattläusen.

Heterolyse [griech.], Auflösung, Zerstörung bzw. Abbau von Zellen oder organ. Stoffen (bes. Eiweiß) durch körperfremde Stoffe oder organfremde Enzyme.

heteronom [griech.], ungleichwertig; von der Gliederung des Körpers bei Tieren (z. B. Insekten), deren einzelne Körperabschnitte (Körpersegmente) unterschiedl. gebaut und daher ungleichwertig sind. - Ggs. homonom.

Heterophyllie [griech.], das Vorkommen unterschiedl. gestalteter Laubblätter an einer Pflanze. - ↑ Anisophyllie, ↑ Isophyllie.

heteroplasmonisch [griech.], aus der Kombination genet. unterschiedl. ↑ Plasmone hervorgegangen; von Zellen oder Lebewesen gesagt.

Heteropoda [griech.], svw. ↑ Kielschnecken.

Heteroptera [griech.], svw. ↑ Wanzen.

Heterosis (Bastardwüchsigkeit), durch Kreuzung verursachtes gesteigertes Wachstum (Luxurieren), das in der ersten Bastardgeneration auftritt und später wieder abklingt. Der H.effekt wird bei der ↑ Hybridzüchtung angewendet.

Heterosomen [griech.] ↑ Chromosomen.

Heterosporen, der Größe und dem Geschlecht nach ungleich differenzierte Sporen (meist als Mikro- und Makrosporen); z. B. bei Farnen.

Heterostraken (Heterostraci) [griech.], ausgestorbene Überordnung fischähnl. Wirbeltiere (Gruppe Kieferlose) mit rd. 20 bekannten Gatt. vom Unteren Silur bis zum Oberen Devon; älteste bekannte Wirbeltiere mit meist 10-25 cm langem Körper und großem, durch Skelettplatten gepanzertem Kopf und Vorderkörper; übriger Körper beschuppt; Schwanzflosse unsymmetr. ausgebildet.

Heterostylie [griech.], Bez. für das Auftreten von zwei oder drei Blütentypen innerhalb einer Pflanzenart, die sich durch Blüten mit unterschiedl. Griffellänge und Ansatzhöhe der Staubbeutel unterscheiden (erzwingen eine ↑ Fremdbestäubung), z. B. bei der Frühlingsschlüsselblume.

heterotroph (diatroph), in der Ernährung ganz oder teilweise auf die Körpersubstanz oder die Stoffwechselprodukte anderer Organismen angewiesen; bei vielen Lebewesen, z. B. allen Tieren sowie einigen höheren Pflanzen und der Mehrzahl der Pilze und Bakterien; Ggs. ↑ autotroph. - ↑ auch allotroph, ↑ auxotroph.

heterozerk [griech.], eine unsymmetr. ausgebildete Schwanzflosse aufweisend; bei Fischen (z. B. Haie, Störe, Löffelstöre). - ↑ auch amphizerk.

Heterözie [griech.], obligater Wirtswechsel bei vielen parasit. Pilzen (v. a. Rostpilzen); haploide und dikaryot. Phase kommen auf verschiedenen Wirtspflanzen zur Entwicklung.

Heterozygotie [griech.] (Mischerbigkeit, Ungleicherbigkeit), die Erscheinung, daß ein diploides oder polyploides Lebewesen in bezug auf wenigstens ein Merkmal ungleiche Anlagen besitzt bzw. daß eine befruchtete Eizelle (Zygote) oder ein daraus hervorgegangenes Lebewesen und dessen Körperzellen aus der Vereinigung zweier Keimzellen entstanden sind, deren homologe Chromosomen in bezug auf die Art der sich entsprechenden Gene bzw. Allele oder in bezug auf die Zahl

Heufalter.
Großer Heufalter

Heubazillus

oder Anordnung der Gene Unterschiede aufweisen. - Ggs. ↑ Homozygotie.

Heubazillus [dt./spätlat.] (Bacillus subtilis), überall im Boden und auf sich zersetzendem Pflanzenmaterial verbreitete, aerobe, meist begeißelte, stäbchenförmige Bakterienart, die auf Heuaufgüssen dünne Kahmhäute bildet. Der H. wird industriell zur Produktion von Proteasen und Amylasen sowie in der Genmanipulation als Wirt für Virusgene verwendet.

Heufalter, Sammelbez. für meist kleinere, gelbl. bis bräunl., bes. Wiesenblumen besuchende Tagschmetterlinge (bes. Weißlinge, Augenfalter); z. B. **Großer Heufalter** (Coenonympha tullia; mit kleinen Augenflecken auf braungelben Flügeln), **Kleiner Heufalter** (Coenonympha pamphilus; mit oberseits ockergelben Flügeln und nur einem Augenfleck an der Vorderflügelspitze) und ↑ Gelblinge. - Abb. S. 15.

Heupferd ↑ Laubheuschrecken.

Heuschrecken [eigtl. „Heuspringer" (zu schrecken in der älteren Bed. „springen")] (Springschrecken, Schrecken, Saltatoria), mit über 10 000 Arten weltweit verbreitete Ordnung etwa 0,2–25 cm langer Insekten (davon über 80 Arten in M-Europa); meist pflanzenfressende Tiere mit beißenden Mundwerkzeugen, borsten- bis fadenförmigen Fühlern und häutigen Flügeln; Hinterbeine meist zu Sprungbeinen umgebildet. - H. erzeugen zum Auffinden des Geschlechtspartners mit Hilfe von ↑ Stridulationsorganen Zirplaute, die von bes. Gehörorganen (↑ Tympanalorganen) wahrgenommen werden. Man unterscheidet ↑ Feldheuschrecken (mit den als Pflanzenschädlingen bekannten ↑ Wanderheuschrecken), ↑ Laubheuschrecken, ↑ Grillen.

Heuschreckenkrebse (Fangschreckenkrebse, Maulfüßer, Maulfußkrebse, Squillidae), Fam. bis 33 cm langer Höherer Krebse mit rd. 400 Arten in allen Meeren; die ersten fünf Thoraxbeinpaare dienen dem Beutefang und der Nahrungsaufnahme (zweites Paar zu mächtigen Greifbeinen entwickelt.

Hexakorallen (Sechsstrahlige Korallen, Hexacorallia), Unterklasse der Blumentiere mit rd. 4 000 Arten; einzeln lebend oder koloniebildend, oft sehr bunt gefärbt. Man unterscheidet fünf Ordnungen: Seerosen, Steinkorallen, Dörnchenkorallen, Zylinderrosen, Krustenanemonen.

Hexapoda [griech.], svw. ↑ Insekten.

Hexenbesen (Donnerbüsche), besenoder nestartige Mißbildungen, meist an Ästen zahlr. Laub- und Nadelbäume. Erreger sind meist Schlauchpilze aus der Gatt. Taphrina. Durch die Infektion wird ein Massenaustreiben von schlafenden oder zusätzl. gebildeten Knospen während der gesamten Vegetationsperiode ausgelöst.

Hexenei, Bez. für den jungen Fruchtkörper versch. ↑ Bauchpilze.

Hexenkraut (Circaea), Gatt. der Nachtkerzengewächse mit sieben Arten in den gemäßigten Gebieten der Nordhalbkugel; Stauden mit wechselständigen Blättern und kleinen, weißen Blüten in Trauben. In Deutschland kommen das **Gemeine Hexenkraut** (Circaea lutetiana) in feuchten Laub- und Mischwäldern der tieferen Lagen sowie das **Alpenhexenkraut** (Circaea alpina) in höheren Mittelgebirgen und den Alpen vor.

Hexenring, volkstüml. Bez. für die kreisförmige Anordnung der Fruchtkörper bei einigen Ständerpilzarten (z. B. beim Champignon). Das von der Spore im Boden auswachsende Myzel breitet sich zunächst nach allen Seiten aus. Die älteren inneren Teile des Myzels sterben aus Nahrungsmangel bald ab, an der Peripherie wächst das Myzel jedoch weiter und bildet Fruchtkörper.

Hexenröhrling, Bez. für zwei Arten der Röhrlinge: **Flockenstieliger Hexenröhrling** (Schusterpilz, Donnerschwamm, Donnerpilz, Boletus erythropus), großer, dunkelfarbener Pilz mit breitem, schwarzbraunem Hut; Röhren grüngelb bis rotgelb, Stiel geschuppt. **Netzstieliger Hexenröhrling** (Boletus luridus) mit olivgelbem bis bräunl. Hut; Röhren gelb bis gelbgrün; Stiel mit maschenförmigem Adernetz. Beide Arten sind roh giftig.

Heymans, Cornelius (Corneille) [Jean François] [niederl. 'hɛjmans], * Gent 28. März 1892, † Knocke-le-Zout (Westflandern) 18. Juli 1968, belg. Physiologe. - Prof. in Gent, gleichzeitig Direktor des nach ihm benannten Heymans-Instituts für Pharmakologie; arbeitete hauptsächl. über die Atmungs- und Kreislaufregulation. Für die Forschungen über die Pressorezeptoren (Blutdruckzügler) des Karotissinus erhielt er 1938 den Nobelpreis für Physiologie oder Medizin.

Hibernakeln [zu lat. hibernaculum „Winterquartier"] (Turionen), Überwinterungsknospen bei Wasserpflanzen, dienen der ungeschlechtl. Fortpflanzung; überwintern am Boden der Gewässer und steigen erst im Frühjahr wieder an die Wasseroberfläche, wo sie dann zu neuen Pflanzen austreiben.

Hibiscus [lat.] ↑ Eibisch.

Hickory [engl. 'hɪkərɪ] ↑ Hickorybaum.

Hickorybaum [...ri] (Hickorynußbaum, Carya), Gatt. der Walnußgewächse mit rd. 25 Arten im östl. N-Amerika und China; meist 20–30 m hohe Bäume mit gefiederten Blättern, einhäusigen Blüten und glattschaligen Nüssen, deren Außenschale sich mit vier Klappen öffnet. Alle Arten liefern ein wertvolles, hartes, elast. Holz (**Hickory**). Einige Arten haben auch wegen der eßbaren Nüsse Bed., v. a. der **Pekannußbaum** (Carya illinoensis), dessen Nüsse, süßschmeckende Samen als Pekannüsse bezeichnet werden, und der **Schuppenrindenhickory** (Carya ovata), dessen hellgraue Rinde in langen Streifen mit beiden Enden bis 50 cm weit vom Stamm abstehen.

Hirschkäfer

Hill [engl. hıl], Archibald [Vivian], *Bristol 26. Sept. 1886, † Cambridge 3. Juni 1977, brit. Physiologe. - Prof. in Manchester und London; erhielt für seine Untersuchungen der energet. Vorgänge bei der Muskelzusammenziehung 1922 gemeinsam mit O. F. Meyerhof den Nobelpreis für Physiologie oder Medizin.
Hilum [lat. „kleines Ding"] (Nabel), in der Botanik Bez. für die Stelle, an der die Samenanlage dem Samenstiel (Funiculus) ansitzt.
Hilus [zu lat. hilum „kleines Ding"], kleine Einbuchtung oder Vertiefung an einem Organ als Aus- oder Eintrittstelle für Gefäße, Nerven oder röhrenartige Bildungen (wie Bronchien, Harnleiter).
Himalajaglanzfasan ↑ Fasanen.
Himbeere [zu althochdt. hintperi „Hirschkuhbeere"] (Rubus idaeus), in Europa, N-Amerika und Sibirien heim. Art der Gatt. Rubus; meist an frischen, feuchten Waldstellen und in Kahlschlägen; halbstrauchige, vorwiegend durch Wurzelschößlinge sich vermehrende Pflanze; Sprosse bestachelt, rötl., 1–2 m hoch; Blätter gefiedert; Blüten klein, weiß, in trauben- bis rispenförmigen Blütenständen; Frucht (**Himbeere**) eine beerenartige Sammelsteinfrucht auf verlängerter, weißer Blütenachse, rot (bei Gartenformen auch weiß oder gelb). Die H. wird seit der Jungsteinzeit gesammelt und seit dem MA in vielen Sorten kultiviert. Die Früchte dienen zur Herstellung von Marmeladen und Säften oder werden als Obst frisch gegessen.
Himbeerkäfer (Blütenfresser, Byturidae), Fam. kleiner, gelber bis brauner, bes. an Blüten der Himbeere und Brombeere fressender Käfer mit rd. 20 Arten, v. a. in Eurasien, N- und S-Amerika; in M-Europa nur zwei Arten, darunter am häufigsten **Byturus tomentosus**: 3–4 mm lang; Larven fressen in den Früchten der Himbeere (**Himbeermaden, Himbeerwürmer**).
Himmelsgucker (Uranoscopidae), Fam. der Barschartigen mit rd. 25 Arten, v. a. in den Küstenregionen trop. und subtrop. Meere; plumpe Grundfische mit massigem Kopf, weit nach oben gerückten Augen und großem Maul; graben sich bis auf die Augen in den Sand ein, um auf Beutetiere zu lauern. Im Mittelmeer und Schwarzen Meer kommt der bis 25 cm lange **Sternseher** (Gemeiner H., Meerpfaff, Uranoscopus scoper) vor; Körper braun mit hellen Flecken, nach hinten verschmälert.
Himmelsherold (Eritrichum), Gatt. der Rauhblattgewächse mit rd. 30 Arten, v. a. in den Hochgebirgen Asiens und Amerikas. In Europa kommt nur die Art **Eritrichum nanum** auf Urgestein der Alpen und Karpaten sowie des Kaukasus zw. 2 500 m und 3 000 m Höhe vor: 2–5 cm hohe Polsterstaude mit vergißmeinnichtähnl. azur- oder himmelblauen Blüten.

Himmelsleiter ↑ Jakobsleiter.
Himmelsschlüssel, svw. ↑ Primel.
Hinterbacken, svw. ↑ Gesäß.
Hinterhauptsbein ↑ Schädel.
Hinterhauptshöcker ↑ Schädel.
Hinterhauptsloch, Öffnung im Hinterhauptsbein († Schädel).
Hinterkiemer (Opisthobranchia), Überordnung der Schnecken mit rd. 13 000 marinen Arten (v. a. in Küstenregionen); Herz mit nur einer Vorkammer, dahinter rechtsseitig die Kieme; Schale meist dünn, oft fehlend; einige Arten mit zweiklappigem, muschelartigem Gehäuse (z. B. Zweischalenschnecken), andere Arten mit buntem Weichkörper.
Hinterlauf, Bez. für die Hinterbeine beim Haarwild, beim Haushund und bei der Hauskatze.
Hinterleib ↑ Abdomen.
Hipparion [griech. „Pferdchen"], ausgestorbene, bes. aus dem Pliozän bekannte Gatt. etwa zebragroßer Pferde.
Hirn... ↑ auch Gehirn...
Hirnanhangsdrüse, svw. ↑ Hypophyse.
Hirnhäute ↑ Gehirnhäute.
Hirnnerven ↑ Gehirn.
Hirnschädel ↑ Schädel.
Hirnstamm ↑ Gehirn.
Hirschantilope ↑ Riedböcke.
Hirsche (Cervidae), mit rd. 40 Arten weltweit verbreitete Fam. etwa 0,8 bis 3 m körperlanger und 0,3–1,5 m körperhoher Paarhufer; mit langer Schnauze und oft verkümmerten oder völlig reduzierten Eckzähnen (Ausnahme: Moschustiere, Muntjakhirsche, Wasserreh, bei denen sie hauerartig entwickelt sind); ♂♂ (nur beim Ren auch ♀♀) mit Geweih (bei Moschustieren und Wasserreh fehlend). - Während der Paarungszeit kommt es unter den ♂♂ oft zu Kämpfen um die ♀♀. Die Jungtiere sind meist hell gefleckt. - Neben den schon erwähnten Gruppen und Arten gehören zu den H. v. a. noch die ↑ Trughirsche (u. a. mit Reh, Elch, Ren) und die Echthirsche (u. a. mit Rothirsch und Damhirsch).
Geschichte: Die ältesten Abbildungen von H. sind auf jungpaläolith. Felsbildern in Höhlen S-Frankr. und N-Spaniens zu finden. Im alten Griechenland waren H. heilige Tiere der Göttin Artemis. Sie wurden auf Vasen, Reliefs und Münzen abgebildet. Die röm. Jagdgöttin Diana ist häufig zus. mit H. dargestellt.
Hirschkäfer [so benannt wegen des geweihförmigen Oberkiefers] (Schröter, Lucanidae), mit rd. 1 100 Arten weltweit verbreitete Fam. 0,5–10 cm großer Blatthornkäfer (in M-Europa sieben Arten); Oberkiefer der ♂♂ häufig zu geweihartigen Zangen vergrößert, mit denen sie Kämpfe um die ♀ austragen. In M-Europa kommt neben dem ↑ Balkenschröter bes. der **Euras. Hirschkäfer** (*Feuerschröter, Hornschröter*, Lucanus cervus) vor: matt schwarzbraun; mit 4 (♀) bis

17

Hirschkolbensumach

8 (♂) cm an Länge größter europ. Käfer; benötigt bis zur Verpuppung fünf bis acht Jahre.

Hirschkolbensumach ↑Sumach.

Hirschtrüffel (Hirschbrunst, Elaphomyces cervinus), kugeliger trüffelähnl. Schlauchpilz mit unterird. wachsendem, gelbbraunem, ungenießbarem, hartem Fruchtkörper; wird von Wildschweinen, Rehen und Hirschen ausgegraben und gefressen. Früher wurde die H. als Brunstmittel für Rinder und Schweine verwendet.

Hirschziegenantilope ↑Springantilopen.

Hirschzunge (Phyllitis scolopendrium), seltene, geschützte Farnart aus der Fam. der Tüpfelfarngewächse mit 15–60 cm langen, immergrünen, in Rosetten angeordneten Blättern; auf feuchtem schattigem Kalkgestein in den Mittelgebirgen und Kalkalpen.

Hirse (Panicum), Gatt. der Süßgräser mit rd. 500 Arten, v. a. in den wärmeren Gebieten der Erde; einjährige oder ausdauernde Gräser mit ährenartiger Rispe; Ährchen flach; Frucht von den beiden Blütenspelzblättern völlig eingehüllt. Die wichtigste Art ist die als Getreide verwendete **Echte Hirse** (Rispen-H., Dt. H., Panicum miliaceum), eine 0,5–1 m hohe, einjährige Pflanze mit behaarten, lanzettförmigen Blättern; Ährchen zweiblütig, in bis 20 cm langer, locker überhängender (Flatter-H.) oder aufrecht kompakter (Dick-H.) Rispe. – Die Früchte der H.arten sind fast runde Körner von hohem Nährwert (10 % Eiweiß, 4 % Fett, hoher Gehalt an Vitamin B_1 und B_2). Sie werden zur Bereitung von Brei und brotartigen Fladen, ferner zur Herstellung von Bier und Branntwein verwendet. Die Hauptanbaugebiete liegen in Z-Asien, O-Asien, Indien und in den Donauländern.

Geschichte: Heimat der Echten H. ist wahrscheinl. Ostasien. Die Echte H. wurde in prähistor. Zeit in China, Indien und Kleinasien angebaut und war in Griechenland seit der minoisch-myken. Zeit Brot- und Breigetreide.

Hirschkäfer. Kämpfende Männchen des Eurasischen Hirschkäfers

Hirtenhunde, Gruppe großer, starkknochiger Hunde, die urspr. zum Schutz der Herden eingesetzt wurden. Zu den H. zählt man: Pyrenäenhund, Kuvasz und Komondor.

Hirtentäschelkraut (Capsella, Hirtentäschel), Gatt. der Kreuzblütler mit fünf weltweit verbreiteten Arten; niedrige, ein- bis zweijährige Kräuter mit weißen Blüten und dreieckigen, verkehrt-herzförmigen Schotenfrüchten. Bekannt als Unkraut auf Äckern und an Wegrändern ist das **Gemeine Hirtentäschelkraut** (Echtes H., Capsella bursa-pastoris).

Hirudin [lat.], in den Speicheldrüsen von Blutegeln gebildeter Eiweißkörper, der die Blutgerinnung hemmt.

Histamin [Kw.] (2-(4-Imidazolyl)-äthylamin), ein biogenes Amin, das durch Decarboxylierung von ↑Histidin entsteht. H. ist ein Gewebshormon, das bes. reichl. in den Gewebsmastzellen der Haut, Muskulatur und Lunge gespeichert ist. Es bewirkt eine rasche Kontraktion bestimmter glatter Muskeln (Gebärmutter, Bronchien), eine Erweiterung der Blutgefäße der Haut und eine Erhöhung der Kapillardurchlässigkeit; außerdem regt H. die Magensaftsekretion und Darmperistaltik an. Eine vermehrte H.ausschüttung erfolgt bei allerg. Reaktionen, bei [Sonnen]bestrahlung, Verbrennungen und anderen Gewebszerstörungen; es kommt zu lokal stark vermehrter Durchblutung, die sich auf der Haut durch intensive Rötung bemerkbar macht. Im Gewebe wird H. durch Enzyme schnell unwirksam gemacht; Substanzen (Antihistaminika), welche die Wirkung des H. hemmen, haben therapeut. Bedeutung.

Echte Hirse

Höckerschmuckschildkröten

Histidin [griech.] (2-Amino-3-(4-imidozolyl)-propionsäure), als Baustein vieler Proteine vorkommende essentielle Aminosäure; sie spielt als Protonendonator und -akzeptor in den aktiven Zentren von Enzymen und für die Bindung von Hämen in Hämoproteinen eine wichtige Rolle. Durch Decarboxylierung entsteht aus H. das biogene Amin ↑Histamin.

Histiozyten [griech.] ↑Wanderzellen.

Histogenese [griech.] (Gewebsentwicklung), Prozeß der Ausdifferenzierung der verschiedenen Gewebearten im Verlauf der Embryonalentwicklung.

Histologie [zu griech. histós „Gewebe"] (Gewebelehre), Teilgebiet der Biologie und Medizin, das mit Mikroskop. und elektronenmikroskop. Feinbau und spezielle Funktionen menschl., tier. und pflanzl. Gewebe erforscht.

Histolyse [griech.] (Gewebszerfall), Auflösung von Geweben oder Gewebeteilen des lebenden Organismus (oder nach Eintritt des Todes) durch schädigende Einwirkungen enzymat. oder bakterieller Prozesse.

Histone [griech.], Gruppe von bas. Proteinen, die in den Zellkernen der Zellen von Eukaryonten als Bestandteile des Chromatins salzartig an die DNS gebunden sind; werden gleichzeitig mit der DNS-Replikation synthetisiert und an die neusynthetisierte DNS gebunden. Vielfach wird den H. eine Funktion bei der Regulation der Genaktivität zugesprochen.

Hitze, die Brunst bei der Hündin.

Hitzeresistenz, die Fähigkeit eines Organismus, hohe Temperaturen ohne bleibende Schäden zu ertragen. Die obere Temperaturgrenze für Pflanzen und Tiere auch heißer Biotope liegt im allg. bei ungefähr 50 °C, in Ausnahmefällen höher, z. B. 59 °C für die Dattelpalme, bei 62 °C für den in feuchtem Heu wachsenden Pilz Thermoascus aurantiacus. Trockene Samen überleben z. T. Temperaturen bis 120 °C.
Bei Insekten und manchen Pflanzen wurden Hitzeschockproteine entdeckt, deren Funktion noch nicht geklärt ist. Unter den Mikroorganismen, v. a. den Archaebakterien mariner und kontinentaler Vulkangebiete, finden sich Arten, die sehr viel höhere Temperaturen nicht nur tolerieren, sondern für ihre Lebenstätigkeit sogar benötigen. Dabei ist die H. häufig mit Säuretoleranz (extrem niedrige pH-Werte) verbunden.

Hochblätter, Hemmungs- und Umbildungsformen der Laubblätter höherer Pflanzen im oberen Sproßbereich. H. sind häufig mit den Laubblättern durch Übergangsformen verbunden und gegen die Sproßspitze zu durch Formvereinfachung und abnehmende Größe gekennzeichnet. Typ. Ausbildungsformen der H. sind die ↑Brakteen, Blütenscheiden (z. B. beim Aronstab) und blütenblattähnl. Organe im Blütenbereich (z. B. beim Weihnachtsstern).

Hochstaudenflur (Karflur), in Hochgebirgen auf fruchtbaren, feuchten Böden wachsende, üppige Kräuterflur. Charakterist. für die H. der Alpen sind z. B. Eisenhut- und Alpendostarten, Weißer Germer sowie verschiedene Arten des Frauenmantels.

Hochzeitsflug, Bez. für den Begattungsflug staatenbildender Insekten (Bienen, Ameisen, Termiten).

Hochzeitskleid (Brutkleid, Prachtkleid), Bez. für die Gesamtheit aller durch Hormone gesteuerten auffälligen Bildungen der Körperdecke (z. B. bunte Federn oder Flossen; Hautkämme bei Molchen), wie sie bei den ♂♂ vieler Wirbeltierarten (bes. Fische, Amphibien, Vögel) zur Anlockung von ♀♀ auftreten.

Höckergans ↑Gänse.

Höckerschmuckschildkröten (Höckerschildkröten, Graptemys), Gattung der Sumpfschildkröten mit 6 Arten in N-Amerika; Panzerlänge etwa 15–30 cm, mittlere Rückenschilder mit höckerartigen Erhebungen; Panzer und Weichteile mit oft sehr kontrastreicher

Hoden und Nebenhoden des Menschen.
aS ausführende Samenkanälchen (Ductuli efferentes testis; ihre dichten Knäuel bilden die Nebenhodenläppchen, Lobuli epididymidis, H Hoden, Hk Hodenkanälchen, Hl Hodenläppchen (Lobuli testis), Hs Hodensepten (Septula testis), N Nebenhoden, Ng Nebenhodengang (Ductus epididymidis), R Rete testis, S Samenleiter (Ductus deferens)

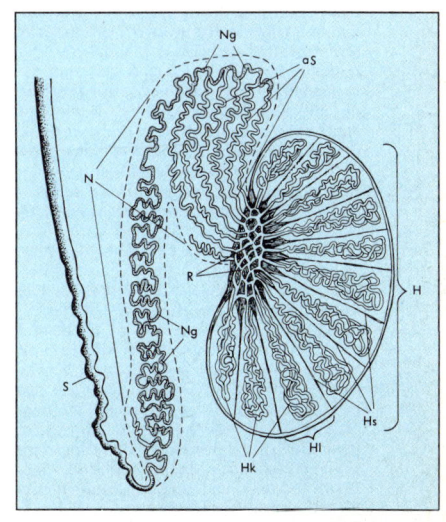

Höckerschwan

Linien- und Fleckenzeichnung; beliebte Terrarientiere, z. B. die **Landkartenschildkröte** (Graptemys geographica).

Höckerschwan ↑Schwäne.

Hoden [zu althochdt. hodo, eigtl. „das Umhüllende"] (Testis, Didymus, Orchis), männl. Keimdrüse bei Tieren und beim Menschen, die die ♂ Geschlechtszellen (Spermien) produziert und bei Wirbeltieren und Insekten Bildungsort von Hormonen ist. H. treten erstmals bei den Nesseltieren auf. Während bei den einfacheren Organismen die H. in Lage, Zahl und Form stark variieren, sind sie von den Gliedertieren an im allg. paarig ausgebildet und auf wenige Körperabschnitte oder einen bestimmten Ort innerhalb des Hinterleibs beschränkt. Bei den Insekten bestehen die H. je aus mehreren Samenschläuchen (*H.follikel*) auf jeder Körperseite, die in einen gemeinsamen *Samenleiter* (Vas deferens) einmünden. Der urspr. paarig angelegte H. der Weichtiere ist bei den Schnecken und Tintenfischen unpaar geworden. Er ist bei den zwittrigen Schnecken mit der ♀ Keimdrüse zur *Zwitterdrüse* vereinigt.

Bei den *Wirbeltieren* entsteht der H. dorsal in der Leibeshöhle hängend, in einer Falte des Bauchfells neben der Urnierenanlage. Es kommt zu einer Verbindung (*Urogenitalverbindung*) mit der Urniere oder dem Urnierengang. Die in der H.anlage entstehenden Keimstränge formen sich bei den höheren Wirbeltieren (einschließl. Mensch) zu gewundenen *Samenkanälchen* (*H.kanälchen*, Tubuli [seminiferi] contorti) um, deren Wand außer den Samenbildungszellen auch noch Nährzellen (*Sertoli-Zellen*) enthält. Im Bindegewebe zw. den Ampullen bzw. Kanälchen sind die *Leydig-Zwischenzellen* eingelagert, die Speicherfunktion haben und Androgene produzieren. Die Ausführgänge der H. (*Vasa efferentia, Ductuli efferentes*) vereinigen sich zum *Samenleiter* (*Vas deferens, Ductus deferens*; häufig mit Samenblase), der zw. After und Harnröhre, in die Harnblase, die Harnröhre, den After oder in die Kloake münden kann. Bei den meisten Wirbeltieren verbleibt der H. zeitlebens in der Bauchhöhle. Bei den meisten Säugetieren jedoch verlagert er sich nach hinten und wandert (*Descensus testis*) über den Leistenkanal aus der Leibeshöhle in den ↑Hodensack, wo er entweder dauernd verbleibt (z. B. bei Beuteltieren, Wiederkäuern, Pferden, vielen Raubtieren und den Herrentieren, einschließl. Mensch) oder aus dem er zw. den Fortpflanzungsperioden wieder in die Bauchhöhle zurückgezogen wird (z. B. bei vielen Nagetieren und Flattertieren). Bei den meisten Wirbeltieren kommt es noch zur Ausbildung eines ↑Nebenhodens.

Beim *Menschen* haben die beiden eiförmigen H. des erwachsenen Mannes die Größe einer kleinen Pflaume und sind von einer starken Bindegewebskapsel umschlossen, die in einem serösen Gleitspalt liegt. Weitere Hüllen schließen auch den dem H. hinten anliegenden Nebenhoden ein. Eine dieser Hüllen vermag als quergestreifter Muskel (*Musculus cremaster, Kremaster*) bei Berührung des Oberschenkels den Hodensack reflektor. anzuheben. Vor der Geschlechtsreife ist das Innere des H. durch Scheidewände in etwa 250 pyramidenförmige Fächer (*H.läppchen, Lobuli testis*) unterteilt. In jedem Läppchen liegen durchschnittl. drei bis etwa 30 cm lange, etwa 0,2 mm dicke, aufgeknäuelte, blind endende H.kanälchen, in deren Wand die Samenbildungszellen sowie die Nährzellen liegen. Die H.kanälchen münden zunächst in einem Hohlraumsystem, dem *Rete testis*, und von dort aus in die ausführenden Kanäle des Nebenhodens. - Abb. S. 19.

📖 *Städler, F.: Die normale u. gestörte praepuberale H.entwicklung des Menschen.* Stg. 1973.

Hodensack (Skrotum, Scrotum), hinter dem Penis liegender Hautbeutel bei den meisten Säugetieren (einschließl. Mensch). Im H. liegt der paarige Hoden (mit Nebenhoden), getrennt durch eine bindegewebige Scheidewand. In der schwach verhornten, pigmentierten Haut des H. liegen glatte Muskelbündel, die sich bei Berührungsreizen sowie Kältereiz kontrahieren (Skrotalreflex) und so über die Runzelung der Haut wärmeschützend wirksam sind. Die Verlagerung der Hoden aus der Wärme des Körperinneren in den kühleren Bereich des H. ist bei den betreffenden Lebewesen Voraussetzung für eine normale Spermienbildung.

Hodgkin [engl. ˈhɔdʒkɪn], Sir (seit 1972) Alan Lloyd, * Banbury (Oxfordshire) 5. Nov. 1914, brit. Physiologe. - Prof. in Cambridge; arbeitete (längere Zeit mit A. F. Huxley) hauptsächl. auf dem Gebiet der Reizübermittlung im Nervensystem und entdeckte den Mechanismus der Entstehung und Weiterleitung der Aktionspotentiale in den Nervenbahnen. 1963 erhielt er mit A. F. Huxley und J. C. Eccles den Nobelpreis für Physiologie oder Medizin.

Hofmeister, Wilhelm, * Leipzig 18. Mai 1824, † Lindenau (= Leipzig) 12. Jan. 1877, dt. Botaniker. - Prof. in Heidelberg und Tübingen. Klärte die sexuelle Fortpflanzung sowie den Generationswechsel bei blütenlosen Pflanzen endgültig auf. Durch sein Werk „Allg. Morphologie der Gewächse" (1868) wurde er zu einem der Begründer der Pflanzenmorphologie.

Höhenadaptation (Höhenanpassung), Wochen bis Monate beanspruchende Gewöhnung und Anpassung des Organismus an den geringen atmosphär. Druck und erniedrigten Sauerstoffpartialdruck in größeren Höhen. Die H. erfolgt v.a. durch die Vermehrung der roten Blutkörperchen und des Hämoglobins, ferner durch Änderung des Sauerstoff-

bindungsvermögens des Blutes und Zunahme des Blutvolumens.
Höhenfleckvieh ↑ Höhenvieh.
Höhengrenze, durch klimat. Faktoren bedingter Grenzsaum, über dessen Höhe eine Vegetationsformation oder eine Pflanze nicht mehr gedeihen kann.
Höhengürtel, svw. Höhenstufen; ↑ Vegetationsstufen.
Höhenstufen (Höhengürtel) ↑ Vegetationsstufen.
Höhenvieh (Höhenrind), Sammelbez. für dt. Rinderrassen, die v. a. in Vorgebirgs- und Gebirgslagen gehalten werden. Zum H. zählen **Höhenfleckvieh** (Fleckvieh) mit hoher Milch-, Fett- und Fleischleistung; kommt in den Farben gelb- oder rotscheckig, auch einfarbig gelb oder rot mit weißen Beinen vor. Genügsam, jedoch sehr leistungsfähig ist das semmel- bis rotgelbe **Gelbe Höhenvieh,** das in verschiedenen Landschlägen gezüchtet wird. Ledergelb bis rotgescheckt ist die kleinste Rinderrasse, das **Hinterwälderrind;** gute Milch- und Fleischleistung. Größer und schwerer als diese, in Farbe und Leistung ähnl. ist das **Vorderwälderrind.** Beide Rassen werden im Schwarzwald gezüchtet. In der O-Schweiz, Tirol und im Allgäu kommt das einfarbig graue bis braune **Graubraune Höhenvieh** vor; mit guter Milch-, Mast- und Arbeitsleistung; Maul schiefergrau mit heller Umrandung. - Abb. S. 22.
höhere Pflanzen, Bez. für die ↑ Samenpflanzen.
höhere Pilze (Eumycetes), zusammenfassende Bez. für die ↑ Schlauchpilze, ↑ Deuteromyzeten, ↑ Ständerpilze und ↑ Jochpilze.
Hoher Rittersporn ↑ Rittersporn.
Höhlenbär (Ursus spelaeus), ausgestorbene, sehr große Bärenart im mittleren und oberen Pleistozän Europas und NW-Afrikas; sehr kräftiges Tier mit stark entwickelten Unterkiefern. Allesfresser; Höhlenbewohner.
Höhlenbewohner, Lebewesen, die v. a. an die Dunkelheit, aber auch an die konstante Temperatur und Feuchtigkeit in einer Höhle gut angepaßt sind. *Höhlenpflanzen* sind extreme Schattenpflanzen, die mit äußerst geringen Lichtintensitäten auskommen (z. B. verschiedene Algen, Moose) bzw. unabhängig vom Licht gedeihen (z. B. Bakterien, Pilze). - ↑ auch Höhlentiere.
Höhlenbrüter, Bez. für Vögel, die zur Aufzucht ihrer Jungen schützende Höhlen benötigen. Einheim. H. sind Spechte, Kleiber, Meisen, Rotschwänzchen und Star.
Höhlenfische, Sammelbez. für verschiedene in dunklen Höhlengewässern lebende Fische, v. a. aus den Gruppen Barben, Salmler, Barschlachse (z. B. Blindfische); meist gekennzeichnet durch Augenrückbildung, Pigmentlosigkeit der Haut und hochentwickeltes Geruchs-, Geschmacks- und Tastsinnesvermögen.

Höhlenflughunde (Rousettus), Gatt. bis 15 cm körperlanger, oberseits brauner, unterseits hellerer Flughunde (↑ Flederhunde) mit rd. 10 Arten in Afrika südl. und östl. der Sahara, S-Asien und auf den Sundainseln; Flügelspannweite bis 60 cm; suchen als Schlafplätze Höhlen auf, wo sie sich z. T. mit Hilfe von Ultraschall orientieren.
Höhlenhyäne (Crocuta spelaea), ausgestorbene, große, vorwiegend höhlenbewohnende Hyänenart im Pleistozän Eurasiens und N-Afrikas; Vorderkörper und Kopf sehr stark entwickelt.
Höhlenkrebse, svw. ↑ Brunnenkrebse.
Höhlenlöwe (Panthera leo spelaea), ausgestorbene Unterart des Löwen in vielen eiszeitl. Ablagerungen Europas, Kleinasiens, Syriens und Algeriens; etwa $^1/_3$ größer als der rezente Löwe; selten Höhlenbewohner.
Höhlentiere (Troglobionten), Bez. für Tiere, die sich ständig in Höhlen aufhalten; Körper meist ohne oder mit nur geringer Pigmentierung, Augen sehr häufig rückgebildet, dagegen Tastsinn hoch entwickelt. Zu den H. gehören u. a. Höhlenfische und der Grottenolm.
Hohler Lerchensporn ↑ Lerchensporn.
Hohlnarbe (Coelogyne), Gatt. epiphyt. und terrestr. Orchideen mit rd. 130 Arten in den Monsungebieten von Ceylon bis Samoa; Pseudobulben und Blätter immergrün; Blüten meist klein, in lockerer Blütentraube, selten großblütig. Bekannteste, leicht zu kultivierende Art: **Coelogyne cristata** aus dem Himalaja mit 9–10 cm breiten, weißen, auf der Lippe orangegelb gezeichneten Blüten.
Hohlstachler (Coelacanthini, Actinistia), Unterordnung bis 1,8 m langer, meist aber nur 60–70 cm hoher Knochenfische (Ordnung ↑ Quastenflosser) mit zahlr. heute ausgestorbenen Arten (v. a. aus der Fam. *Coelacanthidae*), die vom oberen Perm bis zur oberen Kreide gelebt haben (Ausnahme: die heute noch vertretene Art *Latimeria chalumnae*); primitive, urspr. süßwasserbewohnende, später ins Meer abgewanderte, bizarr aussehende Fische mit unvollkommen verknöcherter Wirbelsäule, rundl. Schuppen und auf beinartigen Erhebungen angeordneten Flossen, die von hohlen Knorpelstrahlen gestützt werden.
Hohltiere (Coelenterata, Radiata), Unterabteilung radiärsymmetr. Vielzeller mit über 9 000 Süß- und Meerwasser bewohnenden Arten mit einem Durchmesser von unter 1 mm bis etwa 1,5 m; meist kolonienbildende Tiere mit äußerst einfachem, aus Ekto- und Entoderm gebildetem Körper, einem Hohlraum (Gastralraum; dient der Vorverdauung der Nahrung) und einer einzigen Körperöffnung: getrenntgeschlechtig oder zwittrig, häufig mit Generationswechsel. Man unterscheidet zwei Stämme: ↑ Nesseltiere und ↑ Aknidarier.

Höhenvieh.
Hinterwälderrind (oben)
und Höhenfleckvieh

Hohlvenen (Venae cavae), Venen, die das verbrauchte Blut zum rechten Herzvorhof führen. Man unterscheidet: **obere Hohlvene** (*vordere H.*, Vena cava superior), die das Blut aus Kopf, Hals, den Armen und der Brust zum Herzvorhof führt; **untere Hohlvene** (*hintere Hohlvene*, Vena cava inferior), die neben der Bauchaorta zum Herzvorhof verläuft. - ↑auch Abb. Blutkreisläufe, Bd. 1, S. 114.

Hohlzahn (Hanfnessel, Daun, Galeopsis), Gatt. der Lippenblütler mit rd. 10 euras. Arten; Blütenkrone purpurn oder gelbl. bis weiß; Unterlippe mit zwei hohlen, zahnförmigen Höckern. Von den einheim. Arten sind der ↑Gemeine Hohlzahn und der ↑Sandhohlzahn die verbreitetsten.

Hohlzunge (Coeloglossum), Gatt. der Orchideen mit vier Arten im gemäßigten Eurasien und in N-Amerika. In Deutschland (Alpen und Voralpen) kommt nur die **Grüne Hohlzunge** (Grünstendel, Coeloglossum viride) vor: mit bis 25 cm hohen Sprossen und grünl., schwach duftenden, kleinen Blüten in lockeren Ähren.

Hokkohühner [indian./dt.] (Hokkos, Hockos, Cracidae), Fam. 0,4–1 m langer, meist auf Bäumen lebender und nistender Hühnervögel mit fast 50 Arten in den Wäldern M- und S-Amerikas; hochbeinig, mit kurzen, gerundeten Flügeln, ziemI. langem Schwanz und meist aufrichtbarer Federhaube; leben meist gesellig.

holandrische Merkmale [griech./dt.], Merkmale (bzw. Gene), die ausschließl. vom Vater auf die Söhne vererbt werden; sie liegen z. B. beim Menschen auf dem Y-Chromosom. - Ggs. ↑hologyne Merkmale.

Holarktis [zu griech. hólos „ganz"], in der *Tiergeographie* eine tiergeograph. Region, die sich aus der ↑Paläarktis und der ↑Nearktis zusammensetzt und sich daher v. a. über den gemäßigten und kalten kontinentalen Bereich der nördl. Halbkugel erstreckt.
♦ svw. ↑holarktisches Florenreich.

holarktisches Florenreich (Holarktis), größte pflanzengeograph. Region der Erde, die die gesamte Nordhalbkugel zw. Pol und einer Linie etwa entlang dem nördl. Wendekreis umfaßt. Die Vegetation des h. F. ist gekennzeichnet durch Arten der Birken-, Weiden-, Hahnenfuß-, Steinbrech- und Rosengewächse, viele Kreuzblütler und Doldenblütler sowie Primel- und Glockenblumengewächse, die hier ihre Hauptverbreitung haben.

Holder, svw. ↑Holunder.

Holley, Robert [William] [engl. 'hɔlɪ], * Urbana (Ill.) 28. Jan. 1922, amerikan. Biochemiker. - Prof. an der Cornell University in Ithaca (N. Y.); Forschungen über die molekularbiolog. Vorgänge bei der Zellteilung und die Protein- und Nukleinsäuresynthese; erhielt für seinen Beitrag zur Entzifferung des genetischen Codes 1968 (zus. mit H. G. Khorana und M. W. Nirenberg) den Nobelpreis für Physiologie oder Medizin.

Holoenzym [...o-ɛ...] ↑Enzyme.

hologyne Merkmale [griech./dt.], Merkmale, die phänotypisch nur im ♀ Lebewesen ausgeprägt sind, d. h. nur in der ♀ Linie übertragen werden. - Ggs. ↑holandrische Merkmale.

holokrine Drüsen ↑Drüsen.

Holometabolie ↑Metamorphose.

Holostei [...te-i; griech.] (Knochenschmelzschupper, Knochenganoiden), im Mesozoikum weit verbreitete und artenreiche Überordnung der ↑Strahlenflosser; heute nur noch durch wenige Arten (Schlammfisch [↑Kahlhechte] und ↑Knochenhechte) vertreten; Körper langgestreckt, walzenförmig, mit weitgehend verknöchertem Skelett.

Holothurien [griech.], svw. ↑Seegurken.

Holst, Erich von, * Riga 28. Nov. 1908, † Herrsching a. Ammersee 26. Mai 1962, dt. Verhaltensphysiologe. - Prof. für Zoologie in Heidelberg, ab 1957 Direktor des Max-

Holz

Planck-Instituts für Verhaltensphysiologie in Seewiesen bei Starnberg. Beschäftigte sich zunächst mit Fragen der relativen Koordination und der Raumorientierung. 1950 stellte er (mit H. Mittelstaedt) das ↑Reafferenzprinzip auf. Danach arbeitete er über Konstanzphänomene und opt. Täuschungen. Untersuchte mit der Methode der lokalisierten elektr. Hirnreizung u. a. die Reaktionsintensivität und -erschöpfbarkeit und die experimentelle Reproduzierbarkeit von Triebkonfliktsituationen; entdeckte, daß das Verhalten auch durch selbsttätige Impulse des Zentralnervensystems gesteuert wird (↑Automatismen).

Holsteiner, früher Bez. für Dt. Reitpferde aus dem Zuchtgebiet Schleswig-Holstein; edle und leichte, meist hell- oder dunkelbraune, 165–175 cm große Tiere mit schwungvollem, energ. Trab und vorzügl. Spring- und Galoppiervermögen.

Holunder (Holder, Sambucus), Gatt. der Geißblattgewächse mit rd. 20 Arten in den gemäßigten und subtrop. Gebieten; meist Sträucher oder kleine Bäume mit markhaltigen Zweigen, gegenständigen, unpaarig gefiederten Blättern und fünfzähligen Blüten in Doldentrauben oder Rispen; Frucht eine beerenartige, drei- bis fünfsamige Steinfrucht. Heim. Arten sind ↑Attich und der bis 6 m hohe **Schwarze Holunder** (Flieder, Sambucus nigra) mit tiefgefurchter Borke und gelblichweißen, stark duftenden Blüten. In der Volksmedizin werden die Blüten zu **Fliedertee** (gegen Erkältungen) verwendet. In Eurasien und N-Amerika wächst der **Traubenholunder** (Sambucus racemosa), ein 1–4 m hoher Strauch mit gelblichweißen Blüten und scharlachroten, viel Vitamin C enthaltenden Früchten.

Holz [eigtl. „Abgehauenes"], umgangssprachl. Bez. für die Hauptsubstanz der Stämme, Äste und Wurzeln der Holzgewächse; in der Pflanzenanatomie Bez. für das vom ↑Kambium nach innen abgegebene Dauergewebe, dessen Zellwände meist durch Ligninineinlagerungen (zur Erhöhung der mechan. Festigkeit) verdickt sind.

Aufbau des Holzes: Ohne Hilfsmittel kann man an einem Stammausschnitt folgende Einzelheiten erkennen: Im Zentrum liegt das **Mark,** das von einem breiten **Holzkörper** umschlossen wird. Dieser setzt sich bei den meisten H.arten aus den sich durch Wechsel in Struktur und Färbung voneinander abhebenden ↑Jahresringen zusammen. Das Kambium umschließt als dünner Mantel den gesamten H.körper. Die meisten Hölzer lassen mit zunehmendem Alter eine Differenzierung des H.körpers in eine hellere, äußere Zone und einen dunkler gefärbten Kern erkennen. Die hellere Zone besteht aus den lebenden jüngsten Jahresringen und wird als **Splintholz** (Weich-H.) bezeichnet. Der dunkel gefärbte Kern ist das sog. **Kernholz,** das aus abgestor- benen Zellen besteht und nur noch mechan. Funktionen hat. Es ist fester, härter, wasserärmer und durch Einlagerung von Farbstoffen dunkler gefärbt als das Splint-H. Da es durch die Einlagerung bestimmter Stoffe (Oxidationsprodukte von Gerbstoffen) geschützt wird, ist es wirtsch. wertvoller. Einheim. Kernholzbäume sind z. B. Kiefer, Eiche, Eibe, Lärche, Ulme, Rotbuche. Importhölzer von Kernholzbäumen sind Ebenholz, Mahagoni, Palisander. Ist nur ein kleiner Kern ohne Verfärbung ausgebildet, spricht man von **Reifholzbäumen** (z. B. Fichte, Tanne, Linde). **Splintholzbäume** (z. B. Birke, Erle, Ahorn) haben keinen Kern ausgebildet, das Stamminnere besteht ebenfalls aus Splint-H. Sie werden deshalb leichter durch Fäulnis hohl. An den letzten Jahresring schließt sich nach außen

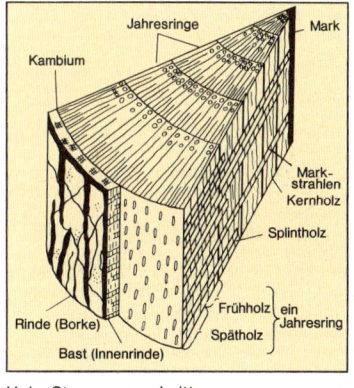

Holz. Stammquerschnitt

zu der Bast an. Vom Bast in den H.körper hinein verlaufen zahlr. Markstrahlen. Den Abschluß des Stamms nach außen bildet die Borke aus toten Korkzellen und abgestorbenem Bast.

Unter dem Mikroskop zeigt sich folgender Aufbau: Die Zellen des H. sind vorwiegend langgestreckt, an den Enden zugespitzt und stehen in Längsrichtung, worauf die längsgerichtete Spaltbarkeit des H. beruht. Man unterscheidet folgende Zelltypen: 1. **Gefäße,** in zwei Ausbildungsformen vorhanden: als großlumige Tracheen und als englumige Tracheiden. Erstere durchziehen meist als Rohr die ganze Länge der Pflanze. Die Tracheiden dagegen bestehen nur aus je einer Zelle. Beide leiten das Bodenwasser mit den darin gelösten Nährsalzen zu den Blättern. 2. **Holzfasern,** sehr kleine, an den Enden zugespitzte Zellen mit starker Wandverdickung und engem Innendurchmesser (Lumen). Sie sind das Stützgewebe des H.körpers. Auf ihnen beruht die Trag-, Bruch- und Biegefestigkeit der Hölzer. 3. **Holzparenchym,** die lebenden Bestand-

Holzapfel

teile des H.körpers. Sie übernehmen die Speicherung der organ. Substanzen. Die H.parenchymzellen sind meist in Längsreihen angeordnet. 4. **Markstrahlparenchym,** besteht aus lebenden parenchymat. Zellen und dient der Stoffspeicherung und -leitung. Die Markstrahlen verbinden die Rinde mit dem H.körper und transportieren die in den Blättern gebildeten und in den Bast gebrachten Assimilate zu den H.parenchymzellen, wo sie dann gespeichert werden.

Geschichte: Aus der nord. Bronzezeit gibt es H.funde, die H.drechslerei und Böttcherarbeit zur Hallstattzeit beweisen. Seit der jüngeren Steinzeit wird H. zum Bau von Häusern (Pfahlbauten), Möbeln, Wagen, Pflügen usw. verwendet. Daneben wurde aus H. Pottasche gewonnen und es wurde als Brennstoff benutzt. - Die botan. Forschung klärte die H.bildung in der Pflanze um die Mitte des 19. Jh. auf, gegen Ende des 19. Jh. dann die Entstehung der Jahresringe im Holz.

📖 *Dahms, K. G.: Kleines Holzlex. Stg. ⁴1984. - Begemann, H. F.: Lex. der Nutzhölzer. Gernsbach ³1983. - Bosshard, H. H.: H.kunde. Stg. ²1982-84. 3 Bde. - Grosser, D.: Die Hölzer Mitteleuropas. Bln. u. a. 1977.*

Holzapfel, volkstüml. Bez. für die gerbstoffreiche Frucht verschiedener wilder Arten des Apfelbaums.

Holzapfelbaum (Wilder Apfelbaum, Malus sylvestris), bis 7 m hoher Baum oder Strauch aus der Fam. der Rosengewächse, verbreitet in lichten Wäldern Europas und Vorderasiens; Kurztriebe mehr oder weniger verdornend; Blüten rötlichweiß, etwa 4 cm breit; Früchte kugelig, 2-3 cm breit, gelbgrün mit rötl. Backe, herbsauer.

Holzbienen (Xylocopa), Gatt. einzeln lebender, mit zahlr. Arten hauptsächl. in den Tropen verbreiteter, hummelartiger Bienen. In Deutschland kommen nur zwei Arten (blauschwarz mit dunkelblauen Flügeln) vor, darunter die 18-28 mm große **Blaue Holzbiene** (Xylocopa violacea), deren ♀♀ in altem Holz oder in Pflanzenstengeln einen langen Gang nagen, in dem sie hintereinander Brutzellen anlegen. H. sammeln Pollen.

Holzbirne, svw. ↑ Wilder Birnbaum.

Holzbock (Waldzecke, Ixodes ricinus), weltweit verbreitete, v. a. bei Säugetieren und Vögeln, auch beim Menschen blutsaugende Schildzeckenart; läßt sich auf Grund von Erschütterungs- und Geruchsreizen von Sträuchern und Gräsern auf die Wirtstiere fallen; Körper schwarzbraun, abgeflacht, 1-2 mm groß; ♀ (mit Blut vollgesogen) ♂ saugt kein Blut) über 10 mm lang; gefährl. Überträger von Krankheiten.

Holzbohrer (Cossidae), mit rd. 700 Arten weltweit verbreitete Fam. bis 25 cm spannender Nachtschmetterlinge; Rüssel rückgebildet, Körper robust; Raupen entwickeln sich mehrjährig v. a. im Innern von Baumstämmen; in Deutschland fünf Arten, u. a. der bis 6 cm spannende **Kastanienbohrer** (Zeuzera pyrina) mit weißen, blaugetupften Flügeln; Larven gelb, schwarz punktiert; schädl. an Laubbäumen. Bis 9 cm Flügelspannweite hat der **Weidenbohrer** (Cossus cossus); Vorderflügel braun und weißgrau, mit zahlr. schwarzen Querstrichen; Raupen bis 8 cm lang, fleischrot, an den Seiten gelbl.; leben im Holz von Laubbäumen, selten schädlich.

Holzfliegen (Erinnidae), mit rd. 150 Arten v. a. in Wäldern verbreitete Fam. mittelgroßer, schlanker, meist schwarz und rostrot gefärbter Fliegen; Imagines saugen Säfte und Nektar; Larven leben räuberisch von Würmern und Insektenlarven hauptsächl. unter der Baumrinde und in Baumstümpfen.

Holzfresser, svw. ↑ Xylophagen.

Holzgewächse (Gehölze, Holzpflanzen), ausdauernde Pflanzen, deren Stamm und Äste durch sekundäres Dickenwachstum (Bildung von Holz) mehr oder weniger stark verholzen (z. B. die meisten Bäume und Sträucher).

Holzläuse, svw. ↑ Rindenläuse.

Holzpflanzen, svw. ↑ Holzgewächse.

Holzteil, svw. Xylem (↑ Leitbündel).

Holzwespen (Siricidae), weltweit verbreitete Fam. der ↑ Pflanzenwespen mit über 100 robust gebauten, teils bis 4 cm langen Arten; mit langen Fühlern und (im ♀ Geschlecht) langem Legeapparat, mit dem die Tiere ihre Eier (v. a. in Nadelholz) legen; Larven fressen sich durch das Holzinnere. In M-Europa kommt u. a. die **Riesenholzwespe** (Urocerus gigas) vor, 1,5-4 cm lang, mit gelbem Kopffleck und beim Männchen oberseits rotbraunem Hinterleib, beim Weibchen schwarz-gelb geringeltem Hinterleib.

Holzwurm, volkstüml. Bez. für im Holz lebende Insektenlarven.

Hominidae (Hominiden) [lat.], Fam. der Herrentiere. - ↑ auch Mensch.

Homininae [lat.], svw. Echtmenschen (↑ Mensch).

Hominisation [lat.] (Menschwerdung), von H. von Vallois 1958 geprägte Bez. für den körperl.-geistigen Entwicklungsgang von dem äffischen Vorfahren des Menschen bis zum heutigen Menschen.

Hominoidea [lat./griech.], svw. ↑ Menschenartige.

Homo [lat., eigtl. „Irdischer" (zu humus „Erdboden")], einzige Gatt. der Hominidae mit den beiden Arten H. erectus und H. sapiens. - ↑ auch Mensch.

Homo erectus [lat. „aufgerichteter Mensch"], (ausgestorbene) Art der Gatt. Homo; lebte vor rd. 500 000 Jahren; fossile Funde v. a. auf Java (*H. e. erectus*) und auf dem asiat. Festland (*H. e. pekinensis*).

Homo faber [lat. „der Mensch als Verfertiger"], typolog. Charakterisierung des Menschen durch die philosoph. Anthropologie.

Honiganzeiger

Im Vergleich zum Tier prinzipiell unspezif. geboren, d. h. organ. und instinktmäßig nicht zur Lebensbewältigung in einer bestimmten Umwelt ausgerüstet, muß der Mensch unter Zuhilfenahme von Werkzeugen die ihn umgebende Natur zu seinen „Lebensmitteln" machen. Dabei wird das entsprechende produktive, ausprobierende und sich am Erfolg orientierende Handeln nicht allein von äußeren Reizen ausgelöst, sondern auch vom eigenen Denken, vom „Stellungnehmen" gegenüber der Natur beeinflußt.

homogametisch [griech.] ↑ heterogametisch.

Homo heidelbergensis [nlat.] (Heidelbergmensch), ältester Menschenfund Deutschlands (gut erhaltener Unterkiefer mit voller Bezahnung; 1907 südl. von Heidelberg entdeckt); gehört zur Art des ↑ Homo erectus.

homolog [griech.], in der Phylogenie stammesgeschichtl. gleichwertig, sich entsprechend, übereinstimmend, von entwicklungsgeschichtlich gleicher Herkunft; h. Organe können (im Ggs. zu konvergenten; ↑ Konvergenz) einander sehr ähnl. sein oder durch Funktionswechsel im Verlauf der stammesgeschichtl. Entwicklung eine sehr unterschiedl. Ausformung erfahren, wie z. B. die einander h. Vorderextremitäten der Wirbeltiere, die als Flossen, Laufbeine, Flügel, Grabwerkzeuge oder Arme ausgebildet sein können. Ebenfalls h. sind z. B. die Schwimmblase der Fische und die Lunge der übrigen Wirbeltiere.

Homologie [griech.], in der Phylogenie Bez. für die Verhältnisse, die ↑ homologe Organe betreffen. - Ggs. ↑ Analogie.

homonom [griech.], gleichwertig, gleichartig hinsichtl. der einzelnen Körperabschnitte, z. B. beim Regenwurm. - Ggs. heteronom.

Homöostase (Homöostasis, Homöostasie) [griech.], in der *Physiologie* die Erhaltung des normalen Gleichgewichtes der Körperfunktionen durch physiolog. Regelungsprozesse; umfaßt u. a. die Konstanthaltung des Blutdrucks und der Blutzusammensetzung sowie der Körpertemperatur durch Regelmechanismen des vegetativen Nervensystems und der [Neuro]hormone.

homöotherm (homoiotherm, homotherm) [griech.], gleichbleibende Körperwärme aufweisend; gesagt von Tieren und vom Menschen (↑ Warmblüter). - Ggs. ↑ poikilotherm.

Homoptera [griech.], svw. ↑ Gleichflügler.

Homorrhizie [griech.] ↑ Radikation.

Homo sapiens [lat. „weiser Mensch"], (einzige) rezente Art der Gatt. Homo; typ. Vertreter der morpholog. Merkmalen der Jetztmenschen (Homo sapiens sapiens) erst seit rd. 40000 Jahren; allg. Bez. für Mensch.

homotherm, svw. ↑ homöotherm.
homozerk [griech.], svw. ↑ amphizerk.
homozygot [griech.] (erbgleich, gleicherbig, reinerbig), in bezug auf die homologen Chromosomen gleiche Erbmerkmale aufweisend.

Homozygotie [griech.] (Reinerbigkeit, Gleicherbigkeit), die Erscheinung, daß eine befruchtete Eizelle (Zygote) oder ein daraus hervorgegangenes Lebewesen aus der Vereinigung zweier Keimzellen entstanden ist, die sich in den einander entsprechenden (homologen) Chromosomen überhaupt nicht unterscheiden. - Ggs. ↑ Heterozygotie.

Honckenya, svw. ↑ Salzmiere.

Honig [zu althochdt. hona(n)g, eigtl. „der Goldfarbene"], von Honigbienen bereitetes, hochwertiges Nahrungsmittel mit hohem Zuckergehalt, das in frischem Zustand klebrig-flüssig ist, jedoch bei Lagerung dicker wird und schließl. durch kristallisierende Glucose eine feste Konsistenz erhält; zur Wiederverflüssigung darf man H. nicht über 50 °C erhitzen, um die Wirkstoffe nicht zu zerstören. Je nach Herkunft (Linden, Obstblüten, Heide) können Farbe (von hellgelb bis grünschwarz), Zusammensetzung und dementsprechend Geruch und Geschmack stark variieren. H. enthält durchschnittl. 70–80 % Zucker, davon ungefähr zu gleichen Teilen Fructose und Glucose sowie geringere Mengen Saccharose und Dextrine, rd. 20 % Wasser und kleine Mengen organ. Säuren, auch Aminosäuren, Eiweiße, insbes. Enzyme, sowie Spuren von Mineralstoffen und Vitaminen. Zur **Honigbereitung** nehmen die Bienen Nektar, der den *Blüten*-H. ergibt, süße Pflanzensäfte, aber auch Honigtau (liefert den geschätzten *Blatt*-H., *Wald*-H.) in ihren Honigmagen auf und fügen ein enzymhaltiges Sekret der Kropfdrüsen hinzu. Der H. wird dann in Waben gespeichert und reift unter Wasserverdunstung und enzymat. Vorgängen in diesen heran. Ein Bienenvolk liefert in Deutschland durchschnittl. 7–10 kg H. im Jahr. Zur Bereitung von 1 kg ist der Besuch mehrerer Millionen Blüten nötig. - Nach den Erntemethoden unterscheidet man *Preß-H.* (aus brutfreien Waben durch hydraul. Pressen gewonnen), *Seim-H.* (aus brutfreien Waben durch vorsichtiges Erwärmen und nachfolgendes Pressen gewonnen), *Schleuder-H.* (aus brutfreien Waben ausgeschleudert) und den bes. reinen *Scheiben-H.* (*Waben*-H.; aus frisch gebauten, unbebrüteten Waben). - H., eines der ältesten Nahrungs- und Heilmittel der Menschheit, hat als leicht resorbierbares Stärkungsmittel und auf Grund seiner entzündungshemmenden Wirkung auch medizin. Bedeutung.

Honigameisen, svw. ↑ Honigtopfameisen.

Honiganzeiger (Indicatoridae), Fam. 10–20 cm langer, überwiegend unscheinbar braun, grau oder grünl. gefärbter Vögel (Ordnung Spechtvögel) mit 17 Arten, v. a. in Wäldern und Steppen Afrikas (südl. der Sahara), S-Asiens und der Sundainseln. Einige Arten

25

Honigbären

führen durch ihr Verhalten größere Tiere (z. B. Honigdachs, Paviane), auch den Menschen, zu den Nestern wilder Bienen.

Honigbären, svw. ↑Wickelbären.

Honigbaumgewächse ↑Honigstrauch.

Honigbienen (Apis), weltweit verbreitete Gatt. staatenbildender Bienen mit sechs aus den Tropen SO-Asiens und Afrikas stammenden Arten; blütenbesuchende Insekten, deren Hinterbeine als Pollensammelapparat ausgebildet sind. Der Unterschenkel und das erste Fußglied sind stark verbreitert, der Unterschenkel hat eine eingedellte Außenseite (**Körbchen**). Die Innenseite des Fußgliedes ist mit Borstenreihen besetzt (**Bürste**), die in das Körbchen des gegenüberliegenden Hinterbeins Pollen abstreifen (Bildung sog. *Höschen*). Zum Nestbau verwenden H. aus Drüsen abgesondertes Wachs *(Bienenwachs)*, chem. ein Gemisch aus langkettigen Fettsäuren (Wachssäuren) und ihren Estern. Zu den H. gehören: **Riesenhonigbiene** (Apis dorsata), etwa hornissenlang, wildlebend in Indien und auf den Sundainseln; baut nur eine riesige, über 1 m breite Wabe mit bis zu 70 000 Zellen; **Zwerghonigbiene** (Apis florea), auf einigen Sundainseln und den Philippinen; zwei Hinterleibssegmente ziegelrot, die anderen schwarz mit weißen Querstreifen; Nester bestehen aus einer einzigen, handtellergroßen Wabe.

Die wichtigste Art ist die **Honigbiene i. e. S.** (Apis mellifica) mit ihren zahlr. Unterarten (z. B. ↑Adansonbiene). Sie lebten urspr. in hohlen Ästen oder Baumstümpfen in Eurasien und Afrika, wo sie bis zu 10 parallel nebeneinanderhängende, senkrechte Waben anlegten.

Wie bei den Ameisen unterscheidet man drei Kasten: Arbeiterinnen, Drohnen und Königin. Die **Arbeiterinnen** sind 13–15 mm lang und leben etwa 4–5 Wochen. Die **Drohnen** sind 15–17 mm lange, durch Jungfernzeugung entstandene Männchen, die sich von den Arbeiterinnen füttern lassen. Sie erscheinen im Mai und werden im Sommer nach dem Hochzeitsflug der Königin von den kleineren Arbeiterinnen vertrieben, z. T. getötet und aus dem Stock geworfen (**Drohnenschlacht**). Die **Königin** (Weisel) ist 20–25 mm lang und nur zum Eierlegen (bis zu 3 000 Eier pro Tag) befähigt; sie wird von den Arbeiterinnen gefüttert. Sie wird nur ein einziges Mal während des Hochzeitsfluges begattet; der Samen wird in einer Samentasche aufbewahrt. Die Jungkönigin kehrt danach in den alten Stock zurück. Etwa eine Woche vor dem Schlüpfen der Jungkönigin verläßt die alte Königin (um nicht von der schlüpfenden Jungkönigin totgestochen zu werden) mit einem Teil ihres Volkes den Stock (**Schwärmen**). Sie bildet in der Nähe des alten Stocks zus. mit den Arbeiterinnen eine große Traube (**Schwarmtraube**). Von hier aus fliegen sog. Spurbienen aus, um eine neue Unterkunft zu suchen. - Je nachdem, ob die Königin die Eier befruchtet oder nicht, entstehen Weibchen bzw. Männchen. Ob aus dem befruchteten Ei eine Arbeiterin oder Königin werden soll, bestimmen die Arbeiterinnen durch den Bau der Zelle (Königinnen brauchen eine größere Zelle: Weiselwiege) und durch die Zusammensetzung des Larvenfutters (Verfüttern von Gelée royale läßt eine Königin entstehen).

H. haben ein gut entwickeltes Verständigungssystem, mit dessen Hilfe sie sich Informationen über eine Futterquelle mitteilen *(Bienensprache)*. Liegt die Futterquelle nicht weiter als 80 m vom Stock entfernt, wird ein **Rundtanz** getanzt. Ein hervorgewürgter Nahrungstropfen und mitgebrachter Duft informieren, welche Pflanzenart anzufliegen ist. Liegt die Futterquelle in größerem Abstand, werden Entfernung und Richtung durch einen **Schwänzeltanz** übermittelt. Dabei läuft die Trachtbiene auf der senkrecht stehenden Wabe eine zusammengedrückte Acht, auf deren Mittelstück sie mit dem Hinterleib wackelt. Anzahl und Dauer der nach rechts und links erfolgenden Hinterleibsausschläge (Schwänzeln) geben die Entfernung an. Wenn das Futter nicht genau in Richtung von der Sonne weg oder zur Sonne hin zu finden ist, bildet das Mittelstück der Acht einen Winkel mit der Senkrechten, der dem Winkel zw. Flugrichtung zur Futterstelle und der Richtung zur Sonne entspricht. Weiteres zur Orientierung und Verständigung ↑Bienen. - Abb. Bd. 1, S. 94 f.

📖 *Frisch, K. v.: Aus dem Leben der Bienen.* Bln. u. a. ⁹1977. - *Frisch, K. v.: Tanzsprache u. Orientierung der Bienen.* Bln. u. a. 1965.

Honigblätter, Nektar produzierende, nicht mehr zur Pollenbildung befähigte, umgebildete Staubblätter, die sich v. a. in den Blüten der Hahnenfußgewächse finden.

Honigdachs (Mellivora capensis), 60–70 cm langer, gedrungener Marder, v. a. in Steppen und buschigen Landschaften Vorderasiens und Indiens; mit meist silbergrauer Oberseite, schwarzer Unterseite, kräftigem Gebiß und starken Grabklauen an den kurzen Vorderfüßen; vorwiegend nachtaktives Tier, das sich bes. von Kleinsäugern ernährt und eine Vorliebe für Honig hat.

Honigfresser (Meliphagidae), Fam. 10–45 cm großer Singvögel mit rd. 170 Arten, v. a. in den Wäldern der austral. Region (eine Art in S-Afrika); Schnabel relativ lang, gebogene Zunge in Anpassung an die Nektaraufnahme vorstreckbar, borstig und nahe der Spitze gespalten. Zu den H. gehören u. a. der schwarze **Priestervogel** (Tui, Poe, Prosthemadera novaeseelandiae; Länge rd. 30 cm; mit Büscheln breiter weißer Federn an den Kehlseiten; in Neuseeland und auf den benachbarten Inseln) und der schwärzl.-braune **Klunker-**

Hopfen

vogel (Anthochaera carunculata; mit zwei nackten, roten Kehllappen; in W- und SO-Australien).

Honiggras (Holcus), Gatt. der Süßgräser mit rd. zehn Arten in der gemäßigten Zone Eurasiens und in N-Afrika; mehrjährige Pflanzen mit wollig behaarten Blättern; Rispen reichblütig, oft rötl. oder violett, zur Blütezeit zuweilen nach Honig duftend. In M-Europa zwei Arten, darunter das 30–100 cm hohe, graugrüne Horste bildende **Wollige Honiggras** (Holcus lanatus) auf Wiesen und in lichten Wäldern.

Honigmagen, der Kropf der Honigbienen, in dem der aufgenommene Nektar mit Enzymen der Speicheldrüsen vermischt und in Honig umgewandelt wird.

Honigpalme (Jubaea), Gatt. der Palmen mit der einzigen Art **Jubaea chilensis** in Chile (an der W-Küste N-Amerikas kultiviert); bis 20 m hohe Fiederpalme mit kokosnußähnl. Früchten (Samen eßbar: **Coquillos**). Aus dem zuckerhaltigen Saft des Stamms wird Palmhonig und Palmwein hergestellt.

Honigpalme. Jubaea chilensis

Honigsauger, svw. ↑ Nektarvögel.

Honigstrauch (Melianthus), Gatt. der Fam. **Honigbaumgewächse** (Melianthaceae; 3 Gatt. mit rd. 40 Arten im trop. und südl. Afrika) mit sechs Arten in S-Afrika; eigentüml. riechende, graugrüne oder weißgraue Sträucher mit honigführenden, braunrötl. Blüten in Trauben. Die Art **Melianthus major** wird bisweilen als Zierpflanze kultiviert.

Honigtau, durchscheinender, klebrig-süßer Saft auf Pflanzen; wird von den Pflanzen selbst od. durch den Pilz des Mutterkorns (an Getreideähren) oder auch durch Insekten (Exkremente; v. a. Blatt-, Schildläuse) gebildet.

Honigtopfameisen (Honigameisen), Bez. für verschiedene Ameisenarten aus den Gruppen der Schuppen- und Drüsenameisen (v. a. in trocken-heißen Gebieten Mexikos, S-Afrikas, Australiens und Neuguineas). H. haben die Eigenart, einige ihrer Nestgefährten mit Nektar und anderen süßen Säften vollzustopfen. Diese dadurch „aufgeblähten" Tiere *(Honigtöpfe)*, die fast bewegungslos am Boden liegen oder an der Decke hängen, dienen den H. als „Vorratsbehälter".

Honigwespen (Masaridae), v. a. in warmen und trockenen Gebieten der Erde verbreitete Fam. der Hautflügler mit rd. 80 einzeln lebenden Arten, darunter die 6–7 mm lange, schwarzgelbe Art **Celonites abbreviatus** in M-Europa; füttern ihre Larven mit Nektar und Pollen; Nest meist in Erdgängen.

Hopfe (Upupidae), Fam. 24–38 cm langer Rackenvögel mit sieben Arten in Steppen, Wäldern und parkartigem Gelände Eurasiens und Afrikas; Schnabel schlank, leicht gebogen. Neben dem kurzkralligen, vorwiegend am Boden lebenden ↑ Wiedehopf gibt es noch die langkralligen, nur in Afrika südl. der Sahara v. a. auf Bäumen lebenden **Baumhopfe** (Sichelhopfe, Phoeniculinae).

Hopfen (Humulus), Gatt. der Hanfgewächse mit 3 Arten in der nördl. gemäßigten Zone; zweihäusige Stauden mit rechtswindenden Trieben (Lianen), gegenständigen, herzförmigen oder handförmig gelappten Blättern und amboßförmigen Hafthaaren;

Gemeiner Hopfen. Weibliche Blütenstände

Blüten mit einfacher, grünl. Blütenhülle, die ♂ in lockeren Rispen, die ♀ in gestielten, mit großen Brakteen besetzten Ähren (Zapfen). - Die wichtigste Art ist der **Gemeine Hop-**

27

Hopfenblattlaus

fen (Humulus lupulus), eine Liane der Auwälder, Erlenbrüche und Ufer der nördl. gemäßigten Zone; bis 6 m hoch rankende Pflanze mit tiefreichendem Wurzelsystem und unterird. Ausläufern. Die Fruchtzapfen (*H.dolden*) sind dicht mit drüsigen Schuppen besetzt, die abgeschüttelt das *Lupulin* (*Hopfenmehl*) ergeben. Dieses enthält v. a. Bitterstoffe (*Humulon, Lupulon*), die dem Bier Haltbarkeit, Schäumvermögen und Bittergeschmack verleihen. In den feldmäßigen Anlagen (*H.gärten*) werden nur ♀♀ Pflanzen kultiviert, die durch Fechser vermehrt werden. - Die H.kultur ist in M-Europa seit der Karolingerzeit nachweisbar. H. wurde wegen des strengen Flurzwangs der Dreifelderwirtschaft zunächst nicht in Feldern, sondern in Klostergärten (*Humularia*) gezogen. Seit dem 14. Jh. wird er in M-Europa in größeren Kulturen angebaut.

Hopfenblattlaus ↑ Röhrenläuse.

Hopfenbuche (Ostrya), Gatt. der Haselnußgewächse mit fünf Arten auf der Nordhalbkugel; der Hainbuche sehr ähnl. Bäume und Sträucher; Nußfrüchte einzeln von einem sackartigen Vorblatt umhüllt; Fruchtstände an die Fruchtzapfen des Hopfens erinnernd. Die Art **Gemeine Hopfenbuche** (Ostrya carpinifolia) aus SO-Europa mit doppelt gesägten, behaarten Blättern wird häufig als Ziergehölz angepflanzt.

Hopfenklee ↑ Schneckenklee.

Hopfenmotte (Hopfenspinner, Geistermotte, Hopfenwurzelbohrer, Hepialus humuli), 45–70 mm spannender Schmetterling (Fam. Wurzelbohrer), v. a. auf Wiesen und an Waldlichtungen Europas; mit oberseits silberweißen (♂) oder lehmgelben, blaßrot gebänderten Vorderflügeln (♀); Raupe bis 5 cm lang, schmutziggelb, frißt in Wurzeln von Löwenzahn, Möhren, Ampfer und Hopfen.

Hopfenseide ↑ Kleeseide.

Hopfenspinner, svw. ↑ Hopfenmotte.

Hopkins, Sir (seit 1925) Frederick [Gowland], *Eastbourne 20. Juni 1861, †Cambridge 16. Mai 1947, brit. Biochemiker. - Prof. in Cambridge. Für die Entdeckung der wachstumsfördernden Wirkung der Vitamine erhielt er 1929 (zus. mit C. Eijkman) den Nobelpreis für Physiologie oder Medizin.

Hoplites [griech.], nur aus der Kreide bekannte Gatt. der Kopffüßer (Ordnung Ammoniten) mit kräftigen Rippen und Knoten. Einige Arten dienen als Leitfossilien.

Hoppe-Seyler (Doppelname seit 1864), Felix, *Freyburg/Unstrut 26. Dez. 1825, †Wasserburg (Bodensee) 11. Aug. 1895, dt. Biochemiker. - Prof. in Berlin, Tübingen und Straßburg. Begründer der neueren physiolog. Chemie, u. a. Untersuchungen über Blutfarbstoffe, Gärung und Fäulnis. 1877 begründete er die „Zeitschrift für physiolog. Chemie", das erste Publikationsorgan auf diesem Gebiet.

Hörbereich, derjenige Frequenzbereich, in dem die Frequenzen der elast. Schwingungen von Materie[teilchen] liegen müssen, um vom menschl. Ohr, allgemeiner vom Gehörorgan eines Lebewesens, als Schall wahrgenommen werden zu können. Der H. des Menschen erstreckt sich von 16 Hz (*untere Hörgrenze*) bis zu 20–40 kHz (*obere Hörgrenze*); er umfaßt also etwa 10 Oktaven. Die obere Hörgrenze sinkt mit zunehmendem Alter stark ab und liegt für 60jährige bei 5 000 Hz; diese sehr groß erscheinende Differenz bedeutet jedoch nur den relativ harmlosen Verlust von zwei Oktaven, was für die Sprachverständlichkeit keine, für das Musikhören nur eine sehr geringe Rolle spielt.

Obere Hörgrenze verschiedener Lebewesen	
Katze	50 000 Hz
Hund	35 000 Hz
Delphine (Großer Tümmler)	150 000 Hz
Fledermäuse (Glattnasen)	über 90 000 Hz
Kleinsäuger (Maus)	bis über 20 000 Hz
Fische (Zwergwels)	13 000 Hz
Uhu	über 8 000 Hz
Buchfink	29 000 Hz
Waldkauz	21 000 Hz
Feldheuschrecke	12 000 Hz

Hordenin [zu lat. hordeum „Gerste"] (Anhalin, N,N-Dimethyltyramin), ein im Pflanzenreich weitverbreitetes, zu den biogenen Aminen zählendes Alkaloid, das den Blutdruck erhöht und als Herzanregungsmittel verwendet wird.

Hordeum [...e-ɔm; lat.], svw. ↑ Gerste.

Hören ↑ Gehörorgan.

hormonal (hormonell) [griech.], von Hormonen ausgehend, auf sie bezüglich.

Hormone [zu griech. hormän „in Bewegung setzen, antreiben"], vom menschl. und tier. Organismus gebildete körpereigene Wirkstoffe, die zus. mit dem Nervensystem die Vorgänge des Stoffwechsels, des Wachstums, der Entwicklung und der emotionalen Bereich eines Individuums steuern. - Die H. werden meist von bes. Drüsen (Hormondrüsen) gebildet. Oft sind es nur bestimmte Zellen eines Organs (bei der Bauchspeicheldrüse die α- und β-Zellen), die die H. bilden, es können aber auch mehrere H. im gleichen Organ gebildet werden (Hypophyse, Nebennieren). Von ihrem Bildungsort werden sie in das Blut abgegeben und gelangen durch den Blutkreislauf an ihre spezif. Wirkungsorte. Eingeteilt werden die H. nach ihrer chem. Struktur, (bzw. Zugehörigkeit zu den drei Stoffklassen der Steroide, Aminosäuren und Peptide) oder nach den produzierenden Organen bzw. Hormondrüsen (z. B. Schilddrüsen-H., Nebennierenrinden-H.) oder nach dem Wirkungsbereich (z. B. Geschlechts-H.). - Die Steuerungsfunktion der bereits in kleinsten Mengen (10^{-11}–10^{-12} Mol/l) wirksamen H. ist

sehr differenziert und erstreckt sich auch auf die Hormonproduktion selbst. Die H. wirken immer nur auf bestimmte Organe (Ziel- oder Erfolgsorgane). Diese haben spezif. Bindungsstellen (Rezeptoren; häufig in den Zellmembranen und Zellkernen), mit denen die entsprechenden Hormonmoleküle gebunden und die biochem. Reaktionen ausgelöst werden. Die wichtigste ist die Bildung von ↑Cyclo-AMP; erst diese aktiviert den Zellstoffwechsel und verursacht die eigentl. Hormonwirkung. Jede Hormonwirkung ist an intakte Zellen gebunden; in zellfreien Systemen sind H. unwirksam. - Zw. Hormonproduktion, Ausschüttung und Wirkung bestehen vielseitige Wechselbeziehungen. Die Ausschüttung wird nach dem Rückkopplungsprinzip geregelt, d. h. die Ausschüttung einer Hormondrüse wird durch das eigene Hormon bei einer bestimmten Konzentration im Blut gehemmt. Die Hypophyse bzw. die Hypophysenhormone kontrollieren als übergeordnetes System die Hormonausschüttung anderer Hormondrüsen, und zwar ebenfalls nach dem Prinzip eines Regelkreises. - Die H. sind in der Stammesentwicklung schon sehr früh entstanden, man findet sie daher bei fast allen Tieren. Ihre Entwicklung ist mit der von Nervenzellen einhergegangen. - ↑ auch Hypophyse, ↑ Geschlechtshormone, ↑ Nebennierenrindenhormone, ↑ Schilddrüse. - Übersicht S. 30.
▫ *Tausk, M., u.a.: Pharmakologie der H. Stg.* *1986. - Marks, F.: Molekulare Biologie der H. Stg. 1979.*

Horn [eigtl. „Spitze, Oberstes"], hauptsächl. aus Keratin bestehende und von der Epidermis gebildete, harte, zähe, faserartige Eiweißsubstanz, die große mechan. und chem. Widerstandsfähigkeit besitzt. Aus H. bestehen die Hornschicht der Haut sowie die Haare, Federn und Schuppen. Bes. H.bildungen sind u. a. Nägel, Hufe und Hörner.

Hornblatt (Hornkraut, Ceratophyllum), einzige Gatt. der **Hornblattgewächse** (Ceratophyllaceae) mit drei Arten in allen Erdteilen; vollständig untergetaucht lebende, im Alter wurzellose Wasserpflanzen mit vielgliedrigen Blattquirlen und unscheinbaren Blüten. In M-Europa kommt das **Gemeine Hornblatt** (Ceratophyllum demersum) in stehenden, nährstoffreichen Gewässern vor.

Hörnchen (Sciuridae), mit Ausnahme von Australien und Madagaskar nahezu weltweit verbreitete Nagetierfam. mit rd. 250 Arten von etwa 10–80 cm Körperlänge; Schwanz sehr kurz bis etwa körperlang, dicht, oft buschig behaart; Kopf kurz und breit; überwiegend Pflanzenfresser. Zu den H. gehören u. a. Baumhörnchen und Flughörnchen.

Hörner (Gehörn), verschieden geformte Kopfwaffe (v. a. für Brunstkämpfe), auch Kopfschmuck (oft steht im Kampfwert dahinter zurück; v. a. von Bed. bei Partnerwahl), u. a. bei Ziegen, Schafen, Antilopen, Gemsen,

Hornhautreflex

Rindern. Die H. bestehen aus einem häufig (zur Gewichtsverringerung) lufthaltigen Knochenzapfen (**Hornzapfen**), der vom Stirnbein ausgeht, und einer hornigen, epidermalen Scheide (**Hornscheide**). Durch period. unterschiedl. starke Hornbildung kommt es häufig zu einer Ringelung der Hörner. Bei Kühen zeigen die schwächeren Hornzonen die geringere Hornbildung während der Tragzeit an. Im Ggs. zum (hornlosen) ↑Geweih kommt ein jährl. Wechsel der H. nur bei der Gabelantilope vor. Giraffen und Okapis bilden keine Hornscheide aus; die H. bleiben fellüberzogen. Häufig sind beide Geschlechter hörnertragend, wobei die H. der ♀♀ oft schwächer ausgebildet sind. - H. werden als Jagdtrophäen gesammelt (z. B. Antilopen-H.), als Trinkgefäße verwendet (z. B. die Hornscheide der Rinder) oder zu Hornwaren verarbeitet (z. B. zu Kämmen, Löffeln, Schalen, Dosen und Knöpfen).
◆ Bez. für bes. Hornbildungen am Kopf von Tieren, z. B. für die Nasenhörner der Nashörner oder die Hornfortsätze bei Hornfröschen, Nashornvögeln und manchen Dinosauriern.

Hörnerv, der VIII. Hirnnerv (↑Gehirn).

Hornfarn (Ceratopteris), Farngatt. mit der einzigen, in den Tropen verbreiteten, sehr vielgestaltigen Art **Geweihfarn** (Wasserfarn, Ceratopteris thalictroides); einjähriger, auf dem Wasser schwimmender oder untergetauchter Farn mit kurzem Rhizom und zahlr. Wurzeln; Blätter gelappt oder fein zerteilt; beliebte Aquarienpflanze.

Hornfisch, svw. Europ. Hornhecht (↑Hornhechte).

Hornfliegen (Schneckenfliegen, Sciomyzidae), weltweit verbreitete Fliegenfam. mit über 200 Arten; Körper grau oder braun, Flügel manchmal mit dunklen Zeichnungen; Fühler verlängert und hornartig vorgestreckt; hauptsächl. an Gewässerufern; Larven leben vorwiegend im Süßwasser, meist parasit. in Schnecken oder in Wasserpflanzen.

Hornfrösche (Ceratophrys), Gatt. 2,5–20 cm großer, krötenartig gedrungener Pfeiffrösche mit rd. 20 Arten in S-Amerika; Körper meist sehr bunt (♀♀ meist bunter und größer als die ♂♂), mit warziger Oberseite, sehr großem Kopf, großem Maul und zu weichen Hautzipfeln ausgezogenen oberen Augenlidern; Bodenbewohner. H. sind z. T. beliebte Terrarientiere, z. B. der **Schmuckhornfrosch** (Ceratophrys ornata; rd. 10 cm groß; von M-Argentinien bis O-Brasilien verbreitet).

Hornhaut, der Teil der ↑Haut, der Hornschicht entspricht.
◆ (Cornea) ↑Auge.

Hornhautreflex (Kornealreflex), durch kurzdauernde Reizung der Augenhornhaut und Augenbindehaut ausgelöster, rascher, unwillkürl. Lidschluß. Der H. verhindert als physiolog. Schutzreflex eine Schädigung der

Hornhechte

HORMONE (Übersicht)

Hormone des Menschen und der Wirbeltiere

Name	chem. Konstitution	Bildungsort	Wirkung
Adrenalin	Tyrosinderivat	Nebennierenmark	Pulsfrequenz-, Blutzuckererhöhung (Streßhormon)
Aldosteron	Steroid	Nebennierenrinde	Regulierung des Natrium-Kalium-Gleichgewichts
Calcitonin	Protein	Schilddrüse	Senkung des Calciumspiegels
follikelstimulierendes Hormon (FSH)	Glykoproteid	Hypophysenvorderlappen	Reifung der männl. und weibl. Geschlechtszellen
Glukagon	Protein	Bauchspeicheldrüse	Erhöhung des Blutzuckerspiegels
Insulin	Protein	Bauchspeicheldrüse	Senkung des Blutzuckerspiegels
Kortikosteron und Hydrokortison	Steroid	Nebennierenrinde	Senkung des Calcium-, Erhöhung des Blutzuckerspiegels, Entzündungshemmung
luteinisierendes Hormon (LH)	Glykoproteid	Hypophysenvorderlappen	Auslösung der Ovulation, Gelbkörperbildung
luteotropes Hormon (Prolaktin, LTH)	Protein	Hypophysenvorderlappen	Förderung der Milchbildung
Melatonin	Tryptophanderivat	Zirbeldrüse	Kontraktion der Pigmentzellen bei Fischen und Lurchen; beim Menschen Verzögerung der Geschlechtsreife
Noradrenalin	Tyrosinderivat	Nebennierenmark	Blutdrucksteigerung
Östradiol	Steroid	Eierstock	Ausprägung weibl. sekundärer Geschlechtsmerkmale, Wachstum der Gebärmutterschleimhaut
Oxytozin	Oligopeptid aus 8 Aminosäuren	Hypothalamus	Gebärmutterkontraktion
Parathormon	Protein	Nebenschilddrüse	Steigerung des Calciumspiegels
Progesteron	Steroid	Gelbkörper, Plazenta	Sekretionsphase der Gebärmutterschleimhaut, Erhaltung der Schwangerschaft
Somatotropin (Wachstumshormon)	Protein	Hypophysenvorderlappen	Förderung des Körperwachstums
Testosteron	Steroid	Hoden	Ausprägung männl. sekundärer Geschlechtsmerkmale
Thyroxin	Derivat der Aminosäure Tyrosin	Schilddrüse	Steigerung des Grundumsatzes, des Eiweiß-, Kohlenhydrat-, Fett-, Wasser- und Mineralstoffwechsels, der Atmung, des Kreislaufs; bei Lurchen Auslösung der Metamorphose
Vasopressin (Adiuretin)	Oligopeptid aus 8 Aminosäuren	Hypothalamus	Wasserresorption in der Niere

Hornhaut durch Austrocknung oder Fremdkörper und eine Überreizung der Lichtsinneszellen in der Netzhaut.

Hornhechte (Nadelhechte, Belonidae), Fam. der Knochenfische mit rd. 60 bis über 1 m (meist um 50 cm) langen Arten fast ausschließl. in Meeren der warmen und gemäßigten Regionen; mit sehr langgestrecktem Körper und schnabelartig verlängerten, mit spitzen Zähnen bestandenen Kiefern. H. sind räuber. Oberflächenfische. Im O-Atlantik (einschließl. Mittelmeer, Schwarzes Meer sowie Nord- und Ostsee) lebt der **Europ. Hornhecht** (Hornfisch, Belone belone), bis etwa 1 m lang, oberseits grünlichblau, Körperseiten silbrig.

Hornisse [zu althochdt. hurnus, eigtl. „gehörntes Tier" (wegen der gebogenen Fühlhörner)] (Vespa crabro), größte Wespenart in Europa und NW-Afrika; mit schwarzem, z. T. rotbraun gezeichnetem Vorderkörper und schwarzem, rötlichgelb geringeltem Hinterleib; staatenbildende Insekten, die aus abgeschabten, fein zerkauten, mit klebrigem Speichel vermengten Holzfasern ein großes (bis 0,5 m langes), ovales Papiernest v. a. in hohle Bäume, Vogelnistkästen oder unter Dächern bauen. Wie bei Honigbienen unterscheidet man auch bei den H. drei Kasten: *Königin*, bis 35 mm lang, im Herbst befruchtet, Gründerin des neuen Staates im Frühjahr; *Arbeiterinnen*, bis 25 mm lange, geschlechtl. unterentwickelte ♀♀, aus befruchteten Eiern entstanden; *Männchen* (bis 20 mm lang, aus unbefruchteten Eiern entstanden) und geschlechtsreife ♀♀ werden erst Anfang Herbst gebildet. Nur die (im Nest oder außerhalb des Nestes) begatteten ♀♀ überwintern, der Rest des Volkes geht zugrunde. - Die H. ernährt sich vorwiegend von anderen Insekten (die blitzschnell überfallen werden), z. T. auch von Früchten u. a. pflanzl. Substanzen. - Der Stich der H. ist sehr schmerzhaft und nicht ungefährlich (mehr als 4 Stiche können auf Grund einer allerg. Reaktion tödl. wirken), bes. wenn er das Gesicht trifft.

Hornissenschwärmer ↑Glasflügler.

Hornklee (Lotus), Gatt. der Schmetterlingsblütler mit rd. 150 Arten in den gemäßigten Zonen, im subtrop. Eurasien, in S-Afrika und Australien; Stauden oder Halbsträucher mit meist doldenförmigen Blütenständen; Blüten mittelgroß, gelb oder rot, mit hornartig verlängertem Schiffchen, Hülsen schmal und gerade (zw. den Samen oft mit Querwänden). In M-Europa kommt v. a. der **Wiesenhornklee** (Gemeiner H., Lotus corniculatus) vor; 10–30 cm hoch, keilförmige bis linealförmige Fiederblättchen und gelbe Blüten.

Hornkraut, (Cerastium) Gatt. der Nelkengewächse mit rd. 100 Arten in Eurasien; Kräuter oder Stauden mit ungeteilten, gegenständigen Blättern und weißen Blüten in endständigen Trugdolden. Eine häufige Art ist das **Ackerhornkraut** (Cerastium arvense), eine in lockeren Rasen wachsende bis 30 cm hohe mehrjährige Pflanze; trägt etwa 2 cm große Blüten mit 5 weißen Kronblättern.

◆ svw. ↑Hornblatt.

Hornmilben (Oribatei), Gruppe etwa 0,2–1 mm großer, meist dunkel gefärbter Milben mit lederartigem oder stark verhärtetem Chitinpanzer; ernähren sich von zerfallenden Pflanzenstoffen (spielen eine wichtige Rolle bei der Humusbildung).

Hornmoose (Anthocerotales), Ordnung der Lebermoose mit zwei Fam. und vier Gatt.; eine auf feuchter Erde, bes. auf Brachäckern, vorkommende Art ist das **Fruchthorn** (Anthoceros levis) aus der Gatt. *Hornmoos (Anthoceros)*; Thallus gelappt, dünn; Sporenträger bis 3 cm lang; kalkmeidend.

Hornschröter ↑Hirschkäfer.

Hornschwämme (Keratosa), Ordnung der Schwämme mit ausschließl. aus Sponginfasern bestehendem Skelett ohne Nadeln (Sklerite); meist große, dunkel gefärbte, massige Arten, überwiegend klumpen- oder trichterförmig; v. a. in wärmeren Meeren, Bewohner der Küstenregion (z. B. Badeschwamm).

Hornstrahlen ↑Flossenstrahlen.

Hornstrauch, svw. ↑Hartriegel.

Horntiere (Hornträger, Bovidae), sehr formenreiche, äußerst anpassungsfähige und hoch entwickelte, mit Ausnahme der austral. Region und S-Amerikas weltweit verbreitete, jedoch überwiegend altweltl. Fam. der Paarhufer (Unterordnung Wiederkäuer); rd. 120 Arten, beide Geschlechter oder (seltener) nur die ♂♂ mit artspezif. gestalteten Hörnern, die (im Unterschied zum Geweih) nicht abgeworfen werden. - H. leben meist in Rudeln und sind fast ausschließl. Pflanzenfresser. Man unterscheidet folgende Unterfam.: Dukker, Böckchen, Waldböcke, Rinder, Kuhantilopen, Pferdeböcke, Riedböcke, Gazellenartige, Saigaartige, Ziegenartige. Einige Arten wie Hausschaf, Hausziege und Hausrind wurden vom Menschen schon früh als wertvolle Fleisch-, Milch- und Wollelieferanten domestiziert.

Hornveilchen ↑Veilchen.

Hornvipern (Cerastes), Gatt. bis 60 cm langer, gedrungener Vipern mit 2 Arten in den Wüsten N-Afrikas; sand- bis rötlichgelb mit brauner Fleckung und sehr kurzem, deutl.

Ackerhornkraut   Schopfiger Hufeisenklee    Gemeiner Huflattich

abgesetztem Schwanz. H. sind Dämmerungstiere, die sich bei Tag im Sand verbergen; ihr Gift schädigt die roten Blutkörperchen stark. Die **Hornviper** (Cerastes cerastes) trägt fast stets über jedem Auge eine spitze, dornförmige Schuppe, die bei der **Avicennaviper** (Cerastes vipera) fehlt.

Hornwarze (Kastanie), graue, verhornte Hautstelle an den Vorder- und Hinterextremitäten (kurz über den Fußwurzelknochen) bei Pferden, Zebras und Eseln.

Hornzahnmoos (Ceratodon), Gatt. der Laubmoose mit 2 weltweit verbreiteten Arten; in M-Europa v. a. die Art **Purpurzahnmoos** (Ceratodon purpureus), ein lockeres, rötl. bis blaugrüne Polster bildendes Moos; Stengel aufrecht, Blätter lanzenförmig, Kapsel rotbraun, geneigt, stark gestreift.

Hörorgan, svw. ↑ Gehörorgan.

Hörschwelle, derjenige Schalldruck, bei dem gerade eine Hörempfindung im menschl. Gehörorgan hervorgerufen wird. Die H. ist stark frequenzabhängig; das Maximum der Empfindlichkeit liegt zw. 1 000 und 2 000 Hz. Trägt man die H. in Abhängigkeit von der Frequenz in einem Schalldruck-Frequenz-Diagramm ein, so ergibt sich die *Hörschwellenkurve.*

Hörsinn, svw. ↑ Gehör.

Horst [zu althochdt. hurst „Dickicht"], allg. Bez. für Strauch- und Gebüschgruppen; i. e. S. Bez. für eine Vereinigung von Bäumen, die sich durch Holzart, Alter und Wuchs von ihrer Umgebung unterscheiden und eine Einheit bilden.

◆ bei Gräsern Bez. für ein Büschel dicht beisammenstehender Bestockungstriebe; H. bildende Gräser (z. B. Knäuelgras, Glatthafer) werden als *H.gräser* bezeichnet.

◆ meist auf Bäumen angelegtes, hauptsächl. aus Reisig gebautes, umfangreiches Nest großer Vögel (bes. Greif- und Stelzvögel).

Hortensie [wohl benannt nach Hortense Lepaute, der Reisegefährtin des frz. Botanikers P. Commerson, * 1727, † 1773] (Hortensia, Hydrangea), Gatt. der Steinbrechgewächse mit rd. 90 Arten in O- und SO-Asien sowie in Amerika; Sträucher, seltener Bäume oder Klettersträucher, mit gegenständigen, einfachen bis gelappten, oft gesägten, sommer- oder immergrünen Blättern; Blüten klein, in Rispen oder flachen bis kugeligen Trugdolden (bes. bei Zuchtformen sind viele Blüten unfruchtbar und haben dann blumenblattartig vergrößerte Kelchblätter).

Hörzellen ↑ Gehörorgan.

Höschen, Bez. für den stark mit Pollen beladenen Sammelapparat an den Hinterbeinen der bestimmten Bienen.

Hosenbienen ↑ Sägehornbienen.

Hottentottenbrot ↑ Elefantenfuß.

Hottentottensteiß ↑ Fettsteiß.

Houssay, Bernardo Alberto [span. u'saj], * Buenos Aires 10. April 1887, † ebd. 21. Sept. 1971, argentin. Physiologe. - Prof. in Buenos Aires; ermittelte die Bed. des Hypophysenvorderlappens für den Zuckerstoffwechsel und erhielt hierfür (zus. mit C. F. und G. T. Cori) 1947 den Nobelpreis für Physiologie oder Medizin.

Hovawart [zu mittelhochdt. hovewart „Hofwächter, Hofhund"], kraftvoller, bis 70 cm (Rüde) großer Hund von rechteckigem Körperbau; Kopf breit mit gewölbter Stirn und mittelgroßen Hängeohren; Schwanz lang, stark behaart; Fell schwarz, schwarz mit hellen Abzeichen oder falb.

Huanako [indian.] ↑ Guanako.

Hubel, David Hunter [engl. 'hjubel], * Windsor (Kanada) 27. Febr. 1926, amerikan. Neurophysiologe. - Erhielt zus. mit T. N. Wiesel und R. W. Sperry 1981 den Nobelpreis für Physiologie oder Medizin für die Erforschung der Verarbeitung opt. Reize durch das Gehirn.

Huchen (Donaulachs, Rotfisch, Hucho hucho), bis 1,5 m langer, räuber. Lachsfisch (Art der Gatt. Hucho) in der Donau und ihren Nebenflüssen; große Fettflosse, bräunl. bis grauer Rücken, rötl. Seiten mit schwarzen Flecken und weißl. Bauch; Speisefisch.

Huf (Ungula), die bei den Unpaarhufern (bei den Paarhufern ↑ Klaue) das Endglied der dritten (mittleren) Zehe als Schutzeinrichtung schuhartig überdeckende Hornmasse *(Hornkapsel, Hornschuh);* i. w. S. auch Bez. für das ganze hornbedeckte Zehenendglied. Die Hornkapsel läßt sich in *Hornwand, Hornsohle* und *Hornstrahl* (letzterer ist die von der Huflederhaut erzeugte hornige, im Zentrum der Hornsohle keilartig vorspringende Erhebung) gliedern. Beim Pferde-H. heißt der nach vorn gerichtete Hornwandteil Zehenwand, der hinterste jeder Seite Tracht[enwand] (Fersenwand).

Hufeisenklee (Hippocrepis), Gatt. der Schmetterlingsblütler mit rd. 20 Arten vom Mittelmeergebiet bis Z-Asien; Kräuter oder Halbsträucher mit unpaarig gefiederten Blättern; Blüten klein, meist gelb, einzeln oder in Dolden; Bruchhülsen mit einsamigen, hufeisenförmigen Gliedern. In M-Europa kommt nur der **Schopfige Hufeisenklee** (Hippocrepis comosa) vor, bis 40 cm hoch, auf Trockenrasen und Böschungen. - Abb. S. 31.

Hufeisennasen ↑ Fledermäuse.

Hufeisennatter ↑ Zornnattern.

Hufeisenwürmer (Phoronidea), Klasse meerbewohnender Tentakelträger mit rd. 20 einzeln lebenden, etwa 6 mm–30 cm langen, in einer chitinigen Sekretröhre steckenden Arten; Körper wurmförmig, mit doppeltem Tentakelkranz, Darm U-förmig. Die H. ernähren sich von Plankton und Detritus.

Huflattich (Tussilago), Gatt. der Korbblütler mit der einzigen, auf der Nordhalbkugel verbreiteten Art **Gemeiner Huflattich** (Tussilago farfara): ausdauerndes Acker- und Schuttunkraut mit herzförmigen, unterseits

Hüllblätter

weißfilzigen, grundständigen Blättern; Blütenköpfchen goldgelb, auf 10–25 cm langen, schuppig beblätterten Stengeln (erscheinen vor den Blättern). - Abb. S. 31.

Hufmuscheln (Gienmuscheln, Chamidae), bes. während Jura und Kreide stark entfaltete, heute nur noch wenige Arten umfassende Fam. mariner Muscheln; mit einer Schalenklappe am Untergrund festgeheftet, die andere Schalenhälfte mit zahlr. stachelbis lappenförmigen Anhängen (**Lappenmuscheln**).

Hüftbein (Os coxae), paariger Beckenknochen (↑ Becken).

Hüfte (Coxa), bei Säugetieren (einschließl. Mensch) die seitl. Körperregion vom Ober- und Vorderrand des Hüftbeins bis zum Oberschenkelansatz.

Hüftgelenk (Koxalgelenk, Articulatio coxae), Nußgelenk (↑ Gelenk), das sich aus der Gelenkpfanne des Hüftbeins (Hüftgelenkpfanne) und dem Kopf des Oberschenkelknochens zusammensetzt und durch starke Bänder einen bes. festen Halt besitzt sowie in seiner Beweglichkeit sehr eingeschränkt ist.

Huftiere (Ungulata), Sammelbez. für ↑ Unpaarhufer und ↑ Paarhufer, deren Zehenglieder von Hufen oder hufartigen Gebilden (Klauen) umgeben sind. Zu den H. i. w. S. zählen neben zahlr. ausgestorbenen Ordnungen auch die Röhrenzähner, Seekühe, Rüsseltiere und Schliefer.

Hüftnerv (Ischiasnerv, Ischiadikus, Nervus ischiadicus), längster und stärkster Nerv (nahezu kleinfingerdick) des menschl. Körpers; setzt sich aus motor. und sensiblen Nervenfasern zusammen; geht aus einem Nervengeflecht im Bereich des Kreuzbeins hervor und zieht an der Hinterseite des Oberschenkels, dessen Muskulatur versorgend, bis in die Kniegegend, wo er sich in den *Schienbeinnerv* und den außen liegenden *Wadenbeinnerv* teilt, die über zahlr. Verästelungen die gesamten Muskeln und einen Großteil der Haut im Bereich des Unterschenkels und Fußes versorgen.

Huhn, volkstüml. Bez. für das Haushuhn.
◆ Bez. für das ♀ vieler Hühnervögel.

Hühnerei, vom Haushuhn gelegte Ei. Es besteht wie jedes Vogelei aus der von der Dotterhaut begrenzten Eizelle und den tertiären Eihüllen und ist ein wichtiges Nahrungsmittel. Der eßbare Anteil des H. setzt sich zus. aus durchschnittl. 74 % Wasser, 13 % Eiweiße, 11 % Fett, 0,7 % Kohlenhydraten und 1 % Mineralstoffen (v. a. Natrium, Kalium, Calcium, Phosphor und Eisen) und enthält zahlr. Vitamine. Von dem durchschnittl. 50 bis 60 g schweren H. beträgt der Schalenanteil etwa 10 % (davon sind über 90 % Kalk). Das durch Laktoflavin leicht grünlichgelbe Eiklar macht etwa 58 % des H. aus, der *Dotter* etwa 32 %. Dieser enthält u. a. etwa 50 % Wasser, 16 % Stickstoffverbindungen und rd.

30 % hell- bis dunkelgelbes Dotterfett (Eieröl). In der durch die Hagelschnüre gehaltenen, aus zwiebelschalenartig geschichtetem weißem und gelbem Dotter sich zusammensetzenden Dotterkugel liegt, seitl. eingesenkt, die weißl. Keimscheibe (Hahnentritt). Der Nährwert des H. beträgt durchschnittl. 85 kcal ($\approx$ 357 kJ). Die Einteilung der H. in *Handels- und Gewichtsklassen* wird durch EWG-Verordnung geregelt: *Klasse A:* „frische Eier" erster Qualität; *Klasse B:* a) frische Eier zweiter Qualität; b) gekühlte Eier (Kühleier); c) haltbar gemachte Eier; *Klasse C:* aussortierte Eier. Die Produktion an H. betrug 1986 in der BR Deutschland rd. 14 345 Mill. Stück.

Hühnerfasanen ↑ Fasanen.
Hühnerfloh ↑ Flöhe.
Hühnergans ↑ Halbgänse.
Hühnerhabicht ↑ Habichte.

Hühnerhirse (Hühnergras, Echinochloa). Gatt. der Süßgräser mit rd. 20 Arten in wärmeren Gebieten der Erde; Ährchen zweiblütig, in einseitswendigen Ähren, die in einer dichten Rispe zusammenstehen. In M-Europa kommt nur die **Gemeine Hühnerhirse** (Echinochloa crus-galli) vor, ein einjähriges, 30–120 cm hohes, breitblättriges Unkraut feuchter Äcker und Gräben mit bis 5 cm langen, rötl. Grannen an den Deckspelzen.

Hühnerläuse, Bez. für verschiedene, hauptsächl. an Haushühnern lebende Federlinge; z. B. **Große Hühnerlaus** (Goniodes gigas), 3,5–4 mm lang, braunschwarz, mit breit gerundetem Hinterleib; die häufige, 0,8–1,4 mm große **Flaumlaus** (Goniocotes hologaster) mit vorn gerundetem Kopf und breit-ovalem Hinterleib (Federfresser, v. a. im flaumigen Gefiederanteil); die etwa 3 mm große **Körperlaus** (Menacanthus stramineus) mit seitl. behaartem Körper (lebt v. a. in der Kloakengegend und in den Schulterfedern).

Hühnervögel (Galliformes, Galli), mit über 260 Arten weltweit verbreitete Ordnung kräftiger, kurzflügeliger, 10 bis 150 cm körperlanger Bodenvögel; mit stark entwickelten, häufig mit Sporen versehenen Füßen, die zum Ausscharren bes. pflanzl. Nahrung im Boden dienen; Schnabel kräftig; Kropf stark dehnungsfähig, dient der Einweichung (z. T. auch Vorverdauung) harter Pflanzenteile (bes. Körner), die im sehr muskulösen Magen (häufig mit Hilfe aufgenommener Steinchen) zermahlen werden; ♂ und ♀ meist unterschiedl. gefärbt; Nestflüchter; Standvögel. Einige Arten wurden zu Haus- und Ziergeflügel domestiziert. Man unterscheidet vier Fam.: Großfußhühner, Hokkohühner, Fasanenartige (u. a. das Haushuhn) und Schopfhühner.

Hüllblätter, einfach gestaltete Hochblätter, die die Fortpflanzungsorgane bei Moosen und Blütenpflanzen (↑ Blütenhülle) umschließen oder die Knospen schützen (↑ Knospenschuppen).

Hüllspelzen

Ackerhundskamille   Hundszahn   Frühlingshungerblümchen

Hüllspelzen ↑ Spelzen.
Hulock [engl.] ↑ Gibbons.
Hülse (Hülsenfrucht, Legumen) ↑ Fruchtformen.
Hülsenfrüchtler (Leguminosen, Fabales, Leguminosae), Ordnung der zweikeimblättrigen Pflanzen, die die Fam. Schmetterlingsblütler, Mimosengewächse und Caesalpiniengewächse umfaßt; über 12 000 Arten holziger oder krautiger Pflanzen mit Fiederblättern; Blüte nur mit einem Fruchtblatt, aus dem meist eine vielsamige Hülse hervorgeht.
Humangenetik (Anthropogenetik), Erblehre des Menschen als Spezialgebiet der Genetik; eine der Grundwiss. der biolog. Anthropologie, die sich in erster Linie mit der Erblichkeit normaler körperl. Merkmale (etwa der Blutgruppen) und seel.-geistiger Eigenschaften (Erbpsychologie) befaßt. Im Sinne der Erbpathologie befaßt sich die H. mit der Vererbung krankhafter Merkmale. Darüber hinaus befaßt sich die H. mit Fragen der Stammesgeschichte und mit der biolog. Zukunft des Menschen, mit rassengenet. Problemen und mit den Möglichkeiten der Anwendung humangenet. Forschungsergebnisse durch Eugenik, Erbdiagnose bzw. genet. Beratung und Vaterschaftsgutachten.
Humerus [lat.], svw. Oberarmbein (↑ Arm).
Hummelblumen, Bez. für Blüten, die bevorzugt von Hummeln bestäubt werden. Der Nektar ist mehr oder weniger tief verborgen, so daß er nur mit langem Rüssel erreicht werden kann. Typ. H. sind Gemeine Akelei, Eisenhutarten und Wiesenklee.
Hummelkolibris ↑ Kolibris.
Hummeln (Bombini), auf der Nordhalbkugel (nur in den Anden auch südl. des Äquators) verbreitete, rd. 200 stechende Arten umfassende Gattungsgruppe staatenbildender ↑ Bienen mit einem etwa 1–3 cm großen, plumpen, pelzig und oft bunt behaarten Körper; wichtige Blütenbestäuber; Hinterbeine wie bei den Honigbienen mit Körbchen und Bürste als Sammelvorrichtung. – Die meist 100 bis 500 Tiere zählenden Staaten sind in den warmen Gebieten mehrjährig, in den gemäßigten Zonen einjährig (es überwintern nur die begatteten ♀♀, von denen jedes im kommenden Frühjahr ein neues Nest gründet). Die Nester werden u. a. in Erdhöhlungen, unter Wurzeln, in alten Vogelnestern angelegt. Das Nestgründerweibchen verwendet zum Bau eines Honigbehälters und einer Brutzelle (für die ersten 5–12 Eier) ausgeschwitztes Wachs, das mit Harz und Blütenstaub vermengt wird. In M-Europa kommen rd. 30 Arten vor, u. a.: **Erdhummel** (Bombus terrestris), 20–28 mm groß, Körper schwarz behaart mit je einer gelben Querbinde auf Vorderbrust und Hinterleib, Hinterleibsende meist weiß behaart; **Feldhummel** (Ackerhummel, Bombus agrorum), 12–22 mm groß, lange, struppige Behaarung, Brust einfarbig rostrot, 2. und 3. Hinterleibssegment schwarz, 4.–6. gelb-rot behaart; **Gartenhummel** (Bombus hortorum), 24–28 mm groß, Körper meist schwarz mit drei gelben Querbinden, Hinterleibsende weiß behaart, Rüssel etwa körperlang; **Steinhummel** (Bombus lapidarius), bis 27 mm groß, samtschwarz mit tiefrotem Hinterleibsende; **Wiesenhummel** (Bombus pratorum), 15–20 mm groß, schwarz, Hinterleib mit zwei gelben Querbinden und roter Spitze.
Hummer [niederdt.] (Homaridae), Fam. mariner Zehnfußkrebse, von der Küstenregion bis in die Tiefsee verbreitet. H. ernähren sich hauptsächl. von Weichtieren und Aas. Sie haben (wegen ihres geschätzten Fleisches) z. T. große wirtsch. Bed., z. B. **Europ. Hummer** (Homarus gammarus), bis 50 cm lang (meist aber kleiner bleibend), Maximalgewicht 4 kg, Färbung braun bis dunkelblau (durch Kochen rot); ♀ wird erst mit sechs Jahren geschlechtsreif; werden etwa 25–30 Jahre alt.
Hunde, Gattungsgruppe meist größer, ihre Beutetiere oft rudelweise hetzender Raubtiere (Fam. ↑ Hundeartige), zu denen bes. die Arten der Gatt. Canis gehören (u. a. Schakale, Wolf, Kojote). – ↑ auch Haushund.

Hundshai

Hundeartige (Canidae), mit rd. 40 Arten nahezu weltweit verbreitete Fam. durchschnittl. 35–135 cm körperlanger Raubtiere; mit schlankem, in den Flanken eingezogenem Rumpf, langgestrecktem Kopf, nackter, feuchter Nase und meist aufgerichteten Ohren; Schwanz häufig buschig; Gebiß kräftig; vorwiegend Fleischfresser. Die H. sind z. T. nacht-, z. T. tagaktive, oft gesellig in Rudeln auftretende Hetzjäger, die sich vorwiegend nach dem Geruchs- und Gehörsinn orientieren. Sie sind anpassungsfähig, besiedeln Lebensräume der verschiedensten Art. Sie ruhen meist in selbstgegrabenen Höhlen, in denen auch die blinden, doch behaarten Jungen aufgezogen werden. - Zu den H. gehören u. a. Füchse, Schakale, Wolf.

Hundebandwurm, Bez. für verschiedene v. a. im Haushund vorkommende Bandwurmarten, z. B. ↑Blasenwurm.

Hundefloh ↑Flöhe.

Hundehaarling (Trichodectes canis), weit verbreitetes, rd. 1,5 mm langes, hellgelbes Insekt (Gruppe Federlinge) mit breitem, gerundetem Kopf und breit-ovalem Hinterleib; lebt auf Hund, Fuchs und Wolf und ernährt sich hauptsächl. von Blut; Zwischenwirt für den Gurkenkernbandwurm.

Hundelaus (Linognathus setosus), etwa 2 mm lange, weitverbreitete, gelblichweiße Lausart auf Hunden; Hinterleibssegmente mit zwei Haarreihen; geht nicht an Menschen.

Hunderassen, Bez. für die verschiedenen Kulturvarietäten des Haushundes, die sich durch (vererbbare) einheitl. äußere Erscheinung und einheitl. Wesensmerkmale (Rassenmerkmale) gegeneinander abgrenzen lassen. Die Zahl der H. wird auf über 400 geschätzt, die nach Verwendungszweck (z. B. Jagd-, Hetz-, Dienst-, Nutz- und Begleithund) oder auf Grund ähnl. anatom. Merkmale (z. B. Spitze, Doggen, Hirtenhunde, Windhunde) in größere Rassegruppierungen zusammengefaßt werden können.

Hundertfüßer (Chilopoda), mit rd. 2 800 Arten weltweit verbreitete, jedoch überwiegend in trop. und subtrop. Gebieten vorkommende Unterklasse der Gliederfüßer mit langgestrecktem, gleichmäßig segmentiertem Körper; bis über 25 cm lang, meist jedoch wesentl. kleiner; jedes Rumpfsegment (mit Ausnahme der beiden letzten) mit einem Beinpaar, insgesamt je nach Art 15–173 Beinpaare; erstes Beinpaar zu zangenartigem Kieferfuß umgestaltet, an dessen Spitze eine Giftdrüse mündet. Der Biß mancher Arten ist für den Menschen sehr schmerzhaft, die Giftwirkung hält jedoch meist nur sehr kurz an. Man unterscheidet die vier Ordnungen Erdläufer, Skolopender, Steinläufer und Spinnenasseln.

Hundespulwurm ↑Spulwürmer.

Hundezecke ↑Schildzecken.

Hundsaffen (Hundskopfaffen, Cercopithecoidea), Überfam. der Schmalnasen mit den Fam. Meerkatzenartige und Schlankaffen, die oft durch stark verlängerte Hundeschnauzen gekennzeichnet sind.

Hundsfische (Umbridae), artenarme, den Hechten nahestehende Fam. der Knochenfische in stehenden und langsam fließenden Süßgewässern O-Europas, NO-Asiens und N-Amerikas; kleine, räuber. Grundfische, die im feuchten Schlamm (durch Aufnahme von atmosphär. Luft) Trockenperioden zu überdauern vermögen.

Hundsflechte (Peltigera canina), Blaualgen führende Laubflechte mit etwa handgroßem, blattartigem, breitgelapptem Thallus; Oberseite weißlich-oliv-graugrün, Unterseite weiß mit zahlreichen Befestigungshyphen; auf feuchten, beschatteten Böden.

Hundsgiftgewächse (Immergrüngewächse, Apocynaceae), zweikeimblättrige Pflanzenfam. mit rd. 200 Gatt. und über 2 000 Arten vorwiegend in den Tropen und Subtropen; milchsaftführende Gehölze, Stauden und Lianen mit stielteller- oder trichterförmigen Blüten; Samen oft mit Haarschopf oder Flügeln. Bekannte Gatt. sind Immergrün und Oleander.

Hundshai, (Grundhai, Schweinshai, Galeorhinus galeus) bis 2 m langer, schlanker, lebendgebärender Haifisch im östl. Atlantik (von Norwegen bis S-Afrika) und im Mittelmeer; Rücken stahlgrau, Unterseite weißlich

Streifenhyäne

Hyänenhund

Hundskamille

bis perlmuttfarben; Schnauze stark verlängert, spitz; jagt v. a. Grundfische; wird dem Menschen nicht gefährlich.
◆ svw. Südl. Glatthai († Glatthaie).
Hundskamille (Anthemis), Gatt. kamillenähnl. Korbblütler mit rd. 100 Arten in Europa und im Mittelmeergebiet; einjährige oder ausdauernde Kräuter mit fiederteiligen Blättern; Blütenköpfchen groß, mit zungenförmigen Randblüten. Bekannte Arten sind: **Färberkamille** (Anthemis tinctoria) mit goldgelben Blütenköpfchen; kommt auf kalkhaltigen, trockenen Abhängen vor; **Ackerhundskamille** (Anthemis arvensis), ein einjähriges, bis 50 cm hohes Ackerunkraut mit weißen, waagerecht ausgebreiteten Zungenblüten und goldgelben Scheibenblüten; **Römische Kamille** (Doppelkamille, Anthemis nobilis), 15–30 cm hoch, Blätter doppelt fiederspaltig, einzelne, endständige Blütenköpfchen mit silberweißen Zungenblüten (oft in gefülltblühenden Sorten kultiviert). - Abb. S. 34.
Hundskopfaffen, svw. † Hundsaffen.
Hundslattich † Löwenzahn.
Hundspetersilie […i-ε] (Gartenschierling, Gleiße, Aethusa cynapium), Doldengewächs in Europa und Sibirien, einzige Art der gleichnamigen Gatt.; petersilienähnl., weißblühendes, 10–120 cm hohes, blaugrünes, einjähriges Unkraut in Gärten, auf Äckern und auf Schuttplätzen; sehr giftig.
Hundsrose † Rose.
Hundsveilchen † Veilchen.
Hundszahn (Zahnlilie, Erythronium), Gatt. der Liliengewächse mit 15 Arten in N-Amerika und einer Art (**Erythronium dens-canis**) in Eurasien; Blüten nickend, einzeln oder locker traubig, langgestielt, in Form und Färbung an die Alpenveilchen erinnernd; einige Arten sind Zierpflanzen. - Abb. S. 34.
Hundszahngras (Cynodon), Gatt. der Süßgräser mit 12 Arten in den Tropen und Subtropen. Die bekannteste Art ist das **Fingerhundszahngras** (*Bermudagras*, Cynodon dactylon), ein wichtiges, dürreresistentes Futtergras wärmerer Länder (u. a. im S der USA), das in gemäßigten Gebieten (z. B. M-Europa) stellenweise heim. geworden ist.
Hundszunge (Cynoglossum), Gatt. der Rauhblattgewächse mit rd. 90 Arten in gemäßigten und subtrop. Gebieten; meist zweijährige, behaarte Kräuter mit verlängerten Blütentrauben und Klettfrüchten. In M-Europa u. a. die graufilzige **Gemeine Hundszunge** (Cynoglossum officinale) mit braunroten Blüten und rübenförmiger Wurzel, die durch Alkannarot gerötet ist.
Hundszungen (Cynoglossidae), mit über 30 Arten hauptsächl. in warmen Meeren (v. a. in flachen Küstengewässern des Ind. Ozeans) verbreitete Fam. der Plattfische; Körperform lang und schlank; Augen auf der linken Körperseite; auf der rechten fehlen Brust- und Bauchflossen.

Hunger [zu althochdt. hungar, eigtl. „brennendes Gefühl (von Hunger, Durst)"], das subjektiv als Allgemeinempfindung auftretende Verlangen nach Nahrung, das bei leerem Magen auftritt und nach der Nahrungsaufnahme verschwindet bzw. durch das Sättigungsgefühl verdrängt wird. H. und Sättigungsgefühl sind Teile der Regulationsvorgänge, die für ausreichende Energie-, Mineral- und Vitaminversorgung des Körpers sorgen. Der H. wird im Zentralnervensystem durch zwei Faktoren ausgelöst: 1. durch reflektor. rhythm. Kontraktionen des leeren Magens, die auf nervalem Weg einem Appetitzentrum (H.zentrum) im Hypothalamus gemeldet werden; 2. durch Reizung von bestimmten Zellen (Glukostatzellen) im sog. Sättigungszentrum des Hypothalamus, die (bei Nahrungsmangel) erniedrigten Blutzuckerspiegel registrieren. Die Aktivität des Sättigungszentrums wird jedoch nicht vom Blutzuckerspiegel, sondern von der Glucoseverwertung geregelt. Durch fehlende Glucoseverwertung wird es gehemmt und löst das H.gefühl aus. Hohe Glucoseverwertung steigert die Aktivität des Sättigungszentrums und hemmt das Appetitzentrum und löst somit das Sättigungsgefühl aus. Bei Tierversuchen wurde festgestellt, daß eine Reizung des Appetitzentrums Freßverhalten, seine Zerstörung Nahrungsverweigerung auslöst. Eine Reizung des Sättigungszentrums führt zur Beendigung der Nahrungsaufnahme, seine Zerstörung dagegen bewirkt gesteigerte Nahrungsaufnahme.
Bei vollem Nahrungsentzug reichen die Energiereserven eines durchschnittl. ernährten gesunden Menschen rd. 50 Tage aus. Wichtig ist die Fettreserve des Körpers. Ein Kilogramm zusätzl. Depotfett liefert 37 800 kJ (9 000 kcal), d. h. den Energiebedarf für 5 Tage. Völlige Ruhe verringert die Stoffwechselleistung (und erhöht die erträgliche H.zeit), doch wird der Grundumsatz hierbei nur um etwa 20 % verringert, weil alle lebenswichtigen Stoffwechselvorgänge weiterlaufen müssen. Bei Tieren ist die Dauer einer H.zeit unterschiedl. Viele haben spezielle Anpassungsmechanismen wie Ruhestadien (z. B. Trockenstarre, Winterschlaf) oder können Körperzellen einschmelzen (bes. niedere Tiere). Kaltblüter ertragen im allg. H. leichter als Warmblüter, Fleischfresser leichter als Pflanzenfresser. ⌑ *H. and satiety in health and disease.* Hg. v. F. Reichsmann. Basel 1972.
Hungerblümchen (Erophila), Gatt. der Kreuzblütler mit mehreren z. T. formenreichen Arten in Europa, W-Asien und N-Afrika; kurzlebige, 3–20 cm hohe Kräuter mit grundständiger Blattrosette, weißen oder rötl. Blütchen und Schötchenfrüchten; u. a. das **Frühlingshungerblümchen** (Erophila verna) 5–10 cm hoch, mit weißen Blüten, auf Sandböden, Felsen, an Wegrändern. - Abb. S. 34.

Hyaluronsäure

Hungerstoffwechsel ↑ Stoffwechsel.
Hungerwespen (Evaniidae), weltweit verbreitete Fam. der ↑Taillenwespen mit rd. 400 Arten, davon drei 4–10 mm große, schwarze Arten in Deutschland; H. legen ihre Eier mit dem kurzen Legebohrer in die Eikapseln von Schaben, in denen die Larven heranwachsen.

Hunter [engl. 'hʌntə, zu hunt „jagen"], in Großbrit. und Irland gezüchtetes, sehr robustes Jagdpferd mit festen Gelenken, sehr harten Sehnen und flachen, leichten Gängen; außerordentl. Springvermögen.

Hüpferlinge (Cyclopidae), artenreiche, weltweit verbreitete Fam. etwa 1 bis 5 mm großer Ruderfußkrebse, v. a. in Süß-, seltener in Meeresgewässern; Kopfbrust meist keulenförmig, Hinterleib schlank; ♀♀ mit zwei (äußerl. sehr auffälligen) Eisäckchen; erste Antennen der ♂♂ zu Greiforganen umgebildet zum Anklammern an die ♀♀ bei der Begattung. H. ernähren sich v. a. von sich zersetzenden organ. Resten.

Hüpfmäuse (Zapodidae), Fam. 5–10 cm körperlanger, langschwänziger, mausartiger Nagetiere mit rd. 10 Arten, v. a. in Steppen, buschigen Landschaften (z. T. auch Wäldern) Eurasiens und N-Amerikas; gut kletternde Tiere, die sich Kugelnester am Boden oder im Gebüsch bauen; überstehen ungünstige Witterungsperioden in einem schlafähnl. Zustand; einzige einheim. Art ist die ↑Birkenmaus.

Husarenaffe (Erythrocebus patas), bodenbewohnende Art der Meerkatzenartigen in W- und Z-Afrika und in Teilen O-Afrikas; Körperlänge etwa 60–90 cm, Schwanz etwas kürzer, ♀ deutl. kleiner als ♂; Fell rauhhaarig, größtenteils leuchtend rostrot, Schultern dunkelgrau oder gelbl., Arme und Unterschenkel weißlich. Der H. lebt in meist kleinen Gruppen in Savannen und Grassteppen. Man unterscheidet zwei Unterarten: **Patas** (*Schwarznasen-H.*, Erythrocebus patas patas) mit rosafarbenem Gesicht und schwarzem Nasenfleck; von Senegal bis Tschad; **Nisnas** (*Weißnasen-H.*, Erythrocebus patas pyrrhonotus) mit grauem Gesicht und weißem Nasenfleck; vom Sudan bis Tansania.

Husarenknopf (Sanvitalie, Sanvitalia), Gatt. der Korbblütler mit acht Arten von Arizona bis M-Amerika. Die Art *Sanvitalia procumbens*, ein einjähriges, bis 12 cm hohes Kraut mit orangegelben Zungenblüten und schwärzl. Scheibenblüten, wird als Sommerblume häufig in Gärten angepflanzt.

Husky [engl. 'hʌskɪ] (Siberian Husky), mittelgroßer (bis 58 cm Schulterhöhe), spitzähnl., kräftiger, aus Sibirien stammender, heute v. a. in N-Amerika gehaltener Nordlandhund; Augenfarbe braun od. blau; Rute über dem Rücken gerollt; Fell dick, weich mit dichter Unterwolle, meist schwarz od. silbergrau mit weißen Abzeichen; Schlittenhund.

Hutpilze, volkstüml. Bez. für ↑Ständerpilze mit gestieltem, hutförmigem Fruchtkörper.
Hutschlangen, svw. ↑Kobras.
Huxelrebe, empfindl. Rebsorte, die aus einer Kreuzung der Rebsorten Weißer Gutedel mit Courtillier musqué (Muscat courtillier; südfrz. Tafeltraube) hervorging; ertragreiche, frühreife Rebsorte, deren Trauben rassige Weine mit dezentem Muskatbukett liefern. Hauptanbaugebiete: Rheinhessen, Rheinpfalz, Nahegebiet.

Huxley, Andrew [Fielding] [engl. 'hʌkslɪ], * London 22. Nov. 1917, Physiologe. - Prof. in London. 1939 gelang H. zus. mit A. L. Hodgkin die Ableitung der Aktionspotentiale von Nervenfasern. Nach dem 2. Weltkrieg entwickelten Hodgkin und H. biophysikal. Meßmethoden, um den Ionenaustausch an den Nervenzellmembranen während der Erregung zu registrieren und mit den dabei gleichzeitig auftretenden Änderungen der elektr. Membraneigenschaften in Beziehung zu bringen. Sie erkannten, daß die Nervenmembranen nur für bestimmte Ionen durchlässig sind. Damit gelang ihnen auch der Nachweis einer Auslösung und Weiterleitung von Aktionspotentialen durch Ionenverschiebung an den Nervenzellmembranen. Für diese Arbeiten erhielt H. (zus. mit Hodgkin und J. C. Eccles) 1963 den Nobelpreis für Physiologie oder Medizin.

Huxley, Thomas [engl. 'hʌkslɪ], * Ealing (= London) 4. Mai 1825, † London 29. Juni 1895, Zoologe, Anatom und Physiologe. - Großvater von Andrew H.; Prof. in London; bed. Arbeiten zur vergleichende Anatomie der Wirbellosen und der Wirbeltiere. Er trat als einer der ersten brit. Forscher entschieden für die ↑Deszendenztheorie ein. Schrieb u. a. „Zeugnisse für die Stellung des Menschen in der Natur" (1863).

hyalin [griech.], durchsichtig, glashell, glasig; von einer organ. Substanz, einem bestimmten Gewebe (wie dem h. Knorpel) oder (glasig) erstarrten Ergußgesteinen gesagt.

Hyaloplasma [griech.] (Grundplasma) ↑Plasma.

Hyaluronidasen [griech.], Enzyme, die Hyaluronsäure und andere Mukopolysaccharide (v. a. Chondroitinschwefelsäure) hydrolytisch spalten, wodurch das Gewebe leichter durchdringbar wird. Deshalb werden H. als Zusatz zu Medikamenten benutzt. H. finden sich auch in manchen tier. Geweben. Die H. der Spermien ermöglicht die Durchdringung der Eihüllen.

Hyaluronsäure [griech./dt.], ein Mukopolysaccharid, das sich aus N-Acetylglucosamin- und Glucuronsäure zusammensetzt (Molekulargewicht von 20 000 bis mehrere Mill.); wichtiger Bestandteil des Binde- und Stützgewebes. H. kommt, meist zus. mit Proteinen, in der Gelenkschmiere, im Glaskörper des Auges, in der Haut und in der Nabelschnur vor.

Hyänen

Hyänen (Hyaenidae) [griech., zu hỹs „Schwein" (wohl mit Bezug auf den borstigen Rücken)], seit dem Pleistozän (↑ Höhlenhyäne) bekannte, mit den Schleichkatzen nahe verwandte Fam. sehr gefräßiger Raubtiere mit drei Arten, v. a. in offenen Landschaften Afrikas, SW-Asiens bis Vorderindiens; Körper etwa 90–160 cm lang, vorn stark überhöht; Gebiß sehr kräftig. - H. sind überwiegend nachtaktiv. Sie ruhen gern in verlassenen Erdhöhlen anderer Tiere (z. B. Erdferkel), ernähren sich vorzugsweise von Aas und Kleintieren oder von (im Rudel erjagten) Großtieren. Arten: **Schabrackenhyäne** (Braune H., Strandwolf, Hyaena brunnea), etwa 1 m Körperlänge, mit zottigem, langem Fell, überwiegend dunkelbraun, mit hell geringelten Beinen und heller Nackenmähne, Einzelgänger; **Streifenhyäne** (Hyaena hyaena), etwa 1 m Körperlänge, mit langem, gelblichgrau bis graubraunem Fell, braunschwarze Querstreifen an den Körperseiten und mähnenartig verlängerte Nacken- und Vorderrückenhaare, Schwanz buschig behaart; **Tüpfelhyäne** (Flekkenhyäne, Crocuta crocuta), bis 1,6 m Körperlänge, mit dunkelbraunen bis schwarzen Flecken auf dem graubraunen bis gelbgrauen Fell; jagt Säugetiere bis Zebragröße; ihre artspezifischen Lautäußerungen sind „lachendes" Bellen, Heulen oder Knurren. - Abb. S. 35.

Hyänenhund (Afrikan. Wildhund, Lycaon pictus), 75–100 cm körperlanges Raubtier (Fam. Hundeartige), v. a. in Steppen und Savannen Afrikas südl. der Sahara; mit kräftigem Kopf, sehr großen Ohren und variabler Fellfärbung (schwarz, gelb und weiß gescheckt). H. sind ausdauernde, im Rudel laufende, überwiegend dämmerungsaktive Hetzjäger. Sie erbeuten v. a. mittelgroße Antilopen und Jungtiere. - Abb. S. 35.

Hyazinthe (Hyacinthus) [griech.], Gatt. der Liliengewächse mit rd. 30 Arten im Mittelmeergebiet und Orient; Zwiebelpflanzen mit trichterförmigen bis glockigen Blüten in Trauben und grundständigen, lineal. oder riemenförmigen Blättern. Eine beliebte Zierpflanze ist die Art **Hyacinthus orientalis.**

Hybride [griech.-lat.], in der landw. Tier- und Pflanzenzüchtung Bez. für einen aus einer Hybridzüchtung hervorgegangenen Nachkommen.
◆ svw. ↑Bastard.

Hybridisierung [griech.-lat.], die experimentell herbeigeführte Reaktion zwischen zwei komplementären Nukleinsäureeinzelsträngen unter Bildung eines Nukleinsäuredoppelstrangs für den Nachweis verwandter (komplementärer) Nukleinsäuren.
◆ svw. ↑Hybridzüchtung.

Hybridom, Zellfusionsprodukt bei der Herstellung monoklonaler ↑Antikörper.

Hybridzüchtung (Hybridisierung, Heterosiszüchtung), in der landw. Tier- und Pflanzenzüchtung häufig angewandtes Züchtungsverfahren zur Erzielung einer hohen markt- oder betriebsgerechten tier. oder pflanzl. Produktion durch Bastardwüchsigkeit (Nachkommen der 1. Generation wachsen üppiger als die Eltern [Luxurieren], die folgenden Generationen sind wieder weniger leistungsfähig). Bei der H. werden geeignete, gesondert gezüchtete Inzuchtlinien einmalig miteinander gekreuzt, wodurch gesteigerte Leistungen ausgelöst werden und eine Kombination erwünschter Eigenschaften stattfindet.

Hydathoden [griech.] ↑Drüsen.

Hydra [griech.] ↑Süßwasserpolypen.

Hydratur, der Wasserzustand einer (Pflanzen)zelle, d. h. der relative Wasserdampfdruck bzw. die relative Feuchtigkeit derselben. Bei Pflanzenzellen unterscheidet man zw. der H. des Plasmas und der Vakuole (im wesentl. durch den osmot. Druck des Zellsafts bestimmt) und der H. der Zellwand.

Hydrobiologie, Teilgebiet der Biologie,

Hypophysenhormone

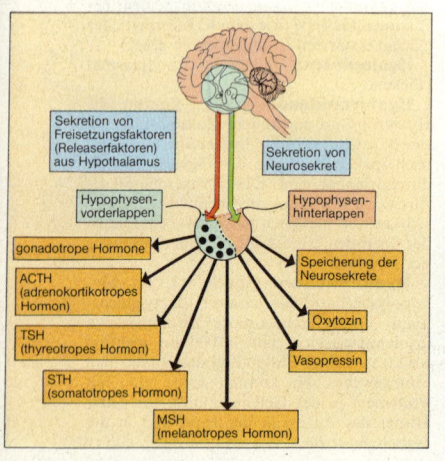

Igelkaktus. Goldkugelkaktus

Hydrozoen

umfaßt die Limnologie (Biologie der Süßgewässer) und die Meeresbiologie.

Hydrochorie [griech.] ↑Allochorie.

Hydroidea (Hydroiden) [griech.], mit über 2400 Arten vorwiegend im Meer verbreitete Ordnung der Nesseltiere (Klasse Hydrozoen); mit fast stets festsitzenden, meist koloniebildenden (selten einzeln lebenden) Polypen (**Hydroidpolypen**); 1 mm bis wenige cm hoch, bei einigen Tiefseeformen bis über 2 m. Fast alle H. erzeugen ungeschlechtl. durch Knospung Medusen, die entweder am Polypenstock verbleiben oder sich ablösen und frei schwimmen. Die Medusen dienen der geschlechtl. Fortpflanzung.

Hydrokortison (Hydrocortison, Kortisol, Cortisol, 17-Hydroxykortikosteron), zu den Glukokortikoiden gehörendes Hormon der Nebennierenrinde mit entzündungshemmender Wirkung.

Hydrokultur (Wasserkultur, Hydroponik), Bez. für Kultivierungsmethoden von Nutz- und Zierpflanzen in Behältern mit Nährlösungen anstelle des natürl. Bodens als Nährstoffträger. Der Vorteil gegenüber der normalen Erdkultur liegt darin, daß das Substrat für die Ernährung der Pflanzen für die jeweiligen Zwecke und Objekte genau dosierbar ist und die Versorgung leicht automatisiert werden kann. - Bei Blumenliebhabern setzt sich die H. immer mehr durch, da fast alle Zimmerpflanzen in H. gehalten werden können.

📖 *Deiser, E.: Zimmerpflanzen in H. Stg. 1981.*

Hydrolasen [griech.] ↑Enzyme.

Hydromedusen (Saumquallen, kraspedote Medusen), fast nur bei marinen Arten auftretende, freischwimmende, mit Geschlechtsorganen ausgestattete, meist getrenntgeschlechtl. Medusengeneration der Hydrozoen (nicht bei Staatsquallen); Schirm meist von 1 bis 3 cm Durchmesser, mit dicker, zellfreier Gallertschicht und ringblendenförmigem Randsaum (**Velum**), der bei Schwimmbewegungen die Schirmöffnung verengt. H. leben von Plankton, Wirbellosen und Fischen.

hydrophil, das Wasser bevorzugend, wasserliebend; von Tieren und Pflanzen, die im und am Wasser leben, gesagt.

hydrophob [griech.], das Wasser meidend; von Tieren und Pflanzen gesagt, die trockene Lebensräume bevorzugen.

Hydrophyten [griech.], svw. ↑Wasserpflanzen.

Hydropolypen, die etwa 1 mm bis über 2 m großen Polypen der Hydrozoen; bestehen aus dem stielrunden Rumpf (**Hydrocaulus**) und dem distalen Köpfchen (**Hydranth**) mit Mundöffnung und (dem Nahrungsfang dienenden) Tentakeln; meist stockbildend und festsitzend oder freischwimmend; stellen die ungeschlechtl. Generation der Hydrozoen dar, die Medusen, Medusoide oder Gonophoren erzeugt.

Hydroponik [griech.], svw. ↑Hydrokultur.

Hydroskelett, das hydrostat. ↑Skelett vieler niederer Tiere (Würmer, Nesseltiere, Blutegel); repräsentiert duch die flüssigkeitserfüllte Leibeshöhle oder andere Körperhöhlungen.

Hydrozoen (Hydrozoa) [griech.], Klasse der Nesseltiere mit rd. 2700 überwiegend marinen Arten von etwa 1 mm bis über 2 m Länge; meist mit Generationswechsel (Metagenese) zw. ungeschlechtl. Polypengeneration

Europäischer Igel

Waldiltis

Kleines Immergrün

Hygrochasie

(↑ Hydropolypen) und geschlechtl. Medusengeneration (↑ Hydromedusen); Larven: ↑ Planula, seltener ↑ Actinula, die sich meist zu stockbildenden Polypen umwandeln. Die Kolonien können am Untergrund festsitzen oder im Wasser frei umherschwimmen.

Hygrochasie [griech.], Bez. für den nur nach Befeuchtung (Regen, Tau) einsetzenden Öffnungsvorgang bei Früchten verschiedener Pflanzenarten, der das Ausstreuen der Samen ermöglicht (z. B. bei Mittagsblumengewächsarten).

hygrophil, feuchtigkeitsliebend; von Pflanzenarten gesagt, die feuchte Standorte bevorzugen.

Hygrophyten [griech.], Landpflanzen, die an Standorten mit dauernd guter Wasserversorgung bei gleichbleibend hoher Boden- und Luftfeuchtigkeit wachsen.

Hyla [griech.] ↑ Laubfrösche.

Hyläa [griech.], Bez. für den immergrünen trop. Regenwald.

Hylidae [griech.], svw. ↑ Laubfrösche.

Hymen [griech.] (Jungfernhäutchen), sichel- bis ringförmige, dünne Schleimhautfalte zw. Scheidenvorhof und Scheideneingang bei der Frau. Das H. reißt im allg. beim ersten Geschlechtsverkehr unter leichter Blutung ein (Defloration) und wird bei der ersten Geburt weitgehend zerstört. - Ein H. ist auch bei den ♀ von höheren Affen, Raubtieren und Huftieren ausgebildet.

Hymenoptera [griech.] (Hymenopteren), svw. ↑ Hautflügler.

Hyoid [griech.], svw. ↑ Zungenbein.

Hyoscin [griech.], svw. ↑ Scopolamin.

Hyoscyamin [griech.], in verschiedenen Nachtschattengewächsen (v. a. Tollkirsche) vorkommendes Alkaloid; opt. aktive Form des ↑ Atropins.

hypermorph, das Merkmal verstärkt ausprägend; von einem mutierten Gen, das - bei gleichem phänotyp. Effekt - von stärkerer Wirkung ist als das ihm entsprechende (allele) Standard- bzw. Normalgen.

Hyphen ['hyfən; zu griech. hyphḗ „das Gewebte"], fadenförmige, oft zellig gegliederte und verzweigte Grundstrukturen der Pilze, aus denen sich das ↑ Myzel und der Fruchtkörper aufbaut.

Hypnaceae [griech.], svw. ↑ Astmoose.

Hypodermis [griech.], bei Sprossen, Wurzeln und Blättern vieler Pflanzen ausgebildete äußere Schicht des unter der Epidermis liegenden Rindenparenchyms.

◆ äußere feuchtige Haut bei Wirbellosen, die eine Kutikula abscheidet (z. B. bei Gliederfüßern und Fadenwürmern).

hypogäisch [griech.], unterirdisch keimend (↑ Keimung).

Hypogastrium [griech.], in der Anatomie Bez. für die Unterbauchregion.

Hypokotyl [griech.], bei Samenpflanzen Bez. für das unterste Sproßglied des Keimlings, das sich zw. Wurzelhals und Keimblättern befindet. Ist das H. knollig verdickt, spricht man von einer **Hypokotylknolle**. Sie dient als Reservestoffspeicherorgan, z. B. beim Radieschen und bei der Roten Rübe.

hypomorph, das Merkmal schwächer ausprägend; von einem mutierten Gen, das - bei gleichem phänotyp. Effekt - von schwächerer Wirkung ist als das ihm entsprechende (allele) Standard- bzw. Normalgen.

Hypophyse [zu griech. hypóphysis „Nachwuchs, Sprößling"] (Hirnanhang[sdrüse], Gehirnanhang[sdrüse], Hypophysis [cerebri]), Hormondrüse der Wirbeltiere, die an der Basis des Zwischenhirns hängt. Sie ist beim Menschen walzenförmig (etwa 14 mm lang) und ragt in eine Höhlung des Keilbeins hinein. Die H. besteht aus zwei histolog. und funktionell verschiedenen Teilen: dem massigeren, aus einer taschenförmigen Ausstülpung des Rachendaches hervorgehenden Vorderlappen und dem eine Ausstülpung des Zwischenhirnbodens darstellenden Hinterlappen. Dazw. liegt als Teil des Vorderlappens der Zwischenlappen (bei Vögeln und Walen fehlend). Der (gefäßreiche) H.*vorderlappen* (*Adeno-H.*, *Lobus anterior*) hat viele verschiedenartige epitheliale Drüsenzellen. Die Hauptzellen (γ-Zellen) machen etwa 50 % aus; ihre Bed. ist nicht voll geklärt. Während der Schwangerschaft gehen aus ihnen die Schwangerschaftszellen (η-Zellen, LTH-Zellen) hervor, die Prolaktin produzieren. Die acidophilen Zellen synthetisieren (als α$_1$-Zellen) das Wachstumshormon Somatotropin und das adrenokortikotrope Hormon (α$_2$-Zellen, ACTH-Zellen). Basophile Zellen (β-Zellen, TSH-Zellen) produzieren thyreotropes Hormon. Daneben kommen in geringer Zahl noch δ-Zellen (GTH-Zellen), die Prolane bilden, und ε-Zellen noch unbekannter Funktion vor. Der *H.hinterlappen* (*Neuro-H.*, *Lobus posterior*) enthält keine epithelialen Drüsenzellen, sondern zahlr. (markarme) Nervenfasern, die Neurosekret aus den Nervenzellkörpern im Hypothalamus enthalten sowie spezif., z. T. (v. a. im Alter) pigmenthaltige Gliazellen (*Pituizyten*) ohne Neurosekret. Die Hormone Vasopressin und Oxytozin konnten nachgewiesen werden. - Abb. S. 38.

Hypostase [aus griech. hypóstasis, eigtl. „das Unterstellen"] (Hypostasis, Hypostasie), in der *Genetik*: die Unterdrückung der Merkmalsausbildung eines (hypostat.) Gens durch die überlagernde Wirkung eines (im Ggs. zur Dominanz) nichtallelen (epistat.) Gens (↑ Epistase).

Hypothalamus, basaler Wandteil des Zwischenhirns der Wirbeltiere (↑ Gehirn).

hypozerk [griech.], eine nach unten gezogene Schwanzflosse aufweisend; von bestimmten Kieferlosen gesagt (z. B. bei Neunaugenlarven), bei denen der untere Teil der Schwanzflosse nach hinten ausgezogen ist.

I

Ibaliiden (Ibaliidae), weltweit verbreitete Fam. 8–16 mm langer Gallwespen mit seitl. sehr stark zusammengedrücktem, messerartigem Hinterleib; ♀ mit langem Legebohrer; Larven entwickeln sich (Dauer bis 3 Jahre) parasitisch in Larven der Holzwespen.

Iberis [iˈbeːrɪs, ˈiːberɪs; griech.], svw. ↑Schleifenblume.

Iberische Landschildkröte ↑Maurische Landschildkröte.

Ibisfliege ↑Schnepfenfliegen.

Ibisse [ägypt.] (Threskiornithidae), Fam. storchähnlicher, gesellig lebender und brütender Vögel mit rd. 30 mittelgroßen bis großen, sumpf-, ufer- oder steppenbewohnenden Arten, v. a. in den wärmeren Gebieten der Alten und Neuen Welt (nördl. der Alpen nur der Gewöhnl. Löffler); Beine, Hals und Schnabel lang, ♂♂ und ♀♀ gleichfarbig; Flug in schräger oder V-förmiger Kette mit gerade nach vorn gestrecktem Hals und gestreckten Beinen. Nach der Form des Schnabels (sichelförmig gebogen oder löffelartig verbreitert) unterscheidet man die beiden Unterfam. ↑Sichler und ↑Löffler.

Ibn Al Baitar (Albeitar), Abd Allah Ibn Ahmad, *Málaga Ende 12. Jh., †Damaskus 1248, arab. Botaniker und Pharmakognost span. Herkunft. - Schrieb eine Zusammenfassung der botan. und pharmakognost. Kenntnisse seiner Zeit. Er ordnete und kommentierte darin die Angaben über Heilpflanzen aus rund 260 früheren Werken.

Ichneumon [griech., eigtl. „Aufsucher"] (Heiliger I.), Pharaonenratte, Herpestes ichneumon), bis 65 cm lange, langhaarige, grünlichgraue Schleichkatze (Unterfam. Mangusten), v. a. in den Steppen und Flußniederungen Spaniens und großer Teile Afrikas; mit etwa 45 cm langem Schwanz und sehr kurzen Beinen; vertilgt Mäuse. - Der I. wurde im alten Ägypten als heilig verehrt.

Ichneumone [griech.], svw. ↑Mangusten.

Ichthyodont [griech.], fossiler Fischzahn.

Ichthyolith [griech.], versteinerter Fisch bzw. versteinerter Teil eines Fisches.

Ichthyologie (Fischkunde), Wiss. und Lehre von den Fischen.

Ichthyophthirius [griech.], Gatt. bis 1 mm großer, eiförmiger Wimpertierchen (gefährlichster Vertreter I. multifiliis); parasitieren in der Haut von Süßwasserfischen; äußerl. meist erkennbar an kleinen weißen Knötchen (*Grieskörnchenkrankheit, Weißpünktchenkrankheit*).

Ichthyosauria [griech.], svw. ↑Fischechsen.

Ichthyotoxin, Sammelbez. für die bei Giftfischen vorkommenden Gifte, die (z. B. von Adlerrochen, Stechrochen, Drachenköpfen) als Nervengifte und blutzersetzende Gifte für den Menschen gefährl. werden können.

Idared [engl.] ↑Äpfel (Übersicht).

identische Reduplikation, svw. ↑Autoreduplikation.

identische Zwillinge, svw. eineiige ↑Zwillinge.

Idiogamie [griech.], in der *Sexologie* Bez. für die bes. Disposition, den Geschlechtsverkehr nur mit ein und derselben andersgeschlechtl. Person ausüben zu können.

Idiotop [griech.], Lebensraum des einzelnen Individuums.

Idiotyp (Erbbild, Erbmasse, Erbgut, Genotyp), Gesamtheit der Vererbungsanlagen eines Individuums. Der I. umfaßt sowohl alle chromosomalen Gene (Genotyp oder Genom) als auch alle extrachromosomalen (zytoplasmat.) Gene (Plasmotyp oder Plasmon).

Igel (Erinaceidae), Fam. 10–45 cm langer, kurzbeiniger, meist nachtaktiver Insektenfresser mit rd. 20 Arten; Körper gedrungen rundl. oder rattenförmig, spitzköpfig; Schwanz stummelförmig oder länger. Weiche dichte Haare bei der einen Arten umfassende Unterfam. **Haarigel** (Ratten-I., Echinosoricinae), die in den Wäldern SO-Asiens, der Sundainseln und Philippinen vorkommt. Die Unterfam. **Stacheligel** (Echte I., Erinaceinae) hat rd. 15 Arten in Europa, Afrika und Asien; Haare zu harten Stacheln umgebildet. Eine bes. Rückenmuskulatur ermöglicht ein Zusammenrollen des Körpers und Aufrichten der kräftigen, spitzen Stachel. Am bekanntesten ist die Gatt. **Kleinohrigel** (Erinaceus) mit rd. 10 Arten in Eurasien und Afrika. Einheim. ist der bis 30 cm lange, kurzschwänzige **Europ. Igel** (Erinaceus europaeus); Oberseite graubraun mit spitzen Stacheln, Unterseite weich und heller behaart; Unterarten sind der **Braunbrustigel** mit graubrauner Brustmitte, in W- und M-Europa und der **Weißbrustigel** mit weißer Brust, in O-Europa. Der Europ.

41

Igelfische

I. kommt v. a. in buschigem Gelände und in Gärten vor; nützl. als Schädlingsvertilger, da er Schnecken, Würmer und Insekten frißt. Das Weibchen wirft nach einer Tragzeit von 5–6 Wochen ein- bis zweimal im Jahr 5–7 blinde Junge. Von Ende Oktober bis Ende März hält er seinen Winterschlaf in einem selbstgebauten Nest aus Moos und Blättern. - Abb. S. 39.

Igelfische (Diodontidae), Fam. 10–50 cm langer Knochenfische mit rd. 15 Arten in trop. und subtrop. Meeren; Körper rundl., dicht mit (in Ruhe angelegten) Stacheln besetzt; füllen bei Bedrohung ihren Magen mit Wasser, wodurch der Körper ballonartig aufgetrieben wird und die Stacheln aufgerichtet werden.

Igelkäfer (Hispinae), mit mehreren 100 Arten weltweit verbreitete Unterfam. der Blattkäfer; Oberseite meist mit dichtstehenden Stacheln; in M-Europa nur der 3–4 mm lange, mattschwarze **Stachelkäfer** (Hispella atra).

Igelkaktus (Kugelkaktus, Echinokaktus, Echinocactus), Gatt. der Kakteen mit 10 Arten in Mexiko; kugelige oder zylindr., oft meterdicke Pflanzen mit kräftig bedornten Längsrippen und gipfelständigen, meist gelben Blüten; bekannteste Art ist der **Goldkugelkaktus** (Echinocactus grusonii), bis 80 cm breit, bis 1,20 m hoch, mit scharfen, dicht mit gelben Dornen besetzten Rippen und gelben Blüten. - Abb. S. 38.

Igelkolben (Sparganium), einzige Gatt. der einkeimblättrigen Pflanzenfam. *Igelkolbengewächse (Sparganiaceae)* mit 20 Arten in gemäßigten und kalten Gebieten der Erde; ausdauernde Sumpf- und Wasserpflanzen mit kriechenden Wurzelstöcken, schwertförmigen Blättern und grünl. Blüten in oberen ♂ und unteren ♀, sternartigen, kugeligen Köpfchen; in Europa kommt v. a. der **Einfache Igelkolben** (Sparganium emersum), bis 60 cm hoch, vor.

Igelpolster (Acantholimon), Gatt. der Bleiwurzgewächse mit über 100 Arten in Steppengebieten vom östl. Mittelmeergebiet bis M-Asien; Polsterpflanzen mit grasähnl., stechenden Blättern und weißen bis roten Blüten.

Igelsäulenkaktus (Echinocereus), Kakteengatt. mit rd. 70 Arten in Mexiko und in den USA; Sprosse kurz und dick, vielrippig und reich bedornt; Blüten groß, trichterförmig, leuchtend gefärbt, mit grünen Narben.

Igelwürmer (Sternwürmer, Echiurida), den Ringelwürmern nahestehender Stamm der Wirbellosen mit rd. 150 marinen Arten; Körper wurm- bis eiförmig; mit oft außergewöhnl. langem Rüssel, der im Wimperrinne aufweist; etwa 0,3–185 cm lang; mit ungegliederter sekundärer Leibeshöhle und einem einfachen, geschlossenen Blutgefäßsystem. Bekannte Gatt. ↑ Bonellia.

Iguanidae [indian.], svw. ↑ Leguane.

Iguanodon [indian./griech.], vom oberen Malm bis zur Unterkreide Eurasiens bekannte Gatt. bis 8 m langer, bis 5 m hoher pflanzenfressender Dinosaurier.

Ikakopflaume ↑ Goldpflaume.

Ileozäkalklappe [lat./dt.], svw. ↑ Bauhin-Klappe.

Ileum ['iːle-ʊm; lat.], svw. Krummdarm (↑ Darm).

Ilex [lat.], svw. ↑ Stechpalme.

Ilium [lat.], svw. Darmbein (↑ Becken).

Ilk, svw. Waldiltis (↑ Iltisse).

Illicium [lat.], svw. ↑ Sternanis.

Iltisse, Gruppe bis 45 cm körperlanger, nachtaktiver Marder mit vier Arten in Wäldern und offenen Landschaften Eurasiens und N-Amerikas; Körper relativ gedrungen; Schwanz bis 20 cm lang. Zu den I. gehören u. a. **Waldiltis** (Europ. Iltis, Ratz, Ilk, Mustela putorius), Körperlänge 30–45 cm, leicht buschiger Schwanz, Fell oberseits dunkelbraun mit gelbl. Unterwolle, helleren Körperseiten und weißl. Maskenzeichnung im Gesicht; sondert bei Gefahr ein übelriechendes Sekret ab („Stinkmarder"); **Steppeniltis** (Eversmann-Iltis, Mustela eversmanni), von Asien bis in die ČSSR und nach Österreich vorgedrungen, Körperlänge 40 cm, Körperseiten fahlgelb (im Winter fast rein weiß), Kehle, Brust und Beine schwarzbraun, Gesicht weißlich. - Abb. S. 39.

Imago [lat. „Bild(nis), Abbild"] (Mrz. Imagines; Vollinsekt, Vollkerf), das fertig ausgebildete, geschlechtsreife Insekt nach Abschluß der Wachstumsphase, d. h. nach der letzten Häutung; Endstadium (Imaginalstadium) der Metamorphose.

Immen [zu mittelhochdt. imme „Bienenschwarm, Bienenstand"], volkstüml. Bez. für verschiedene Hautflügler (z. B. Stechimmen), bes. für die wirtschaftlich genutzten Honigbienen.

Immenblatt (Melittis), Gatt. der Lippenblütler mit der einzigen Art **Melittis melissophyllum**; bis 60 cm hohe, weich behaarte Staude mit 3–4 cm großen, weißen, meist rosa gefleckten Blüten in den Blattachseln; in lichten Wäldern M- und S-Europas.

Immenkäfer (Bienenwolf, Trichodes apiarius), behaarte, 10–16 mm großer Buntkäfer in M-Europa; Flügeldecken rot mit schwarzen Querbinden; meist auf Doldenblüten, von wo er auf Kleininsekten Jagd macht; Larven oft in Wildbienennestern oder in alten Honigbienenstöcken, wo sie Larven, Puppen und reauke Bienen fressen.

Immergrün (Singrün, Vinca), Gatt. der Hundsgiftgewächse mit sechs Arten in Europa, N-Afrika und Vorderasien; Kräuter oder Halbsträucher mit gegenständigen, lederartigen Blättern und einzelnen, blauen, roten oder weißen, trichterförmigen Blüten. Eine häufig als Zierpflanze verwendete Art ist das **Kleine Immergrün** (Vinca minor) mit niederliegenden Stengeln und hellblauen bis blauvioletten

Blüten, das in Wäldern M-Europas wächst. - Abb. S. 39.
Immergrüne Bärentraube (Echte Bärentraube, Achelkraut, Arctostaphylos uva-ursi), über die ganze Nordhalbkugel verbreitete Art der Heidekrautgewächse; kriechender, 20–60 cm hoher Strauch mit eiförmigen, immergrünen Blättern, kleinen, weißen oder rötl., glockenförmigen Blüten und glänzend roten, mehligen Früchten; verbreitet in Kiefernwäldern und auf Heiden; steigt in den Alpen bis auf 2 800 m Höhe und bildet dort einen Bestandteil der Zwergstrauchheiden.
immergrüne Pflanzen, Pflanzen, deren Blätter über mehrere Vegetationsperioden hinweg voll funktionsfähig bleiben; z. B. Rottanne, Immergrün.
Immergrüner Buchsbaum ↑Buchsbaum.
Immergrünes Felsenblümchen ↑Felsenblümchen.
Immergrüngewächse, svw. ↑Hundsgiftgewächse.
Immortellen [zu lat.-frz. immortel „unsterblich"] (Strohblumen), Sammelbez. für verschiedene Korbblütler (v. a. Arten der Gatt. Papierknöpfchen, Katzenpfötchen, Strohblume), deren Blüten strohartig trockene, sehr lang haltbare und oft auffällig gefärbte Hüllblätter besitzen.
Immunbiologie ↑Immunologie.
Immunglobuline ↑Antikörper.
Immunität [lat.], die Fähigkeit eines Organismus, sich gegen von außen eindringende Noxen (bes. Krankheitserreger und deren Gifte) zur Wehr setzen zu können. *Angeborene I. (natürl. I.)* nennt man die unspezif. Abwehr von Noxen ohne vorausgegangenen Kontakt mit ihnen. Die *erworbene I. (spezif. I.)* beruht darauf, daß gegen die Noxen hochspezif. Abwehrstoffe gebildet werden (↑Antigen-Antikörper-Reaktion).
Immunoglobuline [lat.], svw. Immunglobuline (↑Antikörper).
Immunologie [lat./griech.], die Lehre von der Immunität, den Immunreaktionen (einschließl. Allergie) und ihren Voraussetzungen innerhalb *(Immunbiologie,* Allergologie) und außerhalb (Serologie) des lebenden Organismus.
Immunozyten [griech.] (Immunzellen), Zellen, die an ↑Immunreaktionen beteiligt sind; i. e. S. Zellen (Makrophagen, Plasmazellen, T- und B-Lymphozyten), die zur Bildung humoraler ↑Antikörper (Immunglobuline) befähigt oder Sitz der zellulären Immunität sind.
Immunreaktion, hochspezif. Reaktion zw. Antigen und humoralem Antikörper *(humorale I.;* ↑auch Antigen-Antikörper-Reaktion) oder zw. Antigen und Immunozyten *(zelluläre I.).* Erstere bedingt Immunität oder Allergie (vom Soforttyp), letztere ruft verzögert eine Allergie vom Spättyp hervor.
Immunsystem, das für die Immunität

Impression

Impalas

des Wirbeltierorganismus verantwortl. Abwehrsystem, das die für die Immunreaktionen notwendigen Antikörper (humorale und zelluläre Antikörper) sowie T- (thymusabhängige) und (nichtthymusabhängige) B-Lymphozyten umfaßt. Hierzu zählen der Thymus und die Bursa Fabricii der Vögel als primäre lymphat. Organe, Milz, Lymphknoten, Mandeln, Wurmfortsatz des Blinddarms und die Peyer-Plaques als sekundäre lymphat. Organe sowie das retikuloendotheliale System.
Impala [afrikan.] (Pala, Schwarzfersenantilope, Aepyceros melampus), etwa 1,3–1,8 m körperlange, oberseits rotbraune, unterseits weiße Antilope, v. a. in den Steppen O- und S-Afrikas; mit schwarzer Zeichnung an den Fersen und der Oberschenkelhinterseite und (im ♂ Geschlecht) leierförmigen, geringelten Hörnern. Die I. können bis 10 m weit und 3 m hoch springen.
Impatiens [...i-e...; lat.], svw.↑Springkraut.
imperfekte Hefen, neuere Bez. für die ↑Blastomyzeten.
Impfung, Bez. für die Übertragung von Mikroorganismen auf feste oder flüssige Nährmedien zum Zweck ihrer Züchtung.
Implantation [lat.] (Einpflanzung), Einbringung von biolog. Material oder chem. Substanzen in den Körper eines Individuums, und zwar: I. von Geweben oder Organen (Transplantation), I. von Medikamenten (Depotpräparate), I. des befruchteten Eies (Nidation).
Imponiergehabe [lat./dt.], in der Verhaltensforschung Bez. für im Tierreich v. a. bei ♂♂ weit verbreitete Verhaltensweisen, die Drohwirkung (auf einen Rivalen gerichtet) und Werbewirkung (an ein ♀ gerichtet) in sich vereinigen. Bekannte Formen des I. sind das Spreizen der Rückenflosse bei Fischen und das Sträuben der Kopf- und Nackenhaare beim Gorilla. - Auch menschl. Verhaltensweisen, mit denen Rivalen bzw. Gegner eingeschüchtert werden sollen (z. B. betont aufrechte Haltung, grimmiges Gesicht), werden z. T. als I. bezeichnet.

inadäquater Reiz

inadäquater Reiz, Reiz, dessen physikal. Energie bei Einwirken auf bestimmte Sinneszellen i. d. R. nicht in sinnesspezif. Energie umgewandelt wird. So löst z. B. ein Schlag auf das Auge als i. R. Lichtempfindungen aus.

inäquale Furchung ↑ Furchungsteilung.
Incus [lat.] ↑ Amboß.
Index [lat.] (Mrz. Indices), in der *Anatomie* svw. Zeigefinger.
Indianerbüffel, fälschl. Bez. für den nordamerikan. ↑ Bison.
Indianerfalte, svw. ↑ Mongolenfalte.
Indianide, Rassengruppe (amerikan. Zweig) der ↑ Mongoliden, die in mehreren Wellen (erstmals wahrscheinl. schon vor 40 000 Jahren) aus dem asiat. Raum in den amerikan. Kontinent einwanderte und sich hier in zahlr. „Lokalrassen" differenzierte.
Indices, Mrz. von ↑ Index.
Indide, Unterrasse der ↑ Europiden mit zahlr. Untertypen, hauptsächl. in den Schwemmlandschaften und Hochebenen Vorderindiens verbreitet; mittelgroßer, schlanker Körperbau, langer Kopf, längl.-ovales Gesicht mit steiler Stirn, große Lidspalte, schwarzbraunes Haar, dunkelbraune Augen und hellbraune Haut.
Indigostrauch (Indigofera), Gatt. der Schmetterlingsblütler mit rd. 300 Arten (einige davon Hauptlieferanten von Indigo) in den Tropen und Subtropen; meist behaarte, sommergrüne Sträucher, Halbsträucher oder Stauden; Blätter meist unpaarig gefiedert; Blüten in achselständigen Trauben, rosafarben bis purpurfarben. Einige Arten werden als Ziersträucher angepflanzt.
Indikatorpflanzen, svw. ↑ Bodenanzeiger.
indirekte Kernteilung, svw. ↑ Mitose.
Indische Erdbeere ↑ Duchesnea.
Indischer Büffel ↑ Wasserbüffel.
Indischer Dornschwanz ↑ Dornschwanzagamen.
Indischer Elefant ↑ Elefanten.
Indischer Elfenblauvogel ↑ Elfenblauvögel.
Indischer Hanf ↑ Hanf.
Indischer Mungo (Herpestes edwardsi), bis 45 cm körperlange Schleichkatzenart in Arabien, Indien und auf Ceylon; Färbung überwiegend bräunl. mit silbergrauer Sprenkelung; flinker Räuber; tötet auch Giftschlangen und kann relativ hohe Giftdosen überleben.
Indischer Pfeffer, svw. ↑ Paprika.
Indischer Senf (Sareptasenf, Junceasenf, Brassica juncea ssp. juncea), Kreuzblütler der Gatt. Kohl aus S-, Z- und O-Asien; bis 1,50 m hohe Pflanze mit dunklen Samen; v. a. in Indien als Öl- und Senfpflanze kultiviert, in China auch als Gemüse.
Indisches Nashorn ↑ Nashörner.
Individualabstand ↑ Distanztiere.

Individualentwicklung ↑ Entwicklung (in der Biologie).
Individuendichte ↑ Abundanz.
Individuum [lat. „das Unteilbare"], (Mrz. Individuen) urspr. svw. Atom, später zunächst auf den einzelnen Menschen im Ggs. zur Gesellschaft eingeschränkte Bez., dann wieder auf einzelnes Lebewesen erweitert, wobei für niedere Lebewesen (z. B. Korallen) nicht immer eindeutig ist, was als biolog. Einheit gelten soll.
Indolylessigsäure (Auxin), Abk. IES, weit verbreitetes Pflanzenhormon, das aus der Aminosäure Tryptophan entsteht. Chem. Strukturformel:

$$\text{Strukturformel: Indol-CH}_2\text{-COOH}$$

Indris [Malagassi] (Indriartige, Indriidae), Fam. 30–90 cm körperlanger (mit Schwanz bis 1,4 m messender), schlanker Halbaffen mit vier Arten, v. a. in den Wäldern Madagaskars. Zu ihr gehört die Gatt. **Sifakas** (Propithecus; 2 Arten), Körperlänge 45–55 cm, Fellfärbung variabel (weiß, braun und schwärzl.), der **Wollmaki** (Avahi, Avahi laniger), Körperlänge 30–40 cm, Kopf rundl. mit großen Augen und sehr kleinen Ohren, Fell überwiegend braungrau, und der bis 90 cm lange **Eigentl. Indri** (Indri indri), meist schwarzbraun und weiß.
Induktion lat.], die Auslösung eines Differenzierungsvorgangs an einem Teil eines Organismus während einer bestimmten Zeitspanne im Verlauf der Keimentwicklung; bei Genen Vorgang der Genregulation durch bestimmte Induktoren *(Enzyminduktion).*
Infektion [lat.], in der *Mikrobiologie* Bez. für die Verunreinigung einer Mikroorganismenkultur durch Fremdorganismen.
infertil [lat.], unfruchtbar. - ↑ auch steril.
Infloreszenz, svw. ↑ Blütenstand.
Influenzaviren, RNS-Viren aus der Gruppe der Myxoviren, Erreger der Grippe. Nach den Antigeneigenschaften unterscheidet man drei Typen (A, B, C) mit zahlr. Untergruppen.
Infusorien [lat.] (Aufgußtierchen), Sammelbez. für kleine, meist einzellige, im Aufguß von pflanzl. Material sich entwickelnde Organismen (bes. Flagellaten, Wimpertierchen).
Ingenhousz (Ingen-Housz), Jan [niederl. 'ɪŋənhu:s], * Breda 8. Dez. 1730, † Bowood (Wiltshire) 7. Sept. 1799, niederl. Arzt und Naturforscher. - Arzt in London und Wien; entdeckte 1779 die Assimilation bei Pflanzen durch Einwirkung von Sonnenlicht (Photosynthese).
Ingenieurbiologie [ɪnʒənj'ø:r] (techn. Biologie, die Wiss. von den biolog. Auswirkungen, die durch baul. Veränderungen im Landschaftsgefüge hervorgerufen werden, sowie von der Nutzbarmachung biolog. Er-

Inotropie

kenntnisse bei notwendigen techn. Eingriffen in die Landschaft. Aufgaben der I. sind u. a. die Erforschung der Verwendbarkeit von Pflanzen als lebende Baumaterialien (zur Befestigung und Sicherung von Böschungen, Bodeneinschnitten, Ufern, Deichen und Dünen) sowie als Bodenerschließer und lebende Wasserspeicher in der Land-, Forst- und Wasserwirtschaft.

Inger (Schleimfische, Schleimaale, Myxini), Unterklasse der Rundmäuler mit rund 20 Arten, v. a. in den gemäßigten Meeren; Körper aalförmig mit unpaarem, nicht unterbrochenem Flossensaum, 4–6 Barteln am Kopf und rückgebildeten, von Haut überwachsenen Augen; leben im Sand oder Schlamm eingegraben, ernähren sich von Wirbellosen sowie toten oder verletzten Fischen; Entwicklung direkt (ohne bes. Larvenstadium).

Ingestion [lat.], die Aufnahme von Stoffen und Flüssigkeiten in den Körper über Öffnungen (z. B. die Dermalporen der Schwämme). - Ggs. ↑ Egestion.

Ingrid Marie ↑ Apfelsorten, Bd. 1, S. 49.

Ingwer [Sanskrit-griech.-lat., eigtl. „der Hornförmige" (nach der Form der Wurzel)] (Ginger, Zingiber officinale), Art der Ingwergewächse; urspr. verbreitet in O-Asien, heute überall in den Tropen und Subtropen kultiviert; schilfartige Staude mit knolligem, kriechendem Wurzelstock; Blüten grünlichgelb, in bis 5 cm langen, eiförmigen Blütenähren. Das Rhizom wird als Gewürz genutzt.

Ingwergewächse (Zingiberaceae, Curcumaceae), Fam. der Einkeimblättrigen mit 49 Gatt. und rd. 1 500 Arten, darunter viele Nutzpflanzen, in den Tropen und Subtropen; ausdauernde Kräuter oder Stauden mit Wurzelstöcken und oft stark verdickten Wurzeln; zwittrige Blüten mit einem Staubblatt, in endständigen Ähren, Köpfchen oder Wickeln stehend.

Inhibition [lat.], Hemmung oder Unterdrückung der spezif. Wirkung eines Stoffes (z. B. eines Enzyms) durch einen anderen Stoff.

Inhibitoren [zu lat. inhibere „hemmen"] (Hemmstoffe), i. w. S. alle Substanzen, die im Ggs. zu den Katalysatoren chem. oder elektrochem. Vorgänge einschränken oder verhindern (z. B. Antienzyme und Antivitamine); in der *Biochemie* natürl. oder synthet. Substanzen, die insbes. auf bestimmte Stoffwechselprozesse in Zellen, Organen und ganzen Organismen hemmend wirken und sie u. U. sogar blockieren. Zu diesen I. zählen die Zytostatika, die die natürl. Antikörperbildung der Zellen herabsetzen und als sog. *Immun-I.* bei Organtransplantationen verwendet werden, die natürl. oder synthet. Antiwuchsstoffe, die als Gegenspieler der Pflanzenhormone in das Pflanzenwachstum eingreifen sowie die Sulfonamide und zahlr. Antibiotika als I. des Bakterienwachstums.

Initialzellen, unbegrenzt teilungs- und wachstumsfähige Zellgruppe am Scheitel des Vegetationspunktes pflanzl. Sprosse und Wurzeln.

Inkabein (Inkaknochen), Bez. für eine bes. Ausprägung des ↑ Interparietale, bei der etwa die obere Hälfte der Hinterhauptsschuppe durch eine Quernaht abgetrennt ist; erstmals an Schädeln von Inkas entdeckt.

Inkakakadu ↑ Kakadus.

Inkaknochen, svw. ↑ Inkabein.

Inkompatibilität, (nicht durch etwaige Kerndefekte hervorgerufene) Verhinderung der Gametenvereinigung innerhalb eines Fortpflanzungssystems, wobei bestimmte Gene (*I.faktoren*) die Befruchtung hemmen.

inkomplette Antikörper (Glutinine, hyperimmune Antikörper), Antikörper, die an antigenhaltige rote Blutkörperchen gebunden sind oder auch frei im Blut vorkommen, jedoch nur in Gegenwart bestimmter Zusätze vollständige und noch sichtbare Antigen-Antikörper-Reaktionen verursachen.

Inkrete [lat.], Stoffe, die vom körpereigenen Stoffwechsel gebildet und ins Blut abgegeben werden (z. B. Harnstoff, Blutzucker der Leber). Überwiegend wird der Begriff jedoch in eingeschränkter Form gebraucht, d. h. nur auf die Hormone als die Ausscheidungen endokriner Drüsen bezogen.

Inkrustierung [lat.], in der *Botanik* Bez. für die nachträgl. Einlagerung von Stoffen in das Zellulosegerüst pflanzl. Zellwände. Wichtigste Formen der I. sind: Verholzung (Lignineinbau), Verkernung (Gerbstoffeinlagerung unter Dunkelfärbung in Hölzern, Borken, Samenschalen; Fäulnisschutz), Mineraleinlagerungen (Calciumcarbonat bei zahlr. Algen; Kieselsäure bei Kieselalgen, Schachtelhalmen, Gräsern und Riedgräsern).

Inkubation [zu lat. incubatio „das Liegen (auf etwas), das Brüten"], Bebrütung, entwicklungsfördernde Erwärmung, z. B. von Bakterienkulturen oder Vogeleiern.

Innenohr ↑ Gehörorgan.

innere Atmung ↑ Atmung.

innere Besamung ↑ Besamung.

innere Sekretion ↑ Sekretion.

innere Uhr, svw. ↑ physiologische Uhr.

Innervation [lat.], 1. die (natürl.) Versorgung der Gewebe und Organe mit motor., sensiblen oder vegetativen Nerven; 2. Leitung der von den Nerven aufgenommenen Reize an Gewebe und Organe.

Inotropie [griech.], Änderung (*positive I.* = Zunahme, *negative I.* = Abnahme) der Kraftentwicklung (Kontraktilität) eines Muskels (bes. des Herzmuskels) durch Veränderung der muskelinneren Voraussetzungen für die Kontraktion. Positive I. des Herzmuskels kommt durch Erregung des Sympathikus, durch die Wirkung von Adrenalin, Noradrenalin, ionisiertem Calcium oder von Digitalisglykosiden zustande.

45

Insecta

Insecta [lat.], ↑ Insekten.
Insectivora [lat.], svw. ↑ Insektenfresser.
Insekten [zu lat. insectum, eigtl. „eingeschnittenes (Tier)"] (Kerbtiere, Kerfe, Hexapoda, Insecta), seit dem Devon bekannte, heute mit rd. 775 000 Arten in allen Biotopen verbreitete Klasse 0,02-33 cm langer Gliederfüßer, davon in M-Europa rd. 28 000 Arten; Körper mit starrem, aus Chitin bestehendem, segmentiertem Außenskelett (muß bei wachsenden Tieren öfter durch Häutung gewechselt werden). Der Körper gliedert sich in drei Abschnitte, den Kopf (aus sechs miteinander verschmolzenen Körpersegmenten), die Brust (Thorax; mit den Segmenten Pro-, Meso- und Metathorax) und den Hinterleib (Abdomen; aus bis zu elf Segmenten). Meist sind zwei Flügelpaare, je eines am Meso- und Metathorax ausgebildet. Bei manchen I. ist ein Flügelpaar zu ↑Halteren umgebildet, bei anderen sind, v. a. bei den Weibchen, alle Flügel mehr oder weniger stark rückgebildet. Jedes der drei Brustsegmente trägt ein Beinpaar. - Am Kopf liegen die oft sehr großen ↑Facettenaugen. Daneben können noch auf der Stirn bzw. auf dem Scheitel Nebenaugen (↑Punktaugen) vorkommen. Außerdem trägt der Kopf als umgebildete Gliedmaßen ein Paar Fühler und drei Paar Mundgliedmaßen. - Die Atmung erfolgt über Tracheen. - Der Darm gliedert sich in Vorder-, Mittel- und Enddarm. Als Exkretionsorgane fungieren die Malpighi-Gefäße. Unter dem Darm liegt als Bauchmark ein Strickleiternervensystem. Die Entwicklung verläuft über eine ↑Metamorphose. Die Sinnesleistungen der I. sind hoch entwickelt; Farbensehen ist u. a. für Libellen, Fliegen, Schmetterlinge und für die Honigbiene nachgewiesen. Auch der Geruchssinn ist gut entwickelt (so vermögen die ♂♂ mancher Schmetterlinge mit Hilfe der Antennen ihre ♀♀ aus kilometerweiter Entfernung geruchlich aufzuspüren). Bes. Sinnesorgane sind die ↑Chordotonalorgane und die ↑Tympanalorgane. - Bei staatenbildenden I. haben sich artspezif. Verhaltensweisen ausgebildet, die andere Nestgenossinnen über neue Futterquellen unterrichten (z. B. Bienensprache). Sehr mannigfaltig ist das Anpassungsvermögen vieler I. an die Umwelt (↑Mimikry, ↑Mimese). - Man unterteilt die I. in 32 (z. T. auch 35) Ordnungen; davon am wichtigsten: Urinsekten, Libellen, Schaben, Termiten, Heuschrecken, Wanzen, Gleichflügler, Käfer, Hautflügler, Schmetterlinge und Zweiflügler.

📖 *Jacobs, W./Renner, M.: Taschenlex. zur Biologie der I.* Stg. ²1987. - *Chinery, M.: I. Mitteleuropas.* Dt. Übers. Hamb. ³1984. - *Fabre, J. H.:*

Insekten: Körperbauschemata (links Nerven- und Tracheensystem mit Ausschnitt aus dem Bauchmark). A Fühler (Antennen), B Brust, Bg Bauchganglien, Bm Bauchmark (Strickleiternervensystem), E Eierschläuche, Ed Enddarm, F Fuß (Tarsus; mit Krallen), Fa Facettenauge, Fe Schenkel (Femur), G Gehirn (Oberschlundganglion), Gö Geschlechtsöffnung, H Herz (mit Ostien), Hf Hinterflügel, Hl Hinterleib, Hü Hüfte (Coxa), K Kopf, Kom Kommissur, Kon Konnektiv, M Oberkiefer (Mandibeln), Md Mitteldarm, Mg Malpighi-Gefäße, Mö Mundöffnung, O Oberlippe (Labrum), P Punktaugen (Ozellen), Sch Schwanzborsten (Cerci), Sp Speicheldrüse, St Stigmen (Atemöffnungen), Tb Tracheenblase (bei guten Fliegern), Ti Schiene (Tibia), Tr Schenkelring (Trochanter), Uk Unterkiefer (1. Maxillen), Ul Unterlippe (2. Maxillen), Usch Unterschlundganglion, V Vorderflügel, Vd Vorderdarm

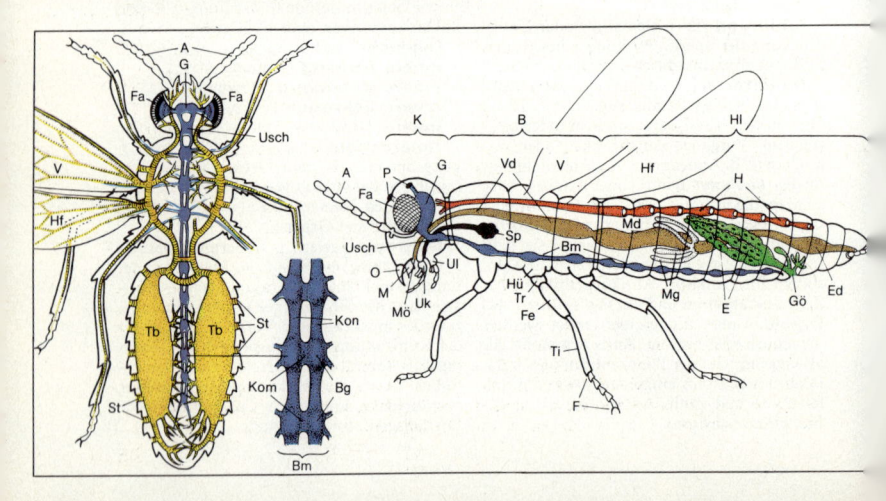

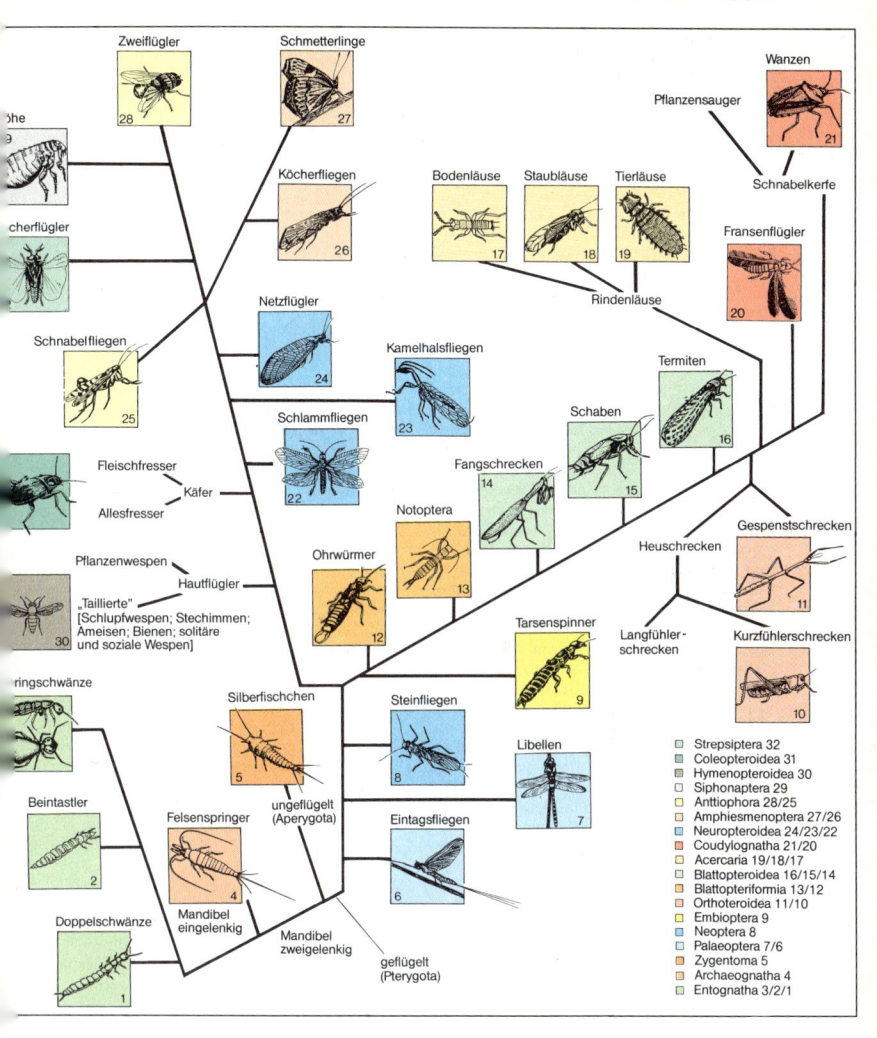

Insektenfresser

Diagramm der Stammesentwicklung der Insekten mit folgenden Ordnungen:

- Zweiflügler 28
- Schmetterlinge 27
- Köcherfliegen 26
- Bodenläuse 17
- Staubläuse 18
- Tierläuse 19
- Wanzen 21
- Pflanzensauger
- Schnabelkerfe
- Fransenflügler 20
- Rindenläuse
- Schnabelfliegen 25
- Netzflügler 24
- Kamelhalsfliegen 23
- Schlammfliegen 22
- Termiten 16
- Schaben 15
- Fangschrecken 14
- Notoptera 13
- Ohrwürmer 12
- Gespenstschrecken 11
- Heuschrecken
- Kurzfühlerschrecken 10
- Langfühlerschrecken
- Tarsenspinner 9
- Fleischfresser / Allesfresser / Käfer
- Pflanzenwespen / Hautflügler
- „Taillierte" [Schlupfwespen; Stechimmen; Ameisen; Bienen; solitäre und soziale Wespen] 30
- Silberfischchen 5
- Steinfliegen 8
- Libellen 7
- Eintagsfliegen 6
- Beintastler 2
- Felsenspringer 4
- Doppelschwänze 1
- ungeflügelt (Aperygota)
- Mandibel eingelenkig / Mandibel zweigelenkig
- geflügelt (Pterygota)

Legende:
- Strepsiptera 32
- Coleopteroidea 31
- Hymenopteroidea 30
- Siphonaptera 29
- Antliophora 28/25
- Amphiesmenoptera 27/26
- Neuropteroidea 24/23/22
- Coudylognatha 21/20
- Acercaria 19/18/17
- Blattopteroidea 16/15/14
- Blattopteriformia 13/12
- Orthopteroidea 11/10
- Embioptera 9
- Neoptera 8
- Palaeoptera 7/6
- Zygentoma 5
- Archaeognatha 4
- Entognatha 3/2/1

Stammesentwicklung der Insekten nach der Großgliederung in 32 Ordnungen nach Michael Chinery (1976)

I. Dt. Übers. Dortmund 1979. - Weber, H./Weidner, H.: Grundr. d. I.kunde. Stg. ^{5}1974. - Hennig. W.: Die Stammesgesch. der I. Ffm. 1960.

Insektenfresser (Insektivoren, Insectivora), allg. Bez. für insektenfressende Tiere und Pflanzen; z.B. Meisen, Fledermäuse, auch die meisten fleischfressenden Pflanzen.
◆ mit rd. 375 Arten nahezu weltweit (ausgenommen Australien, große Teile S-Amerikas) verbreitete Ordnung etwa 3,5–45 cm langer Säugetiere; vorwiegend dämmerungs- und nachtaktive Tiere mit meist längl., vorn zugespitztem Kopf, zahlr. spitzen Zähnen (dienen zum Durchlöchern des chitinigen Insektenpanzers) und sehr gut ausgebildetem Geruchs- und Gehörsinn. - I. ernähren sich vorwiegend von Insekten und anderen Wirbellosen. - Man unterscheidet acht Fam.: Schlitzrüßler, Borstenigel, Otterspitzmäuse, Goldmulle, Igel, Spitzmäuse, Maulwürfe und Rüsselspringer.

Insektenpulverpflanze

Insektenpulverpflanze (Insektenblume), Bez. für verschiedene Arten der Gatt. Wucherblume, aus deren Blütenkörbchen ein Insektenpulver hergestellt wird (↑ Pyrethrum).
Inselorgan, svw. ↑ Langerhans-Inseln.
Inseltiger ↑ Tiger.
Insemination [lat.], das künstl. Einbringen von Samen in die Gebärmutter; ↑ auch Besamung.
Insertion (Insertio) [lat.], die Ansatzstelle eines Muskels (meist über eine Sehne) an Knochen, Knorpel, Bindegewebe, Haut oder an einem anderen Muskel.
♦ in der Molekulargenetik der Einbau eines Gens in ein Plasmid.
Instinkt [Lehnübers. von mittellat. instinctus naturae „Naturtrieb" (zu lat. instinguere „anstacheln, antreiben")], die Fähigkeit von Tieren und Menschen, mittels ererbter Koordinationssysteme des Zentralnervensystems bestimmte vorwarnende, auslösende und richtende Impulse mit wohlkoordiniertem Lebens- und arterhaltendem Verhalten zu beantworten. I.verhalten ist angeboren. Es kann jedoch, bes. bei höheren Tieren, durch Erfahrung modifiziert werden. - Das I.verhalten ist hierarch. organisiert; durch Stimulation übergeordneter Zentren können untergeordnete erregt oder gehemmt werden, wobei die jeweils auslösende Reizsituation die entscheidende Rolle spielt. Bei gleichberechtigten Verhaltensweisen hemmt oft die Ausführung der einen die übrigen. Vielfach ist eine gewisse Stimmung (Bereitschaft, Trieb) Voraussetzung für den Ablauf des I.verhaltens (z. B. Hunger, Brunst), die ein Appetenzverhalten zur Folge hat, in dessen Verlauf es zur triebbefriedigenden Endhandlung (z. B. Schlagen einer Beute) kommen kann. Die I.handlungen werden durch spezif. Schlüsselreize über einen angeborenen ↑ Auslösemechanismus ausgelöst.
⚌ *Eibl-Eibesfeldt, I.: Grundr. der vgl. Verhaltensforschung. Mchn.* ⁶*1980.* - *Tinbergen, N.: I.lehre. Dt. Übers. Bln.* ⁶*1979.* - *Lorenz, K.: Über die Bildung des I.begriffes. In: Lorenz: Über tier. u. menschl. Verhalten. Bd. 1. Mchn.* ¹⁷*1974.*
Insulin [zu lat. insula „Insel" (mit Bezug auf die Langerhans-Inseln)], in den β-Zellen der Langerhans-Inseln der Bauchspeicheldrüse gebildetes Proteohormon, das aus zwei Polypeptidketten von 21 bzw. 30 Aminosäureresten besteht, die durch zwei für die Funktion unerläßl. Disulfidbrücken miteinander verbunden sind. Bei der Biosynthese wird zunächst das aus einer zusammenhängenden Kette von 84 Aminosäuren bestehende **Proinsulin** hergestellt; durch Abspaltung eines Polypeptids aus 33 Aminosäureresten (des C-Peptids) geht daraus das aktive Hormon hervor, das durch die Leber inaktiviert wird. Die wichtigste physiolog. Wirkung ist eine drast. Senkung des Blutzuckergehaltes, daneben eine Steigerung des Kohlenhydratabbaus und im Leber- und Fettgewebe eine vermehrte Fettsynthese. Der molekulare Wirkungsmechanismus ist nur z. T. bekannt. Dagegen kennt man die Stoffwechseländerungen, die dann auftreten, wenn nicht genügend I. zur Verfügung steht. Durch I.mangel entsteht die Zuckerkrankheit (Diabetes). I. findet sich bei allen Wirbeltieren von den Fischen bis zu den Säugern.
Geschichte: I. wurde erstmals 1921 von F. G. Banting und C. H. Best isoliert und ein Jahr später bereits in größeren Mengen und in klin. brauchbarer Form dargestellt. In den 40er Jahren gelang F. Sanger die vollständige Klärung der I.struktur; Mitte der 60er Jahre gelang H. Zahn und zwei anderen Forschergruppen gleichzeitig die Totalsynthese.
⚌ *I. Hg. v. D. Brandenburg u. A. Wollmer. Bln. 1980.* - *Wassermann, C.: I. Der Kampf um eine Entdeckung. Mchn. 1978.*
Integration [lat.], die vollwertige Übernahme von Teilen eines Organismus (z. B. eines Transplantats) in die Gesamtorganisation eines Lebewesens.
Integument (Integumentum) [lat. „Bedeckung, Hülle"], in der Anatomie und Morphologie Bez. für die Gesamtheit aller Hautschichten der Körperoberfläche bei Tier und Mensch, einschließl. der Haare, Federn, Stacheln, Schuppen, Kalkpanzer usw., bei Pflanzen für die Hülle um den Nucellus der Samenanlage.
Intelligenz [zu lat. intellegentia „Vorstellung, Einsicht, Verstand"], im allg. Verständnis die übergeordnete Fähigkeit (bzw. eine Gruppe von Fähigkeiten), die sich in der Erfassung und Herstellung anschaulicher und abstrakter Beziehungen äußert, dadurch die Bewältigung neuartiger Situationen durch problemlösendes Verhalten ermöglicht und somit Versuch-und-Irrtum-Verhalten und Lernen an Erfolgen, die sich zufällig einstellen, entbehrlich macht.
Die **Intelligenzentwicklung** wird durch eine Wechselwirkung von Erbanlagen und Umweltbedingungen bestimmt; beim Menschen handelt es sich dabei um soziale und kulturelle Einflüsse, die durch erzieher. Anregungen, systemat. Schulung und Bildung u. a. vermittelt werden. Solche sind nach Befunden neuerer Untersuchungen v. a. in der frühesten Kindheit von Bedeutung. Fehlen sie in dieser Entwicklungsphase, kann die I.entwicklung erhebl. beeinträchtigt werden.
Faßt man die I. als Funktion des Lebensalters auf, läßt sich über die Bestimmung des **Intelligenzquotienten** folgender Verlauf der I.entwicklung feststellen: Nach einer Periode starker positiver Beschleunigung in der frühen und mittleren Kindheit verlangsamt sich die I.entwicklung ab dem 10. Lebensjahr bis zum Erreichen des Erwachsenenalters. Zw. dem 20. und 30. Lebensjahr setzt allmähl. ein Abfall der I.leistungen ein. Der Zeitpunkt dieses

(altersbedingten) Leistungsabfalls ist jedoch für verschiedene Fähigkeiten unterschiedl. und auch nicht für jedes Individuum gleich. Neben diesem quantitativen ist nach der Differenzierungshypothese auch ein qualitativer Aspekt der I.entwicklung zu beachten. Bei *Tieren* ist I. im Sinne von einsichtigem Verhalten zu verstehen. Intelligentes Verhalten ist z. B. bei Schimpansen der spontane Einsatz körperfremder Gegenstände (Kisten, Stöcke), um außerhalb der eigentl. Reichweite liegendes Futter zu erreichen.
📖 *Piaget, J.: Psychologie der I. Dt. Übers. Freib. ⁵1984. - Eysenck, H. J.: I. Struktur u. Messung. Bln. u. a. 1980. - Kamin, L.: Der I.-Quotient in Wiss. u. Politik. Dt. Übers. Darmstadt. 1979. - Rosemann, H.: I.theorien. Rbk. 1979. - Schön-Gaedike, A. K.: I. u. I.diagnostik. Weinheim 1978.*

Intelligenzquotient, Abk. IQ, Maß für die allg. intellektuelle Leistungsfähigkeit, das sich aus dem Verhältnis von Intelligenzalter (IA) zum Lebensalter (LA) nach der Formel IQ = (IA/LA) · 100 ergibt. Hierbei bedeutet ein Ergebnis von rund 100 durchschnittl. Intelligenz (**Intelligenznorm**). Nach L. M. Terman, C. Spearman und anderen läßt sich folgende Übersicht geben:

IQ	Intelligenzgrad	Bevölkerungsanteil
über 140	hervorragend („genial")	1,5 %
120–139	sehr gut („talentiert")	11,0 %
110–119	gut („intelligent")	18,0 %
90–109	mittelmäßig („normal begabt")	48,0 %
80–89	gering („lernbehindert", „dumm")	14,0 %
70–79	sehr gering („geistig behindert")	5,0 %
unter 69	äußerst gering („schwachsinnig")	2,5 %

Interferone [lat.], Virusinhibitoren; säure- und hitzeresistente Proteine, die von Zellen der verschiedensten Wirbeltiere bei Virusinfektionen gebildet werden und nichtinfizierte Zellen (oft nur) der gleichen Tierart vor demselben Virus wie auch vor vielen anderen Viren (einschließl. Tumorviren) schützen. Die Bildung von I. bei einer Virusinfektion verhindert daher meist die Infektion mit einem zweiten Virus, was das Phänomen der Interferenz von Infektionen erklären könnte. Da die I. innerhalb weniger Stunden nach Virusinfektion erscheinen (Antikörper erst nach mehreren Tagen), haben sie wohl die Funktion einer ersten und raschen Verteidigung des Körpers gegen eine Virusüberschwemmung. - Die therapeut. Verwendung wird dadurch eingeschränkt, daß I. vor der Infektion anwesend sein müssen und schwer in größerer Menge zu gewinnen sind. - Die I. wurden 1957 durch A. Isaacs und J. Lindenmann entdeckt.

interkalares Wachstum [lat./dt.], bei Pflanzen Streckungswachstum von Organteilen (Stengel, Blattstiel), die zw. schon ausdifferenzierten, nicht mehr streckungsfähigen Zonen liegen; i. W. wird durch eingeschobene Wachstumszonen (*interkalare Meristeme*), die über längere Zeit undifferenziertes, meristematisches Gewebe enthalten, ermöglicht.

Interkinese, in der Genetik das kurze „Ruhestadium" zw. der ersten und der zweiten meiot. Teilung. Im Ggs. zur mitot. Interphase findet während der I. keine Chromosomenreduplikation statt.

interkostal, in der *Anatomie* für: zw. den Rippen liegend, verlaufend.

Intermaxillarknochen, svw. ↑Zwischenkieferknochen.

intermediäre Vererbung ↑Vererbung.
Intermediärstoffwechsel ↑Stoffwechsel.

Intermedin [lat.], svw. ↑Melanotropin.

Internationales Biologisches Programm, Abk. IBP, 1961 vom Internat. Rat der wiss. Unionen beschlossenes interdisziplinäres Programm mit der Aufgabe, die pflanzl. und tier. Produktion von Nahrung und von industriellen Rohstoffen auf internat. Ebene wiss. zu untersuchen.

Internationale Union für Naturschutz ↑ International Union for Conservation of Nature and Natural Resources.

International Union for Conservation of Nature and Natural Resources [engl. ɪntəˈnæʃənəl ˈjuːnjən fə kɔnsəˈveɪʃən əv ˈneɪtʃə ənd ˈnætʃərəl rɪˈsɔːsɪz] (frz. Union internationale pour la conservation de la nature et de ses ressources; dt. Kurzbez.: Internationale Union für Naturschutz), Abk. IUCN, 1948 in Fontainebleau durch die UNESCO und die frz. Regierung gegr. internat. Organisation, die sich um den Schutz der Natur und der natürl. Rohstoffe bemüht; Sitz Gland (Schweiz).

Internodium [lat.] (Stammglied, Stengelglied), der zw. zwei Blattansatzstellen (Knoten) liegende, blattfreie Sproßabschnitt einer Pflanze.

Interozeptoren [lat.], svw. ↑Propriorezeptoren.

Interparietale [...ri-e ..., lat.] (Os interparietale), Deckknochen im Schädelskelett der Säugetiere (einschließl. Mensch) zw. beiden Scheitelbeinen, der im allg. (Ausnahme ↑Inkabein) mit dem Hinterhauptsbein verschmilzt und dann dessen obersten Teil bildet.

Interphase, in der Genetik das Stadium des Zellkerns (*I.kern*) zw. zwei Zellteilungen. Während der I. ist der Kern als ↑Arbeitskern bes. aktiv.

Intersex (Scheinzwitter, Pseudohermaphrodit), Individuum mit (krankhafter) Mi-

Intersexualität

schung ♂ und ♀ Merkmale bei einer Art, die normalerweise getrenntgeschlechtlich ist.

Intersexualität (Pseudohermaphroditismus, Scheinzwittrigkeit, Scheinzwittertum), das Vorkommen ♂ und ♀ Merkmale bei den Intersexen infolge endogener oder exogener Faktoren, wobei im allg. auch der Gesamthabitus durch mehr oder weniger starke Verwischung der Geschlechtsunterschiede betroffen ist, während die chromosomal bedingte Geschlechtsanlage entweder nur ♂ oder nur ♀ sein kann.

Interstitium [lat. „Zwischenraum"], in der Anatomie und Histologie der Raum zw. den organtyp. Gewebsstrukturen, in den nerven- und gefäßführendes (*interstitielles Gewebe, Zwischengewebe;* z. B. in der Niere um die Harnkanälchen herum) oder Stützgewebe eingelagert ist.

interzellulär (intercellular) [lat.], in der *Histologie:* zw. den Zellen gelegen (z. B. in bezug auf die Interzellularflüssigkeit, die Interzellularflüssigkeit); zw. den Zellen sich abspielend (z. B. von bestimmten physiolog. bzw. biochem. Prozessen).

Interzellularen [lat.] (Zwischenzellräume, Interzellularräume), meist mit Luft erfüllte Räume zw. den Zellen pflanzl. Gewebe. I. entstehen durch Auflösung der Mittellamellen und bilden ein die ganze Pflanze durchziehendes Gangsystem, das über die Spaltöffnungen und Lentizellen mit der Außenluft in Verbindung steht und die Durchlüftung des Pflanzenkörpers ermöglicht. I. sind bes. in Wurzeln und Sprossen von Wasser- und Sumpfpflanzen († Durchlüftungsgewebe) ausgebildet.

Interzellularflüssigkeit (interstitielle Flüssigkeit), die zw. den Zellen der tier. und menschl. Gewebe befindl. Gewebsflüssigkeit, die niedermolekulare Substanzen aus dem Blut in die Zellen und umgekehrt transportiert. Aus der I. wird auch die Lymphe gebildet.

Isländisch Moos (getrocknet)

Interzellularsubstanz, zw. den Zellen eines Gewebes liegende Substanz, die meist von diesen Zellen abgeschieden wurde. Zu den I. gehören auch Blutplasma und Lymphflüssigkeit.

intestinal [lat.], in der Anatomie für: zum Darmkanal gehörend, vom Verdauungskanal ausgehend, die Eingeweide betreffend.

Intestinum [lat.], svw. ↑ Darm.

Intima [lat., eigtl. „die Innerste"] (Tunica intima), bei Wirbeltieren (einschließl. Mensch) die innerste Schicht der Blutgefäßwand.

Intrabilität [lat.], Eigenschaft der Zellmembran, Stoffe aus der Umgebung ins Zellinnere eintreten zu lassen.

intrazelluläre Bewegungen ↑ Bewegung.

Intrinsic factor [engl. ɪnˈtrɪnsɪk ˈfæktə] (Castle-Ferment), zur Resorption von Vitamin B_{12} notwendiges sialinsäurehaltiges Glykoproteid im Magensaft.

Intron, Nukleotidsequenz innerhalb der DNS, die keine sinnvolle Information für die Bildung eines Proteins enthält († Exon).

Intumeszenz (Intumescentia) [lat.], die normale anatom. Größenzunahme eines Organs oder Gewebes.

Intussuszeption [lat.], in der *Histologie* die Einlagerung neuer Substanzen zw. schon vorhandenen Strukturen. I. spielt beim Flächenwachstum der pflanzl. Zellwand durch Einlagerung zellulosehaltiger Substanzen eine entscheidende Rolle *(I.wachstum).*

Inula [lat.], svw. ↑ Alant.

Inulin [lat.] (Alantstärke), aus etwa 27 bis 30 glykosid. verbundenen D-Fructoseresten aufgebautes Polysaccharid, das auch etwa 5 % D-Glucose enthält. Das I. ist ein weitverbreitetes pflanzl. Reservekohlenhydrat (bes. reichl. in den Wurzeln des Alants, des Löwenzahns, der Dahlie und der Zichorie), das chem. der Stärke gleicht. Das durch Extraktion gewonnene I. wird als Diätzucker bei Diabetes mellitus und zur Nierenfunktionsprüfung verwendet.

Invagination [lat.] (Einstülpung, embol. Gastrulation), *Ontogenie:* bei vielen Tiergruppen (z. B. Schädellose, Stachelhäuter, viele Weichtiere, manche Hohltiere, v. a. Schirmquallen) auftretende Form der ↑ Gastrulation, bei der sich das Blastoderm am vegetativen Pol in das Blastozöl der [Zölo]blastula einstülpt und die innen liegenden Keimblätter (Ento-, Mesoderm) bildet.

Invasion [lat.], das Eindringen von Lebewesen (in großer Zahl) in Gebiete, in denen sie sonst nicht leben; häufig infolge Nahrungsmangels im Heimatgebiet, was zu Massenwanderungen führen kann (z. B. bei Lemmingen).

Inversion [lat.] (sexuelle I.), die Ausrichtung oder Verlagerung des Geschlechtstriebes auf Partner des eigenen Geschlechts.

Invertebrata [lat.], svw. ↑ Wirbellose.

Irradiation

in vitro [lat.], im Reagenzglas ablaufend oder durchgeführt; bezogen auf biolog. Vorgänge bzw. wiss. Experimente. - Ggs.: ↑in vivo.

in vivo [lat.], an oder im lebenden Objekt ablaufend oder durchgeführt; bezogen auf biolog. Vorgänge bzw. wiss. Experimente. - Ggs.: ↑in vitro.

Involution [lat.], die normale Rückbildung von Organen (z. B. des Thymus während der Pubertät) bzw. des gesamten Organismus im Greisenalter *(Altersinvolution)*.

Inzisivi [lat.], svw. Schneidezähne (↑Zähne).

Inzucht, Paarung von Individuen, die näher verwandt sind, als dies im Durchschnitt bei einem zufallsmäßig aus einer Population entnommenen Individuenpaar der Fall wäre. I. beschleunigt auf Grund der Zunahme der Reinerbigkeit die Bildung erbreiner Stämme und ist daher bei der Zucht von Nutztieren und Kulturpflanzen von großer Bedeutung. Sie birgt jedoch die Gefahr von I.schäden in sich, d. h., daß unerwünschte, erbl. rezessive Anlagen erbrein werden und in Erscheinung treten. Fortgesetzte I. führt zur I.degeneration, die sich durch Leistungs- und Vitalitätsminderung bemerkbar macht. Sie tritt bes. in der ersten I.generation auf.

Ionenpumpe, in biolog. Membranen befindl. aktive Transportmechanismen, die entgegen dem elektrochem. Gradienten arbeiten, z. B. die Na-K-Pumpe (↑Ionentheorie der Erregung) und die aktive Rückresorption von Glucose und Salzen in den Nierentubuli.

Ionentheorie der Erregung (Hodgkin-Huxley-Theorie), von A. L. Hodgkin und A. F. Huxley 1952 entwickelte, experimentell weitgehend gesicherte Theorie zur Erklärung der bei der Erregung und Erregungsfortleitung ablaufenden Vorgänge in Nerven- bzw. Muskelfasern, die auf der selektiven Änderung der Durchlässigkeit der Zellmembran für bestimmte Ionen, bes. Kalium-, Natrium- und Chlorionen, beruht (↑Aktionspotential, ↑Membranpotential) und mit einem energieverbrauchenden, selbsttätigen autoregenerativen Prozeß gekoppelt ist (Natrium-Kalium-Pumpe). Durch von außen aufgezwungene elektr. Spannungen und Änderungen des Ionenmilieus konnte die Beteiligung der einzelnen Ionen (Spannungsanteil [mV], zeitl. Ablauf [ms]) an den einzelnen an der Erregung beteiligten Prozessen nachgewiesen, gemessen und nach der Nernstschen Gleichung vorausberechnet werden.

Iris [griech.], svw. ↑Schwertlilie.

Iris [griech.], die Regenbogenhaut des ↑Auges.

Irischer Setter ↑Setter.

Irländisches Moos (Karrageen, Carrageen, Gallertmoos, Knorpeltang), getrocknete, gebleichte Thalli der Rotalgen Chondrus crispus, Gigartina stellata und Gigartina mamillosa, die an den Küsten des Atlantiks vorkommen; enthält 80 % Schleimstoffe (Karrageenin, Polygalaktoside), Eiweiß, Jod und Bromverbindungen. I. M. wird medizin. als Mittel gegen Husten und Darmkatarrh eingesetzt. In der Nahrungsmittel- und Kosmetikind. wird es als Stabilisator und Geliermittel verwendet.

Irradiation [zu lat. irradiare „strahlen, bestrahlen"], in der *Nervenphysiologie* und

Jackbaum. Jackfrüchte

Jaguar

Wildjak

irreversibel

Medizin die Ausbreitung bzw. Ausstrahlung einer Nervenerregung oder von Schmerzen über den normalen Bereich hinaus.

irreversibel, nicht umkehrbar; z. B. von bestimmten biolog. Veränderungen, entwicklungsgeschichtl. Prozessen oder physiolog. Reaktionen gesagt.

Irrgäste (Alieni), Tiere aus völlig anders gearteten Lebensräumen, die zufällig in ein ihnen fremdes Gebiet geraten bzw. dieses zufällig durchqueren **(Durchzügler).**

Irritabilität [lat.], svw. ↑ Erregbarkeit.

Isabellbär (Ursus arctos isabellinus), relativ kleine, fahl bräunlichgelbe Unterart des Braunbären im Himalaja.

Isaura [griech.] (Estheria), seit dem Devon bis heute weltweit verbreitete Gatt. bis etwa 12 mm großer (meist kleinerer) Blattfußkrebse (Unterordnung Muschelschaler) mit gewölbten, konzentr. gestreiften Schalenklappen; rezent nur in kleinen, stehenden Süßgewässern, fossil vermutl. auch marin; häufig v. a. im Mesozoikum, im Keuper gesteinsbildend **(Estherienschichten).**

Ischiadikus [ısçi..., ıʃi...; griech.], svw. ↑ Hüftnerv.

Ischiasnerv, svw. ↑ Hüftnerv.

Ischium ['ısçiʊm, 'ıʃiʊm; griech.], svw. Sitzbein (↑ Becken).

Isidien [griech.], der vegetativen Vermehrung dienende, stift- oder korallenförmige Auswüchse auf der Thallusoberfläche verschiedener Flechten.

Isländisch Moos (Isländisches Moos, Brockenmoos, Cetraria islandica), Art der Schüsselflechten, verbreitet auf moorigen Böden und in lichten Wäldern von der arkt. Tundra bis M-Europa; laubartig wachsende Flechte mit geweihartig verzweigtem, oberseits braunem, unterseits hellgrauem Thallus; am Ende der Thalluslappen befinden sich schüsselförmige Fruchtkörper. I. M. wird in getrockneter Form auf Grund seines Gehaltes an Lichenin und einem Bitterstoff (Cetrarsäure) als Schleim- und Bitterdroge verwendet. - Abb. S. 50.

Islandmuschel (Cyprina islandica), bis etwa 10 cm lange Muschel (Ordnung Blattkiemer), v. a. auf sandigen und schlammigen Böden des Atlantiks (einschließl. Nordsee) und der westl. Ostsee; Schale schwarz, rundlich, stark gewölbt, dickwandig, mit feiner konzentr. Streifung.

Islandpony ↑ Ponys.

Isogameten ↑ Geschlechtszellen.

Isogamie [griech.] ↑ Befruchtung.

Isolation [roman., zu lat. insula „Insel"], die teilweise erfolgende oder vollständige Unterbindung der Paarung und damit des Genaustausches zw. Individuen einer Art oder zw. verschiedenen Populationen einer Art. Die I. wirkt dadurch als wichtiger Evolutionsfaktor. Die räuml. I. ist eine wesentl. Voraussetzung der Rassenbildung. Man unterscheidet zwei verschiedene Formen der I.: Die biolog. **Isolation** (generative I., reproduktive I.) wird durch unüberwindl., genotyp. bedingte Unterschiede bewirkt und führt zu einer Paarungseinschränkung, wie z. B. morpholog. oder verhaltensbedingte Besonderheiten zw. den Geschlechtern, Befruchtungssperren zw. den Keimzellen, Unfruchtbarkeit der Bastarde. - Die **geograph. Isolation** (räuml. I.) ist durch ungleichmäßige, unzusammenhängende Verteilung der Individuen bedingt, wobei v. a. geograph. Hindernisse wie Gewässer, Gebirge, Wüsten u. a. eine Rolle spielen.

Isoleucin, essentielle, aliphat. α-Aminosäure. I. findet sich in größeren Mengen im Hämoglobin, Kasein und in den Serumproteinen.

Isomerasen [griech.] ↑ Enzyme.

Isometrie [griech.] (isometr. Wachstum), gleichmäßiges Wachstum der Teile eines Körpers in Relation zum Gesamtwachstum. - Ggs. ↑ Allometrie.

isometrisch [griech.] ↑ isotonisch.

Isomyaria [griech.] (Homomyaria), nichtsystemat. Bez. für Muschelarten, bei denen (im Ggs. zu den Anisomyaria) beide Schalenschließmuskeln gleich oder annähernd gleich stark entwickelt sind.

Isophyllie [griech.] (Gleichblättrigkeit), in der Botanik Bez. für das Vorkommen von form- und größengleichen Blattorganen (Laubblätter, Blütenhüllblätter) an einem Sproßabschnitt bzw. an einem Wirtel. - Ggs. ↑ Anisophyllie; ↑ auch Heterophyllie.

Isopoda [griech.], svw. ↑ Asseln.

Isoptera [griech.], svw. ↑ Termiten.

Isotomidae [griech.] (Gleichringler), weltweit verbreitete Fam. der Springschwänze mit rd. 300 0,8-8 mm großen Arten, davon 40 in Deutschland; Körper meist behaart, aber ohne Schuppen; Fühler knapp körperlang.

Isotonie [griech.], Konstanz des osmot. Drucks der Körperflüssigkeiten (z. B. des Blutplasmas) im gesunden Organismus.

isotonisch, von einer Muskelkontraktion gesagt, bei der (im Ggs. zur **isometrischen Kontraktion**) die Kraftentwicklung bzw. Muskelspannung unverändert bleibt, während sich die Muskellänge ändert.

isozerk [griech.] (gephyrozerk), eine in zwei gleiche Hälften geteilte Schwanzflosse aufweisend, z. B. beim Schellfisch.

Isthmus [griech.], anatom. Bez. für einen Durchgang, eine verengte Stelle bzw. eine schmale Verbindung zw. zwei Hohlräumen im Körper.

Italiener, weit verbreitete Haushuhnrasse mit hoher Legeleistung; schlanke, kräftige Tiere mit gelbem Schnabel, gelben Läufen und rotem, gezacktem Stehkamm. I. werden in vielen Farbschlägen gezüchtet, z. B.: **Rebhuhnfarbige Italiener** mit graubrauner Grundfärbung; **Goldfarbige Italiener** mit v. a. beim

Hahn auffallender Goldfärbung des Hals-, Schulter- und Rückengefieders; **Kennfarbige Italiener (Gesperberte Italiener,** aus Rebhuhnfarbigen I. und gesperberten Hühnerarten gezüchtet), bei denen die Eintagsküken auf Grund der Farbzeichnung schon nach Geschlecht unterschieden werden können.

Iwanowski, Dmitri Iossifowitsch, * Nisi (Gebiet Leningrad) 28. Okt. 1864, † Rostow am Don 20. Juni 1920, russ. Botaniker und Mikrobiologe. - Prof. in Warschau; wurde durch seine Forschungen über Tabakmosaik zum Pionier der Virusforschung; 1892 isolierte er das Tabakmosaikvirus.

J

Jackbaum [engl. dʒæk] (Jackfruchtbaum, Artocarpus heterophylla), Maulbeergewächs aus Vorderindien; Milchsaft führender Baum mit großen, verkehrt-eiförmigen, längl. Blättern und kopfgroßen, eßbaren Scheinfrüchten (**Jackfrüchte**); als wichtiger Obstbaum der Tropen häufig angebaut. - Abb. S. 51.
Jacob, François [frz. ʒa'kɔb], * Nancy 17. Juni 1920, frz. Genetiker und Physiologe. - Leiter der Abteilung Mikrobengenetik am Pariser Institut Pasteur und Prof. am dortigen Collège de France. Für die gemeinsame Entdeckung eines die anderen Gene steuernden Gens [bei Bakterien] erhielten J., A. Lwoff und J. Monod 1965 den Nobelpreis für Physiologie oder Medizin.
Jacob-Monod-Modell [frz. ʒa'kɔb ˌmɔ'no; nach F. Jacob und J. Monod], wichtigste Hypothese zur Regulation der ↑ Transkription.
Jacobson-Organ [dän. 'jakɔbsɔn; nach dem Chirurgen L. L. Jacobson, * 1783, † 1843] (Organum vomeronasale), sensor. Riechepithel, das von dem der Nasenhöhle weitgehend abgesetzt ist und ein spezialisiertes Geruchssinnesorgan v. a. für die Aufnahme von Geruchsreizen über die Mundhöhle (ursprüngl. über die Choanen) bei Amphibien, den meisten Reptilien (Züngeln) und vielen Säugetieren (beim Menschen noch embryonal zu beiden Seiten der Nasenscheidewand) darstellt.
Jagdfasan, anderer Name des Edelfasans (↑ Fasanen).
Jagdhunde, zur Jagd verwendete Hunde; nach ihrem Einsatzzweck unterscheidet man z. B. Apportierhunde, Bracken, Erdhunde, Stöberhunde, Schweißhunde und Vorstehhunde.
Jagdleopard, svw. ↑ Gepard.
Jagdspinnen, anderer Name der ↑ Raubspinnen.

Jaguar [zu Tupí jagwár(a) „fleischfressendes Tier"] (Onza, Panthera onca), vom südlichsten Teil der USA bis S-Amerika verbreitete Großkatze; Größe geograph. stark variierend; Körperlänge etwa 110-185 cm, Schwanz etwa 45-75 cm lang; Fell rötlichgelb mit großen, schwarzen Ringelflecken; letztere meist mit dunklen Innentupfen; gelegentlich auch ganz schwarze Tiere. - Der J. lebt v. a. in Waldgebieten, gern in Gewässernähe; er klettert und schwimmt gut; jagt überwiegend am Boden (v. a. Säugetiere, Vögel, Reptilien, gelegentl. auch Wassertiere). Wegen seines begehrten Pelzes wird er stark bejagt (in vielen Gebieten bereits ausgerottet). - Abb. S. 51.
Jahresringe, jährl. Dickenzuwachszonen im Holzkörper von Baumstämmen (auf dem Querschnitt als konzentr. Ringe erkennbar, im Längsschnitt als Maserung). J. werden durch period. Änderung der Teilungstätigkeit des Kambiums in Gebieten mit temperatur- bzw. feuchtebedingtem Wechsel von Vegetationszeit und -ruhe (Sommer/Winter, Regenzeit/Trockenzeit) verursacht. Sie fehlen daher häufig oder sind undeutl. bei trop. Hölzern. Der Jahreszuwachs beginnt mit der Bildung von großen Zellen *(Frühholz)* und endet im Herbst mit der Ausbildung von kleinen Zellen *(Spätholz).* - Die Bestimmung des Lebensalter von Bäumen oder Baumstämmen (zur Datierung prähistor. und histor. Ereignisse) nach der Anzahl der J. wird **Jahresringchronologie** genannt und ist die Grundlage der **Dendrochronologie.**
Jährling, Bez. für ein im zweiten Lebensjahr stehendes Tier.
Jak (Yak) [tibet.], (Wildjak, Bos mutus) große, massige Rinderart im zentralasiat. Hochland (bis etwa 6 000 m Höhe); Körperlänge bis etwa 3,25 m, Schulterhöhe bis über 2 m, ♀ sehr viel kleiner und leichter; Rücken auffallend langgestreckt; Haarkleid schwarzbraun, verfilzend, längs den Rumpfseiten

mähnenartig verlängert; Hörner beim ♂ knapp 1 m lang, beim ♀ viel kürzer. - Abb. S. 51.
◆ (Hausjak, Grunzochse, Bos mutus grunniens) deutl. kleinere und leichter gebaute, domestizierte Zuchtform des Wildjaks; Schulterhöhe (♂) bis etwa 1,40 m; Hörner klein oder fehlend; Haarkleid braunschwarz bis gelbbraun, grau, auch gescheckt; längere Bauchmähne als beim Wildjak. - Der genügsame und klettergewandte Hausjak ist ein ideales Haustier (Tragtier, Milch-, Fleisch-, Wollieferant). Er läßt sich mit anderen Hausrinderarten kreuzen.

Jakob Lebel ↑ Apfelsorten, Bd. 1, S. 49.
Jakobsgreiskraut ↑ Greiskraut.
Jambuse (Jambose) [Hindi-engl.], eßbare, wohlschmeckende Früchte verschiedener in den Tropen angebauter Arten der Gatt. ↑ Syzygium, v. a. von Syzygium jambos (Rosenapfel) und von Syzygium cumini (Wachsjambuse, Jambolanapflaume).
James Grieve [engl. 'dʒɛimz 'griːv; nach dem Namen des brit. Züchters] ↑ Apfelsorten (Übersicht Bd. 1, S. 49).
Jams ↑ Jamswurzel.
Jamsbohne [afrikan.-portugies./dt.] (Yamsbohne, Pachyrrhizus erosus), Schmetterlingsblütler aus Mittelamerika; in den Tropen vielfach angebaute Nutzpflanze, v. a. in der Alten Welt eingebürgert. Die stärkereichen, rübenförmigen Wurzelknollen der hochwindenden Staude werden gegessen oder zur Gewinnung von Stärke und Mehl verwendet. Die giftigen Samen sind nur gekocht eßbar. Auch zahlr. andere Arten der Gatt. Pachyrrhizus werden ähnl. genutzt.
Jamswurzel [afrikan.-portugies./dt.] (Yamswurzel, Dioscorea), Gatt. der Jamswurzelgewächse mit mehr als 600 Arten in den Tropen und den wärmeren Bereichen der gemäßigten Zone; windende Stauden mit meist knollen- oder keulenartigem Wurzelstock. Mehrere Arten sind wichtige trop. Nutzpflanzen, z. B. *Dioscorea alata, Dioscorea bulbifera* und *Dioscorea batatas* (**Brotwurzel**), deren bis 20 kg schwere, stärkereiche (wegen des Alkaloids Dioscorin ungekocht oft giftige) Knollen (**Jams, Yams**) wie Batate und Kartoffel verwendet werden.
Jamswurzelgewächse (Schmerwurzgewächse, Dioscoreaceae), Pflanzenfamilie der Einkeimblättrigen mit 10 Gatt. und rd. 650 Arten, vorwiegend in den Tropen und Subtropen verbreitet; kletternde oder schlingende Kräuter oder Sträucher mit meist knolligem, stärkereichem Wurzelstock.
Jämthund ↑ Elchhund.
Japanahorn (Fächerahorn, Acer palmatum), strauch- oder baumförmiges Ahorngewächs aus Japan; formenreiche Zierpflanze mit dünnen, roten Zweigen, 5- bis 11lappigen, im Herbst karminroten Blättern und kleinen, purpurroten Blüten.

Japanische Anemone (Herbstanemone, Anemone japonica), Bez. für eine Reihe von v. a. aus der Art Anemone hupehensis hervorgegangenen Zuchtformen der Gatt. Anemone; im Herbst blühende Stauden mit dreiteiligen Blättern; Blüten groß (6–7 cm breit), rosafarben oder weiß, an verzweigten, bis 1 m hohen Blütenstielen; beliebte Gartenpflanzen.

Japanische Anemone

Japanische Hirse (Echinochloa frumentacea), v. a. in Japan angebaute Hirseart; etwa 90 cm hoch werdende Pflanze mit kantigen, blattreichen Halmen; der Blütenstand ist aus 2–5 Blüten an langen Scheinähren zusammengesetzt; die Körner reifen schon 45 Tage nach der Aussaat.
Japanische Kirschen, Bez. für eine Gruppe von Zierkirschen, die v. a. von der **Jap. Bergkirsche** (Prunus serrulata var.

Japanische Kirschen

Johannisbeere

spontanea) abstammen; meist in Japan gezüchtete, reichblühende Sorten mit weißen bis tiefrosafarbenen, oft gefüllten Blüten; beliebte und viel verwendete Blütenbäume und -sträucher.

Japanische Quitte ↑Scheinquitte.
Japanischer Buchsbaum ↑Buchsbaum.
Japanischer Judenfisch ↑Judenfische.
Japanischer Sternanis ↑Sternanis.
Japanzeder (Sicheltanne, Kryptomerie, Cryptomeria), Gatt. der Sumpfzypressengewächse mit der einzigen Art **Cryptomeria japonica** in Japan und S-China; meist 30–40 m hoher Baum von schlankem, pyramidenförmigem Wuchs; Nadeln 6–12 mm lang, sichelförmig einwärts gekrümmt, steif; Zapfen kugelig, bis 3 cm lang; häufig als Zierbaum in zahlr. Gartenformen angepflanzt.

Jarra [engl. 'dʒærə; austral.] (Jarrah, Dscharrabaum, Eucalyptus marginata), bis 40 m hohe Eukalyptusart im SW Australiens, dort oft in Reinkultur (**Jarrawälder**) auftretend; liefert ein rotes, sehr widerstandsfähiges Holz (**Jarraholz**).

Jasmin [pers.-arab.-span.], (Jasminum) Gatt. der Ölbaumgewächse mit rund 200 Arten, meist in trop. und subtrop. Gebieten; immergrüne oder laubabwerfende, kletternde oder windende Sträucher mit meist kantigen Zweigen; Blüten langröhrig, weiß, rosa oder gelb, z. T. stark duftend, meist in Trugdolden. Mehrere Arten werden als Zierpflanzen kultiviert, z. B. der winterharte, gelbblühende **Winterjasmin** (*Echter J.*, Jasminum nudiflorum) aus N-China, ein ab Jan. blühender, bis 3 m hoher Strauch.
◆ (Falscher J.) svw. ↑Pfeifenstrauch.

Jassana [indian.] (Jacana spinosa), rund 20 cm langes, rotbraunes Blatthühnchen auf pflanzenreichen Süßgewässern Mexikos bis Argentiniens; mit schwarzem Kopf und Hals, rotem oder gelbl. Stirnschild und gelben Handschwingen.

Javamensch ↑Mensch (Abstammung).
Javanashorn ↑Nashörner.
Javaneraffe ↑Makaken.
Jejunum [lat.], svw. Leerdarm, ↑Darm.
Jelängerjelieber [nach dem immer angenehmeren Duft] ↑Geißblatt.
Jerichorose (Auferstehungspflanze, Rose von Jericho), Bez. für verschiedene lebende oder abgestorbene Pflanzen, die durch hygroskop. Bewegungsmechanismen bei Trokkenheit ihre Äste bzw. Hüllblätter nach innen rollen und bei Feuchtigkeit wieder öffnen, z. B. die **Echte Jerichorose** (Anastatica hierochuntica): 10–20 cm hoher, einjähriger Kreuzblütler im Wüstengürtel von S-Iran bis Marokko.

Jerne, Nils Kai, * London 23. Dez. 1911, dän. Immunologe. - Arbeiten zur biolog. Standardisierung, zur Analyse der Antikörperbildung und Antikörperklassifikation; erhielt 1984 den Nobelpreis für Physiologie oder Medizin (zus. mit G. Köhler und C. Milstein).

Jerseyrind [engl. 'dʒɜːzɪ], sehr alte, auf der Insel Jersey gezüchtete, heute v. a. in Großbrit., N-Amerika und auf Neuseeland gehaltene Rinderrasse; zierl. Tiere mit gelbbrauner bis hellroter Färbung.

Jetztmenschen (Neanthropinen, Neanthropinae), im Unterschied zu den Frühmenschen und Altmenschen die Gruppe der heute lebenden Echtmenschen; zugleich einzige rezente Unterart (*Homo sapiens sapiens*) der Art Homo sapiens.

Jigger [engl. 'dʒɪgə; afrikan.], svw. Sandfloh (↑Flöhe).

Jochalgen (Conjugales, Conjugatae), Ordnung der Grünalgen mit drei Fam. (darunter Zieralgen); fast ausschließl. im Benthos oder Plankton des Süßwassers kosmopolit. verbreitet; als Einzeller oder unverzweigte, bisweilen leicht in Einzelzellen zerfallende Fäden (Zönobien) vorkommende Algen, die keine begeißelten Fortpflanzungsstadien ausbilden.

Jochbein, svw. ↑Wangenbein.
Jochblattgewächse (Doppelblattgewächse, Zygophyllaceae), Pflanzenfam. der Zweikeimblättrigen mit 30 Gatt. und rd. 250 Arten in den Tropen und Subtropen; Sträucher und Halbsträucher, seltener Bäume mit meist gegenständigen, gefiederten Blättern; Blüten radiär (z. B. Guajakbaum).

Jochbogen, durch die Knochenfortsätze des Schläfenbeins und des Wangenbeins gebildete Knochenbrücke am seitl. Schädel bei verschiedenen Wirbeltieren (einschließlich Mensch).

Jochpilze (Zygomyzeten, Zygomycetales), Klasse der Pilze mit zwei Ordnungen, vorwiegend saprophyt., seltener parasit. auf Pflanzen und Tieren lebende Pilze mit stark entwickeltem Myzel; Zellwände aus Chitin; ungeschlechtl. Vermehrung durch Sporen und Konidien, geschlechtl. Vermehrung durch Gametangiogamie (bestimmte Zellen oder Zellgruppen, in denen die Geschlechtszellen gebildet werden [Gametangium], verschmelzen).

Johannisbeere [nach der Reifezeit zur Zeit des Fests des hl. Johannes (24. Juni)], 1. Sammelbez. für alle unbestachelten Arten der Gatt. Stachelbeere, z. B. **Rote Johannisbeere** (Ribes rubrum), 1–2 m hoher Strauch mit langgestielten, handförmig gelappten Blättern; durch Kultur sind zahlr. Formen (z. B. mit gelbl. und grünlichweißen Beeren) entstanden. **Schwarze Johannisbeere** (Aalbeere, Ahlbeere, Ribes nigrum), bis 2 m hoher Strauch mit drei- bis fünflappigen, unterseits gelbdrüsig punktierten Blättern und grünl., innen blaßrötl. Blüten in hängenden Trauben. 2. Bez. für die Beerenfrucht der als Nutzpflanze kultivierten Roten J. und Schwarzen J., die reich an Vitamin C, organ. Säuren und

55

Johannisbeergewächse

Zucker sind und zur Herstellung von Marmeladen, Säften und Wein verwendet werden.
Geschichte: Die J. wurde in M-Europa erst um 1400 in Kultur genommen. Die Schwarze J., die in Nordeuropa wild vorkommt, wurde erst seit dem 16. Jh. beachtet und beschrieben.
Johannisbeergewächse, svw. ↑Stachelbeergewächse.
Johannisbeerglasflügler ↑Glasflügler.
Johannisbeermotte ↑Miniersackmotten.

Johannisbrotbaum [nach der Legende soll sich Johannes der Täufer davon ernährt haben] (Karobenbaum, Karrube, Ceratonia), Gatt. der Caesalpiniengewächse im Mittelmeergebiet und in Arabien mit der einzigen Art **Ceratonia siliqua**; immergrüner Baum mit lederartigen Fiederblättern und winzigen Blüten in Trauben; zuckerhaltige, eßbare, geschlossen bleibende, bis zu 20 cm lange Hülsenfrucht (**Johannisbrot**); in subtrop. Ländern eine wichtige Futterpflanze.

Johanniskäfer ↑Leuchtkäfer.

◆ (Anoxia) Gattung der Blatthornkäfer in wärmeren, meist sandigen Gebieten Europas, Vorderasiens und N-Afrikas; mit zwei 21–28 mm langen, maikäferähnl. Arten in Deutschland; mit einfarbig gelb- bis rotbraunen Flügeldecken, Bauch hell und lang behaart; an Obstbäumen und in Weinbergen; Larven an Wurzeln (drei Jahre).

Johanniskraut (Hartheu, Hypericum), Gatt. der Johanniskrautgewächse mit über 300 Arten in gemäßigten und subtrop. Gebieten, in Deutschland etwa 10 Arten; Kräuter oder Sträucher mit häufig durch Öldrüsen punktiert erscheinenden Blättern und meist gelben Blüten. Die in Deutschland verbreitetste Art ist das **Tüpfeljohanniskraut** (Echtes J., Hypericum perforatum), eine 30–60 cm hohe Staude, deren gelbe Blüten in Trugdolden stehen.

Johanniskrautgewächse (Hartheugewächse, Hypericaceae), Pflanzenfam. in vorwiegend wärmeren Gebieten; meist holzige Pflanzen; Blüten mit zahlr., in 2–5 Bündeln zusammengefaßten Staubblättern.

Johannistrieb, Bez. für das zweite Austreiben mancher Holzgewächse (bes. Buchen und Eichen) im Juni/Juli. Davon abgeleitet scherzhafte Bez. für gesteigertes Bedürfnis nach sexuellen Beziehungen bei älteren Männern.

Johanniswürmchen, svw. Glühwürmchen (↑Leuchtkäfer).

Johannsen, Wilhelm, * Kopenhagen 3. Febr. 1857, † ebd. 11. Nov. 1927, dän. Botaniker. - Prof. in Kopenhagen; arbeitete über Fragen der Vererbung und führte die Bez. Gen für die materielle Grundlage der Erbfaktoren ein.

Johnston-Organ [engl. 'dʒɔnstən; nach dem amerikan. Arzt C. Johnston, †1891] ↑Chordotonalorgane.

Jojoba [mexikan.] (Simmondsia), Gatt. der Buchsbaumgewächse mit der einzigen immergrünen Art **Simmondsia california,** verbreitet von Mexiko bis Kaliforniern; sehr tief im Boden wurzelnd, weitgehend unempfindl. gegen schädl. Umwelteinflüsse. Aus den Früchten (**J.nüsse**) wird ein hochwertiges Öl gewonnen, das in der techn. Ind. verwendet wird.

Jonagold ↑Apfelsorten, Bd. 1, S. 49.
Jonathan ↑Apfelsorten, Bd. 1, S. 49.
Josefskraut, svw. ↑Ysop.

Jucken, bes. Sinnesmodalität der Haut, die zu typ. Abwehrbewegungen (Reiben, Kratzen) führt. Ähnl. dem Schmerz kann J. durch verschiedene (elektr., mechan. und chem.) Reize ausgelöst werden. Die Juckempfindung fällt bei Durchtrennung der Vorderseitenstrangs des Rückenmarks zus. mit der Schmerzempfindung aus. J. ist im Ggs. zum Schmerz nur in den äußeren Schichten der Oberhaut lokalisiert. Dabei werden möglicherweise chem. Substanzen (wahrscheinl. Histamin) frei, die zu einer Erregung spezif. Rezeptoren führen.

Judasbaum (Cercis), Gatt. der Caesalpiniengewächse mit sieben Arten, verbreitet von S-Europa bis O-Asien und in N-Amerika; sommergrüne Bäume oder Sträucher mit nierenförmigen Blättern und in Büscheln stehenden, oft auch aus altem Holz hervorbrechenden Schmetterlingsblüten. Ein bekanntes Ziergehölz ist die Art **Cercis siliquastrum** aus S-Europa mit vor den Blättern erscheinenden, rosa- bis purpurroten, 2 cm großen Blüten.

Judasohr (Holunderschwamm, Auricularia auricula-judae), an alten Holunderstämmen vorkommender Ständerpilz mit bis 10 cm breitem, muschel- bis ohrförmigem Fruchtkörper; Färbung dunkelbraun bis olivrot; ungenießbar.

Judenbart ↑Steinbrech.

Judenfische, Bez. für große Zackenbarsche in den Küstengewässern N-Amerikas und Japans; z. B. **Kaliforn. Judenfisch** (Stereolepis gigas; bis 2 m lang und bis 300 kg schwer), **Japan. Judenfisch** (Stereolepis ishinagi; von ähnl. Dimensionen); Sportfische.

Jugendentwicklung ↑Entwicklung (in der Biologie).

Jujube [griech.-lat.-frz.] (Judendorn, Dornjujube, Ziziphus jujuba), Kreuzdorngewächs O-Asiens, von China bis zum Mittelmeergebiet kultiviert; Strauch oder kleiner Baum mit ungleich langen Nebenblattdornen, längl.-eiförmigen Blättern und achselständigen, gelben Blüten; Früchte (reif) schwärzl., dattelähnl., mit weißl., süßem Fruchtfleisch, eßbar (**chin. Datteln**).

Julikäfer (Weinlaubkäfer, Anomala aenea), 12–14 mm große, meist grün oder blau gefärbte Art der Skarabäiden in M-, S- und im südl. N-Europa, nach N-Amerika verschleppt; erscheint Anfang Juli in Auen, v. a. an Weiden und Birken.

Jungfer im Grünen, svw. Gretel im Busch (↑Schwarzkümmel).
Jungfernfrüchtigkeit (Parthenokarpie), Fruchtentwicklung bei Pflanzen ohne Befruchtung und Samenbildung. J. kann durch Bestäubungsreiz und darauffolgende Wuchsstoffausschüttung ohne Befruchtung der Eizelle (meist genet. bedingte Störung) ausgelöst werden; verbreitet bei Zitrusarten, Bananen, Weintrauben u. a.
Jungfernhäutchen, svw. ↑Hymen.
Jungfernkranich ↑Kraniche.
Jungfernrebe (Parthenocissus), Gatt. der Weinrebengewächse mit rd. 15 Arten in N- und M-Amerika sowie S- und O-Asien; sommer- oder immergrüne, z. T. (mit Ranken) kletternde Sträucher mit gefingerten oder gelappten Blättern, trugdoldigen Blütenständen und dunkelblauen bis schwarzen Beeren; Ranken verzweigt, oft mit endständigen Haftscheiben. Mehrere Arten mit auffallend roter Herbstverfärbung werden als Zierpflanzen kultiviert, z. B. der **Wilde Wein** (Parthenocissus quinquefolia), eine formenreiche Art mit fünfzähligen Fiederblättern und großen Haftscheiben, an Mauern und Baumstämmen.
Jungfernzeugung ↑Fortpflanzung.
Junikäfer, svw. ↑Gartenlaubkäfer.
◆ (Sonnenwendkäfer, Amphimallon solstitialis) häufiger, 14–18 mm großer, dicht behaarter, gelbbrauner Brachkäfer in M- und O-Europa; schwärmt v. a. gegen Sonnenuntergang im Juni und Juli auf Brachfeldern; die engerlingartigen Larven können durch Wurzelfraß an Kulturpflanzen schädl. werden.
Juniperus [lat.], svw. ↑Wacholder.
Junkerlilie (Asphodeline), Gatt. der Liliengewächse mit rd. 20 Arten im Mittelmeergebiet und Orient; Pflanzen mit Wurzelstökken, lineal. Blättern und gelben oder weißen Blüten in langen, dichten, aufrechten Trauben. Einige Arten sind Zierpflanzen.

Jupiterblume ↑Lichtnelke.
Just, Günther, *Cottbus 3. Jan. 1892, †Heidelberg 30. Aug. 1950, dt. Anthropologe. - Prof. in Greifswald, Würzburg und Tübingen; befaßte sich bes. mit humangenet. und sozialanthropolog. Fragestellungen; gab (mit K. H. Bauer, E. Hanhart und J. Lange) das „Handbuch der Erbbiologie des Menschen" (5 Bde., 1939/40) heraus.
Jute [Bengali-engl.] (Corchorus), Gatt. der Lindengewächse mit rd. 40 Arten in den Tropen; Kräuter oder Halbsträucher mit einfachen, gezähnten Blättern und gelben, achselständigen Blüten. Die beiden wichtigsten (aus Indien stammenden) Arten, die zur Gewinnung der Jutefasern in Pakistan, Brasilien, Thailand, Vietnam, China, Japan, auf Formosa und im Iran angebaut werden, sind: **Rundkapseljute** (Corchorus capsularis): einjähriges, bis 4 m hohes Kraut mit fast kugeligen Kapselfrüchten; vorwiegend auf sehr feuchten Standorten; **Langkapseljute** (Corchorus olitorius): bis 5 m hohes Kraut mit schotenförmigen Kapseln; vorwiegend an trockenen Standorten; die jungen Sprosse und Blätter werden in vielen Ländern als Gemüse gegessen. Die Ernte der **Jutefasern** erfolgt vom Beginn der Blüte bis zum Eintritt der Samenreife durch Abschneiden der Stengel dicht am Boden. Die Stengel werden in ähnl. Weise bearbeitet wie bei der Flachsfasergewinnung. Die Fasern unreif geernteter Stengel lassen sich zu feineren Garnen verspinnen als die Fasern der ausgereiften Stengel. - Abb. S. 58.
juvenil, jugendl.; nicht geschlechtsreif.
Juvenilhormon (Larvalhormon, Corpora-allata-Hormon, Neotenin), in Hormondrüsen (Corpora allata) gebildetes Hormon der Insekten, das (nur im Zusammenwirken mit dem Häutungshormon Ekdyson) die Larvenentwicklung einschließl. der Larvenhäutungen bewirkt.

K

Kabeljau [niederl.] ↑Dorsche.
Kabinettkäfer (Anthrenus verbasci), 2 bis über 3 mm langer, ovaler, auf schwarzem Grund hellgefleckter Speckkäfer; Larven u. a. schädl. an Woll- und Pelzwaren.
Kadaver [lat.], toter, in Verwesung übergehender Tierkörper, Aas; auch abwertend für: toter menschl. Körper.
Kaestner, Alfred ['kɛs...], *Leipzig 17. Mai 1901, †München 3. Jan. 1971, dt. Zoologe. - Prof. in Berlin und München; betrieb hauptsächl. morpholog.-anatom. Studien an Spinnentieren; verfaßte ein „Lehrbuch der Speziellen Zoologie" (2 Bde., 1954–63).
Käfer [zu althochdt. chevar, eigtl. „Nager"] (Koleopteren, Coleoptera), seit dem Perm bekannte, heute mit rd. 350 000 Arten in fast allen Biotopen weltweit verbreitete Ordnung 0,25–160 mm langer Insekten (davon rund 5 700 Arten in M-Europa); Körper

Käfermilben

Jute.
Sproß der Rundkapseljute mit Blüten und Früchten

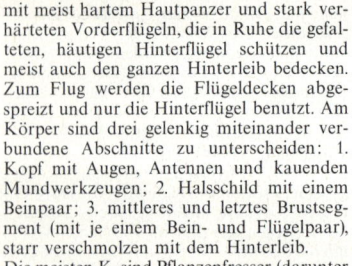

Kaffeepflanze. Zweig mit Blüten und Früchten des Arabischen Kaffees (a), Kaffeekirsche (b) und Kaffeebohne (c)

mit meist hartem Hautpanzer und stark verhärteten Vorderflügeln, die in Ruhe die gefalteten, häutigen Hinterflügel schützen und meist auch den ganzen Hinterleib bedecken. Zum Flug werden die Flügeldecken abgespreizt und nur die Hinterflügel benutzt. Am Körper sind drei gelenkig miteinander verbundene Abschnitte zu unterscheiden: 1. Kopf mit Augen, Antennen und kauenden Mundwerkzeugen; 2. Halsschild mit einem Beinpaar; 3. mittleres und letztes Brustsegment (mit je einem Bein- und Flügelpaar), starr verschmolzen mit dem Hinterleib.
Die meisten K. sind Pflanzenfresser (darunter viele Pflanzenschädlinge wie Kartoffelkäfer, Maikäfer, Borken- und Rüsselkäfer); viele leben räuber. und werden, indem sie Schadinsekten und anderen Kleintieren nachstellen, nützl. (z. B. Marienkäfer, viele Lauf- und Buntkäfer). Verschiedene Arten leben in Aas, Dung oder Mist. - Entsprechend den unterschiedl. Lebensgewohnheiten haben sich die Beine bei manchen K. umgebildet zu Lauf-, Grab- (bei Mistkäfern) Sprung- (bei Flohkäfern) oder Schwimmbeinen. Die Entwicklung ist eine vollkommene ↑Metamorphose. - Man unterscheidet die beiden Unterordnungen ↑Adephaga und ↑Polyphaga.

Käfermilben ↑Milben.

Käferschnecken (Polyplacophora), Klasse mariner Weichtiere mit rd. 1 000 etwa 0,3–33 cm langen Arten überwiegend in der Brandungszone; fast stets abgeplattet, längsoval, oft bunt gezeichnet; mit meist acht sich dachziegelartig überdeckenden, kalkigen Schalenplatten; Atmung erfolgt durch Fiederkiemen; ernähren sich meist von Algen und können sich vielfach asselartig einrollen; bekannteste Gatt. ↑Chiton.

Kaffee [türk.-italien.-frz., zu arab. kahwa (mit gleicher Bed.)], svw. ↑Kaffeepflanze.
◆ die [gerösteten] Samen der ↑Kaffeepflanze (K.bohnen) bzw. das daraus bereitete Getränk.

Kaffeebaum, svw. ↑Kaffeepflanze.

Kaffeebohnenkäfer, svw. ↑Kaffeekäfer.

Kaffeekäfer (Kaffeebohnenkäfer, Araeocerus fasciculatus), etwa 2–4 mm langer Breitrüßler, dessen 5–6 mm lange Larven Vorratsschädlinge (bes. an Kaffee-, Kakaobohnen, Muskatnüssen) sind; weltweit verbreitet.

Kaffeepflanze (Kaffee, Kaffeestrauch, Kaffeebaum, Coffea), Gatt. der Rötegewächse paläotrop. Verbreitung (meist afrikan. Herkunft) mit rd. 60 Arten; Sträucher oder 4–6 m hohe Bäume; Blätter gegenständig, lederartig oder häutig; Blüten klein, weiß, oft wohlriechend, zu Büscheln gehäuft in den Blattachseln; Früchte kirschenähnl. Steinfrüchte (**Kaffeekirschen**) mit zwei bohnenförmigen oder einem rundl. Samen (Perlkaffee, Rundbohne), die nach Entfernen der Hornschale (Endokarp) und der Silberhaut (Samenschale) die **Kaffeebohnen** ergeben. Diese enthalten neben Theobromin und Theophyllin u. a. 0,7–2,5 % Koffein, 10–30 % fettes Öl, 0,7 % Zucker und Gerbstoffe. Das eigentl. Aroma entwickelt sich erst beim Rösten. Auch die Blätter und die Rinde der K. enthalten Alkaloide.
Wichtigste Arten der K.: **Arab. Kaffee** (Bergkaffee, Coffea arabica), urspr. wohl aus Äthiopien, heute allg. in den Tropen (v. a. in Brasilien) kultiviert; **Liberia-Kaffee** (Coffea liberica), aus dem trop. W-Afrika, heute v. a. in W-

Kahmhefen

und O-Afrika, auf Ceylon und Java angebaut (wegen weniger guten Geschmacks selten im Handel); **Robusta-Kaffee** (Kongo-Kaffee, Coffea canephora), aus dem trop. Afrika, angebaut v. a. in W-Afrika, Indonesien, Indien. **Wirtschaft:** Die Weltkaffee-Ernte betrug 1985 6,02 Mill. t. Größter Kaffeeproduzent war Brasilien mit 1,88 Mill. t, gefolgt von Kolumbien mit 0,68 Mill. t und Indonesien mit 0,33 Mill. t (starke Schwankungen als Folge von Frostschäden sind häufig).

Kaffeezichorie, svw. Gemeine Wegwarte (↑ Wegwarte).

Kaffein, svw. ↑ Koffein.

Kaffernadler (Aquila verreauxi), rd. 90 cm langer, schwarz und weiß gefärbter Adler, v. a. in den Gebirgen O- und S-Afrikas.

Kaffernbrot (Encephalartos caffer), afrikan. Palmfarn mit 2–3 m hohem, knollenartigem Stamm, der von holzigen Schuppen und Blattstielresten bedeckt ist; Wedel paarig gefiedert; Zapfen meist groß, ♂ Zapfen oft zu mehreren. Das Mark liefert Sago.

Kaffernbüffel (Syncerus caffer), bis 2,6 m langes und bis 1,7 m schulterhohes, rotbraunes bis schwarzes Rind in fast jedem Biotop Afrikas südl. der Sahara; mit breit auf der Stirn ansetzenden, geschwungenen Hörnern; meist in kleineren oder größeren Herden lebende Tiere, die gern Wasserstellen aufsuchen. Man unterscheidet 3 Unterarten: **Schwarzbüffel** (Syncerus caffer caffer; größte Unterart; dunkelbraun bis schwarz; O- und S-Afrika); **Grasbüffel** (Sudanbüffel, Syncerus caffer brachyceros; Schulterhöhe bis 1,4 m; rotbraun bis schwarz; W-Afrika bis Äthiopien); **Rotbüffel** (Waldbüffel, Syncerus caffer nanus; kleinste Unterart; leuchtend rotbraun; in Wäldern W- und Z-Afrikas).

Kaffernhirse ↑ Sorghumhirse.

Kahlhechte (Amiiformes), bes. in der Jura- und Kreidezeit weit verbreitete, primitive Fischordnung. Einzige rezente Art ist der **Kahlhecht** (Schlammfisch, Amia calva); bis 60 cm (♂) bzw. 90 cm (♀) lang, in den Süßgewässern der USA; Oberseite oliv- bis graugrün, Unterseite gelbl.; Schnauze und Schwanzflosse abgerundet; ♂ am oberen Teil der Schwanzflossenbasis mit schwarzem, orangefarben umrandeten Fleck.

Kahmhaut, von verschiedenen aeroben Bakterien und Kahmhefen gebildeter, hautartiger Bewuchs auf der Oberfläche von [Kultur]flüssigkeiten aus von den Organismen ausgeschiedenem Schleim oder Zellulosefibrillen.

Kahmhefen, sauerstoffliebende, eine Kahmhaut bildende Hefen der Gatt. Mycoderma (auch als **Kahmpilze** bezeichnet), Pichia und Hansenula mit geringer Fähigkeit zur alkohol. Gärung. K. können in der Weinkellerei, bei der Essigherstellung und bei der für die Lebensmittelkonservierung eingesetzten Milchsäuregärung schädl. werden.

Kaffernbüffel. Schwarzbüffel

Kaiseradler

Kaisermantel

Kahnbein

Kahnbein, Knochen der Hand- und der Fußwurzel.

Kahnfüßer (Grabfüßer, Röhrenschaler, Scaphopoda), Klasse in allen Meeren verbreiteter Schalenweichtiere mit rd. 350 etwa 0,2–15 cm langen Arten; bilateral-symmetr., langgestreckt, mit röhrenförmiger, meist leicht gekrümmter, an beiden Enden offener Schale; durch Flüssigkeitsdruck schwellbarer Fuß ohne Kriechsohle, mit dessen Hilfe sich die K. im Sand so weit eingraben, daß die hintere Schalenöffnung noch in das Wasser ragt; Kopf ohne Augen und Fühler, mit zahlr. Fangfäden zum Ergreifen sandbewohnender Einzeller (v. a. Foraminiferen); bekannteste Art ist **Dentalium entale** in der Nordsee und im N-Atlantik; mit bis 4 cm langer, weißer Schale.

Kahnkäfer (Scaphidiidae), weltweit verbreitete Fam. 2–6 mm langer Käfer mit rd. 750 Arten, davon sechs Arten in Deutschland; Körper glatt und kahnförmig, stark gewölbt, mit abgestutzten, das Hinterleibsende freilassenden Flügeldecken.

Kahnorchis [dt./griech.] (Cymbidium), Orchideengatt. mit rd. 50 Arten von Madagaskar bis Australien und Japan; Blätter kurz und schmal; Blüten meist gelb oder weiß mit braunroter Zeichnung in langen Trauben.

Kahnschnabel (Savaku, Cochlearius cochlearius), rd. 50 cm großer, oberseits grauer, am Bauch zimtbrauner, nächtl. lebender Reiher in den Mangrovendickichten M-Amerikas bis S-Brasiliens; mit kahnförmig geformtem Schnabel.

Kaimane [indian.-span.], Bez. für verschiedene Arten der Alligatoren im trop. S-Amerika und in M-Amerika; z. B. Brillenkaiman, Breitschnauzenkaiman, Mohrenkaiman und Glattstirnkaimane.

Kaimanfische, svw. ↑Knochenhechte.

Kairomone [griech.], der zwischenartl. Informationsübertragung dienende chem. Signalstoffe, die dem Empfänger Vorteile bringen, z. B. Blütenlockstoffe. - ↑Ektohormone.

Kaiseradler (Aquila heliaca), bis 84 cm großer, schwarzbrauner Adler, v. a. in Steppen und offenen Landschaften M- und S-Spaniens, Marokkos, SO- und O-Europas und S-Rußlands; mit rostfarbenem Oberkopf und ebensolchem Hinterhals sowie weiß. Schultern; Irrgast in M-Europa. - Abb. S. 59.

Kaiserfische (Engelfische, Pomacanthinae), Unterfam. bis 60 cm langer, seitl. stark zusammengedrückter Knochenfische (Fam. Borstenzähner) mit zahlr. Arten in trop. Meeren; äußerst farbenprächtige Korallenfische; Kiemendeckel mit kräftigem Stachel; z. B. **Blaukopfkaiserfisch** (Pomacanthus xanthometopon; gelb mit blauem Kopf) und **Pfauenkaiserfisch** (Pygoplites diacanthus; gelb mit breiten, weiß-schwarzen Querstreifen).

Kaisergans ↑Gänse.

Kaiserkrone (Fritillaria imperialis), Liliengewächs der Gatt. Fritillaria aus dem westl. Himalaja und dem Iran; Zwiebelpflanze mit glänzenden, schmalen Blättern; Blüten glockenförmig, orangefarben, ziegelrot oder gelb, zu mehreren (kronenähnl.) unterhalb eines Blattschopfes auf einem bis 1 m hohen Blütenschaft; beliebte Gartenpflanze.

Kaisermantel (Silberstrich, Argynnis paphia), etwa 6 cm spannender, auf orangegelbem Grund schwarz gefleckter Edelfalter, v. a. in lichten Laubwäldern und an Waldrändern Europas, NW-Afrikas und der gemäßigten Regionen Asiens; Raupen dunkelbraun mit gelben Rückenstreifen. - Abb. S. 59.

Kaiserpinguin ↑Pinguine.

Kaiserzikade ↑Singzikaden.

Kaiwurm, Bez. für die Larve des Apfelblütenstechers.

Kakadus [malai.-niederl.] (Cacatuinae), Unterfam. meist dohlen- bis rabengroßer, meist weißer, schwarzer oder rosaroter Papageien in Australien, auf Celebes, Neuguinea und den Philippinen; mit aufrichtbarem Federschopf auf dem Oberkopf. Bekannt sind: **Gelbhaubenkakadu** (Cacatua galerita), bis 50 cm lang, v. a. in offenen Landschaften Australiens, Tasmaniens, Neuguineas und der benachbarten Inseln; Gefieder überwiegend weiß, gelbe, aufrichtbare Kopfhaube; **Inkakakadu** (Cacatua leadbeateri), bis 40 cm lang, in buschigen Landschaften Australiens, unterseits rosafarben, oberseits weiß mit rot-gelb-weißer Federhaube; **Molukkenkakadu** (Rothaubenkakadu, Cacatua moluccensis), etwa 50 cm groß, weiß, häufig lachsfarben schimmernd, längste Federn der Haube sind rot gefärbt, auf den Molukkeninseln.

Kakao [span., zu aztek. cacauatl „Kakaokern"], svw. ↑Kakaobaum.

Kakaobaum (Kakao, Kakaopflanze, Theobroma), Gatt. der Sterkuliengewächse im nördl. S-Amerika mit 20 Arten; im Unterholz der Regenwälder wachsende, immergrüne Bäume und Sträucher. Die wichtigste Art ist *Theobroma cacao* mit einer großen Anzahl von Zuchtformen (z. B. *Criollo, Amazonasforastero* und *Trinitaro*): bis 10 m hoher Baum mit knorrigem Stamm und breiter Krone; Blüten in Büscheln aus dem Stamm und aus den Ästen erscheinend (↑Kauliflorie), klein, gelblichweiß oder rötl.; Früchte gurkenförmig, 10–20 cm lang, gelb oder rotbraun, mit 30–50 weißl. Samen (**Kakaobohnen**). Die Samen enthalten 40–53 % Fett, 15 % Eiweiß, 8 % Stärke, 7 % Gerbstoffe und die Alkaloide ↑Theobromin (1–2 %) und ↑Koffein (0,2–0,3 %).

Wirtschaft: Die K.welternte erreichte 1985 1,99 Mill. t.

Geschichte: Der K. wurde schon in prähistor. Zeit in M- und im nördl. S-Amerika von den Indianern kultiviert. Die Samen waren sowohl Nahrungs- als auch Zahlungsmittel. Nach der Entdeckung Amerikas kamen die

Samen nach Spanien. Seit Ende des 19. Jh. wird der K. auch in Afrika angebaut. - Abb. S. 62.

Kakaomotte (Heumotte, Tabakmotte, Ephestia elutella), durch den Menschen weltweit verbreiteter, 1,5-2 cm spannender, grauer Kleinschmetterling (Fam. Zünsler); Vorderflügel mit zwei hellen Querstreifen; Raupen weißl., bis 12 mm lang, werden schädl. an gespeicherten Vorräten (bes. Kakao, Getreidekörnern, Sämereien, getrockneten Früchten, Tabak).

Kakaopflaume ↑ Goldpflaume.

Kakerlak [niederl.], svw. Küchenschabe (↑ Schaben).

Kakibaum, svw. ↑ Kakipflaume.

Kakipflaume [jap./dt.] (Chin. Dattelpflaume, Kakibaum, Diospyros kaki), Ebenholzgewächs, verbreitet in China und Japan; bis 14 m hoher, in vielen Sorten kultivierter Obstbaum der Tropen und Subtropen; Blätter länglichoval, glänzend; Blüten gelbl. bis weiß; Frucht tomatenähnl., gelb bis orange, sehr saftig und süß. Das Holz (**Dattelpflaumenholz**) wird in der Kunsttischlerei verwendet.

Kakteen [griech.], Bez. für die Fam. der ↑ Kaktusgewächse.

Kaktus [griech.], allg. Bez. für sukkulente Arten der ↑ Kaktusgewächse.

Kaktusgewächse (Kakteen, Cactaceae), Pflanzenfam. mit rd. 200 Gatt. und über 2 000 Arten in den trop. und subtrop. Wüsten und Steppen Amerikas; fast ausschließl. Stammsukkulenten (↑ Sukkulenten) mit dornigen, borstigen oder behaarten reduzierten Kurztrieben (Areolen); Blüten meist einzeln, werden von Insekten, Vögeln oder Fledermäusen bestäubt; Stämme bzw. Sprosse vielgestaltig, z. B. schlangenförmig (Schlangenkaktus), rutenförmig (Rutenkaktus), säulenförmig (Säulenkaktus), kugelig (Goldkugelkaktus), abgeflacht (Opuntie) oder gegliedert (Gliederkaktus). Einige K. sind Nutzpflanzen, z. B. der Feigenkaktus und der Riesenkaktus. Viele K. sind als Zier- und Treibhauspflanzen beliebt und weit verbreitet. - Abb. S. 63.

Kalabarbohne [nach der nigerian. Stadt Calabar] (Gottesurteilbohne, Physostigma venosum), Schmetterlingsblütler im trop. Afrika; die dunkelroten, bohnenförmigen Samen enthalten giftige Alkaloide (bes. Physostigmin).

Kalamiten [griech., zu kálamos „Rohr"] (Calamites), seit dem Karbon und Perm ausgestorbene Gatt. der Schachtelhalmgewächse; baumförmige Pflanzen, bis zu 30 m hoch, mit 1 m Stammdurchmesser sowie Holzkörper.

Kalanchoe [...ço-e; griech.], Gatt. der Dickblattgewächse mit über 200 Arten in den Tropen der Alten Welt, v. a. auf Madagaskar;

Kalanderlerche ↑ Lerchen.

Kalb, Bez. für ein noch nicht geschlechtsreifes Jungtier vieler Huftiere, v. a. vom Rind (bis zum Alter von drei Monaten).

Kälberkropf (Kälberkern, Chaerophyllum), Gatt. der Doldengewächse mit rd. 35 Arten, verbreitet von Europa bis M-Asien, wenige Arten in N-Amerika. In Deutschland kommen fünf Arten vor, v. a. in feuchten Wäldern, in Unkrautgesellschaften und an Ufern; z. B. der häufige **Rauhhaarige Kälberkropf** (Chaerophyllum hirsutum) mit rauhhaarigen Stengeln und borstigen Blättern, ferner der giftige **Taumelkerbel** (Taumel-K., Hecken-K., Chaerophyllum temulum) mit meist violett gefleckten oder schmutzigrot überlaufenen Stengeln und der bis 2 m hohe **Knollenkerbel** (Erdkastanie, Knolliger K., Chaerophyllum bulbosum) mit walnußgroßer Knolle (wurde früher wie Kartoffel gegessen).

Kalbsmilch, svw. ↑ Bries.

Kalebassenbaum (Crescentia), Gatt. der Bignoniengewächse mit fünf Arten im trop. Amerika; Bäume mit trichterförmigen, von Fledermäusen bestäubten Blüten und großen, hartschaligen Früchten, die zur Herstellung von Kalebassen verwendet werden.

Kalifornischer Kondor ↑ Geier.

Kalifornischer Seelöwe ↑ Seelöwen.

Kalkalgen, Bezeichnung für verschiedene Arten der Blau-, Rot- und Grünalgen, die als Strukturbestandteil der Zellwand (bes. Rot- und Grünalgen) oder an deren Oberfläche (Blau- und Grünalgen) Calciumcarbonat ablagern. Marine K. waren und sind maßgebl. am Aufbau der Korallenriffe beteiligt; K. des Süßwassers sind Kalktuffbildner.

Kalkdrüsen, Kalk als erhärtendes Sekret ausscheidende Drüsen, v. a. bei Reptilien und Vögeln (münden in die Geschlechtswege und liefern Kalk für die tertiären Eihüllen) sowie bei Muscheln und Schnecken (münden an der Hautoberfläche und liefern die Substanz für die Kalkschale).

Kalkflieher ↑ Kalkpflanzen.

Kalkpflanzen, Pflanzen, die vorzugsweise auf kalkreichen, warmen, trockenen Böden mit alkal. Reaktion verbreitet sind. Echte K. sind z. B. Rittersporn, Aronstab, Akelei, Bingelkraut und viele Orchideen. - **Kalkflieher** sind Pflanzen, die auf kalkarmen, feuchten, kühlen, sauren Böden wachsen, z. B. Sauerampfer, Heidel-, Preiselbeere, Heidekraut und alle Hochmoorpflanzen.

Kalkschwämme (Calcarea), Klasse mit rd. 50 meist sehr kleinen, um 1 cm langen, selten bis 15 cm großen Arten in Flachwassergebieten; Wuchsform meist flach ausgebreitet oder tönnchenartig, Skelett fast stets aus einzeln im Gewebe liegenden Kalknadeln (Skleriten) bestehend.

Kallikrein [griech.], zu den Gewebshormonen zählende Protease (sog. Kininogenase) der Bauchspeicheldrüse und des Blutplasmas, die aus den *Kininogenen* die gefäßerweitern-

Kallus

den ↑ Kinine freisetzt. Im Körper sind natürl. K.inhibitoren vorhanden.

Kallus (Callus) [lat. „verhärtete Haut, Knochengeschwulst"], Heilungsgewebe von Knochenwunden.
◆ bei Pflanzen Wund- und Vernarbungsgewebe, das nach Verletzungen von den Wundrändern her durch Zellwucherungen bzw. -teilungen gebildet wird und die Wunde überwallt und verschließt.

Kalmare [frz., zu griech.-lat. calamarius „zum Schreibrohr gehörig"] (Teuthoidea), Unterordnung bis fast 7 m körperlanger, zehnarmiger, torpedoförmiger Tintenfische mit rd. 375 Arten in allen Meeren; schnell und gewandt schwimmende, oft in Schwärmen auftretende Hochseetiere mit kräftig entwickelten Flossen am Körperende, mit stark rückgebildeter innerer Schale und Haken an den Saugnäpfen. - Zu den K. gehören die Gatt. **Segelkalmare** (Histioteuthis), (einschließl. Fangarme) bis 65 cm lang; obere drei Armpaare durch segelförmige Häute zu einem großen Fangschirm verbunden; im westl. Mittelmeer und anschließendem Atlantik kommt der purpurrote **Europ. Segelkalmar** (Histioteuthis bonelliana) vor. Bis 1,5 m lang (einschließl. Fangarme) und bis 15 kg schwer wird der violette bis hellbraune **Pfeilkalmar** (Ommatostrephes sagittatus); mit pfeilförmigem Flossensaum am Hinterende. Die Gatt. **Riesenkraken** (Riesen-K., Architeuthis) hat mehrere sehr große, am Meeresboden lebende Arten; größte nachgewiesene Körperlänge 6,6 m bei 1,2 m Rumpfdurchmesser und rd. 10 m Armlänge. Der **Gemeine Kalmar** (Loligo vulgaris) ist etwa 20 cm lang, überwiegend karminrot und kommt im Mittelmeer und in großen Teilen des Atlantiks der nördl. Halbkugel vor.

Kalmus [zu griech. kálamos „Rohr"] (Acorus), Gatt. der Aronstabgewächse mit zwei Arten in den gemäßigten und subtrop. Gebieten der N-Halbkugel; Sumpf- oder Wasserpflanzen. Bekannteste Art ist der aus Asien und Amerika stammende, in fast ganz Europa eingebürgerte **Echte Kalmus** (Dt. Ingwer, Acorus calamus) an Ufern von Teichen, Seen und Flüssen; mit oft über 1 m langen, schwertförmigen Blättern; Blütenkolben 10-20 cm lang, frei hervorragend; Hüllblatt blattartig grün.

Kalong [malai.] ↑ Flederhunde.

Kalotte [italien.-frz.] (Calotte, Kalva, Calva), in der *Anthropologie* Bez. für das knöcherne Schädeldach (ohne Schädelbasis).

Kaltblut (Kaltblutpferd), Bez. für sehr kräftige und schwere Hauspferderassen und -schläge mit ruhigem Temperament. Bekannte K.rassen sind z. B. Belgier, Noriker und Schleswiger.

Kaltblüter (Wechselwarme, Poikilotherme), Tiere, die ihre Körpertemperatur nicht oder nur äußerst unvollkommen (v. a. durch Muskeltätigkeit) regulieren können, so daß ihre Körpertemperatur der Temperatur der Umgebung weitgehend entspricht. Zu den K. zählen alle Tiere mit Ausnahme der Vögel und Säugetiere. - Ggs. ↑ Warmblüter.

Kaltblutpferd, svw. ↑ Kaltblut.

Kälteadaptation (Kälteadaption, Kälteakklimatisation), Anpassung der Organismen an eine Temperaturabsenkung durch bestimmte Schutzmechanismen wie Steigerung der Wärmeproduktion (Erhöhung des Grundumsatzes, Kältezittern, Bewegung), Verminderung der Wärmeabgabe (Isolation des Körpers durch Haar- und Federkleid, Fettschichten) oder, wie bei Pflanzen, Erhöhung des osmot. Drucks des Zellsaftes.

Kälteresistenz, Widerstandsfähigkeit zahlr. Pflanzen und Tiere gegenüber länger dauernder Kälteeinwirkung. K. ist mit bestimmten, noch nicht völlig aufgeklärten Veränderungen im Zellplasma verbunden, die u. a. eine Eiskristallbildung und Denaturierung der Plasmaeiweiße verhindern. K. unter 0 °C wird auch als **Frostresistenz** bezeichnet.

Kakaobaum. Blüte, Frucht und Kakaobohnen in einer geöffneten Frucht

Kamelhalsfliegen

Kältestarre, durch Absinken der Temperaturen verursachte Körperstarre bei Tieren, hauptsächl. bei ↑ Kaltblütern, aber auch bei manchen Warmblütern; v. a. während des Winterschlafs, auch während der Nachtkühle (z. B. bei Kolibris). - Bei starker Abkühlung tritt auch bei Pflanzen K. ein mit Stoffwechselverlangsamung bzw. -stillstand.

Kältezittern, bei Warmblütern und beim Menschen reflektor. gesteuertes rhythm. Muskelzittern zur Steigerung der Wärmebildung (Erhöhung des Grundumsatzes); Teilvorgang der Temperaturregulation.

Kalva (Calva) [lat.], svw. ↑ Kalotte.

Kalvaria (Calvaria) [lat.], Bez. für den Hirnschädel (↑ Schädel).

Kalyptra [griech. „Hülle, Decke"], svw. Wurzelhaube (↑ Wurzel).

Kalziumstoffwechsel ↑ Stoffwechsel.

Kamafuchs [lat./dt.] ↑ Füchse.

Kambium (Cambium) [zu lat. cambiare „wechseln"], teilungsfähiges Bildungsgewebe im peripheren Bereich von Sproß und Wurzel der mehrjährigen Nacktsamer (Nadelhölzer) und der Zweikeimblättrigen sowie einiger baumförmiger Liliengewächse (z. B. Drachenbaum), bei denen das K. Ausgangspunkt des sekundären ↑ Dickenwachstums ist. Durch tangentiale Teilungen (parallel zum Sproß- bzw. Wurzelumfang) gibt das K. nach innen und außen neues Gewebe ab, das sich im Leitbündelbereich nach innen zu Holz, nach außen zu Bast differenziert. Entsprechend verlängern sich durch Parenchymbildung die Markstrahlen, wodurch eine gleichmäßige Verdickung von Sproß bzw. Wurzel erreicht wird.

Kamel [semit.-griech.] (Zweihöckriges K., Trampeltier, Camelus ferus), etwa 3 m körperlange Art der Fam. Kamele in den Wüsten und Steppen Kleinasiens und Z-Asiens; Haarkleid im Sommer kurz, dicht, hellbraun, im Winter länger, dunkelbraun. Aus dem **Wildkamel** (noch kleine Bestände in der Wüste Gobi und in NW-China) wurde - vermutl. im 4.–3. Jt. v. Chr. - das **Hauskamel** domestiziert. Dieses dient v. a. als Last- und Reittier, auch als Milch-, Fleisch- und Dunglieferant (für Brennstoff); daneben wird die Wolle (Kamelhaar) wirtsch. genutzt. - Abb. S. 66.

Kamele (Camelidae), Fam. wiederkäuender, hochbeiniger, langhalsiger Paarhufer, v. a. in wüsten- und steppenartigen Landschaften N-Afrikas, SW- und Z-Asiens und des westl. S-Amerikas; Körperlänge etwa 1,3–3,5 m, Schulterhöhe 70–230 cm; Fell dicht und wollig, oft an bestimmten Körperstellen mähnenartig verlängert; Nasenlöcher verschließbar (Schutz bei Sandstürmen); Magen dreikammerig, in der Magenwand große, zur Wasserspeicherung befähigte Zellen; z. T. mit Rückenhöcker, der als Fettspeicher, vermutl. auch als Schutz gegen die Sonnenstrahlung dient. K. sind äußerst genügsam und widerstandsfähig. Die Geschlechtsreife erlangen K. erst mit fünf Jahren; sie werfen höchstens alle drei Jahre ein Junges. Sie sind Paßgänger (↑ Fortbewegung), die mit dem letzten Glied der dritten und vierten Zehe auftreten (übrige Zehen völlig rückgebildet). Die Sohlen sind durch dicke Schwielen gepolstert. - Man unterscheidet vier Arten: Dromedar, Kamel, Guanako (mit Lama und Alpaka) und Vikunja.

Kamelhalsfliegen (Raphidides), Unterordnung 1–2 cm langer Insekten (Ordnung Netzflügler) mit rd. 100 Arten, v. a. an Waldrändern der nördl. Halbkugel (in M-Europa

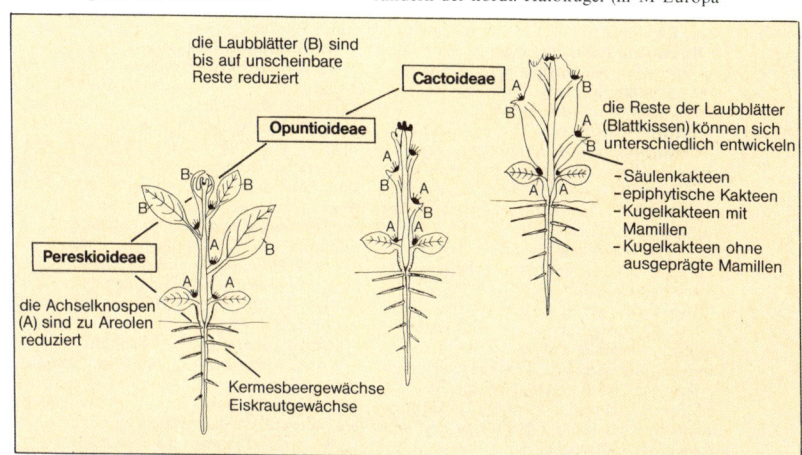

Kaktusgewächse. Systematische Gliederung und entwicklungsgeschichtliche Zuordnung der drei Unterfamilien

Kamelie

zwölf Arten); erstes Brustsegment der Imagines halsartig verlängert, stark verjüngt; Flügel groß; Larven und Imagines leben räuberisch von kleinen Insekten.

Kamelie (Kamellie, Camellia) [...i-ε; nach dem dt.-mähr. Botaniker G. J. Camel, * 1661, † 1706], Gatt. der Teestrauchgewächse mit rd. 80 Arten in O-Asien; immergrüne Sträucher oder Bäume; Blüten weiß, rosafarben, rot oder bunt; Früchte holzige Kapseln. Bekannteste Arten sind der ↑Teestrauch und die häufig als Zierpflanze kultivierte **Chinarose** (Camellia japonica), ein Strauch oder ein bis 15 m hoher Baum, verbreitet in Korea, Japan und N-China.

Kameraauge, Bez. für die nach dem Prinzip einer Kamera arbeitenden und daher zum Bildsehen geeigneten Augentypen mit oder ohne Linse, wie sie das Loch-K. und das Linsenauge darstellen (↑Auge).

Kamille [über mittellat. camomilla zu griech. chamaí „am Boden" und mēlon „Apfel" (nach dem apfelähnl. Duft der Blüten)] (Matricaria), Gatt. der Korbblütler mit rd. 50 Arten, v. a. im Mittelmeergebiet, aber auch in Asien und S-Afrika; ein- bis mehrjährige Kräuter mit weißen oder gelben Blüten und fiederartig zerteilten Blättern. Bekannteste Art ist die aus dem O-Mittelmeergebiet eingebürgerte **Echte Kamille** (*Feldkamille,* Matricaria chamomilla), ein einjähriges, aromat. duftendes Kraut mit weißen Zungenblüten und gelben Röhrenblüten. - Auf Grund der Inhaltsstoffe (u. a. äther. Öl, Chamazulen, Harz und verschiedene Glykoside) finden die getrockneten Blütenköpfchen vielseitige medizin. Verwendung.

Kaminsegler ↑Stachelschwanzsegler.

Kamm, meist fleischige Auffaltung der Rücken- oder Kopfhaut, auch hochstehende Horn- oder Knochenbildungen der Haut bei manchen Tieren (z. B. bei manchen Amphibien, Reptilien, Vögeln; u. a. Kammhühner).

Kammbarsche (Crenicara), Gatt. kleiner, schlanker, bunter südamerikan. Buntbarsche; ♂ häufig mit lang ausgezipfelten Flossen; Warmwasseraquarienfische.

Kammerlinge, svw. ↑Foraminiferen.

Kammerwasser (Humor aquosus), die hintere und vordere Augenkammer füllende, eiweißarme Flüssigkeit. Das K. versorgt bes. Hornhaut und Linse mit Nährstoffen und trägt auf Grund seines Drucks von 1 300 bis 2 600 Pa (20-26,6 mbar) zur Formgebung des Augapfels bei. Krankhafte Erhöhung des Drucks hat Glaukom zur Folge.

Kammfinger (Ctenodactylidae), Fam. 16-20 cm körperlanger, kurzschwänziger, plumper Nagetiere mit sechs Arten, v. a. in sandigen und steinigen Trockengebieten N-Afrikas; eine oder mehrere Hinterzehen tragen über der Kralle kammartig angeordnete Borstenbüschel, die zur Fellpflege und zum Graben benutzt werden.

Kammgras (Cynosurus), Süßgräsergatt. mit acht Arten in Europa und im mediterranen Gebiet. Die in M-Europa häufigste Art ist das **Wiesenkammgras**(Cynosurus cristatus), ein bis 60 cm hohes Horstgras; Ähren mit steilen kammartigen Ährchen.

Kammhühner (Gallus), Gatt. der Hühnervögel mit 4 Arten in S-Asien und auf den Sundainseln; Gesicht fast nackt, rot, mit fleischigen Kehllappen und einem Kopfkamm; letzterer bes. beim ♂ stark entwickelt *(Hahnenkamm).* - Hierher gehören: **Bankivahuhn** (Gallus gallus), ♂ im Ruhekleid schwarz, Körperseiten und Schwanz metall. glänzend, Rückenmitte und die Flügeldecken rotbraun, ♀ unauffällig braun; **Gabelschwanzhuhn** (Gallus varius), v. a. in den Savannen Javas und benachbarter Inseln; 70 cm (♂) bzw. 45 cm (♀) lang, ♂ mit grünglänzendem Gefieder, goldrot gesäumten Schwanzfedern, ♀ unscheinbar gefärbt; **Lafayettehuhn** (Gallus lafayetti), mit gelbem Fleck im roten Kamm, goldfarbener Ober- und Unterseite mit schwarzen Längsflecken und schwärzl.-violetten Schwung- und Schwanzfedern; **Sonnerathuhn** (Gallus sonneratii), bis 80 cm lang, in den Wäldern Indiens, ♀ unscheinbar braun, ♂ ähnelt dem Bankivahuhn. - Abb. S. 66.

Kammkiemen ↑Kiemen.

Kammolch (Triturus cristatus), etwa 13-16 cm großer, oberseits braunschwarzer, unterseits gelber, schwarz gefleckter Molch in oder an stehenden Gewässern, v. a. der gemäßigten und kühlen Regionen Europas und in SW-Asien; ♂ hält zur Paarungszeit im Wasser; ♂ mit hohem gezacktem Rückenkamm.

Kammquallen, svw. ↑Rippenquallen.

Kammschmiele ↑Schillergras.

Kammspinnen (Ctenidae), Fam. etwa 0,5-5 cm langer Giftspinnen mit über 400 Arten, v. a. in den Tropen und Subtropen; Vorderbeine mit paarigen Reihen starker ventraler Stacheln.

Kammücken ↑Schnaken.

Kammuscheln (Pectinidae), mit rd. 300 Arten in allen Meeren lebende Fam. 0,5-15 cm langer Muscheln; auffallend fächerförmig gerippt; Mantelrand häufig mit Tentakeln und 10-40 farbig glänzenden Linsenaugen. Viele Arten können schwimmen, indem sie durch Auf- und Zuklappen der Schalen einen Rückstoß erzeugen. - Zu den K. gehören u. a. die **Pektenmuscheln** (Pecten) mit zahlr. Arten in europ. Meeren, darunter die etwa 12 cm große **Pilgermuschel** (Jakobspilgermuschel, Pecten jacobaeus) im Mittelmeer; linke Schale flach, bräunl.; rechte Schale gewölbt, weißl. bis blaßrosa.

Kammzähner, svw. ↑Grauhaie.

Kampferbaum (Cinnamomum camphora), Art der Gatt. Zimtbaum in China und Japan; bis 40 m hoher Baum mit langgestielten, lederartigen, beim Zerreiben stark nach Kampfer riechenden Blättern;

Kannenpflanze

Hauptlieferant des natürl. Kampfers; wird v. a. in Taiwan, O-Afrika und auf Ceylon kultiviert.

Kampffische (Betta), Gatt. etwa 5–10 cm langer Labyrinthfische mit zwölf Arten in pflanzenreichen, stehenden oder langsam fließenden Süßgewässern SO-Asiens; Körper langgestreckt; Afterflosse lang und oft wimpelartig ausgezogen; ♂♂ oft sehr farbenprächtig, meist viel bunter als die ♀♀; ♂♂ treiben Brutpflege als Maulbrüter oder Schaumnestbauer; Warmwasseraquarienfische. Am bekanntesten ist der **Kampffisch** (Betta splendens) aus Malakka und Thailand: bis etwa 6 cm lang; ♀ unscheinbar bräunl. mit bläul. Schimmer; ♂ stahlblau und karminrot. Die ♂♂ können wegen ihrer Aggressivität meist nur einzeln in Aquarien gehalten werden.

Kampfläufer (Philomachus pugnax), etwa 30 cm langer Schnepfenvogel, v. a. auf feuchten Wiesen und in der Tundra N-Eurasiens; ♂ im Brutkleid braun mit weißl. Bauch und abspreizbarer, sehr variabel gefärbter Halskrause; ♀ unscheinbar gefärbt. - Zugvogel, der bis nach S-Afrika zieht.

Kampfwachteln, svw. ↑Laufhühnchen.

Kamphirsch, svw. Pampashirsch (↑Neuwelthirsche).

Kamptozoa [griech.], svw. ↑Kelchtiere.

Kamtschatkafuchs ↑Füchse.

Kanadagans ↑Gänse.

Kanadische Hemlocktanne ↑Hemlocktanne.

Kanaribaum [malai./dt.] (Canarium), Gatt. der Balsambaumgewächse mit rd. 80 Arten in S-Asien und Afrika; teilweise riesige Bäume, die Elemi, Kopal und gutes Holz liefern; einige Arten haben stark ölhaltige Früchte und Samen.

Kanariengras [...i-ɛn...] ↑Glanzgras.

Kanarienvogel (Serinus canaria), etwa 12 cm langer Finkenvogel in offenen, von Bäumen und Büschen bestandenen Landschaften der Kanar. Inseln, Azoren und Madeiras; lebt gesellig in kleinen Schwärmen. Das ♀ legt vier bis fünf Eier je Brut (bei domestizierten Formen jährl. drei bis vier Bruten), aus denen nach etwa zwei Wochen Junge schlüpfen. Zuchtformen sind z. B.: *Harzer Roller* (einfarbig gelb; bes. gute Sänger), *Roter K.* (orangefarbig; durch Einkreuzung von Kapuzenzeisigen entstanden), *Hauben-K.* (mit verlängerter Haube).

Geschichte: Der domestizierte K. stammt von der etwas kleineren, grünbraunen Wildform ab, die auf den Kanar. Inseln heim. ist. Nach der span. Eroberung entwickelte sich (bereits zu Beginn des 16. Jh.) ein schwungvoller K.handel. Über Italien kamen die K. nach Imst im Inntal, wo gegen Ende des 17. Jh. die damals bedeutendste K.zucht entstand. Vermutl. brachten Tiroler Bergleute den K. in den Harz. Hier begann im 19. Jh. (bes. in Sankt Andreasberg) die Zucht der berühmten Harzer Rollers.

Kandelaberwolfsmilch (Kandelabereuphorbie) ↑Wolfsmilch.

◆ Bez. für verschiedene sukkulente Arten der Gatt. Wolfsmilch, die v. a. im Alter eine kandelaberartige Verzweigung der Äste zeigen.

Kaneelbaumgewächse (Canellaceae), Pflanzenfam. mit sechs Gatt. und rd. 20 baumförmigen Arten in den Tropen und Subtropen N-Amerikas; die bekannteste Art ist die auf den Westind. Inseln heim. **Zimtrindenbaum** (Canella winterana), dessen weißlichgelbe Rinde (Kaneelrinde) den wie Zimt verwendeten sog. weißen Kaneel (Ceylonzimt) liefert.

Känguruhratten, svw. ↑Rattenkänguruhs.

◆ svw. ↑Taschenspringer.

Känguruhs [austral.-engl.] (Springbeutler, Macropodidae), Fam. der Beuteltiere mit rd. 50 Arten von etwa 25–165 cm Körperlänge in Australien (einschließl. Tasmanien), auf Neuguinea und einigen vorgelagerten Inseln; Körper häufig dicht behaart; Kopf klein, oft zieml. langschnauzig; Schwanz lang und kräftig; Vorderbeine kurz und schwach entwickelt; Hinterbeine meist stark verlängert; Körperhaltung oft aufrecht; Fortbewegung überwiegend auf den Hinterbeinen hüpfend (bei Riesen-K. bis 10 m weite und 3 m hohe Sprünge). Der Schwanz dient den K. beim Sitzen als Stütze, beim Springen zum Ausbalancieren und Steuern. K. sind mit Ausnahme der ↑Baumkänguruhs Bodenbewohner. Sie sind überwiegend Pflanzenfresser mit nagetierähnl. Gebiß. Die ♀ gebären meist jährl. nach kurzer Tragzeit (30–40 Tage) einen daumengroßen, blinden Embryo, der (von Geruchsreizen geleitet) in den Beutel der Mutter kriecht und sich an einer Zitze festsaugt (langes Verweilen im Beutel, bei Riesen-K. etwa 235 Tage). Zu den K. gehören u. a. Ratten-K., Fels-K., Wallabys, Riesen-K.

Kaninchen [von lat. cuniculus mit gleicher Bed.] (Karnickel), zusammenfassende Bez. für Wildkaninchen und Hauskaninchen.

Kaninus [lat.], svw. Eckzahn (↑Zähne).

Kanker, svw. ↑Weberknechte.

Kannenpflanze (Nepenthes), einzige Gatt. der zweikeimblättrigen Pflanzenfam. **Kannenstrauchgewächse** (Nepenthaceae) mit über 70 Arten, v. a. im trop. Asien und in Australien; fleischfressende, kletternde, teilweise epiphyt. Sträucher, häufig mit Blattranken; Blätter (ausgewachsen) meist in einen blattartigen Blattgrund, einen Blattstiel (Ranke) und eine der Spreite entsprechende Kanne mit Deckel gegliedert. In der Kanne befindet sich eine von Drüsen ausgeschiedene, wäßrige (enthält v. a. eiweißspaltende Enzyme) Flüssigkeit, in der die in die Kanne geglittenen Tiere ertrinken und verdaut werden. - Abb. S. 66.

Kannibalismus

Hauskamel

Kammhühner. Bankivahuhn

Kannenpflanze. Kannen einer Nepenthes-mixta-Hybride

Kannibalismus [zu span. canibal, caribal (nach dem Stammesnamen der Kariben)], bei Tieren das Auffressen von Angehörigen der eigenen Art; tritt häufig auf bei Überbevölkerung und Nahrungsmangel.

Kanonierblume (Kanonierpflanze, Pilea), Gatt. der Nesselgewächse mit rd. 200 Arten in den Tropen, außer Australien; Kräuter mit gegenständigen Blättern; Blüten getrenntgeschlechtig, in achselständigen Trugdöldchen. Bei Benetzung mit Wasser öffnen sich die kurz vor dem Aufblühen stehenden Blütenknospen, wobei sich die Staubfäden zurückbiegen und dabei den Blütenstaub fortschleudern.

Kanthariden [griech.], svw. ↑Weichkäfer.

Kantschile [malai.], svw. Maushirsche (↑Zwergmoschustiere).

Kanyabutter ↑Butterbaum.

Kapaun [lat.-frz.] (Kapphahn), zur besseren Mastfähigkeit durch Kastrieren unfruchtbar gemachter Hahn.

Kapern [griech.], grünlichbraune Blütenknospen des K.strauches, die zunächst in Salzlake und dann in Essig gelegt werden. Gewürz bes. für Soßen und Salate. **Kapernersatz** sind Blütenknospen von Sumpfdotterblumen, Besenginster, Kapuzinerkresse.

Kapernstrauch (Capparis), Gatt. der Pflanzenfam. **Kaperngewächse** (Capparaceae; 46 Gatt. mit rd. 800 Arten) mit rd. 250 Arten in den Tropen und Subtropen; Bäume oder kletternde, dornige Sträucher mit einfachen Blättern und meist weißen Blüten. Die bekannteste Art ist der im Mittelmeergebiet heim. **Echte Kapernstrauch** (Capparis spinosa), ein dorniger, bis 1 m hoher Strauch mit rundl., blaugrün bereiften Blättern und großen, weißen Blüten mit langen, violetten Staubblättern; aus den Blütenknospen werden die ↑Kapern hergestellt.

Kapgoldmull ↑Goldmulle.

Kaphase ↑Hasen.

Kapillaren [zu lat. capillaris „zum Haar gehörend"], die zw. Arterien und Venen eingeschalteten, dem Stoffaustausch zw. Blut und Gewebe dienenden, außerordentl. dünnwandigen, feinsten Blutgefäße der Wirbeltiere (einschl. Mensch), auch bei manchen Wirbellosen (Blutkapillaren, Kapillargefäße, Haargefäße). Die Länge der K. beträgt rund 1 mm, ihr Durchmesser 5–20 µm. - ↑auch Blutkreislauf.

kapländisches Florenreich (Capensis), kleinstes, an der S-Spitze Afrikas gelegenes, mit über 6000 Blütenpflanzenarten und vielen Endemiten außergewöhnl. artenreiches Florenreich. Charakterist. Pflanzenfam. sind Silberbaum-, Rauten-, Seidelbastgewächse, Korbblütler und Liliengewächse, dazu die Gatt. Pelargonium, Glockenheide und Sauerklee. An Sukkulenten kommen Wolfsmilchgewächse und Arten der Gatt. Mittagsblume

Kapuzineraffenartige

und Lebende Steine vor, daneben zahlr. einjährige Pflanzen.
Kapokbaum (Baumwollbaum, Wollbaum, Ceiba), Gatt. der Wollbaumgewächse mit rd. 20 Arten in den Tropen; hohe Bäume mit meist gelben oder weißen Blüten. Bekannteste Art ist der heute allg. in den trop. Regenwaldgebieten verbreitete **Echte Kapokbaum** (Ceiba pentandra): bis über 50 m hohe Bäume (im Alter oft mit mehrere Meter hohen Brettwurzeln); Frucht: eine bis 15 cm lange Kapsel, deren innere Fruchtwand mit glatten, weißen bis gelb. Haaren besetzt ist, die als Kapok verwendet werden. Die etwa 24 % Öl enthaltenden Samen liefern das zu techn. und Speisezwecken verwendete *Kapoköl.*
Kappenmuskel, svw. ↑Kapuzmuskel.
Kappenstendel (Calypso), Orchideengatt. mit der einzigen Art **Calypso bulbosa** in N-Amerika, N-Europa und N-Asien, in feuchten Birken- und Tannenwäldern; Staude mit eiförmigen Bulben und einem einzelnen Blatt; Blüte bis 3 cm breit, mit pantoffelförmiger, rosagelber Lippe.
Kapphahn, svw. ↑Kapaun.
Kapsel [lat.], svw. ↑Kapselfrucht.
Kapselfrucht (Samenkapsel, Kapsel, Capsula), im Reifezustand meist trockenhäutige, aus zwei oder mehreren miteinander verwachsenen Fruchtblättern gebildete Streufrucht. Spaltet sich die Fruchtwand der Länge nach ganz oder teilweise auf, spricht man von **Spaltkapseln** (Iris, Tulpe, Herbstzeitlose). Springt ein Teil des Gehäuses als Deckel ab, nennt man sie **Deckelkapsel** (Gauchheil), werden an der Fruchtwand Löcher gebildet, **Porenkapsel** (Mohn). - ↑auch Fruchtformen.
Kapseltierchen ↑Schalamöben.
Kapsid [lat.], besondere Proteinhülle, die die Nukleinsäure bei Viren einschließt. K. und Nukleinsäure zus. bezeichnet man als **Nukleokapsid.**
Kaptaube ↑Sturmvögel.
Kapuzenmuskel (Kappenmuskel, Trapezmuskel, Musculus trapezius), beim Menschen im Bereich des Nackens und der oberen Rückenpartie ausgebildeter, oberflächl. liegender, paariger Muskel; ermöglicht ein Hochheben des Arms über den Kopf durch Drehung des Schulterblatts.
Kapuzennatter ↑Trugnattern.
Kapuzineraffen (Cebinae), Unterfam. etwa 30-55 cm körperlanger Neuweltaffen mit 8 Arten in den Urwäldern M- und S-Amerikas; gesellig lebende Baumbewohner mit mindestens körperlangem, am Ende einrollbarem Schwanz (wird nur selten als Greiforgan benutzt), vorwiegend braunem bis schwärzl. Fell und häufig hellem bis weißl. Gesicht, von dem sich die schwarze Oberkopfbehaarung kapuzenartig abhebt. - K. ernähren sich vorwiegend von Kleintieren und Früchten. Zu den K. gehören ↑Totenkopfäffchen und die größeren **Kapuziner** (Rollschwanzaffen, Cebus) mit 4 Arten, darunter der dunkel rostbraune, weißschulterige **Weißschulteraffe** (Eigentl. Kapuziner, Cebus capucinus; M-Amerika, nördl. S-Amerika) und der **Apella** (Faunaffe, Cebus apella; Brasilien) mit schwarzer, oft haubenartig verlängerter Bürstenfrisur.
Kapuzineraffenartige (Kapuzinerartige, Greifschwanzaffen, Cebidae), Fam. der ↑Breitnasen (Affen) in M- u. S-Amerika; Körperlänge etwa 25-90 cm, Schwanz mit Ausnahme der 3 Arten umfassenden Gatt. **Kurzschwanzaffen** (Uakaris, Cacajao; das nackte Gesicht ist leuchtend scharlachrot oder schwarz) lang, oft als Roll- oder Greifschwanz entwickelt; überwiegend Baumbewohner der Regenwaldregion; mit Ausnahme des etwa 35 cm langen **Nachtaffen** (Aotes trivirgatus; mit dichtem, wolligem, oberseits braungrauem bis olivgrü-

Echter Kapokbaum.
a blühender Zweig, b offene Kapsel

Kapselfrucht. 1 Spaltkapsel
(a einer Orchideenart,
b der Gartentulpe),
2 Deckelkapsel (des Bilsenkrauts),
3 Porenkapsel (des Klatschmohns)

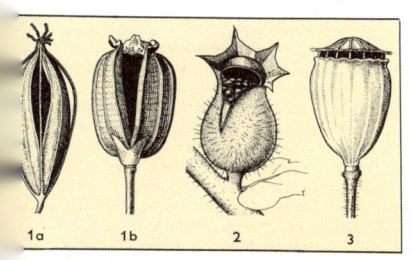

Kapuzinerkresse

nem, unterseits orangefarbigem oder weißl. Fell; Gesicht schwarz, weißl. umrandet) tagaktiv. Zu den K. gehören u. a. Kapuzineraffen, Brüllaffen, Klammeraffen, Spinnenaffen, Wollaffen, Springäffchen und Schweifaffen.

Kapuzinerkresse (Blumenkresse, Tropaeolum), Gatt. der Pflanzenfam. **Kapuzinerkressengewächse** (Tropaeolaceae; 2 Gatt. mit rd. 80 Arten) mit 80 Arten in S-Amerika, v. a. in den Anden; meist kletternde, ein- oder mehrjährige Kräuter; Blüten einzeln in den Blattachseln, in verschiedenen Farben. Die am häufigsten kultivierte und bekannteste Art ist die **Große Kapuzinerkresse** (Tropaeolum majus) aus S-Amerika: mehrjährige (in Europa nur einjährig kultivierte) Pflanze; meist kriechend bzw. bis 3 m hoch kletternd; Blätter schildförmig; Blüten orangefarben bis goldgelb; gehört zu den beliebtesten Zierpflanzen.

Karakal ['karakal, kara'kal; türk., eigtl. „Schwarzohr"] (Wüstenluchs, Caracal caracal), etwa 55–75 cm lange, luchsartige Katzenart, v. a. in Steppen, Savannen und Wüsten Afrikas und SW-Asiens; Fellfärbung meist graugelb bis zimtfarben; Ohren groß, mit langen Haarpinseln; ernährt sich vorwiegend von Nagetieren oder Vögeln.

Karakulschaf, heute über die ganze Erde verbreitetes Fettschwanzschaf aus Vorderasien; wirtsch. Bed. haben die lockigen Lammfelle, die zur Gewinnung von Persianern verwendet werden. - Abb. S. 70.

Karancho [ka'rantʃo; indian.] ↑ Geierfalken.

Karausche [litauisch] (Bauernkarpfen, Boretsch, Breitling, Carassius carassius), bis 50 cm langer Süßwasserfisch (Gatt. *Karausche* [Carassius]) in stehenden, pflanzenreichen Gewässern Europas und der gemäßigten Regionen Asiens; Körper meist hochrückig, mit großen Schuppen, olivgrünem Rücken, goldbraunen Seiten und schwärzl. Schwanzwurzelfleck; Flossen rötlich. - Die K. ist ein wohlschmeckender Nutzfisch, der auch in Teichen gezüchtet wird; kann Trockenperioden durch Eingraben im Schlamm wochenlang überstehen.

Kardamom [griech.] (Malabar-K., Echtes K., Elettaria cardamomum), Ingwergewächs aus Vorderasien und Ceylon; dort und auf Java, in Westindien und Guatemala kultiviert; Stauden von 2–4 m Höhe mit fleischigem Wurzelstock; Blätter lanzettförmig, bis 70 cm lang; Blüten an bis 60 cm langen Sprossen, zu drei bis sechs in den Achseln von Tragblättern, gelb-weiß; Frucht eine bräunl. Kapsel. Die Samen enthalten ein würzig riechendes, äther. Öl und werden als Gewürz für Lebkuchen und Spekulatius verwendet, auch Bestandteil von Curry.

Karde [lat.] (Dipsacus), Gatt. der Kardengewächse mit 15–20 Arten im Mittelmeergebiet, in W-Asien und im trop. Afrika, einige Arten auch in M-Europa; oft distelartige Pflanzen mit großen, verlängerten Köpfchen und starren Spreublättern. In Deutschland kommen v. a. die **Behaarte Karde** (Dipsacus pilosus; in Auwäldern; mit gelblichweißen Blüten) und die **Wilde Karde** (Dipsacus silvester; an Ufern, Dämmen und Wegrändern; mit lila Blüten) vor. Die voll entwickelten, vor dem Aufblühen geernteten Blütenköpfe der nur als Kulturform bekannten **Weberkarde** (*Kardendistel*, Dipsacus sativus) werden getrocknet in Kardenrauhmaschinen zum Aufrauhen von Stoffen verwendet.

Kardengewächse (Dipsacaceae), Pflanzenfam. mit zehn Gatt. und rd. 270 Arten v. a. im Mittelmeerraum und in Vorderasien; meist ausdauernde Kräuter, selten Halbsträucher mit gegenständigen Blättern; Blüten in von Hochblättern umhüllten Köpfchen. In Deutschland kommen v. a. die Gatt. Skabiose, Knautie, Karde der Karde vor.

Kardia (Cardia) [griech.], svw. ↑ Herz.
♦ (Mageneingang) bei Säugetieren (einschließl. Mensch) die Einmündungsstelle der Speiseröhre in den Magen.

kardial [griech.], das Herz betreffend.

Kardinäle (Cardinalinae), Unterfam. etwa finken- bis starengroßer, durch Rot, Gelb oder Blau bes. gekennzeichneter ↑ Tangaren mit rd. 45 Arten, v. a. in buschigen Landschaften und in Wäldern N- und S-Amerikas; mit finkenartigem Schnabel; beliebte Stubenvögel, z. B. ↑ Graukardinäle und **Roter Kardinal** (Virgin. Nachtigall, Cardinalis cardinalis); etwa 20 cm lang, in den USA; ♂ rot mit schwarzer Gesichtsmaske; ♀ bräunl., rotschnäbelig. - Abb. S. 70.

Kardinalpunkte, physiologische Bez. für die drei durch Außenfaktoren (z. B. Temperatur, Nährstoffangebot) bestimmten Hauptpunkte (Minimum, Maximum und Optimum) der biolog. Aktivität (z. B. Stoffwechsel, Wachstum) von Organismen.

Kardone [lat.-italien.] (Cardy, Gemüseartischocke, Span. Artischocke, Cynara cardunculus), aus S-Europa und N-Afrika stammender Korbblütler der Gatt. Cynara; bis 2 m hohe Pflanze mit spinnwebig behaartem Stengel, sehr großen, fiederspaltigen Blättern und einzelnen, bis 12 cm langen und breiten Köpfchen; Hüllblätter an der Spitze dornig. Die K. wird v. a. in Spanien als Gemüsepflanze angebaut (gegessen werden Blattstiele und Rippen); Zierpflanze.

Karelischer Bärenhund, finn. Jagdhundrasse; schäferhundgroße, robuste, spitzartige Hunde mit über dem Rücken getragener Ringelrute; Fell dicht, stockhaarig, schwarz mit deutlich abgegrenzten weißen Abzeichen an Kopf, Hals, Brust und Läufen. Nicht als Hausgenosse geeignet. - Abb. S. 70.

Karettschildkröte [span.-frz.; dt.], (Echte K., Pattschildkröte, Eretmochelys imbricata) bis etwa 90 cm große Meeresschildkröte, v. a. in seichten, sandigen Regionen

Kartoffel

trop. und subtrop. Meere; Rückenpanzer hornfarbig bis braun, dunkel geflammt; Schilder überdachen sich nach hinten schindelartig; hintere Hälfte des Panzerrandes gezackt; Bauchpanzer hell bis weißl.; Bestände stark bedroht.

◆ (Unechte K., Caretta caretta) bis 1 m lange Meeresschildkröte in allen warmen Meeren; mit braunem bis rotbraunem Rückenpanzer; unterscheidet sich von der Echten K. durch einen dickeren, plumperen Kopf, mächtigere Kiefer, hinten nicht schindelartig überdachende Rückenschilder und durch fünf (statt vier) Paar Rippenschilder.

Karibische Kiefer ↑ Kiefer.
Karibu [indian.] ↑ Ren.
Karniphagen (Carniphaga) [lat./griech.], Fleischfresser; Tiere, v. a. Raubtiere, die sich hauptsächl. von Fleisch ernähren.
karnivor [lat.], fleischfressend, sich hauptsächl. von Fleisch ernährend; auf Tiere und Pflanzen bezogen.
Karnivoren (Carnivora) [lat.], (Fleischfresser) Sammelbez. für sämtl. hauptsächl. von tier. Nahrung lebenden Tiere (v. a. Raubtiere) und Pflanzen (fleischfressende Pflanzen); auch auf den Menschen bezogen.
◆ svw. ↑ Raubtiere.
Karobenbaum [arab.-mittellat./dt.], svw. ↑ Johannisbrotbaum.
Karotin (Carotin) [lat.], zur Gruppe der ↑ Karotinoide gehörende, tiefrote Substanz, die als wichtiges Provitamin A in Pflanzen- und Tierreich weitverbreitet ist (verursacht u. a. Rotfärbung der Karotte; in tier. Organismen kommt es z. B. im Blutserum, im Fett und in der Milch vor).
Karotinoide [lat.] (Carotinoide, Lipochrome), umfangreiche, im Pflanzen- u. Tierreich weit verbreitete Gruppe meist gelber bis roter Naturfarbstoffe, die jedoch immer pflanzl. Herkunft sind. K. sind als Vorstufen des Vitamin A wichtig; in den Seitenketten des Chlorophylls wirken sie als Sensibilisatoren bei der Photosynthese. Der tier. und menschl. Organismus kann sie nicht selbst aufbauen, er nimmt sie mit der Nahrung auf und deponiert sie in verschiedenen Geweben. Zu den K. gehören das Karotin, das Krozin, die Xanthophylle und das Astaxanthin.
Karotis (Carotis) [griech.], Kurzbez. für Arteria carotis communis (↑ Halsschlagader).
Karotissinusreflex (Karotissinusdruckversuch, Vagusdruckversuch), durch Druck auf die Halsschlagader ausgelöster Reflex, der eine Verminderung des Herzschlags (Bradykardie) bzw. einen Herzstillstand und eine Absenkung des Blutdrucks hervorruft.
Karotte [frz.-niederl., zu griech. karōtón (mit gleicher Bed.)] (Gelbe Rübe, Gartenmöhre, Mohrrübe, Daucus carota ssp. sativus), Kulturform der Möhre mit orangegelber, rübenförmiger Wurzel, die in eine hellere Innenzone (Holzkörper) und dunklere Außenzone (sekundäre Rinde) untergliedert ist; wichtige Gemüsepflanze mit hohem Gehalt an ↑ Karotin.

Karpfen (Cyprinus), Gatt. der K.fische mit der einzigen Art *Teichkarpfen* (*Fluß-K.*, Flußgründling, Cyprinus carpio); urspr. verbreitet im Gebiet des Schwarzen, Kasp. und Asowschen Meers sowie in China und Japan, heute fast weltweit eingebürgert, v. a. in warmen, flachen, nährstoffreichen, stehenden bis langsam fließenden Gewässern; Körper zieml. hochrückig, durchschnittl. 30–50 cm lang; Höchstgewicht über 30 kg; Rücken meist blau- bis braungrün, Körperseiten blaugrün bis goldgelb glänzend; Oberlippe mit 4 Barteln. - Der K. ist ein raschwüchsiger, wertvoller Nutzfisch von großer wirtschaftl. Bedeutung. Er wird oft in Teichen gezüchtet. Stammform der verschiedenen Zuchtformen ist der *Schuppen-K.* (mit gleichmäßiger Beschuppung). Man unterscheidet hochrückige Formen (z. B. Aischgründer Karpfen), Rassen mit besonders niederem Körper (*z. B. Lausitzer K., Böhm. K., Fränk. K.*) und Zuchtformen mit starker Schuppenreduzierung wie beim *Zeil-K.* (Zeilen-K.; mit großen „Spiegelschuppen" in einer oder mehreren Längsreihen), *Spiegel-K.* (mit wenigen großen, unregelmäßig verteilten Schuppen) und *Leder-K.* (*Nackt-K.*; fast völlig schuppenlos).

Geschichte: Die älteste schriftl. Nachricht über den K. stammt aus einem Rundschreiben des Cassiodor (6. Jh. n. Chr.). Da der K. eine beliebte Fastenspeise war, wurde die K.zucht v. a. in den Klöstern betrieben. - Abb. S. 71.

Karpfenfische (Cyprinidae), Fam. der Knochenfische mit rd. 1 000 Arten, v. a. in den Süßgewässern der nördl. Halbkugel; meist allesfressende Schwarmfische von sehr unterschiedl. Körperform und mit unbezahntem Maul; Schlundknochen mit artspezif. Bezahnung (Schlundzähne). - Zu den K. zählen die meisten einheim. Fische, z. B. Karpfen, Karausche, Schleie, Barbe, Elritze, Bitterling, Gründling, Nase, Döbel, Plötze, Rotfeder, Aland, Schneider, Moderlieschen.

Karpfenläuse (Argulidae), Fam. bis 3 cm langer, meist rundl., platter Krebse (Unterklasse Kiemenschwänze) mit rd. 75 Arten, die als Außenparasiten v. a. an Süß- und Meerwasserfischen leben. In M-Europa kommt bes. die 8–9 mm lange **Karpfenlaus** (Argulus foliaceus) an Karpfenfischen, Hechten und Flußbarschen vor.

Karpolith [griech.], in der Paläontologie Bez. für eine versteinerte (fossilisierte) Frucht.

Karposoma [griech.], svw. ↑ Fruchtkörper.

Kartäuserkatze, Rasse schwerer, stahlbis mittelblauer Hauskatzen mit breitem Kopf, relativ großen Ohren und kurzem Schwanz.

Kartäusernelke ↑ Nelke.

Kartoffel [urspr. Tartüffel von italien.

Kartoffel

tartufolo „Trüffel" (mit deren knollenartigem Fruchtkörper die Wurzelknollen der Kartoffel verwechselt wurden)] (Solanum tuberosum), wirtschaftl. wichtigste Art der Gatt. Nachtschatten aus S-Amerika; mehrjährige (in Kultur einjährige) krautige Pflanze mit kantigen Stengeln, unterbrochen gefiederten Blättern, weißen oder blaßvioletten Blüten und grünen, giftigen Beerenfrüchten. Die unterird. Ausläufer bilden Sproßknollen (Kartoffeln, Erdäpfel, Erdbirnen, Grundbirnen) aus. Diese speichern Reservestoffe, insbes. Stärke (10–30%). Außerdem enthalten sie 65–80% Wasser, 2% Rohprotein sowie Rohfett, Zucker, Spurenelemente und verschiedene Vitamine. Anbaugebiete sind die subtrop. und gemäßigten Regionen aller Erdteile; Hauptanbaugebiete liegen in der UdSSR sowie in M- und O-Europa. Je nach Verwendungszweck unterscheidet man zw. Speise-, Futter-, Wirtschafts- und Saat-K. (Pflanz-K.); nach der Reifezeit zw. Früh-, Mittel- und Spätkartoffel. - Die Vermehrung erfolgt i. d. R. vegetativ; Anzucht aus Samen im Frühbeet ist möglich. In unseren Breiten werden K. etwa Ende April/Anfang Mai in Reihen in den vorbereiteten Boden gelegt. Jede dazu verwendete Knolle muß mindestens eine Knospe (Auge) haben, denn diese wachsen dann zu Laubtrieben aus. Nachdem diese Laubtriebe den Boden durchbrochen haben, werden die K. angehäufelt um ein stärkeres Ausläuferwachstum anzuregen. Die Ausläufer wachsen zuerst in die Länge, dann folgt ein primäres Dickenwachstum, und die Knollenbildung beginnt. Gegen Ende der Vegetationsperiode sterben die oberird. Laubtriebe ab. An den Knollen reißt nun die Epidermis auf und löst sich in Stücken ab. Auch die unterird. Ausläufer sterben ab, und die Knollen lösen sich von der Pflanze. Nun beginnt das Ernten oder Roden.

Wirtschaft: Die Welternte an K. betrug 1985 300,4 Mill. t. K.ernte in einigen Ländern (in Mill. t): BR Deutschland 7,9, DDR 12,4, Österreich 1,0, UdSSR 73,0, Polen 36,5, USA 18,3, China 45,5, Indien 12,6.

Geschichte: Bei den Indianern der Nazca- und Mochekultur war die K. Hauptnahrungsmittel. Die span. Eroberer brachten sie im 16. Jh. nach Spanien. Die älteste botan. Beschreibung stammt von 1585 und wurde von J. T. Tabernaemontanus verfaßt. Während des 30jährigen Krieges wurde die K. gelegentl. angebaut. Im Siebenjährigen Krieg befahlen einige Landesfürsten den Anbau. Seit den Napoleon. Kriegen ist die K. in Europa eines der Hauptnahrungsmittel.

Tier. Schädlinge: Das etwa 1 mm lange, kugelförmige (♀) bzw. langgestreckte (♂) **Kartoffelälchen** (K.nematode, Heterodera rostochiensis) schädigt das Wurzelgewebe und ruft Wachstumsstörungen, Absterben der Blätter hervor und verhindert den Knollenansatz. Eine Bekämpfung ist durch Fruchtwechsel möglich. Ebenfalls an den Wurzeln fressen die Larven des etwa 2–3 mm großen, braungelben **Kartoffelerdflohs** (K.flohkäfer, Psylliodes affinis). Die etwa 1,5 cm spannende, zu den Tastermotten gehörende **Kartoffelmotte** (Phthorimaea operculella) hat gelbe Längslinien auf den Vorderflügeln. Ihre Raupen minieren unter der Schale von gelagerten K. - ↑ auch Kartoffelkäfer.

Rechts: Roter Kardinal. Unten: Karakulschafe

Karelischer Bärenhund

Karyoide

Pflanzl. Schädlinge: Anzeigepflichtig ist der durch den Algenpilz Synchytrium endobioticum hervorgerufene **Kartoffelkrebs.** Die Sporen dringen durch die Knospen der Knollen ein, verursachen tumorartige Zellwucherungen. Die im Endstadium blumenkohlartigen Wucherungen faulen und zerfallen, wodurch die nächste Sporengeneration den Boden verseucht. Bekämpfung durch Anbau resistenter Sorten. Durch den Strahlenpilz Streptomyces scabies hervorgerufen wird der **gewöhnl. Kartoffelschorf.** Das Bakterium dringt in das Schalengewebe ein, verursacht rauhe, korkige bis blättrige Schorfstellen und einen unangenehmen Geschmack. Der Schleimpilz Spongospora subterranea verursacht den **Pulverschorf.** Zunächst treten helle Knötchen, später aufreißende, mit bräunl. Sporen gefüllte Pusteln an Knollen, Wurzeln und Ausläufern auf. Die **Kraut-** und **Knollenfäule** wird durch den Falschen Mehltaupilz Phytophthora infestans hervorgerufen. Erste Anzeichen sind Blattflecken, dann stirbt das Kraut ab. Die Sporangien gelangen bei Regen von den Blättern in den Boden und infizieren die Knollen. **Viruskrankheiten:** Diese auch als Abbauerscheinungen bezeichneten, durch Viren hervorgerufenen Infektionskrankheiten haben viele Krankheitsbilder.
📖 *Putz, B., u.a.:* Veredelung der K. Hamb. 1976. - *Adler, G.:* K. und K.erzeugnisse. Bln. 1971. - *Salaman, R. N.:* The history and social influence of the potato. Cambridge 1949. Neudr. 1970.

Kartoffelälchen ↑ Kartoffel.
Kartoffelbofist (Kartoffelbovist, Scleroderma aurantium), giftiger, kartoffelknollenähnl., schmutzig weißgelber, 3–10 cm großer Bauchpilz mit lederartiger, gekörnter, grob beschupperter oder rissiger Hülle; in Wäldern, auf Heiden, bes. auf torfigem Untergrund; widerlicher, stechender Geruch beim Durchschneiden.
Kartoffelerdfloh ↑ Kartoffel.
Kartoffelkäfer (Koloradokäfer, Leptinotarsa decemlineata), etwa 1 cm langer, breit ellipt., gelber Blattkäfer; mit 10 schwarzen Längsstreifen auf den Flügeldecken; Larven rötl., mit je zwei Seitenreihen schwarzer Warzen. Imago und Larve sind gefürchtete Kartoffelschädlinge, die die Pflanze völlig kahl fressen können; Eiablage (etwa ab Mai) an der Blattunterseite in mehreren (bis 20 Eier umfassenden) Eiplatten (♀ legt jährl. bis 800 orangegelbe Eier ab); Verpuppung im Boden, Imagines der neuen Generation schlüpfen im Juli; in M-Europa jährl. nur eine Generation, in wärmeren Ländern bis zu drei Generationen. - Der K. wurde aus N-Amerika (Colorado) 1877 über Frankr. nach M-Europa eingeschleppt (erstes starkes Auftreten am Rhein 1938/39). Er ist heute bis nach W-Rußland vorgedrungen. Seine Bekämpfung erfolgt durch Kontaktinsektizide.

Kartoffelkrebs ↑ Kartoffel.
Kartoffelmotte ↑ Kartoffel.
Kartoffelnematode [dt./griech.], svw. Kartoffelälchen (↑ Kartoffel).
Kartoffelschorf ↑ Kartoffel.
Karunkel (Caruncula) [lat. „kleines Stück Fleisch"], in der *Anatomie:* warzenähnl. Vorsprung an Weichteilen; z. B. *Caruncula lacrimalis* (Tränenwärzchen).
Karyogamie [griech.], in der Genetik ↑ Befruchtung.
Karyoide [griech.] (Nukleoide), bei Bakterien und Blaualgen in bestimmten Zytoplasmabereichen liegende DNS-haltige Partikel, die dem Zellkern der höheren Organismen entsprechen. Sie sind stab- oder fadenförmig, bei Bakterien meist ringförmig geschlossen.

Schuppenkarpfen

Spiegelkarpfen

Kartoffelbofist

Karyokinese

Karyokinese, svw. ↑Mitose.
Karyologie, Wiss. und Lehre vom Zellkern.
Karyolyse [griech.], in der Genetik: 1. das scheinbare Verschwinden des Zellkerns zu Beginn einer Kernteilung als Folge der Auflösung der Kernmembran; 2. der physiolog. Vorgang der Auflösung des Zellkerns, z. B. bei der Bildung der kernlosen Erythrozyten; 3. die patholog. Auflösung des Zellkerns durch schädl. Einflüsse bzw. Substanzen, z. B. bei Virusinfektionen.
Karyon [griech.], svw. Zellkern (↑ Nukleus).
Karyopse [griech.], Nußfrucht der Gräser, bei der die hautartige Fruchtwand mit der festen Samenschale verwachsen ist. - ↑auch Fruchtformen.
Karyotyp, in der Genetik Bez. für die durch Chromosomenzahl, -größe und -form festgelegte, graph. darstellbare Gesamtheit der Chromosomen einer Zelle oder eines Lebewesens.
Kaschmirziege, etwa 60 cm schulterhohe, weiße, braune oder schwarze Hausziegenart mit sehr feinem, weichem, flaumartigem Haar, das zur Herstellung sehr feiner Gewebe (Kaschmir) verwendet wird. V. a. in Tibet, Bengalen sowie in der Kirgis. Steppe gezüchtet.
Kaschunuß, svw. ↑Cashewnuß.
Käsefliegen (Fettfliegen, Piophilidae), mit rd. 70 Arten weltweit verbreitete, vorwiegend auf der Nordhalbkugel vorkommende Fam. bis 5 mm großer, metall. schwarz oder blau schillernder Fliegen; halten sich meist in der Nähe von faulenden Stoffen, Kadavern, Exkrementen, Pilzen, Käse u. a. auf, in denen sich ihre Larven entwickeln. Am bekanntesten ist die weltweit verschleppte, 4–5 mm große **Käsefliege** (Piophila casei), deren Larven als Vorratsschädlinge an Käse, fettem Fleisch, Schinken, Fisch u. a. fressen.
Kasein (Casein) [zu lat. caseus „Käse"], wichtigster, zu den Phosphorproteinen zählender Eiweißbestandteil der Milch (in Kuhmilch zu etwa 3 Gew.-% enthalten), in der er überwiegend als kolloidales Calciumsalz (Calciumcaseinat) vorliegt. Bei Ansäuerung oder Einwirkung bestimmter Enzyme (Pepsin, Labferment) fällt das K. als wasserunlösl. Para-K. aus (Milchgerinnung).
Käsepappel, svw. Wegmalve (↑ Malve).
Kassave [indian.-span.], svw. ↑Maniok.
Kassie [...i-ε; griech.] (Cassia), Gatt. der Caesalpiniengewächse mit rd. 500 Arten in N- und S-Amerika, Afrika, im trop. S-Asien und in Australien; Bäume, Sträucher oder Kräuter mit paarig gefiederten Blättern und gelben Blüten; Frucht eine röhrenförmige oder flache Hülse. In den Tropen häufig kultiviert wird die **Röhrenkassie** (Cassia fistula), deren bis 60 cm lange, eßbare Früchte als Manna bezeichnet werden. In der Volksmedizin werden die getrockneten, sennosidhaltigen Blätter (**Sennesblätter**) und Früchte (**Sennesschoten**) von zwei weiteren K.arten als Abführmittel verwendet.
Kastanie [...i-ε; griech.] (Castanea), Gatt. der Buchengewächse mit 12 Arten in der nördl. gemäßigten Zone; bekannteste Art ist die ↑ Edelkastanie.
♦ allg. Bez. für die Arten der ↑Roßkastanie und die Edelkastanie sowie für deren Früchte.
Kaste [portugies., zu lat. castus „rein, keusch"], bei sozial lebenden Insekten (z. B. Termiten, Ameisen, Bienen, Honigbienen) Bez. für verschiedene Individuengruppen eines Staatsgebildes, die sich in Körperbau und Lebensweise voneinander unterscheiden.
Kastration [lat.], Ausschaltung der Keimdrüsen (Hoden, Eierstöcke) durch deren operative Entfernung oder durch Röntgenoder radioaktive Strahlen (*Röntgen-K.* bzw. *radiolog. K.*). Die K. vor der Pubertät hat das Ausbleiben der sekundären Geschlechtsmerkmale, bei Knaben u. a. auch Fortbestehen der hohen Kinderstimme als sog. Kastratenstimme, Hochwuchs durch verzögerte Epiphysenverknöcherung und psychosexuelle Retardierung, K. danach neben Zeugungsunfähigkeit den Rückgang von Libido und Potenz, auch psych. Veränderungen, häufig mit depressiver Tönung zur Folge. - Als **Eunuchismus** wird die Gesamtheit der charakterist. Veränderungen im Erscheinungsbild eines Mannes nach der K. bezeichnet. In der *landw. Tierzucht* erfolgt die K. zumeist aus züchter. oder wirtsch. Gründen, z. B. zur leichteren Mastfähigkeit, um unerwünschte Paarungen zu vermeiden oder um ruhigere, fügsamere Arbeitstiere zu erhalten. Bei Schweinen wird die K. als *Gelzen,* bei Geflügel die K. der Hähne als *Kapaunisieren* bezeichnet. - In der *Pflanzenzüchtung* ist K. Bez. für das Entfernen der Staubgefäße, um eine Selbstbestäubung vor geplanten Kreuzungen zu vermeiden.
Geschichte: In China, Mesopotamien und Ägypten gab es schon früh die K., entweder als Bestrafung bzw. Rachehandlung oder um Eunuchen zu erhalten. In semit. Religionen und in den Kulten mit zentralen Muttergottheiten war die Selbst-K. ein kult. Akt, im frühen Christentum (trotz kirchl. Verbotes seit dem Konzil von Nizäa) und noch bei den Skopzen war sie ebenfalls religiös motiviert. Bei den Juden war die K. verboten. - Die K. galt auch als nützl. Maßnahme gegen Krankheiten. Im 16. Jh. gegen Lepra und Epilepsie, im 17. Jh. gegen Gicht und Wahnsinn. Außerdem diente sie seit der Spätantike und hauptsächl. im 16.–19. Jh. der Erhaltung der Knabenstimme (Kastraten).
Kasuare [malai.] (Casuariidae), Fam. großer flugunfähiger, straußenähnl. Laufvögel mit drei Arten in den Urwäldern N-Australiens, Neuguineas und einiger vorgelagerter Inseln; Körper strähnig befiedert, dunkelbraun bis schwarz, mit nacktem, meist leuch-

tend rot, blau oder gelb gefärbtem Kopf und Oberhals, helmartigem Knochenhöcker auf dem Kopf und lappenförmigen Anhängen am Hals; ernähren sich hauptsächl. von Früchten. Am bekanntesten ist der bis 1,5 m hohe (Rückenhöhe 90 cm) **Helmkasuar** (Casuarius casuarius) mit helmartigem Hornaufsatz auf dem Kopf und zwei nackten, roten Hautlappen am blauen Hals. - Abb. S. 74.
Kasuarine [malai.], svw. ↑ Keulenbaum.
Katabolismus [griech.], Bez. für Stoffwechselvorgänge, bei denen durch Abbau von Kohlenstoffverbindungen Energie frei wird.
Kataklysmentheorie [griech.], svw ↑ Katastrophentheorie.
Katalasen [griech.], bei fast allen Sauerstoff benötigenden (aeroben) Organismen vorkommende Enzyme, die das bei der Gewebsatmung anfallende Zellgift Wasserstoffperoxid (H_2O_2) in Wasser und Sauerstoff spalten und damit eliminieren.
Katalepsie [griech.], svw. ↑ Akinese.
Katalpa [indian.], svw. ↑ Trompetenbaum.
Katappenbaum (Katappaterminalie, Ind. Mandelbaum, Terminalia catappa), Art der Gatt. Almond, verbreitet in den Tropen; meist an Stränden wachsender Baum mit etagenförmigem Aufbau der Äste. Die eßbaren Samen der spindelförmigen Früchte schmecken mandelartig.
Katastrophentheorie (Kataklysmentheorie), von G. Baron de Cuvier vertretene (und schon wenig später wieder aufgegebene) Theorie, nach der die Lebewesen period. durch universale Katastrophen vernichtet und danach durch Neuschöpfung oder außerird. Einwanderung wieder entstanden sein sollen.
Kater, Bez. für die ♂ Hauskatze.
Katfisch [engl.] (Kattfisch) ↑ Seewölfe.
Katharobionten (Kartharobien) [griech.], Bez. für in völlig sauberem (**katharobem**) Wasser lebende Organismen. - Ggs. Saprobionten.
Kathepsine [griech.], Sammelbez. für eiweißspaltende Endoenzyme (Endopeptidasen), die bes. in den Lysosomen der Milz, Niere u. a., aber auch im Magensaft vorkommen.
Kathstrauch [arab./dt.] (Kath, Catha), Gatt. der Spindelbaumgewächse mit der einzigen, vom S der Arab. Halbinsel bis zum Kapland verbreiteten Art **Catha edulis**; Strauch mit ledrigen, kerbig gesägten Blättern und kleinen Blüten in kurzen, blattachselständigen Blütenständen. Die Triebe und Blätter enthalten anregende Alkaloide.
Katta [lat.] ↑ Lemuren.
Katz [engl. kæts], Sir (seit 1969) Bernard, * Leipzig 26. März 1911, brit. Biophysiker dt. Herkunft. - Leitet seit 1952 das Departement of Biophysics des London University College. Er untersuchte hauptsächl. das ↑ Acetylcholin als Transmitterstoff im Organismus. Für die weitgehende Aufklärung des Mechanismus, der zur Freisetzung dieses Informationsüberträgers in den Synapsen führt, erhielt er 1970 (mit J. Axelrod und U. S. von Euler-Chelpin) den Nobelpreis für Physiologie oder Medizin.

Kätzchen ↑ Blütenstand.
Katzen (Felidae), Fam. nahezu weltweit verbreiteter Raubtiere (fehlen in der austral. Region, auf den Südseeinseln, auf Madagaskar sowie in der Antarktis und in der Arktis nördl. der Baumgrenze); 36 Arten von rd. 35–280 cm Körperlänge; Kopf kurz, rundl.; in jedem Kiefer ein Paar stark verlängerte, spitze Eckzähne (Fangzähne), mit denen Beutetiere gefaßt und getötet werden; Zehengänger; Fußsohlen mit Ausnahme der Ballen (zur geräuschlosen Fortbewegung) behaart; Krallen in Ruhestellung in eine häutige Krallenscheide eingezogen (Ausnahme: Gepard); Gesichts-, Gehör-, Geruchs- und Tastsinn (Tasthaare v. a. an der Schulter, auch über den Augen und am Unterarm) gut entwickelt; hinter der Netzhaut des Auges eine reflektierende Schicht, die den K. auch bei geringer Lichtmenge ein hervorragendes Sehen im Dunkeln ermöglicht und das Aufleuchten der K.augen bei auffallendem Licht in der Dunkelheit hervorruft; im Hellen Pupillen meist schlitzförmig (senkrecht) verengt; außer bei Löwen fehlen äußere Geschlechtsunterschiede. - K. sind außerhalb der Paarungszeit meist Einzelgänger. Sie sind fast ausschließl. Fleischfresser, jagen ihre Beute im Anspringen oder durch kurze Verfolgung (Ausnahme: Gepard). Kleinere und mittelgroße Beutetiere werden durch Nackenbiß, große nach Prankenschlag durch Kehlbiß getötet. Die K. gliedern sich in ↑ Kleinkatzen, ↑ Großkatzen und ↑ Gepard.
Katzenbär, svw. Kleiner Panda (↑ Pandas).
Katzenfloh ↑ Flöhe.
Katzenfrett (Cacomixtl, Bassariscus astutus), bis 50 cm langer, kurzbeiniger Kleinbär, v. a. in felsig zerklüfteten, baumbestandenen Hochebenen den sw. N-Amerika (einschließl. Mexiko); geschickt kletterndes, nachtaktives Raubtier mit fuchsartig zugespitztem Kopf mit weißen Zeichnungen; Schwanz etwa körperlang, buschig, schwarz und weiß geringelt.
Katzenhaie (Hundshaie, Scyliorhinidae), Fam. kleiner, schlanker Haifische mit rd. 50, für die Menschen ungefährl. Arten, v. a. in den Küstenregionen trop. und gemäßigter Meere; meist wohlschmeckende Speisefische. An den europ. Küsten kommen drei Arten vor, darunter der **Kleingefleckte Katzenhai** (Kleiner K., Scyliorhinus caniculus; im Mittelmeer und O-Atlantik; etwa 60 bis 80 cm lang, rötlichgrau mit zahlr. kleinen, dunkelbraunen Flecken) und der **Großgefleckte Katzenhai** (Großer K., Scyliorhinus stellaris;

Katzenkraut

Helmkasuar

Kaurischnecken. Geld-Kaurischnecke (rechts) und Ring-Kaurischnecke

ähnl. Verbreitung; etwa 1 bis maximal 1,5 m lang; gräul.- bis rötlichbraun; mit großen, dicht stehenden, dunkelbraunen Flecken).

Katzenkraut, svw. ↑ Katzenminze.
Katzenmakis (Cheirogaleinae), Unterfam. kleiner Halbaffen (Fam. Lemuren) auf Madagaskar; mit sechs Arten von etwa 12–25 cm Körperlänge, etwa ebenso langer Schwanz; überdauern Trocken- und Kälteperioden schlafend, wobei im Hinterkörper oder Schwanz gespeichertes Fett verbraucht wird. Zu den K. gehören neben der Gatt. **Zwergmakis** (Microcebus) mit 2 Arten (davon ist der **Mausmaki** mit 11–13 cm Körperlänge das kleinste Herrentier) u. a. auch die **Echten Katzenmakis** (Cheirogaleus; 3 Arten; flinke, eichhornähnl. Baumbewohner).
Katzenminze (Katzenkraut, Nepeta), Gatt. der Lippenblütler mit rd. 150 Arten in den gemäßigten Bereichen Eurasiens und in den Gebirgen des Orients; meist ausdauernde Kräuter mit end- oder achselständigen Blüten. In Deutschland kommen nur 2 Arten vor, davon häufiger in wärmeren Gebieten die **Echte Katzenminze** (Nepeta cataria) mit gelblich- oder rötlichweißen Blüten.
Katzennatter ↑ Trugnattern.
Katzenpfötchen (Antennaria), Gatt. der Korbblütler mit rd. 50 Arten weltweiter Verbreitung (außer Afrika). Die bekannteste einheim. Art ist das **Gemeine Katzenpfötchen** (Antennaria dioica) mit silbrig behaarten Blättchen und rosafarbenen ♀ sowie gelblichweißen ♂ oder zwittrigen Blütenköpfchen.
Katzenwelse (Ictaluridae), Fam. bis 1,5 m langer Welse mit rd. 50 Arten in den Süßgewässern N- und M-Amerikas; Kopf abgeflacht und breit, mit vier langen Bartelpaaren, von denen eines nach oben weist. Zu den K. gehören u. a. der **Gewöhnl. Katzenwels**

(Zwergwels, Ictalurus nebulosus; bis 40 cm lang; oberseits dunkel olivbraun, unterseits heller; Speisefisch) und die **Blindwelse** (Trogloglanis, Satan) in unterird. Höhlengewässern (mit weißl. Körper).
Kauen, beim Menschen und bei vielen Tieren die Zerkleinerung der Nahrung mit Hilfe bestimmter Kauorgane. Der beim Menschen willkürl. eingeleitete und ablaufende, z. T. reflektor. gesteuerte Kauakt durch Betätigung des **Kauapparates** (Gebiß, Unterkiefer, Kaumuskulatur, Lippen, Wangen, Zunge) führt zur Formung eines durchfeuchteten, schluckfähigen Bissens. Die Bewegungen des bezahnten Unterkiefers gegen die Zahnreihe des Oberkiefers setzen sich dabei v. a. zus. aus der *Schneidbewegung* (Beißen), der *Schlittenbewegung* (Vor- und Rückbewegungen) und der *Mahlbewegung* (Verschiebungen nach den Seiten), wobei Wangenmuskulatur und Zunge den Bissen immer wieder zw. die Zahnreihen schieben und die entsprechend spezialisierten Mahlzähne zur Wirkung kommen.
Kaugebiß ↑ Zähne.
Kaulbarsch (Stur, Rotzbarsch, Acerina cernua), bis etwa 25 cm langer, relativ schlanker Barsch im mittleren und nördl. Europa sowie in Asien (mit Ausnahme des S); oliv- bis graugrün mit dunkler Fleckung, Bauchseite grünlichweiß; Kiemendeckel mit spitzem Dorn; Speisefisch.
Kauliang [chin.] ↑ Sorghumhirse.
Kauliflorie [lat.] (Stammblütigkeit), Blütenbildung aus spät austreibenden, „schlafenden" Knospen in bereits verholzten Teilen des Stamms; z. B. beim Kakaobaum und Judasbaum.
Kaulquappe, die im Wasser lebenden Larven der ↑ Froschlurche.
Kaumagen, der Zerkleinerung der Nahrung dienender Abschnitt des Darmtrakts bei manchen Tieren, z. B. bei Insekten, bei denen er im Innern Chitinzähnchen und -leisten trägt. Funktionell als K. wirkt auch der als Muskelmagen ausgebildete Pylorusteil des

Kehlkopf

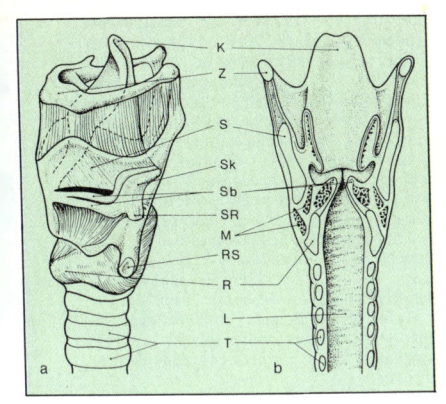

Kehlkopf des Menschen. a linke Seite, b Frontalschnitt (K Kehldeckel, L Luftröhre, M Muskulatur, R Ringknorpel, RS Ringknorpel-Schildknorpel-Gelenk, S Schildknorpel, Sb Stimmbänder, Sk Stellknorpel, SR Stellknorpel-Ringknorpel-Gelenk, T Trachealknorpel der Luftröhre, Z Zungenbein)

Magens der körnerfressenden Vögel, in dem aufgepickte Steinchen als Mahlsteine fungieren.

Kaurifichte [polynes./dt.], svw. ↑ Kopalfichte.

Kaurischnecken [Hindi/dt.] (Kauri, Caorischnecken, Monetaria), Gatt. bis 25 mm langer Porzellanschnecken mit nur einigen Arten, v.a. an indopazif. Korallenstöcken; Gehäuse eiförmig, porzellanartig glänzend, mit enger, schlitzförmiger, gezähnter Mündung. Die **Geld-Kaurischnecke** (Monetaria moneta; Gehäuse weißl., bis 2,5 cm groß) und die **Ring-Kaurischnecke** (Monetaria annulus; Gehäuse graubläul., orangefarben umsäumt, 2 cm lang) wurden etwa ab 1500 v.Chr. bis ins 19. Jh. zunächst in S- und SO-Asien (später auch im trop. W- und Z-Afrika) als Zahlungsmittel verwendet.

Kautschukbaum (Gummibaum), Bez. für mehrere Kautschuk liefernde Pflanzen.

Käuze, Bez. für ↑Eulenvögel mit dickem, rundem Kopf ohne Ohrfedern; in M-Europa v.a. Steinkauz, Waldkauz, Rauhfußkauz, Habichtskauz.

Kawa [polynes.], Bez. für eine Pflanze aus der Gatt. des Pfeffers sowie für das aus ihren Wurzeln gewonnene, leicht berauschende Getränk. Zubereitung und Darreichung sind in Polynesien zeremoniell geregelt.

Kegelbienen (Coelioxys), mit rd. 300 Arten weltweit verbreitete Gatt. 6–20 mm langer Bienen (davon in M-Europa 15 Arten); Brutschmarotzer bei anderen nicht staatenbildenden Bienen; ♀ mit kegelförmig nach hinten zugespitztem Hinterleib, ♂ mit starken Dornen am Körperende; der Kopf ist verhältnismäßig groß.

Kegelrobbe ↑Seehunde.

Kegelschnecken (Conus), Gatt. der ↑Giftzüngler in den Küstenbereichen subtrop. und v.a. trop. Meere; rd. 400 Arten mit etwa 1–30 cm langer, starkwandiger, kegelförmiger Schale; oft bunt und kontrastreich gezeichnet. Im Mittelmeer kommt die ungefähr., etwa 2–4 cm lange Art *Conus ventricosus* (graugrün bis rötl., mit wechselnder Zeichnung) in der oberen Felsenküstenzone zw. Algen vor.

Kehle (Gula), bei Wirbeltieren (einschließl. Mensch) vorderer, oberer Teil des Halses an der Umbiegungsstelle zum Kinn (Gurgel).

Kehlkopf (Larynx), oberster, von Knorpelstücken gestützter Teil der Luftröhre bei den über Lungen atmenden Wirbeltieren. Bei Fröschen, Kröten, einigen Eidechsen und v.a. bei den Säugetieren (einschließl. Mensch) ist er durch die Ausbildung eines [Stimm]faltenpaars (mit den Stimmbändern zur Verengerung der Stimmritze) auch zu einem Organ für die Laut- bzw. Stimmerzeugung geworden. Das am Zungenbein aufgehängte *K.ske-*

Keilschwanzsittiche. Von links: Mönchssittich, Nandaysittich, Jendajasittiche

Kehlsäcke

lett des Menschen besteht aus drei unpaaren und einem paarigen Knorpel. Sie werden von Bändern zusammengehalten und sind innen von Flimmerepithel mit Schleimdrüsenzellen ausgekleidet. Auf dem unteren *Ringknorpel* sitzen hinten die beiden *Stellknorpel* drehbar auf; vorn liegt der *Schildknorpel* darüber. Sein oberes Ende ist leicht nach vorn gekippt und beim erwachsenen Mann als Adamsapfel außen am Hals erkennbar. Vor dem Schildknorpel liegt die Schilddrüse. Innen liegt der knorpelige Kehlknorpel dem Schildknorpel an. Zw. Schild- und Stellknorpel sind die aus elast. Fasern bestehenden *Stimmbänder* (Ligamenta vocalia) aufgespannt, die die *Stimmritze* (*Glottis*) bilden, durch die der Luftstrom vom Schlund aus in den Kehlkopf bzw. die Luftröhre gelangt und umgekehrt (↑auch Stimme). - Den oberen Abschluß des K. bildet der elast. (an seinem unteren Ende am Schildknorpel, in der Mitte am Zungenbein angeheftete) *Kehldeckelknorpel*, das Skelettelement für den fahrradsattelförmigen *Kehldeckel (Epiglottis)*, dessen freie bewegl. obere Hälfte sich beim Schluckakt abbiegt und den Kehlkopfeingang gegen den Nahrungsbrei abschirmt. Die Wandung des K. ist bei manchen Säugetieren an verschiedenen Stellen zw. den K.knorpeln unter Bildung von unpaaren oder paarigen *Kehlsäcken* (als schallverstärkende Resonatoren) ausgestülpt.

Kehlsäcke ↑Kehlkopf.

Keilbein, 1. (Sphenoidale, Os sphenoidale) quer in der Mitte der Schädelbasis zw. den Augenregionen gelegener „wespenähnl." gestalteter Knochen bei einigen höheren Säugetieren (einschließl. Mensch). 2. (Os cuneiforme) Bez. für drei keilförmige Fußwurzelknochen des Menschen.

Keilschwanzadler (Aquila audax), etwa 80–100 cm langer, schwärzl. Adler in offenen Landschaften und in Wäldern Australiens (einschließl. Tasmaniens) und S-Neuguineas; mit rotbraunem Nacken und keilförmig zugespitztem Schwanz.

Keilschwanzsittiche (Araini), Gattungsgruppe der Papageien mit über 80 Arten in N- und S-Amerika mit meist keilförmig zugespitztem Schwanz. Zu den K. gehören die Gatt. *Nandayus* mit dem 35 cm langen **Nandaysittich** (Nandayus nenday) als einziger Art; grün mit bräunlichschwarzem Kopf, bläul. Brustfleck, roten Schenkeln, blauen Schwungfedern und blauer Schwanzspitze; kommt in dichten Wäldern Paraguays und N-Argentiniens vor. Blaue Flügel hat der bis 30 cm lange **Mönchssittich** (Myiopsitta monachus); oberseits grün, unterseits graubraun; v. a. in Savannen und im Kulturland Boliviens bis S-Brasiliens. In den Wäldern der sö. USA kam der bis 35 cm lange, oberseits grüne, unterseits hellere **Karolinasittich** (Conuropsis carolinensis) vor; mit gelbem Kopf, hornfarbenem Schnabel und orangerotem Gesicht; Anfang des 20. Jh. ausgerottet. Als Stubenvogel gehalten wird der etwa 30 cm (mit Schwanz) lange **Jendajasittich** (Aratinga jandaya) aus O-Brasilien; mit grüner Oberseite und teilweise blauen Schwingen; Kopf, Hals und Bauch orangefarben. Zur Gatt. *Schmalschnabelsittiche* (Brotogeris) gehört u. a. der bis 23 cm lange, grüne **Goldflügelsittich** (Kanarienflügelsittich, Brotogeris versicolorus chiriri); mit gelben Flügeldecken und hell hornfarbenem Schnabel; in lichten Wäldern N- und O-Brasiliens, O-Perus und Boliviens; wird auch als Käfigvogel gehalten. Zu den K. gehören auch die ↑Aras. - Abb. S. 75.

Keim, in der *Botanik* erster aus dem Samen oder der Wurzel einer Pflanze sich entwickelnder Trieb, aus dem eine neue Pflanze entsteht.

◆ befruchtete Eizelle und Embryo (v. a. während der frühesten Entwicklungsstufen; Mensch: bis 3. Schwangerschaftswoche).

◆ in der *medizin. Mikrobiologie* Bez. für Krankheiten verursachende Mikroorganismen.

Keimbahn, bei Vielzellern die Zellfolge, die in der Embryonalentwicklung eines jeden Lebewesens von der befruchteten (oder parthenogenet. sich weiterentwickelnden) Eizelle über die ↑Urgeschlechtszellen direkt zu den Keimzellen (Gameten) des geschlechtsreifen Organismus führt. Auf der Kontinuität dieser K.zellen beruht die Kontinuität des Lebens.

Keimbläschen (Blastozyste), aus dem Maulbeerkeim (Morula) hervorgehendes Entwicklungsstadium der plazentalen Säugetiere (einschließl. Mensch).

Keimblatt, Gewebsschichten noch wenig differenzierter Zellen im tier. und menschl. Keim, die während der Embryonalentwicklung gebildet werden und aus denen später i. d. R. bestimmte Organsysteme hervorgehen. Man unterscheidet: **Ektoderm** (äußeres Keimblatt); aus ihm gehen u. a. die Epidermis mit Hautdrüsen und Hornbildungen (z. B. Schuppen, Federn, Haare, Nägel, Krallen) hervor, ferner das Nervensystem mit Sinneszellen. Aus dem **Entoderm** (inneres Keimblatt) geht das Epithel des Mitteldarms (Magen-, Zwölffingerdarm, Dünndarm) und seiner Anhangsdrüsen (Speicheldrüsen, Bauchspeicheldrüse und Leber), der Schilddrüse, der Nebenschilddrüsen und der Harnblase hervor. Zu diesen beiden K. entsteht als mittleres Keimblatt des **Mesoderm.** Aus ihm entwickeln sich v. a. Binde- und Stützgewebe, Skelett-, Darm- und Herzmuskulatur, Blutgefäße, Blut- und Lymphzellen, Nieren, Ei- und Samenleiter. - Abb. S. 78.

◆ in der *Botanik* ↑Kotyledonen.

Keimdrüsen, svw. ↑Geschlechtsdrüsen.

Keimesentwicklung, svw. ↑Embryonalentwicklung.

Keimfleck (Keimpunkt, Macula germi-

Keratine

nativa), das Kernkörperchen (Nukleolus) im Zellkern einer reifen [menschl.] Eizelle.
Keimling, svw. ↑Embryo.
Keimscheibe, der kleine, scheibenförmige Plasmabezirk aus Bildungsdotter, der bei dotterreichen Eiern am animalen Pol liegt und den Zellkern umschließt.
♦ der bei der Entwicklung dotterreicher Eier durch Furchung entstehende, dem Dotter am animalen Pol scheibenartig aufliegende Zellkomplex, aus dem sich der Embryo entwickelt.
Keimung, Bez. für die ersten Entwicklungsvorgänge bei Pflanzen nach einer mehr oder weniger langen Ruhezeit *(Keimruhe).* Der Wiederaufnahme des Wachstums des Embryos nach der Samenruhe geht eine Wasseraufnahme unter Quellung des Sameninhaltes und Sprengung der Samenschale voraus. Die im Nährgewebe bzw. in den Keimblättern gelagerten Reservestoffe (z. B. Stärke) werden nun durch enzymat. Hydrolyse mobilisiert. Es folgt die Streckung der Keimwurzel des Embryos, die positiv geotrop in den Boden einwächst, Wurzelhaare ausbildet und sich verzweigt. Damit ist die Keimpflanze verankert und die Aufnahme von Wasser und Nährstoffen aus dem Boden gewährleistet. Bei der Entwicklung des Sproßsystems durchbricht die sich stark streckende Keimachse (Hypokotyl) bogenförmig die Erdoberfläche und bringt schließl. die Keimblätter (Kotyledonen) ans Tageslicht, wo sie ergrünen und die ersten Assimilationsorgane darstellen *(epigäische K.;* bei vielen Zweikeimblättrigen). In anderen Fällen *(hypogäische K.;* z. B. bei vielen Schmetterlingsblütlern, Eiche, Walnuß, Roßkastanie) bleiben Hypokotyl und das als Nährstoffspeicher dienenden Keimblätter mit der Samenschale im Boden; dafür streckt sich das erste Sproßglied (Epikotyl) mit der Sproßknospe, durchbricht die Bodenoberfläche und bildet die ersten Laubblätter aus. Die K. ist abgeschlossen, wenn die Reservestoffe des Samens aufgebraucht sind und die junge Pflanze nach Ausbildung funktionsfähiger Wurzeln und Blattorgane zu selbständiger, autotropher Lebensweise übergeht.
Keimzahl, in der Mikrobiologie die Anzahl der Mikroorganismen (Keime) pro Milliliter bzw. Quadratmillimeter Substrat.
Keimzellen, svw. ↑Geschlechtszellen.
Keith, Sir Arthur [engl. ki:θ], * Old Machar (Aberdeen) 5. Febr. 1866, † Downe (Kent) 7. Jan. 1955, brit. Anthropologe. - Prof. in Aberdeen; führender brit. Paläanthropologe (u. a. Arbeiten über den Fundkomplex von Karmel). Er wurde bes. durch seine Rekonstruktionen menschl. Frühformen bekannt.
Keith-Flack-Knoten ↑Herzautomatismus.
Kelch [lat.], in der *Botanik* ↑Blüte.
Kelchblatt, eines von mehreren die Blüte umgebenden, grünen Hüllblättern; dienen im Knospenstadium als Schutzorgane für die inneren Blütenteile und bleiben häufig bis zur Fruchtreife erhalten.
Kelchtiere (Kelchwürmer, Kamptozoa), Stamm meist stockbildender, mit wenigen Ausnahmen meerbewohnender Wirbelloser (Gruppe Protostomier); rd. 60 Arten, bes. in Küstengewässern; Strudler; Einzeltiere bis 5 mm lang, festsitzend, mit gestieltem, glokkenförmigem Körper und endständigem Kranz von 8-30 bewimperten Tentakeln.
Kellerassel (Porcellio scaber), fast weltweit verschleppte, bis 18 mm große, schiefergraue Assel; in M-Europa neben der ↑Mauerassel die häufigste Assel; lebt oft an feuchten, dunklen Stellen in Gebäuden, Gewächshäusern und Gärten; Pflanzenfresser.
Kellerhals ↑Seidelbast.
Kellerschnecke (Limax flavus), etwa 8-10 cm lange Egelschnecke; gelbl. bis orangefarben mit dunklerer Netzzeichnung; Schale äußerl. nicht sichtbar; gibt gelben Schleim ab; in M-Europa bes. in Kellern, wo sie durch Fraß an Wurzelgemüse, Kartoffeln und Blumenzwiebeln schädl. werden kann.
Kellerschwamm (Brauner K., Warzenschwamm, Coniophora cerebella), im Freien auf verbautem Holz lebender Ständerpilz; Fruchtkörper mit warziger Oberfläche, krustenartig das Holz überziehend; Schädling.
Kendall, Edward Calvin, [engl. kɛndl], * South Norwalk (Conn.) 8. März 1886, † Princeton (N. J.) 4. Mai 1972, amerikan. Biochemiker. - 1914-51 Leiter der Abteilung für Biochemie an der Mayoklinik in Rochester, ab 1921 dort auch Prof.; ab 1952 Prof. in Princeton. K. entdeckte 1916 das Schilddrüsenhormon Thyroxin und 1935 das ↑Kortison; 1950 Nobelpreis für Physiologie oder Medizin (mit P. S. Hench und T. Reichstein).
Kendrew, John (Cowdery) [engl. ˈkɛndruː], * Oxford 24. März 1917, brit. Molekularbiologe. - Arbeitete am Laboratorium für Molekularbiologie in Cambridge; ab 1974 Leiter des Europ. Laboratoriums für Molekularbiologie in Heidelberg. K. ermittelte 1960 durch Röntgenanalyse die Struktur des Myoglobins und erhielt (zus. mit M. F. Perutz) 1962 den Nobelpreis für Chemie.
Kephaline [griech.], Gruppe von besonders im Nervengewebe und in der Hirnsubstanz vorkommenden Glycerinphosphatiden (Phospholipide), die sich aus Glycerin, Fettsäuren und Phosphorsäure zusammensetzen. Ist der Phosphorsäure mit Kolamin verestert, so liegen die zu den ↑Lezithinen ähnlichen *Kolamin-K. (Phosphatidyläthanolamine)* vor, tritt an seine Stelle Serin, handelt es sich um *Serin-K. (Phosphatidylserine).*
Kerabau [polynes.-span.] ↑Wasserbüffel.
Keratine [zu griech. kéras „Horn"] (Hornsubstanzen), zu den Gerüsteiweißen (Skleroproteinen) zählende Proteine in der Hornhaut, den Haaren, Schuppen, Federn,

Keratolyse

Keimblatt. Entwicklung von Ektoderm, Endoderm und Mesoderm: Die befruchtete Eizelle (Zygote) erreicht durch fortlaufende Furchung das Stadium der Blastula, einer Hohlkugel mit einfacher Zellschicht. Durch anschließende Einstülpung (Invagination) und Urdarmabfaltung erfolgt die Bildung der drei Keimblätter

| Zygote | Furchungen | Morula | Blastula | Gastrulationsbeginn durch Einstülpung |

| Ektoderm / Entoderm Gastrula | Urdarmabfaltung | Mesoderm |

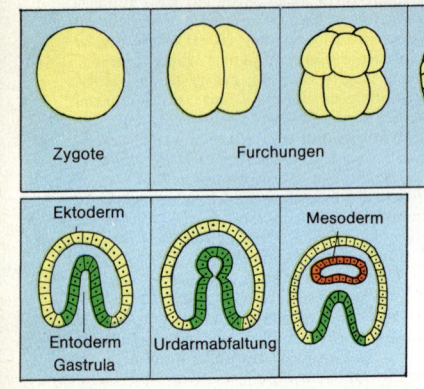

Nägeln, Klauen, Hufen, Hörnern und Geweihen bei Wirbeltieren einschließl. Mensch. Bezügl. der molekularen Struktur werden zwei Gruppen von K. unterschieden: die α-Keratine bestehen aus schraubig gewundenen Peptidketten (α-Helix-Struktur; z. B. in der Schafwolle), die β-Keratine besitzen Faltblattstruktur (z. B. im Seidenfibroin). Die K. enthalten einen hohen Anteil der Aminosäure Cystein, die durch Ausbildung von Disulfidbrücken zw. den Peptidketten die Festigkeit der K. bewirkt. Sie sind in Wasser, Säuren und Basen unlösl. und werden durch die meisten eiweißspaltenden Enzyme nicht angegriffen, d. h. sie sind für die meisten Tiere und den Menschen unverdaulich.

Keratolyse [griech.], die Ablösung der Hornschicht der Oberhaut; physiolog. oder patholog. bedingt, bzw. therapeut. angewandt.

Keratosa [griech.] ↑ Hornschwämme

Kerbel [griech.-lat.] (Anthriscus), Gatt. der Doldengewächse mit 13 Arten in Europa und im Orient; ein-, zweijährige oder ausdauernde Kräuter mit fiederschnittigen Blättern und gelblich- oder grünlichweißen Blüten in Dolden. In Deutschland kommen drei Arten vor, häufig davon vor der Blüte blühende **Wiesenkerbel** (Anthriscus silvestris); 60–150 cm hoch, mit kantigem, gefurchtem Stengel und 2- bis 3fach gefiederten Blättern. Einige Arten werden als Gewürzpflanzen kultiviert, v. a. der **Gartenkerbel** (Anthriscus cerefolium), mit bis 60 cm hohen, gerilltem Stengel und weißen Blüten.

Kerbenblattkaktus ↑ Blattkaktus.
Kerbtiere, svw. ↑ Insekten.
Kerckring-Falten, ringförmige Querfalten des Zwölffingerdarms (↑ Darm).
Kerfe [niederdt. „Kerbe"], svw. ↑ Insekten.

Kermesbeere [arab./dt.], (Phytolacca) Gatt. der Fam. *Kermesbeergewächse* (Phytolaccaceae) mit rd. 35 Arten, meist in den Tropen und Subtropen; Kräuter und Holzpflanzen mit kerzenartigen Blütenständen und meist saftigen, beerenähnl., dunkelroten bis schwarzen Früchten; Samenschale glänzend schwarz. In Weinbaugebieten wird vielfach die bis 3 m hohe **Amerikan. Kermesbeere** (Phytolacca americana) kultiviert. Der dunkelrote Saft der Beeren wird im Mittelmeergebiet und in W-Asien als Färbemittel, z. B. für Rotwein und Zuckerwaren, verwendet.
◆ ↑ Kermesschildläuse.

Kermeseiche [arab./dt.] (Scharlacheiche, Quercus coccifera), strauchig wachsende Eichenart an der Mittelmeerküste.

Kermesschildläuse [arab./dt.] (Färberschildläuse), Bez. für zwei Arten (Kermes ilicis, Kermes vermilio) der Eichennapfschildläuse, die in S-Europa und Kleinasien bes. an der Kermeseiche vorkommen. Die bis erbsengroßen, überwinternden ♀♀ wurden früher abgesammelt (*Kermesbeeren, Karmesinbeeren*) und getrocknet. Ihre Umhüllungen enthalten einen kräftigen, roten, seit dem Altertum verwendeten Farbstoff (**Kermesrot, Karmesinrot**).

Kern, svw. Zellkern (↑ Nukleus).
◆ (Nervenkern) Anhäufung von Nervenzellen bestimmter Funktion im Zentralnervensystem.

Kernbeißer, svw. ↑ Kirschkernbeißer.
Kerner [nach J. Kerner], seit 1969 sortengeschützte neue Rebsorte, gezüchtet aus blauem Trollinger und weißem Riesling; ergibt frische Weißweine.
Kernholz ↑ Holz.
Kernholzkäfer (Kernkäfer, Platypodidae), weltweit verbreitete Käferfam. mit rd. 800 kleinen, meist trop. und subtrop. Arten (in M-Europa kommt nur eine Art vor); bohren Gänge bis ins Kernholz von Laubbäumen.
Kernkörperchen, svw. ↑ Nukleolus.
Kernobst, Bez. für Obstsorten aus der Fam. der Rosengewächse (z. B. Apfel, Birne, Quitte), deren Frucht eine Sammelbalgfrucht ist. Das Fruchtfleisch wird von der krugförmigen Blütenachse gebildet, die mit den perga-

Kettenwürmer

mentartigen oder mit den von einer steinartigen Fruchtwand umgebenen Fruchtblättern (*Kernhaus*) fest verwachsen ist.

Kernphasenwechsel, der Wechsel vom diploiden zum haploiden Chromosomensatz und umgekehrt bei den Zellkernen eines Lebewesens im Verlauf seiner Entwicklung und Fortpflanzung, d. h. der Wechsel von der Diplophase zur Haplophase und umgekehrt.

Kernschleifen, svw. ↑Chromosomen.

Kernspindel ([Kern]teilungsspindel, Spindelapparat), die spindelartige Anordnung der Kernspindelfasern (Mikrotubuli) in der Zelle während der Kernteilung. Die K. verbindet die Zentromeren der Chromosomen und die Zentriolen (bzw. vergleichbare Strukturen) oder/und auch letztere direkt miteinander. Die K. bewirkt die Bewegungen der Chromosomen und die Verteilung der Chromosomenspalthälften.

Kernteilung, die meist zu einer ↑Zellteilung führende Teilung des Zellkerns in zwei (oder mehrere) Tochterkerne. Dem Verlauf nach sind zu unterscheiden: direkte K. (↑Amitose); indirekte K. (↑Mitose, ↑Meiose).

Kernteilungsspindel, svw. ↑Kernspindel.

Kernverschmelzung, in der *Genetik* die Vereinigung von Zellkernen, entweder als Verschmelzung zweier gleichwertiger generativer Kerne bei der ↑Befruchtung, als Verschmelzung zweier oder mehrerer gleicher Kerne von vegetativen Zellen (z. B. bei der Bildung des sekundären Embryosackkerns der höheren Pflanzen) oder als (experimentelle) Verschmelzung zweier oder mehrerer ungleicher vegetativer, meist aus Zellkulturen verschiedener Arten (z. B. von Maus und Mensch) gewonnener Kerne unter Bildung eines Zellkernverbandes.

Kerzenbaum (Parmentiera cerifera), ausgedehnte Wälder bildendes Bignoniengewächs in Panama; Strauch oder kleiner Baum mit dreizähligen Blättern und am Stamm stehenden, glockigen Blüten; Früchte gelb, bis meterlang, kerzenähnl. (Viehfutter).

Kerzennußbaum ↑Lackbaum.

Kesselfallenblumen (Gleitfallenblumen), Bez. für Blüten und Blütenstände (z. B. des Aronstabs), die zu kesselartigen Fallen umgebildet sind, in denen die bestäubenden Insekten gefangengehalten werden, bis die Bestäubung vollzogen ist.

Ketonkörper, in Körperflüssigkeiten vorkommende, Ketogruppen enthaltende Stoffwechselprodukte wie Acetessigsäure und Aceton, die bei Hunger und bestimmten Erkrankungen (z. B. Diabetes) vermehrt im Blut auftreten.

Kettennatter ↑Zornnattern.

Kettenviper ↑Vipern.

Kettenwürmer (Microstomum), Gatt. von Süß- und Meeresgewässer bewohnenden

Kiebitz

Waldkiefer. Rechts Zweig mit jungem und geöffnetem Zapfen

Keuladerfarn

Strudelwürmern, die durch unvollständige Querteilungen bis 1,5 cm lange Tierketten (maximal 16 Individuen) bilden können.

Keuladerfarn, svw. ↑Cheilanthes.

Keulenbärlapp (Kolbenbärlapp, Hexenkraut, Schlangenmoos, Lycopodium clavatum), weltweit verbreitetes Bärlappgewächs, zerstreut vorkommend auf Heiden, in trockenem Nadel- und Mischwald; geschützt; gabelig verzweigte, kriechende, spiralig beblätterte Sprosse; Sporophylle in keulenartigen Ständen zu 2–3 auf langen Stielen.

Keulenbaum (Känguruhbaum, Kasuarine, Casuarina), einzige Gatt. der Kasuarinengewächse mit rd. 40 Arten, meist in Australien und Neukaledonien, wenige Arten im Malaiischen Archipel; immergrüne Bäume und Sträucher mit schuppenförmigen Blättern. Mehrere Arten, v. a. die raschwüchsige **Strandkasuarine** (Casuarina equisetifolia) mit dünnen, überhängenden, hellgrünen Zweigen werden zur Befestigung sandiger Küsten angepflanzt.

Keulenblattwespen, svw. ↑Keulhornblattwespen.

Keulenkäfer (Clavigeridae), mit über 100 Arten weltweit verbreitete Fam. 2–3 mm langer, meist rot- bis dunkelbrauner Käfer; ↑Ameisengäste mit keulenförmigem Körper, langem Kopf und stark verkürzten Flügeldecken; Haarbüschel der freien Hinterleibssegmente sondern aromat. Stoffe ab, die von den Wirtsameisen aufgeschleckt werden; in M-Europa zwei Arten, darunter der **Rotbraune Keulenkäfer** (Claviger testaceus).

Keulenlilie (Cordyline), Gatt. der Liliengewächse mit rd. 20 Arten v. a. in Asien, Afrika und Australien; Bäume, Sträucher oder Halbsträucher mit schwertförmigen, zu einem dichten Schopf zusammenstehenden Blättern; Blüten in reichverzweigten Rispen. Mehrere Arten werden im Gewächshaus, Wintergarten- oder als Zimmerpflanzen kultiviert.

Keulenpilz (Ziegenbart, Korallenpilz, Clavaria), Gatt. der Ständerpilzfam. Keulenschwämme (Clavariaceae) mit rd. 150 Arten; mit wenigen, weichfleischigen Zweigen; bekannte Art ↑Hahnenkamm.

Keulhornblattwespen (Keulenblattwespen, Knopfhornblattwespen, Cimbicidae), hauptsächl. holarkt. verbreitete, in M-Europa durch rd. 25 6–28 mm lange Arten vertretene Fam. der ↑Pflanzenwespen mit großem, dikkem, manchmal metall. blauem oder schwarzem Körper und knopf- bis keulenförmig verstärkten Fühlerenden; Hinterleib seitl. scharf gekantet.

Keuschlamm, svw. ↑Mönchspfeffer.

Khaprakäfer [Hindi/dt.] (Trogoderma granarium), 2–3 mm langer, schwarzbrauner Speckkäfer in Indien, nach Europa eingeschleppt; mit rotbraunen Querbinden auf den Flügeldecken; Vorratsschädling bes. an Getreide und Hülsenfrüchten.

Khmerkatze, Rasse langhaariger Hauskatzen in der Färbung von Siamkatzen.

Khoisanide, zusammenfassende Bez. für Hottentotten (Khoi-Khoin) und Buschmänner (San), die zahlr. rass. und kulturelle Gemeinsamkeiten haben.

Khorana, Har Gobind, * Raipur 9. Jan. 1922, amerikan. Biochemiker ind. Herkunft. - Prof. in Madison (Wis.); K. gelang es erstmals, Polynukleotide mit bekannter Basensequenz zu synthetisieren. Mit Hilfe dieser Polynukleotide konnte K. im genet. Code alle Codons den Aminosäuren zuordnen und zeigen, daß ein Codon jeweils drei Nukleinbasen enthält. 1968 erhielt K. (zus. mit M. Nirenberg und R. Holley) den Nobelpreis für Physiologie oder Medizin.

Khur (Ghorkhar, Equus hemionus khur), ind. Unterart des ↑Halbesels mit rötlichgelber Ober- und weißl. Unterseite; weitgehend ausgerottet (Restbestand auf Kutch/NW-Indien).

Kiang [tibet.] ↑Halbesel.

Kichererbse [lat./dt.] (Cicer), Gatt. der Schmetterlingsblütler mit 15–20 Arten im Mittelmeergebiet bis Z-Asien und W-Sibirien; einjährige oder ausdauernde Kräuter oder Halbsträucher mit gefiederten Blättern. Die wirtsch. wichtigste Art ist *Cicer arietinum*, deren Samen wie Erbsen als Gemüse gegessen werden.

Kiebitz (Vanellus vanellus), etwa 32 cm großer Regenpfeifer, v. a. auf Mooren, feuchten Wiesen und Äckern Eurasiens; oberseits schwarz, metall. grün und violett schimmernd, mit weißen Wangen und schwarzer Haube; unterseits z. T. schwarz (Hals), z. T. weiß (Bauch); Bodennest mit vier olivfarbenen, schwarz gefleckten Eiern. - In der altägypt. Religion ist der K. ein Symbol der menschl. Seele. Demgegenüber gehörte er bei den Römern und den Etruskern zu den Vögeln, deren Erscheinen und Ruf Glück oder Unheil verhieß. - Abb. S. 79.

Kiefer (Pinus), Gatt. der K.gewächse mit mehr als 80 Arten auf der N-Halbkugel, im S bis M-Amerika, N-Afrika und Indonesien; meist immergrüne Bäume mit nadelförmigen Blättern; ♂ Blüten achselständig, ährig gehäuft, ♀ Blüten in Zapfen mit holzigen Zapfenschuppen; Samen meist geflügelt. - Zahlr. Arten der K. sind wichtige Waldbildner und von erhebl. wirtsch. Bed. (Holz, Terpentin, Kolophonium). Eine große Zahl von Arten und Sorten findet als Zierbäume und Ziersträucher Verwendung. Wichtigste europ. Arten sind: **Waldkiefer** (Gemeine K., Föhre, Sand-K., Pinus sylvestris), bis 50 m hoch, Nadeln zu zweien am Kurztrieb, 5–7 cm lang, häufig gedreht; Zapfen 5–8 cm lang. **Strandkiefer** (Pinus pinaster), 20–30 m hoch, im Mittelmeergebiet bis Griechenland und an der frz., span. und portugies. Atlantikküste; Borke dick, rotbraun, rissig; Nadeln zu zweien, 10–20 cm lang; Zapfen hellbraun und glän-

zend. **Schwarzkiefer** (Pinus nigra), 20–40 m hoch, in den Gebirgen S- und O-Europas und W-Asiens; Rinde schwarzgrau, Nadeln paarweise zusammenstehend, dunkelgrün, 8–15 cm lang; Zapfen ei- bis kegelförmig; hat mehrere geograph. Varietäten, u. a. Pyrenäen-Schwarzkiefer, Krimkiefer und Östr. Schwarzkiefer. **Rumelische Kiefer** (Mazedon. K., Pinus peuce), 10–20 m hoch, in S-Jugoslawien, Albanien und Griechenland; Nadeln dreijährig, an den Triebenden pinselartig gehäuft, 7–10 cm lang. **Pinie** (Nuß-K., Pinus pinea), 15–25 m hoch, im Mittelmeergebiet; mit schirmähnl. Krone; Nadeln paarweise zusammenstehend, 10–15 cm lang, leicht gedreht; Zapfen eiförmig bis fast kugelig; Samen (Pignolen, Piniennüsse) eßbar. Außerdem ↑ Arve, ↑ Aleppokiefer, ↑ Bergkiefer. Häufig als Zierbäume gepflanzte oder forstl. kultivierte außereurop. Arten sind: **Tränenkiefer** (Pinus griffithii), bis 50 m hoch, im Himajala; **Weymouthskiefer** (Strobe, Pinus strobus), 25–50 m hoch, im östl. N-Amerika; **Grannenkiefer** (Fuchsschwanz-K., Pinus aristata), bis 18 m hoch, in den USA; erreichen ein Alter von über 4 000 Jahren und sind somit die ältesten Bäume der Erde. Die wirtschaftl. wichtigste Art ist die 15–30 m hohe **Karibische Kiefer** (Pinus caribaea), die auf den Westind. Inseln und an den Küsten von M-Amerika wächst; Nadeln meist zu dreien, 15–25 cm lang, Zapfen kegelförmig, 5–10 cm lang, 2–3 cm breit; in M-Europa nicht winterhart.
Geschichte: Die K. wird in der Literatur bis etwa 1800 häufig mit Tanne und Fichte verwechselt. Harz, Pech und Terpentin wurden in der griech. und röm. Antike wahrscheinl. auch aus K.arten gewonnen. Das Harz diente u. a. zur Konservierung des Weins (Rezinawein). - Abb. S. 79.
Kiefer, bei wirbellosen Tieren aus harter Kutikula (z. B. Chitin) bestehende Bildungen in der Mundregion, die der Nahrungsaufnahme dienen; Gliederfüßer haben umgebildete Gliedmaßen als K. (↑ Mundgliedmaßen). Bei Seeigeln wird das K.gerüst durch die ↑ Laterne des Aristoteles gebildet. Bei den Wirbeltieren gehört der knöcherne Anteil der K. zum Kopfskelett und ist (als K.bogen, Mandibularbogen) stammesgeschichtl. aus einem (oder zwei) Paar der vorderen Kiemenbögen hervorgegangen. Bei den Säugetieren (einschließl. Mensch) bildet sich ein sekundäres K.gelenk aus. Die Elemente des primären K.gelenks übernehmen im Mittelohr als Gehörknöchelchen eine neue Funktion. - Die Kiefer der Vögel sind zu einem zahnlosen, hornüberzogenen Schnabel geworden, sonst tragen die K. der Wirbeltiere meist Zähne. Beim Menschen ist der *Oberkiefer* (Oberkieferbein, Maxillare) mit eingeschobenem ↑ Zwischenkieferknochen fest mit dem Gesichtsschädel verwachsen und bestimmt durch seine Form, Größe und Stellung die Gesichtsform mit. In seinem halbellipt. Zahnbogen befinden sich die Zahnfächer (Alveolen) zur Aufnahme der Zähne. Im Ggs. zum Oberkiefer ist der *Unterkiefer* (Unterkieferbein, Mandibula) gelenkig mit dem Schädel verbunden. Er wird durch eine kräftige Kaumuskulatur bewegt. Sein Zahnbogen hat die gleiche Form wie der Oberkiefer.

Kieferfische (Opisthognathidae), Fam. 10–20 cm langer, trop. Meeresfische mit langer Rückenflosse, großem Kopf und riesigem Maul; meist Flachwasserbewohner, die in den Sand bis 1 m lange, senkrechte Röhren bauen, in die sie bei Gefahr (mit dem Schwanz voran) flüchten.

Kieferfühler (Chelizeren), erstes, zum Oberkiefer umgewandeltes Gliedmaßenpaar der Fühlerlosen; dienen zum Festhalten und Zerzupfen der Beutetiere bzw. zu deren Anstechen und Aussaugen (Milben) oder zum Einspritzen von Gift (Spinnen), auch als Spinnorgan (Afterskorpione).

Kieferhöhle ↑ Nasennebenhöhlen.
Kieferläuse, svw. ↑ Federlinge.
Kieferlose, (Agnatha) Überklasse im Wasser lebender, fischähnl. Wirbeltiere; älteste und ursprünglichste Wirbeltiergruppe; keine Kieferbildungen, weil kein Gesichtsschädel ausgebildet; heute existiert von noch die Klasse ↑ Rundmäuler.
◆ svw. ↑ Amandibulaten.
Kiefermäuler (Gnathostomata), Überklasse der Wirbeltiere, deren Mundöffnung von gegeneinander bewegl., meist bezahnten Skelettbögen umgeben ist (Ober- und Unterkiefer); mit wohlentwickeltem Gesichtsschädel und (mit Ausnahme der Fische) zwei Paar (wenigstens embryonal angelegten) Extremitäten (Lurche, Kriechtiere, Vögel, Säugetiere).

Kieferneule (Forleule, Panolis flammea), fast 4 cm spannender, im Frühjahr fliegender Eulenfalter in Kiefernwäldern M- und O-Europas; Vorderflügel rotbraun, mit weiß. Flekken; Hinterflügel grau; Raupen grün, weiß längsgestreift, fressen an Kiefernnadeln.

Kieferngewächse (Pinaceae), größte Fam. der Nadelhölzer mit neun Gatt. auf der gesamten Nordhalbkugel. Wichtigste Gatt. sind Fichte, Hemlocktanne, Lärche, Kiefer, Pseudotsuga und Tanne.

Kiefernkreuzschnabel (Loxia pytyopsittacus), mit Schwanz etwa 17 cm großer Finkenvogel, v. a. in Kiefernwäldern N-Europas; unterscheidet sich von den sonst sehr ähnl. (doch etwas kleineren) ↑ Fichtenkreuzschnabel bes. durch einen kräftigeren Schnabel; frißt v. a. Kiefernsamen.

Kiefernrüßler (Hylobius), Gatt. meist brauner bis rostroter Rüsselkäfer in Europa, N-Amerika und Japan mit vier einheim., 7–17 mm großen Arten mit gelbl. Flecken oder quergestellten Fleckenreihen; Imagines schädl. durch Nadel- und Rindenfraß an jungen Kiefern, Fichten u. a. Am bekanntesten

Kiefernsaateule

ist der **Große Fichtenrüsselkäfer** (Hylobius abietis).

Kiefernsaateule (Scotia vestigialis), 3–4 cm spannender Eulenfalter, v. a. in Sand- und Heidegebieten Europas und W-Sibiriens; mit grauen, kontrastreich schwarz gezeichneten Vorderflügeln und bräunlichgrauen Hinterflügeln.

Kiefernschwärmer, svw. ↑Tannenpfeil.

Kiefernspanner (Bupalus piniarius), Spannerart, v. a. in Kiefernwäldern Europas und Sibiriens; 3–4 cm Flügelspannweite; ♂ mit schwarzbraunen, an der Basis weißgelb gefleckten, ♀ mit dunkelbraunen, gelbbraun gefleckten Flügeln; Raupe grün mit weißl. Längsstreifen, frißt Kiefernnadeln.

Kiefernspinner (Fichtenspinner, Dendrolimus pini), bis 9 cm spannender Nachtfalter (Fam. Glucken), v. a. in trockenen Kiefernwäldern Europas und O-Asiens; Vorderflügel grau ȧbis braunrot mit weißem Mittelpunkt und einer breiten Querbinde; Hinterflügel einfarbig graubraun. Die bis 8 cm lange Raupe frißt an Kiefernnadeln.

Kieferntriebwickler (Rhyaciona buoliana), Forstschädling aus der Fam. der Wickler; kleiner Schmetterling mit ziegelroten Vorderflügeln und braunen Hinterflügeln; Raupe frißt im Frühjahr an jungen Kieferntrieben.

Kiel ↑Vogelfeder.

Kielechsen ↑Eidechsen.

Kielschnecken (Kielfüßer, Atlantoidea, Heteropoda), Überfam. bis über 50 cm langer Vorderkiemer in trop. und subtrop. Meeren; Körper langgestreckt; Kriechsohle zu seitl. zusammengedrückter Ruderflosse mit Saugnapf umgebildet; Gehäuse dünn bis völlig rückgebildet.

Kiemen [niederdt. Form von Kimme, eigtl. „Einschnitt, Kerbe"] (Branchien), Atmungsorgane von Tieren, die im Wasser leben. Meist sind es stark mit Blut bzw. Körperflüssigkeit versorgte oder von Tracheen *(Tracheenkiemen;* bei vielen Insektenlarven) durchzogene dünnhäutige Ausstülpungen der Körperwand (äußere Kiemen) oder der Schleimhaut des Vorderdarms (innere Kiemen). Letztere sind von einer Hautfalte bzw. einem Kiemendeckel (bei Knochenfischen) geschützt. Zur Vergrößerung ihrer Oberfläche sind die K. stark gegliedert. - Bei den Weichtieren liegen sie in der Mantelhöhle und sind unterschiedl. ausgebildet: **Fadenkiemen,** mit langen fadenförmigen Anhängen; kommen bei verschiedenen Muschelgruppen, bes. bei ↑Fadenkiemern, vor. Aus ihnen gehen die **Blattkiemen** mit zahlr. blättchenförmigen Lamellen hervor. Sie sind charakterist. für die Muschelordnung ↑Blattkiemer. Federartig sind die **Fiederkiemen,** z. B. bei den Nußmuscheln. Durch Rückbildung einer Fiederblättchenreihe kommt es zur Ausbildung von **Kammkiemen** (bei vielen Schnecken). - Manteltiere, Lanzettfischchen und Fische haben einen von Kiemenspalten durchbrochenen Vorderdarm, den sog. *Kiemendarm.* Bei Manteltieren ist dieser zu einem gitterartig durchbrochenen *Kiemenkorb* erweitert. - Die K. der Fische werden durch ein knorpeliges oder knöchernes K.skelett, die ↑Kiemenbögen, gestützt.

Kiemenbögen (Viszeralbögen, Schlundbögen), in wechselnder Anzahl vorkommende, paarige, die Kiemen der primär im Wasser lebenden Wirbeltiere stützende, urspr. knorpelige, bei der stammesgeschichtl. Höherentwicklung der Tiere verknöcherte Spangen (Bögen) des Kiemendarms. Auch bei den auf dem Land lebenden Wirbeltieren bleiben die K. (wenn auch stark reduziert) erhalten, ändern aber ihre Lage, Gestalt und Funktion (werden z. B. zu Gehörknöchelchen, Kieferknochen, zum Zungenbein).

Kiemendarm, vorderer Teil des Darms bei Eichelwürmern und primär im Wasser lebenden Chordatieren, der von ↑Kiemenbögen gestützt und von *K.spalten* durchbrochen ist, durch die das Atemwasser strömt; bei Manteltieren und Lanzettfischchen hat der K. zusätzl. Filterfunktion. Die K. wird auch bei Lurchlarven sowie Reptilien-, Vogel- und Säugetierembryonen (einschließl. Mensch) angelegt.

Kiemenfußkrebse (Kiemenfüße, Anostraca), Überordnung der Blattfußkrebse mit rd. 175 bis etwa 10 cm langen Arten in stehenden Binnengewässern; Körper langgestreckt, ohne Chitinpanzer, mit meist elf Paaren abgeflachter Blattbeine, die der Fortbewegung, der Ernährung und der Atmung dienen (Kiemenanhänge). Die Tiere schwimmen mit nach unten gekehrtem Rücken.

Kiemenherzen (Bulbillen), bei verschiedenen über Kiemen atmenden Tieren, v. a. Weichtieren und Schädellosen (z. B. Lanzettfischchen), in den Kiemengefäßen für die bessere Blutversorgung ausgebildete kontraktile Abschnitte. - auch Herz.

Kiemenschwänze (Fischläuse, Branchiura), Unterklasse der Krebse mit der einzigen Fam. ↑Karpfenläuse.

Kiemenspalten ↑Kiemendarm.

Kieselalgen Diatomeen, Diatomeae, Bacillariophyceae), Klasse der Goldbraunen Algen; mikroskop. kleine, einzellige Algen des Süß- und Meerwassers; Chromatophoren meist braun gefärbt; Zellen haben einen schachtelartig zusammenpassenden, zweiteiligen Panzer aus Kieselsäure. Man unterscheidet zwei Hauptgruppen: 1. *Zentrale K.* mit kreisförmigen Schalen; unbeweglich. 2. *Pennale K.* mit stab- oder schiffchenförmigen Schalen; beweglich. - Fossile Lager von K. liefern techn. vielfältig verwendete Kieselgur.

Kieselschwämme (Silicispongiae), Klasse überwiegend meerbewohnender Schwämme mit aus Kieselsäure bestehenden Skelettelementen (Skleriten); zu ihnen gehören u. a. Glasschwämme, Bohrschwämme, Badeschwamm und Süßwasserschwämme.

Kinasen [griech.] (Transphosphatasen), zu den Transferasen gehörende Enzyme, die einen Phosphatrest des Adenosintriphosphats auf andere Verbindungen übertragen. Sie sind v. a. für den Kohlenhydratstoffwechsel wichtig; z. B. katalysiert **Hexokinase** die Phosphorylierung bei Hexosen in C_6-Stellung.

kinästhetische Empfindungen [griech./dt.] (Kinästhesie, Bewegungsempfindungen), die Fähigkeit bes. bei Wirbeltieren (einschließl. Mensch), die Lage und Bewegungsrichtung von Körperteilen zueinander und in bezug zur Umwelt unbewußt-reflektor. zu kontrollieren und zu steuern.

Kind, der Mensch in der Alters- und Entwicklungsphase der Kindheit. Im allg. unterscheidet man zw. *Neugeborenem* (von der Geburt bis zum 10. Lebenstag), *Säugling* (im 1. Lebensjahr), *Kleinstkind* (im 2. Lebensjahr), *Kleinkind* (2.–6. Lebensjahr) und *Schulkind* (7.–14. Lebensjahr).

Körperl. Entwicklung: Die relativ schnelle Zunahme von Körperlänge und -gewicht, wie sie auch für die Fetalzeit charakterist. ist, setzt sich auch im 1. Lebensjahr fort. Erst danach findet eine langsamere Längen- und Gewichtszunahme statt, die in der Pubertätszeit noch einmal eine Beschleunigung erfährt. Während der gesamten Wachstumszeit sind starke individuelle Unterschiede zu beobachten, und zwar nicht nur im Wachstumserfolg, sondern auch im Wachstumstempo und -rhythmus. Um zu beurteilen, inwieweit ein K. seiner Altersgruppe entspricht, werden sog. Normtabellen aufgestellt. Da die einzelnen Körperabschnitte ein unterschiedl. Wachstum zeigen, kommt es im Verlauf der gesamten Entwicklungszeit zu Proportionsverschiebungen. V. a. nimmt die relative Kopfhöhe ab, die relative Beinlänge dagegen zu. – Da das Wachstum nach der Geburt nicht gleichmäßig verläuft, sondern in Schüben, können bestimmte Entwicklungsphasen definiert werden. Nach C. H. Stratz sind dies: Streckung (6. bis 7., 12. bis 15. Lebensjahr) und Fülle (Breitenentwicklung). W. Zeller unterscheidet einen ersten Gestaltwandel zw. dem 5. und 7. Lebensjahr (Übergang von der rundl. Kleinkindform in die schlankere Schulkindform) und einen zweiten im 11. (Mädchen) bzw. am Ende des 12. (Jungen) Lebensjahrs.

Seel.-geistige Entwicklung: In den ersten beiden Monaten nach der Geburt richtet sich das Verhalten des K. ausschließl. nach stammesgeschichtl. ererbten Programmierungen. Im Ggs. zu anderen Herrentieren ist es aber als sekundärer **Nesthocker** zu bezeichnen.

Bis zum 18. Lebensmonat entwickelt sich die individuelle Bindung an die Hauptbezugsperson. Diesem Abschnitt, von B. Hassenstein als sensible Phase bezeichnet, schließt sich die Phase der Lernbereitschaft an (neugieriges Erkunden, Spielen, Nachahmen). Das K. übernimmt in seinem Verhalten die menschl. Besonderheiten wie aufrechte Körperhaltung und artikulierte Sprache. Im 2. Lebensjahr beginnt es sein subjektives Verhältnis zur Umwelt und erste persönl. Stellungnahmen auszubilden. Die Tendenz zu überwiegend realist.-objektivem und sozialem Verhalten wird im 5.–8. Lebensjahr erkennbar. Der letzte K.heitsabschnitt ist v. a. durch eine Zunahme der Selbständigkeit des K. geprägt.

📖 *Hassenstein, B.: Verhaltensbiologie des K. Mchn.* ^{1}*1987. - Freud, A.: Wege u. Irrwege in der Kinderentwicklung. Bern; Stg.* ^{2}*1971.*

Kindchenschema, Bez. für eine Reihe von Schlüsselreizen, die im menschl. (und wahrscheinl. auch im tier.) Verhalten den Mechanismus für Brutpflege auslösen; z. B. große Augen, volle Wangen, rundl. Körperformen, betonter Hirnschädel.

Kindspech (Darmpech, Mekonium), schwarzgrünl., pastenartiger Dickdarminhalt des Neugeborenen.

Kinese (Kinesis) [griech. „Bewegung"], durch einen Umweltreiz (z. B. Wärme, Feuchtigkeit) hervorgerufene Steigerung der Bewegungsaktivität von Tieren.

Kinetin, Pflanzenhormon (↑ Zytokinine).

Kinetochor, svw. ↑ Zentromer.

Kinine [griech.], Sammelbez. für biogene, aus Aminosäuren zusammengesetzte, v. a. bewegungsregulator. wirkende Substanzen

Prärieklapperschlange

Texasklapperschlange

Kinkaju

bei Tieren und beim Menschen. K. wirken blutdrucksenkend und bewirken eine Kontraktion der Bronchial-, Darm- und Gebärmuttermuskulatur (z. B. Bradykinin).

Kinkaju [indian.-frz.] ↑ Wickelbären.

Kinn (Mentum), beim Menschen durch die Bildung eines rundl. Knochenvorsprungs vorn an der Vereinigungsstelle beider Unterkieferknochenhälften bedingter, bei den verschiedenen Rassen und Individuen unterschiedl. stark ausgeprägter Gesichtsvorsprung unterhalb der Unterlippe; beim Frühmenschen noch nicht ausgebildet.

Kinsey, Alfred Charles [engl. 'kınzı], *Hoboken (N. J.) 23. Juni 1894, † Bloomington (Ind.) 25. Aug. 1956, amerikan. Zoologe und Sexualforscher. - Prof. an der Univ. von Indiana. Arbeitete urspr. über Insekten, widmete sich ab 1938 ausschließl. der Erforschung sexuellen Verhaltens. Unter seiner Leitung enstand der **Kinsey-Report,** eine durch Befragung von rd. 20 000 Amerikanern ermittelte und anschließend statist. ausgewertete Datensammlung über das geschlechtl. Verhalten des Menschen („Das sexuelle Verhalten des Mannes", 1948; „Das sexuelle Verhalten der Frau", 1953).

Kirschblütenmotte (Argyresthia ephippiella), etwa 12 mm spannende Silbermotte mit vorwiegend rotbraunen, gefransten Flügeln; Larve bläul. bis grün, wird durch Blütenfraß an Kirschbäumen schädlich.

Kirsche [zu griech.-lat. cerasus „Kirschbaum"] (Kirschbaum), zusammenfassende Bez. für mehrere zur Gatt. Prunus zählende Steinobstgehölze, v. a. Süßkirsche und Sauerkirsche, sowie für deren Früchte.

Kirschkernbeißer (Kernbeißer, Coccothraustes coccothraustes), mit Schwanz fast 18 cm langer, vorwiegend dunkel- und hellbrauner Finkenvogel in NW-Afrika und großer Teile Eurasiens; mit mächtigem Kegelschnabel, grauem Nackenring und breiter, weißl. Querbinde auf den blauschwarzen Flügeln; ernährt sich vorwiegend von Samen, wobei er Kerne von Kirschen und Pflaumen aufknackt.

Kirschlorbeer (Lorbeerkirsche, Prunus laurocerasus), Rosengewächs der Gatt. Prunus aus SO-Europa und Kleinasien; immergrüner Strauch oder kleiner Baum; Blätter lederartig, glänzend; Blüten weiß, in aufrechten, 5–12 cm langen Trauben; Früchte schwarzrot. Giftpflanze.

Kitasato, Shibasaburo, *Oguni (Präfektur Kumamoto) 20. Dez. 1856, † Nakanodscho (Präfektur Gumma) 13. Juni 1931, jap. Bakteriologe. - Schüler und Mitarbeiter R. Kochs in Berlin; züchtete erstmals den Tetanusbazillus in Reinkultur (1889). Mit E. von Behring entdeckte er die Diphtherie- und Tetanusantitoxine (1890) und schuf damit die Grundlagen der Serumtherapie. Fand 1894 den Pestbazillus, 1898 den Erreger der Ruhr.

Kitzler (Klitoris, Clitoris), das dem Penis homologe, jedoch sehr viel kleinere, aus dem ↑Geschlechtshöcker hervorgegangene, schwellfähige Geschlechtsglied der ♀ Säugetiere. Beim Menschen besteht der K. (als wichtigste erogene Zone) aus zwei Schwellkörpern und der Eichel. Die Vorhaut wird durch die zusammenstoßenden kleinen Schamlippen gebildet.

Kiwifrucht [engl./dt.] (Chin. Stachelbeere), Bez. für die eßbare Frucht des Chin. Strahlengriffels, bis mehr als 8 cm groß, rostbraun, behaart; Fruchtfleisch grün, glasig, saftig, säuerlich.

Kiwis [polynes.] (Schnepfenstrauße, Apterygidae), Fam. bis 35 cm hoher flugunfähiger, nachtaktiver Laufvögel mit 3 Arten in den Wäldern Neuseelands; mit graubraunem Gefieder, kräftigen Beinen und langem, schnepfenartigem Schnabel.

Kladruber, seit 1562 in Kladrub (= Kladruby, ČSSR) gezüchtete Rasse großer (Widerrist 170–190 cm), eleganter Kutschpferde.

Klaffmuscheln (Mya), Gatt. der Muscheln in nördl. Meeren; mit eiförmigen, an beiden Körperenden auseinanderklaffenden Schalen. In der Nord- und Ostsee kommt bes. die **Sandklaffmuschel** (Sandmuschel, Strandauster, Mya arenaria; 10–13 cm lange, bräunl. Schalen) vor.

Klammeraffen (Ateles), Gatt. 30–60 cm langer (mit Greifschwanz bis 1,5 m messender) Kapuzineraffenartiger mit 4 Arten in den Wäldern M- und S-Amerikas; Kopf relativ klein, mit unbehaartem, dunklem oder fleischfarbenem Gesicht; Gliedmaßen sehr lang und dünn; können sich mit dem Greifschwanz allein oder mit einer einzigen Extremität festklammern. Zu den K. gehört u. a. der **Schwarze Klammeraffe** (Koata, Ateles paniscus; fast 60 cm lang; schwarz mit hellem oder dunklem Gesicht) im nördl. S-Amerika. - Abb. S. 86.

Klappe, in der *Anatomie* ↑Valva, ↑Valvula.

Klapperschlangen (Crotalus), Gatt. 0,6–2,5 m langer, meist kontrastreich gezeichneter Grubenottern mit rd. 25 Arten, v. a. in trockenen Landschaften Amerikas; lebendgebärende, meist auch für den Menschen gefährl. Giftschlagen mit harten, trockenen, lose miteinander verbundenen Hornringen (Rassel, Klapper) am Schwanzende, die bei der Häutung nicht abgeworfen werden, so daß sich die Rassel bei jeder Häutung um ein Glied vermehrt. Durch rasch vibrierende Bewegungen des Schwanzendes erzeugen die K. mit der Rassel ein hell zischelndes, durchdringendes Geräusch. K. ernähren sich überwiegend von Säugetieren. Bekannte Arten: **Seitenwinder** (Gehörnte K., Crotalus cerastes), bis 75 cm lang, in Sandwüsten der sw. N-Amerikas; Grundfärbung hellgrau, hellbraun mit dunklen Flecken; bewegen sich mit großer Schnelligkeit durch Seitenwinden (seitl., fast sprungartiges Gleiten durch S-förmige Bewe-

Kleie

gungen des Körpers) fort. **Prärieklapperschlange** (Crotalus viridis), bis 1,6 m lang; Färbung gelbl. bis olivgrün oder schwärzl., mit Längsreihen brauner bis schwarzer Flekken. **Texasklapperschlange** (Crotalus atrox), bis 2 m lang, graubraun, mit dunkelbrauner Rhombenzeichnung, Schwanz schwarz-weiß geringelt. **Waldklapperschlange** (Crotalus horridus), bis rd. 1,5 m lang; oberseits gelbl. oder bräunl. mit dunkelbraunen bis schwärzlichen Querbändern. **Schauerklapperschlange** (Schreckens-K., Trop. K., Cascaval, Crotalus durissus), bis 2 m lang, in S-Amerika; überwiegend braun, mit dunkleren, hell gesäumten Rautenflecken. - Abb. S. 83.
Klappertopf (Rhinanthus), Gatt. der Rachenblütler mit rd. 40 Arten auf der N-Halbkugel; Blattgrün enthaltende Halbschmarotzer an Wurzeln v. a. von Wiesenpflanzen; Samen in reifen Früchten lose, beim Schütteln klappernd. In Deutschland kommen fünf Arten vor, u. a. **Zottiger Klappertopf** (Rhinanthus alectorolophus), 10–80 cm hoch, mit bis 2 cm langen hellgelben Blüten und der **Kleine Klappertopf** (Rhinanthus minor), bis 50 cm hoch, bis 12 mm große, gelbe und bräunl. Blüten.
Klappschildkröten (Klappbrustschildkröten, Kinosternon), Gatt. 10–20 cm langer, meist bräunlicher bis schwärzlicher Schlammschildkröten mit rd. 20 Arten in oder an Süßgewässern der USA sowie M- und S-Amerikas; Bauchpanzer mit bewegl. Vorder- und Hinterlappen, die beim Hochklappen die Panzeröffnungen mehr oder minder vollständig verschließen können; Rückenpanzer häufig gekielt. Am weitesten verbreitet ist die bis 20 cm lange **Skorpionsklappschildkröte** (Kinosternon scorpioides) mit oberseits braunem, unterseits gelbl. Panzer.
Klarapfel ↑ Apfelsorten, Bd. 1, S. 49.
Klasse [lat.], (Classis) in der *biolog. Systematik* Bez. für eine taxonom. Einheit zw. Stamm und Ordnung.
Klatschmohn ↑ Mohn.
Klaue, das dem Huf entsprechende Endglied der beiden Zehen der Paarhufer.
♦ am Fußende vieler Gliederfüßer (v. a. bei Insekten) ausgebildeter paariger, hakenartiger Fortsatz.
Klauenkäfer, svw. ↑ Hakenkäfer.
Klavikula [lat.], svw. ↑ Schlüsselbein.
Klebsamengewächse (Pittosporaceae), zweikeimblättrige Pflanzenfam. mit 9 Gatt. und rd. 240 Arten in den trop. und gemäßigten Gebieten (mit Ausnahme Amerikas); meist Sträucher oder Halbsträucher. Bekannteste Gatt. ist **Klebsame** (Pittosporum), von der mehrere Arten als immergrüne Kalthauspflanzen kultiviert werden.
Klee (Trifolium), Gatt. der Schmetterlingsblütler mit rd. 300 Arten der gemäßigten und subtrop. Zone; ausdauernde oder einjährige Kräuter; Blätter meist dreizählig; Blüten i. d. R. in traubigen oder doldigen Blütenständen, rot, rosa, weiß oder gelb. In M-Europa kommen mehr als 20 Arten vor. Wirtschaftl. wichtig als Futter- und Gründüngungspflanzen sind v. a.: **Wiesenklee** (Rot-K., Kopf-K., Fleisch-K., Saat-K., Trifolium pratense), 5–70 cm hoch, mit meist zu zweien stehenden Blütenköpfchen; **Weißklee** (Schaf-K., Holländ. K., Trifolium repens), mit niederliegenden, 20–50 cm langen Stengeln; Blätter mit trockenhäutigen, zugespitzten Nebenblättern; **Schwedenklee** (Bastard-K., Alsike, Trifolium hybridum), 30–50 cm hoch, mit meist hohlen Stengeln und verkehrt-eiförmigen oder ellipt. Blättchen; **Inkarnatklee** (Blut-K., Trifolium incarnatum), 20–50 cm hoch, unverzweigt; Blütenstände bis 5 cm lang.
Geschichte: K. diente schon in der Antike als Futterpflanze, einige Arten auch medizin. Zwecken. Der Anbau von K.arten ist seit dem späten MA nachweisbar, hauptsächl. von Wiesen-K. (in der Lombardei und in Spanien). In Deutschland wurde K. seit dem 16. Jh. angebaut. - Im Volksglauben gelten vierzählige K.blätter als glückbringend, siebenzählige als unglückbringend.

Kleefalter, svw. ↑ Gelblinge.
Kleefarn (Marsilea), Gatt. der **Kleefarngewächse** (Marsileaceae) mit 70 Arten in den gemäßigten und trop. Gebieten; Sumpfpflanzen mit vierteiligen, kleeartigen Blättern.
Kleeseide (Hexenseide, Hexenzwirn, Teufelszwirn, Seide, Cuscuta), Gatt. der Windengewächse mit rd. 170 Arten; verursachen v. a. auf Lein, Klee, Nesseln durch oft massenhaftes Auftreten großen Schaden. In M-Europa häufige Arten sind **Flachsseide** (Cuscuta epilinum; schmarotzt am Flachs; Blüten gelblichweiß) und **Hopfenseide** (Nesselseide, Cuscuta europaea; schmarotzt auf Hopfen, Weide und Brennesseln; mit roten Stengeln und rötl. Blüten).

Kleeteufel ↑ Sommerwurz.
Kleiber (Spechtmeisen, Sittidae), Fam. 10–18 cm großer, oberseits blaugrauer, unterseits weißer bis rostbrauner Singvögel mit 16 Arten, v. a. in Wäldern und Parkanlagen Eurasiens, Australiens und N-Amerikas; kurzbeinige Baum- und Felsenbewohner mit kurzem Schwanz und längl., spitzem Schnabel.
Kleiderlaus (Pediculus humanus corporis), weltweit verbreitete, 3–4,5 mm lange, weißlichgraue Unterart der Menschenläuse. Die ♀♀ legen in ihrem 25- bis 40tägigen Lebenszeit 150–300 Eier an Stoffasern und Haaren ab. Die Gesamtentwicklung dauert 2–3 Wochen. Stiche der K. verursachen Juckreiz und manchmal Hautentzündungen. Die K. ist gefährl. als Überträgerin von Fleck-, Fünftage- und Rückfallfieber.
Kleidermotte ↑ Motten.
Kleie [zu althochdt. klī(w)a, eigtl. „kleb-

85

Kleinbären

rige Masse"], bei der Vermahlung von Getreide anfallendes, für Futterzwecke verwendetes Restprodukt aus Frucht- und Samenschalen, Teilen der Aleuronschicht, Keimlingen und, entsprechend dem Ausmahlungsgrad, auch Mehlanteilen.

Kleinbären (Halbbären, Vorbären, Procyonidae), Fam. teils den Mardern, teils den Bären ähnelnder Raubtiere mit 17 Arten in N- und S-Amerika; Körper meist schlank, etwa 30–70 cm lang; Schwanz halb- bis körperlang; nachtaktiv; gute Kletterer, überwiegend Baumbewohner; meist Allesfresser. Zu den K. gehören u. a. Katzenfrett, Nasen-, Wasch-, Wickel- und Schlankbären.

Kleinblütige Sonnenblume ↑ Sonnenhut.
Kleine Bibernelle ↑ Bibernelle.
Kleine Brennessel ↑ Brennessel.
Kleiner Bambusbär, svw. ↑ Kleiner Panda.
Kleiner Beutelmull ↑ Beutelmulle.
Kleiner Buntspecht, svw. ↑ Kleinspecht.
Kleiner Eisvogel ↑ Eisvögel.
Kleiner Elchhund ↑ Elchhund.
Kleiner Frostspanner ↑ Frostspanner.
Kleiner Gabelschwanz ↑ Gabelschwänze.
Kleiner Heufalter ↑ Heufalter.
Kleiner Klappertopf ↑ Klappertopf.
Kleiner Kudu ↑ Drehhornantilopen.
Kleiner Panda (Kleiner Bambusbär, Katzenbär, Ailurus fulgens), etwa 50–65 cm langes, vorwiegend dämmerungs- und nachtaktives Raubtier (Fam. Pandas) in Berg- und Bambuswäldern am SO-Hang des Himalaja (in etwa 1 800–4 000 m Höhe); mit buschig behaartem Schwanz; Fell dicht, langhaarig

Schwarzer Klammeraffe

und weich, oberseits leuchtend fuchs- bis gelbrot, Bauchseite und Gliedmaßen schwarz, Gesicht mit weißer Zeichnung.

Kleiner Tümmler ↑ Schweinswale.
Kleine Schwebrenken ↑ Felchen.
Kleines Wiesel, svw. Mauswiesel († Wiesel).
Kleinfledermäuse, svw. ↑ Fledermäuse.
Kleinfledertiere, svw. ↑ Fledermäuse.
Kleinhirn ↑ Gehirn.
Kleinhufeisennase ↑ Fledermäuse.
Kleinkatzen (Felini), Gattungsgruppe 0,4–1,6 m langer Katzen mit weltweiter Verbreitung (außer Australien). Bei K. sind die Zungenbeine vollkommen verknöchert. Sie können daher (im Ggs. zu den Großkatzen) beim Ein- und Ausatmen ledigl. schnurren, jedoch nicht laut brüllen. - Zu den K. gehören 28 Arten, darunter Wildkatze, Serval, Luchse, Ozelot, Marmorkatze, Puma, Nebelparder und Manul.

Kleinkind ↑ Kind.
Kleinohrigel ↑ Igel.
Kleinpferde ↑ Ponys.
Kleinspecht (Kleiner Buntspecht, Dendrocopos minor), sperlingsgroßer Buntspecht, v. a. in lichten Laubwäldern Europas, NW-Afrikas und der gemäßigten Region Asiens; kleinster europ. Specht; oberseits schwarz mit dichten, weißen Querbändern und roter (♂) oder weißl. (♀) Kappe.

Kleinspitze, durch geringere Körpergröße (28 cm Schulterhöhe) von den Großspitzen unterschiedene dt. Zwerghunderasse.

Kleistogamie [griech.], Form der Selbstbestäubung in Zwitterblüten verschiedener Pflanzenarten, wobei die Blüten geschlossen bleiben (Gns. ↑ Chasmogamie).

Klematis (Clematis) [kle'ma:tis, 'kle:-matis; griech.-lat.], svw. ↑ Waldrebe.

Klementine (Clementine) [vermutl. nach dem ersten Züchter, dem frz. Trappistenmönch Père Clément] ↑ Mandarine.

Klethra [griech.], svw. ↑ Scheineller.

Klette (Arctium), Gatt. der Korbblütler mit sechs Arten in der nördl. gemäßigten Zone Eurasiens. Häufigste Art auf Schuttplätzen, Ödland und an Wegrändern ist die **Große Klette** (Arctium lappa) mit bis 4 cm großen, rötl. bis purpurfarbenen Blütenköpfchen, deren Hüllblätter mit einer hakigen Stachelspitze versehen sind.

Kletten, svw. ↑ Klettfrüchte.
Kletterbeutler (Phalangeridae), Fam. der Beuteltiere mit rd. 50 maus- bis fuchsgroßen Arten (Körperlänge 7–80 cm) in Australien und Neuguinea, u. a. Fuchskusus, Kuskus, Koala, Flugbeutler.

Kletterfische (Anabantidae), Fam. bis 30 cm langer Knochenfische (Unterordnung Labyrinthfische) mit rd. 25 Arten, v. a. in versumpfenden Flachgewässern Afrikas, S- und SO-Asiens; mit nackenwärts gelegenem

Kloakentiere

Klettertrompete

Klivie. Die Art Clivia miniata

Labyrinthorgan als zusätzl. Atmungsorgan. Der **Eigentl. Kletterfisch** (Anabas testudineus; S- und SO-Asien; graubraun bis olivgrün; nachtaktiv) kann mit Hilfe der Brustflossen und Kiemendeckeldornen aus dem Wasser klettern und über Land laufen.

Kletternattern (Elaphe), Gatt. der Nattern mit zahlr. Arten, v. a. in Wäldern Eurasiens und Amerikas; Körperseiten mit umgebogenen Bauchschilden, die eine leichte Körperkante bilden (dienen zum besseren Verankern beim Klettern in Büschen und Bäumen); in Deutschland nur die ↑Äskulapnatter.

Kletterpflanzen, svw. ↑Lianen.
Kletterrosen ↑Rose.
Klettertrompete (Campsis), Gatt. der Bignoniengewächse mit zwei Arten in O-Asien u. N-Amerika; sommergrüne, mit Luftwurzeln kletternde Sträucher mit gefiederten Blättern. In wärmeren Gebieten Europas wird die nordamerikan. Art **Campsis radicans** mit trichterförmigen roten bis gelben Blüten als Kletter- und Spalierstrauch kultiviert.

Klettfrüchte (Kletten), sich mit Widerhaken (Borsten oder Stacheln) an Tiere heftende Früchte, die dadurch verbreitet werden.

Kliesche ↑Schollen.
Klimakterium (Climacterium) [griech.], svw. ↑Wechseljahre.
Klimax [griech. „Leiter, Treppe"], allg. Höhepunkt (speziell der sexuellen Lust, ↑Orgasmus).
Klimaxgesellschaft (Klimax, Schlußgesellschaft), in der Vegetationsgeographie das (hypothet.) stabile Endstadium in der zeitl. Aufeinanderfolge verschiedener Pflanzengesellschaften und Bodenentwicklungstypen eines klimat. einheitl. Gebiets.

Klimme (Cissus), Gatt. der Weinrebengewächse mit rd. 350 Arten in fast allen trop. Gebieten; meist Lianen. Einige Arten (v. a. die kletternden) sind beliebte Zimmerpflanzen, z. B. die immergrüne **Känguruhklimme** (Cissus antarctica; aus Australien) mit herzförmigen, bis 12 cm langen Blättern.

Klippdachse, svw. ↑Schliefer.
Klippschliefer ↑Schliefer.
Klippspringer (Oreotragus oreotragus), bis 60 cm schulterhohe, oberseits vorwiegend grünlichbraune Antilope (Unterfam. Böckchen) in felsigen Landschaften Afrikas; mit großen Augen und Ohren u. (beim ♂) spitzen, aufrechtstehenden Hörnern; schnelle Kletterer und Springer.

Klitoris [griech.], svw. ↑Kitzler.
Klivie (Clivia) [nach Lady C. Clive, Herzogin von Northumberland, † 1866], Gatt. der Amaryllisgewächse mit fünf Arten in S-Afrika; ausdauernde Pflanzen mit sog. Zwiebelstamm; Blüten rot oder orangefarben, in reichblütiger Dolde auf zusammengedrücktem Schaft.

Kloake [zu lat. cloaca „Abzugskanal"], Endabschnitt des Enddarms, in den die Ausführgänge der Exkretions- und Geschlechtsorgane zus. einmünden. Eine K. haben Vögel, Lurche, Reptilien und einige Wirbellose; von den Säugetieren nur die ↑Kloakentiere.

Kloakentiere (Eierlegende Säugetiere, Prototheria, Monotremata), Unterklasse urtüml., einschließl. Schwanz 40 bis 80 cm langer Säugetiere mit sechs Arten in Australien, auf Tasmanien und Neuguinea. Neben typ. säugetierartigen Merkmalen (z. B. Haar- und Stachelkleid; zwei zitzenlose, der Aufzucht von Jungtieren dienende Milchdrüsenflächen) finden sich Charakteristika, die für Kriechtiere und Vögel typ. sind (z. B. Kloake, das Eierlegen, Eischwiele). Man unterscheidet Ameisenigel und Schnabeltier.

Klon

Klon [engl., zu griech. klṓn „Schößling, Zweig"], durch ungeschlechtl. Vermehrung (Zellteilung bei Einzellern, Abgliederung vegetativer Keime, Stecklinge u. a.) aus einem pflanzl. oder tier. Individuum entstandene erbgleiche Nachkommenschaft.

Klonieren (Klonen), Bez. für das Herstellen einer größeren Anzahl gleichartiger, genetisch ident. Nachkommen von einem Individuum (↑ Klon). Die moderne Biologie arbeitet mit mehreren Verfahren: 1. Selektion und Vermehrung eines einzelnen Bakteriums, das Träger für eine bestimmte Mutation ist; 2. Anregung einzelner Lymphozyten des Immunsystems zu Zellteilungen auf einen Reiz durch ein Antigen hin; 3. Vermehrung von DNS-Stücken, d. h. von Genen, durch den Einbau in die Plasmide von Bakterien; 4. Ersatz der Zellkerne in befruchteten Eizellen durch Kerne aus Körperzellen eines anderen Tierembryos (v. a. Frösche, Mäuse); 5. Heranziehen von vollständigen, normalen Pflanzen aus isolierten Zellen in einem Nährmedium durch bestimmte Wuchsstoffzusätze.

Klopfkäfer (Pochkäfer, Bohrkäfer, Nagekäfer, Anobien, Anobiidae), weltweit verbreitete Fam. vorwiegend im Holz bohrender Käfer mit rd. 1500 etwa 2–6 mm großen Arten, davon 66 in Deutschland; Körper walzenförmig mit oft stark gebuckeltem Halsschild; Imagines meist kurzlebig, schlagen zur Paarungszeit heftig mit dem Halsschildvorderrand an die Wand der Bohrgänge (Klopfen), um sich gegenseitig anzulocken; Larven (Holzwürmer) engerlingartig, z. T. Holzschädlinge.

Klug, Aaron, * Johannesburg 11. Aug. 1926, brit. Chemiker südafrikan. Herkunft. - K. wendete bei Untersuchungen der Nukleoproteide von der Röntgenstrukturanalyse und Computertomographie her bekannte Methoden bzw. Prinzipien an, wodurch er ein genaueres Modell der molekularen Chromosomenstruktur gewann. 1982 Nobelpreis für Chemie.

Klunkerkranich ↑ Kraniche.
Klunkervogel ↑ Honigfresser.
Klymenien [griech.], svw. ↑ Clymenia.
Knabenkraut [nach den hodenähnl. Wurzelknollen], (Orchis) Gatt. der Orchideen mit 32 Arten auf der Nordhalbkugel, davon 13 in M-Europa; bekannteste Arten sind **Purpurknabenkraut** (Purpurorchis, Orchis purpurea), bis 80 cm hoch, Blütentrauben mit zahlr. purpurbraunen Blüten; Lippe weiß oder hellrosa und braun getüpfelt; auf kalkhaltigen Wiesen und in Kiefernwäldern M-Europas; **Schmetterlingsknabenkraut** (Schmetterlingsorchis, Falterorchis, Orchis papilionacea), 10–30 cm hoch, mit bis zu zehn rosaroten Blüten in einer Blütenähre; im Mittelmeergebiet, nördl. bis zum Gardasee und Comersee.
◆ (Dactylorhiza) Orchideengatt. mit rd. 35 Arten, davon 11 in M-Europa, darunter das **Gefleckte Knabenkraut** (Dactylorhiza maculata; mit purpurgefleckten Blättern und hellrosafarbenen, selten weißen Blüten; auf feuchten oder moorigen Wiesen und in Wäldern).

Knackelbeere (Hügelerdbeere, Fragaria viridis), Erdbeerart in trockenen Wäldern und auf Wiesen in Europa u. W-Asien; der Walderdbeere ähnl., krautige Pflanze mit harten, von einem großen Kelch umhüllten Früchten, die beim Pflücken knacken.

Knäkente ↑ Enten.

Knallgasbakterien (Wasserstoffbakterien), Bez. für verschiedene Bakterien, die ihre Energie durch Oxidation von molekularem Wasserstoff (Knallgasreaktion) gewinnen.

Knallkrebschen, svw. Pistolenkrebs (↑ Garnelen).

Knäuel (Knäuelkraut, Scleranthus), Gatt. der Nelkengewächse mit rd. 150 Arten, weltweit verbreitet; niedrige Kräuter mit unscheinbaren, kronblattlosen Blüten in dichten Knäueln. In M-Europa vier Arten.

Knäuelgras (Knaulgras, Dactylis), Gatt. der Süßgräser mit sechs Arten, weltweit verbreitet. In M-Europa kommen zwei Arten vor, davon häufig das **Wiesenknäuelgras** (Dactylis glomerata), ein ausdauerndes, horstbildendes Wiesengras; wird auch als Futtergras kultiviert.

Knautie [...'tsi-ə; nach dem dt. Arzt und Botaniker C. Knaut, * 1654, † 1716] (Witwenblume, Knautia), Gatt. der Kardengewächse mit 60 Arten in Europa und im Mittelmeergebiet; mehrjährige Pflanzen mit skabiosenähnl. Blüten, jedoch im Ggs. zu diesen mit becherförmigem Kelchsaum und ohne Spreublätter. Häufigste einheim. Art ist die **Ackerknautie** (Knautia arvensis), eine behaarte, bis 150 cm hohe Staude mit blau- bis rotvioletten Blütenköpfchen.

Knidarier [griech.], svw. ↑ Nesseltiere.

Knie, (Genu) in der *Anatomie:* 1. vorderer, durch das distale Ende des Oberschenkelknochens und der K.scheibe gebildeter Bereich des Kniegelenks, dessen hinterer Bereich als **Kniekehle** bezeichnet wird; 2. Abbiegung bzw. Knick eines anatom. Gebildes.

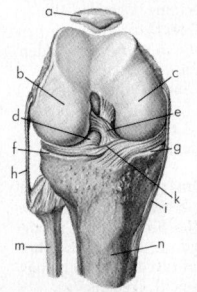

Kniegelenk. a Kniescheibe, b äußerer, c innerer Gelenkknorren, d hinteres, e vorderes Kreuzband, f äußerer, g innerer Meniskus, h äußeres, i inneres Seitenband, k Querband, m Wadenbein, n Schienbein

Kniegelenk, größtes und äußerst kompliziert gebautes Gelenk des menschl. Kör-

Knochen

pers. Es ist in erster Linie ein Scharniergelenk (↑ Gelenk), das in gestrecktem Zustand vollkommen festgestellt wird und in Beugestellung eine geringe Drehbewegung, v. a. nach außen, erlaubt. Das K. wird nur von zwei Knochen gebildet, den beiden Gelenkrollen des Oberschenkelknochens und der Gelenkfläche des Schienbeins. Das Wadenbein dient nur als Ansatz für das Seitenband und ist an der Gelenkbildung nicht beteiligt. Zum Ausgleich der verschieden geformten Gelenkflächen dienen zwei halbmondförmig gebogene, verdickte Knorpelscheiben (**innerer** und **äußerer Meniskus**), deren Öffnungen einander zugewandt sind. Sie fangen Stoß und Druck beim Gehen, Laufen und Springen federnd ab. Da sie sich den bei verschiedenen Bewegungen jeweils unterschiedl. Drehungsradien der Schenkelknochen anpassen, stellen sie eine Ergänzung der Gelenkpfanne dar. Gewaltsame Drehbewegungen des Ober- und Unterschenkels bei gebeugtem Knie (Skilaufen, Fußball), ferner Verschleißerscheinungen können zu Meniskusverletzungen führen. Die Menisken hängen mit den Kreuzbändern (als Innenbänder des K.) zus., die das Gelenk in Beugestellung sichern. Bei einer gewaltsamen Bewegung des Oberschenkels gegen den Schienbeinkopf (oder umgekehrt) kann es zur Überdehnung und Zerreißung der Kreuzbänder kommen, wonach der Unterschenkel sich gegenüber Oberschenkel nach vorn und hinten verschieben läßt. - Die **Kniescheibe** (Patella), ein ↑ Sesambein, liegt vor dem Gelenkteil des Oberschenkelknochens oberhalb des Gelenkspalts eingelagert in die Sehne des als Strecker des K. fungierenden vierköpfigen Oberschenkelmuskels. Ihre Rückseite ist knorpelüberzogen, wodurch der auf die Sehne hier wirkende Druck aufgefangen wird. - Im Bereich des Knies (hinter und vor dem Ansatz der Kniescheibensehne sowie vor der Kniescheibe) liegen noch einige Schleimbeutel, die bei häufigem Knien eine Schleimbeutelentzündung hervorrufen können.
📖 *Maquet, P. G. J.*: Biomechanics of the knee. Bln. u. a. ²1984.

Kniekehle ↑ Knie.
Kniescheibe ↑ Kniegelenk.
Kniesehnenreflex, svw. ↑ Patellarsehnenreflex.
Kniphofia, svw. ↑ Fackellilie.
Knoblauch [über mittelhochdt. knobelou(c)h zu althochdt. chlobilouh, eigtl. „gespaltener (zu Kloben) Lauch"] (Allium sativum), stark riechendes, ausdauerndes Liliengewächs der Gatt. Lauch; mit doldigem Blütenstand, flachen, etwa 1 cm breiten Blättern und einer rundl. Zwiebel, die von vielen Gruppen kleiner, aus je einem einzigen verdickten Blatt gebildeter Brutzwiebeln (**Knoblauchzehen**) umgeben ist; alte, in Asien beheimatete Gewürz- und Heilpflanze. K. wird auf Grund seines Gehaltes an Alliin medizin. u. a. bei Arteriosklerose, hohem Blutdruck, Darmkatarrh sowie bei Leber- und Gallenleiden verwendet.

Knoblauchkröte (Pelobates fuscus), etwa 5–8 cm großer, hellbrauner (♂) oder hellgrauer (♀), nachtaktiver Krötenfrosch in M- und O-Europa; mit oliv- bis dunkelbrauner Fleckung und großen, vorstehenden Augen; sondert bei Beunruhigung manchmal ein knoblauchartig riechendes Drüsensekret ab.

Knoblauchschwindling ↑ Schwindling.
Knoblauchsrauke (Knoblauchshederich, Lauchkraut, Alliaria), Gatt. der Kreuzblütler mit zwei Arten. In M-Europa kommt häufig die **Gemeine Knoblauchsrauke** (Alliaria petiolata) vor, ein bis 1 m hohes Kraut an Wald- und Gebüschrändern mit nach Knoblauch riechenden Blättern und kleinen, weißen Blüten.

Knöchel (Fuß-K., Malleolus), der beim Menschen als *innerer Fuß-K.* (Schienbein-K., Malleolus medialis) am etwas verbreiterten unteren Ende des Schienbeins an der Innenseite ausgebildete Knochenfortsatz und das den *äußeren Fuß-K.* (Wadenbein-K., Malleolus lateralis) bildende, nach außen vorspringende, verdickte untere Ende des Wadenbeins.

Knochen (Ossa, Einz.: Os), Stützelemente der Wirbeltiere (einschließl. Mensch), die meist über Gelenke miteinander verbunden sind und in ihrer Gesamtheit das Skelett bilden. Alle K. (beim Menschen 208–212) sind bis auf die Gelenkflächen und Ansatzstellen von Sehnen und Bändern von **Knochenhaut** (Periost) umhüllt; sie dient der Ernährung und venösen Durchblutung des K.; da ihre innerste Schicht gleichzeitig K. bilden kann, ist sie wesentl. am Dickenwachstum und an der Regeneration der K. beteiligt. Unter der K.haut liegt die **Knochensubstanz.** Sie besteht zu 20 % aus Wasser, zu 25 % aus organ. Material (Zellen und Grundsubstanz *Ossein*) und zu 55 % aus anorgan. Salzen (hauptsächl. Calciumphosphat, Calciumcarbonat). In der Jugend ist der Anteil an Grundsubstanz höher, die K. sind elastischer. Mit zunehmendem Alter erhöht sich der Anteil der anorgan. Stoffe, die K. werden dadurch spröde und brechen leichter. - Entsprechend ihrer Gestalt unterscheidet man lange, kurze und platte K.; die langen K. werden **Röhrenknochen** genannt, weil sie eine mit Knochenmark gefüllte Markhöhle haben. Sie bestehen aus einem Schaft (Diaphyse) und den zwei verdickten Enden (Epiphysen). - Die massiven K.bezirke werden als **Kompakta,** die grübartig gebauten (oder porösen) als **Spongiosa** (Schwammgewebe) bezeichnet. Die Spongiosa bildet ein Geflecht feinster K.bälkchen, die entsprechend den statischen Anforderungen vertielt und im K. nach Druck- und Zugbelastung Spannungslinien (Trajektorien) bilden. - K. haben die gleiche Elastizität wie Eichenholz und die gleiche Zugfestig-

Knochenfische

keit wie Kupfer. Die Druckfestigkeit ist größer als die von Sandstein oder Muschelkalk.

Knochenbildung: Die direkte (desmale) K.bildung (Ossifikation) bei ↑Deckknochen geht von bestimmten Bindegewebszellen, den Knochenbildungszellen *(Osteoblasten)* aus. Diese scheiden in die Interzellularräume als Grundsubstanz (Ossein) kollagene Fibrillen in einer sich verfestigenden Kittsubstanz ab. Die Kittsubstanz wird durch Einlagerung von anorgan. Substanzen gehärtet. Sind die K.bildungszellen allseits von K.substanz umgeben, nennt man sie Knochenzellen *(Osteozyten)*. Die Hohlräume, in denen sie liegen, sind die Knochenhöhlen. Eine Verknöcherung kann aber auch im Anschluß an die Entstehung und den Wiederabbau (durch knorpelzerstörende Zellen; Chondroklasten) von Knorpelgewebe erfolgen (chondrale K.bildung bei ↑Ersatzknochen).

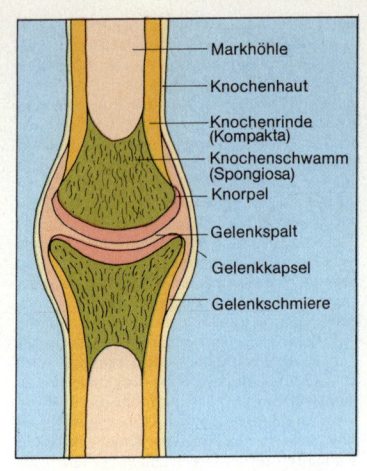

📖 *Dambacher, M. A.:* Prakt. Osteologie. Stg. 1982. - *Sobotta, J.:* Atlas der Anatomie des Menschen. Hg. v. H. Ferner u. J. Staubesand. Mchn. [18]1982. 2 Bde. - *Weigert, M.:* Anregung der K.bildung durch elektr. Strom. Bln. u.a. 1973.

Knochen. Röhrenknochen und Gelenk im Längsschnitt

(Markhöhle, Knochenhaut, Knochenrinde (Kompakta), Knochenschwamm (Spongiosa), Knorpel, Gelenkspalt, Gelenkkapsel, Gelenkschmiere)

Knochenfische (Osteichthyes), Klasse der Fische, bei denen das Skelett (im Ggs. zu den Knorpelfischen) teilweise oder vollständig verknöchert ist; Haut fast stets mit Schuppen oder mit Knochenplatten (z. B.

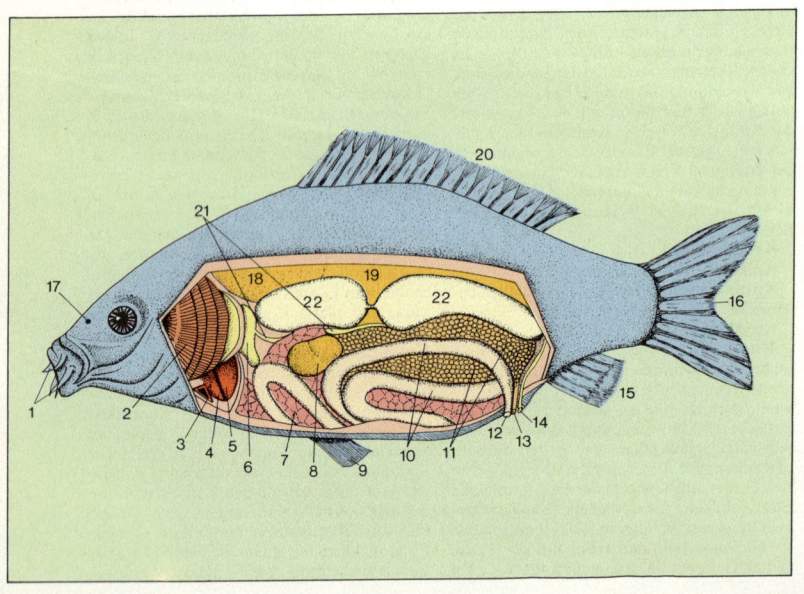

Anatomie eines Knochenfisches
(1 Barteln, 2 Kiemen, 3 Bulbus arteriosus, 4 Herzkammer, 5 Herzvorkammer, 6 Schlund, 7 Leber, 8 Milz, 9 Bauchflosse, 10 Darm, 11 Eierstock, 12 After, 13 Eileiter, 14 Harnleiter, 15 Afterflosse, 16 Schwanzflosse, 17 Nasenöffnung, 18 Kopfniere, 19 Niere, 20 Rückenflosse, 21 Schwimmblasengang, 22 Schwimmblase)

Knorpel

Knospung. a äußere Knospung bei der Finne des Bandwurms Cysticercus longicollis; b seitliche Knospung beim Grünen Süßwasserpolypen

Koala

Panzerwelse). - Man unterscheidet zwei Unterklassen: Fleischflosser (mit den beiden Ordnungen Lungenfische und Quastenflosser) und Strahlenflosser.

Knochenganoiden [dt./griech.], svw. ↑Holostei.

Knochenhaut ↑Knochen.

Knochenhechte (Kaimanfische, Rautenschmelzschupper, Lepisosteidae), Fam. 1–4 m langer Knochenschmelzschupper (↑Holostei) mit 10 Arten in den Süß- und Brackgewässern N- und Z-Amerikas; Körper hechtförmig; Raubfische. Zu den K. gehört u. a. der etwa 3 m lange **Gefleckte Alligatorhecht** (Lepisosteus tristoechus); oberseits olivgrün, unterseits weiß, Seiten grünlichsilbern; Jungtiere dunkel gefleckt.

Knochenlehre, svw. ↑Osteologie.

Knochenmark (Medulla ossium), urspr. aus gefäßreichem Mesenchym bestehendes (*primäres K., mesenchymat. K.*), dann in das *rote K.* (bildet die Blutkörperchen) übergehendes Gewebe in den Knochenhohlräumen (*Markhöhlen*). Mit zunehmendem Alter wird das K. in den meisten Knochen durch Verfetten der Retikulumzellen gelb (*gelbes K., Fettmark*).

Knochennaht (Sutur, Sutura), in der Anatomie Bez. für eine starre Verbindung zweier Knochen (meist von Schädelknochen) durch eine sehr dünne Schicht faserigen Bindegewebes.

Knochenschmelzschupper, svw. ↑Holostei.

Knochenzüngler (Osteoglossidae), Fam. bis etwa 4 m langer Knochenfische mit nur sechs Arten in S-Amerika, Afrika, SO-Asien und Australien; Körper langgestreckt; Oberflächenfische der Süßgewässer, die auch atmosphär. Luft aufnehmen. - Zu den K. gehört u. a. der ↑Arapaima.

Knöllchenbakterien, allg. Bez. für symbiont. in den Wurzeln mancher Pflanzen lebende, knöllchenbildende, luftstickstoffbindende Mikroorganismen; z. B. Strahlenpilze bei Erlen und Sanddorn, Blaualgen bei manchen Palmfarnen.

◆ symbiont., luftstickstoffbindende, gramnegative Bakterien der Gatt. Rhizobium (freilebend saprophyt. im Boden) in den Wurzeln von Hülsenfrüchtlern; wichtig für die Stickstoffanreicherung im Boden.

Knolle, rundl. bis eiförmig verdickte, ober- oder unterird. Speicherorgan von Reservestoffen bei verschiedenen mehrjährigen Pflanzen. Man unterscheidet: **Sproßknollen** (der Primärsproß verdickt sich; z. B. Kohlrabi); **Hypokotylknollen** (der Sproßteil zw. Wurzelhals und Keimblättern [das Hypokotyl] verdickt sich; z. B. Radieschen, Rote Rübe); **Wurzelknollen** (die Nebenwurzeln verdicken sich; z. B. Dahlie, Batate, Orchideen).

Knollenbegonien ↑Schiefblatt.

Knollenblätterpilz, Bez. für mehrere oft sehr giftige Arten aus der Ständerpilzgatt. Wulstlinge; z. B. ↑Grüner Knollenblätterpilz, ↑Weißer Knollenblätterpilz.

Knollenkerbel ↑Kälberkropf.

Knopfhornblattwespen, svw. ↑Keulhornblattwespen.

Knopfkraut (Franzosenkraut, Galinsoga), Gatt. der Korbblütler mit neun Arten in Amerika. Nach M-Europa wurden im 19. Jh. zwei Arten eingeschleppt, darunter das **Kleinblütige Knopfkraut** (Galinsoga parviflora) mit zahlr., etwa 5 mm großen, vier- bis sechsstrahligen Köpfchen mit gelben Scheibenblüten und weißen Strahlenblüten; Acker- und Gartenunkraut.

Knorpel (Knorpelgewebe, Chondros), elast. Stützgewebe der Wirbeltiere (einschließl. Mensch), dessen teilungsfähig bleibende Zellen (*K.zellen,* **Chondrozyten**) große

Knorpelfische

Mengen von Interzellularsubstanz bilden, so daß sie dann weit getrennt voneinander und ohne Verbindung zueinander (von einer *K.kapsel* aus kollagenen Fibrillen umschlossen) liegen. Der K. wird von der **Knorpelhaut** (Perichondrium), einem straffen Bindegewebe umhüllt, die der Ernährung, dem Wachstum und der Regeneration der K. dient. Je nach der Beschaffenheit der Interzellularsubstanz unterscheidet man **hyalinen Knorpel** (erscheint homogen; wird von einem feinen Netz kollagener Fasern durchsetzt; u. a. an vielen Gelenken, an Rippen), **elast. Knorpel** (zusätzl. mit einem dichten Netz feinerer oder gröberer elast. Fasern versehen; v. a. in der Ohrmuschel, am Kehlkopf) und den bes. druck- und zugfesten **Faserknorpel** mit eingelagerten kollagenen Fibrillen (v. a. in den Zwischenwirbelscheiben und Gelenkscheiben).

Knorpelfische (Chondrichthyes), Klasse fast ausschließl. meerbewohnender, bis maximal 18 m langer Fische mit knorpeligem Skelett, das teilweise verkalkt sein kann, jedoch nie verknöchert; Haut meist mit zahnartigen Knochenbildungen, die in ihrem Aufbau den Zähnen des Mauls gleichen; Körperform schlank torpedoförmig (Haifische) bis stark abgeplattet (Rochen). - Zwei Unterklassen: ↑Elasmobranchii und ↑Seedrachen.

Knorpelganoiden, svw. ↑Störe.
Knorpelkirsche ↑Süßkirsche.
Knorpelschmelzschupper ↑Störe.
Knorpeltang (Perltang, Chondrus crispus), formenreiche Rotalge in der Gezeitenzone des N-Atlantiks; mit flachem, mehrfach gegabeltem Thallus; liefert Irländ. Moos.

Knospe, in der Botanik Bez. für die noch nicht voll entwickelte Sproßspitze höherer Pflanzen. K. sind noch von Blattanlagen (manchmal auch von Knospenschuppen) umschlossen und enden im Vegetationspunkt. Je nach Art der aus der K. hervorgehenden Organe werden Laub-, Blüten- und gemischte K. unterschieden. Am Ende des Hauptsprosses befindet sich die **End-** oder **Gipfelknospe**, die bei einigen Pflanzen enorme Größe erreichen kann (z. B. Köpfe von Weiß-, Rot- und Wirsingkohl). In den Achseln von Laubblättern bilden sich **Achselknospen** *(Seiten-K.),* von denen die Verzweigung des Sproßsystems ausgeht. K. treiben im Jahr der Bildung als **Bereicherungsknospen** oder im folgenden Jahr als **Erneuerungsknospen** *(Winter-K.)* aus.

Knospenruhe, Zeitraum mit vorübergehend eingestellter Wachstumsaktivität bei meist gleichzeitig herabgesetzter Stoffwechselaktivität zw. dem Zeitpunkt der Anlage und dem Austrieb der Knospen.

Knospenschuppen (Tegmente), derblederige Nieder- oder Nebenblätter, die die Winterknospen von Holzgewächsen als Schutzorgane umhüllen.

Knospenstrahler (Blastoideen, Blastoidea), Klasse ausgestorbener, gestielter, mariner Stachelhäuter mit melonen- bis knospenförmigem Kelch, an dem zahlr. dünne Fangarme saßen; lebten vom Silur bis Perm.

Knospung (Sprossung, Gemmatio), Form der ungeschlechtl. Fortpflanzung bei verschiedenen niederen Lebewesen, u. a. bei Algen, Pilzen, Schwämmen, Hohltieren, Manteltieren und den Finnen mancher Bandwürmer. Dabei werden bes. Zellkomplexe als Körperauswüchse (Knospen) mehr oder weniger weitgehend abgeschnürt (Tochterindividuen). Verbleiben diese am Mutterorganismus, so entstehen Kolonien bzw. Tierstöcke. - Abb. S. 91.

Knoten, in der *Anatomie* ↑Nodus.
◆ in der *Botanik* ↑Nodium.

Knotenameisen (Myrmicidae), weltweit verbreitete, mit über 2 500 Arten umfangreichste Fam. der Ameisen; zw. Brust und Hinterleib mit zweigliedrigem, knotenartigem Hinterleibsstielchen. Die meisten Arten besitzen einen Stachel. - Zu den K. gehören u. a. Blattschneiderameisen und Ernteameisen.

Knotenblume (Leucojum), Gatt. der Amaryllisgewächse mit 9 Arten in Europa und im Orient; Zwiebelpflanzen mit schmalen, grundständigen Blättern und weitglockigen Blüten. Bekannte Arten sind: **Frühlingsknotenblume** (Märzenbecher, Leucojum vernum), weiße Blüten mit gelblichgrünen Malen am Blütensaum; in feuchten Wäldern und auf Bergwiesen, geschützt. **Sommerknotenblume** (Leucojum aestivum), Blüten weiß, in vier- bis achtblütiger Dolde, mit grünem Fleck am Blütensaum; auf feuchten Wiesen.

Knotenwespen (Cerceris), weltweit verbreitete Gatt. der Grabwespen mit in Deutschland zehn 7–20 mm großen Arten; Hinterleibssegmente an den Hinterrändern stark eingeschnürt und dadurch bes. das erste Segment knotig abgesetzt. Einheim. kommt bes. die **Sandknotenwespe** (Cerceris arenaria; schwarz mit gelb geringeltem Hinterleib) vor.

Knöterich (Polygonum), Gatt. der zweikeimblättrigen Pflanzenfam. der Knöterichgewächse (Polygonaceae; mit mehr als 800 Arten) mit rd. 150 weltweit verbreiteten Arten; häufigere Arten sind: **Knöllchenknöterich** (Polygonum viviparum), 30–120 cm hoch, mit Ausläufern; Blüten rosafarben; auf feuchten fetten Wiesen höherer Gebirge und der Arktis. **Vogelknöterich** (Polygonum aviculare), mit kleinen, grünl. Blüten mit weißem oder rötl. Rand. **Wiesenknöterich** (Schlangen-K., Polygonum bistorta), 30–100 cm hoch, mit rötl. Blüten; Blätter längl.-eiförmig, bis 15 cm lang; auf Feuchtwiesen und in Auwäldern.

Knurrhähne (Panzer-K., Seehähne, Triglidae), Fam. bis 90 cm lange, ü. a. räuber. lebender, meist roter oder orangefarbener Knochenfische (Ordnung Panzerwangen) mit rd. 50 Arten in Meeren trop. und gemäßigter Zonen; mit großem, fast dreieckigem, gepanzertem Kopf und großen Brustflossen, auf deren hinteren, frei bewegl. Strahlen die Tiere auf dem Meeresboden gehen können. K. erzeugen bei Erregung dumpfe Knurrtöne. - An Europas Küsten kommen zwei Arten vor: **Roter Knurrhahn** (Trigla lucerna; bis 75 cm lang) und **Grauer Knurrhahn** (Eutrigla gurnadus; bis 50 cm lang).

Koala [austral.] (Beutelbär, Phascolarctos cinereus), Kletterbeutler in den Eukalyptuswäldern O-Australiens; mit rd. 60–80 cm Körperlänge und 16 kg Höchstgewicht größte Kletterbeutlerart; Gestalt teddybärähnl.; Kopf rundl. mit kurzer Schnauze und großen, runden Ohren; Schwanz vollkommen rückgebildet; dichte wollige Behaarung; nachtaktiver Baumbewohner; lebt nur von bestimmten Eukalyptusblättern; trinkt nie Wasser. - Abb. S. 91.

Kobel (Koben), Nest des †Eichhörnchens.

Koboldmakis (Gespenstaffen, Gespenstmakis, Gespenstertiere, Tarsiidae), Fam. 10–18 cm langer Halbaffen mit drei Arten in den Wäldern der Sundainseln und Philippinen; nachtaktive Tiere mit außergewöhnl. großen Augen, großen Ohren und stark verlängerten Fußwurzelknochen, wodurch die Hinterextremitäten zu Sprungbeinen werden (K. springen von Baum zu Baum, bewegen sich oft auch am Boden hüpfend fort); Finger- und Zehenenden scheibenförmig verbreitert.

Kobras [portugies., zu lat. colubra „Schlange"] (Brillenschlangen, Hutschlangen, Schildottern, Naja), Gatt. der Giftnattern mit einigen Arten in Asien und Afrika; die oft mit einer Brillenzeichnung versehene Nakkenregion kann durch Spreizen der verlängerten Halsrippen scheibenförmig ausgebreitet werden; dämmerungs- und nachtaktive Bodenbewohner; Giftwirkung z. T. für den Menschen sehr gefährlich. Am häufigsten ist die **Eigentliche Brillenschlange** (Naja naja) in S-Asien, auf den Sundainseln u. Philippinen; 1,4–1,8 m lang, oberseits meist gelbbraun, unterseits weißl., mitunter schwärzl. gefleckt. - K. sind die von Schlangenbeschwörern hauptsächl. benutzten Schlangen.

Koch, Robert, * Clausthal (= Clausthal-Zellerfeld) 11. Dez. 1843, † Baden-Baden 27. Mai 1910, dt. Bakteriologe. - Prof. in Berlin, ab 1891 Leiter des dortigen Instituts für Infektionskrankheiten (heute Robert-Koch-Institut). K. ist der Begründer der modernen Bakteriologie, für die er wichtige Untersuchungsmethoden entwickelte (z. B. Färbung und Reinkulturen von Bakterien). Mit der Entdeckung der Milzbrandsporen und mit der Klärung der Ursache des Milzbrandes (1876) wies K. erstmals einen lebenden Mikroorganismus als Erreger einer Infektionskrankheit nach. 1882 entdeckte er den Tuberkelbazillus, 1883 den Erreger der Cholera. Außerdem fand er Erreger und Übertragungsmodus des afrikan. Rückfallfiebers. 1905 erhielt er für seine Forschungen über die Tuberkulose den Nobelpreis für Physiologie oder Medizin.

Köcherbaum (Drachenbaumaloe, Aloe dichotoma), Liliengewächs im sw. Afrika; 6–10 m hohe, vielfach gabelig verzweigte Aloe mit gelben Blüten, bis 25 cm langen, schmalen Blättern und bis 1 m dickem Stamm. Die ausgehöhlten Äste werden von den Hottentotten als Köcher für die Pfeile verwendet.

Köcherfliegen (Haarflügler, Trichoptera), mit rd. 6000 Arten weltweit verbreitete Ordnung 0,3–6 cm langer, mottenähnl. Insekten, davon in Deutschland rd. 280 Arten; Flügel und Körper dicht behaart; Fühler lang, fadenförmig; Mundwerkzeuge leckendsaugend; Färbung meist unscheinbar gelbl., braun oder grau; fliegen v. a. in der Dämmerung oder nachts und leben in Wassernähe; Larven im Wasser, mit (Köcherlarven) oder ohne Gehäuse; bekannte einheim. Fam. **Frühlingsfliegen** (Phryganeidae) und **Wassermotten** (Hydropsychidae).

Kode [ko:t; frz. und engl.] †genetischer Code.

Kodein [zu griech. kōdeia „Mohnkopf"] (Codein, Methylmorphin), Alkaloid des Opiums; Verwendung in [rezeptpflichtigen] schmerzstillenden Medikamenten und Hustenmitteln; Suchtgefahr gering.

Köderwurm (Gemeiner Sandwurm, Pierwurm, Sandpier, Pier, Arenicola marina), etwa 15–20 cm langer, bräunl. bis grünl. Ringelwurm (Gruppe Vielborster) im Schlick der europ. Küsten; Körper vorn verdickt, hinten schlank, im mittleren Abschnitt mit Kiemenbüscheln; ein beliebter Angelköder.

Kodiakbär [nach Kodiak Island], svw. †Alaskabär.

Kodon †Codon.

Koenigswald, Gustav Heinrich Ralph von [´ko:niçs...], * Berlin 13. Nov. 1902, † Bad Homburg v. d. Höhe 10. Juli 1982, dt.-niederl. Paläontologe. - Prof. in Utrecht und Frankfurt am Main; entdeckte (hauptsächl. auf Java und in China) und beschrieb verschiedene fossile höhere Primaten, u. a. Gigantopithecus (1935) und Meganthropus palaeojavanicus (1941) sowie einige Frühmenschenformen.

Koenzym A, Abk. CoA (A = Acylierung), in allen pflanzl. und tier. Organismen vorkommendes Koenzym. Das beim Menschen und bei Säugetieren bes. reichl. in der Leber und in den Nebennieren enthaltene K. A ist ein Abkömmling der Pantothensäure, aufgebaut aus Adenin, Ribose, Phosphorsäure, Pantothensäure und Cysteamin. Seine wichtigste Verbindung mit einem Acylrest ist das **Acetyl-K. A (Acetyl-CoA, aktivierte Essigsäure),** die u. a. beim oxidativen Abbau von Kohlenhydraten anfällt sowie Acylreste in den Zitronensäurezyklus einschleust und damit der Endoxidation zuführt. Die Bindung eines Acylrestes an CoA erfolgt stets an die

Koenzyme

freie SH-Gruppe des Cysteamins. - Zur Funktion ↑Enzyme.
Koenzyme ↑Enzyme.
Koenzym Q, svw. ↑Ubichinone.
Koffein [zu engl. coffee „Kaffee"] (Coffein, Kaffein, Thein), in den Samen der Kaffeepflanze, in den Blättern des Teestrauchs und der Matepflanze sowie in den Früchten des Kakao- und Kolabaums vorkommender methylierter Purinabkömmling; auch synthet. herstellbar. K. erregt in den üblichen Dosen (etwa 0,1 g) das Zentralnervensystem, bes. die Großhirnrinde (klarerer Gedankenfluß, schnellere Assoziationsfähigkeit, Verzögerung oder Unterdrückung des Müdigkeitsgefühls). Es wirkt außerdem auf das Atem- und Gefäßzentrum im verlängerten Mark sowie herzkranzgefäßerweiternd, ferner verstärkt es die Kontraktionskraft des Herzmuskels und die Herzfrequenz und wirkt schließl. harntreibend. Überdosierung von K. führt zu Unruhe, Gedankenflucht, Schweißausbrüchen, Schlaflosigkeit, Muskelzittern, extrem hohe Dosierung zu Krämpfen (**Koffeinvergiftung,**

Kokospalme und Kokosnüsse (unten)

Koffeinismus). Die tödl. Dosis beträgt beim erwachsenen Menschen etwa 11 g.
Kofferfische (Ostraciontidae), Fam. etwa 10-15 cm langer Knochenfische (Ordnung Haftkiefer) in Flachwasserregionen trop. Meeresküsten; meist bunte Korallenfische mit plumpem, kastenförmigem, von einem Knochenpanzer fast vollständig eingeschlossenem Körper; Bauchflossen fehlen.
Kohabitation [lat.], svw. ↑Geschlechtsverkehr.
Kohl [zu lat. caulis, eigtl. „Strunk, Stiel"] (Brassica), Gatt. der Kreuzblütler mit rd. 200 Arten, v. a. im Mittelmeergebiet; meist ein- oder zweijährige Kräuter; bekannteste Art ist der ↑Gemüsekohl.
Kohlenhydrate (Kohlehydrate, Saccharide), Sammelbez. für eine weitverbreitete Gruppe von Naturstoffen, zu der z. B. alle Zucker-, Stärke- und Zellulosearten gehören. Sie haben die allg. Summenformel $C_n(H_2O)_n$, weshalb sie früher fälschlich als Hydrate des Kohlenstoffs aufgefaßt wurden. K. sind jedoch chemisch Polyalkohole, deren primäre bzw. sekundäre Hydroxylgruppe zur Aldehydgruppe *(Aldosen)* bzw. Ketogruppe *(Ketosen)* oxidiert ist. Entsprechend ihrer Molekülgröße unterscheidet man Mono-, Oligo- und Polysaccharide. **Monosaccharide** bestehen aus einem Polyhydroxyaldehyd bzw. Keton (z. B. Fructose, Glucose); beim Zusammenschluß (über eine glykosidische Bindung) von zwei bis sieben solcher Monosaccharide entstehen *Disaccharide* (z. B. Maltose, Lactose, Saccharose), *Trisaccharide,* bzw. allgemein **Oligosaccharide,** die wegen ihres süßen Geschmacks auch zusammenfassend als Zucker bezeichnet werden. Vereinigen sich mehr Monosaccharideeinheiten miteinander, entstehen die hochmolekularen **Polysaccharide** (z. B. Glykogen, Stärke, Zellulose).
Die K. sind Stützsubstanzen (z. B. Zellulose im Holz, Chitin in Tierschalen) und Energielieferanten (Zucker) bzw. Reservestoffe (Stärke, Glykogen). Sie werden von grünen Pflanzen synthetisiert (↑Assimilation, ↑Photosynthese), ihr Abbau ist die ↑Glykolyse. K. sind neben Eiweißen und Fetten eine der drei für den Menschen wichtigsten Nahrungsmittelgruppen. 1 g K. hat (ebenso wie 1 g Eiweiß) den Nährwert von 17,2 kJ (4,1 kcal); der Mensch benötigt mindestens 100-150 g K. täglich. K. sind in vielen Nahrungsmitteln enthalten: Honig 82 %, Knäckebrot 79 %, Reis 77 %, Spaghetti 75 %, Haferflocken 68 %, weiße Bohnen 62 %, Kartoffeln 18 %, Erbsen 17 %. Jedoch können nicht alle K. (z. B. die Zellulose) vom menschl. Körper verdaut werden.
📖 *Hdb. der Lebensmittelchemie.* Hg. v. L. Acker u. a. Bd. 5,1: Kohlenhydratreiche Lebensmittel. Hg. v. L. Acker. Bln. u. a. 1967.
Kohlenhydratstoffwechsel ↑Stoffwechsel.

Kohlenstoffkreislauf, der Kreislauf des Kohlenstoffs in der Biosphäre. - Der auf ca. $26 \cdot 10^{15}$ t geschätzte Gesamtvorrat an Kohlenstoff auf der Erde liegt fast völlig in Form anorgan. Verbindungen vor, davon über 99 % im Sedimentreservoir (Carbonatgesteine), der Rest findet sich als gelöstes CO_2 sowie in Form von Hydrogencarbonat- bzw. Carbonationen in Gewässern und als gasförmiges CO_2 in der Atmosphäre. Der organ. gebundene Teil (0,05 %) ist zu 64 % in fossilen Lagerstätten (Torf, Kohle, Erdöl, Erdgas), zu 32 % in organ. Abfällen (Tier-, Pflanzenreste, Humus) und nur zu ca. 4 % in der Biomasse zu finden. - Der K. wird im wesentl. durch die Organismen in Gang gehalten. Ca. 6–7 % des in der Atmosphäre und im Oberflächenwasser vorhandenen CO_2 werden jährl. von autotrophen Pflanzen photosynthet. in organ. Verbindungen festgelegt; davon kehrt ein Drittel über die pflanzl. Atmung wieder in die Luft bzw. das Wasser zurück, während zwei Drittel in die Nahrungsketten der heterotrophen Organismen eintreten, in deren Ablauf alle Kohlenstoffverbindungen über Atmung, Gärung und Verwesung wieder zu CO_2 um- und freigesetzt werden. - Terrestr. und mariner K. sind über den CO_2-Austausch zw. Atmosphäre und Hydrosphäre verknüpft.

Köhler, Georges Jean Franz, * München 17. März 1946, dt. Immunologe. - Nach Promotion 1974 Forschungstätigkeit am Basler Institut für Immunologie und bei C. Milstein am Medical Research Council Laboratory in Cambridge; ab 1984 einer der drei Direktoren des Max-Planck-Instituts für Immunologie in Freiburg im Breisgau; stellte erstmals monoklonale Antikörper her. Nobelpreis für Physiologie oder Medizin 1984 zus. mit N. K. Jerne und C. Milstein.

Köhler, Wolfgang, * Reval 21. Jan. 1887, † Lebanon (N. H.) 11. Juni 1967, amerikan. Psychologe dt. Herkunft. - Bekannt durch Untersuchungen der Intelligenzleistungen von Schimpansen.

Köhler ↑ Dorsche.
Kohlerdflöhe ↑ Flohkäfer.
Kohleule (Mamestra brassicae), etwa 4 cm spannender Eulenfalter; Vorderflügel bräunl. mit Flecken und Wellenzeichnungen, Hinterflügel einfarbig braungrau; Raupe (**Herzwurm**) bräunl., frißt an Kohlpflanzen.
Kohlgallenrüßler (Ceuthorrhynchus pleurostigma), 2–3 mm großer, schwärzl. Rüsselkäfer in Europa und Sibirien; Käfer frißt u. a. an Kohl und Raps; Larven bilden im Wurzelhals von Kohl erbsengroße Gallen.
Kohlgallmücke, svw. ↑ Drehherzmücke.
Kohlmeise ↑ Meisen.
Kohlpalme (Roystonea oleracea), Palmenart M-Amerikas; bis 40 m hohe Fiederpalme, die Gemüse und Palmwein liefert.
Kohlrabi [zu italien. cavoli rape (von cavolo „Kohl" und para „Rübe")] (Oberrübe, Brassica oleracea var. gongylides), Kulturform des Gemüsekohls, bei der durch kräftige Verdickung der Sproßachse apfelgroße, fleischige Knollen entstehen, die roh oder gekocht gegessen werden.
Kohlröschen (Braunelle, Nigritella), Gatt. der Orchideen mit zwei Arten in Gebirgen N- und M-Europas; bis 20 cm hohe Pflanzen auf Bergwiesen mit fast kugeligem, schwarzrotem oder hellrosa (**Schwarzes Kohlröschen,** Nigritella nigra) oder mit eiförmigem bis zylindr., leuchtend rotem Blütenstand (**Rotes Kohlröschen,** Nigritella rubra).
Kohlrübe (Dorsche, Dotsche, Erdkohlrabi, Steckrübe, Wruke, Brassica napus var. napobrassica), Kohlart mit fleischig verdickter, eßbarer Rübe.
Kohlschnake ↑ Schnaken.
Kohlweißling, Bez. für zwei weißflügelige Schmetterlinge (Fam. Weißlinge) in NW-Afrika und in Großteilen Eurasiens, deren grünl. Raupen bes. an Kohlarten schädl. werden können: 1. **Großer Kohlweißling** (Pieris brassicae), bis 6 cm spannend, Vorderflügel mit schwarzer Spitze und (beim ♀) zwei schwarzen Flecken; Raupen schwarz punktiert; 2. **Kleiner Kohlweißling** (*Rübenweißling*, Pieris rapae), bis 5 cm spannend; Raupen gelb gestreift, bis 3 cm lang.
Koinzidenz [ko-in...; lat.], gleichzeitiges Auftreten zweier verschiedenartiger Organismen, die in einer ökolog. oder etholog. Beziehung zueinander stehen; z. B. beim Parasitismus, bei einer Symbiose.
Koitus [lat.] ↑ Geschlechtsverkehr.
Koituspositionen (Koitusstellungen), Körperstellungen, in denen der Mensch den Geschlechtsverkehr ausüben kann, wobei den mannigfachen Variationen v. a. 4 verschiedene Grundpositionen zugrundeliegen: 1. Rückenlage der Frau (der Mann liegt über ihr); 2. Rückenlage des Mannes (die Frau liegt über ihm); 3. Seitenlage (Partner mit dem Gesicht einander zugewandt); 4. die Position, bei der der Verkehr von hinten ausgeführt wird (die Frau wendet dem Mann den Rücken zu; *Coitus a tergo*). Nach den Untersuchungen A. C. Kinseys ist die erstgenannte Stellung die am meisten praktizierte, ist jedoch nicht die einzig „natürliche".
Kojote [aztek.-span.], svw. ↑ Präriewolf.
Koka, svw. ↑ Kokastrauch.
Kokain [indian.-span.] (Cocain, Erythroxylin, Methylbenzoylergonin), aus den Blättern des Kokastrauches gewonnenes oder halbsynthet. hergestelltes Tropanalkaloid mit zentralstimulierender, lokalanästhet. und gefäßzusammenziehender (sympatikuserregender) Wirkung. K. unterliegt dem BetäubungsmittelG, da seine wiederholte mißbräuchl. Anwendung auf Grund seiner euphorisierenden sowie ängstliche Spannungszustände, Hunger und Müdigkeit mildernden Wirkung zur Sucht (**Kokainismus;** mit raschem Abbau der

95

Kokardenblume

Persönlichkeitsstruktur) führt. Überhöhte Dosierung führt zu akuten tox. Erscheinungen (Pupillenerweiterung, Herzbeschleunigung, Blutdruckanstieg, zentralnervöse Erregung), die mit Hilfe von Barbituraten gemildert werden können.

Kokardenblume (Gaillardia), Gatt. der Korbblütler mit rd. 20 Arten in Amerika; Kräuter oder Stauden mit langgestielten, meist großen, gelben oder purpurroten Blütenköpfchen; Randblüten meist zungenförmig, oft mit anders gefärbtem Grund. Mehrere Arten und zahlr. Sorten werden als Schnitt- und Rabattenblumen kultiviert.

Kokastrauch [indian.-span./dt.] (Koka, Erythroxylon coca), Erythroxylumart in den subandinen Gebieten Perus und Boliviens; immergrüner Strauch mit kleinen, gelbl. oder grünlichweißen Blüten und kleinen, ovalen, ↑Kokain enthaltenden Blättern. - Zur Zeit der span. Eroberung war der Genuß von K.blättern bei den Indianern sehr verbreitet, die daraus unter Zusatz von Pflanzenasche, Kalk und Wasser Kügelchen kneteten, aus denen beim Kauen das Kokain langsam freigesetzt wurde.

Kokken [zu griech. kókkos „Kern"] (Kugelbakterien), allg. Bez. für kugelförmige Bakterien, die häufig nach der Teilung zusammenbleiben. Danach unterscheidet man folgende Gruppen: Diplokokken treten paarweise auf; Streptokokken bilden Ketten; Staphylokokken treten in Trauben auf; Sarzinen als Platten oder Pakete. Die meisten K. sind grampositiv, sporenlos und unbeweglich; u. a. Milchsäurebakterien, Staphylo- und Streptokokken.

Kokon [ko'kõ; frz., zu provenzal. cocoun „Eierschale"] (Cocon), Hülle um die Eier (Ei-K.) verschiedener Tiere oder um Insektenpuppen (Puppen-K.). **Eikokons** können aus dem Sekret von Drüsen des Eileiters oder der ♀♀ Geschlechtsöffnung entstehen oder durch Spinndrüsen und dann als Gespinst ausgebildet sein (bei manchen Spinnen). Die **Puppenkokons** können u. a. Gespinsthüllen aus dem Spinndrüsensekret verpuppungsreifer Larven darstellen (z. B. bei Seidenspinnern).

Kokosnuß [span./dt.] ↑ Kokospalme.
Kokospalme [span./lat.] (Cocos), Gatt. der Palmengewächse mit der einzigen, urspr. aus dem trop. Asien stammenden Art *Cocos nucifera* (K. im engeren Sinn); bis 30 m hohe, schlanke Palme mit meist schwach gebogenem Stamm mit einer Krone aus 3–6 m langen Fiederblättern. Die achselständigen, verzweigten Blütenstände mit getrenntgeschlechtigen Blüten entwickeln jeweils 10–20 etwa kopfgroße, bis 1 kg schwere, schwimmfähige Steinfrüchte (**Kokosnuß**). Deren Fruchthülle besteht aus einem äußeren faserigen Teil und einem inneren harten Steinkern. Innerhalb des Steinkerns liegt der von einer dünnen Samenschale umschlossene Samen, der zum größten Teil aus ↑Endosperm besteht. Dieses

eßbare Endosp
Phase und
Kokosmilch) ge
nen werden die
Blattfiedern als
widerstandsfähig
Endknospen als
Der Blutungssaft
wird zu einer Art
oder zu Palmwein
Fruchtschalen dien
Holzkohle, Holzgas,
Methanol. - Die K.
4000 Jahren kultivi
der europ. Literatur
stos (3. Jh. v. Chr.), d
Berichten der Begle
kannte. - Abb. S. 94.

Kokzidien (Cocci
mikroskop. kleiner Sp
in Epithelzellen des V
Leber und Niere bei Wi
tieren) parasitieren ur
auftretenden, häufig töd
diosen hervorrufen.

Kolabaum [afrikan
Kolanußbaum, Cola), Gat
wächse mit mehr als 100 A
ka; 6–20 m hohe Bäume m
und aus mehreren holzige
stehenden Früchten. Mehr
im Sudan, im trop. Amerika
zur Gewinnung der Samen
harter, gelbbrauner bis
(**Kolanuß**) bis 3 % Koffein, bis
min, etwa 40 % Stärke und
enthält. Die Kolanüsse diene
durstlöschendes Nahrungs- u
tel. In Europa und Amerika
Herstellung von Erfrischungs
Anregungsmitteln verwendet.

Kolanuß ↑ Kolabaum.
Kolanußbaum, svw. ↑ Kola
Kolben (Spadix) ↑ Blütenstan
Kolbenflügler, svw. ↑ Fäche
Kolbenhirse (Setaria italica),
heimatetes Süßgras der Gatt. B
bis 1 m hohe, einjährige, kräftige
bis 3 cm dicken Ährenrispen und
großen Früchten. Die K. ist eine d
Kulturpflanzen; wird in Indien und
als Nahrungsmittel angebaut; in E
Vogelfutter verwendet.

Kolbenpalme (Carludovica), G
Scheibenblumengewächse im trop.
mit mehr als 30 Arten; Holzgewäc
meist kurzem Stamm und palmb
Blättern; kolbenförmige Blütenstän
eingesenkten, eingeschlechtigen Blüt
bekannte, kultivierte Art ist die **Pana**
(Carludovica palmata), aus deren Blätt
Panamahüte hergestellt werden.

Kolbenwasserkäfer (Hydrophil
mit über 1 500 Arten fast weltweit verbre

Kompaßqualle

paßlattich), die ihre Blattflächen in eine bestimmte Lage bringen, so daß die Sonneneinstrahlung entweder möglichst stark (nahezu senkrecht) oder sehr wenig (nur streifend) einwirken kann.

Kompaßqualle (Chrysaora hyoscella), häufig im Mittelmeer und Atlantik (einschließl. Nordsee) vorkommende Qualle mit 16 gelben bis rotbraunen Radialbändern auf dem flachen, gelblichweißen, bis 30 cm großen Schirm; Tentakel gekräuselt, bis 2 m lang.

kompetitive Hemmung ↑Enzyme.

Komplement [lat., zu complere „vollmachen"], bei der Antigen-Antikörper-Reaktion zellgebundener Antigene häufig beteiligter, im menschl. Blutserum und in fast allen tier. Blutseren vorhandener thermolabiler Komplex, der je nach Zellart Lyse (Auflösung) oder Konglutination (Verklebung) der Zellen bewirkt.

Komplementbindungsreaktion, serolog. Abk. KBR, hochempfindl., spezif. Verfahren zum Nachweis eines unbekannten Antigens oder Antikörpers, in dessen Verlauf das zugesetzte ↑Komplement (falls eine Antigen-Antikörper-Reaktion im System I zustande kommt) gebunden wird, was am Verhalten eines zweiten, hämolyt. Antigen-Antikörper-Systems (System II oder Testsystem) abgelesen werden kann; Anwendung z. B. bei Syphilis, Viruserkrankungen, Toxoplasmose, Listeriose, Flecktyphus.

Komplexauge, svw. ↑ Facettenauge.
Kompositen [lat.], svw. ↑ Korbblütler.
Koncha (Concha) [griech.], anatom. Bez. für einen muschelförmigen Teil eines Organs; z. B. *Concha auriculae* (Ohrmuschel).
Konchiferen [griech./lat.], svw. ↑ Schalenweichtiere.
Konchylien [griech.], Schalen der Weichtiere.
konditionierter Reflex, svw. ↑ bedingter Reflex.
Kondor [Quechua] ↑ Geier.
Konduktor [lat.], in der *Genetik* Bez. für den selbst gesunden Überträger einer erbl. Krankheitsanlage.
Kondylus [griech.], svw. ↑ Gelenkhöcker.

Kolkrabe

rechte, meist wollig behaarte Kräuter mit flachen bis becherförmigen, gelben, weißen oder purpurfarbenen Blüten in Trauben oder Rispen. In M-Europa kommen 15 Arten vor, darunter die häufig auf Schuttplätzen und an Wegrändern wachsende **Großblütige Königskerze** (Verbascum densiflorum; bis 2 m hoch; zweijährig; große, leuchtend gelbe Blüten).

Königskobra (Riesenhutschlange, Königshutschlange, Ophiophagus hannah), etwa 3–4,5 m lange Kobra in den Dschungeln S- und SO-Asiens; größte Giftschlange; oberseits dunkelbraun bis olivfarben mit heller Ringelung. Der Biß der K. ist für den Menschen sehr gefährl., er kann ohne Behandlung nach etwa 15 Minuten zum Tode führen.

Königslibellen (Anax), Gatt. altweltl. verbreiteter, prächtig gefärbter Großlibellen (Fam. Teufelsnadeln); in M-Europa zwei Arten, bekannt v. a. die **Große Königslibelle** (Anax imperator): von S-Afrika bis S-England verbreitet, mit 11 cm Spannweite die größte einheim. Libellenart; Flügel goldgelb; Vorderkörper grün, Hinterleib azurblau (♂) oder blaugrün (♀).

Königslilie ↑ Lilie.

Königsnattern (Königsschlangen, Lampropeltis), Gatt. etwa 1–2 m langer, ungiftiger Nattern in N- und S-Amerika; oft auffallend bunt gezeichnet; Kopf zieml. klein. K. fressen u. a. Schlangen, die durch Umschlingen erstickt werden. Hierher gehört z. B. die 2 m lange **Kettennatter** (Lampropeltis getulus); Oberseite grau mit dunkler Kettenzeichnung, Unterseite gelb.

Königspalme (Roystonea regia), Palmenart auf Kuba; bis 25 m hoher Baum mit in der Mitte dickerem Stamm und aufrechten Fiederblättern; in den Tropen häufig angepflanzt.

Königsschlange

Königsparadiesvogel ↑ Paradiesvögel.
Königspinguin ↑ Pinguine.
Königsschlange (Königsboa, Abgottschlange, Götterschlange, Boa constrictor), 3–4 m lange, 60 kg schwere lebendgebärende Boaschlange in den Gebirgswäldern des trop. Amerika; am Boden und auf Bäumen lebende Riesenschlange mit dreieckigem Kopf und meist dunkelbraunen, kantigen Flecken auf gelblichbraunem Grund; ernährt sich vorwiegend von kleinen Säugetieren und Vögeln; wird dem Menschen nicht gefährlich.

Königsschlangen, svw. ↑ Königsnattern.

Königstiger (Bengaltiger, Bengal. Tiger, Panthera tigris tigris), etwa 2 m lange rötl.-gelbbraune Unterart des Tigers in Vorder- u. Hinterindien; Fell kurzhaarig, glänzend, mit tiefschwarzer, relativ enger Streifung; Bestände bedroht.

Koniin (Coniin) [griech.], das sehr giftige Alkaloid des Gefleckten Schierlings. Das 1886 erstmals von A. Ladenburg synthetisierte K. lähmt das Rückenmark sowie die peripheren motor. Nervenendigungen (Tod durch Atemlähmung).

Konjugation [lat. coniugatio = Verbindung], bei den ↑ Wimpertierchen vorkommender bes. Befruchtungsvorgang.

Konjunktiva [lat.], svw. ↑ Bindehaut.

Konkordanz, in der *Genetik* die Identität der Merkmale bei eineiigen Zwillingen.

Konnektiv (Konektiv), Nervenstränge, die die Nervenknoten (Ganglien) des Nervensystems der niederen Tiere in Längsrichtung miteinander verbinden.

Konstitution [zu lat. constitutio, eigtl. „Hinstellung, Einrichtung"], in der *Anthropologie* das Gesamterscheinungsbild (der Habitus) eines Menschen, bei dem körperl.-seel. und seel.-geistige Merkmale miteinander korrelieren. Als K.merkmale werden im allg. nur die relativ konstanten Züge dieses Erscheinungsbildes angesehen (↑ Körperbautypen).

Konsument [lat.], in der ↑ Nahrungskette ein Lebewesen, das organ. Nahrung verbraucht.

Kontakt [lat., zu contingere „berühren"], das Miteinander-in-Beziehung-Treten von Individuen. Die K.nahme erfolgt zum Zwecke körperl. Berührung, zum Informationsaustausch und beim Menschen darüber hinaus auch zur Anbahnung einer geistig-seel. Verbindung. K. ist bei allen gesellig lebenden Tieren und bes. beim Menschen unerläßl. Bestandteil einer normalen Individualentwicklung.

Kontakttiere, in der Verhaltensforschung Tiere, die engen körperl. Kontakt mit Artgenossen suchen (z. B. Affen). Soziale Verhaltensweisen wie gegenseitige Körperpflege kommen häufig vor. - Ggs. ↑ Distanztiere.

Kontamination [lat. contaminatio „Be-

kontraktil

fleckung"], die Verunreinigung von Räumen und Gegenständen, Lebensmitteln, Medikamenten, Gewebe- und Mikroorganismenreinkulturen sowie von Luft, Wasser und Boden durch andersartige, oft schädigende Stoffe (Mikroorganismen, Gifte, radioaktive Stoffe).

kontraktil [lat.], fähig, sich zusammenzuziehen; z. B. von Muskelfasern gesagt.

kontraktile Vakuole ↑Protozoen.

Kontraktion [lat.], Zusammenziehung, z. B. von Muskeln (Muskelkontraktion).

Konvarietät [...ri-e...], Abk. convar., Bez. für eine Sippe von Individuen einer variablen Tier- bzw. Pflanzenart mit sehr ähnl. Merkmalen, die v. a. für die Züchtung von landwirtsch. oder Liebhaberformen bed. sind.

Konvergenz [lat.], die Ausbildung ähnl. Merkmale hinsichtl. Gestalt und Organen bei genet. verschiedenen Lebewesen, meist durch Anpassung an gleiche Umweltbedingungen (z. B. spindelförmige Körperform bei Fischen und wasserbewohnenden Säugetieren).

Konzeption [lat.], svw. ↑Empfängnis.

Konzeptionsoptimum (Befruchtungsoptimum), der günstigste Zeitpunkt im monatl. Zyklus der Frau für eine Befruchtung; liegt unmittelbar um die Zeit des Eisprungs.

Konzeptionspessimum (Befruchtungspessimum), der ungünstigste Zeitpunkt im monatl. Zyklus der Frau für eine Befruchtung; liegt unmittelbar vor und nach einer Menstruation.

Koordination [lat.] (relative K.), nach E. von Holst die Korrelation rhythm. Bewegungsabläufe zweier zentralnervöser Automatismen (z. B. bei der Fortbewegung).

Kopaivabaum [indian./dt.] (Copaifera), Gatt. der Caesalpiniengewächse mit rd. 30 Arten im trop. Amerika und Afrika; Bäume mit paarig gefiederten Blättern; Blüten meist ohne Blumenkrone. Das Holz führt Balsam (Kopaivabalsam); z. T. Nutzhölzer.

Kopalbaum (Ostind. K., Vateria indica), Flügelfruchtgewächs Indiens; auch als Alleebaum kultiviert; liefert Pineyharz (ostind. Kopal) zur Firnisherstellung; Nutzholz.

Kopalfichte (Kaurifichte, Agathis australis), Araukariengewächs Neuseelands aus der Gatt. Agathis; bis 40 m hoher Baum mit schmalen, blattartigen Nadeln und weißlichgelbem, sehr harzreichem, duftendem Holz, das als Bau- und Schiffsholz verwendet wird.

Kopepoden [griech.], svw. ↑Ruderfußkrebse.

Kopf [zu althochdt. kopf, urspr. „Becher, Trinkschale" (wohl wegen der ähnl. Form der Hirnschale)] (Caput), vorderes bzw. oberes Körperende bilateral-symmetr. Lebewesen, das sich durch eine Anhäufung wichtiger Sinnesorgane in Verbindung mit einer Konzentration des Nervensystems (Gehirn) auszeichnet.

Kopfbrust, svw. ↑Cephalothorax.

Köpfchen ↑Blütenstand.

Köpfchenschimmel (Mucor), Gatt. der niederen Pilze mit rd. 40 Arten; bilden auf Mist, feuchtem Brot und anderen organ. Substraten weißgraue Schimmelrasen.

Kopfeibe (Cephalotaxus), einzige rezente Gatt. der Nadelholzfam. **Kopfeibengewächse** (Cephalotaxaceae) mit 6 Arten vom Himalaja bis O-Asien; der Eibe ähnl., strauch- oder baumförmige Nadelhölzer mit nadelförmigen Blättern, kleinen, kopfförmigen ♀ Blütenzapfen und fleischigen Samen.

Kopffüßer (Tintenfische, Cephalopoda), Klasse mariner, einschließl. der Arme 0,01–20 m langer Weichtiere; Schale bei rezenten Arten häufig rückgebildet (Schulp), vom Mantel überwachsen; Kopf und Fuß miteinander verschmolzen, mit 8 oder 10 Fangarmen (mit Saugnäpfen), die die mit starken, papageischnabelähnl. Kiefern u. einer Radula ausgestattete Mundöffnung umgeben; Gehirn gutentwickelt; Augen groß, meist als hochentwickelte Linsenaugen ausgebildet; Haut oft mit starkem, physiolog. Farbwechsel; getrenntgeschlechtlich, ♂ mit Begattungsorgan (Hectocotylus; umgebildeter Fangarm); vorwiegend räuber. Lebensweise; Fortbewegung erfolgt durch Rückstoß; meist mit Tintendrüse, deren tief dunkelbraunes Sekret bei Gefahr ausgestoßen wird. - Mehr als 700 rezente Arten in zwei Unterklassen: **Dibranchiata** (Tintenschnecken) mit den beiden Ordnungen ↑Kraken und ↑Zehnarmer und **Tetrabranchiata** mit der einzigen rezenten Gatt. ↑Perlboote. - Abb. S. 102.

Kopfgras (Blaugras, Sesleria), Gatt. der Süßgräser mit 30 Arten in Europa und Vorderasien; bekannte Arten sind **Sumpfblaugras** (Sesleria uliginosa; mit bläul. bereiften Blättern, auf Flachmooren und Sumpfwiesen) und das kalkliebende **Kalkblaugras** (Sesleria varia; mit grünen Blättern und einer gelbl., meist blauüberlaufenen Ährenrispe).

Kopfkohl ↑Gemüsekohl.

Kopflaus (Pediculus humanus capitis), weltweit verbreitete, 2–3,5 mm lange Unterart der Menschenlaus; lebt als Hautparasit in der menschl. Kopfbehaarung.

Kopfried (Schwerle, Schoenus), Gatt. der Riedgräser mit 85 Arten, v. a. in Australien und Neuseeland. In M-Europa kommen zwei Arten in Sümpfen und Mooren vor: **Schwarzes Kopfried** (Schoenus nigricans), 20–50 cm hoch, mit schwarzbraunen Blattscheiden und schwarzbraunen Köpfchen.

Kopfsalat ↑Lattich.

Kopfsauger ↑Schiffshalter (ein Fisch).

Kopfsteher (Anostomidae), Fam. bis 40 cm großer, meist mit dem Kopf nach unten schwimmender Fische im dichten Pflanzenwuchs der Süßgewässer S-Amerikas. Viele der etwa 90 Arten sind beliebte Warmwasserfische, z. B. der **Prachtkopfsteher** (Anostomus anostomus) aus dem Amazonas.

Kopplung, svw. ↑Faktorenkopplung.

Kopra [Tamil-portugies.], getrocknetes, grob zerkleinertes, festes Nährgewebe der Kokosnuß; besteht aus 60–67 % Fett, 20 % Kohlenhydraten, 8 % Rohprotein und 4 % Wasser.

Koprakäfer (Rotbeiniger Schinkenkäfer, Necrobia rufipes), weltweit verschleppter, 4–5 mm langer, rotbeiniger Buntkäfer mit blauem und blaugrünem Körper; Käfer und die bis 10 mm langen Larven sind Vorratsschädlinge.

Koprophagen [griech.] (Kotfresser), Bez. für Tiere (bes. Insekten), die sich von den Exkrementen anderer Tiere ernähren.

Kopulation (Kopula, Copula, Copulatio) [zu lat. copulatio „Verknüpfung"] (Begattung), bei Einzellern und mehrzelligen Tieren der Vorgang des Verschmelzens bzw. engen körperl. Zusammenkommens der beiden Geschlechter (Begattungsvorgang) einer Art zur Herbeiführung einer Befruchtung bzw. Besamung im Dienste der sexuellen Fortpflanzung (beim Menschen ↑ Geschlechtsverkehr). K. und Befruchtung können direkt aufeinander folgen oder zeitl. mehr oder weniger weit auseinanderliegen. Bei den Mehrzellern erfolgt die einige Sekunden bis zu mehreren Stunden dauernde K. meist über primäre oder sekundäre ♂ K.organe, die den Samen in die ♀ K.organe überleiten. Fehlen bes. ♂ K.organe, so kann der Samen auch über die Geschlechtsöffnungen bzw. die Kloaken (z. B. bei Vögeln) der Partner oder über ↑ Spermatophoren direkt oder indirekt übertragen werden, oder die kopulierenden Paare geben ihre Geschlechtsprodukte für die Befruchtung nach außen ab (z. B. bei Fröschen).

Kopulationsorgane, svw. ↑ Begattungsorgane.

Korakoid [griech.], svw. ↑ Rabenbein.

Korallen [griech.], zusammenfassende Bez. für meist koloniebildende, kalkabscheidende ↑ Blumentiere.

Korallenbarsche (Riffbarsche, Demoisellefische, Pomacentridae), Fam. meist um 10 cm langer Barschfische mit rd. 150 Arten, v. a. in Korallenriffen trop. Meere; Körper meist sehr farbenprächtig und seitl. zusammengepreßt.

Korallenbaum (Erythrina), Gatt. der Schmetterlingsblütler mit rd. 100 Arten in den Tropen und Subtropen; Bäume, Sträucher oder Kräuter mit meist großen, roten Blüten in dichten Trauben und mit z. T. roten Samen. Eine häufig als Kübelpflanze kultivierte Art ist der **Korallenstrauch** (Erythrina crista-galli) mit dicken, dornigen Zweigen und scharlachroten Blüten mit bis 5 cm langer Fahne. - Abb. S. 102.

Korallenbeere, svw. ↑ Korallenmoos.

Korallenfische, Bez. für kleine, meist sehr farbenprächtige, in Korallenriffen lebende Knochenfische; beliebte Seewasseraquarienfische.

Korallenmoos (Korallenbeere, Nertera),

Korbmarante

Gatt. der Rötegewächse mit 8 Arten auf der Südhalbkugel; ausdauernde, kriechende Kräuter mit kleinen, eiförmigen Blättern und kleinen, unscheinbaren Blüten. Als Zimmerpflanze kultiviert wird die rasenartig wachsende Art **Nertera granadensis** mit winzigen, weißen Blüten. Die später sehr zahlr. erscheinenden etwa erbsengroßen Früchte sind orangefarben.

Korallenotter (Afrikan. Korallenschlange, Elaps lacteus), etwa 45–60 cm lange, schlanke ungefährl. Giftnatter in S-Afrika; kommt in zwei Farbvarietäten vor; dunkel mit Längsstreifung oder mit auffallend kontrastreicher schwarzer, gelbl. und roter Zeichnung. - ↑ auch Korallenschlangen.

Korallenschlangen, (Amerikan. K., Korallenottern) Bez. für drei Gatt. der Giftnattern mit rd. 50 etwa 60–150 cm langen Arten in N- und S-Amerika; meist sehr bunt, mit leuchtend roten, gelben (oder weißen) und schwarzen bis blauschwarzen Ringen; Gift u. U. auch für den Menschen tödl.; die „Korallentracht" wird von verschiedenen giftigen und ungiftigen Natternarten nachgeahmt.
♦ (Afrikan. Korallenschlange) svw. ↑ Korallenotter.

Korallenstrauch ↑ Korallenbaum.
♦ (Solanum pseudocapsicum) Art der Gatt. Nachtschatten; bis über 1 m hoher Strauch auf Madeira mit 1 cm großen, weißen Blüten und kirschengroßen, roten, bei Zuchtformen auch orangefarbenen oder goldgelben Beeren; beliebte Topfpflanze.

Korallentiere, svw. ↑ Blumentiere.

Korallenwurz (Corallorhiza), von faulenden Stoffen (saprophyt.) lebende Orchideengatt. mit 15 Arten in N-Amerika und einer Art in Europa und Asien (**Corallorhiza trifida**) mit scheidenförmigen, bleichen Schuppenblättern, gelbgrünen Blüten und korallenartig verzweigtem Wurzelstock).

Korbblütler (Körbchenblütler, Kompositen, Asteraceae, Compositae), eine der größten Pflanzenfam. mit rd. 20 000 Arten in mehr als 900 Gatt.; meist Kräuter oder Stauden; Blüten in charakterist. Blütenständen (Körbchen oder Köpfchen) mit Hüllblättern; Kelch aus Schuppen oder Borsten; Blumenkrone röhren- oder zungenförmig, Früchte (↑ Achäne) häufig mit Flugeinrichtungen. Zu den K. gehören u. a. zahlr. Nutzpflanzen (Artischoke, Gartensalat, Schwarzwurzel, Sonnenblume, Arnika, Huflattich, Kamille, Beifuß, Wermut) und Zierpflanzen (z. B. Aster, Dahlie, Gerbera, Strohblume).

Körbchen ↑ Blütenstand.
♦ Pollensammelapparat bei ↑ Honigbienen.

Korbmarante (Calathea), Gatt. der Marantengewächse mit etwa 100 Arten im trop. S-Amerika; Stauden mit am Grunde oft langgestielten, großen, buntgefärbten Blättern und meist in dichten Köpfchen stehenden Blüten; einige Arten beliebte Zierpflanzen.

Korbweide

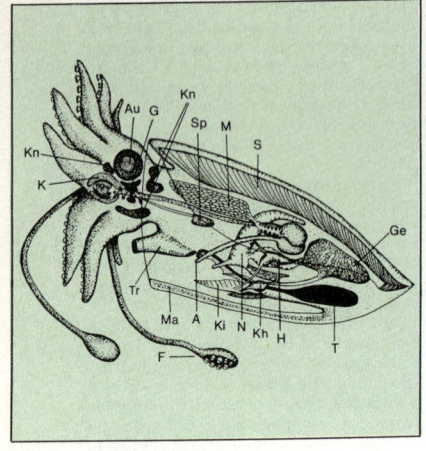

Kopffüßer.
Organisationsschema eines
zehnarmigen Tintenfisches
(Dibranchiata).
A After, Au Auge, F Fangarm,
G Gehirn, Ge Geschlechtsdrüsen,
H Herz im Herzbeutel,
K Kiefer, Kh Kiemenherz,
Ki Kieme, Kn Kopfknorpel,
M Mitteldarmdrüse, Ma Mantel,
N Niere, S Schulp, Sp Speicheldrüse,
T Tintenbeutel, Tr Trichter (Fuß)

Korbweide ↑ Weide.
Kordaiten (Cordaites) [nach dem dt. Botaniker A. K. J. Corda, * 1809, † 1849], Klasse fossiler Nacktsamer; 20–30 m hohe Bäume

Korallenbaum. Blüten des Korallenstrauchs (Erythrina crista-galli)

mit langen, lanzettförmigen, an den Zweigenden dicht zusammengedrängten Blättern; Blütenstände getrenntgeschlechtig, kätzchenförmig; waldbildend im Karbon.
Koriander (Coriandrum) [griech.], Gatt. der Doldenblütler mit zwei Arten im Mittelmeergebiet, darunter der **Gartenkoriander** (Coriandrum sativum), ein 30–60 cm hohes, einjähriges Kraut mit weißen Blüten in Dolden; rotbraune, kugelige Früchte, die als Gewürz sowie zur Gewinnung von äther. Öl für Parfüms verwendet werden.
Kork [span.-niederl., zu lat. cortex „Baumrinde"] (Phellem), vom **Korkkambium** (Phellogen; ein sekundäres Bildungsgewebe) nach außen abgegebener Teil des in äußeren Rindenschichten der Sprosse und Wurzeln mehrjähriger Samenpflanzen mit sekundärem Dikkenwachstum gebildeten sekundären Abschlußgewebes *(Periderm).* Besteht aus vielen Schichten regelmäßig angeordneter toter Zellen, deren Wände mit Zellulose und Suberin beschichtet und somit für Flüssigkeiten und Gase undurchlässig sind. Durch eingelagerte fäulnishemmende Stoffe (Phlobaphene) ist der K. braun gefärbt und bildet bei den verschiedenen Pflanzen dünne Häute (Birke) oder dicke, rissige Krusten (bes. bei der Korkeiche). Der notwendige Gasaustausch zw. dem Inneren der Pflanze und der Außenwelt findet durch bes. aufgelockerte Kanäle, die K.poren (**Lentizellen**), statt. K. ist sehr leicht (Dichte 0,12–0,25 g/cm^3), außerdem elast., dehnbar und hitzebeständig; er eignet sich wegen seiner geringen Wärmeleitzahl gut zur Wärmeisolierung sowie auch zur Schalldämmung. Neben der Verwendung für Korken und Schwimmgürtel wird K. daher (meist gemahlen) zur Herstellung von wärmeisolierenden und schalldämmenden Baustoffen (Korkment) und Bauelementen verwendet.
Korkeiche ↑ Eiche.
Korkkambium ↑ Kork.
Korkschwämme (Suberitidae), in Meeren weit verbreitete Fam. meist leuchtendgelber oder orangeroter Schwämme, die Gegenstände krusten- oder buschförmig überziehen; mit dünner, fester Rindenschicht.
Korkstoffe, svw. ↑ Suberine.
Kormophyten [griech.] (Cormophyta, Sproßpflanzen), Sammelbez. für Farn- und Samenpflanzen im Hinblick auf ihre gemeinsame hohe Organisationsstufe, die sie von den Lagerpflanzen unterscheidet. Der Vegetationskörper (**Kormus**) ist an das Landleben angepaßt. Er ist in Wurzelsystem, Sproßachse und Blätter gegliedert. Diese Grundorgane können in vielfach abgewandelter Form (Metamorphosen) auftreten. Anatom. sind neben dem Grundgewebe funktionsgebundene Dauergewebe, wie z. B. Abschluß- und Festigungsgewebe, ausdifferenziert.
Kormorane [frz., zu spätlat. corvus mari-

KÖRPERGEWICHT

(Idealgewichte Erwachsener ab dem 25. Lebensjahr ohne Kleidung)

Männer

Frauen

Größe in cm	minimal kg	Idealgewicht Mittelwert kg	maximal kg	Größe in cm	minimal kg	Idealgewicht Mittelwert kg	maximal kg
155	50,4	54,2	58,2	145	41,7	45,6	49,6
156	51,1	55,0	59,2	146	42,2	46,1	50,1
157	51,7	55,8	60,1	147	42,7	46,7	50,6
158	52,4	56,6	61,1	148	43,2	47,2	51,2
159	53,1	57,5	62,0	149	43,8	47,7	51,7
160	53,7	58,3	63,0	150	44,3	48,2	52,2
161	54,4	59,1	63,9	151	44,8	48,8	52,7
162	55,1	59,9	64,8	152	45,3	49,3	53,3
163	55,7	60,7	65,8	153	45,8	49,8	53,8
164	56,4	61,6	66,7	154	46,4	50,3	54,3
165	57,0	62,4	67,6	155	46,9	50,9	54,9
166	57,7	63,2	68,6	156	47,4	51,4	55,4
167	58,4	64,0	69,5	157	47,9	51,9	55,9
168	59,0	64,8	70,5	158	48,4	52,5	56,5
169	59,7	65,6	71,4	159	49,0	53,1	57,2
170	60,4	66,4	72,3	160	49,5	53,8	57,9
171	61,0	67,2	73,3	161	50,0	54,4	58,5
172	61,7	68,0	74,2	162	50,5	55,0	59,2
173	62,4	68,8	75,1	163	51,1	55,7	59,9
174	63,1	69,5	75,9	164	51,7	56,3	60,5
175	63,8	70,2	76,6	165	52,4	56,9	61,2
176	64,5	70,9	77,4	166	53,0	57,6	61,9
177	65,2	71,6	78,1	167	53,6	58,2	62,5
178	65,9	72,4	78,8	168	54,3	58,8	63,2
179	66,5	73,1	79,6	169	54,9	59,4	63,9
180	67,2	73,8	80,3	170	55,5	60,0	64,5
181	67,9	74,5	81,0	171	56,1	60,7	65,2
182	68,6	75,2	81,8	172	56,8	61,3	65,8
183	69,3	75,9	82,8	173	57,4	62,0	66,5
184	70,0	76,6	83,3	174	58,0	62,7	67,3
185	70,6	77,3	84,0	175	58,6	63,4	68,1
186	71,3	78,0	84,8	176	59,3	64,1	68,9
187	72,0	78,8	85,5	177	59,9	64,8	69,7
188	72,7	79,5	86,2	178	60,5	65,5	70,5
189	73,3	80,2	87,0	179	61,1	66,2	71,3
190	74,0	80,9	87,7	180	61,8	67,0	72,1
191	74,7	81,6	88,4	181	62,4	67,7	72,9
192	75,4	82,3	89,2	182	63,0	68,4	73,7
193	76,1	83,0	89,9	183	63,6	69,1	74,5
194	76,8	83,7	90,6	184	64,3	69,8	75,3
195	77,4	84,4	91,3	185	64,9	70,5	76,1

Quelle: Bundesausschuß für volkswirtschaftl. Aufklärung e.V.

---

nus „Meerrabe"] (Scharben, Phalacrocoracidae), weltweit verbreitete Fam. etwa 50–90 cm großer, meist schwarzer, metall. schimmernder, fischfressender Vögel (Ordnung Ruderfüßer) mit 30 Arten an Binnengewässern und Meeresküsten; in Europa drei Arten: **Gewöhnl. Kormoran** (Phalacrocorax carbo) mit weißen Wangen; **Krähenscharbe** (Phalacrocorax aristotelis) mit aufrichtbarer Kopfhaube; **Zwergscharbe** (Phalacrocorax pygmaeus) mit dunkelrotbraunem Kopf, kleinste Art; wirtschaftl. bed. (seine Exkremente bilden den Guano) ist v. a. der **Guanokormoran** (Phalacrocorax bougainvillei), vom Schnabel bis Schwanzspitze fast 70 cm lang.

Korn, gemeinsprachl. Bez. für verschiedene Getreidearten; i. e. S. die Hauptgetreideart einer Gegend (in Deutschland v. a. Roggen).

Kornberg, Arthur [engl. ˈkɔːnbəːg], *Brooklyn (N. Y.) 3. März 1918, amerikan. Biochemiker. - Prof. und Leiter der biochem. Abteilung an der Stanford University in Palo Alto (Calif.). Isolierte 1956 ein DNS-synthetisierendes Enzym, die ↑ Kornberg-Polymerase; erhielt dafür (gemeinsam mit S. Ochoa) 1959 den Nobelpreis für Physiologie oder Medizin.

Kornberg-Polymerase [engl. ˈkɔːnbəːg] (Kornberg-Enzym, DNS-Polymerase I), von A. Kornberg und Mitarbeitern aus Kolibakterien isoliertes Enzym; mit der K.-P. war es erstmals möglich, im Reagenzglas funktionsfähige Gene zu synthetisieren. Die K.-P. wirkt beim Zusammenschluß der kleinen, bei der ↑ DNS-Replikation entstehenden DNS-Stückchen zum kompletten Molekül mit.

Kornblume ↑ Flockenblume.

Kornelkirsche [lat./dt.] ↑ Hartriegel.

Körnerfresser, Bez. für Vögel, die vorwiegend Samen fressen; Schnabel kegelförmig; z. B. Finkenvögel.

Körniger Steinbrech ↑ Steinbrech.

Kornkäfer (Kornkrebs, Schwarzer Kornwurm, Kornreuter, Calandra granaria), weltweit verschleppter, 2,5–5 mm großer, flugunfähiger, schwarzbrauner Rüsselkäfer; Vorratsschädling in Getreidelagern.

Kornrade ↑ Rade.

Kornweihe ↑ Weihen.

Kornwurm, (Weißer K.) svw. ↑ Getreidemotte.

◆ (Schwarzer K.) svw. ↑ Kornkäfer.

Korolle [griech.-lat.], svw. ↑ Blumenkrone.

koronar [lat.], die Herzkranzgefäße betreffend.

Koronargefäße, svw. Herzkranzgefäße (↑ Herz).

Körper, in der *Anatomie* bzw. *Morphologie* ↑ Corpus.

Körperbautypen (Konstitutionstypen), äußere, durch anatom., physiolog. und psycholog. Merkmale geprägte Erscheinungsformen des menschl. Organismus. Die mehr als 50 Körperbautypologien unterscheiden zw. dem schlanken, *leptosomen* (nach E. Kretschmer) bzw. *leptomorphen Typ* (K. Conrad) und dem rundl., *pyknischen* bzw. *pyknomorphen Typ.* Kretschmer hat daneben noch den sog. *Athletiker* unterschieden, der u. a. durch Breitschultrigkeit, kräftige Entwicklung des Skeletts und der Muskulatur gekennzeichnet sein soll. Nach neueren Untersuchungen wird die eigenständige Existenz eines Athletikertyps jedoch bestritten. - Diesen K. entsprechen gewisse Verhaltensmuster bzw. Temperamenteigentümlichkeiten. So sollen nach Kretschmer *Leptosome* von überwiegend schizothymer (spaltsinniger) Wesensart sein und folgendes Verhaltensmuster haben: Überwiegen der Formen über die Farbbeachtung, eine mehr analyt. Auffassungsweise; Beharrlichkeit, Zurückhaltung. *Pykniker* wurden als vorwiegend zyklothym (kreismütig) beschrieben mit dem Verhaltensmuster: mehr Farb- als Formbeachtung, mehr komplex-ganzheitl. Auffassungsfähigkeit, Umweltaufgeschlossenheit, Gemütswärme, geselligkeitsliebend. Dem *Athletiker* wurde ein viszöses (zähflüssiges) Temperament zugeschrieben mit Begrenztheit der Phantasie, fehlender Wendigkeit, mäßig geistiger und sozialer Aktivität. Zu einer ähnl. Typologie kam W. H. Sheldon. Er unterscheidet einen *endomorphen,* einen *mesomorphen* und einen *ektomorphen Typ,* die sich auch durch unterschied. Verhaltensmuster (viszeroton, somatoton, zerebroton) voneinander absetzen. Endo- und ektomorpher Typ entsprechen dabei phys. wie psych. dem Pykniker bzw. Leptosomen von Kretschmer. Der mesomorphe Typ ist eine ausgewogene Mittelform zw. beiden. Nach K. Conrad soll der *Pyknomorphe* in vielen Merkmalen dem Kleinkind näherstehen als der *Leptomorphe.* Die Ursache soll ein unterschied. Entwicklungstempo beider Wuchsformtendenzen sein. Sie sind gewissermaßen Pole einer Variationsreihe (Primärvarianten), in die sich alle Individuen einordnen lassen. Kaum eines entspricht diesem Idealtyp, tendiert aber doch mehr oder weniger deutl. zu einem dieser beiden Pole. Diesen Primärvarianten werden als Sekundärvarianten der asthenische (*Astheniker;* dünner, schmächtiger, muskelschwacher und dünnknochiger K.) und athletische Typ gegenübergestellt, ebenfalls als die Pole einer Variationsreihe. - Auch Conrad hat für die K. zwei Grundverhaltensmuster aufgestellt: homothym (ausgeglichen; häufiger bei Pyknomorphen) und schizothym (häufiger bei Leptomorphen). - Andere Typologien gehen von vier exakt meßbaren, voneinander weitgehend unabhängigen Faktoren (Länge, Derbheit, Muskeldicke, Fett) aus.

📖 *Myrtek, M.: Psychophysiolog. Konstitutionsforschung. Gött. 1979. - Broy, J.: Die Konstitution. Mchn. 1978. - Kretschmer, E.: Körperbau u. Charakter. Bln. u. a.* [26]*1977.*

Körperflüssigkeit, Flüssigkeit im Inneren des tier. und menschl. Körpers, die v. a. für den Transport von Nahrungsstoffen, Atemgasen, Hormonen, Enzymen und Exkretstoffen sorgt, chem. Umsetzungen (Stoffwechselprozesse) und (über ihre Salze) osmot. Vorgänge mögl. macht sowie Schutz- und Festigungsfunktion hat. K. sind Blut bzw. Hämolymphe, Lymphe, Liquor; außerdem auch Sekrete (z. B. Milch, Speichel, Magen- und Gallensaft) und Exkrete (z. B. Tränenflüssigkeit, Harn).

Körpergewicht, das von Geschlecht, Alter, Ernährungszustand und Körperlänge abhängige Gewicht des nackten Körpers eines

Individuums. Die Faustformel für die Berechnung des **Normalgewichts** (Sollgewicht), die Broca-Formel, kann nur als allg. Richtschnur gelten.
Bei durchschnittl. Körpergröße gilt nach herkömml. Lehrmeinung als **Idealgewicht** bei Männern 10% und bei Frauen 15% unter Normalgewicht. Nach neueren Erkenntnissen neigt man zu der Auffassung, an Stelle des Idealgewichts für beide Geschlechter Toleranzwerte von 10% über oder unter dem Normalgewicht als gesundheitsunschädlich anzusehen. **Übergewicht** besteht demnach, wenn das K. mehr als 10% über dem Wert des Normalgewichts liegt. Als **Untergewicht** gilt jedes K. unter der angegebenen Toleranzgrenze. Eine wesentl. Rolle spielt auch der Knochenbau. Am K. sind die Knochen mit etwa 17,5% beteiligt. Bei einer Körperlänge von 175 cm wiegt im Idealfall ein 30jähriger Mann mit leichtem Knochenbau 63,8 kg, mit mittelschwerem Knochenbau 70,2 kg und mit schwerem Knochenbau 76,6 kg. - Tab. S. 103.

Körperhaltung (Haltung), die durch den Stützapparat des Körpers und die Innervation bestimmter Muskelgruppen bedingte aufrechte Körperstellung des Menschen. Durch die von der Funktion der Fortbewegung völlig abgelöste neue Funktion der Hände ist diese K. in Zusammenhang mit der mächtigen Entwicklung des Großhirns ein Wesensmerkmal des Menschen.
Das Zusammenwirken des aktiven (Muskeltonus) u. des passiven Halteapparats (Knochen und Bänder) variiert je nach erbl. Veranlagung, Alter, Kräftezustand und seel. Verfassung des Betreffenden.

Körperkreislauf (großer Kreislauf) ↑Blutkreislauf.

Körperlaus ↑Hühnerläuse.

Körpertemperatur, die Temperatur im bzw. am Körper bei Mensch und Tier; bei den Kaltblütern ist sie von der Umgebungstemperatur abhängig, bei den Warmblütern hat sie eine komplizierte räuml. Verteilung, die außerdem rhythm. Tagesschwankungen unterliegt, mit einem annähernd gleichwarmen Körperkern (das Innere des Rumpfes und Kopfes), in dessen Bereich die **Kerntemperatur** herrscht; von diesem strömt die durch den Stoffwechsel erzeugte Wärme über die wechselwarme und verschieden umfangreiche Körperschale (Haut, Extremitäten) fortlaufend in die gewöhnl. kältere(!) Umgebung ab. Je nach dem Meßpunkt werden in der prakt. Medizin verschieden hohe Temperaturen als K. gemessen; die normalen Mittelwerte liegen bei Messung in der Achselhöhle (axillar) um 36,8 °C, in der Mundhöhle (sublingual) bei 37,0 °C und im Mastdarm (rektal) bei 37,4 °C; die Rektaltemperatur kann als Kerntemperatur angesehen werden. Die K. beträgt bei den meisten Säugetieren 36–39 °C, bei Vögeln dagegen 40–43 °C. - Abb. S. 106.

Körperzellen (Somazellen), die im Normalfall diploiden, differenzierungsfähigen pflanzl., tier. oder menschl. Zellen.

korrespondierende Netzhautstellen [lat./dt.] (ident. Netzhautstellen), diejenigen Netzhautstellen eines jeden Auges, auf denen beim binokularen Sehen der gleiche Gegenstandspunkt abgebildet wird.

Korsak [russ.] (Asiat. Steppenfuchs), kleiner Steppenfuchs mit kurzen Ohren und sehr dichtem Fell (↑ auch Füchse).

Kortex (Cortex) [lat. „Rinde"], in der *Anatomie* Bez. für die äußere Zellschicht bzw. das äußere Schichtengefüge (die „Rinde") eines Organs.
◆ Kurzbez. für Cortex cerebri (Großhirnrinde, ↑Gehirn).

kortikal [lat.], die Rinde von Organen betreffend, von ihr ausgehend.

Kortikoide (Corticoide) [lat./griech.], svw. ↑Kortikosteroide.

Kortikosteroide [Kw.] (Corticosteroide, Kortikoide, Corticoide), zusammenfassende Bez. für die Hormone der Nebennierenrinde: Glukokortikoide, Mineralkortikoide und Androgene.

Kortikosteron (Corticosteron) [Kw.], Hormon der Nebennierenrinde.

Kortisol (Cortisol) [Kw.], svw. ↑Hydrokortison.

Kortison (Cortison) [Kw.], $C_{21}H_{28}O_5$, ein Glukokortikoid der Nebennierenrinde; Vorstufe des Hydrokortisons. K. wurde 1949 als erstes reines Nebennierenrindenhormon in die Therapie eingeführt und später weitgehend durch (synthet.) K.abkömmlinge mit geringeren Nebenwirkungen und z. T. wesentl. stärkeren auch spezifischeren Wirkungen ersetzt.

Korynebakterien (Corynebacteria) [zu griech. korýnē „Keule, Kolben"], Gatt. grampositiver, hauptsächl. aerober und unbewegl., nichtsporenbildender Stäbchen; über 30 Arten. Mehrere K. sind human- und tierpathogen. Einige Stämme sind von industrieller Bed. (Steroidtransformation, Erzeugung von Aminosäuren).

Koschenillelaus [kɔʃəˈnɪljə] (Koschenilleschildlaus, Scharlachschildlaus, Nopalschildlaus, Dactylopius cacti), etwa 1 (♂)–6 (♀) mm große Schildlaus, die als Schädling an Opuntien in Mexiko auftrat; vor der Herstellung von künstl. Farbstoffen wegen ihres Körpersaftes wirtschaftl. genutzt.

Kosmee [griech.], svw. ↑Schmuckkörbchen.

Kosmobiologie, 1. die Wiss. von den Einflüssen des Weltalls auf die ird. Lebewesen; 2. svw. ↑Astrobiologie.

Kosmopoliten, in der *Ökologie* Bez. für weltweit verbreitete Tier- und Pflanzenarten (z. B. Wanderratte). - Ggs. ↑Endemiten.

Kossel, Albrecht, * Rostock 16. Sept. 1853, † Heidelberg 5. Juli 1927, dt. Biochemi-

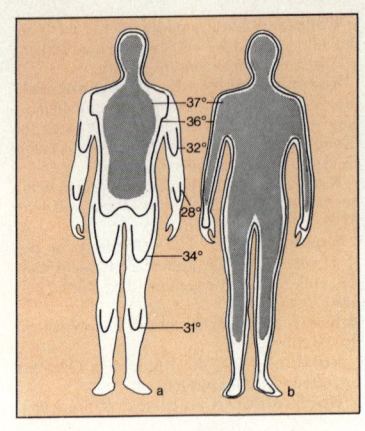

Körpertemperatur. Isothermen in der Körperschale bei niedriger (a) und hoher (b) Außentemperatur. Die graue Fläche entspricht jeweils der Kerntemperatur

ker. - Prof. für Physiologie in Berlin, Marburg und Heidelberg. K. entdeckte die Nukleinsäuren (als Nichtproteinkomponenten) u. deren Bestandteile die Purine und Pyrimidine. Entdeckte außerdem das Histidin. Erhielt 1910 den Nobelpreis für Physiologie oder Medizin.

kostal [lat.], zu den Rippen gehörig.

Kostalatmung, svw. Rippenatmung (↑Atmung).

Köstliche von Charneu [frz. ʃarˈnø] ↑Birnensorten (Übersicht Bd. 1, S. 106).

Kot (Exkrement, Fäzes, Faeces, Stuhl), durch den Darm ausgeschiedenes Verdauungsprodukt, bestehend aus Wasser, Darmbakterien, abgeschilferten Zellen der Darmschleimhaut, Sekreten der Verdauungsdrüsen, nicht resorbierten Nahrungsschlacken sowie Gärungs- und Fäulnisprodukten, die den typ. K.geruch ausmachen. Die ausgeschiedene K.menge ist von der Ernährung abhängig. Beim Menschen beträgt sie bei durchschnittl. gemischter Kost rund 150 g tägl. (davon etwa 75 % Wasser), bei überwiegender Fleischkost weniger, bei pflanzl. (zellulosereicher) Ernährung etwa das Dreifache. Die normale braune Farbe des K. ist durch die Abbauprodukte der Gallenfarbstoffe bedingt.

Kotfliegen (Mistfliegen, Cordyluridae), Fam. mittelgroßer, oft pelzig behaarter, langbeiniger Fliegen mit rd. 500 Arten v. a. in nördl.-gemäßigten Regionen; Imagines meist räuber., lauern auf Exkrementen anderen kotbesuchenden Insekten auf; Larven leben im Dung, minieren in Pflanzen oder ernähren sich räuberisch. In M-Europa kommt häufig die **Mistfliege** (Scopeuma stercoraria) vor; bis 10 mm lang, gelb gefärbt; Larven und Imagines leben v. a. auf frischem Rinderkot.

Kotkäfer (Coprinae), mit mehr als 1 000 Arten weltweit verbreitete Unterfam. meist mittelgroßer, schwarzer, metall. schillernder Blatthornkäfer; Vorderextremitäten zu Grabbeinen umgebildet. Als Larvennahrung wird Kot in unterird. Brutkammern eingetragen und dort zu größeren „Brutbirnen" geformt. Bekannt: Mondhornkäfer, Pillendreher.

Kotyledonen [griech.] (Keimblätter), in der Botanik Bez. für die ersten, bereits an der Keimachse des pflanzl. Embryos im Samen angelegten Blattorgane.

Kotylosaurier [griech.], ausgestorbene Ordnung sehr urtümlicher, meist weniger als 2 m langer Kriechtiere; bekannt vom oberen Karbon bis zur oberen Trias, bes. verbreitet im Perm Europas, Chinas, S-Afrikas und N-Amerikas; Körperbau eidechsenähnl., Beine kurz und kräftig; Schädel niedrig, kurzschnauzig.

Koxalgelenk [lat./dt.], svw. ↑Hüftgelenk.

Krabben [niederdt.], Kurzschwanzkrebse, Brachyura) Unterordnung der Zehnfußkrebse mit über 4 000 Arten; überwiegend im Meer lebend; Körper relativ kurz, abgeflacht, mit kurzem, unter dem Cephalothorax eingeschlagenen Hinterleib; erstes Rumpfbeinpaar mit meist großen Scheren; Grundbewohner; laufen meist seitwärts. Bekannteste Vertreter: Gepäckträger-, Strand-, Woll-, Wollhandkrabbe, Winker-, Gespenster-K., Taschenkrebs, Seespinnen.

Krabbenspinnen (Thomisidae), Fam. etwa 5-7 mm großer, oft sehr bunt gefärbter Spinnen; weben keine Gespinste; können (krabbenartig) rasch seitwärts laufen.

Krabbentaucher (Plautus alle), etwa stargroßer Alk mit schwarzgrauer Oberseite, weißer Unterseite und kurzem Schnabel; taucht nach kleinen Krebsen.

Kragenbär (Ursus thibetanus), 1,4-1,7 m langer, meist schwarzer Bär in den Wäldern Z- und S-Asiens; mit kragenartig aufgestellten Halshaaren und weißl. V-Zeichnung auf der Brust.

Kragenechse (Chlamydosaurus kingii), bis etwa 90 cm lange (davon rd. $^2/_3$ Schwanz), gelblichbraune Agame in Australien und Neuguinea; vorwiegend Baumbewohner. K. können bei rascher Flucht hoch aufgerichtet auf den Hinterbeinen laufen.

Kragenfasanen ↑Fasanen.

Kragengeißeltierchen (Choanoflagellaten, Craspedomonadidae), Fam. süßwasserbewohnender Geißeltierchen; meist festsitzend, häufig koloniebildend; Vorderende der eingeteilten Zelle mit trichterförmigem Plasmakragen (Collare), an dem Nahrungspartikeln festkleben, die durch Plasmaströmung in das Zellinnere aufgenommen werden.

Kragentiere (Branchiotremata, Hemichordata, Stomochordata), Stamm meerebewohnender Deuterostomier mit rd. 100 etwa 1 mm bis 2,5 m langen Arten; Körper in drei Abschnitte gegliedert; Zentralnervensystem als Rückenmark entwickelt; es gibt zwei Klassen: Eichelwürmer, Flügelkiemer.

Krähen, Bez. für einige relativ große Rabenvögel; in Europa Aaskrähe (mit Raben- und Nebelkrähe) und Saatkrähe.

Krähenbeere (Grambeere, Empetrum), wichtigste Gatt. der zweikeimblättrigen Pflanzenfam. Krähenbeerengewächse (Empetraceae) mit 6 Arten, vorwiegend in der nördl. und südl. kalten Zone und in Hochgebirgen; immergrüne, heidekrautartige Zwergsträucher mit unscheinbaren Blüten und Beerenfrüchten. Eine bekanntere Art ist die **Schwarze Krähenbeere** (Empetrum nigrum), 15–45 cm hoch, auf Hochmooren und Heiden sowie in der subalpinen Stufe der Gebirge der Nordhalbkugel; mit niederliegenden Stengeln und an der Spitze emporgekrümmten Zweigen; nadelförmige, 4–6 mm lange Blätter; Blüten blaßrot bis dunkelpurpurfarben; Früchte erbsengroß, schwarz oder dunkelviolett, eßbar.

Krähenfuß (Coronopus), Gatt. der Kreuzblütler mit acht Arten von z. T. weltweiter Verbreitung; Kräuter mit fiederteiligen Blättern, liegenden oder aufsteigenden Trieben, winzigen weißl. Blüten in Trauben sowie runzeligen Schötchen.

Krähenfüße, Bez. für die altersbedingten, feinen Hautfalten, die aus dem Bereich der äußeren Augenwinkel strahlig nach den Seiten verlaufen.

Krähenscharbe ↑ Kormorane.

Kraits [Hindi] (Bungars, Bungarus), Gatt. bis über 2 m langer, gefährl., nachtaktiver Giftnattern mit rd. 10 Arten in Wäldern und Dickichten S- und SO-Asiens.

Kraken [norweg.] (Achtfüßer, Achtarmige Tintenfische, Achtarmige Tintenschnekken, Polypen, Pulpen, Oktopoden, Octopoda, Octopodacea), mit rd. 170 Arten in allen Meeren verbreitete Ordnung großer, mit Fangarmen 0,5–3 m langer Kopffüßer; Körper sackförmig, mit acht Fangarmen. K. leben v. a. versteckt an felsigen Küsten. Zu den K. gehört u. a. die Gatt. **Octopus** mit mehreren 10–50 cm langen (einschl. Arme bis 3 m) Arten in allen Meeren. Am bekanntesten ist der hell- bis dunkelbraune, marmoriert gefleckte **Gemeine Krake** (Oktopus, Octopus vulgaris), v. a. im Mittelmeer. In warmen Meeren kommt der **Papiernautilus** (Papierboot, Argonauta argo) vor; ♀ mit bis 20 cm langer, kahnförmiger, leicht spiralig eingerollter, gerippter Brutschale, die von den beiden oberen Armen abgeschieden und gehalten wird; ♂ ohne Schale, nur 1 cm lang.

Kralle [eigtl. „die Gekrümmte"], gekrümmte, zugespitzte, epidermale Hornbildung oberseits der Zehenendglieder (diese überragend) bei vielen vierfüßigen Wirbeltieren.

Krallenaffen (Krallenäffchen, Eichhornaffen, Callithricidae), Fam. 15–35 cm körperlanger Affen mit rd. 30 Arten, v. a. in den Wäldern M- und S-Amerikas; Baumbewohner mit weichem, stellenweise langhaarigem, oft bunt oder kontrastreich gefärbtem Fell und meist buschigem, langem Schwanz; Finger und Zehen (mit Ausnahme der großen Zehe) bekrallt. Man unterscheidet die Gruppen Marmosetten und Tamarins.

Krallenfrösche (Spornfrösche, Xenopus), Gatt. bis 13 cm langer Froschlurche in stehenden Gewässern Afrikas. Der **Glatte Krallenfrosch** (Xenopus laevis) wird häufig für Schwangerschaftstests gehalten.

Krammetsbeere, volkstüml. Bez. für die Frucht von Eberesche und Heidewacholder.

Krammetsvogel, svw. ↑ Wacholderdrossel.

Kranewitt [eigtl. „Kranichholz"], svw. Heidewacholder (↑ Wacholder).

Gemeiner Krake

Klunkerkraniche

kranial [griech.], den Schädel betreffend, zum Schädel bzw. Kopf gehörend, kopfwärts gelegen.

Kraniche [zu althochdt. krano, eigtl. „heiserer Rufer"] (Gruidae), mit Ausnahme von S-Amerika und Neuseeland weltweit verbreitete Fam. großer, hochbeiniger, langhalsiger Vögel mit langem, kräftigem Schnabel; leben bes. in sumpfigen und steppenartigen Landschaften; meist Bodenbrüter. - K. sind mit Ausnahme der auf der Südhalbkugel brütenden Arten Zugvögel, die in Keilformation laut trompetend ziehen (beim Flug werden Hals und Beine gestreckt). Man unterscheidet 14 Arten, u. a.: **Klunkerkranich** (Bugeranus carunculatus), etwa 1,5 m lang, oberseits grau, unterseits schwarz; in den Sumpfgebieten O- und S-Afrikas; Schnabelwurzel rot, warzig, mit zwei weiß befiederten Kehllappen. Die Gatt. **Kronenkranich** (Balearica) hat nur die Art Balearica pavonina; etwa 1 m lang, schwarzweiß, mit gelber Federkrone auf dem Kopf; in Steppen und Sümpfen Afrikas. **Paradieskranich** (Anthropoides paradisea), etwa 1 m lang, weißlichgrau mit schwarzen Schwingen; in den Steppen S-Afrikas. **Saruskranich** (Antigonekranich, Grus antigone), etwa 1,5 m hoch, grau; mit Ausnahme der Scheitelregion Kopf unbefiedert und rot; in den Sümpfen Vorder- und Hinterindiens. **Nonnenkranich** (Schneekranich, Grus leucogeranus), etwa 1,3 m hoch, vorwiegend weiß mit schwarzen Handschwingen und nacktem, rotem Gesicht; in W- und O-Sibirien. **Jungfernkranich** (Anthropoides virgo), fast 1 m lang, grau mit schwarzer Halsunterseite und verlängerten weißen Zierfedern an den Kopfseiten; v. a. in Sumpf- und Steppenlandschaften Rußlands, Irrgast in Europa. **Gemeiner Kranich** (Grus grus), etwa 1,2 m hoch, in weiten Teilen N-Eurasiens. - Abb. S. 107.

Kraniologie [griech.], svw. ↑Schädellehre.
Kraniometrie [griech.] ↑Schädellehre.
Kranium [griech.], svw. ↑Schädel.
Kranzfühler ↑Tentakelträger.
Kranzgefäße, svw. Herzkranzgefäße (↑Herz).

Kratzdistel (Cirsium), Gatt. der Korbblütler mit rd. 250 Arten auf der Nordhalbkugel; Blüten pupurfarben, seltener gelbl. oder weiß; oft Unkräuter, u. a. die ↑Ackerdistel.

Kratzer (Acanthocephala), Klasse der Schlauchwürmer mit rd. 500 Arten von wenigen mm bis über 50 cm Länge; Darmparasiten in Wirbeltieren; mit hakenbesetztem, einstülpbarem Rüssel zur Verankerung in der Darmwand; ohne Darmkanal; Nahrung wird durch die Haut aufgenommen; Larven (Acanthor, Acanthella) in Zwischenwirten (Insektenlarven, Asseln, Flohkrebse). - Zu den K. gehört u. a. der knapp 50 cm lange **Riesenkratzer** (Macracanthorhynchus hirudinaceus) der hauptsächl. im Dünndarm von Schweinen lebt; Zwischenwirte sind Käferlarven.

Krätzmilben (Räudemilben, Grabmilben, Sarcoptidae), Fam. kleiner, fast kugelförmiger Milben mit kurzen Gliedmaßen; Hautparasiten bei Säugetieren (einschl. Mensch; hier bes. die *Krätzmilbe* i. e. S., Aracus siro: bis 0,4 mm lang) und Vögeln; verursachen Krätze bzw. Räude.

Kräuselspinnen (Dictynidae), Fam. meist etwa 1,5–4 mm großer Spinnen mit über 200 Arten, davon rd. 15 einheim.; weben ihr Wohngespinst oft auf Blattflächen oder in Astgabeln, auch an Mauern.

Krausenhai (Kragenhai, Chlamydoselachus anguineus), weltweit verbreiteter (bes. um Japan auftretender), bis 2 m langer, brauner Haifisch; fast aalförmig, lebendgebärend; mit 6 krausenartig abstehenden Kiemenscheidewänden.

Krauskohl, svw. ↑Grünkohl.
Krauskopfpelikan ↑Pelikane.

Kräuter (Therophyten), Bez. für meist unverholzte Pflanzen, die nach einmaliger Blüte und Fruchtreife absterben und sich dann durch Samen fortpflanzen. Die Hauptverbreitung der K. liegt in ariden und semiariden Gebieten der warmen Zonen und in sommerwarmen Gebieten der gemäßigten und kalten Regionen.

Kräuterbücher, Werke, bes. Drucke seit dem 15./16. Jh., in denen Natur und Wirkung von Heilpflanzen beschrieben werden; u. a. O. Brunfels „Contrafayt Kreuterbuch", 1532).

Kreatin [griech.] (N-Methylguanidylessigsäure, N-Amidinosarkosin), in der Muskulatur und im Blut der Wirbeltiere enthaltene chem. Verbindung, die als farbloses, wasserlösl. Kristallpulver isoliert werden kann; Nachweis bei der Kontrolle von Fleischzubereitungen zur Ermittlung des Fleischextraktgehaltes von Bedeutung.

Kreatinin [griech.] (Glykolmethylguanidin), farbloses, in Wasser und Alkohol lösl. Kristalle bildendes inneres Anhydrid des Kreatins; entsteht im Körper als Endprodukt des Kreatinstoffwechsels und wird im Harn ausgeschieden.

Kreatinphosphat (Phosphokreatin, Phosphagen), energiereiche organ. Verbindung mit großer physiolog. Bedeutung für den Energiestoffwechsel insbes. der Skelett- und Herzmuskulatur.

Krebs, Sir (seit 1958) Hans Adolf, * Hildesheim 25. Aug. 1900, † Oxford 22. Nov. 1981, brit. Biochemiker dt. Herkunft. - Emigrierte 1933 nach England; entdeckte 1937 den ↑Zitronensäurezyklus, wofür er 1953 (mit F. A. Lipmann) den Nobelpreis für Physiologie oder Medizin erhielt.

Krebse, svw. ↑Krebstiere.
Krebs-Kornberg-Zyklus [nach Sir H. A. Krebs und A. Kornberg], svw. ↑Glyoxylsäurezyklus.

Krebsschere (Stratiotes), Gatt. der Froschbißgewächse mit der einzigen Art **Was-**

Kreuzdorngewächse

seraloe (Stratiotes aloides) in nährstoffreichen, stehenden Gewässern Europas und NW-Asiens; mehrjährige, im Wasser untergetauchte Pflanze, die im Schlamm wurzelt oder frei im Wasser schwimmt; Blätter breitlinealförmig, in dichten, bis 30 cm großen Blattrosetten; Blüten eingeschlechtig, weiß, aus dem Wasser ragend.

Krebstiere (Krebse, Krustentiere, Krustazeen, Crustacea), mit fast 35 000 Arten in allen Meeres- und Süßgewässern verbreitete Klasse 0,02–60 cm langer, kiemenatmender Gliederfüßer (einige Gruppen sind zu Landtieren geworden, z. B. viele Asseln); Körper meist in zwei oder drei Abschnitte gegliedert: Kopf, Brust (häufig miteinander verschmolzen zum Cephalothorax [Kopfbrust]), Abdomen; Kutikula meist als kräftiger Chitinpanzer entwickelt; zwei Paar Antennen; Extremitäten urspr. als zweiästige Spaltbeine (↑Spaltfuß) entwickelt, die jedoch mannigfach abgewandelt sein können (Scherenbildungen, Schreit-, Blatt-, Springbeine); meist getrenntgeschlechtl. Tiere, deren Entwicklung i. d. R. über verschiedene Larvenstadien abläuft. - Man unterscheidet zehn Unterklassen, darunter u. a. Blattfußkrebse, Muschelkrebse, Ruderfußkrebse, Rankenfüßer und Höhere Krebse (↑Malacostraca).

Krebs-Zyklus [nach Sir H. A. Krebs], svw. ↑Zitronensäurezyklus.

Kreiselschnecken (Trochoidea), weltweit verbreitete Überfam. meerbewohnender Vorderkiemer mit kegelförmigem, oft bunt und kontrastreich gefärbtem Gehäuse. Bekannt sind die Gatt. ↑Gibbula und die im Ind. und Pazif. Ozean vorkommende **Pagode** (Marmorierte K., Turbo marmoratus), mit massigem, 15–25 cm langem Gehäuse.

Kreiselwespen (Wirbelwespen, Bembicinae), in Sandgegenden aller Erdteile weitverbreitete Unterfam. 10–30 mm langer, meist gelbschwarzer Grabwespen; tragen als Larvennahrung vorwiegend Fliegen ein; in M-Europa nur die Gatt. Bembix mit der ca. 20 mm großen **Europ. Kreiselwespe** (Kreiselwespe, Bembix rostrata).

Kreislauf ↑Blutkreislauf.

Kremplinge (Paxillus), Gatt. der Ständerpilze mit sechs weltweit verbreiteten Arten; zeichnen sich durch weit herablaufende Lamellen aus. Von Juli–Oktober bes. an Kiefernstümpfen wächst der **Samtfußkrempling** (Paxillus atrotomentosus); Hut 8–25 cm breit, olivfarben bis rostbraun, anfangs feinsamtig, trichter- bis muschelförmig; Lamellen ockergelb; Stiel kurz, mit schwarzbraunen samtartigem Überzug; eßbar. Sehr ähnl. ist der etwas kleinere **Kahle Krempling** (Paxillus involutus), der sich an Druckstellen rotbraun verfärbt; giftig.

Kreosotstrauch [griech./dt.] (Kreosotbusch, Larrea mexicana), Jochblattgewächs aus der Gatt. Larrea, bestandbildend in Halbwüsten von den südl. USA bis Mexiko; Sträucher mit harzartigem, eigenartig duftendem Überzug; Heilpflanze der Indianer.

Kresse, (Lepidium) Gatt. der Kreuzblütler mit rd. 130 z. T. weltweit verbreiteten Arten; niedrige Kräuter mit fiederspaltigen oder linealförmigen Blättern, kleinen, weißl. oder grünl. Blüten in Trauben sowie eiförmigen bis rundl. Schötchen. Die bekannteste Art ist die bis 60 cm hohe **Gartenkresse** (Lepidium sativum); einjähriges Kraut mit bläul. bereiftem Stengel und meist weißen, seltener rötl. Blüten; beliebte, in mehreren Sorten kultivierte Salatpflanze mit hohem Vitamin-C-Gehalt. ◆ allg. Bez. für verschiedene Kreuzblütler, insbes. für Kulturpflanzen wie Brunnenkresse, Gartenkresse und Gänsekresse.

Kretzer, svw. ↑Flußbarsch.

Kreuz (Regio sacralis), Teil des Rückens der Säugetiere im Bereich des Kreuzbeins; weist beim Menschen eine etwa kreuz- bzw. rautenförmige Mulde auf.

Kreuzbein ↑Becken.

Kreuzblume (Polygala), bekannteste Gatt. der zweikeimblättrigen Pflanzenfam.

Kreuzblumengewächse (Polygalaceae; 13 Gatt. und rd. 800 Arten) mit rd. 600 Arten in gemäßigten und wärmeren Klimagebieten, meist Kräuter oder Sträucher mit dorsiventralen Blüten. Auf trockenen Wiesen und Dünen kommt in M-Europa häufig die Art **Gemeine Kreuzblume** (Polygala vulgaris) mit weißen, rosafarbenen bis roten oder blauen Blüten vor.

Kreuzblütler (Kruziferen, Brassicaceae, Cruciferae), weltweit verbreitete, vielgestaltige Pflanzenfam. der Zweikeimblättrigen mit rd. 3 000 Arten; meist Kräuter von Stauden; Blüten in Trauben, meist strahlig, mit je vier freien Kelch- und Blumenkronblättern; Frucht meist eine Schote oder ein Schötchen. Zu den K. zählen viele, oft sehr alte Nutzpflanzen (z. B. Gartenkresse, Gemüsekohl, Rettich, Raps, Senf, Meerrettich) sowie viele Zierpflanzen (z. B. Goldlack, Levkoje, Schleifenblume). Verbreitete Unkräuter der K. sind Hederich, Hirtentäschelkraut und Kresse.

Kreuzdorn (Rhamnus), Gatt. der Kreuzdorngewächse mit über 150 Arten, meist in der nördl. gemäßigten Zone; meist Sträucher oder Bäume mit dornigen Zweigen. Die in M-Europa häufigsten Arten sind ↑Faulbaum und der in der gemäßigten Zone der Nordhalbkugel wachsende **Purgierkreuzdorn** (Hirschdorn, Gemeiner K., Rhamnus cathartica); baumartiger Strauch mit ellipt. Blättern und gelblichgrünen, zu zwei bis fünf gebüschelten Blüten. Die etwa erbsengroßen, schwarzen Früchte (**Kreuzdornbeeren, Gelbbeeren**) sind giftig; werden zur Herstellung eines Abführmittels verwendet.

Kreuzdorngewächse (Faulbaumgewächse, Rhamnaceae), Pflanzenfam. der Zweikeimblättrigen mit 58 Gattungen und

Kreuzfuchs

über 900 Arten in den gemäßigten, subtrop. und trop. Zonen der Erde.
Kreuzfuchs ↑Füchse.
Kreuzgras (Eleusine), Gatt. der Süßgräser mit acht Arten in wärmeren Ländern. Wichtig als Getreide- und Futterpflanze ist die in Afrika, Indien und SO-Asien angebaute Art **Korakan** (Eleusine coracana).
Kreuzkraut, svw. ↑Greiskraut.
Kreuzkröte (Bufo calamita), gedrungene, etwa 6–8 cm große Kröte in Großteilen Europas; Oberseite olivbraun bis -grün mit graubis rötlichbrauner Fleckung und schmalem, gelbem Rückenstreifen; springt kaum, läuft sehr rasch (mausähnlich).
Kreuzkümmel (Mutterkümmel, Röm. Kümmel, Weißer Kümmel, Cuminum), Gatt. der Doldenblütler mit der einzigen Art **Cuminum cyminum** in Z-Asien (in Vorderasien, im Mittelmeergebiet und in N-Amerika kultiviert); dem Kümmel ähnl. Pflanze von strengem Geruch; Verwendung wie Kümmel.
Kreuzlabkraut (Cruciata), Gatt. der Rötegewächse mit zwei v. a. in Europa verbreiteten Arten. Die häufigste europ. Art ist das **Gemeine Kreuzlabkraut** (Cruciata laevipes) auf Wiesen und an Waldrändern; bis 50 cm hohe, mehrjährige, zottig behaarte Pflanze; Blätter zu vieren an einem Quirl, eiförmig; Blüten klein, 2–3 mm, gelb.
Kreuzotter (Vipera berus), etwa 60 (♂) bis 85 (♀) cm lange, lebendgebärende (6–18 Junge pro Wurf) Viper, bes. in Heiden, Waldrändern und -lichtungen, Mooren Europas sowie des nördl. und gemäßigten Asiens; Körper gedrungen; Schwanz sehr kurz; Auge mit senkrechter Pupille; auf meist silber- bis braungrauer (♂) oder gelb- bis rotbrauner (♀) Grundfärbung befinden sich fast stets ein dunkelbraunes bis schwarzes Zickzackband längs der Rückenmitte und dunkle Flecken an den Flanken sowie am Hinterkopf eine V- oder X-förmige Zeichnung; verschiedene Farbvarianten, z. B. *Höllenotter* (ganz schwarz; bes. in Gebirgen und Mooren), *Kupferotter* (einheitl. rotbraun).

Kreuzkröte

Kreuzotter

Kreuzrebe ↑Bignonie.
Kreuzschnäbel (Loxia), Gatt. vorwiegend Koniferensamen fressender Finkenvögel mit drei Arten in den Nadelwäldern Eurasiens und N-Amerikas; Schnabelspitzen gekreuzt, spreizen Zapfenschuppen auseinander, um die Samen mit der Zunge herauszuholen; in Deutschland ↑Fichtenkreuzschnabel und ↑Kiefernkreuzschnabel.
Kreuzspinne ↑Radnetzspinnen.

Krokodilwächter   Krokus. Frühlingskrokus (links) und Safran

Krokus

Nilkrokodil

Leistenkrokodil

Kreuzung, (Kreuzungszüchtung) in der Tier- und Pflanzenzüchtung die Paarung von Individuen unterschiedl. Erbanlagen, d. h. verschiedener Rassen, Sorten, Arten.

Krevette [frz.], svw. Felsengarnele (↑Garnelen).

Kribbelkrankheit, svw. Ergotismus (↑Mutterkorn).

Kribbelmücken, svw. ↑Kriebelmücken.

Krickel ↑Gemse.

Krickente ↑Enten.

Kriebelmücken (Kribbelmücken, Schwarze Fliegen, Melusinidae), mit rd. 1 000 Arten weltweit verbreitete Fam. 2–6 mm langer, fliegenähnl. Mücken; Körper gedrungen, mit kurzen Fühlern und breiten Flügeln. Die ♀♀ besitzen einen Stechrüssel. Sie sind Blutsauger und z. T. Krankheitsüberträger bei Tieren (v. a. Weidevieh) und bei Menschen.

kriechen ↑Fortbewegung.

Kriechender Günsel ↑Günsel.

Kriechender Hahnenfuß ↑Hahnenfuß.

Kriechendes Fingerkraut ↑Fingerkraut.

Kriechtiere, svw. ↑Reptilien.

Krill [norweg.], Bez. für massenhaft in polarnahen Meeren auftretendes tier. Plankton, bestehend v. a. aus Leuchtkrebsen, Ruderkrebsen und kleinen Ruderschnecken; dient manchen Fischen (z. B. Heringen) und bes. Bartenwalen als Hauptnahrung.

Krogh, August [dän. krɔːˈɣ], * Grenå (Jütland) 15. Nov. 1874, † Kopenhagen 13. Sept. 1949, dän. Physiologe. – Prof. in Kopenhagen; arbeitete u. a. über der Atmungsstoffwechsel; er erhielt für die Entdeckung des kapillarmotor. Regulationsmechanismus 1920 den Nobelpreis für Physiologie oder Medizin.

Krokodile [griech.] (Panzerechsen, Crocodylia), Ordnung rd. 1,5–7 m langer, in trop. und subtrop. Gebieten weltweit verbreiteter, im und am Süßwasser lebender Reptilien mit 21 v. a. Fische, Vögel und Säuger fressenden Arten; mit Hautpanzer (aus Hornschuppen oder -platten). Der muskulöse Ruderschwanz ist seitl. abgeplattet. Die zur Bauchseite eingelenkten Beine erlauben ein hochbeiniges Gehen. Die Augen haben eine senkrechte Pupille. Nase und Ohren sind beim Tauchen (bis über eine Stunde) verschließbar. Wegen des sehr gefragten *Krokodilleders* werden K. stark bejagt und sind daher in ihrem Bestand sehr gefährdet. Um den Lederbedarf zu decken, werden K. gezüchtet. – Die Ordnung besteht aus den drei Fam. ↑Alligatoren, ↑Gaviale und *Echte Krokodile* (Crocodylidae) mit der 11 Arten umfassenden Gatt. Crocodylus. Zur letzteren gehören u. a.: **Nilkrokodil** (Crocodylus niloticus), bis 7 m lang, oberseits olivgrün, dunkel gefleckt, unterseits gelbl.; in den Süßgewässern Afrikas, Madagaskars, der Komoren, Israels und SW-Asiens. **Panzerkrokodil** (Crocodylus cataphractus), meist um 2 m lang, oberseits lehmgelb bis olivfarben mit schwärzl. Querflecken, unterseits gelbl., ebenfalls gefleckt; Schnauze sehr lang und schmal; im westl. und mittleren Afrika. **Spitzkrokodil** (Crocodylus acutus), bis 7 m lang, mit lang gestreckter, spitz zulaufender Schnauze; von Florida bis zum nw. S-Amerika. **Sumpfkrokodil** (Crocodylus palustris), bis 5 m lang, olivbraun bis fast schwarz; Schnauze ziemI. kurz; in Vorderindien und auf Ceylon. **Leistenkrokodil** (Crocodylus porosus), bis über 7 m lang; auf der Schnauzenoberseite zwei leistenartige Höckerreihen; in S-Asien und Australien.

Geschichte: In mehreren altägypt. Städten, insbes. in Crocodilopolis (Al Faijum), wurde der Wassergott Sobek in Gestalt des Krokodils verehrt. Im A. T. wird u. a. Ezech. 29,3 und 32,2 der Pharao mit einem Krokodil verglichen. Die Sage, daß K. ihre Opfer durch wehleidiges Weinen anlocken, führte (vermutl. im 15. Jh.) zur Redensart von den *Krokodilstränen* für geheucheltes Beileid.

Krokodilwächter (Pluvianus aegyptius), 22 cm großer, mit den Brachschwalben verwandter Vogel in Afrika, an den Ufern des Senegal bis zum Nil; vorwiegend Insektenfresser, die sich häufig in der Nähe von Krokodilen aufhalten.

Krokus (Crocus) [griech.-lat.], Gatt. der

Krone

Schwertliliengewächse mit rd. 80 Arten, bes. im Mittelmeergebiet; stengellose Knollenpflanzen mit grasartigen Blättern und trichterförmiger Blütenhülle. Bekannte Arten sind der weißblühende **Frühlingskrokus** (Weißer K., Crocus albiflorus) auf Wiesen der Alpen und des Alpenvorlandes, wird in vielen Gartenformen kultiviert, und der im Herbst purpurfarben blühende **Safran** (Crocus sativus); wild nicht bekannt, schon im Altertum vom Mittelmeergebiet bis Indien kultiviert. Die orangeroten Narbenschenkel der Griffel werden als Gewürz, Farbstoff und Arznei verwendet. - Abb. S. 110.

Krone [griech.-lat.], in der *Anatomie* svw. Zahnkrone (↑Zähne).
◆ in der *Botanik*: 1. innere, meist kräftig gefärbte Blütenblätter einer ↑Blüte; 2. die Laubblätter tragenden verzweigten, oberen Äste der Bäume.

Kronenducker ↑Ducker.
Kronenkranich ↑Kraniche.
Kronwicke (Coronilla), Gatt. der Schmetterlingsblütler mit rd. 25 Arten in Europa, W- und M-Asien; Sträucher oder Stauden mit unpaarig gefiederten Blättern und meist mit hängenden Blüten in Dolden; einige Arten sind beliebte Ziersträucher.

Kropf (Ingluvies), Erweiterung oder Ausstülpung der Speiseröhre vieler Wirbelloser (z. B. Honigmagen der Bienen) und Vögel; dient der Aufbewahrung der Nahrung sowie ihrer mechan. oder chem. (enzymat.) Zerkleinerung.

kröpfen, bei *Greifvögeln:* Nahrung aufnehmen.
Kröpfer, svw. ↑Kropftauben.
Kropfgazelle ↑Gazellen.
Kropfmilch, v. a. bei Tauben zur Brutzeit im Kropf entstehende käsige Masse als Nahrung für die Jungen.
Kropfstörche, svw. ↑Marabus.
Kropftauben (Kröpfer), Gruppe von Haustaubenrassen, bei denen der Kropf sehr stark entwickelt und weit nach außen gewölbt ist.

Kröten (Bufonidae), Fam. plumper, kurzbeiniger, etwa 2,5–25 cm großer Froschlurche mit rd. 300 Arten in Eurasien, Afrika und Amerika; sehr nützl., bes. Nacktschnecken und Insekten fressende, vorwiegend dämmerungs- und nachtaktive Tiere mit meist warziger, drüsenreicher, Giftstoffe abscheidender Haut (↑Krötengifte); leben meist am Boden; Fortpflanzung und Entwicklung erfolgt im Wasser. Einige Arten sind lebendgebärend. Zu den K. gehören u. a. Erdkröte, Kreuzkröte, Wechselkröte und Agakröte.

Krötenfische ↑Froschfische.
Krötenfrösche (Pelobatidae), Fam. oft krötenartig plumper Froschlurche auf der Nordhalbkugel; einzige einheim. Art ist die Knoblauchkröte.
Krötengifte (Bufotoxine), in den Hautdrüsensekreten von Kröten enthaltene Giftstoffe. Nach Struktur und Wirkung unterscheidet man: 1. die zu den Sterinen gehörenden K. mit digitalisartiger Herzwirkung (*Bufodienolide*) mit den *Bufogeninen;* 2. die bas. Giftstoffe mit den *Bufoteninen* (wirken blutdrucksteigernd und verursachen Halluzinationen) und ihre Methylbetaine, die *Bufotenidine* und das *Bufothionin.*

Krügers Dickstiel ↑Apfelsorten (Übersicht Bd. 1, S. 49).
Krummdarm ↑Darm.
Krummholz (Knieholz), Bez. für in höheren Bergregionen wachsende Holzgewächse, deren Stämme oder Äste vielfältig gebogen und gekrümmt sind.
Krummholzkiefer (Legföhre), Unterart der ↑Bergkiefer in den Alpen, Voralpen und höheren Mittelgebirgen M-Europas; 1–2 m hoher, niederliegender Strauch.
Kruppe [frz.], zw. Kreuz und Schwanzansatz liegender Teil des Rückens z. B. beim Pferd, Rind, Haushund.
Krustazeen [lat.], svw. ↑Krebstiere.
Krustenechsen (Helodermatidae), Fam. vorwiegend nachtaktiver, plumper, giftiger Reptilien im SW N-Amerikas. Einzige Arten sind: **Gila-Krustenechse** (Heloderma suspectum), bis 60 cm lang; Färbung schwarz mit rosaroter (auch orangefarbener oder gelber) Fleckung. **Skorpionskrustenechse** (Heloderma horridum), bis 80 cm lang; Schuppen halbkugelförmig, Kopf meist schwarz, Körper schwarz bis dunkelbraun mit gelben Flecken, Schwanz mit gelben Ringen.
Krustenflechten ↑Flechten.
Krustentiere, svw. ↑Krebstiere.
Kryptogamen (Cryptogamia) [griech.], Bez. für die *blütenlosen Pflanzen* (wie Farne, Moose, Algen, Pilze) im Ggs. zu den Blütenpflanzen. Vermehren sich meist durch einzellige Keime (z. B. Sporen) und werden deshalb auch **Sporenpflanzen** genannt.
Ktenophoren [griech.], svw. ↑Rippenquallen.
Küchenschabe (Oriental. Schabe, Bäckerschabe, Kakerlak, Blatta orientalis), weltweit v. a. in warmen Räumen (z. B. Bäckereien) verbreitete, 2–3 cm große, dunkelbraune bis fast schwarze, nachtaktive Schabe mit unangenehmem Eigengeruch; Vorratsschädling. - Abb. S. 114.
Küchenschelle, svw. ↑Kuhschelle.
Küchenzwiebel ↑Zwiebel.
Kuckucke [niederdt.] (Cuculidae), weltweit verbreitete Fam. schlanker, vorwiegend braun und grau gezeichneter, sperlings- bis hühnergroßer Vögel mit rd. 130 Arten, v. a. in Wäldern, Steppen, parkartigen Landschaften; bes. Insekten und Früchte fressende Baum- und Bodenvögel mit leicht gekrümmtem Schnabel und langem Schwanz; z. T. ↑Brutparasitismus. Zu den acht Unterfam. gehören neben Madenhackern, Sporen-K., Ma-

dagaskar-K., Langbein-K. und Regen-K. auch die (ausnahmslos brutschmarotzenden) **Echten** *K.* (Cuculinae) mit dem in Großteilen Eurasiens und Afrikas vorkommenden einheim. **Kuckuck** (*Gauch,* Cuculus canorus; 33 cm lang): Das ♀ legt seine Eier in den Nestern von Singvögeln ab. - Im Volksglauben werden dem Kuckuck prophet. Kräfte zugeschrieben. Die Zahl seiner Rufe soll auf die künftigen Lebensjahre, bei Ledigen auf die Jahre bis zur Hochzeit hindeuten. - Abb. S. 114.

Kucksbienen ↑ Bienen.
Kuckuckslichtnelke ↑ Lichtnelke.
Kuckucksspeichel ↑ Schaumzikaden.
Kudus [afrikan.] ↑ Drehhornantilopen.
Kugelalge, svw. ↑ Volvox.
Kugelasseln (Rollasseln, Armadillididae), hauptsächl. im Mittelmeerraum verbreitete Fam. der Landasseln mit rd. 200 pflanzenfressenden Arten, die ihren hochgewölbten Körper voll einkugeln können. - Abb. S. 114.
Kugelblume (Globularia), Gatt. der zweikeimblättrigen Pflanzenfam. **Kugelblumengewächse** (Globulariaceae; 2 Gatt. und 27 Arten) mit rd. 20 Arten in M-Europa und im Mittelmeergebiet; Kräuter oder Sträucher mit kugeligen Blütenständen. Eine bekanntere Art ist die in den Pyrenäen, Alpen, Karpaten und auf den Gebirgen der Balkanhalbinsel heim. **Herzblättrige Kugelblume** (Globularia cordifolia), kriechende, polsterbildende Staude mit kleinen, ledrigen, immergrünen Blättern und blaulilafarbenen Blüten in Köpfchen.
Kugeldistel (Echinops), Gatt. der Korbblütler mit rd. 120 Arten in Europa, Asien und Afrikas; distelartige Stauden; Blütenstand ein kugeliges, aus einblütigen Köpfchen zusammengesetztes Doppelköpfchen. Bekannteste Art ist die **Große Kugeldistel** (Echinops sphaerocephalus) mit meist blauen Blüten.
Kugelfische (Tetraodontidae), Fam. 6-90 cm langer, oft bunter Korallenfische mit rd. 90 Arten in warmen Meeren; mit vier breiten Zahnplatten, die zum Aufbrechen der Gehäuse von Schnecken, Muscheln, Krebsen dienen. - K. können sich (durch Luft- oder Wasseraufnahme in einen Luftsack) kugelig aufblasen und wirken dadurch abschreckend auf manche Raubfische. Sie werden in Japan unter bestimmten Vorsichtsmaßnahmen (Ovarien, Gallenblase, Leber und Darm enthalten das Gift *Tetrodotoxin;* diese Organe müssen nach dem Tode der Tiere schnell entfernt werden) zu einem delikaten Fischgericht *(Fugu)* zubereitet; beliebte Warmwasseraquarienfische.
Kugelgelenk ↑ Gelenk.
Kugelkaktus, svw. ↑ Igelkaktus.
Kugelknabenkraut (Kugelorchis, Traunsteinera), Orchideengatt. mit der einzigen geschützten Art **Traunsteinera globosa;** v. a. auf feuchten Wiesen der Alpen; bis 50 cm hoch mit kleinen, lilafarbenen bis hellroten, purpurn gefleckten Blüten in fast kugeligem Blütenstand.
Kugelspinnen (Haubennetzspinnen, Theridiidae), Fam. weltweit verbreiteter, etwa 1,5 bis 10 mm großer Spinnen mit rd. 130 Gatt. und 1 500 Arten (etwa 60 einheim.); z. T. mit kugelförmigem Hinterleib. Zu den K. gehört u. a. die Schwarze Witwe.
Kuh [zu althochdt. kuo „(weibliches) Rind"], bei verschiedenen Säugetieren (z. B. Rindern, Giraffen, Elefanten, Flußpferden) Bez. für das erwachsene weibl. Tier.
Kuhantilopen (Alcelaphinae), Unterfam. bis rothirschgroßer, hochbeiniger Antilopen in Afrika; Körper schmal; Kopf auffallend in die Länge gezogen; ♂♂ und ♀♀ mit mäßig langen, geschwungenen Hörnern. - Man unterscheidet drei Gatt.: ↑ Gnus, ↑ Leierantilopen u. **Hartebeests** (K. im engeren Sinne, Alcelaphus) mit vielen Unterarten, u. a. **Kongoni** (Alcelaphus buselaphus cockii), in den Savannen O-Afrikas, Körper hell- und rötlichbraun gefärbt; ähnl., doch viel kleiner **Konzi** (Alcelaphus buselaphus lichtensteini) in den Steppen O-Afrikas; **Kaama** (Kama, Alcelaphus buselaphus caama) fast ausgerottet, nur noch in wenigen Schutzgebieten S-Afrikas.
Kuhbaum (Kuhmilchbaum, Milchbaum, Brosimum galactodendron), Maulbeergewächs im trop. Amerika; Baum mit trinkbarem Milchsaft, der früher zu Kaugummi verarbeitet wurde.
Kuhlien (Kuhliidae) [nach dem dt. Naturforscher H. Kuhl, † 1821], Fam. meist kleinerer, silberglänzender Barschfische in Küstengewässern, Flußmündungen und im Süßwasser von O-Afrika, SO-Asien und N-Australien bis Polynesien, u. a. der bis etwa 20 cm lange **Flaggenfisch** (Kuhlia taeniurus) mit tief eingeschnittener Schwanzflosse und fünf schwarzen Längsstreifen.
Kühn, Alfred, * Baden-Baden 22. April 1885, † Tübingen 22. Nov. 1968, dt. Zoologe. - Direktor des Kaiser-Wilhelm-Instituts für Biologie in Berlin (ab 1945 in Tübingen); bed. Arbeiten zur allg. Zoologie („Grundriß der allg. Zoologie", 1922), Genetik („Grundriß der Vererbungslehre", 1939) und Entwicklungsphysiologie.
Kuhrochen (Afrikan. Adlerrochen, Pteromylaeus bovinus), bis über 2,5 m lange Art der Fam. Adlerrochen in warmen Meeren (gelegentl. auch im Mittelmeer); Kopf zugespitzt; Körperoberseite braungrün.
Kuhschelle (Küchenschelle, Pulsatilla), Gatt. der Hahnenfußgewächse mit rd. 30 Arten auf der Nordhalbkugel. Eine vorwiegend auf Kalk vorkommende Art ist die giftige, geschützte **Gemeine Kuhschelle** (Pulsatilla vulgaris) mit glockigen, hellvioletten Blüten. Auf Bergwiesen, Heiden und in sandigen Kiefernwäldern M-Europas wächst die geschützte **Frühlingskuhschelle** (Pulsatilla vernalis); mit bräunl.-gelber Behaarung und nickenden,

Küken

Küchenschabe Kuckuck (Gauch) Kugelasseln

weißen Blüten, deren äußere Blumenblätter violett, rosa oder blau überlaufen sind. - ↑ auch Alpenkuhschelle.

Küken [niederdt.], Bez. für Geflügeljunge (außer Tauben) von der Geburt bis zum Alter von 8 bis 10 Wochen.

Kukumer [lat.], südwestdt. Bez. für Gurke.

Kulan [kirgis.] ↑ Halbesel.

Kultur [lat.], die experimentelle Anzucht von Mikroorganismen sowie von pflanzl., tier. und menschl. Gewebszellen in bes. Gefäßen und Nährmedien.

Kulturanthropologie, humanwiss. Disziplin, die neben der biolog. und philosoph. Aspekt der Forschung am Menschen insbes. den der Kultur berücksichtigt. In den angelsächs. Ländern wird als K. *(Cultural anthropology)* zusätzl. die gesamte Völkerkunde bezeichnet.

Kulturfeige ↑ Feigenbaum.

Kulturflüchter, Pflanzen- und Tierarten, die nur außerhalb des menschl. Kulturbereichs gedeihen und daher mit dessen Ausbreitung verschwinden; z. B. Elch, Biber, Kranich, Schwarzstorch.

Kulturfolger, Pflanzen- und Tierarten, die auf Grund der günstigeren Lebensbedingungen den menschl. Kulturbereich als Lebensraum bevorzugen. Auch ihre Verbreitung verdanken sie weitgehend den Menschen; z. B. ↑ Adventivpflanzen, Sperling, Schwalbe, Amsel, Weißstorch.

Kulturhefen (Reinzuchthefen), rein gezüchtete Hefestämme, die in der Bier- und Weinherstellung großtechn. eingesetzt werden.

Kulturpflanzen, Nutzpflanzen, die vom Menschen in planmäßiger Kultur, Bewirtschaftung und Züchtung genommen wurden und die sich durch Änderungen im Erbgefüge von den jeweiligen Wildarten unterscheiden. Nach der Nutzungsart unterscheidet man: *Nahrungspflanzen* (Getreide, Gemüse-, Obst-, Zucker- und Ölpflanzen), *Gewürz-* und *Genußmittelpflanzen, Arzneipflanzen, Futter-*

pflanzen, Industriepflanzen (Faser-, Zellstoff-, Holz-, Kork-, Kautschuk-, Farbstoff-, Gerbstoff- und Harzpflanzen) sowie *Forst-, Garten-* und *Zierpflanzen.*

Die wichtigsten durch Chromosomenmutation entstandenen und durch Auslese und Züchtung stabilisierten Merkmale der K. gegenüber den Wildarten sind: 1. *Riesenwuchs:* führt zu Ertragssteigerung; 2. *Verminderung der Fruchtbarkeit:* führt zur Abnahme der Blüten-, Frucht- und Samenzahl bis zur Samenlosigkeit bei der Weinrebe und einigen Zitrusfrüchten) bei Vergrößerung der Blüten und Früchte; 3. *Verlust von Bitter- und Giftstoffen* (Obstarten, Rüben, Lupine); 4. *Veränderung des Lebenszyklus* (Keimruhe, Blüh- und Fruchtreife): ermöglicht einfachere Bewirtschaftung und Ausbreitung in weniger günstige Klimazonen; 5. *gesteigerte Formenmannigfaltigkeit:* z. B. Kopfbildung bei Kohl, Farbvarianten bei Zierpflanzen.

Kultursteppe, Bez. für offene, durch den Menschen genutzte Landschaften, die in urspr. natürl. Waldgebieten durch Rodung oder starke Beweidung entstanden sind.

Kulturvarietät [...i-ɛ...], svw. ↑ Sorte.

Kumazeen (Cumacea) [griech.-lat.], Ordnung etwa 5–10 mm langer, fast nur mariner, meist bis zum Vorderende im Sand oder Schlamm eingegrabener Krebstiere; über 500 Arten mit breitem, aufgetriebenem, vorn mit zwei zu einem Pseudorostrum zusammenlaufenden Fortsätzen versehenem Cephalothorax und langem, dünnem Hinterleib.

Kümmel [zu griech. kýminon (mit gleicher Bed.)], (Carum) Gatt. der Doldenblütler mit rd. 25 Arten in Europa, Asien und N-Afrika. Die bekannteste Art ist der **Echte Kümmel** (Wiesen-K., Köm, Carum carvi) mit doppelt bis dreifach gefiederten Blättern, rübenförmiger Wurzel und kleinen, weißen bis rötl. Blüten in Doppeldolden. Die leicht sichelförmig gebogenen Teilfrüchte werden als Gewürz verwendet. Das aus ihnen gewonnene aromat. K.öl wird als Geschmacksstoff für Schnäpse und Liköre verwendet.

Echter Kümmel. Rechts unten zwei Teilfrüchte

◆ ↑Kreuzkümmel.
◆ ↑Schwarzkümmel.
Kumulation [zu lat. cumulus „Haufen"], Summationseffekt bei wiederholter Einwirkung (und Anreicherung) verschiedener biologisch aktiver Substanzen (z. B. ionisierende Strahlen, Arzneimittel) auf einen Organismus.
Kunde (Bohne), trichterartige, durch Futterreste dunkel gefärbte Einstülpung des Schmelzmantels an der Kaufläche von Schneidezähnen bei Pferden. Der Abnutzungsgrad der K. bis zu deren völligen Verschwinden (beim etwa sieben Jahre alten Zahn) ist ein Indiz für das Alter des Pferdes.
künstliche Befruchtung, ungenaue Bez. für ↑künstliche Samenübertragung.
künstliche Besamung ↑Besamung, ↑künstliche Samenübertragung.
künstliche Samenübertragung (Insemination), künstl. ↑Besamung einer Frau durch Übertragung männl. Spermas entweder des eigenen Ehemannes (homologe Insemination) oder eines Dritten (heterologe Insemination) bei weibl. oder männl. Sterilität.
📖 *W. Brandstetter u. a.: Künstl. Befruchtung. Versuch einer Standortbestimmung. Wien 1985.*
Kupferblatt (Nesselblatt, Acalypha), Gatt. der Wolfsmilchgewächse mit über 400 Arten in den Tropen und Subtropen. Eine bekannte Art ist das als Topfpflanze kultivierte **Nesselschön** (Feuerroter Katzenschwanz, Acalypha hispida); mit eiförmigen, zugespitzten, dunkelgrünen Blättern und bis 50 cm langen, nach unten überhängenden, kätzchenartigen, karminroten (selten auch weißen) Blütenständen.
Kupferfasan ↑Fasanen.
Kupferglucke (Eichblatt, Gastropacha quercifolia), mittelgroße, kupferbraune Art der Glucken. Die Raupen sind schädl. an Obstkulturen. In Ruhestellung gleicht der Schmetterling einem dürren Eichenblatt.
Kupferstecher (Sechszähniger Fichtenborkenkäfer, Pityogenes chalcographus), etwa 2 mm großer, braunrot glänzender Borkenkäfer in Europa. Die Flügeldecken zeigen am Hinterende jederseits drei Zähnchen. Die Larven leben in sternförmigen Brutgängen unter Fichtenrinde.
Kurare (Curare) [span., zu Tupí urari, eigtl. „auf wen es kommt, der fällt"], Mischung von Alkaloiden und Begleitstoffen aus der Rinde verschiedener Strychnosarten und Mondsamengewächse (Pfeilgift südamerikan. Indianer); auch Bez. für die Reinalkaloide aus K. (z. B. Curarin, d-Tubocurarin, Toxiferin) sowie für synthet. Stoffe (z. B. Gallamine), die wie K. eine Muskellähmung (einschließl. Atemlähmung) erzeugen. - Erste genauere Beschreibungen über Herstellung und Wirkung von K. lieferte A. von Humboldt (1815). Als Muskelrelaxans wurde es erstmals 1942 angewandt.
Kürbis [lat.], (Cucurbita) Gatt. der Kürbisgewächse mit rd. 25 Arten; liegende oder kletternde Kräuter mit Blütranken, großen, gelben Blüten und fleischigen, oft sehr großen, in Form und Farbe verschiedenen Beerenfrüchten. Bekannte Arten sind: **Speisekürbis** (Garten-K., Cucurbita pepo) mit kriechendem, kantigem Stengel, 15–30 cm langen, fünflappigen Blättern und einzelnstehenden, großen, gelben bis orangefarbenen Blüten; Stengel, Blattstiele und unterseitige Blattnerven borstig behaart. Die unreifen Früchte werden (als Gemüse gekocht) gegessen. **Riesenkürbis** (Zentner-K., Cucurbita maxima) mit über 4 m langen Stengeln; Frucht meist sehr groß, 60–100 kg schwer; wird v. a. zur Herstellung von Kompott und Marmelade verwendet.
◆ ↑Flaschenkürbis.
Kürbisgewächse (Gurkengewächse, Cucurbitaceae), Pflanzenfam. der Zweikeimblättrigen mit rd. 100 Gatt. und rd. 850 Arten; bekannte Gatt. sind ↑Kürbis, ↑Schwammgurke und ↑Cucumis.
Kurzflügler (Kurzflüglerkäfer, Raubkäfer, Staphylinidae), weltweit verbreitete, bes. artenreiche Käferfam. (annähernd 30 000 Arten, davon rd. 1 500 einheim.); sehr kleine bis mittelgroße, schwarze bis buntschillernde, meist gut fliegende und meist räuber. lebende Käfer mit stark verkürzten Flügeldecken und langgestrecktem Hinterleib. - Etwa 2,5 cm lang ist der heim. **Große Kurzflügler** (Staphylinus caesareus).

Kurzgrassteppe

Kurzgrassteppe, in N-Amerika v. a. in den Great Plains vorherrschende Trockensteppe mit weitständig stehendem, niedrigwüchsigem hartem Büschelgras sowie an trockene Standorte angepaßten Zwerg- und Halbsträuchern.
Kurzhaardackel ↑ Dackel.
Kurzschwanzaffen (Uakaris, Cacajao), Gatt. seltener, auffallend kurzschwänziger, rd. 50 cm langer Kapuzineraffenartiger mit drei Arten im mittleren S-Amerika; Gesicht nackt, leuchtend scharlachrot oder schwarz.
Kurzschwanzkrebse, svw. ↑ Krabben.
Kurztagpflanzen, Pflanzen, deren Blütenbildung von einem tägl. Licht-Dunkel-Wechsel die von einer bestimmten Höchstdauer der Lichtperiode (12 Stunden oder kürzer) abhängig ist oder gefördert wird. Zu den K. zählen zahlr. in den Tropen beheimatete Pflanzen wie Reis, Hanf, Kartoffel, Baumwolle, verschiedene Tabaksorten und zahlr. Herbstblüher. - Ggs. ↑ Langtagpflanzen.
Kurztriebe, pflanzl. Sproßachsenglieder (meist Seitenzweige der Holzgewächse), die durch frühzeitige Einstellung des Längenwachstums gestaucht bleiben und häufig nur beschränkte Lebensdauer haben. Bei manchen Holzgewächsen ist die Ausbildung von Blattorganen (z. B. Kiefer, Berberitze) oder von Blüten und Früchten (z. B. Kirsche, Birne) auf die K. beschränkt. K. können auch zu Dornen (Weißdorn) oder blattartigen Flachsprossen umgebildet sein. - Ggs. ↑ Langtriebe.
Kurzzeitgedächtnis ↑ Gedächtnis.
Kusimansen [afrikan.] (Crossarchus), Gatt. der Schleichkatzen in Z- und W-Afrika mit vier etwa 30–40 cm langen (Schwanzlänge etwa 15–25 cm), dunkelbraunen bis gelblichgrauen, tagaktiven Arten mit lang zugespitzter Schnauze.
Kuskus [indones.] (Phalanger), Gatt. etwa ratten- bis katzengroßer, nachtaktiver Kletterbeutler mit sieben Arten von Neuguinea bis Celebes; mit rundem Kopf, großen, vorstehenden Augen und spitzer Schnauze.
Küstenseeschwalbe ↑ Seeschwalben.
Kusus [austral.] (Trichosurus), Gatt. der Kletterbeutler mit drei Arten in Australien und auf Tasmanien, darunter der ↑ Fuchskusus.
Kutikula (Cuticula) [lat. „Häutchen"], bei vielen Tieren und den oberird. Pflanzenorganen von der Epidermis nach außen abgeschiedenes, nichtzelliges, häufig ein chitiniges oder kalkiges Außenskelett bildendes Häutchen (v. a. Verdunstungsschutz).
Kutis [lat.] ↑ Haut.
Kynologie [griech.], Lehre von Zucht, Dressur und Krankheiten der Haushunde.

L

Lab, svw. ↑ Labferment.
Labellum [lat. „kleine Lippe"], (Lippe) in der *Botanik* Bez. für das mediane, durch Drehung der Blüte meist nach unten weisende Blütenblatt des inneren Blütenblattkreises der Orchideenblüte.
◆ die löffelartige Spitze der Zunge (Glossa) bei Hautflüglern.
Labferment (Lab, Chymosin, Rennin), proteinspaltendes Enzym (Endopeptidase) aus dem Labmagen saugender Kälber; in der Käserei als Gerinnungsenzym zur Fällung des Kaseins verwendet.
Labia, Mrz. von Labium; *L. minora,* svw. kleine ↑ Schamlippen; *L. majora,* svw. große ↑ Schamlippen.
Labiatae (Labiaten) [lat.], svw. ↑ Lippenblütler.
Labium [lat. „Lippe"] (Mrz.: Labien, Labia), in der *Anatomie:* 1. lippenförmiger Rand oder Wulst (z. B. eines Hohlorgans oder eines Knochens); 2. i. e. S. svw. Lippe; 3. (bes. in der Mrz.) svw. ↑ Schamlippen.
◆ in der *Insektenkunde* ↑ Mundgliedmaßen.
Labkraut (Galium), Gatt. der Rötegewächse mit rd. 300 weltweit verbreiteten Arten. In M-Europa kommen 25 Arten vor, darunter das **Echte Labkraut** (Galium verum; zitronengelbe Blüten) und das **Klebkraut** (Kletten-L., Galium aparine; mit klimmenden Stengeln und Klettfrüchten). Bekannt ist auch der als Aromamittel verwendete **Waldmeister** (Maikraut, Galium odoratum); 10–60 cm hoch, mit vierkantigen Stengeln, zu 6–9 quirlig angeordneten, lanzenförmigen bis ellipt. Blättern und weißen Blüten in Trugdolden.
Labmagen (Abomasus), letzter Abschnitt des ↑ Magens der Wiederkäuer, in dem die eigentl. (enzymat.) Verdauung einsetzt und während der Ernährung mit Milch das ↑ Labferment produziert wird.
Laburnum [lat.], svw. ↑ Goldregen.
Labyrinth [griech.], das als Gehör- und Gleichgewichtsorgan fungierende Innenohr der Wirbeltiere; umfaßt das mit Endolymphe gefüllte *häutige L.;* dieses liegt im mit Perilym-

phe erfüllten knöchernen *Labyrinth*. Das häutige L. entsteht aus dem Hörbläschen (Ohrbläschen), aus dem sich durch Einschnürung der ventrale *Sacculus* und der dorsale *Utriculus* bilden. Durch Ausstülpungen entstehen am Sacculus die Schnecke, am Utriculus die drei halbkreisförmigen, senkrecht zueinander in drei Ebenen stehenden *Bogengänge* mit je einer Auftreibung *(Ampulle)*, in der auf einem Vorsprung und in eine Gallertmasse eintauchend die *Sinneshaare* liegen. Diese werden bei Drehbewegungen des Kopfes mit der Gallertmasse zus. durch die Trägheit der Endolymphe abgebogen und so gereizt. Im Sacculus und Utriculus liegt je ein Sinneszellenbezirk *(Macula)* mit Statolithen für den Gleichgewichts- und Linearbeschleunigungssinn.

Labyrinthfische (Anabantoidei), Unterordnung der Barschartigen mit zahlr. sehr vielgestaltigen, mit paarigen Labyrinthorganen ausgestatteten Arten in trop. und subtrop. Gebieten O- und SO-Asiens sowie in Afrika; z.T. beliebte Warmwasseraquarienfische, z. B. ↑ Fadenfische.

Labyrinthorgan, bei bestimmten Fischen (bes. Labyrinthfischen) jederseits über den Kiemen gelegener Hohlraum, in den von Knochenlamellen gestützte, stark durchblutete Schleimhautfalten hineinragen; zusätzl. Atmungsorgan für die Aufnahme und Auswertung atmosphär. Luft.

Labyrinthspinne ↑ Trichterspinnen.

Labyrinthversuch, verhaltenswiss. Experiment zur Erforschung tier. Lernleistung. Beim L. führt in einem System von Gängen nur ein einziger Gang zum Ziel (die anderen Gänge enden blind). An diesem wird eine Belohnung geboten. L., bes. mit Albinoratten, spielen in der Lernpsychologie (v. a. des Behaviorismus) eine Rolle. - Abb. S. 118.

Labyrinthzähner (Panzerlurche, Labyrinthodonten, Labyrinthodontia, Stegozephalen, Stegocephalia), Unterklasse ausgestorbener Lurche; lebten vom Oberen Devon bis zur Oberen Trias; primitivste, den ältesten Kriechtieren sehr ähnl. Lurche.

Lachen, Ausdruckerscheinung, die mim. durch Bewegung bestimmter Gesichtsmuskeln und lautl. durch eine besondere Rhythmik des Stimmapparats gekennzeichnet ist. Als Reaktion auf heitere oder kom. Erlebnisse, als Ausdruck bestimmter Stimmungslagen (freudig, albern, ironisch, zynisch, verzweifelt) und als soziale Reaktion (freundl. Grußlächeln, ansteckendes L.) ist L. eine dem Menschen eigentüml. Verhaltensweise. L. wird jedoch - z. B. als Reflex auf äußere Reize (etwa durch Kitzeln) - auch bei hochentwickelten Tieren, v. a. bei Menschenaffen, beobachtet. - Als krankhafte Form äußert sich L. als Zwangs-L. bei Psychopathen. - L. und Lächeln sind erbl. Verhaltensweisen. Beides kommt bei allen menschl. Gesellschaften gleichermaßen vor.

Lactobacillus

Nach K. Lorenz gehörte L. urspr. zum Repertoire des Drohverhaltens; das Zähnezeigen stand hierbei im Vordergrund. *Lächeln* dagegen, dem durch das weniger ausgeprägte Zähnezeigen sowie durch das Ausbleiben der Lautäußerung die aggressive Komponente weitgehend fehlt, wurde zur beschwichtigenden Kontaktgebärde. Es wirkt spannungslösend, angriffshemmend („entwaffnend"), entschuldigend. L. ist demnach auch nur bedingt als eine Verstärkung des Lächelns anzusehen.

Lachender Hans (Riesenseisvogel, Dacelo gigas), fast krähengroßer, braun, grau und weißl. gefärbter Eisvogel, v. a. in O- und S-Australien; Ruf klingt wie lautes Lachen.

Lachmöwe ↑ Möwen.

Lachs (Salm, Atlant. L., Salmo salar), meist 90-120 cm langer, spindelförmig langgestreckte Art der Lachsartigen im nördl. Atlantik sowie in Flüssen N- und M-Europas und des nö. N-Amerika; Färbung verschiedl.; die in die Flüsse aufsteigenden ♂♂ mit hakenartig nach oben gekrümmtem, knorpeligem Fortsatz der Unterkieferspitze *(Haken-L.);* sehr wertvoller Speisefisch, der v. a. geräuchert in den Handel kommt.

Lachsartige (Salmonidae), Fam. der Lachsfische mit fast drehrundem, gestrecktem Körper und mit Fettflosse; Speisefische sind z. B. Lachs, Forellen, Saiblinge, Huchen, Renken, Äschen.

Lachsfische (Salmoniformes), Ordnung relativ urspr. Knochenfische im Meer und Süßwasser; u. a. Lachsartige, Stinte, Hechtlinge, Hechte, Laternenfische.

Lackbaum, (Aleurites) Gatt. der Wolfsmilchgewächse mit fünf Arten im trop. und subtrop. Asien; immergrüne Bäume mit Milchsaft. Wirtschaftl. wichtige Arten sind der **Kerzennußbaum** (Aleurites moluccana), dessen Samen das Kerzennußöl liefern, das als Brenn- und Schmieröl sowie zur Seifen- und Firnisherstellung verwendet wird, und der **Tungbaum** (Aleurites fordii), der Holzöl liefert; u. a. in S-China kultiviert.
◆ svw. ↑ Palasabaum.

Lackpilz (Laccaria), Gatt. der Lamellenpilze mit 10 rötl. bis violetten, oft in Gruppen stehenden Arten in Wäldern. Bekannte Arten sind u. a. der **Rote Lackpilz** (Laccaria laccata; minderwertig, als Mischpilz verwendbar) und der nicht sehr schmackhafte **Blaue Lackpilz** (Laccaria amethystina).

Lackschildlaus (Asiat. L., Laccifer lacca), 1-2 mm große Schildlaus in S- und SO-Asien, bes. auf Palasabaumarten. Aus den über die Lackdrüsen (umgewandelte Wachsdrüsen) ausgeschiedenen Sekreten (Stocklack) wird Schellack gewonnen.

Lactobacillus (Laktobazillen), Gatt. der Milchsäurebakterien mit 18 Arten; grampositive, sporenlose, unbewegl., anaerobe, säureproduzierende Stäbchen; weit verbreitet, häu-

117

Lactobacteriaceae

fig auf Pflanzenmaterial. Viele Arten spielen eine wichtige Rolle in der Lebens- und Futtermittelkonservierung (z. B. Sauerkraut, Gärfutter), in der Milchind. (z. B. Sauermilch, Joghurt) und in der Weinherstellung. Einige Arten finden sich in der normalen Darmflora und im Stuhl sowie in der Scheidenflora (Döderlein-Stäbchen).

Lactobacteriaceae [lat./griech.], svw. ↑Milchsäurebakterien.

Lactose [lat.] (Laktose, Lactobiose, Milchzucker), ein Disaccharid; das wichtigste Kohlenhydrat in der Milch aller Säugetiere.

Lactuca [lat.], svw. ↑Lattich.

Laelia (Lälie), Orchideengatt. mit 35 Arten im trop. Amerika; epiphyt. Pflanzen mit längl., fleischigen Pseudobulben und ledrigen oder fleischigen Blättern; Blüten in endständigen, meist langgestielten Trauben. Mehrere Arten werden als Zierpflanzen kultiviert.

Lafayettehuhn [frz. lafaˈjɛt] ↑Kammhühner.

Lägerflur, Bez. für Hochstaudenbestände auf Weiden der alpinen Stufe, die sich an vom Vieh bevorzugten oder häufig aufgesuchten Stellen einstellen.

Lagerpflanzen (Thalluspflanzen, Thallophyta), Bez. für die Gesamtheit der niederen Pflanzen (Algen, Pilze, Flechten, Moose), deren Vegetationskörper nicht in Wurzel, Sproßachse und Blätter gegliedert ist. Der Pflanzenkörper (Thallus) ist ein- oder mehrzellig und besteht aus verzweigten oder unverzweigten Fäden.

Lagesinn (Lageempfindung, Stellungssinn, Stellungsempfindung), die Selbstwahrnehmung der Lage im Raum bzw. der Stellung der einzelnen Körperteile (z. B. der Finger) zueinander als eine Qualität der Tiefensensibilität.

Laich [zu mittelhochdt. leich, eigtl. „Liebesspiel"], Eigelege von Tieren, bei denen die Eiablage ins Wasser erfolgt (z. B. Insekten, Schnecken, Fische, Amphibien). Die Eier sind von (häufig gallertigen) Schutzhüllen umgeben und werden einzeln, in Klumpen (*L.ballen*) oder Schnüren (*L.schnüre*) frei ins Wasser abgegeben (*Freilaicher*; die meisten Fische) oder an Gegenstände (z. B. an Wasserpflanzen) angeheftet (*Haftlaicher*).

Laichkraut (Potamogeton), Gatt. der Laichkrautgewächse mit rd. 90 weltweit verbreiteten Arten; Wasserpflanzen v. a. des Süßwassers; Blätter mit gitterartiger Nervatur; Blüten in einfacher Ähre, zwittrig, ohne Blütenhülle. In Deutschland kommen 24 Arten vor, darunter das **Krause Laichkraut** (Potamogeton crispus) mit welligkrausen Blättern. Einige Arten werden auch als Aquarienpflanzen verwendet.

Laichkrautgewächse (Potamogetonaceae), Pflanzenfam. der Einkeimblättrigen mit fünf Gatt. und über 100 Arten; bekannte Gatt. sind ↑Laichkraut und ↑Seegras.

Laichwanderungen, Wanderungen, die v. a. von bestimmten Fischarten (auch vielen Amphibien) beim Aufsuchen ihres Laichgebietes ausgeführt werden.

Lakritzenwurzel, svw. ↑Süßholz.

Laelia. Die Art Laelia purpurata

Labyrinthversuch. Die rote Linie zeigt den kürzesten fehlerfreien Weg

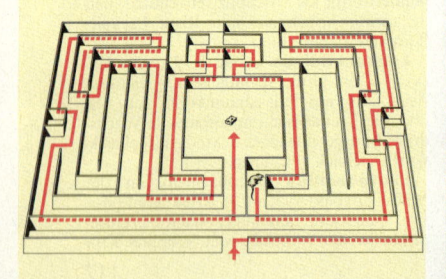

Lama

Laktation [lat.], hormonell induzierte und gesteuerte Milchsekretion aus den Milchdrüsen weibl. Säugetiere (einschließl. Mensch). - ↑auch Stillen.
Laktationshormon, svw. ↑Prolaktin.
Laktoflavin [lat.], svw. ↑Riboflavin.
laktotropes Hormon [lat./griech.], svw. ↑Prolaktin.
Lakune (Lacuna) [lat.], in der Anatomie: Grube, Vertiefung, Lücke, Bucht (z. B. an Organen, Gefäßen).
Lälie [...i-ə] ↑Laelia.
Lama [indian.-span.] (Lama glama), domestizierte, etwa 120 cm schulterhohe Kamelart in den Anden S-Amerikas; Fell mäßig langhaarig, gelbbraun bis schwarzbraun, weiß oder gescheckt; Lasttiere (nur ♂♂), Milch- und Wollieferanten (Wolle gegenüber der des Alpakas weniger wertvoll). Das L. ist in den Hochlagen Boliviens und Perus auch heute noch das wichtigste Haustier.
Lamarck, Jean-Baptiste de Monet, Chevalier de, * Bazentin (Somme) 1. Aug. 1744, † Paris 18. Dez. 1829, frz. Naturforscher. - Prof. am Jardin des plantes in Paris, befaßte sich zunächst mit Meteorologie, Chemie und Botanik, wandte sich dann ganz der Zoologie zu. Er unterschied Wirbellose und Wirbeltiere, klassifizierte erstere neu („Histoire naturelle des animaux sans vertèbres", 1815–22) und stellte in seiner berühmten „Philosophie zoologique" (1809) die Theorie der Unveränderlichkeit der Arten in Frage (↑Lamarckismus).
Lamarckismus, von Lamarck begründete Hypothese, nach der sich bestimmte Merkmale von Lebewesen durch die Wirkung von Umwelteinflüssen verändern und diese Veränderungen auf die Nachkommen vererbt werden, wenn sie bei beiden Elternteilen auftreten. Diese Veränderungen kommen nach Lamarcks Hypothese dadurch zustande, daß stark beanspruchte Organe kräftiger und leistungsfähiger werden, nicht gebrauchte Organe dagegen geschwächt werden, sich verkleinern und schließl. vollständig verkümmern. Diese Veränderungen des Phänotyps übertragen sich nach Lamarck auf den Genotyp, wodurch sie erbwirksam werden. So erklärt der L. die Länge des Halses der Giraffe durch ständiges Hochstrecken des Kopfes bei der Nahrungsaufnahme (direkte Anpassung). - Durch die Ergebnisse der Molekulargenetik ist der L. widerlegt und gilt außerdem durch die Vorstellung einer natürl. Selektion bei primär richtungsloser Veränderung durch Mutation als überholt. Gleichzeitig muß er jedoch als wichtiger Vorläufer des ↑Darwinismus angesehen werden, der der ↑Deszendenztheorie einen wesentl. Anstoß vermittelt hat. - ↑auch Neolamarckismus.
Lambdanaht (Sutura lambdoidea), Schädelnaht zw. dem Hinterhauptsbein und den beiden Scheitelbeinen.
Lambertsnuß [zu mittelhochdt. lampartisch „lombardisch"] ↑Hasel.
Lamblia [nach dem tschech. Arzt V. D. Lambl, * 1824, † 1895] (Lamblien, Giardia), Gatt. bilateral-symmetr. Flagellaten; freilebend oder als Dünndarmparasiten v. a. bei Säugetieren (einschließl. Mensch) und Vögeln. Die Art L. intestinalis verursacht Darminfektionen mit gelegentl. Durchfällen und chron. Darmbeschwerden.
Lamellenpilze (Blätterpilze, Agaricales), Ordnung mit rd. 10 000 Arten der ↑Ständerpilze; meist in Stiel und Hut gegliedert; letzterer trägt unten in gewöhnl. radialer Anordnung Blättchen, die *Lamellen,* auf denen die Basidiosporen angeordnet sind. Zu den L. zählen die bekanntesten Speise- und Giftpilze: Champignons, Knollenblätterpilze, Fliegenpilz und Reizker.
Lamellibranchiata [lat./griech.], svw. ↑Muscheln.
Lamiaceae [lat.], svw. ↑Lippenblütler.
Lamina [lat.], in der Anatomie dünne, meist nicht zelluläre Schicht in Geweben.
◆ bei Pflanzen svw. Blattspreite (↑Laubblatt).
Laminaria [lat.], Gatt. der Braunalgen mit 30 Arten in den nördl. gemäßigten Meeren und an der Südspitze Afrikas. Thallus in wurzel-, stengel- und blattartige Organe gegliedert, bis mehrere Meter groß werdend. In der Nordsee vorkommende Arten: **Fingertang** (Laminaria digitata), auf einem mit Haftkrallen am Untergrund festhaftenden Stiel werden blattartige, handförmig zerteilte, 3 m lange Thalluslappen gebildet. **Palmtang** (Laminaria hyperborea), bis 2 m groß; der drehrunde Stiel trägt ein derbes, bandförmig

Laminaria. Entwicklungszyklus bei Laminariaarten

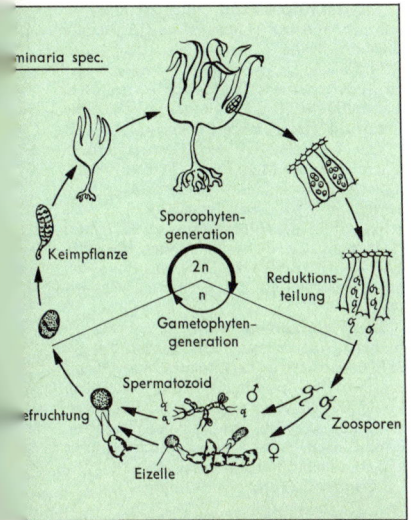

Lamm

zerschlitztes Blattorgan mit herzförmiger Basis und ist mit einem krallenförmigen Haftorgan am Felsgrund festgewachsen. **Zuckertang** (Laminaria saccharina), Thallus bandförmig, lederartig, bis 4 m lang und bis 30 cm breit, glänzend braun, am Grund in einen biegsamen Stiel verschmälert, der in ein korallen- bis geweihartiges Rhizoid übergeht. Beim Trocknen kristallisiert auf der Thallusoberfläche Mannit aus.

Lamm, Bez. für ein Schaf- oder Ziegenjunges bis zum Ende des ersten Lebensjahrs.

Lämmergeier, svw. ↑ Bartgeier.

Lämmersalat (Arnoseris), Gatt. der Korbblütler mit der einzigen Art *Arnoseris minima* auf Sandflächen und sandigen Äckern des westl. Europa; bis 25 cm hohe, einjährige Rosettenpflanze mit gelben Blütenkörbchen.

Lammzunge (Arnoglossus laterna), etwa 12–25 cm langer Plattfisch (Fam. Butte) an den Küsten Europas; Körper langgestreckt, durchscheinend, bräunlichgelb; wirtschaftl. unbedeutend.

Lampenbürstenchromosomen, in der Diplotänphase der Meiose auftretende Chromosomen (bes. in sich entwickelnden Eizellen der Wirbeltiere) mit zahlr. nebeneinanderliegenden, seitl. abstehenden Schleifenbildungen der Chromatiden.

Lampionblume [lam'pjõ:] (Blasenkirsche, Lampionpflanze, Physalis), Gatt. der Nachtschattengewächse mit über 100 Arten in den Tropen und Subtropen, vorwiegend in Amerika; Kräuter mit bei der Fruchtreife meist blasig aufgetriebenem Kelch. Einige Arten werden als ↑ Erdkirschen angebaut. Eine bekannte Zierpflanze ist die bis 60 cm hohe **Judenkirsche** (Physalis alkegengi): Staude mit eiförmigen Blättern, kleinen weißen bis gelbl. Blüten und roten, ungiftigen Beeren.

Lamprete [mittellat.], svw. Meerneunauge (↑ Neunaugen).

Lamynüsse ↑ Butterbaum.

Landasseln (Oniscoidea), weltweit verbreitete Unterordnung der Asseln mit rd. 1 000 3–30 mm langen Arten (etwa 35 Arten einheim.), deren erste Antennen winzig klein und deren abgeflachte Körpersegmente seitl. verbreitert sind; u.a. ↑ Mauerassel, ↑ Kellerassel, ↑ Kugelasseln.

Landkärtchen (Netzfalter, Araschnia levana), paläarkt. verbreiteter, 3–4 cm spannender Edelfalter in lichten Laubwäldern und auf Auen; mit Saisondimorphismus: Flügeloberseite der ersten Generation rotbraun mit schwarzen und gelben Flecken, bei der zweiten Generation schwarzbraun mit einem gelblichweißen Fleckenband; Flügelunterseite mit landkartenähnl. Gitterzeichnung.

Landkartenflechte (Rhizocarpon geographicum), auf Fels der Mittel- und Hochgebirge wachsende Krustenflechte mit leuchtendgrünem oder gelbgrünem bis schwarzem Thallus, der oft große Flächen überzieht.

Landkartenschildkröte ↑ Höckerschmuckschildkröten.

Landkrabben (Gecarcinidae), landbewohnende Krabben im trop. Amerika, in W-Afrika und im südpazif. Raum; leben in feuchtem Biotop; Larvenentwicklung im Wasser.

Landlungenschnecken (Stylommatophora), sehr artenreiche Ordnung landbewohnender Lungenschnecken; u.a. ↑ Weinbergschnecke, ↑ Schnirkelschnecken und ↑ Wegschnecken.

Landolphia [nach dem frz. Kapitän und Forscher J.-F. Landolphe, *1747, †1825], Gatt. der Hundsgiftgewächse mit über 50 Arten in Afrika und auf Madagaskar; meist Sträucher oder Lianen; viele Arten liefern Kautschuk. Einige Arten liefern eßbare Früchte (werden wie Zitronen verwendet).

Landrassen, in einem begrenzten Landschaftsraum durch natürl. Zuchtwahl und nur wenig durch züchter. Eingriffe des Menschen entstandene Haustierrassen; meist anspruchslos und vielseitiger in den Leistungen als Leistungsrassen; L. gelten neben den geringen Beständen der Primitivrassen als unersetzl. Genreservoir der Tierzucht.

Landraubtiere ↑ Raubtiere.

Landsberger Renette ↑ Apfelsorten (Übersicht Bd. 1, S. 49).

Landschafe, Bez. für Landrassen des Hausschafs (etwa 50 % des Gesamtschafbestandes der Erde) mit grober, ungleichmäßig pigmentierter Wolle; v.a. in kargen Heide-, Steppen- und Gebirgsgegenden. Zu den L. zählen z.B. Heidschnucke, Karakulschaf und Merinolandschaf.

Landschaftsschutz ↑ Naturschutz.

Landschaftsschutzgebiete ↑ Naturschutz.

Landschildkröten (Testudinidae), in subtrop. und trop. Gebieten (mit Ausnahme von Australien) verbreitete Fam. der Schildkröten (Unterordnung ↑ Halsberger); rd. 40 Arten, davon in Europa ↑ Griechische Landschildkröte und ↑ Breitrandschildkröte.

Landsteiner, Karl, * Wien 14. Juni 1868, † New York 26. Juni 1943, östr.-amerikan. Chemiker und Mediziner. - Prof. in Wien, danach am Rockefeller-Inst. für medizin. Forschung in New York; entdeckte 1901 das ABO-System der Blutgruppen (1930 hierfür Nobelpreis für Physiologie oder Medizin), 1927 (mit P. Levine) die M/N und P/p-Systeme sowie 1940 (mit A. S. Wiener) das Rhesussystem.

Landwanzen (Geocorisae), weltweit verbreitete Unterordnung der Wanzen mit rd. 25 000 Arten, die im Ggs. zu den ↑ Wasserwanzen ihre vier- bis fünfgliedrigen, oft langen Fühler frei am Kopf tragen; meist Landtiere. Von den 35 Fam. sind die Blindwanzen, Raubwanzen, Langwanzen, Rindenwanzen und Randwanzen die artenreichsten.

Langarmaffen, svw. ↑ Gibbons.

Langbeinfliegen (Dolichopodidae), weltweit verbreitete, rd. 3 600 Arten umfassende, kleine bis mittelgroße, häufig metall. grüne Fliegen mit langgestreckten Beinen; leben meist räuberisch, v. a. in Sumpf- und Gewässernähe.

Längen-Breiten-Index ↑Anthropologie.

Langerhans-Inseln [nach dem dt. Mediziner P. Langerhans, *1847, †1888] (Inselorgan), endokriner Teil der ↑Bauchspeicheldrüse; bestehend aus α- und β-Zellen, die die Peptidhormone ↑Glucagon bzw. ↑Insulin produzieren.

Langfadengewächse (Combretaceae), Pflanzenfam. der Zweikeimblättrigen mit 18 Gatt. und rd. 500 Arten in den Tropen und Subtropen; wichtige Mangrovepflanzen. Einige Arten liefern Holz (Framiré, Limba).

Langfühlerschrecken (Ensifera), weltweit verbreitete, über 8 000 Arten umfassende Unterordnung der Heuschrecken; Fühler meist körperlang, ♀♀ mit langer, säbelartiger Legeröhre. Die L. zirpen durch Aneinanderreiben der beiden Vorderflügel und haben die Gehörorgane (Tympanalorgane) in den Vorderschienen. Unterfam. sind Grillen, Grillenschrecken und Laubheuschrecken.

Langhaardackel ↑Dackel.

Langhornbienen (Hornbienen), einzeln lebende Bienen der Gatt. *Eucera* und *Tetralonia*, deren ♂♂ bis über körperlange, kräftige Fühler besitzen; traubenförmig verzweigte Nester im Boden.

Langohrfledermaus ↑Fledermäuse.

Langohrigel, svw. ↑Steppenigel.

langsame Viren, nichtsystemat. Bez. für einige Viren, die für bestimmte, langsam verlaufende Krankheiten verantwortl. sind.

Langschwanzchinchilla ↑Chinchillas.

Langschwanzmäuse (Muridae), sehr formenreiche Nagetierfam. mit über 350 weltweit verbreiteten Arten in folgenden Unterfam.: Baummäuse, Echtmäuse, Hamsterratten, Ohrenratten, Borkenratten, Nasenratten und Schwimmratten.

Langtagpflanzen, Pflanzen, die zur Blütenbildung eine längere Lichtperiode (etwa 14 Stunden) benötigen. Die Mindestbeleuchtungsdauer muß dabei stets länger sein als die jeweilige Dunkelzeit. Typ. L. sind in den gemäßigten Klimazonen anzutreffen, z. B. viele Getreidearten, Zuckerrübe, Möhre, Bohne, Spinat. - Ggs. ↑Kurztagpflanzen.

Langtriebe, pflanzl. Sproßachsenglieder (Haupt- und Seitensprosse), die durch unbegrenztes Streckungswachstum der Internodien im Ggs. zu den Kurztrieben eine normale Länge erreichen und so das Grundgerüst des Sproßsystems aufbauen.

Languren [Hindi] (Presbytis), Gatt. der ↑Schlankaffen mit 14 Arten in S- und SO-Asien; bekannteste Art: **Hulman** (Hanuman, Presbytis entellus), Körperlänge bis knapp 80 cm, Schwanz bis über 1 m lang; Fell dicht, weich, weißl. bis bräunlichgrau, das Gesicht in Form längerer, steif abstehender Haare umrahmend; Gesicht, Ohren, Hände und Füße nackt, tiefschwarz. Der Hulman wird von den Hindus als heilig verehrt.

Langusten [frz., zu lat. locusta „Heuschrecke"] (Palinuridae), in den Meeren weltweit verbreitete Fam. der ↑Panzerkrebse mit rd. 40 meist großen, farbenprächtigen, als Speisekrebse sehr geschätzten Arten; Körper annähernd zylindr. und reich bestachelt, ohne Scheren. Bekannteste europ. Art ist die bis 45 cm lange, bis 8 kg schwere, rötlichviolette bis dunkel weinrote **Gemeine Languste** (Europ. Languste, Stachelhummer, Palinurus vulgaris) im O-Atlantik und Mittelmeer. - Abb. S. 122.

Langwanzen (Ritterwanzen, Erdwanzen, Lygaeidae), weltweit verbreitete, rd. 2 000 kleine bis mittelgroße Arten umfassende Fam. der Landwanzen (mehr als 100 Arten einheim.); Antennen und Rüssel vier-, Füße dreigliedrig; Halsschild trapezförmig; Flügel manchmal rückgebildet; meist Bodentiere.

Lanugo [lat.], Behaarung des Fetus.

Lanzenottern (Lanzenschlangen), Bez. für zwei artenreiche Gatt. sehr giftiger, z. T. baumbewohnender ↑Grubenottern ohne Klapper und mit dreieckigem, deutl. abgesetztem (lanzenförmigen) Kopf. In S- und M-Amerika Arten der Gatt. Bothrops: **Schararaka** (Bothrops jararaca), bis 1,5 m lang, rotbraun, mit dunklen Dreiecksflecken; **Schararakussu** (Bothrops jararacussu), bis 2 m lang, schwarzgelb gezeichnet. In S- und SO-Asien kommt die **Nikobaren-Lanzenotter** (Trimeresurus cantori) vor; etwa 1,2 m lang, überwiegend grün, an den Seiten hell längsgestreift.

Lanzenrosette (Aechmea), Gatt. der Ananasgewächse mit rd. 150 Arten in S- und M-Amerika; meist Epiphyten mit langen, starren, rosettig oder gedrängt stehenden Blättern; Blüten in Ähren, Rispen, Zapfen oder Kolben; Warmhaus- u. Zimmerpflanzen.

Lanzenseeigel (Cidaridae), einzige rezente Fam. der Seeigelordnung *Cidaroidea*; zwei europ., 4-6 cm große Arten mit 30 cm langen Haupt- und kleineren Nebenstacheln.

Lanzettegel, svw. Kleiner ↑Leberegel.

Lanzettfischchen [zu lat.-frz. lancette, eigtl. „kleine Lanze"] (Branchiostomidae), einzige Fam. der ↑Schädellosen mit 13 rd. 4-7 cm langen, lanzettförmigen Arten in Sandböden fast aller Meeresküsten (mit Ausnahme kalter Gebiete); leben meist oberfläch l. eingegraben als Strudler. Wichtigste Gatt. ist Branchiostoma (Amphioxus) mit sieben Arten; einzige europ. Art: **Branchiostoma lanceolatum** (*Amphioxus lanceolatus;* bis 6 cm lang; im westlichen Teil der Ostsee, in der Nordsee, im Mittelmeer und an der O-Küste N-Amerikas).

lanzettlich [zu lat.-frz. lancette, eigtl.

La-Plata-Delphin

Gemeine Languste

"kleine Lanze"], lanzenförmig; in der *botan. Morphologie* v. a. von der Form der (ungeteilten) Spreite bestimmter Laubblätter gesagt.

La-Plata-Delphin ↑ Flußdelphine.

Lappenblume (Hypecoum), Gatt. der Mohngewächse mit 15 Arten im Mittelmeergebiet bis W-China; einige Arten werden als einjährige Zierpflanzen kultiviert, z. B. das gelbblühende **Gelbäugelchen** (Hypecoum pendulinum).

Lappenfische, svw. ↑ Lumpenfische.

Lappentaucher (Steißfüße, Podicipedidae), Fam. weltweit verbreiteter, gut tauchender Wasservögel auf Binnengewässern; 18 Arten; mit Schwimmlappen an den Zehen. Mitteleurop. Arten sind: **Haubentaucher** (Podiceps cristatus), etwa 0,5 m groß, graubraun mit weißer Unterseite, ziemla. langem, vorn weißem Hals, schwarzer aufrichtbarer Haube. **Ohrentaucher** (Podiceps auritus), bis 33 cm lang, ♂ und ♀ zur Brutzeit oberseits schwärzl., an den Körperseiten und am Hals rostrot; Bauch weiß, am schwarzen Kopf goldgelbe Kopfbüschel. **Rothalstaucher** (Podiceps grisegena), fast 45 cm lang, oberseits graubraun, unterseits weiß; mit schwarzem Oberkopf, weißen Wangen und rostrotem Hals. **Schwarzhalstaucher** (Podiceps nigricollis), bis etwa 30 cm lang, mit Ausnahme der braunen Flanken oberseits schwarz, unterseits weiß; an den Kopfseiten goldgelbe Ohrbüschel. **Zwergtaucher** (Podiceps ruficollis), fast 30 cm lang; ♂ und ♀ oberseits schwärzlichbraun mit hellem Fleck an der Schnabelbasis, unterseits heller.

Lar [malai.], svw. Weißhandgibbon (↑ Gibbons).

Lärche [lat.], (Larix) Gatt. der Kieferngewächse mit zehn Arten in den kühleren Bereichen der Nordhalbkugel; sommergrüne Bäume; Nadeln an Langtrieben spiralig und zerstreut, an Kurztrieben in dichten Büscheln, weich, dünn. Die bekannteste Art ist die bis 50 m hoch und bis 700 Jahre alt werdende **Europäische Lärche** (Gemeine L., Larix decidua) mit tiefrissiger Borke; verbreitet in den Karpaten, Alpen und europ. Mittelgebirgen;

Lappentaucher. Haubentaucher

Nadeln hellgrün, im Herbst goldgelb; Blüten einhäusig: ♂ in rötlichgelben, eiförmigen, hängenden Kätzchen, ♀ in aufrechten, purpurroten Zapfen; Samen klein, dreieckig, glänzend, hellbraun mit breitem Flügel.

Lärchenminiermotte (Lärchentriebminiermotte, Coleophora laricella), etwa 10 mm spannender, glänzend aschgrauer Falter der Sackmotten in M- und N-Europa, im nördl. Asien bis Japan und eingeschleppt in N-Amerika; die Raupen minieren in den Nadeln.

Larix [lat.] ↑ Lärche.

Lärmvögel (Crinifer), Gatt. laut lärmender, vorwiegend grauer Turakos mit schmalen Haubenfedern; fünf Arten in den Savannen Afrikas.

Larve [zu lat. larva „böser Geist, Gespenst, Maske"], Jugendform von Tieren, die ihre Entwicklung vom Ei zum geschlechtsreifen Individuum nicht direkt, sondern über eine Metamorphose (Formwandel) durchmachen.

Larvenroller (Paguma larvata), in SO-Asien weit verbreitete, nachtaktive Schleichkatze; etwa 50–75 cm lang; Schwanz von etwa gleicher Länge; überwiegend baumbewohnend; Allesfresser.

Larynx [griech.], svw. ↑ Kehlkopf.

Latenz [zu lat. latere „verborgen sein"], physiolog. Bez. für die Zeit zw. Reizbeginn und Beginn der beobachteten Reaktion.

Latenzeier, svw. ↑ Dauereier.

lateral [zu lat. latus „Seite"], in der *Anatomie:* den von der Mittellinie abgewandten Bereich eines Organs betreffend.

Laterne des Aristoteles, laternenähnl. Kauapparat der Seeigel.

Laternenfische, (Anomalopidae) Fam. etwa 10–30 cm langer, an der Wasseroberfläche lebender Schleimkopffische mit nur wenigen, seitl. abgeflachten, hochrückigen Arten in der Südsee. Das vermutl. zur Anlockung der Beutetiere dienende Licht aus dem großen, paarigen, unter den Augen liegenden Leuchtorgan wird von Leuchtbakterien erzeugt und kann durch eine schwarze Klappe verdeckt oder durch Drehung des Organs nach innen gerichtet und so abgeblendet werden.

Laternenträger (Langkopfzirpen, Leuchtzikaden, Leuchtzirpen, Fulgoridae), v. a. in den Tropen und Subtropen verbreitete, rd. 6 500 etwa 8–90 mm lange, oft bunt gefärbte Arten umfassende Fam. der Zikaden; Kopf meist kegelförmig vorgezogen, z. T. einen vielgestaltigen, bis über halbkörperlangen (jedoch nicht leuchtenden) Kopffortsatz tragend. Einzige Art in Deutschland ist der 1 cm lange, grüne **Europ. Laternenträger** (Fulgora europaea).

Latimeria [nach E. D. Courtenay-Latimer, *1907, der Leiterin eines Londoner Museums], Gatt. der ausgestorbenen Quastenflosser mit der einzigen rezenten, 1938 entdeckten Art Latimeria chalumnae; lebt im Ind. Ozean (v. a. im Gebiet der Komoren) als Bodenbewohner in Tiefen von 150–400 m. Die rd. 1,5 m langen, bis 80 kg schweren Tiere haben einen Spiraldarm und eine rudimentäre Lunge. Die paarigen Flossen sowie Afterflosse und zweite Rückenflosse weisen einen muskulösen, beschuppten Stiel auf. Die Chorda dorsalis bleibt zeitlebens erhalten; das Skelett ist nur z. T. verknöchert; lebendgebärend; bis heute sind 80 Tiere bekannt.

LATS, Abk. für engl.: **l**ong-**a**cting-**t**hyroid-**s**timulator; ein im Blut zirkulierendes Gammaglobulin, das langzeitig die Schilddrüsensekretion stimuliert und wahrschein. eine ursächl. Rolle bei der Basedow-Krankheit spielt.

Europäische Lärche

Latsche (Legföhre, Pinus mugo var. pumilio), Varietät der ↑Bergkiefer in den mittel- und osteurop. Gebirgen; Wuchs mehrstämmig-strauchig; mit dicht gestellten Ästen, aufwärts gerichteten Zweigen.

Lattich [lat., letztl. zu lac „Milch"] (Lactuca), Gatt. der Korbblütler mit rd. 100 Arten, vorwiegend auf der Nordhalbkugel; milchsaftführende Kräuter mit ausschließl. zungenförmigen Blüten. In Deutschland kommen sieben Arten vor, u. a.: **Giftlattich** (Lactuca virosa), bis 1,5 m hoch, mit gelben Blüten in Rispen und breiten, ovalen stengelumfassenden, gezähnten Blättern; Milchsaft giftig; auf steinigen Hängen und in Gebüschen. **Kompaßlattich** (Stachel-L., Lactuca serriola), bis 1,2 m hoch, mit fiederspaltigen, stachelig gezähnten Blättern und gelben Blüten; Stengelblätter mit um 90° gedrehten und meist in dieselbe Richtung orientierten Spreiten; an Wegrändern und auf trockenen Plätzen. Die wirtschaftl. wichtigste Art ist der **Gartensalat** (Garten-L., Lactuca sativa); einjährig, mit in Rosetten stehenden, oft „Köpfe" bildenden Grundblättern. Wichtige Sorten sind: **Kopfsalat** (Kopfbildung durch Entfaltungshemmung der Rosettenblätter), **Schnittsalat** (die Blätter werden vor dem Austrieb der Blütenstengel einzeln abgeschnitten oder gepflückt), **Spargelsalat** (die stark verdickten Sproßachsen werden roh oder gekocht gegessen) und **Röm. Salat** (Sommerendivie, Bindesalat; mit steil aufwärts gerichteten, grundständigen, bis 30 cm langen, oft locker kopfförmig zusammenstehenden Blättern mit kräftiger Mittelrippe).

Lau (Chondrostoma genei), etwa 15–30 cm langer, schlanker Karpfenfisch in N- und M-Italien sowie in S-Frankreich, sehr selten auch im Inn und Oberrhein; Rücken graugrün, Körperseiten silbrig mit schwärzl. Längsband, Bauch weiß.

Laub, die Gesamtheit der Blätter der ↑Laubhölzer.

Europäische Lärche.
Männliche (helle)
und weibliche (rote) Blütenzapfen

Laubblatt

Laubblatt, Blatt der Samenpflanzen und Farne. Im typ. Fall besteht ein L. aus der Blattspreite, die flächig entwickelt ist und in der bei fast allen Pflanzen die Photosynthese abläuft, dem stengelartigen Blattstiel und dessen Übergang in die Achse, dem Blattgrund. Blattspreite und -stiel werden auch als *Oberblatt*, der Blattgrund als *Unterblatt* bezeichnet. Ist der Blattstiel flächig verbreitet (z. B. bei Zitruspflanzen) spricht man von *Flügelung*. Die **Blattspreite** (Lamina) weist eine der Stützung und dem Wasser- und Nährstofftransport dienende Blattnervatur (*Blattrippen, -adern, -nerven*) auf. Nach der Form der Blattspreite unterscheidet man zw. einfachen und zusammengesetzten Laubblättern. Sie ist bei einfachen Laubblättern ungeteilt, hat aber meist einen mehr oder weniger gelappten Rand. Bei zusammengesetzten Laubblättern sitzen an der urspr. Mittelrippe (Blattspindel, Rhachis) mehrere kleine Blattspreiten. Einkeimblättrige Pflanzen haben meist einfache Laubblätter, zweikeimblättrige Pflanzen häufig zusammengesetzte *(geteilte)* Laubblätter. Die verschiedenen Formen der einfachen Laubblätter werden nach der Beschaffenheit des Randes bezeichnet: **ganzrandig** (1), wenn der Rand völlig glatt ist; **gesägt** (2), wenn die Spitzen im rechten Winkel zusammenstoßen; **doppelt gesägt** (3), wenn große mit kleinen Spitzen abwechseln; **gezähnt** (4), wenn die Vorsprünge spitz und die Einschnitte abgerundet sind; **gekerbt** (5), wenn die abgerundeten Vorsprünge im spitzen Winkel zusammenstoßen; **gebuchtet** (6), wenn die Vorsprünge und Einschnitte abgerundet sind; sind die Einschnitte tiefer, so wird die Blattspreite in Abschnitte aufgeteilt, die dem Verlauf der Blattnerven entsprechen: **fiederspaltig** (7) oder leierförmig gefiedert, wenn die nicht sehr tiefen Einschnitte paarweise aufeinander zulaufen; **fiederteilig** (8), wenn die paarweise angeordneten Einschnitte bis zur Mittelrippe reichen; **handförmig geteilt** (9), wenn die Einschnitte alle nach dem Grund der Blattspreite zu gerichtet sind; **gelappt** (10), wenn die L.fläche durch spitze Einschnitte in breitere und abgerundete Abschnitte geteilt ist. Nach der Form der Blattspreite unterscheidet man nadelförmig, linealförmig, spatelförmig, eiförmig, pfeilförmig u. a. Das zusammengesetzte L. besteht dagegen aus mehreren, voneinander getrennten Blättchen oder **Fiedern**. Die Fiedern sitzen meist paarweise an der verlängerten Mittelrippe. Hier unterscheidet man: **unpaarig gefiedert** (11), wenn mehrere Fiederpaare und eine Endfieder vorhanden sind; **paarig gefiedert** (12), wenn die Endfieder reduziert ist; **doppelt gefiedert** (13), wenn die Fiedern selbst wieder gefiedert sind; mehrfach gefiedert, wenn doppelt gefiederte L. nochmals gefiedert sind. Strahlen alle Fiedern von einem Punkt aus (bei Hemmung der Längsentwicklung der Mittelrippe), spricht man von einem **fingerförmig gefiederten** L. (14). Entwickelt sich die Mittelrippe nicht längs, sondern quer zum Blattstiel, so entsteht das **fußförmig gefiederte** L. (15). - Die Fiederung der Palmenblätter beruht nicht auf Wachstumsvorgängen, sondern auf nachträgl. Zerreißung entlang abgestorbener Gewebeteile. Der **Blattstiel** führt der Spreite Wasser und Mineralsalze zu und transportiert die Assimilationsprodukte ab. Durch Wachstumsbewegungen bringt er die Blattfläche in die günstigste Lage zum Lichteinfall. Bei einigen Pflanzen (bes. bei der Mimose) ist die Basis oder die Spitze des Stiels verdickt und bildet ein wie ein Gelenk wirkendes Blattpolster, das dem L. eine große Beweglichkeit gibt. Bei vielen Einkeimblättrigen fehlt der Blattstiel. Die Blattstiele ungestielter oder sitzender Laubblätter sind meist mit einem breiten Blattgrund am Stengel angewachsen. Bei den Zweikeimblättrigen ist der Blattgrund gegenüber dem Stiel nur mäßig verdickt, trägt aber oft ein Paar Nebenblätter (Stipeln). Bei einigen Pflanzen hat er sich zu einer Blattscheide entwickelt, die den Stengel umschließt (stengelumfassende Laubblätter). Die Gräser stabilisieren so ihren schwachen Stengel. Bei ihnen findet sich an der Übergangsstelle zw. Blattgrund und -spreite ein kleines Blatthäutchen (Ligula).
Aufbau: Auf der Ober- und Unterseite der Spreite ist meist eine einschichtige **Epidermis** ausgebildet, deren ineinander verzahnte Zellen keine oder nur wenige Chloroplasten enthalten. Unter der oberen Epidermis liegt das **Palisadenparenchym,** dessen langgestreckte Zellen den größten Teil aller Chloroplasten des L. enthalten und daher das *Assimilationsgewebe* darstellen. Unter dem Palisadengewebe liegt das **Schwammparenchym,** das aus unregelmäßig geformten, wenige Chloroplasten enthaltende Zellen besteht, zw. denen sich große Interzellularräume befinden, die der Wasserdampfabgabe und der Durchlüftung dienen. Entsprechend sind die Spaltöffnungen, durch die Sauerstoff und Kohlendioxid mit der Luft ausgetauscht werden, häufig nur an der Blattunterseite zu finden. Palisaden- und Schwammparenchym zus. werden auch als *Mesophyll* bezeichnet.
Entwicklung: Das L. entsteht als seitl. Höcker neben dem Sproßvegetationspunkt. Das Meristem an der Spitze der Blattanlage wird ersetzt durch teilungsfähige Zellen an der Basis von Blattgrund, -stiel und -spreite. Dadurch wächst das L. in die Länge. Das Breitenwachstum beginnt mit Zellen am Blattrand. Zusammengesetzte L. entstehen dadurch, daß die teilungsfähigen Zellen nur in bestimmten Zonen des Blattrandes vorkommen.
Stellung: Zur Beschreibung der **Blattstellung** an einer Pflanze benutzt man ein Diagramm, bei dem die Blätter auf Kreisen liegen, deren

Laubsänger

Mittelpunkt der Stengel bildet. Grundsätzl. gibt es zwei Arten: 1. Entspringen an einem Knoten zwei oder mehr Blätter, nennt man ihre Stellung **gegenständig** oder wirtelig. 2. Entspringt an einem Knoten nur ein Blatt, stehen die Blätter **wechselständig** oder schraubig. Sind es im ersteren Fall nur zwei Blätter pro Knoten, stehen sie **kreuzständig** (dekussiert), d. h. von Knoten zu Knoten um jeweils 90° versetzt. Aber auch wenn mehrere Blätter gebildet werden, stehen sie immer auf Lücke (Alternanzregel). Steht nur ein Blatt an einem Knoten, liegen sich die Blätter eines Stengels oft genau gegenüber, oder sie sind schraubenförmig um den Stengel angeordnet; dabei bleibt der Winkel, um den die Ansatzstelle des oberen gegenüber der des darunterliegenden Blattes versetzt ist, immer der gleiche (Äquidistanzregel). Alle L. sind also immer so angeordnet, daß die oberen den unteren das Sonnenlicht nicht wegnehmen und so eine hohe Photosyntheseleistung ermöglichen.

Metamorphosen: Übernehmen L. spezielle Aufgaben, so verändern sie ihr Aussehen; verdickte *Speicherblätter* für Nährstoffe (verschiedene Zwiebelpflanzen) oder Wasser (Blattsukkulenten; Mauerpfeffer); *Blattranken* als Kletter- oder Haftorgane (Erbse, Wicke); *Blattdornen* (Berberitze); *Kannen-* und *Schlauchblätter* bei fleischfressenden Pflanzen. Die **Lebensdauer** der L. beträgt eine Vegetationsperiode (sommergrüne) oder wenige Jahre (immergrüne).

Der **Blattfall** (Laubfall) steht unter dem Einfluß von Wuchsstoffen und ist der Klimarhythmik (Kälte-, Trockenperioden) angepaßt. Stoffwechselveränderungen wie Abnahme des Chlorophyllgehalts, Zunahme der Anthozyane, Abtransport von Mineralstoffen sind die Vorerscheinungen. Zur Ablösung wird ein Trenngewebe an der Basis des Blattstiels ausgebildet. - Abb. S. 126.

Laubenvögel (Ptilonorhynchidae), Singvogelfam. mit 17 Arten auf Neuguinea und in Australien. Die ♂♂ bauen zur Anlockung von ♀♀ für ihre Balztänze sog. Lauben, die sie mit Federn, Schneckengehäusen u. a. schmücken.

Laubflechten ↑ Flechten.

Laubfrösche (Baumfrösche, Hylidae), mit Ausnahme Afrikas südl. der Sahara, Madagaskars und Teilen S-Asiens weltweit verbreitete Fam. der Froschlurche mit mehreren 100 etwa 2–12 cm großen, häufig lebhaft gefärbten Arten; Finger und Zehen fast stets mit Haftscheiben; überwiegend Baum- und Strauchbewohner; Eiablage im Wasser, manchmal auch auf Blättern über dem Wasser; Larvenentwicklung im Wasser. - Die artenreichste und am weitesten verbreitete Gatt. der L. ist *Hyla* mit den **Europ. Laubfrosch** (Hyla arborea) in Europa (ausgenommen im N), im westl. Asien, in NW-Afrika, auf den Balearen, den Kanar. Inseln und auf Madeira; etwa 5 cm groß, Oberseite glatt und glänzend, meist leuchtend laubgrün (gelegentl. mit Farbwechsel zu grau, braun, gelbl.), von der weißl. Bauchseite durch ein schwarzes, oben weiß gesäumtes Band abgesetzt; ♂♂ mit großer, unpaarer Schallblase. - Abb. S. 127.

Laubheuschrecken (Laubschrecken, Tettigonioidea), weltweit verbreitete Überfam. der Langfühlerschrecken mit rd. 5 000 Arten; Fleisch- oder Pflanzenfresser. In Deutschland vorkommende Gatt. und Arten sind u. a.: **Heupferd** (Tettigonia) mit dem bis 8 cm langen **Grünen Heupferd** (Tettigonia viridissima); mit sehr langen, fadenartigen Fühlern. **Warzenbeißer** (Decticus verrucivorus), etwa 2–4 cm lang, grün, meist dunkel gefleckt. Die Gatt. **Strauchschrecken** (Buschschrecken, Pholidoptera) hat sechs Arten. Bekannt ist die 13–18 mm lange **Gewöhnl. Strauchschrecke** (Pholidoptera griseoaptera); Flügeldecken beim ♂ kurz, beim ♀ sehr klein, schuppenförmig.

Laubhölzer (Laubgehölze), bedecktsamige Pflanzen mit mehrjährigen, meist langlebigen, verholzten Sproßachsen (Bäume, Sträucher, Halbsträucher), die im Ggs. zu den nacktsamigen Nadelhölzern breitflächige Laubblätter ausbilden. Die Samen der L. sind in Früchten eingeschlossen, aus denen sie sich zur Reifezeit lösen. - Die Wuchsform der L. wird meist durch sympodiale Verzweigung bestimmt, d. h., die Entwicklung der Hauptachse tritt hinter der der Seitenachsen zurück, wodurch weit ausladende Kronen entstehen. Je nach Dauer der Beblätterung sind die L.arten immergrün (z. B. Stechpalme, Buchsbaum, Rhododendron) oder laubwerfend (z. B. sommergrüne Arten der gemäßigten Zonen). L. sind in weiten Gebieten der Erde die beherrschende Wuchsform der natürl. Vegetation.

Laubkäfer (Maikäferartige, Melolonthinae), weltweit verbreitete Unterfam. der Skarabäiden mit rd. 7 000 Arten bis 5 cm langen Käferarten mit drei- bis siebengliedriger, geblätterter Fühlerkette. In Deutschland vorkommende Arten sind Maikäfer, Gartenlaubkäfer und Getreidelaubkäfer.

Laubmoose (Musci), rund 16 000 Arten umfassende, weltweit verbreitete Klasse der Moose. Thallus (Gametophyt) immer in Stämmchen und Blättchen gegliedert. Die Sporenkapsel ist der Sporophyt; somit ist ein ausgeprägter Generationswechsel vorhanden. L. sind von großer Bed. als Wasserspeicher in den Wäldern, als Indikatoren für bestimmte Bodenqualitäten und beim Aufbau der Torfmoore. Bekannte L. sind Goldenes Frauenhaarmoos, Drehmoos, Torfmoos, Weißmoos und Etagenmoos.

Laubsänger (Phylloscopus), artenreiche Gatt. zierl. Grasmücken in den Laubwäldern Eurasiens; Insekten- und Beerenfresser. Einheim. Arten sind: **Fitis** (Phylloscopus trochilus), etwa 10 cm lang, oberseits graugrünl.,

Laubschrecken

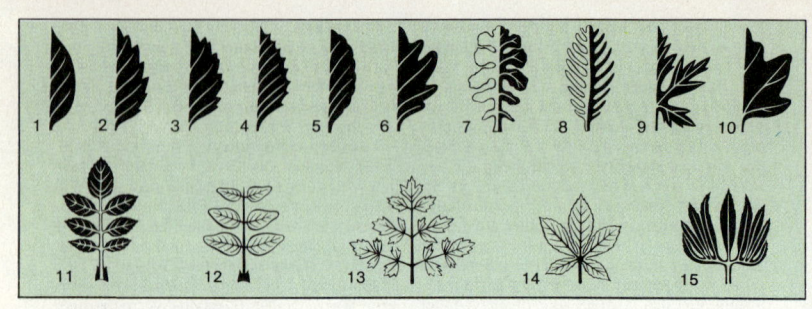

Laubblatt. Die verschiedenen Blattformen (s. Text S. 124f.)

unterseits gelblichweiß; mit gelbl. Überaugenstreif und hellbraunen Beinen. **Waldlaubsänger** (Phylloscopus sibilatrix), 13 cm lang, oberseits gelblichgrün, unterseits (mit Ausnahme der gelben Kehle) weiß; mit breitem, gelben Überaugenstreif. **Zilpzalp** (Weiden-L., Phylloscopus collybita), etwa 10 cm lang, unterscheidet sich vom sonst sehr ähnl. Fitis durch dunkle Beine und den artspezif. Gesang.

Laubschrecken, svw. ↑Laubheuschrecken.

Laubwald, Pflanzengemeinschaft, in der Laubhölzer vorherrschen (im Ggs. zum Misch- und Nadelwald), wobei sich klimabedingte, die Erde umziehende Gürtel ausbilden.

Lauch, (Allium) Gatt. der Liliengewächse mit rd. 300 Arten auf der Nordhalbkugel; Stauden mit Zwiebeln oder Zwiebelstamm; Blätter grundständig, verschiedenartig, oft gefaltet oder röhrenförmig. In Deutschland kommen mehr als 15 Arten vor, u. a. der häufige Bärenlauch. Zahlr. Arten sind wichtige Nutzpflanzen, z. B. Knoblauch, Zwiebel, Porree, Schalotte und Schnittlauch.
◆ volkstüml. Bez. für den ↑Porree.

Laufen ↑Fortbewegung.

Laufhühnchen (Kampfwachteln, Turnicidae), Fam. der Kranichvögel mit 15 etwa 12–20 cm großen, Wachteln oder kleinen Hühnern ähnelnden und wie diese auf dem Boden lebenden Arten in Grasländern, Steppen, offenem Busch- und Baumland warmer Gebiete der Alten Welt, davon eine Art auch in S-Spanien und Portugal, selten noch auf Sizilien; die ♀♀ sind bes. kämpferisch.

Laufhunde, in der Schweiz gezüchtete Rassegruppe kleiner bis mittelgroßer, schnell und ausdauernd laufender Jagdhunde mit Hängeohren, langer Rute und kurzhaarigem Fell; folgen dem Wild mit der Nase und geben dann Laut.

läufig (heiß, hitzig), sich in der Brunst befindend (von Hündinnen gesagt).

Laufkäfer (Carabidae), weltweit verbreitete, rd. 25 000 Arten umfassende Käferfamilie der ↑Adephaga mit überwiegend dunkler, metall. glänzender Körperfärbung. In Deutschland kommen rd. 600 Arten vor, darunter z. B. ↑Goldschmied und **Gartenlaufkäfer** (Carabus hortensis), 22–28 mm groß, schwarz, seidigglänzend; mit kupferig-goldenen Grübchen in Längsreihen auf den Flügeldecken.

Laufmilben (Samtlaufmilben, Trombidiidae), weltweit verbreitete, artenreiche Fam. an und im Boden lebender Milben mit häufig bunten (v. a. rötl.) und samtartig dicht behaarten, bis 1 cm großen Arten; bekannteste Arten sind ↑Erntemilbe und die etwa 4 mm große, scharlachrote **Scharlachmilbe** (Trombidium holosericeum).

Läuse (Echte L., Anoplura, Siphunculata), mit knapp 400 Arten weltweit verbreitete Ordnung 1–6 mm langer, stark abgeflachter, flügelloser, an Säugetieren (einschließl. Mensch) blutsaugender Insekten; in M-Europa etwa 20 Arten. Die Eier *(Nissen)* werden an Wirtshaaren festgeklebt. L. sind z. T. Krankheitsüberträger. - Hauptfam.: ↑Menschenläuse, ↑Tierläuse.
◆ ↑Pflanzenläuse.
◆ ↑Rindenläuse.

Läusekraut (Pedicularis), Gatt. der Rachenblütler mit rd. 600 Arten auf der Nordhalbkugel, v. a. in den Gebirgen Z-Asiens; Halbparasiten, meist auf Gräsern; Blätter meist mehrfach fiederschnittig bzw. fiederteilig; Blüten zweilippig, in Ähren oder Trauben. Einheim. Arten sind u. a.: **Waldläusekraut** (Pedicularis silvatica), mit schmal-lanzenförmigen Blättern und roten bis hell purpurfarbenen Blüten; auf feuchten Wiesen und Flachmooren NW-Deutschlands. **Sumpfläusekraut** (Pedicularis palustris), bis 50 cm hoch, mit sitzenden oder kurz gestielten Blättern und roten bis purpurfarbenen Blüten; auf Sumpfwiesen und Flachmooren. **Karlszepter** (Pedicularis sceptrum-carolinum), mit bis 3 cm großen gelben Blüten in bis 90 cm hohem Blütenstand; auf feuchten Wiesen, Flachmooren und an Seeufern.

Lausfliegen (Hippoboscidae), weltweit verbreitete Fliegenfam. mit rd. 150 etwa 4–8

Leben

mm großen, auf der Haut von Vögeln und Säugetieren ektoparasit. lebenden, blutsaugenden Arten; Körper extrem flachgedrückt, mit kräftigen, große Klauen tragenden Beinen; Flügel oft rückgebildet; larvengebärend. Einheim. sind die gelbl. **Hirschlausfliege** (Lipoptena cervi) und die bräunl., flügellose **Schaflausfliege** (Melophagus ovinus).

Lausmilben, svw. ↑Krätzmilben.

Lautäußerungen, von Tieren hervorgebrachte Geräusche mit bes. biolog. Funktion, i. d. R. zur innerartl. Verständigung (Anlokkung des Sexualpartners, Einschüchterung von Rivalen, Sicherung des sozialen Zusammenhalts mit *Stimmfühlungslauten,* Warnung vor Gefahr); zur Abschreckung von Feinden dienen *Drohlaute.* Bei manchen Tieren (z. B. Fledermäuse, Wale) stehen die L. im Dienst der räuml. Orientierung. Wohlklingende, z. T. melod. oder rhythm. L. von Grillen, Heuschrecken, Zikaden, Vögeln u. a. werden als ↑Gesang bezeichnet. Die tier. L. liegen nicht immer im vom Menschen wahrnehmbaren Frequenzbereich; die Echolotpeilung der Fledermäuse und Delphine z. B. arbeitet mit höheren Tönen (Ultraschall).

Lavendel (Lavandula) [mittellat.-italien.], Gatt. der Lippenblütler mit 26 Arten im Mittelmeergebiet, den Kanar. Inseln und in Vorderindien. Bekannt sind der **Echte Lavendel** (Kleiner Speik, Lavandula angustifolia), bis 60 cm hoher Halbstrauch, und der **Große Speik** (Narde, Lavandula latifolia), 30–40 cm hoher Halbstrauch. Beide werden zur Gewinnung von Lavendelöl und Speiköl angebaut.

Leakey, Louis [engl. ˈliːkɪ], * Kabete (Kenia) 7. Aug. 1903, † London 1. Okt. 1972, brit. Paläontologe, Anthropologe und Ethnologe. - Machte bed. prähistor. Funde und Forschungen in Kenia und Tansania.

Leben, stationärer „Zustand" eines materiellen Systems komplizierter chem. Zusammensetzung, das aus einem Zusammenwirken aller Einzelbestandteile auf Grund physikal. und chem. Wechselwirkungen resultiert. Allen Lebewesen gemeinsam sind folgende **Merkmale:** Stoffwechsel, Fortpflanzung, Veränderung der genet. Information, Aufbau aus einer oder mehreren Zellen, Besitz bestimmter Strukturen innerhalb der Zellen, Ablauf bestimmter biochem. Reaktionen. Diese Gemeinsamkeiten weisen auf einen gemeinsamen Ursprung des L. hin, was bes. durch die Universalität des genet. Codes sowie der Aufbauprinzipien der makromolekularen Strukturen belegt wird.

Der **Anfang des Lebens** auf der Erde ist nicht genau zu datieren. Anzunehmen ist, daß L. vor etwa 3–4 Milliarden Jahren in der Uratmosphäre (enthielt v. a. Wasserstoff sowie einfache Kohlenstoff-, Stickstoff-, Sauerstoff- und Schwefelverbindungen wie Methan, Ammoniak, Wasserdampf, Kohlenmonoxid, Schwefelwasserstoff u. a.) unter der Einwirkung verschiedener Energieformen (insbes. durch die UV-Strahlung der Sonne und elektr. Entladungen) entstanden ist.

Die Forschungsergebnisse der Molekularbiologie - v. a. in den letzten drei Jahrzehnten - haben zu einem grundlegenden Verständnis der L.erscheinungen geführt. Die Urstadien chem. Evolution können heute im Labor nachvollzogen werden. Dabei zeigte sich, daß die verschiedenen organ. Verbindungen durch eine abiogene Synthese entstehen konnten. Sie wurden dann mit dem Regen in die entstehenden Ozeane geschwemmt, konnten darin untereinander weiter reagieren und neue Verbindungen bilden. Dadurch ergab sich eine Konzentration von einfachen organ. Verbindungen im Wasser, die sog. Ursuppe. - Zu Beginn des L. entstanden zuerst kleine, später größere Moleküle. Diese lagerten sich zu einfachen, dann zu komplizierteren Verbindungen und Molekülketten zus. Danach entstanden Makromoleküle wie Proteine und Nukleinsäuren. Da die chem. Verbindungen in den primitivsten Lebensformen zusammenarbeiten mußten, war es notwendig, geschlossene Gebilde entstehen zu lassen und sie mit einer Membran nach außen abzugrenzen. Die Zelle - der einzige Bestandteil der heutigen einzelligen Lebensformen und der Baustein für die komplexeren Strukturen mehrzelliger Organismen - scheint sich aus Proteinen entwickelt zu haben, die von einer aus Proteinen und Fetten bestehenden

Rechts: Europäischer Laubfrosch. Unten: Laubsänger (Fitis)

Leben

Membran eingeschlossen waren. Durch die Membran wurde eine höhere Konzentration von Proteinen innerhalb dieses Raumes mögl. und infolgedessen eine zahlenmäßige Steigerung der chem. Reaktionen. Außerdem ermöglichte die Membran eine Konzentration enzymat. wirkender Stoffe an der äußeren Membranoberfläche. Auf Grund der dort ablaufenden chem. Reaktionen bekam das umhüllte Tröpfchen „aktive" Eigenschaften und übernahm die sehr wichtige Rolle, die Austauschprozesse mit dem umgebenden Medium selektiv zu regeln. - Die ident. Vermehrung (Fortpflanzung) wird jedoch nur durch die Nukleinsäuren ermöglicht. Die wichtigste Eigenschaft des DNS-Moleküls ist die Bildung einer Doppelhelix. Wenn beide Ketten getrennt werden, zieht jede andere Stickstoffbasen an und bildet eine Kette, mit der sie sich wieder ergänzt. Am Ende dieses Vorgangs gibt es zwei ident. Doppelketten und nach der folgenden Zellteilung zwei Zellen. Eine solche Selbstvermehrung können die Proteine nicht durchführen. Die Nukleotide dagegen können nicht als Enzyme fungieren. Mit der Bildung der beiden notwendigsten Stoffe für die einfachsten Lebensformen war die chem. Evolution beendet. - Die Nukleinsäuren wurden Träger der Erbinformation. Die biolog. Evolution, die bei diesen einfachen L.formen neben der chem. Evolution trat, beruht auf der Veränderung der Erbinformation, d. h. auf einer ständigen Neukombination der Gene durch geschlechtl. Fortpflanzung. Entscheidend war auch die natürl. Auslese, die Beschränkung der L.dauer eines Individuums und die Ausbildung von Sinneszellen mit dem zugehörigen Nervensystem. - Mit dem großen Fortschritt in der Evolution der Arten setzte auch ein genet. vorprogrammiertes, durch planmäßiges Altern erfolgendes Ableben, der Tod, ein.

Die Grenze zw. Belebtem und Unbelebtem ist nicht scharf zu ziehen. Eine Zwischenstellung nehmen die Viren ein. Sie bestehen aus Nukleinsäure und einer Eiweißhülle. Durch die Nukleinsäure können sie sich ident. vermehren und mutieren. Jedoch haben sie keinen eigenen Stoffwechsel, sodaß sie für ihre Vermehrung den Stoffwechsel fremder Zellen brauchen. Die Merkmale des L. sind aber in zwei Punkten erfüllt, sodaß man sie zw. Lebewesen und unbelebter Materie einordnen kann.

Die Frage nach **außerird. L. (extraterrestr. L.)**, insbes. nach einem unter aeroben Bedingungen existierenden, auf den bekannten Stoffwechselmechanismen in organ. Materie beruhenden L., muß für die Planeten und Monde unseres Sonnensystems wohl negativ beantwortet werden. Die Raumfahrten zum Mond sowie die Auswertung der bei Landungen von Raumsonden auf dem Mars und der Venus übermittelten Befunde von Bodenproben u. a. erbrachten keine Anhaltspunkte für L.spuren und legen die Vermutung nahe, daß unter den gegebenen Bedingungen dort auch keinerlei L. existiert. Auch für (erdähnl.) Planeten anderer Sterne unseres Milchstraßensystems oder entfernter Galaxien ist die Wahrscheinlichkeit der Existenz intelligenter außerird. Lebewesen sehr gering.

Künstliches Leben: Im Labor können Gene durch synthet. Aufbau der diesen zugrundeliegenden Nukleinsäuresequenzen künstl. erzeugt werden, jedoch ist man weit davon entfernt, das umfangreiche Genom eines Lebewesens auf diese Weise zu erstellen. Genreparaturen und -neukombinationen können mit Hilfe der Restriktionsenzyme vorgenommen werden. Schließl. können auch vollständige Individuen dadurch erzeugt werden, daß man die Zellkerne somat. Zellen (Körperzellen) in entkernte Eizellen transplantiert. Dadurch lassen sich, da keine Rekombinationsstadien durchlaufen werden, erbl. ident. Kopien von Lebewesen (sog. Klone) in beliebiger Anzahl herstellen.

Reflexionen über das L. und Versuche, seinen Ursprung zu erklären und das L. selbst in Begriffe zu fassen, sind so alt wie die Menschheit. - Die *Religionen* glauben an einen göttl. Ursprung des L., das den Gegenständen und dem Menschen von den Göttern verliehen wird. Meist wird das L. mit den L.trägern identifiziert: z. B. mit dem *Atem* in der mesopotam. und syr. sowie der ägypt. Religion (z. T. auch im A. T.), mit dem *Blut* bei den zentralasiat. Nomaden, oder mit dem *Wasser* in Polynesien, Ägypten und Mesopotamien. Vielfach sublimiert sich diese Vorstellung zur Annahme einer „Seele", die weder genau erklärt noch genau lokalisiert werden kann. Sie gilt meist als Teilhabe am ewigen L. der Götter und ist dadurch selbst unsterblich. Dieser Glaube führt zur Ausbildung der verschiedensten Mythen über ein L. nach dem Tod, z. B. die Paradies- bzw. Höllenvorstellung in der zoroastr. Religion, in Judentum, Christentum und Islam, die Wiederauferstehung in Judentum, Christentum und den Mysterienkulten, die Seelenwanderung im Hinduismus, das Schattenreich der griech. Religion, und zu dem weitverbreiteten Totenkult. Hierin zeigt sich, daß das L. ohne gleichzeitige Erklärung des Todes selbst nicht erklärt werden kann, der deshalb als defizienter Modus des L. gesehen werden muß, um nicht zu einem „Ende" des L. zu führen.

Der *philosoph.* Begriff des L. ist ebenso wenig eindeutig wie der religionswiss.-theolog., greift aber auch wie dieser über ein naturwiss.-biolog. Verständnis hinaus. - Für Aristoteles ist L., das er auch „Seele" nennt, eine Entelechie, d. h. etwas, das sein Ziel in sich selbst hat und deshalb Selbstsein, Selbstbewegung ist und insofern weder anfangen

noch aufhören kann. Das L., die Seele, ist also unsterblich und steht damit im Ggs. zum Tod. Augustinus identifiziert die individuelle Seele (das L.) mit dem denkenden Individuum und bildet somit erste Ansätze einer philosoph. Psychologie. Das individuelle L. steht in Ggs. zu allem anderen und ist doch gleichzeitig der Ort der Verbindung von denkendem Individuum und göttl. Prinzip des L. Die genaue Abgrenzung zw. Einzel-L. und göttl. L. gelingt Augustinus jedoch nicht. Diese Lücke wird in der ma. Scholastik durch religiöse Glaubenssätze, etwa der Schöpfungslehre, wenn nicht philosoph., so doch theolog. geschlossen. - Nach Descartes ist L. nichts anderes als ein Modus einer denkenden Substanz und kommt in der tradierten Bed. des Wortes nur noch dem autonomen und lebensunabhängig konzipierten Geist, dem Denken („cogitatio") zu. Um der so entstandenen Schwierigkeit, objektive Phänomene (z. B. eine ohne äußeren Anstoß sich beschleunigende Bewegung) zu erklären, begegnen zu können, greift Leibniz wieder auf metaphys. „substantielle Formen" zurück, d. h. auf das durch ein inneres Prinzip Selbstbewegte. Dieses Prinzip der Selbstbewegung (die Kraft, lat. „vis") wird bei Leibniz zum ontolog. Prinzip alles Seienden (Vitalismus). Während bei Kant L. die unmittelbare Voraussetzung eines transzendentalen Selbstbewußtseins als eines Urteilsvermögens ist, wird es bei Hegel zu einer Kategorie in der Erfahrung und Selbsterfahrung des Geistes. - Da menschl. L. sich v. a. in Handlungen äußert, die an Werten orientiert sind, die sich der Mensch entweder autonom setzt oder aus gegebenen frei wählt, umfaßt die philosoph.- und theolog.-eth. Frage nach dem *Wert des L.* den gesamten Bereich der Sittlichkeit und Weltanschauung. Ihre Beantwortung ist infolgedessen abhängig von dem philosoph.-weltanschaul. bzw. theolog.-religiös als Handlungsnorm zugrundegelegten Wertekatalog. Wohl allen eth. Systemen gemeinsam ist heute die Vorstellung, daß das L. das höchste Gut des Menschen u. prinzipiell unantastbar ist.
📖 *Asimov, I.: Außerird. Zivilisationen. Dt. Übers. Köln 1981. - Breuer, R.: Kontakt mit den Sternen. Bln. 1981 - Heimsoeth, H.: Die sechs großen Themen der abendländ. Metaphysik u. der Ausgang des MA. Darmst. ⁷1981. - McAlester, A. L.: Die Gesch. des Lebens. Dt. Übers. Mchn.; Stg. 1981. - L. u. Tod in den Religionen. Hg. v. G. Stephenson. Darmst. 1980. - Löw, R.: Philosophie des Lebendigen. Ffm. 1980. - Rahmann, H.: Die Entstehung des Lebendigen. Stg. ²1980. - Kaplan, R. W.: Der Ursprung des Lebens. Stg. ²1978. - Haber, H.: Brüder im All: von den Möglichkeiten des kosm. Lebens. Rbk. 1977. - Sagan, C./Agel, J.: Nachbarn im Kosmos. Dt. Übers. Mchn. 1975.*

lebende Fossilien ↑ Fossilien.
Lebende Steine, (Lithops) Gatt. der Eiskrautgewächse mit mehr als 70 Arten in S- und SW-Afrika; sukkulente, niedrige, meist polsterartig wachsende Wüstenpflanzen mit zu geschlossenen Körperchen verwachsenen Blattpaaren (ähneln Kieselsteinen); Blätter oft mit kleinen Fenstern, Blüten groß, weiß oder gelb; beliebte Pflanzen für Sukkulentensammlungen.
◆ Bez. für Pflanzen verschiedener Gatt. der Eiskrautgewächse mit kieselsteinartigem Aussehen, u. a. ↑ Fenestraria.

lebendgebärend (vivipar), lebende Junge zur Welt bringend; im Unterschied zu eierlegenden Tieren. - ↑ auch Viviparie.
Lebendgebärende Zahnkarpfen (Poeciliidae), Fam. der Zahnkarpfen mit zahlr. sehr verschiedengestaltigen Arten im trop. und subtrop. Amerika; einige Arten (zur Stechmückenbekämpfung) auch in anderen Gebieten, u. a. in S-Europa, eingeführt; meist Süßwasserbewohner; mit einer Ausnahme lebendgebärend; z. T. sehr beliebte, anspruchslose Aquarienfische, z. B. Guppy, Schwertträger, Platy.
Lebensalter, Abk. LA, im Unterschied zum Intelligenzalter jene Altersphase, in der sich der Mensch auf Grund der Entwicklung und Wandlung seiner Organe und körperl. Funktionen befindet (**biolog. Alter**). Da das Alterungstempo individuell verschieden ist, ist hiervon das rein **kalendar. Alter** zu unterscheiden. Die wichtigsten Stufen des L. sind Kindheit, Jugend, Erwachsenenalter und schließl. Greisenalter (etwa ab dem 75. Lebensjahr).
Lebensbaum (Thuja), Gatt. der Zypressengewächse mit sechs Arten in N-Amerika und O-Asien; immergrüne Bäume, seltener Sträucher, mit mehr oder weniger abgeflachten Zweigen; Blätter schuppenförmig, dicht, dachziegelartig angeordnet. Einige Arten giftig.
Lebensbaumzypresse (Scheinzypresse, Chamaecyparis), Gatt. der Zypressengewächse mit 7 Arten in N-Amerika und O-Asien; immergrüne, meist kegelförmige, schlanke, hohe Bäume; Zweige mehr oder weniger abgeflacht; Blätter schuppenförmig; häufig als Zierpflanzen.
Lebensdauer, Zeitspanne zw. Geburt bzw. dem Entwicklungsbeginn und dem Tod eines Lebewesens, auch die Zeit des Amlebenbleibens von Teilen eines Organismus oder von bestimmten Stadien (z. B. Dauerstadien, Sporen, Samen).
Lebenserwartung, Anzahl der Jahre, die ein Mensch bei bestimmtem Alter und Geschlecht in einer bestimmten Bev. durchschnittl. noch erleben wird; eine Ausnahme von der sich daraus ergebenden log. Konsequenz sinkender L. bei zunehmendem Alter stellt wegen der Säuglingssterblichkeit das 1. Lebensjahr dar, nach dem die L. höher ist als bei der Geburt.

Lebensformen

Lebensformen, *allg. Biologie:* Gruppen nicht näher miteinander verwandter Lebewesen, die auf Grund ähnl. Lebensweise gleichartige Anpassungserscheinungen an die Umwelt aufweisen.

Lebensgemeinschaft (Biozönose), Bez. für eine Vergesellschaftung von Pflanzen und Tieren, die durch gegenseitige Beeinflussung und Abhängigkeit in Wechselbeziehung stehen. Die L. stellt den organ. Anteil eines Ökosystems dar, während der Lebensraum dessen anorgan. Komponente ausmacht. Eine L. ist z. B. die Gesamtheit der Organismen in einem See, einem Moor oder einem Buchenwald. In einer Kulturlandschaft können sich nur selten L. halten. Die Gesamtheit der Tiere in einer L. wird als **Zoozönose**, die der Pflanzen als **Phytozönose** bezeichnet.

Lebensqualität (Qualität des Lebens), in den 1960er Jahren in den USA („quality of life") aus der wohlfahrtstheoret. Kritik am einseitigen Wachstumsdenken entstandener komplexer Begriff, für den es noch keine allg. anerkannte Definition gibt. Ziele der polit. und sozialen Institutionen, die eine Steigerung der L. anstreben, sind insbes. Humanisierung der Arbeitswelt, Entgiftung der Umwelt und der Nahrungsmittel, Schaffung gleicher Bildungs- und Aufstiegschancen und Abbau sonstiger Ungleichheiten, bessere Versorgung mit öffentl. Gütern und eine gerechtere Einkommens- und Vermögensverteilung.

Lebensraum (Lebensstätte, Biotop), der von einer Lebensgemeinschaft (oder einer bestimmten Organismenart) besiedelte Raum (innerhalb eines Ökosystems), durch physikal. und chem. Faktoren gekennzeichnet und dadurch zur Besiedlung für bestimmte Lebewesen geeignet. – In der Botanik wird für L. häufig die Bez. *Standort* verwendet.

Leber (Hepar), größte Drüse des menschl. Organismus (beim erwachsenen Menschen rd. 1,5 kg schwer). Sie liegt in der Bauchhöhle unter dem Zwerchfell und füllt die ganze rechte Zwerchfellkuppel aus. Sie ist durch eine Furche in einen größeren rechten und einen kleineren linken L.lappen geteilt. Am unteren rechten L.lappen liegt die Gallenblase. Außer der Lunge ist die L. das einzige Organ, das

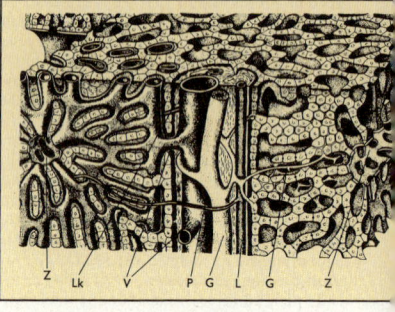

Leber. Blockschema der normalen menschlichen Leber. Vorn Mitte: Leberpforte mit Gallengang G, Leberarterie L und Pfortader P; Lk arterielle Leberkapillare, V kleine Lebervene, Z Zentralvene

Leberegel. Entwicklungszyklus des Großen Leberegels: g-h-a zweigeschlechtige 1. Generation, b-c-d bzw. e eingeschlechtige 2. Generation, f eingeschlechtige 3. Generation, Redie in der Schneckenleber mit parthenogenetisch erzeugten Zerkarien im Leib.
a geschlechtsreifer Leberegel in Säugerleber, b zusammengesetztes Ei mit Nährzellen (N) und Schale (Sch), c Miracidium, d Sporozyste mit Zerkarien (Z) und e Sporozyste mit Redien (R) in der Mantelhöhle der Wasserschnecke, f Redie, g Zerkarie, ins Wasser ausgewandert, h eingekapselter junger Leberegel (B Bauchsaugnapf, D Darm, Dst Dotterstock, E parthenogenetisch erzeugte Embryonen, Ei Eizelle, G Gehirn, H Hoden, K Keimzellen, M Mundsaugnapf, O Ovarium, P Protonephridium, Schd Schalendrüse, U Uterus)

Leberegel

sowohl arterielles als auch venöses Blut erhält. Die Sauerstoffversorgung verläuft über die Leberarterie. Durch die Pfortader gelangt das gesamte venöse Blut aus den Verdauungsorganen mit den im Darm resorbierten Nahrungsstoffen, außerdem das mit den Abbaustoffen der zugrundegegangenen roten Blutkörperchen beladene Blut der Milz in die Leber.

Feingeweblicher Aufbau: Die L. besteht aus meist fünf- oder sechseckigen *Leberläppchen* von 1–2 mm Durchmesser und 2 mm Länge. An jeder Ecke des Läppchens verlaufen je ein Ästchen der L.arterie, der Pfortader und des Gallengangs. Die Pfortaderästchen und die Arterienästchen bilden ein dichtes Kapillarnetz (Sinusoide), das sich zum Zentrum des Läppchens hin vereinigt und dort in die Zentralvene mündet. Die Wand der Sinusoide besteht u. a. aus einem Netz von Bindegewebsfasern und aus den Kupffer-Sternzellen (können Fremdkörper wie Zelltrümmer und Bakterien auffangen). Ein zweites Gefäßsystem sind die Gallengänge.

Funktionen: Die L. nimmt eine zentrale Stelle im Stoffwechsel ein und ist u. a. auch am Abbau überalterter roter Blutkörperchen sowie an der Blutspeicherung (bis zu 20 % der Gesamtmenge) beteiligt. Außerdem verwandelt sie Eiweiße in Kohlenhydrate, speichert diese in Form von Glykogen und verarbeitet Kohlenhydrate zu Fetten. In der L. wird der Blutfarbstoff in Gallenfarbstoffe umgewandelt und zus. mit den Gallensäuren in den Darm abgegeben. Schließl. entgiftet die L. das Blut, indem sie die Abbauprodukte des an den Eiweißstoffwechsel anschließenden ↑Harnstoffzyklus in Harnstoff umwandelt.

Leberbalsam (Ageratum), Korbblütlergatt. mit über 30 Arten in N- und S-Amerika; ästige Kräuter oder Sträucher, Köpfchen aus Röhrenblüten, in dichten Doldentrauben oder in Rispen; eine bekannte, in zahlr. Sorten kultivierte Beetpflanze ist Ageratum houstonianum.

Leberblümchen (Hepatica), Gatt. der Hahnenfußgewächse mit 6 Arten in Eurasien und im atlant. N-Amerika; in Deutschland kommt in Laubwäldern nur das **Echte Leberblümchen** (Hepatica nobilis) vor; bis 15 cm hohe Staude mit dreilappig-herzförmigen Blättern; Blüten blau, seltener weiß; früher als Mittel gegen Leberleiden verwendet.

Leberegel, Gruppe von Saugwürmern, die erwachsen v. a. in Gallengängen der Leber von Wild- und Haustieren (bes. Wiederkäuern, Schweinen, Pferden), z. T. auch des Menschen, leben. Am bekanntesten sind: **Großer Leberegel** (Fasciola hepatica), 3–4 cm lang, lanzettl.-blattförmig; Eier (etwa bis ein Jahr im Dung lebensfähig) werden mit dem Kot ausgeschieden; bei Regen oder Überschwemmungen gelangt die daraus schlüpfende Larve (Miracidium) in Gewässer, wo sie sich in Wasserschnecken einbohrt und dort zu einer Sporozyste heranwächst; diese erzeugt die zweite Larvengeneration (Redien), die ihrerseits die dritte Larvengeneration (Zerkarien) bildet; letztere durchbrechen die Schneckenhaut, enzystieren sich an Pflanzen, von wo sie vom Endwirt aufgenommen werden (bei Haustieren können sie Egelfäule hervorrufen); **Kleiner Leberegel** (Lanzettegel, Dicrocoelium lanceolatum), etwa 1 cm lang, lanzettförmig; erster Zwischenwirt sind Schnecken, zweiter Zwischenwirt Ameisen, Endwirt v. a. Schafe; **Chin. Leberegel** (Opisthorchis sinensis), bis 2,5 cm lang; befällt in China, SO- und O-Asien Menschen, Haus- und Wildtiere (Klonorchiase); Entwick-

Leibeshöhle. a Schematischer Querschnitt durch einen Fadenwurm mit primärer Leibeshöhle, b schematischer Querschnitt durch einen Ringelwurm mit sekundärer Leibeshöhle, c schematische Organisation eines männlichen Säugetiers (die gestrichelte Linie schließt das Zölom ein). B Blutgefäße, D Darm, Ei Eizellen, Ex Exkretionskanal, G Geschlechtsdrüsen, H Herz, L Lunge, Le Leber, M Muskeln, Ma Magen, N Nervenstrang, Ne Nephridien, Nn Nachniere, pL primäre Leibeshöhle, sL sekundäre Leibeshöhle, Z Zwerchfell

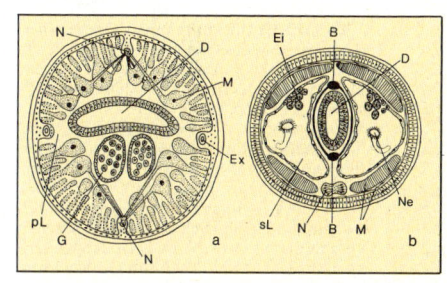

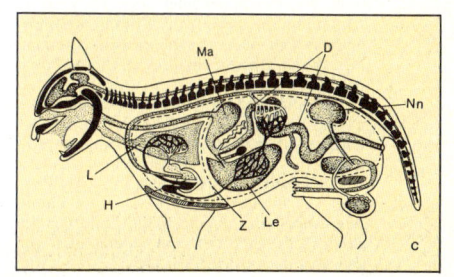

Lebermoose

lungszyklus ähnl. dem des Großen L., nur suchen hier die Redien einen zweiten Zwischenwirt (Süßwasserfische); durch Verzehr von rohem Fischfleisch gelangen die Zerkarien in den Endwirt.

Lebermoose (Hepaticae), mit rd. 10000 Arten weltweit verbreitete Klasse der Moose. Nach dem Bau des Thallus lassen sich zwei große Gruppen unterscheiden: 1. L. mit flächigem, oft gabelig verzweigtem Thallus *(thallose L.)*; 2. L., die in Stämmchen und Blättchen (ohne Mittelrippe) gegliedert sind *(foliose L.)*. Die Sporenkapseln der L. besitzen meist keine Columella, oft aber Schleuderzellen. Bekannt ist das an feuchten Orten vorkommende **Brunnenlebermoos** (Marchantia polymorpha).

Leberpilz (Blutschwamm, Fleischpilz, Fleischschwamm, Fistulina hepatica), zur Fam. der Reischlinge zählender Ständerpilz mit zungen- bis handförmig abstehendem, braunrotem Fruchtkörper; an den Stümpfen alter Eichen; jung eßbar.

Leberstärke, svw. ↑Glykogen.

Leberwurstbaum (Wurstbaum, Elefantenbaum, Kigelia), Gatt. der Bignoniengewächse mit 10 Arten im trop. Afrika und auf Madagaskar; Bäume mit gefiederten Blättern; Früchte stark verlängert, an langen Stielen herabhängend.

Lebewesen (Organismus), Bez. für jede einzelne Pflanze (pflanzl. L.), jedes Tier (tier. L.) und jeden Menschen, die alle die Merkmale des ↑Lebens tragen.

Lecithine ↑Lezithine.

Lecithus [griech.], svw. ↑Dotter.

Lederhaut ↑Haut, ↑Auge.

Lederholz (Bleiholz, Dirca), Gattung der Seidelbastgewächse mit zwei Arten in Nordamerika; sommergrüne Sträucher mit kleinen, glockigen trichterförmigen Blüten in Büscheln. Die zähe Rinde dient seit altersher den Indianern zur Herstellung von Stricken.

Lederkorallen (Alcyoniidae), Familie der Blumentiere in allen Meeren; rd. 800 Arten, fast stets Kolonien bildend, selten einzelnlebende, etwa 3–10 mm lange Polypen. In der Nordsee und in anderen gemäßigten Meeren kommt die bis etwa 20 cm hohe, lappig verzweigte, manchmal handförmige Kolonien bildende **Totemannshand** (Seemannshand, Alcyonium digitatum) vor; Kolonie weiß bis fleischfarben oder orange, schwillt zweimal tägl. durch Wasseraufnahme stark an; Polypen weiß.

Lederlaufkäfer (Carabus coriaceus), 34–42 mm großer, schwarzer Laufkäfer auf feuchten Standorten in M- und O-Europa mit stark lederartig gerunzelten Flügeldecken.

Lederporlinge (Coriolus), Gatt. der Porlinge mit 8 einheim. Arten an totem Laub- und Nadelholz; unregelmäßig konsolartige, stiellose Fruchtkörper mit lederartiger, gezonter, z. T. zottiger Oberfläche.

Lederschildkröte (Dermochelys coriacea), einzige Art der Fam. L. (Dermochelyidae) in fast allen warmen und gemäßigten Meeren; seltene, größte rezente Schildkröte; Gewicht bis rd. 600 kg; Panzer bis 2 m lang; dunkelbraun mit rundl. gelbl. Flecken.

Ledertange (Blattange), Bez. für große, derbe Braunalgen der Gatt. ↑Laminaria.

Ledertäubling, Bez. für drei Arten aus der Gatt. der Täublinge; mit flach trichterförmigem, braunem bis purpurrot-violettem Hut mit stumpfen Randlamellen. Der **Braune Ledertäubling** *(Braunroter L.*, Russula integra) kommt in Nadelwäldern, der **Weinrote Ledertäubling** (Russula alutacea) und der **Rotstielige Ledertäubling** (Russula olivacea) in Laubwäldern vor; gute Speisepilze.

Lederwanzen, svw. ↑Randwanzen.

Lederzecken (Saumzecken, Argasidae), weltweit verbreitete Fam. der Zecken mit lederartiger Haut ohne große Platten; zeitweilig Blutsauger v. a. an Vögeln und Säugetieren.

Leerdarm ↑Darm.

Leerfrüchtigkeit (Kenokarpie), Samenlosigkeit bei Früchten; erwünscht bei Kulturpflanzen (u. a. Banane, Rebsorten); Vermehrung durch Stecklinge oder Pfropfung.

Leerlaufhandlung, in der Verhaltensforschung der ziel- und sinnlos erscheinende Ablauf einer Instinkthandlung ohne Vorliegen einer adäquaten Reizsituation (Auslöser); tritt zuweilen bei Triebstau, d. h. nach langem Ausbleiben der Auslösereize, spontan auf.

Leeuwenhoek, Antonie van [niederl. 'le:wənhu:k], * Delft 24. Okt. 1632, ▫ ebd. 26. Aug. 1723, niederl. Naturforscher. – Urspr. Kaufmann; entdeckte mit Hilfe selbstkonstruierter Mikroskope u. a. die Infusorien (1674), Bakterien (1676) und Spermien (1677) sowie die roten Blutkörperchen (1673/74) und wichtige histolog. Strukturen (u. a. 1682 die quergestreiften Muskelfasern).

Legeröhre, längl.-röhrenförmiges Organ am Hinterleib vieler weibl. Insekten (auch *Legebohrer, Legestachel* genannt), durch das Eier abgelegt werden.

Leghämoglobin (Legoglobin), rotes, hämoglobin- bzw. myoglobinartiges Chromoproteid, das in den Wurzelknöllchen von Hülsenfrüchtlern (Leguminosen) vorkommt. L. hat eine hohe Affinität zu Sauerstoff und ist vermutl. bei der Fixierung des Stickstoffs durch die Knöllchenbakterien beteiligt.

Leghorn (Weiße L.), nach dem engl. Namen des früheren Ausfuhrhafens Livorno (Italien) benannte, über Amerika nach Deutschland gelangte Legerasse weißer Haushühner; Schnabel und Beine gelb; ♂ mit Stehkamm, ♀ mit umgelegtem Kamm.

Leguane (Iguanidae) [karib.-span.-niederl.], Fam. der Echsen mit über 700 etwa 10 cm bis über 2 m langen Arten in Amerika (einschließl. der vorgelagerten Inseln), auf Madagaskar sowie auf den Fidschi- und Tongainseln; oft lebhaft bunt gefärbt und mit auffallenden Körperanhängen (Hautsäume, Stacheln); Schwanz meist wesentl. länger als der Körper. - Bekannte Vertreter sind u. a. Anolis, Basilisken, Dornschwanzleguane, Drusenköpfe.

Leguminosen [lat.], svw. ↑ Hülsenfrüchtler.

Legwespen (Legimmen, Schlupfwespen, Terebrantes), weltweit verbreitete, über 60 000 Arten umfassende Gruppe der Taillenwespen mit mehreren Überfam. und Fam. (Gallwespen, Schlupfwespen, Brackwespen, Erzwespen, Zehrwespen, Hungerwespen); Legebohrer der Weibchen dient im Ggs. zu den Stechimmen als Eilegeapparat.

Lehmann, Hermann, * Halle/Saale 8. Juli 1910, brit. Molekularbiologe dt. Herkunft. - Prof. in Cambridge; entdeckte und erforschte zahlr. abnorme Hämoglobine und arbeitete bes. über Wirkungsweise und genet. Aspekte der Serumcholinesterase.

Lehmwespen (Eumeninae), weltweit verbreitete Unterfam. der ↑ Faltenwespen mit rd. 3 500 etwa 1–3 cm langen, einzeln lebenden Arten. Von den 35 in Deutschland lebenden Arten sind am bekanntesten die Pillenwespen und Mauerwespen.

Leibesfrucht (Frucht), i. e. S. svw. ↑ Embryo, i. w. S. auch svw. ↑ Fetus.

Leibeshöhle, Bez. für die Hohlräume zw. den einzelnen Organen des tier. und menschl. Körpers. Die *primäre L.* ist die Furchungshöhle (Blastozöl) des Blasenkeims. - Die *sekundäre L.* (Zölom) ist von einem Epithel ausgekleidet. Sie wird von den Ausführgängen der Ausscheidungs- und Geschlechtsorgane sowie des Verdauungssystems durchbrochen. - Die sekundäre L. der Weichtiere enthält nur Harn, Ausscheidungs- und Geschlechtsorgane. Bei den Gliedertieren besteht sie aus segmental angeordneten Abschnitten (Zölomkammern) mit paarigen Zölomsäckchen ober- und unterhalb des Darms. Bei Blutegeln und Gliederfüßern werden die zunächst angelegten Zölomsäckchen wieder aufgelöst, und es entsteht ein einheitl. Hohlraum aus sekundärer und primärer L. (Mixozöl, *tertiäre L.*). - Bei Wirbeltieren und beim Menschen kleidet die äußere Wand der sekundären L. die Innenflächen der Körperhöhle aus; die innere Wand überzieht Darm, Herz und Lungen. Die L. der Säugetiere und des Menschen wird durch das Zwerchfell in Brust- und Bauchhöhle geteilt. - Abb. S. 131.

Leiche [zu althochdt. līh „(toter) Körper, Leib, Fleisch"], der menschl. Körper nach dem Eintritt des Todes.
◆ bei Tieren ↑ Kadaver.

Leichengifte, bei der Eiweißfäulnis (u. a. an Leichenteilen) auftretende, z. T. giftige organ. Basen (Ptomaine), die Fäulnisbasen Kadaverin und Putrescin sowie andere zu den biogenen Aminen zählende Stoffe.

Leichenwachs (Leichenfett, Fettwachs, Adipocire), bes. im Bereich des Unterhautfettgewebes von Leichen bei längerem Liegen in Wasser oder feuchtem Erdreich unter Luftabschluß entstehende, gelblich-weiße, bröcklige, evtl. auch teigige Masse von verseiftem Fett.

Leierantilopen (Halbmondantilopen, Damaliscus), Gatt. der Kuhantilopen in den Steppen und Savannen Afrikas; mit meist leierförmig geschwungenem Gehörn. Man unterscheidet zwei Arten: *Damaliscus dorcas* mit den Unterarten **Bläßbock** (Damaliscus dorcas philippsi; 1,4–1,6 m lang, 85–110 cm schulterhoch; dunkelbraun mit weißl. Band und leuchtend weißer Zeichnung auf Stirn und Nase) und **Buntbock** (Damaliscus dorcas dorcas; etwa 1 m schulterhoch; unterscheidet sich vom Bläßbock v. a. durch eine stärkere Weißfärbung der Kruppe, der Läufe und des vorderen Gesichts). Die 2. Art ist *Damaliscus lunatus* (Leierantilope i. e. S.) mit zahlr. Unterarten wie **Korrigum** (Damaliscus lunatus korrigum; O- und W-Afrika, bis 1,4 m schulterhoch, oberseits rotbraun mit schwärzl. Fleck auf Gesicht und Oberschenkeln), **Topi** (Damaliscus lunatus topi; O-Afrika; kleiner, mit ähnl. Zeichnungen) und **Sassaby** (Damaliscus lunatus lunatus; bes. S-Afrika; bis 1 m schulterhoch, kastanienbraun mit schwarzen Abzeichen auf Stirn, Schultern und Schenkeln).

Leierfisch ↑ Spinnenfische.

Leierhirsch (Thamin, Cervus eldi), Hirsch in Hinterindien und im Manipurtal (Indien); Körperlänge etwa 1,8 m, Schulterhöhe bis rund 1,15 m; ♂ mit etwa leierförmigem Geweih.

Leierschwänze (Menuridae), Fam. der Sperlingsvögel mit zwei fasanengroßen, flugungünstigen Arten in den feuchten Wäldern SO-Australiens; mit sehr langem, bei der Balz nach vorn gebogenem Schwanz; die äußersten Schwanzfedern leierförmig.

Leimkraut (Silene), Gatt. der Nelkengewächse mit über 400 weltweit verbreiteten Arten; Kräuter oder Halbsträucher; in Deutschland kommen rd. 10 Arten vor, z. B. der **Taubenkropf** (Aufgeblasenes L., Silene cucubalus; bis 1 m hoch, weiße Blüten mit netzadrigem, kugeligem Kelch) und das **Stengellose Leimkraut** (Silene acaulis; in den Hochgebirgen der Nordhalbkugel; 1–4 cm hoch, polsterbildend; einzelne Blüten mit rosafarbenen Kronblättern).

Leimsaat (Schleimsame, Collomia), Gatt. der Sperrkrautgewächse mit 18 Arten im westl. N- und S-Amerika; Kräuter mit roten, orangefarbenen oder weißen Blüten in Trugdolden; Zierpflanzen.

Lein (Linum), Gatt. der Leingewächse mit rd. 200 Arten in den subtrop. und gemäßigten Gebieten der Erde; Kräuter oder Halbsträucher; Blüten blau, weiß, gelb oder rot. In Deutschland kommen acht Arten vor, u. a.

Leinblatt

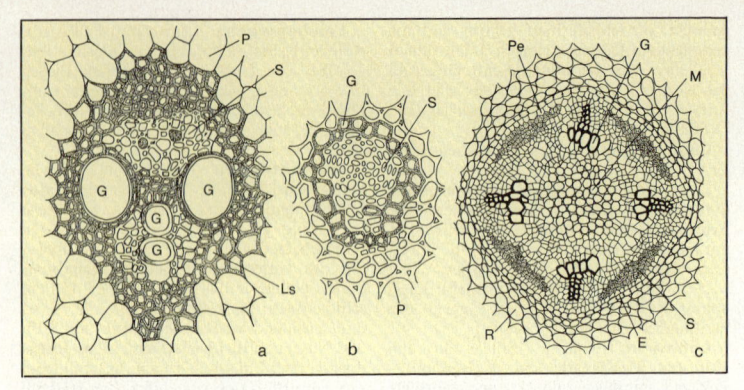

Leitbündel. Querschnitt durch
a ein kollaterales Leitbündel
(Maissproß), b ein konzentrisches
Leitbündel (Maiglöckchenrhizom),
c ein radiales Leitbündel
(Bohnenwurzel),
E Endodermis, G Gefäße des Xylems,
Ls Leitbündelscheide, M Mark,
P Parenchym, Pe Perizykel,
R Rinde, S Siebteil

der ↑Alpenlein; wirtschaftl. wichtig ist der ↑Flachs.

Leinblatt (Vermainkraut, Thesium), Gatt. der zweikeimblättrigen Leinblattgewächse (Santalaceae); 35 Gatt. mit rd. 400 Arten) mit über 200 Arten, v. a. in Afrika und im Mittelmeergebiet; grüne Halbschmarotzer mit kleinen, trichterförmigen Blüten in Trauben oder Rispen.

Leindotter (Camelina), Gatt. der Kreuzblütler mit 10 Arten in M-Europa, im Mittelmeergebiet und in Z-Asien; Kräuter mit einfachen, pfeilförmigen Blättern und gelben Blüten. In Deutschland kommt nur der **Öldotter** (Camelina sativa) vor; 30–100 cm hoch, mit dottergelben Blüten und birnenförmigen Schötchen. Eine Unterart wurde früher zur Gewinnung von Öl kultiviert.

Leingewächse (Linaceae), Pflanzenfam. der Zweikeimblättrigen mit etwa 25 Gatt. und rd. 500 Arten von den Tropen bis in die gemäßigten Zonen; Blüten meist in ährenförmigen Wickeln oder rispigen Trugdolden. Zu den L. zählen viele Zier- und Nutzpflanzen, v. a. Arten der Gatt. ↑Lein.

Leinkraut (Frauenflachs, Linaria), Gatt. der Rachenblütler mit rd. 150 Arten auf der Nordhalbkugel, v. a. im Mittelmeergebiet und in Vorderasien; überwiegend Kräuter; Blüten gespornt, zweilippig. In Deutschland kommen 7 Arten vor, u. a. das an Dämmen, auf Dünen und Äckern häufige **Gemeine Leinkraut** (Linaria vulgaris) mit gelben Blüten.

Leishmania (Leishmanien) [laɪʃ...; nach dem schott. Mediziner Sir W. B. Leishman, *1865, †1926], Gattung intrazellulär (v. a. in Milz, Leber und Knochenmark) bei Wirbeltieren (einschließl. Mensch) parasitierender Flagellaten; werden durch Insekten (v. a. Schmetterlingsmücken) übertragen.

Leiste (Leistenbeuge, Regio inguinalis), bei Säugetieren und beim Menschen der seitl. Teil der Bauchwand am Übergang zum Ober-

Heidelerche

Kalanderlerche

schenkel der hinteren Extremitäten. In der L. zw. Bauchhöhle und Schamgegend verläuft der **Leistenkanal**, der beim Mann den Samenstrang, bei der Frau das Mutterband enthält.

Leistenbeuge, svw. ↑ Leiste.
Leistenkanal ↑ Leiste.
Leistenkrokodil ↑ Krokodile.
Leistenpilze (Leistlinge, Cantharellaceae), Fam. der Ständerpilze; Pilze mit fast stets offenen Fruchtkörpern; Fruchtschicht auf oft gabelig verzweigten Leisten an der Unterseite des kreisel- bis trichterförmigen Hutes; u. a. Pfifferling und Totentrompete.

Leistungsfähigkeit, in der *Physiologie* i. e. S. das Vermögen eines Organs, eine Funktion auszuüben *(organ. L.);* getestet wird diese L. durch eine Funktionsprüfung. - Die Messung der allg. *körperl. L.* (Gesamt-L. eines Organismus; gegebenenfalls auch die sportl. L.) geschieht mit Hilfe eines Ergometers.

Leitart, svw. ↑ Charakterart.
Leitbündel (Gefäßbündel), strangförmig zusammengefaßte Verbände des Leitgewebes bei höheren Pflanzen. Sie stellen ein verzweigtes Röhrensystem dar und durchziehen den ganzen Pflanzenkörper. Ihre Aufgabe ist der Transport von Wasser und den darin gelösten Nährsalzen. Zusätzl. haben sie auch noch Festigungsfunktion. Die L. sind von einer L.scheide aus Parenchym oder Festigungsgewebe umgeben.

Die beiden in den L. vorkommenden Gewebearten sind Sieb- und Gefäßteil, einschließl. Grundgewebe (Bast- und Holzparenchym) und Festigungselemente (Bast- und Holzfasern). Der **Siebteil** *(Bastteil, Phloem)* besteht aus lebenden, langgestreckten Siebröhren mit siebartig durchbrochenen Querwänden (Siebplatte) und plasmareichen Zellen mit großen Zellkernen, den *Geleitzellen.* Im Siebteil verläuft der Transport der in den Blättern gebildeten organ. Stoffe zu den Zentren des Verbrauchs. Der **Gefäßteil** *(Holzteil, Xylem)* besteht aus toten, langgestreckten, verholzten Zellen in Form der Tracheen (mit großem Innendurchmesser) und Tracheiden (mit kleinem Innendurchmesser). Im Gefäßteil wird das von den Wurzeln aufgenommene Wasser mit den darin gelösten Nährstoffen sproßaufwärts geleitet.

Je nach räuml. Anordnung der beiden Gewebeteile unterscheidet man: 1. *kollaterale L.*, hier liegen Sieb- und Gefäßteil nebeneinander; kommen in den meisten Sprossen und Blättern vor. Grenzen Sieb- und Gefäßteil direkt aneinander, werden sie als *geschlossen kollaterale L.* bezeichnet (kommen in Sprossen von einjährigen Ein- und Zweikeimblättrigen sowie in Blättern vor). Werden Sieb- und Gefäßteil durch ein teilungsfähiges Bildungsgewebe (L.kambium) getrennt, nennt man sie *offen kollaterale L.* (kommen in den Sprossen aller mehrjährigen zweikeimblättrigen Pflanzen vor); 2. *konzentrische L.*, ein Gewebeteil wird mantelförmig von einem anderen umschlossen; kommen bei Farnen, in Wurzelstöcken und in Stämmen einiger einkeimblättriger Pflanzen vor; 3. *radiale L.*, enthalten mehrere getrennte Sieb- und Gefäßteile. Im Querschnitt betrachtet, liegen die Siebteile in den Buchten zw. den sternförmig (radial) angeordneten Gefäßteilen; kommen in den Wurzeln vor.

Leitform, svw. ↑ Charakterart.

Leopard

Feldlerche

Haubenlerche

Leitfossilien

Leitfossilien ↑ Fossilien.
Leitgewebe, Nähr- und Aufbaustoffe transportierendes pflanzl. Dauergewebe. - ↑ auch Leitbündel.
Leitpflanzen, Pflanzenarten, die ein bestimmtes Gebiet oder eine Pflanzengesellschaft kennzeichen. Als L. ist z. B. der Glatthafer auf Talwiesen anzusehen. Eine bestimmte Gruppe der L. sind die bodenanzeigenden Pflanzen (↑ Bodenanzeiger).
Leittier, das ranghöchste, führende Alttier in Herden mit Rangordnung.
Lektine, svw. ↑ Phytohämagglutinine.
Lemminge (Lemmini) [dän.], Gattungsgruppe der Wühlmäuse mit elf Arten in N-Europa, N-Asien und N-Amerika; Körper gedrungen, etwa 7,5–15 cm lang; Vorderfüße mit langen Krallen. - L. verbringen die Wintermonate weitgehend unter der Schneedecke (halten jedoch keinen Winterschlaf). Sie neigen in der warmen Jahreszeit zur Massenvermehrung, was zu Wanderungen (*Lemmingzüge;* bes. beim Skand. Lemming) großer Gruppen führen kann. Die L. machen bei diesen Wanderungen oft auch an der Meeresküste nicht halt und ertrinken (trotz guten Schwimmvermögens) in großen Mengen bei dem Versuch, Meeresarme zu überqueren.
Lemongras [engl.], svw. ↑ Zitronellgras.
Lemuren [lat.] (Makis, Lemuridae), formenreiche Fam. der Halbaffen auf Madagaskar; 16 Arten von rd. 10–50 cm Körperlänge mit etwa 12–70 cm langem Schwanz; Fell dicht und weich, oft mit lebhafter Färbung oder Zeichnung; Hinterbeine wesentl. länger als Vorderbeine, meist gute Springer. Zu den L. gehört die Unterfam. **Makis** (Lemurinae). Sie umfaßt folgende Gatt.: **Halbmakis** (Hapalemur) mit zwei Arten; 30–45 cm lang, Schwanz etwa körperlang, buschig behaart; Kopf rundl., Ohrmuscheln dicht behaart; Fell oberseits meist braungrau bis grünl., unterseits weißl., grau oder gelblich; fressen vorwiegend Pflanzen. Ebenfalls zwei Arten hat die Gatt. **Wieselmakis** (Lepilemur): **Großer Wieselmaki** (Wiesellemur, Lepilemur mustelinus) und **Kleiner Wieselmaki** (Lepilemur ruficaudatus); beide sind Pflanzenfresser; 30–35 cm lang. Die Gatt. **Echte Makis** (Fuchsaffen, Lemur) hat sechs Arten, u. a. der bis etwa 50 cm lang **Katta** (Lemur catta); Fell oberseits grau bis zimtfarben, unterseits weißl., mit weißem Gesicht, schwarzen Augenringen und schwarzer Schnauzenspitze; Schwanz etwa körperlang, schwarz und weiß geringelt; vorwiegend Früchtefresser. Der **Vari** (Lemur variegatus) ist etwa 50 cm lang und hat einen über körperlangen Schwanz; Fell dicht, wollig, häufig auf schwärzl. oder rotbraunem Grund weiß gescheckt; nachtaktiv. Etwa 50 cm lang ist auch der **Mohrenmaki** (Akumba, Lemur macaco); ♂ tiefschwarz, teilweise mit rotbraunem Überflug, ♀ fuchsrot bis gelbbraun mit weißl. Unterseite und weißl. Backenbart. Zu den L. gehören auch die ↑ Katzenmakis.
Lende, bei Säugetieren (einschließl. Mensch) der hinterste bzw. unterste Teil des Rückens beiderseits der Lendenwirbelsäule zw. dem Unterrand der Rippen und dem oberen Rand des Darmbeins.
Lentiviren, Gruppe der ↑ Retroviren.
Lentizellen [lat.] (Korkporen, Korkwarzen, Rindenporen), luftdurchlässige, nach außen warzenförmige Erhebungen bildende Kanäle im Korkmantel der Sproßachsen von Holzgewächsen. Sie dienen dem Gasaustausch der Pflanze mit der Außenluft.
Leonberger [nach der Stadt Leonberg], zu den Doggen zählende dt. Hunderasse; Schulterhöhe 85 cm, mit Hängeohren und langer Rute; Haar mittellang, leicht abstehend, meist gelb- bis rotbraun; Wach- und Begleithunde.
Leopard [lat., zu leo (von griech. léōn) „Löwe" und pardus (von griech. párdos) „Pardel, Panther"] (Panther, Panthera pardus), etwa 1–1,5 m lange (mit Schwanz bis 2,5 m messende), überwiegend dämmerungs- und nachtaktive Großkatze bes. in Steppen, Savannen, Regenwäldern, auch Hochgebirgen Afrikas (ausgenommen die Sahara), in Teilen der Arab. Halbinsel, SW- und S-Asiens; Fell oberseits fahl- bis rötlichgelb, unterseits weißl., mit schwarzen Flecken, die (im Unterschied zum sonst sehr ähnl. Jaguar) keine dunklen Innentupfen aufweisen; auch völlig schwarze Exemplare (**Schwarzer Panther**). Der L. jagt meist allein, wobei er sich bis auf wenige Meter an die Beute (bes. Antilopen) heranpirscht, die er nach seinem Sprung durch Nacken- oder Kehlbiß tötet. Größere Beutetiere trägt er oft auf Bäume. Während der Paarungszeit (in den Tropen an keine Jahreszeit gebunden, sonst Januar bis März) jagen ♂ und ♀ meist gemeinsam. - Nach einer Tragzeit von 90 bis 100 Tagen werden je Wurf 1–3 (anfangs blinde) Junge geboren, die nach zwei Jahren geschlechtsreif werden. Die L. werden bes. wegen ihres schönen (vom Rauchwarenhandel sehr begehrten) Fells stark verfolgt. - **Geschichte:** Alte Darstellungen von L. sind aus Mesopotamien (Tempelbilder, keram. Gefäße), Persien und Ägypten erhalten. Bei den Griechen tritt der L. als Attribut der Jagdgöttin Artemis in Erscheinung. Im röm. Kulturraum wurden L. hauptsächl. mit Dionysos oder im „Zweikampf" mit Männern dargestellt. - Abb. S. 135.
Leopardendrückerfisch ↑ Drückerfische.
Lepidodendron [griech.] ↑ Schuppenbäume.
Lepidophyten [griech.], Bez. für Schuppenbäume, Siegelbäume u. a. fossile Bärlappe.
Lepidoptera [griech.], svw. ↑ Schmetterlinge.
Lepidopteris [griech.] (Schuppenfarn),

zu den Samenfarnen zählendes Leitfossil des Räts; die Mittelrippe der doppelt gefiederten Blattwedel zeigt schuppenartige Papillen.

Lepidotus [griech.], Gatt. ausgestorbener, bis 1 m langer Knochenschmelzschupper v. a. im Oberlias; mit ↑Ganoidschuppen und Pflasterzähnen.

Leporidae [lat.], svw. ↑Hasen.

Leptolepis [griech.], ausgestorbene, vom Jura bis zur Kreide bekannte Gatt. primitiver, heringsgroßer Echter Knochenfische; mit vollständig verknöchertem Skelett und ↑Zykloidschuppen mit dünnem Ganoinbelag.

leptomorph (leptosom), schmal, schlankwüchsig; ein ↑Körperbautyp.

leptosom [griech.], svw. ↑leptomorph.

Leptospiren (Leptospira) [griech.], Bakteriengatt. der Ordnung Spirochaetales; lokkere, sehr dünne, streng aerobe Spiralen mit eingekrümmten Enden („Kleiderbügelform"); z. T. freilebend, z. T. parasit. in Säugetieren und im Menschen; verursachen fiebrige, grippeähnl. Erkrankungen (**Leptospirosen**).

Leptotän [griech.], erstes Stadium der ersten Prophase der ↑Meiose. Die Chromosomen werden als langgestreckte, dünne Fäden sichtbar.

Lepus [lat.] ↑Hasen.

Lerchen (Alaudidae), mit Ausnahme S-Amerikas weltweit verbreitete Fam. finkenbis drosselgroßer, unauffällig gefärbter Singvögel mit rd. 70 Arten in baumarmen Landschaften; Bodenvögel, die ihren Gesang häufig im steil aufsteigenden Rüttelflug vortragen. In M-Europa kommen u. a. vor: **Feldlerche** (Alauda arvensis), etwa 18 cm groß, oberseits erdbraun, dunkel längsgefleckt, (mit Ausnahme der Bruststreifung) unterseits rahmweiß; auf Feldern, Wiesen und Mooren großer Teile Eurasiens und NW-Afrikas; mit kurzer, aufrichtbarer Haube und weißen Außenfedern am Schwanz. **Haubenlerche** (Galerida cristata), etwa 17 cm groß; unterscheidet sich von der ähnl., aber schlankeren Feld-L. v. a. durch die hohe, spitze Haube und die gelbbraunen Schwanzseiten; breitet sich in M-Europa mit der Entstehung der Kultursteppen immer weiter aus; singt häufig vom Boden aus. Etwa 15 cm groß ist die **Heidelerche** (Lullula arborea); unterscheidet sich von der ähnl., aber größeren Feld-L. durch einen kürzeren Schwanz (ohne weiße Kanten), feineren Schnabel und auffallende, im Nacken zusammenstoßende, weiße Augenstreifen; kommt in baumarmen, trockenen Landschaften und Heidegebieten Europas, NW-Afrikas und Kleinasiens vor. Mit Schwanz etwa 19 cm groß ist die **Kalanderlerche** (Melanocorypha calandra); mit graubrauner, dunkelstreifiger Oberseite, weißl. Unterseite und großem, schwarzem Halsseitenfleck; auf Feldern und Steppen S-Eurasiens und NW-Afrikas. In den Halbwüsten Tunesiens und Algeriens kommt die etwa 20 cm große **Dupontlerche** (Chersophilus duponti) vor; unterscheidet sich von der sonst sehr ähnl. Feld-L. v. a. durch die schlankere Gestalt, den langen, dünnen, leicht abwärts gebogenen Schnabel und den auffallend hellen Überaugenstreif. - Abb. S. 134f.

Lerchensporn (Corydalis), Gatt. der Mohngewächse mit rd. 300 Arten, v. a. in Eurasien und in N-Amerika; meist ausdauernde Kräuter mit zygomorphen, roten, weißen oder gelben Blüten. In Deutschland kommen bis zu acht Arten vor, u. a. der **Hohle Lerchensporn** (Erdapfel, Hohlwurz, Corydalis bulbosa); 10-35 cm hoch, mit kugeliger, bald hohl werdender Knolle; Blätter doppelt bis dreizählig gefiedert; Blüten purpurfarben oder weiß, gespornt, zu 10 bis 20 in aufrechter Traube; in Laubmisch- und Buchenwäldern M- und S-Europas. - Abb. S. 138.

Lernen, Sammelbez. für durch Erfahrung entstandene, relativ überdauernde Verhaltensänderungen bzw. -möglichkeiten. L. kann also als Prozeß verstanden werden, der bestimmte Organismen, jedoch auch techn. Anlagen (z. B. Automaten) befähigt, auf Grund früherer Erfahrungen und durch organ. Eingliederung weiterer Erfahrungen situationsangemessen zu reagieren. Generell ist zu unterscheiden zw. *einsichtigem L.*, das Bewußtsein voraussetzt, *L. durch Dressur* und *L. durch Versuch und Irrtum*. Menschl. L. ist eine überwiegend einsichtige, aktive, sozial vermittelte Aneignung von Kenntnissen und Fertigkeiten, Überzeugungen und Verhaltensweisen. Die dabei auftretenden **Lernvorgänge** lassen sich u. a. in 4 Lernphasen einteilen: die *Vorbereitungsphase*, in der Aufmerksamkeit, Wahrnehmung und Reizunterscheidung erfolgen, die *Aneignungsphase* mit der Assoziation als Verknüpfungsprozeß (d. h. L. durch Versuch und Irrtum mit nachfolgenden inneren Verarbeitungsprozessen), die *Speicherungsphase* mit der Codierung (Verschlüsselung) der Erfahrung und Integrierung im ↑Gedächtnis und die *Erinnerungsphase*, in der das gespeicherte Material abgerufen, decodiert (entschlüsselt) und in eine Reaktion umgesetzt wird. In allen diesen Phasen können Lern-, Gedächtnis- oder Erinnerungsstörungen auftreten.

Je nach Reiz- und Reaktionsmodalitäten werden folgende **Lernarten** unterschieden: Im *Wahrnehmungs-L.* wird bes. die visuelle, auditive und taktile Wahrnehmung verändert (z. B. bei der Gehörschulung); beim *motor. L.* erfolgt das Erlernen, Automatisieren oder Selbstregeln von Bewegungsabläufen (z. B. beim Sport oder Autofahren); durch *verbales L.* wird Spracherwerb mögl. (z. B. das L. von Vokabeln oder Texten); durch *kognitives L.* werden Begriffe gebildet, Ordnungen, Regeln und Systeme erlernt, erfolgen Problemlösungen; *soziales Lernen* umfaßt L. im sozialen Kontext wie auch L. von sozialen Verhaltensweisen. Nach Art der Darbietung und Übung

Lernen

Hohler Lerchensporn

teilt man die Lernarten ein in: *intentionales L.*, das absichtl. erfolgt (z. B. das *schul. L.*), beiläufiges, *inzidentelles L.*, bei dem neben den einzuprägenden Inhalten auch noch andere aufgefaßt und behalten werden, die nicht zu lernen waren, sowie *programmiertes L.*, bei dem der Lehrstoff, in Lernschritten portioniert, vom Lernenden in einem ihm gemäßen Lerntempo angeeignet werden kann (programmierter Unterricht). Nach der Struktur des **Lernprozesses** ergeben sich u. a. folgende Lernarten: *Signal-L.*, *Verstärkungs-L.* (Äußerung bestimmter Verhaltensweisen infolge eines angenehmen Reizes), *Imitations-L.* (Übernahme neuen Verhaltens auf Grund der Beobachtung erfolgreichen fremden Verhaltens), *Begriffs- und Konzept-L.* (Verallgemeinerung von konkreten Inhalten auf Konzepte oder in Kategorien bei gleichzeitiger Unterscheidung), *Strukturierung* (Zerlegung von Sinneinheiten und Ordnen von Inhalten), *Problemlösen* (L. durch Einsicht).
Das Vermögen, Erfahrungen für künftiges Verhalten zu verwerten, wird als an das Gedächtnis gebundene **Lernfähigkeit** bezeichnet, die neben speziell programmierten Automaten (Rechnern) allen Organismen eigen ist, die ein Nervensystem bzw. ein Gehirn besitzen. Die Lernfähigkeit bei Tieren ist schon vom Regenwurm bekannt; sein *sensor. L.* ermöglicht ihm u. a., die Instinktbewegungen mittels der angeborenen Taxien auf bestimmte Ziele zu richten, die hierfür nötigen Sinnesleistungen zu schärfen und zu spezialisieren, Erfahrungen zu bilden und zu speichern. *Motor. L.* in Instinkthandlungen hinein zeichnet die höheren Tiere aus (z. B. Flugspiele der Rabenvögel, Rüssel-, Schnabel- und Handgeschick bei Elefanten, Papageien, Affen); es erfolgt bes. durch Prägung oder Nachahmung; vom Menschen gesteuert wird es v. a. durch Abrichten oder Dressur. - Lernfähigkeit wird auch bestimmten techn. Systemen mit Informationsverarbeitung zugeschrieben (**lernende Automaten**), bei denen durch Programmierung die Arbeits- bzw. Verhaltensweise von früheren (gespeicherten) Arbeitsergebnissen (Erfahrungen) abhängig gemacht wird; Ziel ist dabei, einen beabsichtigten Arbeitsprozeß zu verbessern (optimieren) oder den Automaten zur Anpassung an neue Bedingungen zu befähigen. Neben dem *Erfahrungsspeicher* haben diese lernenden Automaten ein programmiertes *Modell der Umwelt* und die Empfangsmöglichkeit für *Belehrung* zu Beginn oder während des Lernprozesses; dieser wird auf der *Lernmatrix* erfaßt, die für jeden zu lernenden Begriff eine Gruppe verknüpfender und speichernder Elemente enthält; in der sog. *Lernphase* werden dann zu einem Begriff mehrmals abgewandelte Codegruppen angeboten, wobei die am häufigsten offerierte Gruppe am stärksten eingeprägt bleibt und dem zu lernenden Begriff zugeordnet wird; die Lernmatrix vergleicht dann in der *Kannphase* die angebotenen Codegruppen mit den eingeprägten Gruppen und liefert den Begriff mit der besten Codeübereinstimmung, d. h. die Lösung. Waren urspr. die lernenden Automaten bes. als Simulatoren für die Verhaltensweisen lebendiger Organismen gedacht, werden sie heute auf einen jeweils bestimmten Verwendungs- und Verwertungszweck hin konstruiert, z. B. als Schachcomputer, Lerncomputer, ärztl. Diagnosecomputer, Wettervorhersagecomputer. Hauptziel ist jedoch die Entwicklung universeller Automaten, die ihre Arbeitsweise oder Struktur (bes. die selbstorganisierenden Systeme) dem jeweiligen Verwendungszweck anpassen.
Wesentl. Merkmal für *Lernreife* und von bes. Bed. für den *Lernerfolg* ist die **Lernbereitschaft**, d. h. die positive Einstellung des Menschen im Hinblick auf eine bevorstehende Leistung; als zentraler Begriff der Lernpsychologie dient sie einmal zur Bez. der Einstellung des Menschen, während seiner Entwicklung Inhalte, Fertigkeiten oder Wissen zu erwerben, die Verhaltensänderungen bewirken können, zum anderen speziell zur Kennzeichnung der Motivation, in bestimmten Situationen etwas zu lernen (*Lernwille, Lernmotivation*).

📖 Geikowski, U.: Lerntechniken - Lernhilfen. Erlangen ²1985. - Leitner, S.: So lernt man l. Freib. ¹³1985. - Steindorf, G.: L. u. Wissen. Bad Heilbrunn 1985. - Joerger, K.: Einf. in die Lernpsychologie. Freib. ¹⁰1984. - L. u. seine Horizonte. Hg. v. W. Lippitz u. a. Ffm. ²1984. - Rogers, C. R.: L. in Freiheit. Dt. Übers. Mchn. ⁴1984. - Straka, G. A.: L., Lehren, Bewerten. Stg. 1983. - Wolff, E.: Lernschwierigkeiten Erwachsener.

Leuchtmoos

Erlangen 1983. - Berkson, W., u. a.: L. aus dem Irrtum. Dt. Übers. Hamb. 1982. - Gagne, R. M.: Die Bedingungen des menschl. L. Dt. Übers. ⁴1982. - Straka, A./Macke, G.: Lehren u. L. in der Schule. Stg. ²1981. - Begabung u. L. Hg. v. H. Roth. Stg. ¹²1980. - Dahmer, H./Dahmer, J.: Effektives L. Stg. ²1979. - Leonhard, H. W.: Behaviorismus u. Pädagogik. Bad Heilbrunn 1978. - Vester, F. Denken, L., Vergessen. Stg. 1978. - Halberstadt, J.: Individualisiertes u. soziales L. Hagen 1977. - Mager, R. F.: Lernziele u. Unterricht. Dt. Übers. Weinheim u. a. Neuaufl. 1977. - Entwicklung u. Lernen. Hg. v. E. A. Lunzer u. J. F. Morris. Dt. Übers. Stg. 1976. 3 Bde. - Lehrer u. Lernprozeß. Hg. v. R. D. Strom u. G. E. Becker. Dt. Übers. Mchn. u. a. 1976. 2 Bde.

letal [lat., zu letum „Tod"], svw. tödlich, zum Tode führend.

Letalfaktor, durch eine Gen-, Genom- oder Chromosomenmutation entstandene, krankhafte Erbanlage, die bei dem betroffenen Lebewesen im Verlauf seiner Entwicklung zum Ausfall einer lebenswichtigen Funktion führt und daher dessen Tod noch vor der Weitergabe des Erbguts zur Folge hat.

Leuchtbakterien, Gruppe hauptsächl. im Meer lebender, mariner, fakultativ anaerober, gramnegativer, begeißelter Bakterien, die eine bläulichgrüne Biolumineszenz (Chemilumineszenz) verursachen. Manche L. gehen Leuchtsymbiosen mit Fischen, Tintenfischen und Feuerwalzen ein, andere rufen Meeresleuchten und das Leuchten von toten Meeresfischen hervor.

Leuchterblume (Ceropegia), Gatt. der Schwalbenwurzgewächse mit rd. 150 Arten, v. a. in Asien und Afrika; Kräuter oder Halbsträucher mit meist knolligem Erdstamm; Blüten mit verlängerter, am Grund bauchig aufgetriebener Röhre (eine Kesselfallenblume).

Leuchtkäfer (Lampyridae), mit rd. 2 000 Arten weltweit verbreitete Fam. etwa 8–25 mm großer Käfer, v. a. in wärmeren Ländern; Larven und Vollinsekten haben auf der Bauchseite einiger Hinterleibssegmente ↑ Leuchtorgane. In M-Europa kommen drei Arten vor, deren Imagines etwa um Johannis (24. Juni) erscheinen *(Johanniskäfer)*. Am häufigsten sind der **Große Leuchtkäfer** (Lampyris noctiluca; 11–18 mm lang) und der **Kleine Leuchtkäfer** (Phausis splendidula; 8–10 mm lang). Die weißlichgelben, flugunfähigen ♀♀ werden (wie die leuchtfähigen Larven) als *Johanniswürmchen (Glühwürmchen)* bezeichnet. Sie klettern (zur Anlockung der ebenfalls leuchtenden ♂♂) auf Grashalme und senden ein grünlichgelbes Licht aus.

Leuchtkrebse (Euphausiacea), mit rd. 90 Arten in allen Meeren verbreitete Ordnung bis 8 cm langer, garnelenförmiger Krebse; mit langen Fühlern, Chitinpanzer, langen, beborsteten Brustbeinen und ↑ Leuchtorganen. Die L. leben pelagisch, kommen oft in großen Schwärmen vor und haben als Hauptbestandteil des ↑ Krills wirtsch. Bedeutung.

Leuchtmoos (Schistostega pinnata), sehr kleines (3–7 mm) Laubmoos schattiger, luftfeuchter, kalkfreier Standorte in den Alpen

Libellen. Links: Paarungsrad der zu den Schlanklibellen gehörenden Becherazurjungfer (Enallagma cyathigerum); rechts: an Wasserpflanzen seine Eier ablegendes Weibchen der Blauen Prachtlibelle (Calopterix virgo)

Leuchtorgane

und Mittelgebirgen; flach zweizeilig beblättert. Der überdauernde Vorkeim ist aus kugeligen Zellen aufgebaut, die wie ein Hohlspiegel schwaches einfallendes Licht gebündelt reflektieren.

Leuchtorgane (Photophoren), durch Chemilumineszenz selbst lichterzeugende oder über das Vorhandensein symbiont. Bakterien (↑Leuchtbakterien) zur Lichtquelle werdende Organe vieler Tiefseefische und einiger Insekten. Sie sind z. T. mit Linsen, Reflektoren und Pigmenten ausgestattet und sollen Beutetiere oder Geschlechtspartner anlocken oder Feinde abschrecken.

Leuchtqualle (Pelagia noctiluca), hochseebewohnende Quallenart in wärmeren Teilen des Atlantiks und im Mittelmeer; Schirm halbkugelig (etwa 6–8 cm Durchmesser), blaß purpurn bis braunrot; Entwicklung ohne Polypengeneration; kommt oft in großen Schwärmen vor; hat starkes Leuchtvermögen, das durch Wasserbewegungen ausgelöst wird.

Leuchtschnellkäfer (Cucujo, Pyrophorus), Gatt. bis 6 cm langer Schnellkäfer mit rd. 100 Arten in S-Amerika, die auf dem Halsschild zwei und auf dem ersten Hinterleibssternit ein Leuchtorgan besitzen. Bes. die etwa 4 cm lange Art **Pyrophorus noctiluca** wird wegen ihres starken Leuchtvermögens von Eingeborenen in Gazebeutelchen oder kleinen, geflochtenen Körbchen eingesperrt und als lebende Lampe getragen. - 40 Käfer haben zus. die Leuchtkraft einer Kerze.

Leuchtzikaden ↑ Laternenträger.
Leuchtzirpen ↑ Laternenträger.

Leucin [zu griech. leukós „leuchtend, weiß"] (Leuzin, 2-Amino-4-methylpentansäure, α-Aminoisocapronsäure), Abk. Leu, für den Menschen und viele Tiere lebensnotwendige wasserlösl. Aminosäure; Bestandteil der Eiweiße in allen Organismen.

Leucochloridium [griech.], Gatt. erwachsen parasit. in Vögeln lebender Saugwürmer. Die mit dem Vogelkot ausgeschiedenen Eier werden von Bernsteinschnecken aufgenommen, wo sich die Larve in den Fühlern zu einer wurzelartig verzweigten Sporozyste mit grün oder rotbraun geringelten, schlauchförmigen Fortsätzen entwickelt.

Leucojum [griech.], svw. ↑ Knotenblume.

Leukonschwamm [griech./dt.], Bez. für den höchstorganisierten Schwammtyp bei den meisten Kalkschwämmen und allen übrigen Schwämmen. Die Kragengeißelzellen sind auf die Wandung kleiner Kammern (Geißelkammern) im Schwammkörper beschränkt. Meist haben die in vielen Schichten angeordneten Kammern eigene zu- und abführende Kanäle.

Leukoplasten [griech.], farblose, photosynthet. inaktive ↑ Plastiden; befinden sich meist in Speicherorganen der Pflanzen (bes. als Stärkespeicher).

Leukopoese (Leukozytopoese) [griech.], die über verschiedene Reifungsstadien erfolgende Bildung der weißen Blutkörperchen (Leukozyten).

Leukotriene, den Prostaglandinen nahestehende Gewebshormone; z. T. allergie- oder entzündungsauslösend. 1979 entdeckt.

Leukozyten [griech.] ↑ Blut.
Leukozytopoese, svw. ↑ Leukopoese.
Leuzin ↑ Leucin.

Levator [lat.] (Hebemuskel, Musculus levator), in der Anatomie Kurzbez. für Muskeln, die gewisse Organe oder Körperbereiche anheben, nach oben ziehen.

Levi-Montalcini, Rita [italien. ...'tʃi:ni], * Turin 22. April 1909, italien.-amerikan. Biologin. - Erhielt zus. mit S. Cohen den Nobelpreis für Physiologie oder Medizin 1986 für die Entdeckung von Wachstumsfaktoren.

Levkoje [zu griech. leukóion „weißes Veilchen"] (Matthiola), Gatt. der Kreuzblütler mit rd. 50 Arten, v. a. im östl. Mittelmeergebiet; Kräuter oder Halbsträucher mit längl. Blättern, Blüten in Trauben, einfach oder gefüllt, verschieden gefärbt, oft duftend; bekannte Zierpflanzen, v. a. die der Kultur als *Sommer-L.*, *Herbst-L.* oder *Winter-L.* bezeichneten Sortengruppen der Art Matthiola incana. - L. sind in Deutschland bereits seit dem 16. Jh. beschrieben.

Lewisie (Lewisia) [nach dem amerikan. Forschungsreisenden M. Lewis, * 1774, † 1809], Gatt. der Portulakgewächse mit rd. 20 Arten im westl. N-Amerika; stengellose Stauden mit dickem Wurzelstock und fleischigen Blättern; Blütenhüllblätter meist rosa oder weiß.

Leydig-Zwischenzellen ↑ Hoden.

Lezithinasen (Lecithasen, Lecithinasen) [griech.], zur Gruppe der Phosphatasen zählende Enzyme, die Lezithine hydrolyt. spalten und daher Zellmembranen und -organellen schädigen können; sie kommen in Bakterien, Pflanzen sowie im Pankreas und in den Erythrozyten von Mensch und Tier vor und sind der hämolyt. wirkende Bestandteil mancher Schlangengifte.

Lezithine (Lecithine) [zu griech. lékithos „Eigelb"], fettähnl. Stoffe, bei denen zwei Hydroxylgruppen des Glycerins mit langkettigen Fettsäuren (z. B. Ölsäure, Palmitinsäure), die dritte Hydroxylgruppe über Phosphorsäure mit Cholin, einer starken organ. Base, verestert sind. Die L. sind wichtige Bestandteile menschl., tier. und pflanzl. Zellen, bes. der biolog. Membranen. Sie sind v. a. im Nervengewebe, Eidotter und in Samen von Hülsenfrüchten enthalten.

LH, Abk. für: Luteinisierungshormon (↑ Geschlechtshormone).

Lianen [frz.] (Kletterpflanzen), bes. für trop. Regenwälder charakterist. Pflanzengruppe; klimmen an anderen Gewächsen, auch an Felsen und Mauern empor, um ihre

Blätter, ohne selbst Stämme auszubilden, aus dem Schatten ans Licht zu bringen. Nach der Art des Kletterns unterscheidet man: **Spreizklimmer** (Brombeere, Kletterrose) halten sich mit seitl. abstehenden Stacheln, Dornen, Seitensprossen fest. **Wurzelkletterer** (Efeu) haben sproßbürtige Haftwurzeln. **Rankenpflanzen** (Wein, Erbse) umfassen mit ↑Ranken auf einen Berührungsreiz hin die Stütze. **Schlingpflanzen** (Hopfen, Bohne) winden den langen dünnen Stengel um die Stütze.

Libanonzeder ↑Zeder.

Libellen [zu lat. libella „(kleine) Waage, Wasserwaage" (nach den beim Flug waagrecht ausgespannten Flügeln)] (Wasserjungfern, Odonata), weltweit verbreitete Insektenordnung mit rd. 4 700 1,8–15 cm langen, farbenprächtigen, am Wasser lebenden Arten (in Deutschland etwa 80 Arten); Körper schlank, mit großem Kopf, kurzen, borstenförmigen Fühlern, großen Facettenaugen und zwei häutigen, netzadrigen, nicht faltbaren Flügeln, die in Ruhe seitl. vom Körper weggestreckt (↑Großlibellen) oder über dem Rücken zusammengeklappt werden. Zu den letzteren gehören die 1 200, bis 5 cm langen, weltweit verbreiteten Arten der Unterordnung **Kleinlibellen** (Zygoptera); in M-Europa kommen 20 Arten vor; wichtigste Fam. sind Seejungfern, Schlank-L. und Teichjungfern. - L. erreichen hohe Fluggeschwindigkeiten (bis 54 km/h); sie erbeuten ihre Nahrung (andere Insekten) mit Hilfe ihrer Beine größtenteils im Fluge. Bei der Paarung bilden die L. ein „Rad", indem das Männchen mit seinem Hinterleibsende das Weibchen hinter dem Kopf festhält u. dieses sein Hinterleibsende an ein mit einer Samentasche verbundenes Begattungsorgan heranführt. Die Eier werden ins Wasser oder an Wasserpflanzen abgelegt. Die Entwicklung erfolgt im Wasser. - Fossil sind die L. seit dem Oberkarbon bekannt: **Riesenlibellen** (Meganeura), mit einer Flügelspannweite von 70 cm und 30 cm Körperlänge die größten bekannten Insekten. - Abb. S. 139.

Lichenes [griech.], svw. ↑Flechten.

Lichtkeimer, Pflanzen, deren Keimung durch Licht des Spektralbereichs von 630–680 nm gefördert wird; u. a. Tabak, Fingerhut, Kopfsalat. - Ggs. ↑Dunkelkeimer.

Lichtmotten, svw. ↑Zünsler.

Lichtnelke (Lychnis), Gatt. der Nelkengewächse mit 35 Arten in der nördl. gemäßigten und arkt. Zone; meist dicht behaarte Kräuter mit roten, weißen oder rotgestreiften Blüten. Bekannte Arten sind u. a.: ↑Brennende Liebe; **Kuckuckslichtnelke** (Lychnis flos-cuculi), 20–90 cm hoch, auf feuchten Wiesen und in Mooren in Europa und Sibirien, mit rosenroten Blüten. **Jupiterblume** (Lychnis flos-jovis), bis 50 cm hoch, mit weißfilzigen Blättern und rosenroten bis hellpurpurfarbenen Blüten; Gartenpflanze. **Kronenlichtnelke** (Vexiernelke, Lychnis coronaria), bis 1 m hoch, weiß behaarte Stengel und Blätter, rote oder violette Blüten.

Lichtnußbaum ↑Lackbaum.

Lichtpflanzen, Pflanzen mit hohem Lichtanspruch; z. B. Süßgräser, Mauerpfeffer.

Lichtreaktion (Photoreaktion, photochem. Reaktion), lichtabhängige Reaktion der ↑Photosynthese.

Lichtsinn, die Fähigkeit der Tiere und des Menschen, Lichtreize wahrzunehmen. Während Einzeller (oft mit einem Pigmentfleck als L.organelle) und Hohltiere Licht über nicht bes. differenzierte Zellen wahrnehmen können, sind bei den meisten übrigen Tieren und beim Menschen spezielle **Lichtsinneszellen** bzw. **Lichtsinnesorgane** ausgebildet, die durch einen bei Licht erfolgenden chem. Prozeß im Sehpigment (z. B. im Sehpurpur) Licht in elektr. Impulsmuster umwandeln. Beim menschl. Auge sind zehn Lichtquanten notwendig, um eine eben noch feststellbare Lichtempfindung auszulösen. Der L. dient den Lebewesen zur Orientierung in ihrer Umwelt (↑Gesichtssinn) und zur Erkennung von Partnern, Feinden und Beute. L.zellen können über die ganze Körperoberfläche verteilt oder in den Lichtsinnesorganen (Augen) konzentriert sein.

Lid (Augenlid, Palpebra), bei Wirbeltieren (einschließl. Mensch) dem Schutz des Auges dienende, meist von oben und unten her bewegl. Hautfalte.

Lidmücken (Netzflügelmücken, Netzmücken, Blephaceridae), mit rd. 150 Arten weltweit verbreitete Fam. bis 1,5 cm großer Mücken an Fließgewässern; Larven asselartig, mit Bauchsaugnäpfen.

Lidschlußreaktion (Lidschlußreflex) ↑Pupillenreaktion.

Lieberkühn-Drüsen [nach dem dt. Anatomen J. N. Lieberkühn, *1711, †1756] (Lieberkühn-Krypten, Glandulae intestinales) ↑Darm.

Liebesgras (Eragrostis), Gatt. der Süßgräser mit rd. 300 Arten in allen wärmeren Ländern, bes. in Afrika; Ährchen meist in Rispen. Viele Arten sind Kultur- und Futterpflanzen, z. B. **Tef** (Eragrostis tef), eine Getreideart in Äthiopien.

Liebespfeil, bei einigen Lungenschnecken (z. B. der Weinbergschnecke) in einem Drüsensack des Geschlechtsapparats ausgebildeter, bis 1 cm langer, stilettartiger Körper aus kohlensaurem Kalk, der bei der wechselseitigen Begattung dieser (zwittrigen) Tiere als Reizobjekt dem Partner in die Muskulatur des Fußes getrieben wird.

Liebestraube (Agapetes), Gatt. der Heidekrautgewächse mit rd. 30 Arten, v. a. in den feuchten Bergwäldern von Nepal bis N-Australien; oft epiphyt. Sträucher; Blüten meist rot, in traubenartigen Blütenständen; z. T. Zierpflanzen.

Liebstöckel

Liebstöckel (Levisticum), Gatt. der Doldenblütler mit drei Arten in Kleinasien; hohe, aufrechte Stauden mit aromat. duftenden Blättern und hellgelben Blüten. Die bekannteste Art ist das **Maggikraut** (L. im engeren Sinn, Levisticum officinale), das in einigen Gebieten Europas und N-Amerikas als Gewürzpflanze kultiviert wird: 1–2 m hohe, selleriertig riechende Staude.

Liebstöckelrüßler (Luzernerüßler, Otiorrhynchus ligustici), 9–15 mm langer, schwarzer, z. T. fleckig gelblichgrau beschuppter Rüsselkäfer in Europa und Amerika; Käfer und Larven können durch Blatt- und Wurzelfraß an Kulturpflanzen (bes. Zucker- und Runkelrüben, Luzerne) schädl. werden.

Lien [lat.], svw. ↑Milz.

Lieschgras [zu althochdt. lisca „Farn"] (Phleum), Gatt. der Süßgräser mit 12 Arten in den gemäßigten Zonen der Nord- und Südhalbkugel; Futter- und Wiesengräser. In Eurasien, N-Afrika und N-Amerika das 20–100 cm hohe **Wiesenlieschgras** (Timotheegras, Phleum pratense); ausdauernd, mit in langen schlanken Ährenrispen stehenden Ährchen.

Lieste (Halcyon), Gatt. sehr bunter, vorwiegend insektenfressender Eisvögel mit über 30 Arten in Afrika, S- und O-Asien und in der indoaustral. Region; Schnabel kräftig, lang und spitz.

Ligament (Ligamentum) [lat.], in der Anatomie ↑Band.

Ligasen [lat.] (Synthetasen), Enzyme, die die Verknüpfung von Molekülen bewirken, z. B. der Aminosäuren in der Proteinsynthese.

Lignin [zu lat. lignum „Holz"] (Holzstoff), neben der Zellulose wichtigster Holzbestandteil, der bei Einlagerung in die pflanzl. Zellwände deren Verholzung (**Lignifizierung**) bewirkt.

Ligula [lat.] ↑Laubblatt.

Liguster [lat.] (Rainweide, Ligustrum), Gatt. der Ölbaumgewächse mit rd. 50 Arten, v. a. im östl. Asien; immer- oder sommergrüne Sträucher mit ganzrandigen, gegenständigen Blättern und weißen, meist kleinen Blüten in endständigen Rispen. Zahlr. Arten werden für Zierhecken kultiviert. In M-Europa kommt in Hecken und Gebüschen der **Gemeine Liguster** (Ligustrum vulgare) vor, ein bis 5 m hoher, sommergrüner Strauch mit stark duftenden Blüten und schwarzen, giftigen Beeren.

Ligusterschwärmer (Sphinx ligustri), hauptsächl. in Eurasien verbreiteter, etwa 9–10 cm spannender, dämmerungs- und nachtaktiver Schmetterling (Fam. Schwärmer). Die Raupen können durch Blattfraß v. a. an Liguster, Esche und Flieder schädl. werden.

Liliaceae [lat.], svw. ↑Liliengewächse.

Lilie (Lilium) [lat.], Gatt. der L.gewächse mit rd. 100 Arten in der gemäßigten Zone der Nordhalbkugel; Zwiebelpflanzen mit meist einfachen Stengeln, schmalen Blättern und trichterförmigen bis fast glockigen Blüten. Bekannte Arten: **Feuerlilie** (Lilium bulbiferum), mit feuerroten, schwarz gefleckten Blüten und lineal.-lanzenförmigen Blättern; auf Gebirgswiesen der Alpen und höherer Mittelgebirge; geschützt. **Madonnenlilie** (Weiße L., Lilium candidum), bis 1,5 m hoch, mit 10–15 cm langen, reinweißen, abends wohlriechenden Blüten in Trauben; im östl. Mittelmeergebiet bis SW-Asien. **Türkenbund**

Feuerlilie

Madonnenlilie

(Türkenbund-L., Lilium martagon), bis 1 m hoch, mit duftenden, nickenden Blüten; Blütenhüllblätter hell purpurfarben, dunkel gefleckt; geschützt; auf Gebirgswiesen Eurasiens. **Königslilie** (Lilium regale), bis 1,5 m hoch, Blüten dicht gedrängt am Stengelende, außen rosa, innen weiß, am Grund kanariengelb; stark duftend; in W-China. **Prachtlilie** (Lilium speciosum), 50–150 cm hoch, mit kah-

Linde

Schild, seit dem späten 14. Jh. drei L. Das L.banner (weiß, mit L. besät) war von der Mitte des 17. Jh. bis 1790 und 1814–30 die Flagge Frankreichs.

Liliengewächse (Liliaceae), Pflanzenfam. der Einkeimblättrigen mit über 200 Gatt. und rd. 3 500 Arten; meist ausdauernde Kräuter mit Wurzelstöcken, Knollen oder Zwiebeln; Blüten meist radiär. Zu den L. zählen viele Zierpflanzen, u. a. Graslilie, Grünlilie, Lilie, Tulpe, und Nutzpflanzen, z. B. Knoblauch, Zwiebel, Schnittlauch, Spargel.

Lilienhähnchen (Lilioceris), Gatt. 5–10 mm großer Blattkäfer mit zahlr. Arten in Eurasien, N-Afrika sowie in M- und S-Amerika; in M-Europa drei vorwiegend rote oder rötlichgelbe Arten, u. a. die 6–8 mm lange Art *Lilioceris lilii,* die von Mai bis Juni bes. auf der Madonnenlilie vorkommt. Käfer und Larven können durch Blatt- und Zwiebelfraß an kultivierten Liliengewächsen schädl. werden.

Lilienschweif, svw. ↑Steppenkerze.

Limanda [lat.], Gatt. der Schollen, zu der u. a. die Kliesche gehört.

limbisches System [zu lat. limbus „Saum, Rand"] ↑Gehirn.

Limette [frz.] (Limone, Limonelle), Frucht der in feuchten Tropengebieten, v. a. in W-Indien, kultivierten Zitruspflanze *Citrus aurantiifolia:* eiförmig, grün bis gelb, dünnschalig. Das saftreiche saure Fruchtfleisch wird zur Gewinnung von *L.saft (Lime juice)* genutzt; aus den Schalen werden äther. Öle gewonnen.

limikol [lat.], schlammbewohnend.

Limikolen [lat.], svw. ↑Watvögel.

limnikol [griech./lat.], in Süßwässern lebend.

limnisch [griech.] (lakustrisch), im Süßwasserbereich vorkommend.

Limnologie [zu griech. límnē „Teich"] (Süßwasserbiologie), Teilgebiet der Hydrobiologie; befaßt sich mit den Süßgewässern und deren Organismen.

Limone [pers.-arab.], svw. ↑Zitrone. ◆ svw. ↑Limette.

Limonelle [pers.-arab.], svw. ↑Limette.

Limonium [griech.], svw. ↑Widerstoß.

Limosella [lat.], svw. ↑Schlammkraut.

Limulus [lat.], seit dem Jura bekannte Gatt. der Pfeilschwanzkrebse. Die einzige noch heute vorkommende Art ist die **Königskrabbe** (*Atlant. Schwertschwanz,* L. polyphemus) an der Atlantikküste N-Amerikas, die bis 60 cm lang (einschließl. Schwanzstachel) ist.

Linde (Tilia), Gatt. der Lindengewächse mit rd. 30 meist formenreichen Arten in der nördl. gemäßigten Zone; bis 40 m hohe, z. T. bis 1 000 Jahre alt werdende, sommergrüne Bäume; Blüten gelbl. oder weißl., meist in hängenden, kleinen Trugdolden mit flügelartig vergrößertem unterem Vorblatt; das Holz

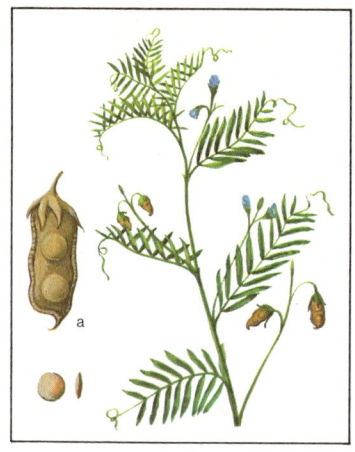

Linse. a Frucht und Samen in Aufsicht und Seitenansicht (unten)

Bänderlinsang

lem, grünem Stengel und drei bis zwölf weißen, etwas rot verwaschenen, großen Blüten; in Japan und Korea. **Tigerlilie** (Lilium tigrinum), bis 1,5 m hoch, Blüten leuchtend-orangerot, dunkelpurpurfarben gefleckt, in Trauben; in China und Japan. Mehrere Kulturformen sind beliebte Rabattenstauden.

Geschichte: Die Madonnen-L. wurde zuerst in W-Asien in Kultur genommen und ist eine der ältesten Gartenpflanzen. Zur Zeit der antiken Hochkulturen wurde sie in Salben und Ölen zu Kosmetika und Arzneien verarbeitet. Wohl wegen der weißen Blütenfarbe galt sie als Symbol der Reinheit. Die Feuer-L. kam vermutl. erst im 15. Jh. nach Europa, ostasiat. L. Mitte des 19. Jahrhunderts.

In der **Heraldik** wird die L. meist nur als stark stilisierte L.blüte verwendet; als symbol. Ornament schon im Alten Orient geläufig, kam die L. in ma. vorherald. Zeit auf Zeptern, Kronen und als Schildornament vor. Die Könige von Frankr. führten seit dem späten 12. Jh. den goldenen L. besäten blauen

Lindengewächse

ist für Schnitz- und Drechslerarbeiten geeignet. In M-Europa verbreitete Arten: **Sommerlinde** (Großblättrige L., Tilia platyphyllos), mit breit eiförmiger Krone, bis 12 cm langen, unterseits weißl. behaarten Blättern und gelblichweißen Blüten; wird oft als Alleebaum gepflanzt. **Winterlinde** (Tilia cordata), bis 25 m hoch, mit asymmetr., herzförmigen, oberseits kahlen Blättern, unterseits mit rotbraunen Haarbüscheln an den Blattaderwinkeln; oft in Parks und an Alleen.
Geschichte: Bei den Germanen und Slawen spielte die L. in Volksbrauchtum und Sage eine wichtige Rolle. Zahlr. Gerichts-, Feme-, Blut- und Geister-L. fanden sich in M- und O-Europa noch bis in die jüngste Zeit. Feste, Versammlungen und Trauungen fanden seit der Zeit der Germanen bevorzugt unter Dorf-, Brunnen- und Burg-L. statt. Seit dem 16./17. Jh. wird der *L.blütentee* als schweißtreibendes und fiebersenkendes Heilmittel bei Erkältung und Grippe verwendet.

Lindengewächse (Tiliaceae), Pflanzenfam. mit 45 Gatt. und mehr als 400 meist trop. Arten; hauptsächl. Bäume oder Sträucher. Die bekannteste Gatt. ist ↑Linde.

Lindenschwärmer (Mimas tiliae), etwa 6 cm spannender Nachtfalter (Fam. Schwärmer), v. a. in großen Teilen Eurasiens; fliegt von Mai bis Juli. Die Raupen fressen v. a. an Blättern von Linden, Erlen und Birken.

Lingua [lat.], svw. ↑Zunge.

Linguatulida [lat.], svw. ↑Zungenwürmer.

Lingula [lat.], seit dem Kambrium bekannte Gatt. der Armfüßer mit 15 rezenten Arten; mit ausstreckbarem, langem Stiel, mit dem sich die Tiere im Sand eingraben; Schalen spatelförmig, grünl. bis kupfrig. Die bekannteste Art ist die 3–5 cm lange **Zungenmuschel** (Lingula unguis), mit zungenförmigen, grünspanfarbenen Schalen und einem bis 30 cm langen Stiel, im Ind. und Pazif. Ozean.

Linkshändigkeit (Sinistralität), bevorzugter Gebrauch der linken Hand, bedingt durch stärkere funktionelle Differenzierung der rechten Gehirnhälfte. Die L. kommt bei etwa 2–5 % der Menschen vor.

Linné, Carl von (seit 1762, bis dahin C. Linnaeus), * Hof Råshult bei Stenbrohult (Kronoberg, Småland) 23. Mai 1707, † Uppsala 10. Jan. 1778, schwed. Naturforscher. - Studium der Medizin und Biologie; 1738 Arzt in Stockholm, wo er im folgenden Jahr die Gründung der Schwed. Akademie der Wiss. anregte, deren 1. Präs. er wurde. 1741 Prof. in Uppsala; 1747 erhielt er den Titel „Archiater" („königl. Leibarzt"). In Uppsala schuf L. ein naturhistor. Museum und legte darüber hinaus ein großes privates Herbarium an. Seine erstmals 1735 erschienene Abhandlung „Systema naturae" ist die Grundlage der modernen biolog. Systematik. L. führte die binäre lat. Bezeichnung (↑Nomenklatur) durch, die mit der Festlegung des Artbegriffs verbunden war. Basis seiner Klassifikation waren die Geschlechtsorgane (Staub- und Fruchtblätter) der Pflanzen (Einführung der Symbole ♂ und ♀), nach deren Verteilung, Zahl und Verwachsung er die z. T. bis heute übl. Diagnosen der systemat. Stellung in der Botanik entwickelte. Er bemühte sich, neben diesem „künstl." System auch ein natürl. System (Einteilung nach Ähnlichkeiten) zu erstellen. - L. dehnte sein System auch auf die zu seiner Zeit bekannten Tiere und Minerale aus. Von der 12. Auflage seines „Natursystems" (1766) an stellte er dann erstmals den Menschen unter der Bez. Homo sapiens in die Ordnung „Herrentiere" (neben den Schimpansen und den Orang-Utan). - *Weitere Werke:* Genera plantarum (1737), Materia medica (1749), Philosophia botanica (1751), Species plantarum (1753). - Abb. S. 147.
⊞ *Goerke, H.:* C. v. L. Stg. 1966. - *C. v. Linnés Bed. als Naturforscher u. Arzt.* Dt. Übers. Hg. v. der Königl. Schwed. Akad. d. Wiss. Jena 1909. Nachdr. Wsb. 1968.

L., Carl von, * Falun 20. Jan. 1741, † Uppsala 1. Nov. 1783, schwed. Botaniker. - Sohn von Carl von L.; arbeitete v. a. über Pflanzensystematik („Supplementum plantarum systematis vegetabilium", 1781).

Linolensäure [lat./dt.] (9, 12, 15-Octadecatriensäure), dreifach ungesättigte essentielle Fettsäure, die v. a. in trocknenden pflanzl. Ölen vorkommt.

Linolsäure [lat./dt.] (Leinölsäure, 9, 12-Octadecadiensäure), doppelt ungesättigte essentielle Fettsäure, die mit hohem Anteil (15–16 %) in Leinöl, aber auch in vielen anderen pflanzl. und tier. Ölen und Fetten vorkommt, z. B. im Sonnenblumenöl (etwa 50 %) und Olivenöl (10–15 %) sowie im Schweinefett (14 %). L. senkt den Cholesterinspiegel des Blutes und ist Bestandteil von Phospholipiden und Prostaglandinen. - Chem. Strukturformel:

$$CH_3-(CH_2)_4-CH=CH-CH_2-CH= \\ =CH-(CH_2)_7-COOH$$

Linsange [malai.], Bez. für drei Arten kurzbeiniger, bis 40 cm langer Schleichkatzen in den Wäldern Z- und W-Afrikas sowie S-Asiens (hier die Arten **Bänderlinsang,** Prionodon linsang, und **Fleckenlinsang,** Prionodon pardicolor); nachtaktive, auf Bäumen geschickt kletternde Raubtiere mit ockerfarbenem bis hellgrauem, dunkel geflecktem Körper und buschigem, dunkel geringeltem Schwanz. - Abb. S. 143.

Linse (Lens culinaris), wickenähnl. Schmetterlingsblütler; alte Kulturpflanze aus dem Orient; einjähriges, 30–50 cm hohes Kraut mit paarig gefiederten, meist in Ranken endenden Blättern mit kleinen, bläulich-weißen Blüten in ein- bis dreiblütigen, achselständigen Trauben; Hülsenfrüchte rautenför-

mig. - Die ein bis drei gelben, roten oder schwarzen, scheibenförmigen Samen (*Linsen*) ergeben gekocht ein eiweiß- und kohlenhydratreiches Gemüse; Kraut und Stroh sind ein eiweißreiches Viehfutter.
Geschichte: In den alten Kulturen in Mesopotamien, Ägypten, Persien und Israel waren Linsen Volksnahrungsmittel. Bes. bekannt sind die Grabbeigaben aus der 12. ägypt. Dyn. und die Erwähnung des Linsengerichtes im A. T. In M-Europa ist die Wildform der L. zuerst für die bandkeram. Kultur nachgewiesen. Seit der Bronzezeit sind Kulturformen mit größeren Samen bekannt. - Abb. S. 143.
Linsenaugen ↑ Auge.
Lipasen [zu griech. lípos „Fett"], zu den Hydrolasen zählende Enzyme, die Fette in Glycerin und Fettsäuren spalten. Bei der Fettverdauung werden die L. durch Gallensäuren aktiviert.
Lipide [zu griech. lípos „Fett"], Sammelbez. für Fette und fettähnl. Substanzen (↑ Lipoide). L. werden von pflanzl. und tier. Organismen gebildet; kennzeichnend sind ihre gemeinsamen Löslichkeitseigenschaften, sie sind unlösl. in Wasser und lösl. in vielen organ. Lösungsmitteln wie Benzol, Äther und Chloroform.
Lipizzaner, sehr gelehriges und edles Warmblutpferd, benannt nach dem Stammgestüt Lipizza (Lipica) bei Triest; hervorgegangen aus dem Andalusier, dem Karstpferd und eingekreuztem Arab. Vollblut; Prüfung und Auslese der Hengste seit 1735 in der Spanischen Reitschule in Wien; Schulterhöhe etwa 1,60 m; Körper etwas gedrungen, Brust breit, Beine kurz, stark; meist Schimmel.
Lipmann, Fritz Albert, * Königsberg (Pr) 12. Juni 1899, † Poughkeepsie (N. Y.) 24. Juli 1986, amerikan. Biochemiker dt. Herkunft. - Lehrtätigkeit in Boston, Ithaca (N. Y.) und New York; arbeitete hauptsächl. über B-Vitamine und Enzyme. Er entdeckte das Koenzym A und dessen Bed. für den Intermediärstoffwechsel. Erhielt 1953 (zus. mit Sir H. A. Krebs) den Nobelpreis für Physiologie oder Medizin.
Lipochrome [griech.], svw. ↑ Karotinoide.
Lipoide [zu griech. lípos „Fett"], lebenswichtige fettähnl. Stoffe, die mit den Fetten zu den ↑ Lipiden zusammengefaßt werden. L. spielen beim Aufbau der Zellmembran eine wesentl. Rolle. Zu den L. gehören u. a. die Glycerinphosphatide (Kephaline, Lezithine), die Glykolipide (Zerebroside), die Steroide (Gallensäuren, Steroidhormone) und die Karotinoide.
Lipoproteide (Lipoproteine), zusammengesetzte Eiweißstoffe, die neben der Proteinkomponente auch Lipide (Triglyceride, Cholesterin u. a.) enthalten. L. kommen v. a. als Bestandteile des Blutplasmas vor. Funktion: 1. als Vehikel für wasserunlösl. Lipide, 2. Very-low-density-L. (VLDL; 92% Lipide), 3. Low-density-L. (LDL; 79% Lipide, wahrscheinl. verantwortl. für die Cholesterinablagerung in den Gefäßwänden), 4. Highdensity-L. (HDL; 52% Lipide, entfernen überschüssige Lipide aus den Gefäßwänden).
Lippe [niederdt., eigtl. „schlaff Herabhängendes"], (Labium) paarige, bewegl., weiche Verdickung oder paarige Hautfalte am Mundrand bes. bei Säugetieren (einschließl. Mensch). Die L. des Menschen sind drüsenreich (innen Mundhöhlenschleimhaut mit Speicheldrüsen, außen Talg- und Schweißdrüsen). Sie werden von verschiedenen Muskeln durchzogen und sind stark durchblutet (Lippenrot).
◆ Oberlippe (Labrum) und Unterlippe (Labium) der ↑ Mundgliedmaßen der Insekten.
◆ Teile der ↑ Lippenblüte.
Lippenbär (Melursus ursinus), bis 1,7 m langer, schwarz- und langhaariger, nachtaktiver Bär in den Wäldern Vorderindiens und Ceylons; mit heller Schnauze, weit vorstreckbaren Lippen, kurzen Beinen, großen Füßen und langen Krallen; Insekten-, Honig- und Früchtefresser.
Lippenblüte, für die Lippenblütler charakterist. dorsiventrale Blüte, deren verwachsener, häufig zweilippiger Kelch eine langröhrige Krone mit einer aus zwei Blättern verwachsenen Oberlippe und einer dreiteiligen Unterlippe umgibt.
Lippenblütler (Labiaten, Labiatae, Lamiaceae), weltweit verbreitete Pflanzenfam. mit rd. 200 Gatt. und über 3 000 Arten; meist Kräuter oder Stauden mit Lippenblüten; Frucht durch Klausenbildung in meist vier Nüßchen geteilt. Zu den L. zählen viele Heil- und Gewürzpflanzen, z. B. Melisse, Salbei, Lavendel, Thymian, Majoran, Basilienkraut.
Lippenfarn, svw. ↑ Cheilanthes.
Lippfische (Labridae), Fam. einige cm bis fast 3 m langer Barschartiger Fische mit über 600 Arten, v. a. an Korallenriffen und Felsküsten warmer und gemäßigter Meere; meist sehr bunte, vorwiegend Weichtiere und Krebse fressende Fische mit zieml. kleiner Maulöffnung, häufig dicken Lippen und kräftigen, kegelförmigen Zähnen. - Zu den L. gehört u. a. der bis 25 cm lange **Meerjunker** (Pfauenfederfisch, Coris julis) an den Meeresküsten des O-Atlantiks und der Adria; zwittriger Fisch, der erst als braunes ♀, dann als prächtig gefärbtes ♂ mit orangefarbenen Seitenband erscheint; beliebter Seewasseraquarienfisch.
Liquor [lat.], in der *Anatomie:* seröse Flüssigkeit bestimmter Körperhohlräume; z. B. *L. cerebrospinalis* (↑ Gehirn-Rückenmarks-Flüssigkeit).
Liquordruck, svw. ↑ Gehirndruck.
Liriopeidae [lat.], svw. ↑ Faltenmücken.
Listera [nach dem brit. Arzt M. Lister, * 1638, † 1712], svw. ↑ Zweiblatt.

Listspinne

Echter Lorbeer. Blätter und Blüten

Listspinne ↑ Raubspinnen.
Litholcholsäure ↑ Gallensäuren.
Lithops [griech.] ↑ Lebende Steine.
lithotroph [griech.], Organismen, die im Energiestoffwechsel anorgan. Substanzen (z. B. Wasser, Ammoniak, Schwefelwasserstoff, Schwefel) als Wasserstoffdonatoren verwenden. - Ggs. ↑ organotroph.
Litoräa [griech.], Landschaftstyp der Flachmoore, Überschwemmungs- und Sumpfgebiete, Küsten und Ufer.
Litoral [zu lat. litus „Küste"], Uferbereich der Gewässer, d. h. der Bereich zw. der untersten Grenze des Pflanzenwuchses bis zur obersten Hochwasserflutlinie bei Meeren bzw. des jahreszeitl. höchsten Wasserstands bei Süßgewässern.

Litschibaum [chin./dt.] (Litchi), Gatt. der Seifenbaumgewächse mit zwei Arten in S-China. Die bekannteste Art ist **Litchi chinensis**, ein in den Tropen beliebter, bis 9 m hoch werdender Obstbaum; Früchte (*Litschipflaume*, *Zwillingspflaume*, Lychee) pflaumengroß, mit harter, warzig gefelderter Fruchtwand und einem großen Samen mit saftigem, erdbeerähnl. schmeckendem Samenmantel, der hauptsächl. für Kompott und Cocktails verwendet wird.
Littorina [lat.] ↑ Strandschnecken.
Livistona [nach dem Schotten P. Murray, Baron of Livistone (18./19. Jh.)], Palmengatt. mit über 30 Arten im trop. Asien bis Australien; z. T. Zierpflanzen.
Ljutaga [russ.] ↑ Flughörnchen.
Loa [afrikan.], Gatt. der Filarien, bes. bekannt durch die Wanderfilarie (↑ Filarien).
Loasa, Gatt. der zweikeimblättrigen Pflanzenfam. **Loasagewächse** (Loasaceae; 15 Gatt. mit rd. 250 Arten) mit mehr als 90 Arten in M- und S-Amerika; aufrechte oder windende Kräuter oder Halbsträucher mit weißen, gelben bis roten oder mehrfarbigen Blüten; z. T. Zierpflanzen.
Lobelie (Lobelia) [nach M. Lobelius], Gatt. der Glockenblumengewächse mit über 350 Arten in den gemäßigten und wärmeren Zonen; meist Kräuter oder Halbkräuter mit zygomorphen, um 180° gedrehten Blüten. Eine bekannte Zierpflanze ist die Art **Blaue Lobelie** (Lobelia erinus), eine dichtwüchsige, bis 25 cm hohe Sommerblume aus Südafrika mit himmelblauen, violetten oder weißen Blüten.
Lobelin [nach M. Lobelius], giftiges Alkaloid einiger Lobelienarten; wirkt nikotinähnl. und regt reflektor. das Atemzentrum an.
Lobelius, Matthias, eigtl. M. de l'Obel, * Rijssel 1538, † Highgate bei London 3. März 1616, niederl. Botaniker. - Beschrieb v. a. die belg.-niederl. Flora; einer der bedeutendsten Kräuterbuchautoren des 16. Jh.; gilt als einer

Schimmellori der Gattung Glanzloris

Loris (Halbaffen). Die Art Plumplori

Indische Lotosblume

der Wegbereiter der wissenschaftl. Pflanzensystematik.

Loben [griech.] ↑ Lobenlinie.

Lobenlinie (Sutur), bes. bei fossilen Ammoniten eine gewundene bis gezackte Verwachsungslinie der Scheidewände der Gehäusekammern mit der äußeren Gehäusewand. An der L. unterscheidet man **Sättel** (Ausbuchtungen in Richtung Gehäusemündung) und **Loben** (Ausbuchtungen entgegengesetzt zur Gehäusemündung).

Lobus [griech.], in der *Anatomie:* Lappen, lappenförmiger Teil eines Organs (z. B. der Leber); ein kleiner, läppchenförmiger Teil wird **Lobulus** genannt.

Lochauge ↑ Auge.

Lochkameraauge, svw. Lochauge (↑ Auge).

Lockstoffe, duftende, z. T. narkot. wirkende, zum Aufgelecktwerden durch den Partner bestimmte tier. Ausscheidungen.

Loewi, Otto ['lø:vi], *Frankfurt am Main 3. Juni 1873, †New York 25. Dez. 1961, dt.-amerikan. Physiologe und Pharmakologe. - Prof. in Graz, ab 1939 am University College of Medicine in New York; Arbeiten v. a. über das vegetative Nervensystem. Entdeckte 1921, daß die Übermittlung von Nervenimpulsen zu Erfolgsorganen auf chem. Weg erfolgt. 1936 erhielt er zus. mit Sir H. H. Dale den Nobelpreis für Physiologie oder Medizin.

Löffelfuchs ↑ Füchse.

Löffelkraut (Lungenkresse, Cochlearia), Gatt. der Kreuzblütler mit 25 Arten auf der Nordhalbkugel; Rosettenpflanzen mit weißen oder violetten Blüten und Schötchenfrüchten. In M-Europa kommt auf salzhaltigen Böden das **Echte Löffelkraut** (*Löffelkresse,* Cochlearia officinalis) mit löffelförmigen Blättern vor.

Löffelstöre (Vielzähner, Polyodontidae), Fam. der Störe mit zwei Arten in N-Amerika und China; der planktonfressende, fast völlig ausgerottete **Löffelstör** (Amerikan. Löffelstör, Schaufelrüßler, Polyodon spathula; bis 1,8 m groß; im Stromgebiet des Mississippi; Eier werden zu Kaviar verarbeitet) und der dunkelolivfarbene **Schwertstör** (Chin. Schwertstör, Schwertrüßler, Psephurus gladius; bis über 3,5 m lang; im Jangtsekiang; Kopf groß, mit schwertförmig verlängertem Fortsatz).

Löffler (Plataleinae), Unterfam. großer, hochbeiniger, vorwiegend weißer, in Kolonien brütender Ibisse mit 6 Arten in und an Gewässern großer Teile der Alten und Neuen Welt; mit langem, am Ende löffelartig verbreitertem Schnabel. In Europa kommt nur der **Gewöhnl. Löffler** (Löffelreiher, Platalea leucorodia) vor: 85 cm lang; weiß mit gelbl. Brust, schwarzem Schnabel und schwarzen Beinen; nistet im Röhricht.

Loganbeere [nach dem amerikan. Juristen J. H. Logan, *1841, †1928] (Rubus loganobaccus), nordamerikan. Kultursorte der Brombeere.

Loganiengewächse [nach dem amerikan. Juristen J. Logan, *1674, †1751] (Loganiaceae), Pflanzenfam. mit rd. 30 Gatt. und über 800 v. a. trop. und subtrop. Arten; meist Holzpflanzen mit gegenständigen, ganzrandigen Blättern und röhrigen bis glokkigen Blüten; viele alkaloidreiche Heil- und Giftpflanzen, u. a. ↑ Brechnußbaum.

Lohblüte (Fuligo varians), Schleimpilz mit bis handgroßem, vielkernigem, querwandlosem, auffällig dottergelbem Plasmakörper; auf faulendem Eichenlaub im Wald.

Loiseleuria [nach dem frz. Botaniker J. L. A. Loiseleur-Deslongchamps, *1775, †1849], svw. ↑ Alpenheide.

Lokomotion [lat.], die aktive ↑ Fortbewegung bei Tieren und beim Menschen.

Lolch [zu lat. lolium „Trespe"] (Weidelgras, Raigras, Raygras, Lolium), Gatt. der Süßgräser mit rd. 40 Arten in Eurasien und N-Afrika; einjährige oder ausdauernde Ährengräser; Ährchen in zwei Zeilen, vielblütig und mit nur einer Hüllspelze; Unkräuter, Futter- und Rasengräser, u. a.: **Engl. Raigras** (Dt. Weidelgras, Ausdauernder L., Lolium perenne), 30–60 cm hoch, dunkelgrün, horstbildend; häufig auf Weiden und an Wegrändern.

Carl von Linné (1775)　　Konrad Lorenz (1973) 　　Carl Ludwig (1895)

Italien. **Raigras** (Lolium multiflorum), mit zahlr., 10–20blütigen Ährchen. **Taumellolch** (Lolium temulentum), bis 1,2 m hoch, Ähren über 20 cm lang; Früchte giftig.

Lonchocarpus [griech.], Gatt. der Schmetterlingsblütler mit rd. 150 Arten im trop. Amerika, in Afrika und Australien; Bäume und holzige Lianen mit Fiederblättern. Einige Arten mit hohem Gehalt an Rotenon in den Wurzeln werden im Amazonasgebiet zur Herstellung von Fisch- und Pfeilgiften angepflanzt.

Longanbaum [chin./dt.] (Drachenauge, Longane, Nephelium longana), Seifenbaumgewächs in M- und S-China; bis 10 m hoher Baum mit gelbl. Blüten in Rispen und bis 2,5 cm großer Nußfrucht (**Longanfrucht**) mit eßbaren Samenmantel umgebenem Samen; in den Tropen und Subtropen als Obstbaum kultiviert.

Longhorn [engl.] (Langhorn, Criollo), braun, rot oder schwarz geschecktes Rind mit langen (♀♀ bis 60 cm, ♂♂ bis 1 m), im Bogen nach vorn schwingenden Hörnern und langer, dichter Behaarung; heute v. a. in M- und S-Amerika.

Lonicera [nach dem dt. Botaniker A. Lonitzer, *1528, †1586], svw. ↑Geißblatt.

Lophiodon [griech.], ausgestorbene, nur aus dem europ. Eozän bekannte Gatt. tapirähnl., schweine- bis nashorngroßer Unpaarhufer; Leitfossil des mittleren Eozäns, Funde bes. im Geiseltal.

Loranthaceae [lat./griech.], svw. ↑Mistelgewächse.

Lorbeer [zu althochdt. lorberi „Beere des Lorbeerbaums" (von lat. laurus mit gleicher Bed.)] (Laurus), Gatt. der Lorbeergewächse mit zwei Arten: **Echter Lorbeer** (L.baum, Laurus nobilis), bis 12 m hoher Baum mit bis 10 cm langen, längl.-lanzenförmigen, lederartigen Blättern, die getrocknet als Küchengewürz (*Lorbeerblätter*) verwendet werden. Charakterbaum des Mittelmeergebietes. **Kanar. Lorbeer** (Laurus canariensis), mit großen, hellgrünen Blättern; verbreitet auf den Kanar. Inseln und Madeira. - Bei den Griechen war der Echte L. dem Apollon heilig. Er galt als Zeichen des Sieges und Ruhmes in Sport und Krieg und fand bei Sühneriten, Wahrsagungen und Zauber rituelle Verwendung. - Abb. S. 146.

Lorbeerbaum ↑Lorbeer.

Lorbeergewächse (Lauraceae), Pflanzenfam. mit rd. 30 Gatt. und über 2000 trop. und subtrop. Arten; meist Bäume oder Sträucher; mit einfachen, lederartigen Blättern und kleinen Blüten in häufig rispigen Blütenständen; einsamige Beeren- oder Steinfrüchte; Obst-, Gewürz-, Heil- und Zierpflanzen, u.a. Avocato, Kampferbaum, Lorbeer, Zimtbaum.

Lorbeerrose (Kalmie, Kalmia), Gatt. der Heidekrautgewächse mit 8 Arten in N-Amerika und auf Kuba; immergrüne Sträucher mit ganzrandigen, meist lanzenförmigen Blättern und schwach glockigen Blüten in Dolden oder Doldentrauben. Eine bekanntere Art ist die **Breitblättrige Lorbeerrose** aus dem östl. N-Amerika mit etwa 2 cm großen, hellrosa Blüten und giftigen Blättern.

Lorbeerwald, in der Vegetationsgeographie Bez. für eine Pflanzenformation, die zw. Hartlaubwald und Regenwald einzuordnen ist. Vorherrschende Pflanzen sind 10–40 m hohe Bäume mit relativ großen, festen, längl. bis ovalen, glänzend dunkelgrünen Blättern.

Lorchel (Helvella), Gatt. der Schlauchpilze; Fruchtkörper gegliedert in Stiel und Hut, der gelappt, gebuchtet oder unregelmäßig gefaltet sein kann. Die bekannteste Art ist die ↑Frühlorchel.

Lorenz, Konrad, *Wien 7. Nov. 1903, östr. Verhaltensforscher. - Prof. in Königsberg (Pr), Münster und München. 1951–54 Leiter der Forschungsstelle für Verhaltensphysiologie des Max-Planck-Instituts für Meeresbiologie. Anschließend stellvertretender, 1961–73 Direktor am Max-Planck-Institut für Verhaltensphysiologie in Seewiesen bei Starnberg. Seit 1973'leitet L. die Abteilung Tiersoziologie am Institut für vergleichende Verhaltensforschung der Östr. Akad. der Wiss. in Wien. - Begr. der modernen ↑Verhaltensforschung; bei seinen Untersuchungen über instinktives Verhalten (insbes. bei der Graugans) erforschte L. u.a. ↑Auslösemechanismen und ↑Auslöser sowie die individuelle und stammesgeschichtl. Entwicklung des den Tieren angeborenen Verhaltens. Weiterhin entdeckte er das Phänomen der ↑Prägung. Zus. mit N. Tinbergen klärte L. in den 1930er Jahren viele Grundbegriffe der vergleichenden Verhaltensforschung und erhielt 1973 (gemeinsam mit N. Tinbergen und K. von Frisch) den Nobelpreis für Physiologie oder Medizin. - Große Publizität erreichte L. als wiss. Schriftsteller.

Werke: Er redete mit dem Vieh, den Vögeln und den Fischen (1949), Das sogenannte Böse. Zur Naturgeschichte der Aggression (1963), Über tier. und menschl. Verhalten. Aus dem Werdegang der Verhaltenslehre. Gesammelte Abhandlungen (1965), Die acht Todsünden der zivilisierten Menschheit (1973), Die Rückseite des Spiegels. Versuch einer Naturgeschichte menschl. Erkennens (1973). - Abb. S. 147.

Loris [niederl.-frz.] (Lorisidae), Fam. nachtaktiver, etwa 25–40 cm langer, baumbewohnender Halbaffen mit 5 Arten in den Wäldern des trop. Asiens und Afrikas; mit Greifhänden bzw. -füßen und großen Augen. Zu den L. gehören u.a.: **Plumplori** (Nycticebus coucang), etwa 35 cm lang, Schwanz stummelförmig; Fell plüschartig dicht und weich, überwiegend bräunl., mit rotbraunem Rückenstreif. **Potto** (Perodicticus potto), etwa

Löwenmaul

35 cm lang; mit dichtem, gelbbraunem Fell und spitzen Nackenhöckern. **Schlanklori** (Loris tardigradus), etwa 25 cm lang, Schwanz stummelförmig; schlank mit dichten, rötlichgrauem bis gelblichbraunem Fell. - Abb. S. 146.

Loris [malai.] (Trichoglossinae), Unterfam. sperling- bis taubengroßer, meist bunter Papageien mit rd. 60 Arten auf Neuguinea und in Australien; ernähren sich v. a. von Früchten und Nektar. Zu den L. gehört u. a. die Gatt. **Glanzloris** (Chalcopsitta) mit 5 Arten; Gefieder glänzend, nicht sehr bunt gefärbt, Schwanz breitfederig; Schnabel schwarz. - Abb. S. 146.

Losbaum (Clerodendrum), Gatt. der Eisenkrautgewächse mit rd. 400 Arten, v. a. im trop. Asien und in Afrika; kleine Bäume oder Sträucher mit langröhrigen Blüten in Rispen, Doldentrauben oder Köpfen; z. T. prächtige Zierpflanzen.

Lösermagen, svw. ↑ Blättermagen.

Lotosblume [griech./dt.] (Nelumbo), Gatt. der Seerosengewächse mit zwei Arten; Wasserpflanzen mit aus dem Wasser ragenden, großen schildförmigen Blättern und langgestielten, bis 35 cm großen Blüten mit zahlr. Kron- und Staubblättern; mehrere lose, in die oben verbreiterte Blütenachse eingesenkte, einsamige Nußfrüchte. Die bekannteste Art ist die **Ind. Lotosblume** (Nelumbo nucifera), im wärmeren Asien von Japan und NO-Australien bis zum Kasp. Meer; mit rosa oder weißen Blüten und eßbaren, bis haselnußgroßen Früchtchen; in mehreren Sorten kultiviert. - Die L. war als kosm. Symbol und als Attribut von Gottheiten bedeutsam, v. a. in der ägypt. Kosmogonie und in der ind. Mythologie. - Abb. S. 146.

Lotospflaume ↑ Lotuspflaume.

Lotsenfisch ↑ Stachelmakrelen.

Lotus [griech.-lat.], svw. ↑ Hornklee.

Lotuspflaume (Lotospflaume, Dattelpflaume, Diospyros lotus), Ebenholzgewächs aus der Gatt. Diospyros; heim. von W-Asien bis Japan; im Mittelmeergebiet eingebürgert; Obst- und Zierbaum mit unscheinbaren, rötl. oder grünlichweißen Blüten und kirschgroßen, anfangs gelben, später blauschwarzen, stark gerbstoffhaltigen, zubereitet jedoch eßbaren Früchten (in O-Asien als Obst geschätzt).

Löwe [zu griech.-lat. leo mit gleicher Bed.] (Panthera leo), urspr. in ganz Afrika (mit Ausnahme der zentralen Sahara oder der großen Regenwaldgebiete) und vom Balkan über weite Teile Vorder- und S-Asiens verbreitete überwiegend nachtaktive Großkatze; seit rd. 200 v. Chr. in SO-Europa, seit etwa 1865 im südl. S-Afrika (**Kaplöwe**) und seit 1920 nördl. der Sahara (**Berberlöwe** [Panthera leo leo]) ausgerottet; in Asien heute auf das ind. Gir-Reservat beschränkt (**Ind. Löwe**); Körperlänge etwa 1,4 (♀) bis 1,9 m (♂); Schwanz etwa 0,7–1 m lang, mit einer dunklen Endquaste; Schulterhöhe bis über 1 m; Fell kurzhaarig, graugelb bis tief ockerfarben, ♂ mit gelber bis rotbrauner oder schwarzer Nacken- und Schultermähne, die sich längs der Bauchmitte fortsetzen oder auch weitgehend bis ganz fehlen kann; ♀ stets mähnenlos, mit weißl. Bauchseite; Jungtiere dunkel gefleckt. Die Brunstzeit ist bei L. nicht jahreszeitl. festgelegt. Nach etwa 105 Tagen Tragzeit werden meist zwei bis vier Jungtiere geboren, die nach etwa einem Jahr selbständig zu werden beginnen und nach 3 Jahren voll erwachsen sind. - L. können bis 20 Jahre (in Gefangenschaft sogar über 30 Jahre) alt werden. - Kreuzungen zw. L. und Tiger werden als *Liger* (Löwen-♂ und Tiger-♀; meist mit blasser Tigerzeichnung auf braungelbem Grund) bzw. *Tigon* (Tiger-♂ und Löwen-♀; Streifenzeichnung mehr oder minder verwaschen) bezeichnet.

Symbolik: Der L., „König der Tiere", ist bei vielen Völkern des Altertums Sinnbild herrscherl. oder göttl. Macht, in Ägypten als Sphinx, in Mesopotamien als hl. Tier der Ischtar, bei den Achämeniden als königl.-religiöses Symbol. Der L. als Wächterfigur wurde z. B. in Mykene übernommen, als herrscherl. Symbol ist er in zahlr. Wappen der Abendlandes eingegangen (z. B. Braunschweiger L.). In der hinduist. Mythologie ist ein Mann-L. die 4. Inkarnation Wischnus (Awatara). Das Säulenkapitell des Königs Aschoka aus Sarnath mit vier L. ist ind. Staatswappen. Im Christentum kann der L. Satan und Antichrist verkörpern, der geflügelte L. bedeutet in der Apokalypse Babylon, ist aber auch die Symbolfigur des Evangelisten Markus. Er symbolisiert auch die Herrschaft Christi, das göttl. Wort, den Christus-Logos, die göttl. Barmherzigkeit. Der L. ist Attribut des Kirchenlehrers Hieronymus. - Abb. S. 150.

  Schaller, G. B.: *The Serengeti lion. A study of predator-prey relations.* Chicago (Ill.) 1972. - Sälzle, K.: *Tier u. Mensch, Gottheit u. Dämon.* Mchn. 1965.

Löwenäffchen (Leontideus), Gatt. rd. 50 cm langer (einschließl. Schwanz bis 90 cm messender) Krallenaffen in den Regenwäldern SO-Brasiliens; mit an Kopf und Schulter mähnenartig verlängertem Fell. Von den 3 (von der Ausrottung bedrohten) Arten sind am bekanntesten: **Goldgelbes Löwenäffchen** (Großes L., Leontideus rosalia; Fell einheitl. goldfarben) und **Goldkopflöwenäffchen** (Leontideus chrysomelas; metall. schillernd schwarz, Goldfärbung v. a. an Kopf, Nacken und Extremitäten).

Löwenmaul [mit Bezug auf die Blütenform] (Löwenmäulchen, Antirrhinum), Gatt. der Rachenblütler mit rd. 40 Arten in N-Amerika und im Mittelmeergebiet; Kräuter oder Halbsträucher mit einzelnen, achselständigen oder an Zweigenden in Trauben stehenden

Löwenzahn

Löwen in der Serengeti

Blüten mit „Gaumen" und vorn am Grund sackförmig erweiterter Kronröhre. Die bekannteste Art ist das **Gartenlöwenmaul** (Antirrhinum majus), das in vielen Sorten kultiviert wird.

Löwenzahn [vermutl. nach den spitzgezähnten Blättern], (Kuhblume, Taraxacum) Gatt. der Korbblütler mit rd. 70 z. T. sehr formenreichen Arten, hauptsächl. in den gemäßigten Zonen; gelbblühende, milchsaftführende Rosettenpflanzen mit gezähnten Blättern und Blütenkörbchen aus Zungenblüten auf rundem, hohlem, blattlosem Schaft. In M-Europa kommt v. a. der **Gemeine Löwenzahn** (*Kuhblume, Kettenblume, Ringelblume,* Taraxacum officinale) vor.
♦ (Leontodon) Gatt. der Korbblütler mit rd. 60 Arten in Europa, Z-Asien und im Mittelmeergebiet; Rosettenpflanzen mit meist schwach bis buchtig gezähnten Blättern. Häufige Arten sind: **Herbstlöwenzahn** (Leontodon autumnalis) mit grundständigen, tief fiederteiligen Blättern, goldgelben Zungenblüten und unterseits rötl. gestreiften Randblüten; auf Weiden und Kulturrasen. **Hundslattich** (Nikkender L., Leontodon nudicaulis) mit schwarz gerandeten Blütenhüllblättern; auf feuchten Wiesen, Heiden und Dünen.

LTH, Abk. für: luteotropes Hormon († Geschlechtshormone).

Luchse [zu althochdt. luhs, eigtl. „Funkler" (nach den Augen)] (Lynx), Gatt. bis 1,1 m langer, hochbeiniger Katzen, v. a. in Wäldern und Halbwüsten Eurasiens und N-Amerikas; vorwiegend nachtaktive gelblich- bis rotbraune, häufig dunkel gefleckte Raubtiere mit kleinem, rundl. Kopf, langen Pinselohren, auffallendem Backenbart und Stummelschwanz. - L. ernähren sich von Säugetieren. Man unterscheidet zwei Arten: **Nordluchs** (Gewöhnl. L., Lynx lynx), einschließl. Schwanz bis 1,3 m lang; war früher in den Wäldern fast ganz N-Eurasiens und N-Amerikas verbreitet, ist heute durch intensive Bejagung in weiten Teilen ausgerottet; Fell dunkel gefleckt (v. a. bei der span. Unterart **Pardelluchs,** Lynx lynx pardinus) oder undeutl. gefleckt (bei der Unterart **Polarluchs** oder Kanad. L., Lynx lynx canadensis). Z. Zt. versucht man, den Nord-L. im Nationalpark Bayer. Wald als „Gesundheitspolizei" für die stark angewachsenen Rotwildbestände einzusetzen. Ihm sehr ähnl., jedoch etwas kleiner ist der **Rotluchs** (Lynx rufus) im mittleren und südl. N-Amerika; Fell rötlichgrau bis braun, Bauchseite und Schwanzspitze weiß.

Luchsspinnen (Scharfaugenspinnen, Oxyopidae), Fam. etwa 6–10 mm großer, vorwiegend rotbrauner Spinnen mit rd. 300 Arten, v. a. in den Tropen und Subtropen (in M-Europa eine Art); mit hochentwickelten Augen; erjagen ihre Beute im Sprung.

Luciferine [lat.] † Biolumineszenz.

Ludwig, Carl, * Witzenhausen 29. Dez. 1816, † Leipzig 24. April 1895, dt. Physiologe. - Prof. in Marburg, Zürich, Wien und Leipzig. L. verstand die Physiologie als Wiss. von der Physik und Chemie des lebenden Organismus. Mit seinen Forschungen und seinem „Lehrbuch der Physiologie des Menschen" (2 Bde., 1852–56) begr. er die quantitativ-exakte Richtung der Physiologie. Seine Hauptarbeitsgebiete waren Kreislaufphysiologie, Physiologie der Atmung und des Stoffwechsels, Neurophysiologie und physiolog. Chemie. Darüber hinaus entwickelte er Methoden des physiolog. Experimentierens am isolierten Organ. - Abb. S. 147.

Luftknolle, svw. † Pseudobulbus.

Luftröhre (Trachea), 10–12 cm lange

Nordluchs

Verbindung zw. Kehlkopf und Lunge. An ihrem Ende teilt sie sich gabelförmig in zwei Äste, die Hauptbronchien, die zu den Lungenflügeln führen. Die L. ist von einem Knorpelskelett umgeben, das sie (im Ggs. zur Speiseröhre) immer offenhält. Innen ist sie mit einem Flimmerepithel ausgekleidet, das Staubteilchen und Bakterien mit Schleim zum Kehlkopf befördert, wo er abgehustet wird. - Abb. S. 154.

Luftröhrenwurm, svw. ↑Rotwurm.

Luftsäcke, blasenartige, zartwandige Aussackungen der Lungenwand bei Vögeln; dienen hauptsächl. der Verringerung des spezif. Gewichtes des Vogelkörpers und als Reservoir zur Erleichterung und Intensivierung der Atmung während des Fluges. - Abb. S. 154.

Luftverunreinigungen, allg. Bez. für sämtl. festen, flüssigen und gasförmigen Substanzen, die in der sog. „reinen" Luft nicht oder nur in äußerst geringen Mengen enthalten sind. Derartige Stoffe können durch natürl. Vorgänge (biolog. Abbauprozesse, Vulkanausbrüche, Staubstürme) oder durch menschl. Tätigkeit (insbes. durch Verbrennungsprozesse in Heizungen, Kraftwerken, Müllverbrennungsanlagen u.a., Kfz.-Abgase, Kernwaffenversuche) in die Luft gelangen, wo sie sich bis zu einem gewissen Grad infolge der natürl. Konvektion meist rasch verteilen und damit z. B. den biolog. Verarbeitungsprozessen (v. a. durch Bodenbakterien) zugeführt werden. Zu einem großen Problem wurden die L. in den letzten Jahrzehnten, weil mit steigender Bevölkerungsdichte, zunehmender Industrialisierung, größerer Verkehrsdichte usw. die Konzentration der L. über Ballungs- und Ind.gebieten stark anstieg und häufig Werte erreicht, bei denen Beeinträchtigungen und Schädigungen bei Mensch, Tier und Pflanzen,

Lumpenfische

bei Bauwerken u. a. auftreten. Eine Erhöhung der Konzentration kann durch vermehrte Zufuhr (Emission), örtl. begrenzt auch durch bestimmte Wetterlagen (Inversion), die die rasche Verteilung der L. verhindern, bewirkt werden. In den Dunstglocken über Städten und Ind.gebieten wurden z. B. Mengen von 500 000 Fremdteilchen pro cm^3 Luft gefunden; die vergleichbaren Werte über freiem Land bzw. Meer und Gebirge liegen bei einigen 1 000 bzw. einigen 100 Teilchen pro cm^3 Luft. - L. sind v. a. Stäube (Flugasche, Ruß usw.), Schwefeloxide, Schwefelwasserstoff, Stickstoffoxide, Ammoniak, Kohlenoxide, Kohlenwasserstoffe und Ozon; daneben können örtlich Chlorwasserstoff, Fluorverbindungen, Chlor und andere Substanzen auftreten. Unter den genannten L. haben Schwefeldioxid (SO_2) Kohlenmonoxid (CO), Stickstoffmon- und -dioxid (NO/NO_2), Kohlenwasserstoffe (C_nH_m) und Stäube weitaus die größte Bedeutung. In der *Technik* wurden zahlr. Methoden und Verfahren entwickelt, durch die das Austreten von L. *(Emissionen)* verhindert oder wenigstens verringert wird. Hier sind v. a. die Verfahren zur Abtrennung von Stäuben aus Gasströmen (Entstaubung) sowie von gas- oder dampfförmigen Nebenbestandteilen aus techn. Gasen (Gasreinigung) zu nennen, ferner Methoden, bei denen Abgase durch direkte oder katalyt. Oxidation beseitigt werden (z. B. katalyt. Abgasreinigung).

Luftwege (Atemwege, Respirationstrakt), Sammelbez. für Nasen-Rachen-Raum, Luftröhre (mit Kehlkopf) und Bronchien.

Luftwurzeln, im Ggs. zu Erdwurzeln oberird. auftretende, meist sproßbürtige Wurzeln verschiedener Pflanzen mit unterschiedl. Funktionen als Haftwurzeln, Atemwurzeln und Stelzwurzeln. Bei Epiphyten dienen sie der Befestigung und der Wasser- und Nährstoffversorgung.

Lumbalgegend [lat./dt.], svw. ↑Lende.

Lumbricus [lat.], Gatt. der ↑Regenwürmer mit der bekanntesten Art Gemeiner Regenwurm.

Lummen [nord.] (Uria), Gatt. oberseits schwarzer, unterseits weißer Alken mit zwei Arten, v. a. auf steinigen, einsamen Felsinseln der Nordmeere (auch Helgoland), wo sie in großen Kolonien nisten. Etwa 45 cm groß ist die **Dickschnabellumme** (Uria lomvia); legt nur ein einziges, großes, birnenförmiges Ei. Knapp über 40 cm lang ist die **Trottellumme** (Uria aalge); unterscheidet sich von der sonst sehr ähnl. Dickschnabel-L. durch den schlankeren Schnabel. - Abb. S. 154.

Lump [niederl.] ↑Seehase.

Lumpenfische (Lappenfische, Icosteiformes, Malacichthyes), Ordnung der Knochenfische mit der einzigen, nur wenige Arten umfassenden Fam. *Icosteidae* im N-Pazifik; etwa 45–200 cm lang, seitl. stark abgeflacht; Tiefseebewohner.

Lunge

Lunge [zu althochdt. lunga, eigtl. „die leichte"] (Pulmo), paariges Atmungsorgan der Lurche, Reptilien, Vögel und Säuger. Entwicklungsgeschichtl. entsteht die L. aus einer Ausstülpung des Vorderdarms und tritt erstmals bei den Lungenfischen auf. Die *L. des Menschen* besteht aus zwei kegelförmigen, in das Brustfell eingeschlossenen **Lungenflügeln,** die den größten Teil des Brustraums ausfüllen. Sie sind durch die Luftröhre und die beiden Hauptbronchien miteinander verbunden. Der rechte Lungenflügel ist in drei, der linke in zwei **Lungenlappen** unterteilt. Die mit Lungenfell (↑ Brustfell) überzogenen L.lappen sind bei der Atmung gegeneinander und gegen die mit Brustfell ausgekleidete Brustkorbinnenwand leicht verschiebbar, wodurch eine ausreichende und gleichmäßige Beatmung der L. erreicht wird. Zu jedem L.lappen gehört eine große Bronchie mit begleitender L.arterie. Die Hauptbronchien teilen sich beim Eintritt in die L. in mehrere kleine Äste (Bronchien), diese wiederum in noch kleinere (Bronchioli) auf. Die kleinsten Kapillaren gliedern sich dann in die **Lungenbläschen** (Alveolen) auf. Die 300–450 Mill. L.bläschen beider L.flügel haben jeweils einen Durchmesser von etwa 0,2 mm. Ihre Gesamtoberfläche beträgt 80–120 m^2. Nur in diesen von einem dichten Blutkapillarnetz eingeschlossenen L.bläschen tritt Sauerstoff auf Grund seines höheren Partialdrucks durch die Kapillarwand ins Blut, während gleichzeitig Kohlendioxid aus dem gleichen Grund vom Blut in die L.bläschen abgegeben wird. Die Wandung zw. dem Kapillarnetz der L.bläschen enthält sog. Nischenzellen, die Bakterien, Staub und ähnl. durch Phagozytose aufnehmen und verarbeiten können. - Abb. S. 155.

📖 *Ulmer, W., u.a.: Die Lungenfunktion. Stg. ^{1}1986. - Rieben, F. W./Fritz, D.: Lungen- und Bronchialkunde. Darmst. 1985. - Murray, J. F.: Die normale L. Dt. Übers. Stg. 1978.*

◆ Atmungsorgan von unterschiedl. Bau- und Funktionsprinzip bei Wirbellosen, z. B. Tracheen-L. (↑ Fächertracheen) bei Spinnentieren, ↑ Wasserlungen bei Seewalzen, die Mantelhöhle bei Lungenschnecken.

Lungenblutkreislauf ↑ Blutkreislauf.

Lungenegel (Paragonismus), Gatt. in der Lunge von Säugetieren parasitierender Saugwürmer. Die Eier werden ausgehustet oder verschluckt und mit dem Kot ausgeschieden. Die Larven entwickeln sich in Süßwasserschnecken (erster Zwischenwirt), anschließend in Flußkrebsen und Süßwasserkrabben (zweiter Zwischenwirt); der Endwirt (v. a. Raubtiere, Haushund, Hauskatze, aber auch Schwein und Mensch) infiziert sich v. a. durch Verzehr von rohem infizierten Krebsfleisch.

Lungenenzian ↑ Enzian.

Lungenfell ↑ Brustfell.

Lungenfische (Lurchfische, Dipnoi, Dipneusti), seit dem Unterdevon bekannte Ordnung der Knochenfische mit sechs rezenten Arten (u. a. ↑ Djelleh und ↑ Schuppenmolch) in Australien, S-Amerika und Afrika; die paarigen Flossen sind blatt- oder fadenförmig; Skelett weitgehend knorpelig; Atmung durch Kiemen und Lungen. Die rezenten L. sind ausschließl. Süßwasserbewohner.

Lungenflechte (Lobaria pulmonata), unregelmäßig gelappte, große Laubflechte (10–45 cm Durchmesser) von graugrüner Farbe; auf Rinden und Holz; in der Volksmedizin früher als Heilmittel bei Lungenleiden verwendet; von M-Europa bis in die Subarktis verbreitet.

Lungenkraut (Pulmonaria), Gatt. der Rauhblattgewächse mit 12 Arten in Eurasien; niedrige, behaarte Stauden mit meist blauen, purpurfarbenen, anfangs auch rötl. Blüten in Trugdolden. Die bekannteste Art ist das **Echte Lungenkraut** (Pulmonaria officinalis) mit weißfleckigen Grundblättern; stellenweise in Laubwäldern; früher als Volksheilmittel bei Lungenleiden verwendet.

Lungenkreislauf ↑ Blutkreislauf.

Lungenlose Salamander (Lungenlose Molche, Plethodontidae), Fam. der Schwanzlurche mit über 180 Arten, hauptsächl. in Amerika sowie im südöstlichsten Teil Frankr., in N-Italien oder Sardinien; Lungen fast stets vollständig rückgebildet; überwiegend Gebirgsbewohner in und an Bächen, im Boden, in Höhlen oder baumbewohnend; meist zieml. klein (etwa 4 cm bis wenig über 20 cm lang); u. a. ↑ Brunnenmolche, ↑ Schleuderzungenmolche.

Lungenschnecken (Pulmonata), Überordnung größtenteils landbewohnender, zwittriger Schnecken mit meist gut entwickeltem Gehäuse; Mantelhöhle erweitert, mit Blutgefäßnetz, als Lunge dienend; Öffnung verschließbar; meist wird atmosphär. Sauerstoff aufgenommen; rd. 35 000 Arten; zwei Ordnungen: ↑ Landlungenschnecken und ↑ Wasserlungenschnecken.

Lungenwürmer, (Metastrongylidae) Fam. erwachsen in der Lunge parasitierender Fadenwürmer. Die Larven entwickeln sich in Wirbellosen, auch in niederen Wirbeltieren oder im Freien. Die mit der Nahrung aufgenommenen Jungwürmer gelangen durch die Darmwand und über die Blut- und Lymphbahnen in die Lunge des Endwirtes, wo sie vom Blut leben und katarrhal.-entzündl. Veränderungen hervorrufen *(Metastrongylose).*
◆ allg. Bez. für eine Vielzahl in den Atemwegen vieler Tiere parasitierender Fadenwürmer, die die Lungenwurmseuche hervorrufen.

Lunula [lat. „kleiner Mond"] (Möndchen), in der *Anatomie* Bez. für kleine, halbmondförmige Strukturen an oder in Organen.

Lupine (Lupinus) [lat., zu lupus „Wolf"], Gatt. der Schmetterlingsblütler mit rd. 200

Lymphopoese

Arten, hauptsächl. in Amerika, einige Arten im Mittelmeergebiet; vorwiegend Kräuter oder Halbsträucher mit meist gefingerten Blättern, mehrfarbigen Blüten in Trauben und oft ledrigen, dicken Hülsen. L. sind bes. für die Landwirtschaft wichtig (u. a. als Grünfutter, zur Bodenaufschließung, zur Gründüngung und als Stickstofflieferant durch Knöllchenbakterien), ferner als Wildfutter und als Gartenzierpflanzen. Wichtige Arten sind u. a.: **Gelbe Lupine** (Lupinus luteus), bis 70 cm hoch, mit gelben, wohlriechenden Blüten; Blätter 5–12zählig gefingert; auf sandigen Wiesen. **Schmalblättrige Lupine** (Blaue L., Lupinus angustifolius), mit 5–9fiedrigen Blättern, blauen Blütentrauben und kurzen, zottig behaarten Hülsen. **Vielblättrige Lupine** (Dauer-L., Stauden-L., Lupinus polyphyllus), bis 1,5 m hoch, mit 13–15zähligen Blättern und meist blauen Blüten. **Weiße Lupine** (Lupinus albus), mit 5–7zähligen Fiederblättern und weißen Blüten; auf Korsika heim. - Heute fast ausschließl. angebaut werden bitterstoffreie oder -arme Zuchtformen, die sog. *Süßlupinen*, die v. a. als Körnerfutter für Mastschweine und Milchvieh verwendet werden.

Lupulin [lat.] ↑Hopfen.
Lupulon [lat.] ↑Hopfen.
Lurche [zu niederdt. lork „Kröte"] (Amphibien, Amphibia), Klasse wechselwarmer, knapp 1 cm bis (maximal) über 1,5 m langer, fast weltweit verbreiteter Wirbeltiere (↑Anamnioten) mit über 3 000 rezenten Arten in den Ordnungen ↑Blindwühlen, ↑Schwanzlurche, ↑Froschlurche; Körper langgestreckt bis plump; Haut nackt, drüsenreich, nicht selten bunt gefärbt; mit nur dünner, regelmäßig gehäuteter Hornschicht; meist vier Gliedmaßen; Schwanz lang bis vollkommen rückgebildet; Herz ohne Trennwand; Verlauf der Aortenbögen bei Larven noch fischähnl., bei erwachsenen Tieren ist ein Lungenkreislauf ausgebildet. Die L. leben überwiegend in feuchten Biotopen, wobei die Ei- und Larvenentwicklung sowie die Begattung sich fast stets im Wasser vollziehen. Einige Arten verlassen das Wasser zeitlebens nicht (z. B. Krallenfrösche), einige sind durch direkte Entwicklung völlig vom Wasser unabhängig geworden (z. B. Alpensalamander). Manche Arten treiben Brutpflege, einige sind lebendgebärend. Die Larven haben innere oder äußere Kiemen. - Die ältesten Formen lebten (als älteste Landwirbeltiere) im Devon.

Lurchfische, svw. ↑Lungenfische.
Luria, Salvador, *Turin 13. Aug. 1912, amerikan. Mikrobiologe italien. Herkunft. - Prof. am Massachusetts Institute of Technology in Boston. L. arbeitete v. a. über Bakteriophagen. Für seine Erkenntnisse über den Vermehrungsmechanismus der Viren und deren genet. Struktur erhielt er (zus. mit M. Delbrück und A. Hershey) 1969 den Nobelpreis für Physiologie oder Medizin.

luteinisierendes Hormon (Luteinisierungshormon) [...te-i...; lat./griech.] ↑Geschlechtshormone.
luteotropes Hormon [lat./griech.], svw. ↑Prolaktin.
Luzerne [frz., letztl. zu lat. lucere „leuchten" (wegen der glänzenden Samen)] ↑Schneckenklee.
Luziferine (Luciferine) ↑Biolumineszenz.
Lwoff, André, *Allier (Hautes-Pyrénées) 8. Mai 1902, frz. Mikrobiologe. - Prof. an der Sorbonne in Paris, danach Leiter des Krebsforschungsinstituts in Villejuif. Für die Entdeckung von Genen, die die Aktivität anderer Gene steuern (fördern oder hemmen), erhielt er 1965 (zus. mit F. Jacob und J. Monod) den Nobelpreis für Physiologie oder Medizin.
Lyasen [zu griech. lýein „lösen"], eine Hauptgruppe der Enzyme, die Eliminierungsreaktionen unter Ausbildung einer Doppelbindung und unter Anlagerung von Molekülen an Doppelbindungen katalysieren.
Lychee [chin.] ↑Litschibaum.
Lycopodium [griech.-lat. „Wolfsfüßchen"], svw. ↑Bärlapp.
Lymantriatyp [griech.], nach der Verteilung der Geschlechtschromosomen der Typ, bei dem die ♂♂ zwei X-Chromosomen, die ♀♀ ein x- und ein Y-Chromosom in ihren Körperzellen haben; z. B. Schmetterlinge und Vögel.
Lymnaeidae [griech.], svw. ↑Schlammschnecken.
lymphatisch, die Lymphe betreffend.
lymphatischer Rachenring (lymphoepithelialer Rachenring), lymphozytenreiches Gewebe im Bereich der Mundhöhle und des oberen Schlundes; Teil des ↑Lymphsystems.
Lymphdrüsen, fälschl. Bez. für die Lymphknoten (↑Lymphsystem).
Lymphe [zu lat. lympha „Quell-, Flußwasser"], eiweiß- und lymphozytenhaltige, klare, blutplasmaähnl. Körperflüssigkeit der Wirbeltiere (einschließl. Mensch), die durch Filtration aus den Blutkapillaren in die Zellzwischenräume gelangt und von dort durch das ↑Lymphsystem abgeleitet wird. Die L. versorgt die Gewebe mit Nahrungsstoffen und entfernt nicht verwertbare Substanzen, außerdem hat sie (durch die Lymphozyten) Schutzfunktion. Beim Menschen werden tägl. rd. zwei Liter L. gebildet und (v. a. über den Milchbrustgang) in das Venensystem zurückgeführt.
Lymphgefäße, Bez. für die Gefäße des Lymphsystems.
Lymphknoten ↑Lymphsystem.
lymphoepithelialer Rachenring [lat./griech./dt.], svw. ↑lymphatischer Rachenring.
Lymphokine, von Zellen vermittelte, spezif. Immunreaktionen auslösende, nicht zu den Immunglobulinen zählende Stoffe, deren Bildung von Lymphozyten ausgeht.
Lymphopoese [lat./griech.], Bildung der

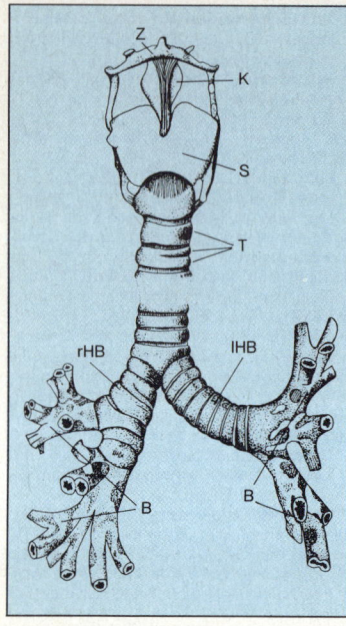

Lymphozyten

Luftröhre. Vorderansicht der menschlichen Luftröhre:
B Bronchien, K Kehldeckelknorpel, lHB linker Hauptbronchus, rHB rechter Hauptbronchus (verläuft steiler abwärts als der linke), S Schildknorpel des Kehlkopfs, T Trachealknorpel, Z Zungenbein

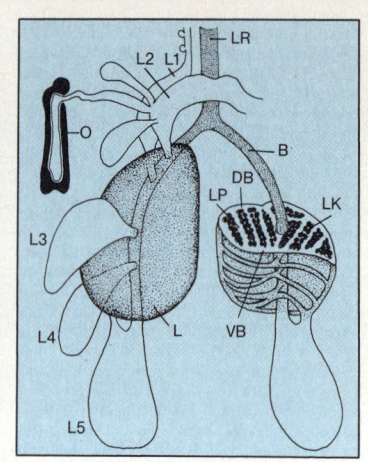

Luftsäcke. Schema der Luftsäcke und Lungen (linke Lunge quergeschnitten) bei Vögeln:
L1 Hals- und Nackenluftsack,
L2 peritrachealer Luftsack mit Ausstülpungen in die Oberarmknochen (O) und Muskeln,
L3 ventraler vorderer Brustluftsack,
L4 dorsaler hinterer Brustluftsack,
L5 Hinterleibsluftsack,
L Lunge, LR Luftröhre,
B Bronchus, LK Luftkapillaren,
LP Lungenpfeifen,
DB Dorsalbronchien,
VB Ventralbronchien

Trottellummen

Lymphe aus in die Gewebsspalten gepreßter Blutflüssigkeit.

Lymphozyten [lat./griech.] ↑ Blut.

Lymphsystem, das L. besteht aus dem Lymphgefäßsystem und den lymphat. Organen. Das **Lymphgefäßsystem** ist im wesentl. ein Abflußsystem zur Ableitung der Lymphe. Es stellt (neben dem Blutgefäßsystem) ein zweites Röhrensystem dar, das in der Körperperipherie mit einem dichten Netzwerk von Lymphkapillaren beginnt. Die Lymphkapillaren, deren Wand aus Endothelzellen besteht, beginnen gewebsseitig blind und führen über Leitgefäße, die zur Festlegung der Strömungsrichtung bereits mit Klappen ausgestattet sind, in größere Transportgefäße von venenähnl. Wandaufbau. Diese peripheren Lymphgefäße führen die Lymphe in einer den Venen parallelen Richtung über Sammelgefäße, die zentralen Lymphstämme, in das Venensystem des Blutkreislaufs. Die Fortbewegung der Lymphe wird v. a. durch rhythm. Zusammenziehung der mit glatter Muskulatur versehenen Lymphgefäßwände bewirkt.

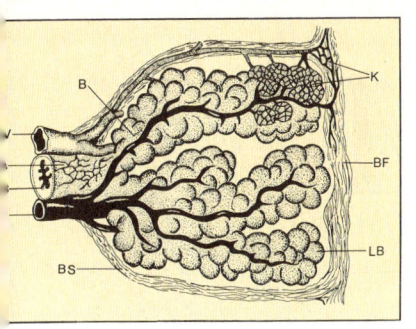

Lunge. Lungenläppchen einer Säugetierlunge (B Bronchus, BA Bronchialarterie, BF Brustfell, BS Bindegewebsseptum zwischen den Lungenläppchen, K Kapillargefäße, LA Lungenarterie, LB Lungenbläschen, TB Terminalbronchus, V Vene)

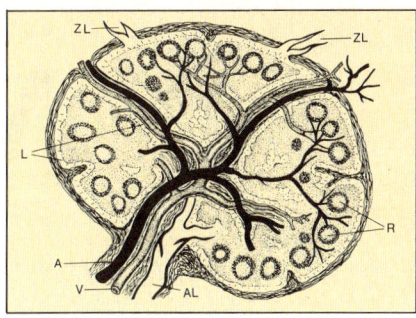

Lymphsystem. Lymphknoten eines Säugetiers (A Arterie, AL abführendes Lymphgefäß, L Lymphbahnen, R Rindenfollikel, V Vene, ZL zuführendes Lymphgefäß)

Zu den **lymphat. Organen** gehören außer den Lymphknoten die Milz, der Thymus und die Gaumen- und Rachenmandeln. - In das Lymphgefäßsystem sind die **Lymphknoten** eingebaut. Sie sind 0,2–2 cm groß, oft bohnenförmig und von einer bindegewebigen Kapsel umgeben. Die peripheren Lymphgefäße treten durch die Kapsel in den Lymphknoten ein. Die zugeführte Lymphe fließt dann durch bes. Lymphbahnen zu den weniger zahlr. abführenden Lymphgefäßen. Lymphknoten sind „Siebe" bzw. Abfangfilter mit der Fähigkeit zur Phagozytose. Sie sind ferner (als Bestandteil des Immunapparates) zur Produktion von Lymphozyten und zur Teilnahme an Immunreaktionen befähigt.
📖 *Loose, D. A.: Lymphologie. Reinbek 1985. - Culclasure, D. F.: Das Abwehrsystem. Dt. Übers. Weinheim ²1983. - Grüntzig, J.: Das Lymphgefäßsystem des Auges. Stg. 1982. - Rusznyak, J., u. a.: Lymphologie. Stg. ²1969.*

Lymphzellen, svw. Lymphozyten († Blut).

Lynen, Feodor, * München 6. April 1911, † ebd. 6. Aug. 1979, dt. Biochemiker. - Ab 1954 Direktor des Max-Planck-Instituts für Zellchemie in München; arbeitete hauptsächl. über den Cholesterin- und Fettsäurestoffwechsel. 1951 gelang ihm die Isolierung der „aktivierten Essigsäure" († Enzyme) aus Hefezellen. Er erhielt 1964 (zus. mit K. Bloch) den Nobelpreis für Physiologie oder Medizin.

lysigen [griech.] † rhexigen.

Lysin [zu griech. lýsis „Auflösung"] (L-2,6-Diaminocapronsäure), Abk. Lys, für den Menschen essentielle Aminosäure (Tagesbedarf von etwa 1,6 g); fördert das Knochenwachstum und regt die Zellteilung und Nukleotidsynthese an. L. wird heute in größeren Mengen künstl. hergestellt und als Zusatz zu Futtermitteln, z. B. für Mastgeflügel, verwendet.

Lysine [zu griech. lýsis „Auflösung"], Gruppe von Antikörpern, die Bakterien und Blutzellen auflösen können.

lysogen [griech.], Prophagen bzw. † temperente Phagen enthaltend; von Zellen bzw. Bakterien gesagt, die durch solche Bakteriophagen infiziert sind.

Lysosomen [griech.], zytoplasmat. Organellen in zahlr. tier. und pflanzl. (als **lyt. Kompartimente**) Zellen; bläschenartige Gebilde (etwa 0,4 μm Durchmesser), Abschnürungen des endoplasmat. Retikulums, bestehend aus einer Membran, die zahlr. hydrolisierende Enzyme einschließt. Die L. spielen eine wichtige (abbauende) Rolle bei der intrazellulären Verdauung, bei autolyt. Prozessen und bei Entzündungsvorgängen.

Lysozyme [griech.], Enzyme (Glykosidasen) bei Viren und in zahlr. tier. und menschl. Geweben, Organen (z. B. Nieren, Milz), Sekreten und Exkreten (z. B. Speichel, Nasenschleim, Tränenflüssigkeit), auch im Hühnereiweiß und in Pflanzen. L. vermögen die Mureinschicht der Bakterienzellwände anzugreifen und sind daher wichtig für die Abwehr bakterieller Infektionen.

Lyssenko, Trofim Denissowitsch, * Karlowka bei Poltawa 29. Sept. 1898, † Moskau 20. Nov. 1976, sowjet. Agrarbiologe und Agronom. - Leitete das Moskauer Inst. für Genetik der sowjet. Akademie der Wissenschaften. Er entwickelte die Vernalisation und eine dialekt.-materialist. Vererbungslehre, nach der erworbene Eigenschaften vererbt werden sollen. Zur Zeit Stalins bestimmte L. maßgebl. die Richtung der sowjet. biolog. Forschung und erhielt hohe Staatsauszeichnungen.

M

Macchie ['makiə; italien., zu lat. macula „Fleck"] (Macchia, Maquis), Gebüschformation der feuchteren, küstennahen Hügel- und niederen Gebirgslagen des Mittelmeergebietes; gebildet aus Sträuchern und niederen Bäumen (1–5 m hoch) mit immergrünen, derben oder nadelförmigen Blättern (Hartlaubgehölze, Echter Lorbeer, Zistrosen). Mit zunehmender Trockenheit geht die M. in offene, niedere, heideartige Strauchformationen über.

Machandel [niederdt. „Wacholder"], svw. Heidewacholder († Wacholder).

Macleod [engl. məˈklaʊd], John, * Cluny (Pertshire) 6. Sept. 1876, † Aberdeen 16. März 1935, kanad. Physiologe brit. Herkunft. - Prof. in Cleveland (Ohio), Toronto und Aberdeen; arbeitete zuerst über den Kohlenhydratstoffwechsel, ab 1905 v. a. über die Zuckerkrankheit. Für seine Beteiligung an dem 1921 von F. G. Banting und C. H. Best geführten Nachweis, daß Insulin den Blutzuckerspiegel senkt, erhielt er 1923 (zus. mit Banting) den Nobelpreis für Physiologie oder Medizin.

Macrochires [griech.], svw. ↑ Seglerartige.

Macropodidae [griech.], svw. ↑ Känguruhs.

Macula [lat. „Fleck"], in der *Anatomie* fleckförmiger Bezirk an oder in einem Organ; z. B. der gelbe Fleck im Auge.

Madagaskarigel ↑ Borstenigel.

Madagaskarmungos (Galidiinae), Unterfam. nachtaktiver, bis 40 cm langer Schleichkatzen mit sieben Arten auf Madagaskar; überwiegend Waldbewohner.

Madagaskarpalmen, Bez. für einige säulenförmige Arten der Hundsgiftgewächsgatt. ↑ Pachypodium; werden als Freiland- und Topfpflanzen kultiviert.

Madagaskarpflaume ↑ Flacourtie.

Madagaskarratten (Inselratten, Nesomyinae), Nagetierunterfam. (Fam. Wühler) mit 14 mäuse- bis rattengroßen Arten auf Madagaskar; meist großohrig und langschwänzig.

Madagaskarstrauße (Riesenstraußvögel, Aepyornithes), ausgestorbene Unterordnung der Straußenvögel auf Madagaskar. Die flugunfähigen M. sind die größten (bis zu 400 kg schwer und bis 3 m hoch) bisher bekannt gewordenen Vögel (legten 30 cm große Eier mit einem Inhalt von 7 Litern). Der **Madagaskarstrauß** (Aepyornis maximus) soll noch vor 500 Jahren gelebt haben.

Madame Verté [frz. madamvɛrˈte] ↑ Birnensorten (Übersicht Bd. 1, S. 106).

Mädchenauge (Schöngesicht, Wanzenblume, Coreopsis), Gatt. der Korbblütler mit mehr als 100 Arten, v. a. in Afrika und im trop. Amerika; Kräuter mit großen, endständigen Blütenköpfchen, z. T. beliebte Zierpflanzen.

Made, Bez. für die fußlosen Larven der Bienen, Fliegen, einiger sich im Holz entwickelnder Käfer und anderer Insekten; mit ausgebildeter bis z. T. völlig rückgebildeter Kopfkapsel. - Abb. S. 158.

Madenfresser ↑ Madenhacker.

Madenhacker, (Crotophaginae) Unterfam. schwarzer, insektenfressender Kuckucke in offenen Landschaften Amerikas; mit hohem, seitl. zusammengedrücktem Schnabel. Eine bekannte Art ist der dohlengroße, bräunlichschwarze, violett schimmernde **Madenfresser** (Ani, Crotophaga ani).
◆ (Buphaginae) Unterfam. kurzschnäbeliger Stare in den Steppengebieten südl. der Sahara; befreien Großwild und -vieh von Zecken, Bremsenmaden u. a.

Madenwurm (Springwurm, Pfriemenschwanz, Afterwurm, Kinderwurm, Enterobius vermicularis), weltweit verbreiteter, bis 12 mm langer, weißer Fadenwurm (♂♂ kleiner, mit eingerolltem Hinterende); harmloser Parasit im menschl. Dick- und Blinddarm, v. a. bei Kindern; Eiablage außerhalb des Darms im Bereich des Afters, meist nachts (Juckreiz). Infektion durch Eier oder die mit dem Kot ausgeschiedenen, eiertragenden ♀♀, v. a. über unsaubere Fingernägel, Wäsche, Lebensmittel sowie durch Inhalation von Staub, der Eier mitführt.

Mädesüß [niederdt.] (Filipendula), Gatt. der Rosengewächse mit 10 Arten in der nördl. gemäßigten Zone; Stauden mit weißen oder purpurfarbenen Blüten in spirrenartigen Blütenständen. Eine in Deutschland häufige Art ist das 1–2 m hohe, weißblühende **Echte Mädesüß** (Filipendula ulmaria) auf feuchten Wiesen und an Ufern.

Madie (Madia) [...i-ɛ; span.], Gatt. der Korbblütler mit 18 Arten im westl. N-Amerika und in Chile; Kräuter mit kleinen Blütenkörbchen aus Zungen- und Röhrenblüten. Die wichtigste Art ist die auch in S-Europa angebaute **Ölmadie** (Madia sativa), deren Früchte das als Speise- und Brennöl verwendete **Madiöl** liefern.

Madonnenlilie ↑Lilie.

Madreporenplatte [italien.-frz./dt.] (Siebplatte), siebartig durchlöcherte Skelettplatte auf der aboralen (dorsalen) Körperseite der Stachelhäuter als Abschluß des Steinkanals; ermöglicht einen langsamen Flüssigkeitsaustausch zw. dem umgebenden Meerwasser und dem ↑Ambulakralsystem.

Maedi, durch RNS-Viren verursachte, meldepflichtige, tödl. verlaufende chron. Lungenentzündung der Schafe.

Mägdefrau, Karl, *Jena 8. Febr. 1907, dt. Botaniker. - Prof. in Straßburg, München und Tübingen; bed. Arbeiten zur Paläobotanik („Paläobiologie der Pflanzen", 1942), daneben zur „Geschichte der Botanik" (1973) und Ökologie.

Magellanfuchs (Colpeo, Dusicyon culpaeus), bis 1,2 m langer, wolfsähnl., langschnauziger, bräunlichgrauer Fuchs in den südamerikan. Halbwüsten und den Anden südl. des Äquators; Rücken grau mit schwarzen Streifen, Körper- und Beinseiten rötlich; Basis und Spitze des langen, buschigen Schwanzes schwarz.

Magellangans ↑Halbgänse.

Magen (Ventriculus, Stomachus, Gaster), erweiterter, meist muskulöser Abschnitt des Verdauungskanals, der auf die Speiseröhre folgt. In ihm wird die aufgenommene Nahrung gespeichert und durch den M.saft so weit aufbereitet, daß sie als Speisebrei (Chymus) in den Dünndarm weitergeleitet werden kann. Erweiterungen, in denen Nahrung nur gespeichert, durch Speichel enzymat. aufbereitet oder mechan. zerkleinert wird, sind dann Vormägen, wenn ein eigentl. M. noch folgt (z. B. Honig-M. der Bienen, Pansen, Netz- und Blätter-M. beim Wiederkäuer-M.; Kropf der Vögel) oder der Mitteldarm die Aufgaben des M. übernimmt (Insekten). - *Wiederkäuermagen:* Einen bes. kompliziert gebauten M. haben die Wiederkäuer. Er besteht aus den vier Abschnitten Pansen, Netz-M., Blätter-M. und Lab-M. Die ersten drei dienen als Vor-M. Die Nahrung gelangt zunächst wenig zerkaut in den **Pansen** (Rumen, Zotten-M.), wird dort durchgeknetet und durch Bakterien teilweise abgebaut. Anschließend wird sie zur Zerkleinerung und Durchmischung zw. Pansen und **Netzmagen** (Haube; hat netzartige Falten) hin- und hergeschleudert. Der Netz-M. befördert die Nahrung portionsweise durch rückläufige peristalt. Bewegungen der Speiseröhre wieder in die Mundhöhle. Hier wird sie mehrfach gekaut (*Wiederkäuen*, Rumination), reichl. mit Speichel versetzt und erneut geschluckt. Der Nahrungsbrei gelangt nun in den ↑Blättermagen und von dort in den **Labmagen** (Abomasus), in dem die eigentl. Verdauung erfolgt.

Der M. des Menschen ist C-förmig, etwa 20 cm lang und hat ein Fassungsvermögen von rd. 1,5 Liter. Man unterscheidet den **Magenmund** (Kardia), den **Magengrund** (Fundus), den **Magenkörper** (Korpus) und den **Magenpförtner** (Pylorus). Die **Magenwand** ist 2–3 mm stark und besteht aus vier Schichten (von außen nach innen): Tunica serosa, Muskelschicht, Unterschleimhautbindegewebe und Tunica mukosa *(Magenschleimhaut)*. Letztere hat drei Drüsenarten, die Schleim, das hormonartige Gastrin und Enzyme bilden. Der von der M.schleimhaut produzierte **Magensaft** ist eine wasserklare, saure, verdauungsfördernde und keimtötende Flüssigkeit mit von den Schleimdrüsen abgesondertem, alkal., in Salzsäure unlösl. Schleim, Salzsäure und den Verdauungsenzymen Kathepsin und Pepsin. Dieser M.schleim kann die Salzsäure binden, so daß ihm eine wichtige Schutzfunktion gegen die Selbstverdauung der M.schleimhaut zukommt. Außerdem schützt er sie vor mechan., enzymat. und therm. Schädigung. Die M.salzsäure denaturiert Eiweiß und schafft ein optimales Milieu für die Wirkung des Pepsins. Ferner tötet sie mit der Nahrung eindringende Bakterien ab und regt schließl. nach Übertritt in den Darm die Bauchspeicheldrüse zur Sekretion an. Das Pepsin geht unter Einwirkung der Salzsäure in seine aktive Form über. Für die Kohlenhydratverdauung werden im M. keine Enzyme gebildet. Die kohlenhydratspaltenden Enzyme des Speichels wirken aber so lange noch weiter, wie der M.inhalt noch nicht mit Salzsäure vermengt ist. Die fettspaltende Lipase wird nur in geringen Mengen gebildet. Fette durchwandern den M. daher im allg. unverdaut. In der M.schleimhaut wird auch der ↑Intrinsic factor gebildet, der die Resorption des für die Blutbildung wichtigen Vitamins B_{12} ermöglicht. - Bereits in Ruhe sondert der M. geringe Mengen von Verdauungssäften ab. Diese Ruhesekretion von rd. 10 cm^3 pro Stunde kann nach Nahrungsaufnahme bis auf 1 000 cm^3 ansteigen. Die M.sekretion kann auf nervösem Weg schon durch den Anblick oder den Geruch von Speisen gesteigert werden, aber auch psych. Erregung kann zu vermehrter Sekretion führen. Sobald die Speisen in den Mund gelangen und gekaut werden, kommt es zu einer weiteren Steigerung. - Abb. S. 158.

Magenbremsen, svw. ↑Magendasseln.

Magen-Darm-Kanal (Magen-Darm-Trakt), der mit dem Magen beginnende, mit dem After ausmündende Teil des menschl. Darmtrakts.

Magendasseln (Magenfliegen, Magenbremsen, Gasterophilidae), Fliegenfam. mit rd. 30 (in M-Europa etwa 10) rd. 10–15 mm großen, meist pelzig behaarten Arten; Vollinsekten mit reduzierten Mundwerkzeugen (Nahrungsaufnahme nur als Larve). Die Lar-

Magenfliegen

ven entwickeln sich als Blutsauger im Magen und Darm von Warmblütern, Verpuppung am Boden.

Magenfliegen, svw. ↑ Magendasseln.
Magenmund ↑ Magen.
Magensaft ↑ Magen.
Magenschleimhaut ↑ Magen.
Magenschließmuskel ↑ Pylorus.
Magenwürmer (Trichostrongylidae), Fam. der Fadenwürmer; etwa 8 mm bis 3 cm lange Parasiten im Magen-Darm-Trakt zahlr. Tiere. Von den verschiedenen, die *Magenwurmkrankheit* verursachenden Arten ist bes. verbreitet und gefürchtet der bei Lämmern v. a. im Labmagen blutsaugende, oft dichte Klumpen bildende **Große Magenwurm** (Roter Magenwurm, Haemonchus contortus; 1–3 cm lang; die roten ♀♀ spiralig weiß geringelt).

Maggikraut [nach dem schweizer. Industriellen J. Maggi, * 1846, † 1912], svw. ↑ Liebstöckel.

Magnetotaxis [griech.], eine im Magnetfeld erfolgende Orientierungs[bewegung] bestimmter Tiere (Honigbiene, Vögel, Delphine).

Magnolie (Magnolia) [nach dem frz. Botaniker P. Magnol, * 1638, † 1715], Gatt. der M.gewächse mit rd. 80 Arten in O-Asien, im Himalaja und in N- und M-Amerika; sommer- oder immergrüne Bäume oder Sträucher mit einfachen, ungeteilten Blättern und einzelnen endständigen, oft sehr großen Blüten. Beliebte Zierbäume und -sträucher, z. B. **Sternmagnolie** (Magnolia stellata), bis 3 m hoher Strauch mit weißen Blüten; **Tulpenmagnolie** (Magnolia soulangiana), mit aufrechten, weißen bis rosafarbenen Blüten.

Magnoliengewächse (Magnoliaceae), Pflanzenfam. mit mehr als 200 Arten, hauptsächl. im gebirgigen S- und O-Asien und vom atlant. N-Amerika bis nach S-Amerika; Bäume und Sträucher mit oft sehr großen, vielfach einzelnstehenden Blüten; Zierpflanzen; bekannte Gatt. sind Magnolie und Tulpenbaum.

Magnoliophytina, svw. ↑ Bedecktsamer.

Magot [frz., ben. nach Magog] (Berberaffe, Macaca sylvanus), einzige außerhalb Asiens lebende Art der Makaken in Marokko, Algerien und auf dem Felsen von Gibraltar („**Gibraltaraffe**"): Körper gedrungen, etwa 60–75 cm lang, Schwanz stummelförmig, Fell dicht, braun; gesellige Bodenbewohner.

Mahlzähne, svw. Backenzähne († Zähne).

Mähne [zu althochdt. mana, eigtl. „Nakken, Hals"], die stark verlängerten Hals- bzw. Nacken- oder Kopfhaare bei verschiedenen Säugetieren (z. B. Pferde, Löwenmännchen, Mähnenrobbe, Mähnenwolf).

Mähnenfuchs, svw. ↑ Mähnenwolf.

Mähnengerste (Hordeum jubatum), Gerstenart aus N-Amerika; einjähriges, 40–70 cm hohes Gras mit 5–12 cm langer, überhängender Ähre und langen, grünen Grannen; beliebtes Ziergras.

Mähnenhirsch (Cervus timorensis), 130–215 cm lange, 80–110 cm schulterhohe, gesellig lebende Hirschart auf den Sundainseln, z. T. eingebürgert in Australien, Neuseeland, Neukaledonien; Fell meist dicht und zottig, beim ♂ an Hals und Nacken meist mähnenartig verlängert.

Mähnenratte (Lophiomys imhausi), 25–35 cm langes Nagetier, v. a. in O-Afrika; mit schwarzweißer Längszeichnung und buschigem Schwanz.

Mähnenrobbe ↑ Robben.

Mähnenspringer (Mähnenschaf, Ammotragus lervia), Art der Böcke (Unterfam.

Made. Verschiedene Larvenformen (a Bienenmade, b Larve der Pferdemagenbremsfliege, c Prachtkäferlarve, d Hundeflohlarve, e Stubenfliegenlarve, f Hausbocklarve)

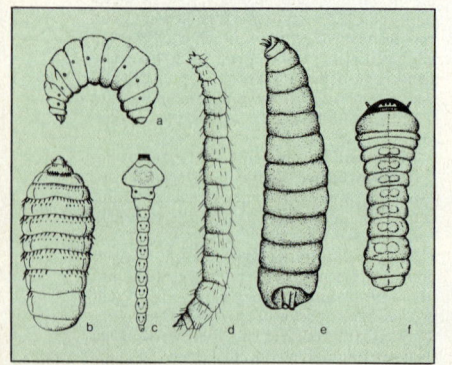

Magen bei Wiederkäuern.
1 Zwölffingerdarm, 2 Pylorus,
3 Labmagen, 4 Blättermagenrinne,
5 Blättermagen, 6 Netzmagen,
7 Speiseröhre, 8 Netzmagen-Pansen-Rinne, 9 linker oberer Pansensack, 10 rechter unterer Pansensack

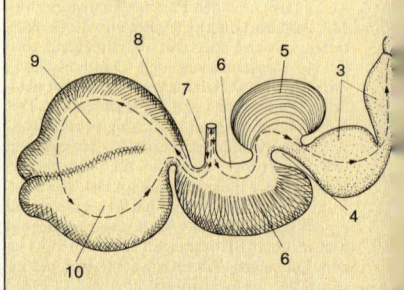

Ziegenartige) in felsigen Trockengebieten N-Afrikas; Körperlänge des ♂ bis 165 cm, Schulterhöhe bis 100 cm, ♀ kleiner; fahlbraun; ♂ mit sehr langer, hellerer Mähne an Halsunterseite und Brust; beide Geschlechter haben große, sichelartig nach hinten und außen geschwungene Hörner; sehr gute Kletterer und Springer.

Mähnenwolf (Mähnenfuchs, Chrysocyon brachyurus), schlanke, rotbraune bis rötlichgelbe, hochbeinige Art der Hundeartigen, in Savannen und Trockenbuschwäldern des mittleren und östl. S-Amerika; Körperlänge bis über 1 m, Schulterhöhe bis 85 cm; Schwanz buschig, mit weißer Spitze; Kopf schlank, spitzschnauzig, mit großen Ohren; längere, schwarze Behaarung längs des Nackens und der Rückenmitte; frißt Kleintiere und Früchte.

Mahonie (Mahonia) [nach dem amerikan. Gärtner B. McMahon, *1775, †1816], Gatt. der Sauerdorngewächse mit rd. 90 Arten in O-Asien, N- und M-Amerika; meist immergrüne Sträucher; Blätter meist dornig gezähnt; Blüten gelb, in büscheligen, vielblütigen Trauben oder Rispen; Früchte meist blau. Viele Arten werden als Ziersträucher kultiviert.

Maiblume, volkstüml. Bez. für einige im Mai blühende Pflanzen, u. a. Maiglöckchen und Waldmeister.

Maiblumentierchen (Carchesium), Gatt. trichterförmiger, gestielter, festsitzender Wimpertierchen (Fam. Glockentierchen); bilden strauchartig verzweigte, oft einige Zentimeter große Kolonien auf Wasserpflanzen, Steinen u. a.

Maifisch, Name mehrerer Fische: 1. Alse, 2. Finte, 3. Perlfisch.

Maiglöckchen (Convallaria), Gatt. der Liliengewächse mit der einzigen, geschützten Art *Convallaria majalis;* meist in lichten Laubwäldern Eurasiens und N-Amerikas; bis 20 cm hohe Staude; Blätter grundständig, ellipt.; Blüten in Trauben, nickend, grünlichweiß, wohlriechend; Beeren rot. - Das M. ist durch den Gehalt an Glykosiden (Convallatoxin, Convallamarin) giftig. Das Kraut liefert die Grundstoffe wichtiger Mittel gegen Herzkrankheiten.

Maikäfer (Melolontha), in N- und M-Europa bis M- und Kleinasien verbreitete Gatt. der Laubkäfer mit drei einheim. (18–30 mm großen) Arten; mit siebenblättriger Fühlerkeule beim ♂ und sechsblättriger beim ♀ und seitl. scharf begrenzten, weißbehaarten Flecken auf den Sterniten; Kopf und Halsschild schwarz oder braunrot, Flügeldecken meist braungelb. - M. sind Kulturschädlinge, die als Käfer v. a. im Mai Blätter von Laubhölzern, als Larven (Engerling) Wurzeln fressen. Die Larvenentwicklung dauert in M-Europa durchschnittl. vier Jahre. Durch intensive Bekämpfung sind M. heute selten geworden.

Maikraut, svw. Waldmeister (↑Labkraut).

Unten: Maikäfer.
Oben: Puppe des Maikäfers

Mais. Zea mays, weibliche Blütenstände

Maipilz

Maipilz, svw. ↑Mairitterling.
Mairenke (Schiedling, Seelaube, Chalcalburnus chalcoides mento), bis etwa 30 cm langer Karpfenfisch in den Seen und Flüssen des westl. Asien und SO-Europas, westl. Verbreitung bis zur oberen Donau; Körper schlank, Oberseite dunkelgrün, stahlblau schimmernd, Seiten aufgehellt, silberglänzend, Bauch weißl.; Speisefisch, aber nur in SO-Europa von wirtsch. Bedeutung.
Mairitterling (Maipilz, Tricholoma georgii), bes. unter Haselnußsträuchern, oft in Hexenringen wachsender Blätterpilz; Hut weißl., wellig verbogen; Lamellen sehr eng, dünn und blaß; Stiel weißgelbl., faserig; eßbar.
Mais [indian.-span.] (Kukuruz, Türk. Weizen, Welschkorn, Zea), Gatt. der Süßgräser mit der einzigen, nur als Kulturform bekannten Art *Zea mays;* Heimat M- und S-Amerika; bis 2 m hohe Pflanze mit einhäusigen, ♂ Blüten in Rispen, ♀ in von Hüllblättern *(Lieschen)* umgebenen Kolben; Früchte *(Maiskörner)* in Längszeilen am Maiskolben, weiß, gelb, rot oder blau. M. ist eine der wichtigsten, heute weltweit verbreiteten Kulturpflanzen der (wärmeren) gemäßigten Zone. Die zahlr. Varietäten und Formen werden in folgende Großgruppen zusammengefaßt: *Weich-M. (Stärke-M.),* mit mehligen Körnern, v. a. zur Gewinnung von Stärke und Alkohol sowie als Futtermittel; *Puff-M. (Perl-M., Reis-M.),* mit stark wasserhaltigen Körnern, v. a. zur Herstellung von M.flocken (Corn flakes) und Graupen; *Zukker-M.,* unreife Kolben als Gemüse; *Zahn-M. (Pferdezahn-M.)* mit eingedrückten Körnern (wichtige Welthandelsform); *Hart-M. (Stein-M.),* v. a. angebaut an den Anbaugrenzen (z. B. M-Europa) und dort Grundlage für die Herstellung landesübl. Nahrungsmittel (Polenta, Tortilla u. a.) sowie von M.stärke und Traubenzucker. In M-Europa wird M. meist als Futterpflanze in verschiedener Form verwendet (Silo-M., Grün-M., Körner-M.). Einige Varietäten, v. a. buntblättrige, werden auch als Zierpflanzen kultiviert.
Geschichte: Bereits in vorkolumb. Zeit war der M.anbau fast über den ganzen amerikan. Kontinent verbreitet (Kultivierung im Tal von Tehuacán in Mexiko bereits um 5000 v. Chr.). Erst nach der Entdeckung Amerikas kam der M. nach Europa.
Wirtschaft: Die Weltproduktion betrug 1985 rd. 489 Mill. t.; davon entfielen auf: N-Amerika 263 Mill. t., Asien 91 Mill. t., Europa 75,0 Mill. t., S-Amerika 36,3 Mill. t, Afrika 15,6 Mill. t, UdSSR 14,4 Mill. t. - Abb. S. 159.
Maiskäfer (La-Plata-Maiskäfer, Calandra zeamais), weltweit verschleppter, 3-5 mm langer Rüsselkäfer mit braun glänzendem, punktnarbigem Körper und vier helleren Flecken auf den Flügeldecken; Larve und Käfer schädl. an Mais und Weizen.

Maiszünsler (Hirsezünsler, Ostrinia nubialis), mit Ausnahme Australiens weltweit verschleppte, etwa 3 cm spannende Schmetterlingsart (Fam. Zünsler) mit beim ♂ zimtbraunen und gelb quergestreiften, beim ♀ okkergelben und rot gezeichneten Vorderflügeln; wird durch Larvenfraß v. a. in den Stengeln von Mais, Hopfen, Hanf und Hirse schädlich.
Maiwurm ↑Ölkäfer.
Majoran [majo'ra:n, 'ma:jora:n; mittellat.], (Majorana) Gatt. der Lippenblütler mit sechs Arten, fast nur im östl. Mittelmeergebiet; behaarte Kräuter und Halbsträucher; Blüten in köpfchenförmigen Scheinähren. Eine bekannte Gewürzpflanze ist der weißblühende **Echte Majoran** (Meiran, Wurstkraut, Majorana hortensis). M. wird seit altägypt. Zeit vielseitig (u. a. schon als Gewürz- und Heilmittel) verwendet. In M-Europa wird M. vermutl. seit dem Spät-MA angepflanzt.
◆ (Wilder M.) ↑Dost.
Makaken (Macaca) [afrikan.-portugies.], Gatt. der Meerkatzenartigen mit 12 Arten im südl. Asien, östl. bis Japan und im westl. N-Afrika sowie auf Gibraltar; Körperlänge etwa 40–75 cm; Schwanz fehlend bis etwa körperlang; Gestalt gedrungen, mit kräftigen Extremitäten, oft deutl. Gesäßschwielen; Schnauze etwas verlängert, alte ♂♂ oft mit starken Überaugenwülsten. M. bilden Gruppen mit meist strenger Rangordnung; bodenund baumbewohnend, gute Schwimmer; einige Arten spielen als Versuchstiere in der medizin. Forschung eine bedeutende Rolle. Bekannte Arten: **Rhesusaffe** (Macaca mulatta), in S- und O-Asien; etwa 50–65 cm lang, Schwanz 20–30 cm lang; mit bräunl. Fell und roten Gesäßschwielen; Bestände durch Massenfang für die chem. und pharmazeut. Ind. stark dezimiert. **Schweinsaffe** (Macaca nemestrina), in S-Asien, auf Sumatra und Borneo; etwa 60 cm lang, Schwanz etwa 15–20 cm lang, henkelförmig gekrümmt; Fell olivbraun, unterseits heller; mit kurzem Backenbart. **Javaneraffe** (Macaca irus), in Mangrovewäldern SO-Asiens und der Sundainseln; etwa 50 cm lang; Fell oberseits olivbraun, unterseits grau. Die Untergatt. **Hutaffen** (Zati) hat je eine Art in Vorderindien und auf Ceylon; mit langer Kopfbehaarung, die von der Scheitelmitte nach allen Seiten gerichtet ist. - Abb. S. 162.
Makifrösche, Bez. für mehrere baumbewohnende Frösche, z. B. die Greiffrösche und die Affenfrösche.
Makis [Malagassi-frz.], svw. ↑Lemuren.
Mako [Maori] ↑Makrelenhaie.
Makrelen [niederl.] (Scombridae), Fam. schlanker, spindelförmiger Knochenfische, hauptsächl. in trop. und subtrop. Meeren, z. T. sehr weit wandernd, schwarmbildend; Schuppen fehlend oder klein; zwei Rückenflossen, hinter der zweiten sowie hinter der

Maledivennuß

Afterflosse vier bis neun fahnenartige Flössel; Schwanzflosse tief ausgeschnitten; Kopf groß, spitzschnauzig; z.T. von großer wirtschaftl. Bed., u.a. die bis 50 cm lange, im nördl. Atlantik (einschließl. Nord- und Ostsee) vorkommende **Makrele** (Scomber scombrus); Rücken dunkel blaugrün bis dunkelbraun mit gekrümmten, bläulichschwarzen Querbinden, Seiten matt silbrig, Bauch weiß; Speisefisch, der frisch, geräuchert und als Konserve verwendet wird. Bekannt sind außerdem ↑ Bonito und ↑ Thunfische.

Makrelenartige (Makrelenfische, Scombroidei), mit rd. 100 Arten in allen Meeren (bes. der trop. und subtrop. Regionen) verbreitete Unterordnung der Barschartigen; bis mehrere Meter lange Knochenfische mit spindel- bis torpedoförmigem, kleinschuppigem oder schuppenlosem Körper. Zu den M. gehören u.a. die ↑ Makrelen und der bis über 4 m lange **Schwertfisch** (Xiphias gladius); Rücken blauschwarz, Seiten graublau, Bauchseite weiß; Oberkiefer schwertförmig verlängert, Zähne bei erwachsenen Tieren völlig rückgebildet; Speisefisch.

Makrelenhaie (Heringshaie, Isuridae), Fam. etwa 3–12 m langer, in allen Meeren vorkommender Haifische, die fast alle dem Menschen gefährl. werden können; Körper langestreckt, spindelförmig; Schwanzstiel sehr schlank mit seitl. Längskiel; Schwanzflosse weitgehend symmetr.; Hochseebewohner, lebendgebärend. Einige Arten sind Speisefische, u.a. der etwa 3,5 m lange und bis 500 kg schwere **Mako** (Isurus oxyrhynchus); mit dunkelgrauem bis graublauem Rücken, weißem Bauch und sehr kleiner zweiter Rückenflosse und Afterflosse. 1,5–3 m lang wird der im nördl. Atlantik und im Mittelmeer, auch in der Nord- und Ostsee vorkommende **Heringshai** (Lamna nasus); Färbung blauschwarz bis dunkelgrau, Unterseite weißl.; Stirn nasenartig spitz und vorn ausgezogen. Das Fleisch kommt als *Kalbfisch, Karbonadenfisch* oder *Seestör* in den Handel. Die einzige Art der Gatt. *Weißhaie* ist der meist 5–6 m lange **Weißhai** (Carcharodon carcharias); Rücken blei- bis bläulich grau, Unterseite weißl.; Brustflosse groß.

Makrelenhechte (Scombresocidae), Fam. bis etwa 50 cm großer, sehr langgestreckter, schlanker Knochenfische mit 4 hochseebewohnenden Arten; 5–7 Flössel hinter der Rücken- und Afterflosse, Schnauze schnabelförmig ausgezogen; z.B. **Atlantischer Makrelenhecht** (Scombresox saurus).

Makrophyllen [griech.], großflächige, häufig gegliederte und gestielte, mit Nervatur ausgestattete Blätter der Farne (Wedel) und Samenpflanzen. - ↑ auch Mikrophyllen.

Makropoden [griech.] (Großflosser, Macropodinae), Unterfam. der Labyrinthfische in den Gewässern SO-Asiens; Rücken-, After- und Schwanzflossen stark vergrößert. Einige M. sind beliebte Aquarienfische, z.B. der bis 10 cm lange **Paradiesfisch** (Großflosser, Macropodus opercularis), der in China, Taiwan, Korea und im südl. Vietnam vorkommt; ♂ mit prächtiger roter und blauer bis blaugrüner Zeichnung und sehr lang ausgezogenen Flossen; ♀ blasser, Flossen kürzer; ♂ baut Schaumnest. Zu den M. gehört auch die Gatt. ↑ Kampffische.

Makrosmaten [griech.] ↑ Geruchssinn.

Malabarspinat (Ind. Spinat, Basella alba), Basellengewächs aus O-Indien; mit fleischigen, ei- oder herzförmigen Blättern und unscheinbaren, weißen, violetten oder roten Blüten in kleinen Ähren; in den Tropen und Subtropen kultiviert und als Gemüse und Salat verwendet.

Malacostraca [griech. „Weichschalige"] (Höhere Krebse), Unterklasse der Krebstiere mit rd. 18000 Arten von unter 1 cm bis etwa 60 cm Körperlänge; Segmentzahl meist konstant (stets acht Brust-, meist sechs, selten sieben Hinterleibssegmente); Extremitäten des Brustabschnitts fast immer als Schreitbeine ausgebildet; Chitinpanzer häufig sehr stark entwickelt, oft mit Kalkeinlagerung; im Meer und Süßwasser, seltener landbewohnend; bekannte Ordnungen: Heuschreckenkrebse, Leuchtkrebse, Zehnfußkrebse, Flohkrebse, Asseln.

Malaienbär (Biurang, Helarctos malayanus), bis etwa 1,4 m lange und maximal 70 cm schulterhohe Bärenart in SO-Asien, auf Sumatra und Borneo; Fell kurz, glatt, schwarz, helle Schnauze und weißl. bis orangegelbe Brustzeichnung; Vorderfüße mit langen, sichelförmigen Krallen; guter Kletterer; ernährt sich von Pflanzen, Kleintieren und bes. Honig.

Malakophyllen [griech.], weichblättrige Pflanzen, deren Blätter mit einem dichten toten Haarfilz als Verdunstungsschutz überzogen sind und die daher Trockenperioden überdauern können (z.B. viele Rachen- und Lippenblütler). - ↑ Sklerophylle.

Malakozoologie [griech.] (Weichtierkunde, Malakologie), Teildisziplin der Zoologie, die sich mit dem Körperbau, Verhalten und der systemat. Gliederung der Weichtiere befaßt.

Malamut [nach dem Eskimostamm M.] (Alaskan Malamut), Rasse 56–64 cm schulterhoher, langhaariger Nordlandhunde mit schrägstehenden, mandelförmigen Augen, Stehohren und buschiger, über dem Rücken eingerollter Rute; Farben: schwarz, weiß und wolfsgrau; Schlittenhund.

Malariamücken (Fiebermücken, Gabelmücken, Anopheles), Gatt. der Stechmücken mit rd. 200 Arten in der Nähe seichter, stehender Gewässer v.a. der Tropen. Etwa 50 Arten können als Übertrager der Malaria gefährl. werden.

Maledivennuß, svw. ↑ Seychellennuß.

Malermuschel

Makaken. Javaneraffe

Riesenmammutbaum

Maniokknollen

Malermuschel ↑ Flußmuscheln.
Malesien [...i-ɛn] ↑ paläotropisches Florenreich.
Malleolus [lat.], svw. ↑ Knöchel; **malleolar,** zum Knöchel gehörend.
Malleus [lat.] ↑ Hammer (Gehörknöchelchen).
Malmignatte [malmɪn'jatə; italien., eigtl. „böser Blutsauger"] (Latrodectus tredecimguttatus), etwa 1 cm große Kugelspinne in S-Europa (mit Ausnahme des W), NO-Afrika und in weiten Teilen Asiens; Hinterleib schwarz; ♀ mit meist 13 leuchtend roten Flecken; Giftspinne, deren Biß auch für den Menschen gefährl. sein kann.
Maloideae [lat./griech.], svw. ↑ Apfelgewächse.
Malpighi, Marcello, * Crevalcore bei Bologna 10. März 1628, † Rom 29. Nov. 1694, italien. Anatom. - Leibarzt von Papst Innozenz XII.; Prof. in Bologna, Pisa und Messina. M. war einer der Begründer der modernen mikroskop. Anatomie. Er erforschte die allg. Gewebsstruktur und zog Vergleiche zw. pflanzl. und tier. Gewebe. 1661 beschrieb er erstmals die Feinstruktur des Lungengewebes und bestätigte im gleichen Jahr durch Entdekkung der Kapillaren W. Harveys Vorstellung vom großen Blutkreislauf.
Malpighi-Gefäße [nach M. Malpighi] (Malpighische Gefäße, Vasa malpighii), Ausscheidungsorgane der auf dem Land lebenden Gliederfüßer; frei in die Leibeshöhle ragende, meist unverzweigte Blindschläuche (2–150), die am Übergang des Mitteldarms in den Enddarm münden. Die M.-G. entziehen dem Blut v. a. Abbauprodukte des Eiweißstoffwechsels, bauen sie zu Harnsäure, Harnstoff, Carbonaten, Oxalaten um und scheiden sie in den Darm aus. - ↑ Exkretionsorgane.
Maltase [zu nlat. maltum „Malz"], Enzym aus der Gruppe der Hydrolasen, das die α-glykosid. Bindung von Maltose, Rohrzucker und andere α-glykosid. gebundene Disaccharide spaltet; kommt in allen pflanzl. und tier. Zellen mit Stärke- bzw. Glykogenumsatz, in Hefen, Gerstenmalz und im Darm- und Pankreassaft vor.
Malteser, bis 25 cm lange Varietät des ↑ Bichon; mit weißem, langhaarigem Fell.
Malus [lat.] ↑ Apfelbaum.
Malvasier (Malmsey), Rebsorte, die u. a. in Madeira angebaut wird für einen Likörwein gleichen Namens.
Malve (Malva) [lat.], Gatt. der Malvengewächse mit rd. 30 Arten in Eurasien und N-Afrika, einige Arten in Amerika eingeschleppt und verwildert; Kräuter oder Halbsträucher mit meist großen, teller- bis trichterförmigen Blüten in verschiedenen Farben; z. T. Zierpflanzen. Eine häufig in M- und S-Europa verwildert vorkommende Art ist die bis 1 m hohe **Moschusmalve** (Malva moschata); Stengel und Blätter rauh behaart; Blüten

Manatis

Mandelbaum. Früchte   Mangobaum; rechts: reife Frucht

weiß oder rosenrot, nach Moschus duftend. In Eurasien und N-Afrika wächst die 0,25 bis 1,5 m hohe **Wilde Malve** (Roßpappel, Malva sylvestris); mit großen, purpurroten Blüten; Ruderalpflanze. Das gleiche Verbreitungsgebiet hat die bis 50 cm hohe **Wegmalve** (Käsepappel, Malva neglecta); rauh behaart, mit rötl. oder weißen Blüten; Unkraut. - Im Altertum wurden M.arten als Gemüse angebaut. Die Blätter wurden auch zu Heilzwecken, die Blätter und Blüten der Wilden Malve und der Wegmalve werden u. a. für Teemischungen verwendet.

Malvengewächse (Malvaceae), Pflanzenfam. mit über 1 500 weltweit verbreiteten Arten v. a. in den Tropen; Kräuter, Sträucher und Bäume mit meist ansehnl. Blüten in Blütenständen oder einzelnstehend; bekannte Gatt. sind u. a. Schönmalve, Stockmalve, Malve, Trichtermalve; z.T. Zierpflanzen; auch Nutzpflanzen, z. B. die Baumwollpflanze.

Mambas [afrikan.] (Dendroaspis), Gatt. schlanker, bis 4 m langer Giftnattern mit vier überwiegend baum-, bäume- und gebüschbewohnenden Arten in Afrika (mit Ausnahme des N); angriffsfreudig, sehr gefürchtet; Gift (auch für den Menschen) sehr gefährlich. Am bekanntesten sind die **Grüne Mamba** (Dendroaspis viridis; W-Afrika; bis über 2,5 m lang, grün mit schwarz gesäumten Schildern) und die **Schwarze Mamba** (Dendroaspis polylepis; O- und S-Afrika; mit bis 4 m Länge größte afrikan. Giftschlange; oliv- bis schwarzbraun).

Mamilla [lat.], svw. Brustwarze, Zitze.
Mammalia [lat.], svw. ↑Säugetiere.
Mammeibaum [indian.-span./dt.] (Echter M., Mammibaum, Mammey, Mammea americana), in W-Indien heim. und in den Tropen, v. a. im trop. Amerika, kultivierter Baum der Gatt. Mammea; Früchte (**Mammeiäpfel**, Aprikosen von Santo Domingo) rötlichgelb, mit goldgelbem, aprikoseähnl. schmeckendem Fruchtfleisch.

Mammillaria [lat.], svw. ↑Warzenkaktus.

Mammologie [lat./griech.], Säugetierkunde; Teilgebiet der Zoologie, das sich mit der Erforschung der Säugetiere befaßt.
Mammut ↑Mammute.
Mammutbaum, (Sequoiadendron) Gatt. der Sumpfzypressengewächse mit der einzigen Art **Riesenmammutbaum** (Sequoiadendron giganteum) im westl. N-Amerika, in 1 500–2 500 m ü. d. M.; bis 135 m hoher Baum mit säulenförmigem Stamm (ø bis 12 m); Borke rissig, hell rotbraun; Krone pyramidenförmig; Nadeln schuppenförmig. Die ältesten bekannten M. sind zw. 3 000 und 4 000 Jahre alt. Der M. wird in Europa als Parkbaum angepflanzt.
♦ (Sequoia) Gatt. der Sumpfzypressengewächse mit der einzigen Art Küstensequoia (Sequoia sempervirens), im westl. N-Amerika; bis 90 m hoher Baum mit rissiger, roter Borke; Nadeln eibenähnl.; liefert Redwood.

Mammute [russ.-frz.] (Mammonteus, Mammuthus), Gatt. gegen Ende des Pleistozäns (in Asien vor etwa 10 000 Jahren) ausgestorbener, ca. 4 m hoher Elefanten in den Steppen Eurasiens und N-Amerikas. Am bekanntesten ist das nur in Kälteregionen vorkommende **Kältesteppenmammut** (*Mammut* i. e. S., Mammonteus primigenius) mit dichter, langer Behaarung und bis 5 m langen, gebogenen oder eingerollten Stoßzähnen. Im sibir. Bodeneis sind vollständig erhaltene Exemplare gefunden worden. - I. w. S. werden alle großen, jedoch südlichere Regionen bevorzugenden Steppenelefanten des Pleistozäns als M. bezeichnet (z. B. Archidiskodon meridionalis [„Südelefant"]).

Mammuthus [russ.], svw. ↑Mammute.
Manatis [karib.-span.] (Rundschwanzseekühe, Rundschwanzsirenen, Lamantine, Trichechidae), Fam. bis etwa 4,5 m langer Seekühe mit drei sehr ähnl. Arten in der Karib. See und in W-Afrika (bes. in Küstennähe); Körper meist einfarbig grau bis braun; Höchstgewicht 680 kg. Im Ggs. zu nahezu allen anderen Säugetieren haben M. nur sechs Halswirbel und (im erwachsenen Zustand)

Mandarine

ausschließl. Backenzähne, die (wie beim Elefanten), wenn sie abgenutzt sind, ausfallen und von hinten durch neue ersetzt werden.

Mandarine [span.-frz.], im Durchmesser 5–6 cm große, gelbl. bis orangefarbene Frucht des v. a. in Japan, China, den USA, in S-Amerika und im Mittelmeergebiet kultivierten **Mandarinenbaums** (Citrus reticulata); Strauch oder kleiner Baum mit lanzettförmigen Blättern und duftenden, weißen Blüten in Büscheln. Die Schale der M. läßt sich im allg. leicht ablösen, das Fruchtfleisch ist süß und sehr aromat.; breitblättrige Formen des Mandarinenbaums liefern die mehr rötl., sehr kleinen **Tangerinen** (kernarm), großblättrige Formen die frühreifen, samenlosen **Satsumas**. Vermutl. aus Kreuzungen von Sorten der M. entstand die heute im westl. N-Afrika angebaute **Klementine**, die sehr süß und meist kernlos ist; Schale schwer ablösbar; erste im Herbst auf den Markt kommende Zitrusfrucht. - **Tangelos** sind die Früchte einer in Florida gezüchteten Kreuzung zw. Grapefruit- und M.baum; mit erfrischend bitterem Geschmack.

Mandarinenbaum ↑ Mandarine.

Mandel [zu althochdt. mandala (von griech. amygdálē)], Samen der Steinfrüchte des ↑ Mandelbaums.

Mandelbaum, (Prunus amygdalus) ein Rosengewächs; verbreitet vom westl. M-Asien bis Iran und Syrien, kultiviert und z. T. verwildert in O-Asien, im Mittelmeergebiet und in den wärmeren Gebieten Europas und Amerikas; kleiner Baum oder Strauch mit weißen, im Frühling vor den Blättern erscheinenden Blüten; Frucht eine abgeflacht-eiförmige, samtig behaarte, trockene Steinfrucht mit meist einem glatten Steinkern (im Handel als Krachmandel bezeichnet), der jeweils nur einen einzigen Samen, die **Mandel**, enthält. Mandeln haben etwa bis zu 50 % fettes Öl und 25–35 % Eiweißstoffe. Die süßen Mandeln enthalten darüber hinaus noch etwa 10 % Zucker, aber (im Ggs. zu den bitteren Mandeln) nur geringste Mengen Amygdalin. Sie werden bei der Süßwarenherstellung (u. a. für Marzipan) verwendet oder roh gegessen. - Abb. S. 163.

◆ (Mandelbäumchen, Prunes triloba) kleiner Strauch in China; als Zierstrauch oft hochstämmig veredelt, mit zahlr. rosettig gefüllten, rosafarbenen Blüten.

Mandeln (Tonsillen, Tonsillae), anatom. Bez. für mandelförmige Gewebslappen bzw. lymphat. Organe (↑ Lymphsystem); u. a. Gaumenmandel, Rachenmandel, Zungenmandel; meist Kurzbez. für ↑ Gaumenmandeln.

Mandelschildlaus, svw. ↑ Maulbeerschildlaus.

Mandibeln [lat.] (Oberkiefer, Vorderkiefer), erstes, ursprüngl. mehrgliedriges Mundgliedmaßenpaar der Gliederfüßer als Kauwerkzeug.

Mandịbula [lat.], svw. Unterkiefer (↑ Kiefer).

Mandibulare [lat.], der urspr. knorpelige primäre Unterkiefer der Wirbeltiere (bleibender Unterkiefer der Knorpelfische). Bei den Säugetieren (einschließl. Mensch) wird als Rest des M. der ↑ Meckel-Knorpel angelegt.

Mandibulata [lat.], mit rd. 800 000 Arten artenreichste Abteilung der Gliederfüßer, die die Krebstiere, Tausendfüßer und Insekten umfaßt; mit ein oder zwei Paar Antennen

Mandịoka [indian.], svw. ↑ Maniok.

Mandrịll [engl.] (Mandrillus sphinx), große, gedrungene Art der Meerkatzenartigen in den Regenwäldern W-Afrikas; Körperlänge bis fast 1 m (♀ wesentl. kleiner); Schwanz stummelförmig. Die M. bewegen sich vorwiegend am Boden fort; sie ernähren sich überwiegend von Knollen, Wurzeln und Früchten.

Mangaben [afrikan.] (Cercocebus), Gatt. schlanker, etwa 40–85 cm langer Meerkatzenartiger mit vier Arten in den Regenwäldern des äquatorialen Afrika; mit meist dunkler Ober- und hellerer Unterseite, nahezu körperlangem Schwanz und hellen (z. T. weißen) Augenlidern, die Signalfunktion bei der Verständigung haben; Baumbewohner. Zu den M. gehören die glänzend-schwarze **Schopfmangabe** (Cercocebus aterrimus) mit schopfartig verlängerten Kopfhaaren und bräunl. Backenbart) und die **Halsbandmangabe** (Rotkopf-M., Cercocebus torquatus).

Manganbakterien, an gleichen Standorten wie die ↑ Eisenbakterien lebende lithotrophe Bakterien, die durch Oxidation von zwei- zu drei- und höherwertigen Manganionen Energie gewinnen.

Mangelmutanten, auxotrophe Mikroorganismen, die die Fähigkeit zur Synthese bestimmter, für das Wachstum unentbehrl. Substanzen (z. B. Vitamine, Aminosäuren) verloren haben und sich nur nach Zufuhr dieser Stoffe weitervermehren können.

Mạngobaum [Tamil/dt.] (Mangifera), Gatt. der Anakardiengewächse mit rd. 40 Arten im trop. Asien; große, immergrüne Bäume mit ledrigen Blättern. Einige Arten sind als Obstpflanzen in Kultur, darunter der bis in die Subtropen (z. B. Israel) verbreitete Obstbaum *Mangifera indica* (M. im engeren Sinne; mit bis zu 1 000 Kultursorten): bis 30 m hoher Baum mit sehr dichter, kugeliger, breiter Krone. Die wenig haltbaren, pflaumenähnl., saftigen, süßsäuerl. schmeckenden Steinfrüchte (*Mangofrüchte, -pflaumen*) können bis 2 kg schwer werden. - Abb. S. 163.

Mangold ↑ Runkelrübe.

Mangostạnbaum [malai./dt.] (Mangostane, Garcinia mangostana), Art der Gatt. Garcinia; als Obstbaum in den Monsungebieten sowie in den neuweltl. Tropen. angebaut; 20–25 m hoher Baum mit dicken, ledrigen Blättern; Früchte kugelig, bis 7 cm groß; Samen mit fleischiger Außenhülle.

Mangrove [indian.-span.-engl.], amphib. Vegetation im Gezeitenbereich flacher trop. Küsten, ein dichtes Geflecht von hohen Stelzwurzeln, die als Schlickfänger dienen. Bei optimalen Bedingungen entsteht ein 10–20 m hoher, artenarmer Wald (**Gezeitenwald**).
Mangrovebaum (Rhizophora), Gatt. der Mangrovegewächse mit acht trop. Arten; kleine Bäume der ↑Mangrove mit kurzem Stamm, abstehenden, dicken Ästen und dikken, lederartigen Blättern; mit Atem- und Stelzwurzeln; vivipar.
Mangusten [portugies.] (Mungos, Ichneumone, Herpestinae), Unterfam. etwa 25–70 cm langer, vorwiegend tagaktiver Schleichkatzen mit 35 Arten, v. a. in Wäldern, offenen Landschaften und Sümpfen S-Eurasiens und Afrikas; mit meist zieml. schlankem, häufig kurzbeinigem Körper und oft einfarbig braunem bis grauem (z. T. auch quergestreiftem) Fell. Zu den M. gehören u. a.: **Zebramanguste** (Mungos mungo), fast 50 cm lang (mit Schwanz 75 cm); Fell braungrau, auf dem Rücken hell und dunkel quergestreift. Die Gatt. **Zwergmangusten** (Helogale) hat 3 rd. 25 cm lange Arten; Schwanz etwas kürzer; Färbung graubraun. Einen hundeähnl. langgestreckten Kopf haben die 3 Arten der Gatt. **Hundemangusten** (Schwarzfuß-M., Bdeogale); 40–60 cm lang, Schwanz 20–40 cm. Außerdem ↑Ichneumon, ↑Fuchsmanguste, ↑Erdmännchen, ↑Indischer Mungo.
Maniok [indian.-span.-frz.] (M.strauch, Mandiokastrauch, Cassave[strauch], Kassave[strauch], Tapiokastrauch, Wurzelmaniok, Manihot esculenta), mehrjähriges Wolfsmilchgewächs der Gatt. Manihot in S-Amerika, heute allg. in den Tropen in vielen Sorten als wichtige Nahrungspflanze angebaut; bis über 3 m hoher Strauch; die dick-spindelförmigen, rötlichbraunen, bis über 50 cm langen, bis 20 cm dicken, bis 5 kg schweren, stärkereichen, büschelförmig angeordneten Wurzelknollen sind ein wichtiger Kartoffelersatz der Tropenländer (der giftige Milchsaft wird durch Auswaschen geschäler und zerschnittener oder zerstampfter Knollen, durch Trocknen oder Kochen zerstört). Die aus M.knollen gewonnenen Stärkeprodukte (v. a. für Brei, Fladen, Suppen) kommen als **Tapioka** (Manioka, Mandioka, Cassavestärke, Manihotstärke), das **Perltapioka** (verkleisterte, kleine Stärkeklümpchen) als **Sago** in den Handel. - Abb. S. 162.
Manipulation [frz., zu lat. manipulus „Handvoll"], im Bereich der *Biowissenschaften*, bes. der Genetik, die Beeinflussung der Natur - einschließl. der Menschen - durch den Menschen. Die Möglichkeiten reichen von der künstl. Auslese bzw. Zuchtwahl und der absichtl. Hervorrufung von Mutationen durch Mutagene *(genet. M.)* über die künstl. Besamung und die Gen-M. bis zur Verhaltenssteuerung durch *M. des Bewußtseins und Willens* etwa durch den Einsatz von Drogen oder durch elektr. Reizung bestimmter Gehirnregionen. Als M. sind auch verfrühte oder übertriebene Lernprogrammierungen bzw. Dressuren mit Hilfe von Apparaturen zu bezeichnen oder erzwungene Deformationen von Körperteilen, wie sie bei verschiedenen Naturvölkern üblich sind. Eine Extremform körperl.-geistiger M. ist die Gehirnwäsche. ▭ *Patzlaff, R.:* Bildschirmtechnik u. Bewußtseinsmanipulation. Stg. 1985. - Die Verführung durch das Machbare. Hg. v. P. Koslowski u. a. Stg. 1983.

Mankei, svw. ↑Alpenmurmeltier.

Mann, erwachsener Mensch männl. Geschlechts. - Die Entwicklung des männl. Organismus ist analog der des weibl.; dementsprechend bleibt die XY-Chromosomenkonstellation bei der Geschlechtsdifferenzierung über alle Zellteilungen hinweg erhalten, wodurch die Ausdifferenzierung der männl. Geschlechtsdrüsen bzw. die Bildung der männl. Keimdrüsenhormone bewirkt wird und den Embryo sich in männl. Richtung entwickelt. Aus der Geschlechtsdrüse wird der Hoden, aus der Urniere der Nebenhoden, aus dem Wolff-Gang der Samenleiter, aus dem Geschlechtshöcker der Schwellkörper des Penis, aus den Geschlechtsfalten der Harnröhrenschwellkörper des Penis und aus den Geschlechtswülsten der Hodensack. - Mit der Pubertät setzt - wiederum analog dem weibl. Organismus - durch den Einfluß von Hormonen (v. a. der Androgene), die sekundäre Differenzierung ein. Die geschlechtstyp. Merkmale des M. sind im übrigen nur in Relation zu denen der ↑Frau zu sehen. - ↑auch Geschlechtsunterschiede.
Soziologie: Nahezu alle Gesellschaften, in besonderem Maße die vaterrechtlich orientierten, kannten und kennen die Vorrangstellung des M., die sich auch in der modernen Ind.gesellschaft noch erhalten hat. Diese gesellschaftl. Vorrangstellung ist durch folgende Merkmale gekennzeichnet: 1. Der M. gilt als der Frau körperl. und geistig überlegen. Als hervorstechende männl. Eigenschaften (**Männlichkeit**) gelten u. a. Mut, Stärke, Tapferkeit, planer. Fähigkeiten, sexuelle Aktivität (insbes. Zeugungsfähigkeit); der M. soll sachbezogener und lasse sich weniger von Gefühlen leiten. Diese Vorstellungen von Männlichkeit prägen weitest. die Sozialisation von Jungen. 2. Autorität des Mannes in Ehe und Familie. Auf Grund tradierter Rollenverteilung hat der M. für die materielle Versorgung der Familie zuständig; er konzentriert sich deshalb i. d. R. auf seine berufl. Karriere außerhalb des Hauses; die Hausarbeit wird von Frau und Kindern erledigt, die dem M. und Vater bedienen; bei den Konflikten in der Familie eingreift und Entscheidungen trifft. 3. Fast alle wichtigen Positionen in Wirtschaft, Politik und Kultur werden von Män-

165

Manna

nern besetzt. Aus Rücksicht auf ihre Funktion als Ernährer der Familie werden die Männer, wenn sie im Berufsleben mit Frauen um wichtige Positionen konkurrieren, bevorzugt oder bei gleichwertiger Arbeit oft besser entlohnt als Frauen. In der berufl. Konkurrenz kommt dem M. seine geschlechtsspezif. Sozialisation zugute, in der Härte, Durchsetzungsvermögen und ständige Aktivität als Werte gelten.
Bei *Naturvölkern* dokumentiert sich die Vorrangstellung des M. u. a. im Zusammenschluß der Männer zu **Männerbünden**, deren Gemeinschaftsleben in bes. **Männerhäusern**, zu denen Frauen i. d. R. keinen Zutritt haben, stattfindet. Die Männerbünde verfügen meist über ein streng gehütetes Geheimwissen, das den jungen Männern im Verlauf von Mannbarkeitsriten übermittelt wird. Neben ihrer sozialen Aufgabe, die jungen Männer in die Gesellschaft einzufügen, haben die Männerbünde auch kult. Funktionen.
Die gesellschaftliche Vorrangstellung des M. bringt ihm aber auch *Nachteile:* Seine *Lebenserwartung* ist niedriger als die der Frau. Obwohl in der BR Deutschland auf 100 weibl. Geburten 102-106 männl. Geburten (Durchschnitt 1978-85) entfallen, ist in der BR Deutschland - wie v. a. in allen westeurop. Ländern u. in der USA nachgewiesen - ein Frauenüberschuß festzustellen. 1920 lag die Lebenserwartung der Frau um 1 Jahr, 1980 bis 1982 um 6 Jahre höher als die des Mannes. - Daß diese unterschiedl. Lebenserwartung abhängig von der geschlechtsspezif. Rollenverteilung ist, zeigt die Tatsache, daß die Lebenserwartung berufstätiger Hausfrauen wiederum unter der des M. liegt. Die moderne Psychologie weist zudem darauf hin, daß der M. durch die Fixierung auf als männl. geltende Verhaltensmuster *emotional* verkümmert. Gefühl wird ersetzt durch grenzenlose Aktivität, Erfolg, sozialen Status und Imponiergehabe.
In den Ind.gesellschaften ist jedoch seit Beginn der Industrialisierung ein allmähl., stetig fortschreitender *Abbau* männl. Dominierens zu beobachten, der durch Autoritätsverfall des M. in der Familie, durch gesellschaftl. Funktionsverluste der Familie und damit einhergehende Tendenz zur Gleichberechtigung der Geschlechter, durch ansteigende Frauenanteile bei der Besetzung höherer Positionen im Beruf und im öffentl. Leben und durch zunehmende weibl. Berufstätigkeit geprägt ist. Parallel dazu vollzieht sich der Bedeutungsverlust geschlechtsspezif. Erziehungsunterschiede.
📖 *Dierichs, H./Mitscherlich, M.: Männer. Ffm. ⁵1986. - Kloehn, E.: Typ. weibl.? Typ männl.? Rbk. ²1982. - Familiensoziologie. Hg. v. D. Claessens u. P. Millhoffer. Ffm. ⁵1980. - Leigh, W.: Was macht einen Mann gut im Bett? Dt. Übers. Mchn. 1979. - Ruebsaat, H. J./ Hull, R.: Die Wechseljahre des M. Dt. Übers.* Bln. 1979. - *Geschlechtstyp. Verhalten.* Hg. v. *A. Degenhardt u. H. M. Trautner. Mchn. 1979. - Keller, H.: Männlichkeit - Weiblichkeit. Darmst. 1978. - Pross, H.: Die Männer. Rbk. 1978.*

Manna [hebr.], honigartige Ausscheidung der Blätter des Steppen- und Wüstenstrauches Alhagi maurorum.
◆ vom Wind angewehte Thallusteile der ↑Mannaflechte.
◆ Bez. für die eßbaren Früchte der Röhrenkassie.

Mannaesche ↑Esche.

Mannaflechte (Lecanora esculenta), eßbare Bodenflechte der Steppen und Wüstensteppen N-Afrikas und des Vorderen Orients.

Mannaschildlaus (Trabutina mannipara), auf Tamarisken lebende Schildlaus, deren unter dem Wüstenklima eingedickter Honigtau als Manna gesammelt wird.

Männertreu, volkstüml. Bez. für Pflanzen mit leicht abfallenden Blüten (Ehrenpreis u. a.) oder distelartigem Aussehen (Mannstreu).

männliche Blüten, svw. ↑Staubblüten.

männliches Glied ↑Penis.

Männlichkeit ↑Mann.

Mannsschild (Androsace), Gatt. der Primelgewächse mit rd. 100 Arten in Eurasien und im westl. N-Amerika; meist rasen- oder polsterbildende Gebirgskräuter mit rosettenbildenden Blättern und weißen oder roten Blüten. Auf feuchtem, kalkarmem Feinschutt der Z-Alpen wächst bis 4 200 m Höhe der **Alpenmannsschild** (Androsace alpina); bis 5 cm hoch, mit rosaroten bis weißen Blüten mit gelbem Schlund. In Felsspalten der Kalkalpen kommt der 2-5 cm hohe **Schweizer Mannsschild** (Androsace helvetica) vor; dicht graufilzig behaart, mit kantenförmigen, mit dachziegelartig beblätterten Ästen; Blüten weiß, in den Blattachseln. Weiße Blüten in doldenartigen Blütenständen hat der **Milchweiße Mannsschild** (Androsace lactea).

Mannstreu (Edeldistel, Eryngium), Gatt. der Doldenblütler mit über 200 weltweit verbreiteten Arten; Kräuter, mit dornig-gezähnten, gelappten oder zerschlitzten, meist gräul. oder blaugrünen Blättern; u. a. ↑Alpenmannstreu; **Stranddistel** (Seemannstreu, Eryngium maritinum); 15-50 cm hoch, blaugrün, weißl. bereift; Blüten blau; auf Strandhaferdünen. Eine beliebte Gartenzierpflanze ist die **Elfenbeindistel** (Eryngium giganteum); bis 1 m hoch, weißlich grün; Blüten graugrün. M. symbolisierte im Volksglauben Treue und Heimweh (abgebildet in diesem Sinn z. B. auf A. Dürers Selbstbildnis von 1493).

Mantel (Pallium), bei Weichtieren Hautduplikatur, die die Schale bildet. Zwischen Fuß und M. liegt die *M.höhle,* in der die Kiemen (bei Wassertieren) bzw. ein Blutgefäßnetz (bei Landlungenschnecken) und die Ausführgänge für Darm, Nieren und Geschlechtsorgane liegen.

◆ (Tunica) ↑ Manteltiere.
Mantelhöhle ↑ Mantel (bei Weichtieren).
Mantelpavian ↑ Paviane.
Manteltiere (Tunikaten, Tunicata, Urochordata), weltweit verbreiteter Unterstamm der Chordatiere mit rd. 2 000 ausschließl. marinen, freischwimmenden oder festsitzenden Arten; Körper von einem manchmal lebhaft buntem *Mantel (Tunica)* aus zelluloseähnl. Substanz umgeben. Das Sauerstoff u. Plankton mitführende Wasser strömt über eine Einströmöffnung in den Kiemendarm hinein u. über den Peribranchialraum zur Ausströmöffnung wieder hinaus. Einmalig im Tierreich wird bei den M. die Pumprichtung des Herzens in regelmäßigen Abständen umgekehrt. Die M. sind Zwitter, z. T. mit Generationswechsel (bei Salpen). Die kaulquappenartigen Larven haben eine Chorda dorsalis im Schwanz. Die M. umfassen die Klassen ↑ Appendikularien, ↑ Seescheiden und ↑ Salpen.
Mantis [griech.], Gatt. der ↑ Fangheuschrecken. Einzige einheim. Art: Gottesanbeterin (Mantis religiosa), 8 cm groß, grün.
Manul [mongol.] (Pallaskatze, Steppenkatze, Otocolobus manul), etwa 50–65 cm lange, einschließl. Schwanz bis 1 m messende, gedrungene Kleinkatze, v. a. in Steppen und kalten Hochlagen Z-Asiens; mit kleinem, rundl. Kopf und einigen dunklen Querstreifen auf dem langhaarigen, ockerfarbenen Fell, Winterfell grauer.
Manus [lat.], in der *Anatomie* svw. Hand.
Maquis [ma'ki:; lat.-italien.-frz.], svw. ↑ Macchie.
Marabus [arab.-portugies.-frz., eigtl. „Einsiedler, Asket"] (Kropfstörche, Leptoptilos), Gatt. bis 1,4 m langer Störche (Spannweite fast 3 m) mit drei Arten in Afrika, Indien und SO-Asien. Brüten in großen Kolonien auf Bäumen oder Felsen; Aasfresser („Gesundheitspolizei").
Maracuja [portugies. maraku'ʒa] ↑ Passionsfrüchte.
Marale [pers.] ↑ Rothirsch.
Maränen, svw. ↑ Felchen.
Marantengewächse (Marantagewächse, Marantaceae), einkeimblättrige Pflanzenfam. mit rd. 350 Arten in allen wärmeren Zonen; Blüten meist paarweise in Blütenständen; bekannte Gatt. ↑ Korbmarante, bekannte Art die ↑ Pfeilwurz.
Marburg-Virus, Erreger der **Marburger Affenkrankheit**, einer bösartigen Infektionskrankheit; trat erstmals 1967 in Europa bei durch Grüne Meerkatzen infizierten Menschen (in Marburg) auf.
Marchantia [nach dem frz. Botaniker N. Marchant, † 1678], über die ganze Erde verbreitete Gatt. der Lebermoosordnung *Marchantiales* mit rd. 50 Arten. Bekannt ist das an feuchten Orten wachsende **Brunnenlebermoos** (Marchantia polymorpha) mit lappig verzweigtem Thallus.

Marienkäfer

Marder (Mustelidae), mit rd. 70 Arten weltweit verbreitete Fam. etwa 15–150 cm langer urspr. Raubtiere (♂♂ größer als ♀♀); Körper meist schlank und langgeschwänzt (z. B. bei Zobel, Edel-, Stein- und Charsamarder), z. T. auch gedrungen und mit kurzem Schwanz (z. B. beim Dachs); stets mit kurzen Beinen und mit ↑ Afterdrüsen. Einige Arten liefern wertvolles Pelzwerk (z. B. Skunks, Otterfelle).
Marderbär, svw. ↑ Binturong.
Marderbeutler, svw. ↑ Beutelmarder.
Marderhaie, svw. ↑ Glatthaie.
Marderhund (Enok, Waschbärhund, Nyctereutes procyonoides), etwa 60 cm langes, waschbärähnl., nachtaktives Raubtier (Fam. Hundeartige), urspr. in den Gebirgswäldern O-Asiens, von dort westwärts nach Europa eingewandert; Allesfresser mit kurzen Beinen, langhaarigem, graubräunl. Fell und schwarzen Augenringen. Der M. hält als einziger Hundeartiger Winterruhe in verlassenen Fuchsbauen. Sein Fell ist sehr begehrt, es wird im Handel als *Japanfuchs (Seefuchs)* bezeichnet.
Maréchal Niel [frz. mareʃal'njɛl; nach dem frz. Marschall A. Niel, * 1802, † 1869], eine Noisette-Kletterrose (↑ Rose).
Margerite [frz., zu griech. margarítēs „Perle"], (Wiesen-M., Wiesenwucherblume, Chrysanthemum leucanthemum) Wucherblumenart in Europa, bis in den Kaukasusländern, in N-Amerika und Australien eingeschleppt; bis 60 cm hohe Staude; Blütenkörbchen mit weißen Zungen- und gelben Röhrenblüten. In mehreren Unterarten und Formen auf Wiesen, auch in lichten Wäldern und an Hängen. Die M. wird in mehreren Sorten als Zierpflanze kultiviert, v. a. die gefüllte *Edelweißmargerite*.
◆ Bez. für verschiedene Arten der Wucherblume, bes. auch für Gartenformen.
Mariengras (Hierochloe), Gatt. der Süßgräser mit 13 (kumarinhaltigen) Arten in den gemäßigten und kalten Gebieten der Erde. In M-Europa kommen das **Wohlriechende Mariengras** (Hierochloe odorata; in Flachmooren und Bruchwäldern) und das **Südl. Mariengras** (Hierochloe australis; in Wäldern) vor.
Marienkäfer (Herrgottskäfer, Glückskäfer, Coccinellidae), mit rd. 4 000 Arten weltweit verbreitete Fam. 1–12 mm großer, gut fliegender Käfer, davon rd. 70 Arten in Deutschland; Körper hoch gewölbt, nahezu halbkugelig. Oberseite meist mit lebhafter Flecken- und Punktzeichnung. Die Imagines und Larven der meisten Arten sind nützlich; sie fressen Blattläuse, Schildläuse und andere kleine Insekten. M. wurden schon mehrfach erfolgreich in der biolog. Schädlingsbekämpfung eingesetzt. Bekannte heim. Arten: **Siebenpunkt** (Coccinella septempunctata), 6–8 mm lang, Flügeldecken rot, mit meist sieben

schwarzen Punkten. **Vierzehnpunkt** (Propylaca quatuordecimpunctata), bis 4,5 mm lang, gelb mit schwarzen, z. T. miteinander verschmolzenen Flecken. **Zweipunkt** (Adalia bipunctata), etwa 3–5 mm lang, Halsschild schwarz mit hellem Rand, Flügeldecken schwarz mit je einem roten Punkt oder umgekehrt.

Marillen [lat.-roman.] ↑ Aprikosenbaum.

marin [zu lat. mare „Meer"], im Meer lebend.

Mark [zu althochdt. marg, eigtl. „Gehirn"], (Medulla) in der *Anatomie* Bez. für den zentralen, meist weicheren Teil von bestimmten Organen, der sich histolog. und funktionell vom peripheren Organteil (z. T. als Rinde bezeichnet) unterscheidet; z. B. Nebennieren-M., Knochen-M., Rücken-M., verlängertes Mark.
◆ in der *Botanik*: Grundgewebsstrang (Parenchym) im Zentrum pflanzl. Sprosse, durch ↑ Markstrahlen mit dem Rindengewebe verbunden; dient als Reservestoff- und Wasserspeicher.

Markerbse ↑ Saaterbse.

Markfruchtbaum (Herzfruchtbaum, Ostind. Tintenbaum, Semecarpus anacardium), Anakardiengewächs in Vorderindien bis zum Himalaja; bis 10 m hoher Baum mit lederartigen Blättern und großen, bis 2,5 cm langen und bis 2 cm breiten, zusammengedrückt-eiförmigen Steinfrüchten, den **Marknüssen**.

Markierergene (Markierungsgene), Gene, deren Lokalisation auf dem Chromosom und deren Wirkung bekannt sind und von denen aus die Lage und Verteilung der anderen Gene festgelegt werden können oder durch die ein bestimmtes Chromosom nachgewiesen werden kann.

Markierverhalten, in der Verhaltensforschung Bez. für Verhaltensweisen zur Kennzeichnung und Abgrenzung eines Territoriums *(Reviermarkierung;* kann opt., akust. und durch Absetzen von Duftmarken erfolgen), bei Säugetieren vielfach auch zur Kennzeichnung von Artgenossen (insbes. Jungtiere und Geschlechtspartner).

Markkohl, svw. ↑ Markstammkohl.

Marknüsse ↑ Markfruchtbaum.

Markstammkohl (Baumkohl, Markkohl, Winterkohl, Pommerscher Kohl), Form des Gemüsekohls mit bes. kräftiger Sproßachse; als Gemüse und Viehfutter verwendet.

Markstrahlen, radial angeordnete Grundgewebsstränge in pflanzl. Sprosse; verbinden Mark und Rinde und ermöglichen den Stoff-, Wasser- und Gasaustausch zw. inneren und äußeren Geweben des Sprosses.

marmoriert [griech.], bei Tieren svw. marmorähnlich mit unregelmäßigen, feinen bis gröberen Bändern, Adern und Flecken versehen; bei Katzen und Hunden spricht man auch von **gestromt**.

Marmormolch (Triturus marmoratus), etwa 15 cm langer, oberseits grün und schwarz marmorierter Wassermolch in stehenden Süßgewässern SW-Europas; ♂♂ während der Paarungszeit mit hohem, schwarz und weißl. quergebändertem Rückenhautsaum; Rückenmitte der ♀♀ mit orangeroter Längslinie; beliebtes Terrarientier. - Abb. S. 170.

Marmorzitterrochen ↑ Zitterrochen.

Marmosetten [frz.] (Callitricinae), Unterfam. etwa 15–25 cm langer, langschnauziger Krallenaffen mit zehn Arten in Wäldern S-Amerikas; Färbung variabel; Behaarung seidig, mit verlängerten Haarbüscheln an Ohren und Kopfseiten. Zu den M. gehören u. a. Pinseläffchen und Zwergseidenäffchen.

Maronen [italien.-frz.] (Maroni) ↑ Edelkastanie.

Maronenröhrling (Braunhäuptchen, Xerocomus badius), von Juni bis November in Kiefernwäldern des Flachlandes vorkommender Röhrenpilz; Hut kastanienbraun, mit matter, samtiger Oberfläche; Röhren grünlichgelb, bei Druck blau werdend; schmackhafter Speisepilz. - Abb. S. 170.

Maroni [italien.] ↑ Edelkastanie.

Marsupialia [griech.-lat.], svw. ↑ Beuteltiere.

Marsupium [griech.-lat.], svw. ↑ Brutbeutel.

Martin, Rudolf, * Zürich 1. Juli 1864, † München 11. Juli 1925, dt. Anthropologe. - Prof. in Zürich und München; grundlegende Arbeiten zur modernen naturwiss. Anthropologie und Anthropometrie; Begründer des Standardwerks „Lehrbuch der Anthropologie in systemat. Darstellung..." (1914).

Martiniapfel ↑ Apfelsorten, Bd. 1, S. 49 .

Marzell, Heinrich, * München 23. Jan. 1885, † Erlangen 20. Nov. 1970, dt. Botaniker. - Erforschte die Geschichte der in Deutschland vorkommenden Pflanzen und ihre Bed. in der Volkskunde; gab ab 1937 das „Wörterbuch der dt. Pflanzennamen" heraus.

Märzenbecher, svw. Frühlingsknotenblume (↑ Knotenblume).

Märzfisch (Hasel, Weißfisch, Rüßling, Leuciscus leuciscus), etwa 20–25 cm langer, heringsförmig schlanker Karpfenfisch in Fließgewässern Europas (nördl. der Alpen).

Maserholz ↑ Maserwuchs.

Maserwuchs, v. a. bei Laubhölzern vorkommende Verkrümmung der Jahresringe in Stamm- und Wurzelholz durch Umwachsen der beim Aufbrechen schlafender Augen verbleibenden kleinen Stiftästchen. Der Anschnitt liefert lebhafte, interessante und wertvolle Maserung *(Maserholz).*

Maske [italien.-frz.], Bez. für Zeichnungen am Kopf von Tieren, die sich farbl. deutl. abheben, z. B. ein dunkles Gesichtsfeld bei verschiedenen Haushundrassen oder ein breites Querband bei manchen Fischen.

Mauergecko

Maskenbienen (Larvenbienen, Hylaeus), mit rd. 600 Arten weltweit verbreitete Gatt. der Urbienen; in Deutschland etwa 30 4–8 mm große, kaum behaarte Arten; ♂♂ mit auffallend gelben, maskenartigen Gesichtsflecken; ♀♀ ohne Sammelvorrichtung, sie tragen Pollen und Nektar (im Unterschied zu allen übrigen Bienen) im Kropf ein.

Maskenfische, svw. Halfterfische (↑ Doktorfische).

Maskenläuse (Thelaxidae), weltweit verbreitete Fam. der Blattläuse (in Europa 15 Arten).

Massenvermehrung (Gradation), zeitl. begrenzte Überwermehrung (Egression) einer Organismenart (bes. Insekten), eine Periode, in der die Populationsdichte den Normalbestand weit übertrifft.

Massenwanderung ↑ Tierwanderungen.

Massenwechsel (Fluktuation), Bez. für die jahreszeitl. oder im Abstand mehrerer Jahre erfolgende Ab- und Zunahme der Populationsdichte einer Organismenart, v. a. bei Insekten; abhängig von genet. (z. B. Resistenz) und anderen innerartl. Besonderheiten sowie von äußeren biot. und abiot. Faktoren (z. B. Witterungseinflüsse).

Maßliebchen, svw. ↑ Gänseblümchen.

Massonsche Scheibe [frz. ma'sõ; nach dem frz. Physiker A. Masson, * 1806, † 1858], Gerät zum Testen der Empfindlichkeit des menschl. Helligkeitsunterschiede; runde weiße Scheibe mit einer radial verlaufenden, mehrfach unterbrochenen schwarzen Linie. Bei schneller Umdrehung der Scheibe erscheinen dem Beobachter mehrere graue Ringe, deren Anzahl ein Maß für sein Helligkeitsunterscheidungsvermögen ist.

Mastdarm [eigtl. „Speisedarm" (zu althochdt. mas „Speise")] ↑ Darm.

Mastel [lat.-roman.] (Büßling, Masch), Bez. für die Haschisch liefernde ♀ Hanfpflanze.

Mastiff [frz.-engl., letztl. zu lat. mansuetus „zahm"], zu den Doggen zählende Rasse kurz- und glatthaariger, massiger Haushunde mit kleinen Hängeohren und langer Hängerute; Fell vorwiegend rehbraun, gefleckt oder gestromt; Schutzhund.

Mastixstrauch ↑ Pfefferstrauch.

Mastkraut (Sagina), Gatt. der Nelkengewächse mit rd. 30 Arten in den nördl. gemäßigten Gebieten, im westl. Amerika bis Chile; niedrige, dichtrasig wachsende Kräuter. In Deutschland kommen 7 Arten vor, darunter das 2–5 cm hohe **Niederliegende Mastkraut** (Sagina procumbens) mit kleinen, weißen Blüten; häufig auf Äckern.

Mastodon ↑ Mastodonten.

Mastodonsaurier (Riesenpanzerlurche, Mastodonsaurus), ausgestorbene, nur aus dem Keuper (bes. S-Deutschlands) bekannte Gatt. etwa 2,5–3 m langer Uramphibien (Unterklasse Labyrinthzähner); wahrscheinl. vorwiegend Wassertiere.

Mastodonten (Mastodon) [zu griech. mastós „Brust" und odōn „Zahn" (wegen der brustwarzenähnl. Höcker an den Backenzähnen)], ausgestorbene, aus dem Jungtertiär bekannte Gatt. etwa elefantengroßer Rüsseltiere; mit zu Stoßzähnen verlängerten Schneidezähnen; seit Ende Pleistozän ausgestorben.

Mastzellen, amöboid bewegl. Zellen (Immunozyten) im Bindegewebe und im Blut (hier als basophile Granulozyten bezeichnet); enthalten Heparin, Histamin, Bradykinin und Serotonin in ihren Granula; sind außer an Immunreaktionen auch an Entzündungsvorgängen beteiligt.

Matepflanze (Mateteestrauch, Yerbabaum, Ilex paraguariensis), 6–14 m hoher, in Kultur jedoch nicht höher als 5 m gezogener Baum der Gatt. Stechpalme in S-Amerika, v. a. in N-Argentinien, Paraguay und S-Brasilien; Blätter immergrün, längl.-elliptisch, bis 15 cm lang; Blüten unscheinbar, weiß bis gelbl.; Frucht eine mehrsamige Beere. Die M. wird zur Gewinnung der Blätter für Matetee kultiviert.

Matricaria [lat.], svw. ↑ Kamille.

Matrix [lat. „Stammutter, Muttertier, Gebärmutter"], allg. Bez. für eine Grundsubstanz oder innere Struktur oder eine Keimschicht, z. B. die M. des Nagels.

Matten, natürl., zu den Wiesen gehörende, artenreiche, baumlose Pflanzenformation; verbreitet v. a. in der alpinen Stufe der Hochgebirge; werden gebildet aus ausdauernden Stauden, Zwergsträuchern und Gräsern.

Mattenbohne (Phaseolus acontifolius), Schmetterlingsblütler; angebaut in Indien, China, Arabien, O-Afrika, Amerika und Rußland; Samen und grüne Hülsen sind Nahrungsmittel und Mastfutter.

Mattengürtel (Mattenstufe), Teil der alpinen Stufe der Hochgebirgsvegetation, in den Alpen von 2 400 bis 3 200 m; wird bei geeigneten Gelände als Weidegebiet genutzt (Almwirtschaft).

Mauerassel (Oniscus asellus), fast 2 cm lang werdende, auf dunkelgrauem Grund hell gefleckte Landassel, v. a. unter Steinen und Fallaub der Laubwälder N-Amerikas und großer Teile Europas; Schädling in Kellern an pflanzl. Vorräten (Kartoffeln, Obst, Gemüse) und in Gewächshäusern.

Mauerbienen (Osmia), mit fast 400 Arten weltweit verbreitete Gatt. etwa 8–10 mm langer, nicht staatenbildender Bienen; hummelähnl., sich von Pollen ernährende Insekten. Die Elterntiere formen aus Speichel und Erde in Schneckenschalen, Mauer- und Stengelhohlräumen Brutzellen, die später sehr hart werden. Als Larvenfutter dient ein Brei aus Pollen und Nektar. In M-Europa häufig ist die 1,2 cm (♀) große **Zweifarbige Mauerbiene** (Osmia bicolor).

Mauereidechse ↑ Eidechsen.

Mauergecko ↑ Geckos.

Mauerlattich

Mauerlattich (Mycelis), Gatt. der Korbblütler mit 5 Arten: in Europa nur der **Zarte Mauerlattich** (Mycelis muralis) mit meist aus 5 Zungenblüten gebildeten Köpfchen, die in Rispen angeordnet sind, und mit fiederspaltigen Blättern; auf Mauern, Schuttplätzen und in feuchten Wäldern.

Mauerläufer (Tichodroma muraria), etwa 16 cm langer, oberseits hell-, unterseits dunkelgrauer Singvogel, v. a. in Hochgebirgen des Himalajas, SW-, S- und SO-Europas; mit rotschwarzen Flügeln und langem, gebogenem Schnabel (kann damit Insekten und Spinnen aus Ritzen und Nischen holen); Nest in Felsspalten.

Mauerpfeffer ↑ Fetthenne.

Mauerraute (Asplenium ruta-muraria), Tüpfelfarn Eurasiens und des östl. N-Amerikas; mit derben, drei- bis vierfach gefiederten, langgestielten Blättern; bes. in trockenen Mauer- und Felsspaltengesellschaften.

Mauersegler ↑ Segler.

Mauersenf, svw. ↑ Doppelsame.

Mauerspinnen, Bez. für zwei häufig an Mauern und Hauswänden lebende Spinnenarten: **Harlekinspinne** (Salticus scenicus), eine 5–7 mm große, schwarzbraune, gelblichweiß bis weiß gezeichnete Springspinne, und **Dictyna civica,** eine bis 5 mm große, schwärzl.

Marmormolch

Maronenröhrling

↑ Kräuselspinne, die handtellergroße Netze an Mauern spinnt.

Mauerwespen (Odynerus), mit rd. 3000 Arten weltweit verbreitete Gatt. schwarzgelber Lehmwespen, davon in M-Europa fünfzehn 6–17 mm lange Arten; Hinterleib vorn zugespitzt; nisten in Mauerlöchern, Lehmwänden, Sand oder Pflanzenstengeln.

Maulbeerbaum (Morus), Gatt. der Maulbeerbaumgewächse mit 12 Arten in der nördl. gemäßigten und in der subtrop. Zone; sommergrüne Bäume oder Sträucher mit Kätzchen und brombeerartigen, wohlschmeckenden [Schein]früchten *(Maulbeeren);* u. a. **Weißer Maulbeerbaum** (Morus alba; heim. in China; Blätter dienen als Nahrung für Seidenraupen) und **Schwarzer Maulbeerbaum** (Morus nigra; heim. in W-Asien).

Maulbeerbaumgewächse (Maulbeergewächse, Moraceae), Pflanzenfam. mit über 1 500 Arten, v. a. in den wärmeren Zonen; meist Holzgewächse mit kleinen Blüten in verschiedenen Blüten- und Fruchtständen. Viele Arten sind Nutzpflanzen, u. a. Brotfruchtbaum, Feige, Hanf, Hopfen und Maulbeerbaum.

Maulbeerfeigenbaum (Eselsfeige, Maulbeerfeige, Sykomore, Ficus sycomorus), Feigenart in Ägypten und im übrigen östl. Afrika; bis 15 m hohe Bäume mit bis 1 m dickem Stamm, fast rundl. Blättern und eßbaren, jedoch schwer verdaul. Früchten. Verwendet wird das sehr feste, fast unverrottbare Holz, aus dem auch die Sarkophage der alten Ägypter hergestellt wurden.

Maulbeerschildlaus (Maulbeerbaumschildlaus, Mandelschildlaus, Pseudaulacaspis pentagona), aus O-Asien in fast alle subtrop. und trop. Gebiete verschleppte, etwa 2–3 mm große Deckelschildlaus; kann schädl. werden an Maulbeer-, Walnuß- und einigen Obstbäumen; Bekämpfung durch die aus den USA eingeführte Schlupfwespe *Prospaltella berlesii.*

Maulbeerseidenspinner (Echter Seidenspinner, Maulbeerspinner, Bombyx mori), in China (seit rd. 4 000 Jahren dort gezüchtet) und O-Asien beheimateter, zur Seidengewinnung in viele Teile der Erde eingeführter, durch Domestikation flugunfähig gewordener, 4 cm spannender, grau- oder bräunlichweißer Schmetterling; viele Rassen, die sich bes. nach Farbe der Eier und nach Gespinstformen unterscheiden: *Grün-, Gelb-* und *Weißspinner;* Larven bis 9 cm lang, fressen Blätter der Maulbeerbäume und spinnen mit Hilfe ihrer langen Labialdrüsen Puppenkokons, aus deren Gespinsthüllen Maulbeerseide gewonnen wird.

Maulbrüter, Bez. für Fische, bei denen das ♂ oder ♀ *Maulbrutpflege* betreibt: Die Eier werden nach der Befruchtung vom Boden aufgesammelt und im Maul „erbrütet"; die Jungfische suchen bei Gefahr noch einige

Mäuseschwänzchen

Zeit Zuflucht im Maul des Elterntiers. Maulbrüter kommen v. a. bei Buntbarschen, Welsen, Labyrinth- und Kieferfischen vor.

Maulesel ↑Esel.
Maulfüßer, svw. ↑Heuschreckenkrebse.
Maulkäfer, svw. ↑Breitrüßler.
Maultier ↑Esel.
Maultierhirsch ↑Neuwelthirsche.
Maulwürfe [zu althochdt. muwurf, eigtl. „Haufenwerfer"] (Talpidae), Fam. etwa 6–20 cm langer Insektenfresser mit rd. 20 Arten in Eurasien und N-Amerika; mit dichtem, meist kurzhaarigem Fell, rüsselförmig verlängerter, sehr tastempfindl. Schnauze und kleinen bis völlig reduzierten Augen und Ohrmuscheln; Geruchs- und Erschütterungssinn hoch entwickelt; mit Ausnahme einiger im Wasser vorkommender Arten (z. B. Bisamrüßler) überwiegend interird. lebende, fast ausschließl. Wirbellose fressende Grabtiere, deren Vorderextremitäten zu großen Grabschaufeln entwickelt sind. - Zu den M. gehören neben ↑Bisamrüßlern und ↑Sternmullen u. a. der in Europa bis M-Asien verbreitete einheim. **Maulwurf** (*Europ. Maulwurf*, Talpa europaea): 12–16 cm lang; mit dunkelgrauem bis schwarzem Fell und bis 3 cm langem Schwanz; gräbt bei der Nahrungssuche (bes. Insekten[larven], Regenwürmer) umfangreiche unterird. Gangsysteme mit Kammern (im Winter auch Vorratskammern), wobei er einen Teil der gelockerten Erde von Zeit zu Zeit, rückwärtsgehend, aus dem Röhrenausgang befördert (*Maulwurfshügel*).

Maulwurfsgrillen ↑Grillen.
Maulwurfsratten, Bez. für zwei 15–30 cm lange, langschwänzige, pestübertragende Mäusearten in S-Asien und NO-Afrika: *Kurzschwanz-Mäuseratte* (*Pestratte*, Nesokia indica); oberseits meist gelblich- bis graubraun) und *Ind. Maulwurfsratte* (*Ind. Pestratte*, Bandicota bengalensis).
Maurische Landschildkröte (Testudo graeca), bis 25 cm große Landschildkröte in S-Europa, N-Afrika und SW-Asien; unterscheidet sich von der sehr ähnl. Griech. Landschildkröte u. a. durch das Fehlen eines hornigen Endnagels am Schwanz; in Europa zwei Unterarten: *Testudo graeca graeca* (S-Spanien) und *Iber. Landschildkröte* (Testudo graeca ibera; SO-Europa).

Mäuse, i. e. S. Bez. für kleinere Arten (bis etwa 15 cm Länge) der Echtmäuse mit mehr oder minder spitzer Schnauze mit langen Tasthaaren, relativ großen Ohren und Augen und etwa ebenso langem Schwanz; in M-Europa Feldwaldmaus, Gelbhalsmaus, Brandmaus, Hausmaus und Zwergmaus. Größere Arten der Echtmäuse werden im Ggs. hierzu meist als Ratten bezeichnet. - I. w. S. Bez. für verschiedene Fam., Unterfam. oder Gatt. der Mäuseartigen, z. B. Wühlmäuse, Rennmäuse, Blindmäuse, Langschwanzmäuse, Bilche und Taschenmäuse. - Keine M. sind die zu den Insektenfressern gehörenden Spitzmäuse.

Mäuseartige (Myomorpha), mit rd. 1 200 Arten weltweit verbreitete Unterordnung 5–50 cm langer Nagetiere. Man unterscheidet neun Fam.: Wühler, Blindmäuse, Wurzelratten, Langschwanzmäuse, Bilche, Stachelbilche, Salzkrautbilche, Hüpfmäuse und Springmäuse.

Mäusebussard (Buteo buteo), bis 56 cm großer, gut segelnder Greifvogel, in offenen Landschaften und Wäldern großer Teile Eurasiens, N-Amerikas sowie O- und S-Afrikas; fängt vorwiegend Mäuse; mancherorts selten.

Mäusegerste ↑Gerste.
Mäuseklee, svw. ↑Hasenklee.
Mauser [zu lat. mutare „(ver)ändern, wechseln"], jahreszeitl. Wechsel des Federkleids (*Federwechsel*) bei Vögeln; ausgelöst durch vermehrte Hormonausschüttung der Schilddrüse. Man unterscheidet bes. zw. *Jugend-M.* (Jungvögel bekommen das Erwachsenenkleid; meist im ersten Herbst), *Brut-M.* und *Ruhe-M.* (Übergang vom Ruhe- ins Brutkleid). - Auch der Haarwechsel der Säugetiere wird als M. bezeichnet.

Mäuseschwänzchen (Myosurus),

Mauerspinnen. Harlekinspinne

Mäusebussard

Mäusezwiebel

Gatt. der Hahnenfußgewächse mit 6 Arten in außertrop. Gebieten der N- und S-Halbkugel. In Deutschland kommt nur das 5–11 cm hohe, gelblichgrüne **Zwerg-Mäuseschwänzchen** (Myosurus minimus) vor; mit schmallinealförmigen, grasartigen Blättern und mäuseschwanzartig verlängerter Blütenachse; Unkraut auf feuchten Äckern.

Mäusezwiebel ↑ Meerzwiebel.
Maushirsche ↑ Zwergmoschustiere.
Mausmaki ↑ Zwergmakis.
Mausohr ↑ Fledermäuse.
Mausohr, svw. Kleines ↑ Habichtskraut.
Mausvögel (Colii, Coliiformes), Ordnung finkengroßer, grauer oder brauner, langschwänziger Vögel mit 6 Arten in Afrika.
Mauswiesel ↑ Wiesel.
Maxillen (Maxillae) [lat.], bei Gliederfüßern zwei auf den Oberkiefer von hinten folgende Mundgliedmaßenpaare (erste und zweite M.; umgewandelte Extremitäten), die der Nahrungsaufnahme dienen. Die ersten M. werden auch als *Unterkiefer* oder *Mittelkiefer*, die zweiten als *Hinterkiefer* oder (bei Insekten) *Unterlippe* bezeichnet.
Mayr, Ernst [Walter], * Kempten 5. Juli 1904, amerikan. Biologe dt. Herkunft. - War 1953–70 Prof. für Zoologie an der Harvard University in Cambridge (Mass.); Arbeiten v. a. zur Evolution.
Mazamahirsche [indian./dt.], svw. ↑ Spießhirsche.
Mazeration [zu lat. maceratio „das Mürbemachen, Einweichen"], Quellung bzw. Aufweichung tier. oder pflanzl. Gewebe bei längerem Kontakt mit Flüssigkeiten.
Mazis [lat.-frz.] ↑ Muskatnußbaum.
McClintock, Barbara [engl. mæˈklɪntɔk], * Hartford (Conn.) 16. Juni 1902, amerikan. Botanikerin. - Für ihre (schon 1957 gemachte) grundlegende Entdeckung der „bewegl. Strukturen in der Erbmasse" erhielt sie 1983 den Nobelpreis für Physiologie oder Medizin.
mechanische Sinne, die Fähigkeiten bei Tieren und beim Menschen, *mechan. Reize* (z. B. Druck, Tastreize, Wasserströmung) als Sinnesempfindungen wahrzunehmen. Die zugehörigen Sinneszellen bezeichnet man als *Mechanorezeptoren*.
Mechanorezeptoren [griech./lat.] ↑ mechanische Sinne.
Meckel-Knorpel [nach dem dt. Mediziner J. F. Meckel, *1781, †1833] (Cartilago meckeli), der bei den Säugetieren (einschließl. Mensch) embryonal noch erhaltene Rest des primären Unterkiefers, dessen verknöchertes Gelenkende zum Hammer der Gehörknöchelchen wird.
Medawar, Peter Brian [engl. ˈmɛdəwə], * Rio de Janeiro 28. Febr. 1915, † London 3. Okt. 1987, brit. Biologe. - Prof. in Birmingham und London; Arbeiten über heterogene Gewebetransplantation; erhielt 1960 für die Entdeckung der erworbenen Immuntoleranz zus. mit Sir Frank MacFarlane Burnet den Nobelpreis für Physiologie oder Medizin.
Mediastinum [lat.] ↑ Brusthöhle.
mediterrane Rasse, svw. ↑ Mediterranide.
mediterranes Florengebiet, Teilgebiet des ↑ holarktischen Florenreiches; umfaßt die Küstengebiete und Inseln des Mittelländ. Meeres mit milden, frostarmen Wintern und warmen, trockenen Sommern; beherrschende Vegetationsform ist die Macchie, die in trockenen Gebieten in die Garigue übergeht. Charakterist. Kulturpflanzen sind Ölbaum, Edelkastanie, Weinrebe, Feigenbaum und Zitruspflanzen.
Mediterranide [lat.] (mediterrane Rasse), Bez. für eine Unterform der Europiden. Die M. sind durch schlanken Körperbau, mittlere Größe, längl. Kopf, hohes Gesicht und zierl., jedoch scharf konturierte Nase gekennzeichnet. Außer im Mittelmeerraum sind sie bes. in Irland und Wales sowie vom Balkan bis zum SO der UdSSR verbreitet.
Medizinischer Blutegel ↑ Blutegel.
Medulla [lat.] ↑ Mark.
Medullarrohr [lat./dt.] (Neuralrohr, Nervenrohr), embryonale Anlage des Zentralnervensystems bei Wirbeltieren und beim Menschen. Zuerst bildet sich im Bereich der späteren Rückenlinie des Keims eine plattenförmige Verdickung des Ektoderms (*Medullarplatte*), deren Ränder (*Medullarwülste*) sich auffalten, wodurch eine *Medullarrinne* entsteht. Die beiden Medullarwülste schließen sich dann über der Mittellinie und verwachsen miteinander. Das Lumen des so gebildeten M. bleibt bei ausgewachsenen Organismen im Bereich des Rückenmarks als *Zentralkanal*, im Gehirn als *Ventrikelsystem* erhalten.
Medusen, svw. ↑ Quallen.
Medusenhaupt (Cenocrinus asteria), große, gelblichbraune Seelilie in großen Tiefen des Karib. Meers; mit etwa 50 cm langem Stiel und stark verästelten, bis 10 cm langen Armen.
Medusenhäupter (Gorgonenhäupter, Gorgonocephalidae), Fam. der Schlangensterne mit bis 70 cm langen, meist dünnen, sehr stark verzweigten Armen, die zum Planktonfang weit ausgebreitet und von Zeit zu Zeit eingerollt werden, um die erbeutete Nahrung an der Mundöffnung abzustreifen. Im nördl. Atlantik in etwa 150–1 200 m Tiefe kommt das rötl. gelbl. oder weiß gefärbte **Gorgonenhaupt** (Baskenmützenseestern, Gorgonocephalus caputmedusae) vor.
Meeraale (Congridae), im Meer weltweit verbreitete Fam. bis 3 m langer, meist jedoch kleinerer Aalartiger Fische; Raubfische mit unbeschuppter Haut und reich bezahnter Mundhöhle (Zähne bes. im Unterkiefer stark verlängert); am bekanntesten der ↑ Seeaal.
Meeradler (Gewöhnl. Adlerrochen, My-

liobatis aquila), knapp 1 m langer, mit Schwanz etwa 2,5 m messender Rochen (Fam. Adlerrochen) in allen warmen und gemäßigten Meeren (häufig auch im Mittelmeer); schwimmt elegant durch langsames Auf- und Niederschlagen der großen, flügelförmigen Brustflossen.

Meeräschen (Mugilidae), mit über 100 Arten in küstennahen Meeres- und Brackgewässern (z. T. auch in Flüssen) weltweit verbreitete Fam. bis 90 cm langer Knochenfische; Schwarmfische mit heringsförmigem, großschuppigem Körper; an den Kiemenbögen Reusenzähne, die zum Filtrieren der Kleinstlebewesen dienen.

Meerbarben (Seebarben, Mullidae), Fam. 25–50 cm langer Barschfische mit rd. 40 Arten, v. a. in trop. und subtrop. küstennahen Meeres- und Brackgewässern; meist bunte Tiere mit großem Kopf und zwei langen Barteln; in europ. Meeren die **Gewöhnl. Meerbarbe** (Mullus barbatus) und die **Streifenbarbe** (Mullus surmuletus); beide Arten, 30–40 cm lang, sind Speisefische.

Meerbeerengewächse (Seebeerengewächse, Haloragaceae), zweikeimblättrige Pflanzenfam. mit acht Gatt. und mehr als 150 Arten in den gemäßigten und subtrop. Gebieten aller Erdteile; Kräuter oder Stauden, selten Halbsträucher, mit kleinen Blüten. Bekannte Gatt.: Gunnera, Tausendblatt.

Meerbrassen ↑ Brassen.

Meerdattel, svw. ↑ Steindattel.

Meerdrachen, svw. ↑ Seedrachen.

Meerechse (Galapagosechse, Amblyrhynchus cristatus), bis etwa 1,7 m langer, kräftig gebauter Leguan, v. a. auf den Galapagosinseln; Körper schwarzgrau mit überwiegend ziegelroter Zeichnung, zieml. kleinem, höckerigem Kopf und (aus langen Hornschuppen gebildetem) Rücken- und Schwanzkamm. Die M. geht zur Nahrungsaufnahme (frißt Algenbewuchs an Felsen) ins Meer.

Meerechsen, allg. Bez. für große, meerbewohnende Saurier des Erdmittelalters, z. B. Fischechsen.

Meereiche (Schotentang, Halidrys siliquosa), derbe Braunalge des Nordatlantiks; 0,5–2 m langer, mehrfach gefiederter Thallus mit gekammerten, schotenförmigen, gasführenden Schwimmblasen.

Meereicheln, svw. ↑ Seepocken.

Meerengel ↑ Engelhaie.

Meerenten, Gattungsgruppe der Enten, die ihre Nahrung in kalten und gemäßigten Meeren tauchend erjagen; bewegen sich an Land sehr schwerfällig. Zu den M. gehören u. a. Eiderente, Eisente, Kragenente, Samtente, Schellente, Spatelente und Trauerente.

Meeresbiologie, Teilgebiet der Ozeanographie, das sich mit Leben, Verhalten, Verbreitung und Physiologie meerbewohnender Tiere (Meereszoologie) und Pflanzen (Meeresbotanik) befaßt.

Meeresverschmutzung

Meeresleuchten (Meerleuchten), durch Biolumineszenz (Chemilumineszenz), v. a. der in großen Massen auftretenden Algen *Noctiluca miliaris* und *Ceratium tripos* sowie gewisser Quallen, Feuerwalzen usw., hervorgerufene nächtl. Leuchterscheinungen, bes. im Bereich trop. Meere.

Meeresschildkröten (Seeschildkröten, Cheloniidae), Fam. etwa 80–140 cm langer Schildkröten (Unterordnung Halsberger) mit fünf rezenten Arten in trop. und subtrop. Meeren (gelegentl. auch in kühleren Gewässern, z. B. Nordsee); Panzer abgeflacht, stromlinienförmig, unvollständig verknöchert; Extremitäten abgeplattet, flossenartig, können wie der Kopf nicht unter den Panzer eingezogen werden; gute Schwimmer; Eiablage im Sand; geschlüpfte Jungtiere suchen umgehend das Meer auf; Bestände sind stark gefährdet. - Zu den M. gehören u. a. ↑ Suppenschildkröte, ↑ Karettschildkröte und Unechte ↑ Karettschildkröte.

Meeresverschmutzung, die Verunreinigung des Meerwassers und des Meeresbodens sowie der Strände durch Abfallstoffe. Sämtl. Verunreinigungen von Luft, Erdboden und Gewässern summieren sich in der M. Die Aufnahmefähigkeit der Meere ist genauso wie die der Binnengewässer begrenzt, ebenso das Selbstreinigungsvermögen. Die größte Menge an Schmutz wird von den Flüssen ins Meer getragen. Der Rhein z. B. bringt tägl. rd. 35 000 m^3 feste Abfallstoffe, 10 000 t Chemikalien, Salze und Phosphate sowie riesige Mengen an organ. und anorgan. Schmutzstoffen, Schwermetallen, Säuren, Laugen, Ölen und Schädlingsbekämpfungsmitteln in die Küstengewässer. Gerade dort aber lebt der Großteil der Meerestiere und -pflanzen. Die physikal., chem. und biol. Prozesse im Meer behindern eine weiträumige Durchmischung der Wasserschichten, so daß der Konzentrationsabbau der Schadstoffe nur relativ langsam erfolgt. Aus dem steigenden Anteil der Schwermetalle (v. a. Cadmium, Quecksilber und Blei) und der Schädlingsbekämpfungsmittel (Pestizide) ergeben sich bes. Gefahren für den Menschen, weil sie sich in den Nahrungsketten anreichern, in Fische, Krebse, Muscheln gelangen, die dann vom Menschen gegessen werden. Mit den ungereinigten Abwässern gelangen auch Krankheitserreger in das Meerwasser.

Außer Küstengewässern sind v. a. die relativ abgeschlossenen und flachen Meere gefährdet, wie Nord- und Ostsee. Die Nordsee ist eines der am stärksten verschmutzten Meere der Erde. Die Gift- und Abfallstoffe gelangen v. a. durch die Einleitungen der Flüsse, durch direkte Einleitungen an der Küste, durch das Einbringen von Abfällen und durch das Auswaschen von Schadstoffen aus der Atmosphäre hinein. Die Verschmutzung durch die Schiffahrt ist ein weiteres Problem. Die Schiffe geben fast alle Ab-

173

Meerfenchel

fälle und Abwässer ungeklärt ins Meer. - Aus der Atmosphäre kommen jährl. durch Auswaschung etwa 3 Mill. t. Schwefeldioxid, 1 Mill. t Feststoffe, 10 000 t Zink, 6 t Quecksilber und 4 500 t Blei dazu. In der Ostsee ist die Situation mengenmäßig besser, dafür jedoch die Wassererneuerung geringer und damit die Verschmutzungsgefahr ebenso groß. - Die zunehmende Verschmutzung der Meere hat die Regierungen der meisten Ind.staaten veranlaßt, neue Bestimmungen zur Abfall- und Abwasserbeseitigung zu erlassen. - Zur Verschmutzung der Meere durch Erdöl ↑Ölpest.

Meerfenchel (Bazillenkraut, Strandbazille, Crithmum), Gatt. der Doldenblütler mit lederartigen, zerteilten, seegrünen Blättern; die atlant. und Mittelmeerküsten und die vorgelagerten Inseln besiedelnd; in den USA als Küchenpflanze in Kultur; wird als Salat und Küchengewürz verwendet.

Meerforelle ↑Forellen.
Meergänse ↑Gänse.
Meergrundeln ↑Grundeln.
Meergurken, svw. ↑Seegurken.
Meerhase, svw. ↑Seehase.
Meerhechte, svw. ↑Pfeilhechte.
◆ svw. ↑Seehechte.
Meerjunker ↑Lippfische.

Meerkatzen, (Cercopithecus) Gatt. schlanker, etwa 35 bis 70 cm langer Altweltaffen (↑Schmalnasen) mit 15 Arten, v. a. in Wäldern und Savannen Afrikas südl. der Sahara; meist gut springende und kletternde, häufig bunt gefärbte Baumbewohner mit überkörperlangem Schwanz, langen Hinterbeinen, rundl. Kopf und zieml. großen Backentaschen; nackte oder kaum behaarte Körperstellen (Gesicht, Gesäßschwielen, Hodensack), z. T. auffällig gefärbt. - M. leben in kleinen bis größeren Gruppen und ernähren sich v. a. von Pflanzen. Etwa 40-60 cm lang ist die **Grüne Meerkatze** (Grivet; Cercopithecus aethiops), die v. a. in den Savannen lebt. Körper oberseits oliv- bis dunkelgrün, unterseits weißlichgrau; Schwanz 50-70 cm lang; Gesicht schwarz, z. T. von helleren bis weißl. Haaren umrahmt; ernährt sich hauptsächl. von Kleintieren. Im westl. Z-Afrika kommt die etwa ebensogroße **Schnurrbartmeerkatze** (Cercopithecus cephus) vor. Körper oberseits oliv bis rötlichbraun, unterseits weißl.; Oberlippe teilweise blau, mit gelbem Backenbart.
◆ volkstüml. Bez. für ↑Seedrachen.

Meerkatzenartige (Cercopithecidae), Fam. schlanker bis sehr kräftiger, etwa 0,3 bis 1,1 m langer Hundsaffen mit rd. 60 Arten in Afrika und Asien; Baum- oder Bodenbewohner. Zu den M. gehören u. a. Makaken, Paviane, Drill, Mandrill, Mangaben und Meerkatzen.

Meerkohl (Seekohl, Engl. Kohl, Crambe maritima), ausdauernder, bläul. bereifter Kreuzblütler am Atlantik und an der Ostsee; Laubblätter fleischig, Stengel dick; rosa bis violette Blüten in großer Rispe. In Großbritannien und in der Schweiz als Gemüsepflanze kultiviert.

Meerneunauge ↑Neunaugen.
Meerohren, svw. ↑Seeohren.
Meerotter ↑Otter.
Meerpfaff, svw. Sternseher (↑Himmelsgucker).
Meerrabe ↑Umberfische.

Meerrettich [eigtl. wohl „größerer (mehr) Rettich" (volksetymolog. umgedeutet zu „Rettich, der übers Meer gekommen ist")] (Kren, Armoracia lapathifolia), Staude aus der Fam. der Kreuzblütler mit dicker, fleischiger Wurzel; Grundblätter groß, längl., am Rande gekerbt, Hochblätter fiederspaltig; in SO-Europa und W-Asien heim., durch Kultur weltweit verbreitet und verwildert. Die M.-wurzeln enthalten Allylsenföle, die hautreizend wirken. Wegen ihres würzigen, scharfen Geschmacks werden sie als Gemüse und zum Würzen verwendet.

Meersalat (Meerlattich, Ulva lactuca), an Steinen und Buhnen festgewachsene Grünalge mit 25-50 cm langem, breitflächigem, gekräuseltem, zweischichtigem Thallus; verbreitet an allen Meeresküsten in geringer Tiefe. Der M. wird gelegentlich als Salat verwendet.

Meersau (Großer Drachenkopf, Roter Drachenkopf, Meereber, Scorpaena scrofa), bis 50 cm langer, rötl., braun gefleckter Knochenfisch (Fam. Drachenköpfe) im O-Atlantik und Mittelmeer; plumper, räuber. lebender Grundfisch mit zahlr. Hautanhängen am großen Kopf; Speisefisch. Der Stich der Rückenflossenstrahlen ist giftig und äußerst schmerzhaft.

Meerschnepfe ↑Schnepfenfische.
Meerschwein, svw. Finnenschweinswal (↑Schweinswale).

Meerschweinchen (Caviidae), Fam. etwa 25-75 cm langer, gedrungen gebauter Nagetiere mit rd. 15 Arten, v. a. in buschigen Landschaften, Steppen und felsigen Gebieten S-Amerikas; nachtaktive Pflanzenfresser mit kurzem bis stummelartigem Schwanz und zieml. langen (↑Pampashasen) oder kurzen Beinen (M. im engeren Sinne, Cavia). Zu letzteren gehört das **Wildmeerschweinchen** (Cavia aperea; in den Anden bis in Höhen über 4 000 m; Fell oberseits graubraun, unterseits heller), Stammform des heute weltweit verbreiteten **Hausmeerschweinchen** (Cavia aperea porcellus), deren Fell in Struktur und Färbung außerordentl. variieren kann. - Die ♀♀ gebären nach einer Tragezeit von 60-70 Tagen zwei bis fünf voll entwickelte Jungtiere, die schon nach 55-70 Tagen wieder geschlechtsreif sind. M. können ein Alter von acht Jahren erreichen. Sie sind anspruchslose, sehr zahm werdende Hausgenossen und unentbehrl. wiss. Versuchstiere. - Bereits die Indianer hielten wegen des wohlschmeckenden Fleisches und auch als Opfertiere zahme Meerschweinchen.

Meerschweinchenartige (Cavioidea), Überfam. etwa 20–130 cm langer Nagetiere in offenen und geschlossenen Landschaften M- und S-Amerikas. Hierher gehören u. a. Baumstachler, Chinchillaratten, Trugratten, Meerschweinchen, Agutis und Riesennager.

Meersenf (Cakile), Gatt. der Kreuzblütler mit 4 Arten; an europ. Küsten nur die salzliebende Art *Cakile maritima* mit fleischigen Blättern, lila- bis rosafarbenen Blüten und zweigliedrigen Schoten.

Meersimse ↑Simse.

Meerspinnen, svw. ↑Seespinnen.

Meerstichling, svw. Seestichling (↑Stichlinge).

Meerstrandläufer ↑Strandläufer.

Meerstrandrübe ↑Runkelrübe.

Meerträubel (Ephedra distachya), Art der Gatt. Ephedra (↑Ephedragewächse) an steinigen Hängen und auf Sandböden des Mittelmeergebiets, der Schweiz, am Schwarzen Meer bis Sibirien und Asien; 0,5 bis 1 m hoher, zweihäusiger, ginsterartiger Strauch mit scharlachroten, kugeligen, erbsengroßen Beerenzapfen. Das Kraut liefert das Alkaloid Ephedrin.

Meerzwiebel (Mäusezwiebel, Urginea maritima), Liliengewächs an sandigen Küsten des Mittelmeergebietes; mit breitlanzettförmigen Blättern und bis kopfgroßer, roter oder weißer Zwiebel, die früher zum Vergiften von Mäusen und Ratten verwendet wurde.

Megalosaurus [griech.], ausgestorbene, nur aus dem Jura bekannte Gatt. bis 8 m langer Dinosaurier; räuber. Lebewesen, die sich beim Laufen auf ihren Hinterbeinen aufrichteten.

Megalozyten [griech.], abnorm große, bis über 12 μm im Durchmesser messende rote Blutkörperchen (bes. bei Anämien).

Meganthropus [griech.], pleistozäne Primatenform; gefunden wurden v. a. verschiedene Kieferknochen und Zähne in Sangiran auf Java (*M. palaeojavanicus*) durch G. H. R. von Koenigswald.

Megatherium [griech.] ↑Riesenfaultiere.

Mehlbanane ↑Banane, ↑Bananenstaude.

Mehlbeere, (Sorbus aria) Rosengewächs der Gatt. Sorbus; großer Strauch oder kleiner Baum mit ungeteilten, auf der Unterseite weiß behaarten Blättern, weißen bis rosafarbenen Blüten in Trugdolden und orangefarbenen bis rötlichbraunen, nach Frosteinwirkung genießbaren Früchten (Mehlbeeren).

◆ (Mehldorn) ↑Weißdorn.

Mehlkäfer (Tenebrio), weltweit verschleppte Gatt. der Schwarzkäfer mit drei schwarzbraunen, 14–23 mm langen heim. Arten; entwickeln sich als Vorratsschädlinge in Getreideprodukten. Die bis 3 cm langen, drehrunden, gelbbraunen, glänzenden Larven (*Mehlwürmer*) sind ein beliebtes Futter für Käfigvögel, Kleinsäuger und Terrarientiere.

Mehlmilbe (Acarus siro), etwa 0,5 mm große Milbe; Vorratsschädling an Getreide und Getreideerzeugnissen, bes. in feuchten Lagerräumen; Larven bleiben bis zwei Jahre lang in Trockenstarre lebensfähig.

Mehlmotte (Ephestia kuehniella), weltweit verschleppter, 20–22 mm spannender Schmetterling (Fam. Zünsler) mit zwei dunklen, gezackten Querstreifen auf hellgrauen Vorderflügeln; Raupen weißl., bis 2 cm lang, Vorratsschädlinge an Getreideprodukten (bes. Mehl), Trockenobst und Nüssen.

Mehlpilz (Mehlräsling, Pflaumenrötling, Clitopilus prunulus), kleiner bis mittelgroßer, grauweißer Ständerpilz mit flachem bis trichterförmig vertieftem Hut und fleischfarbenen, herablaufenden Lamellen; intensiver Mehlgeruch; Speisepilz; häufig in Laub- und Nadelwald, bes. auf kalkarmen Böden.

Mehlschwalbe ↑Schwalben.

Mehltaupilze, (Echte M., Erysiphales) Schlauchpilzordnung; obligate Pflanzenparasiten, die Blätter, Stengel und Früchte mit einem dichten Myzelgeflecht und daran gebildeten Konidien überziehen.

◆ (Falsche Mehltaupilze, Peronosporales) Ordnung der Oomyzeten; saprophyt. oder parasit. lebende Pilze; bilden in den Interzellularen ein Myzel aus zylindr., meist schlauchförmigen Hyphen, von denen einige als Saugorgane in die Zellen eindringen. Sporangienträger dringen durch die Epidermis nach außen und überziehen die Pflanze mit einem Schimmelrasen. Zahlr. Arten sind Erreger von Pflanzenkrankheiten, z. B. Blauschimmel, Falscher Rebenmehltau.

Mehlwürmer ↑Mehlkäfer.

Mehlzünsler (Pyralis farinalis), weltweit verschleppter, 18–30 mm spannender

Meiose (schematischer Ablauf von links oben nach rechts unten): Nach der Reduktionsteilung folgt die zweite Teilung (väterliches Genom schwarz, mütterliches Genom weiß)

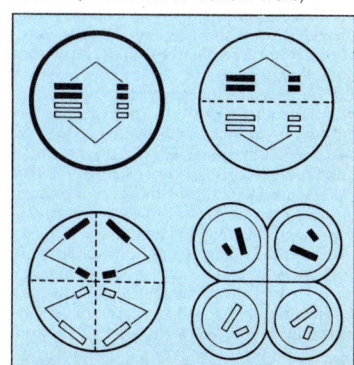

mehrjährig

Schmetterling (Fam. Zünsler) mit einer breiten, ockergelben Binde auf den braun- bis gelbvioletten Vorderflügeln; Larven grauweiß mit schwarzbraunem Kopf, in Gespinströhren; werden schädl. an Getreideprodukten, Heu, Saatgut.

mehrjährig (plurienn, polyzyklisch), eine Lebensdauer von mehr oder weniger vielen Jahren aufweisend; auf Samenpflanzen bezogen, die erst nach einigen Jahren zu einmaliger Blüte und Fruchtreife gelangen und danach absterben.

Mehrlinge, gleichzeitig ausgetragene (und geborene) Geschwister, die eineiig oder mehreiig sein können. - *Mehrlingsgeburten* sind bei vielen Tieren eine normale Erscheinung, beim Menschen jedoch die Ausnahme. ↑Zwillinge kommen einmal auf 80–90 Geburten vor, ↑Drillinge einmal auf rd. 10 000, ↑Vierlinge einmal auf rd. 1 Million und Fünflinge einmal auf rd. 100 Millionen Geburten.

Meibom-Drüsen [...boːm; nach dem dt. Arzt H. Meibom, * 1638, † 1700] (Glandulae tarsales), die Talgdrüsen der Augenlider, die im Augenlidknorpel liegen und an der Innenkante des Lidrandes münden. - Ihre Entzündung bewirkt das innere Gerstenkorn.

Meier (Meister, Asperula), Gatt. der Rötegewächse mit rd. 90 Arten, v. a. im Mittelmeergebiet; Kräuter oder kleine Sträucher mit schmalen, quirlig stehenden Blättern und kleinen, weißen, roten oder blauen, meist in Trugdolden stehenden Blüten.

Meiose [zu griech. meíōsis „das Verringern, Verkleinern"] (Reduktionsteilung), die Reduktion des Chromosomenbestandes um die Hälfte. Da bei der Befruchtung die Kerne zweier Geschlechtszellen miteinander verschmelzen, wird der Chromosomenbestand verdoppelt. Dieser muß im Laufe der Entwicklung eines Lebewesens, spätestens bei der erneuten Bildung der Geschlechtszellen wieder halbiert werden, da sonst die Zahl der Chromosomen pro Zelle nicht konstant bliebe. Diese Reduktion auf den haploiden (einfachen) Chromosomensatz wird durch zwei kurz aufeinanderfolgende Teilungen erreicht. Das erste Stadium der **ersten meiot. Teilung,** die *Prophase,* wird in mehrere Phasen aufgegliedert: Im *Leptotän* werden die Chromosomen als langgestreckte, dünne Fäden sichtbar. Im *Zygotän* paaren die sich homologen Chromosomen abschnittsweise. Im *Pachytän* verkürzen und verdicken sie sich und lassen eine Längsspaltung erkennen. Die Chromatiden überkreuzen sich teilweise († Chiasma). Im *Diplotän* sind vier parallele Stränge zu erkennen. Die Chromosomen weichen bis auf die Überkreuzungsstellen auseinander. In der *Diakinese* trennen sich allmähl. die vier Stränge paarweise. Die Überkreuzungsstellen werden an die Enden verschoben. In der *Metaphase* ordnen sich die Chromosomen in der Äquatorialplatte an. In der *Anaphase* trennen sich die gepaarten Chromosomen und wandern zu den Polen, wobei eine zufallsgemäße Neuverteilung der väterl. und mütterl. Chromosomen erfolgt. In der *Telophase* lockern sich die spiralisierten Chromosomen dann auf. Nun folgt ein kurzes „Ruhestadium", die *Interkinese.* Die **zweite meiot. Teilung** läuft nach dem Schema einer ↑Mitose ab. Die beiden Chromosomenspalthälften (Chromatiden) werden voneinander getrennt. Es werden neue Kern- und Zellmembranen (bzw. Zellwände bei Pflanzen) gebildet, und es sind vier neue Zellen mit jeweils einem einfachen Chromosomensatz entstanden. - Abb. S. 175.
📖 *Sybenga, J.: Meiotic configurations.* Bln. u. a. 1975.

Meisen (Paridae), Fam. der Singvögel mit rd. 50 Arten in offenen Landschaften und Wäldern der Nordhalbkugel und Afrikas; lebhafte, gut kletternde Baum- und Strauchvögel mit kurzem, spitzem Schnabel (Nahrung bes. Insekten, Kleintiere, auch ölhaltige Sämereien); meist in Höhlen brütende Standvögel oder Teilzieher. - Zu den M. gehören u. a. ↑Blaumeise; **Haubenmeise** (Parus cristatus), etwa 12 cm lang, v. a. in Nadelwäldern großer Teile Europas; mit hoher, spitzer, schwarzweiß gefleckter Federhaube; übriges Gefieder oberseits graubraun, unterseits weiß; Gesicht weißl., schwarz eingerahmt; **Kohlmeise** (Parus major), (mit Schwanz) etwa 14 cm lang, in offenen Landschaften und Wäldern Eurasiens; Hals und Kopf blauschwarz mit weißen Wangen; Oberseite olivgrün, Unterseite gelblich; **Schwanzmeise** (Aegithalos caudatus), etwa 6 cm (mit Schwanz bis 15 cm) lang, v. a. in Wäldern und Parkanlagen Europas und der gemäßigten Regionen Asiens; Oberseite rötl. und schwärzl., Nacken schwarz, Gesicht weiß oder mit schwarzem Überaugenstreif, Brust weißl., Seiten und Bauch rötlich; **Sumpfmeise** (Nonnen-M., Glanzkopf-M., Parus palustris), bis 12 cm lang, ♂ und ♀ (mit Ausnahme der glänzend schwarzen Kappe) oberseits graubraun, unterseits graueweiß mit kleinem, schwarzem Kehllatz; v. a. in Laubwäldern der gemäßigten und südl. Regionen Europas und O-Asiens; **Tannenmeise** (Parus ater), etwa 10 cm lang, v. a. in Nadelwäldern Europas und der gemäßigten Regionen Asiens; unterscheidet sich von der sonst sehr ähnl. Kohl-M. v. a. durch einen weißl. Nackenfleck; **Weidenmeise** (Parus montanus), etwa 12 cm lang, v. a. in feuchten Wäldern und an von Weiden bestandenen Flußufern des gemäßigten und nördl. Eurasiens; ähnl. der Sumpf-M., hat jedoch einen helleren Flügelfleck und eine mattschwarze Oberkopfkappe.

Meißner-Körperchen (Meißner-Tastkörperchen) [nach dem dt. Physiologen G. Meißner, * 1829, † 1905], ellipsenförmiges, von Bindegewebe umhülltes Tastsinnesorgan (Mechanorezeptor), bes. in den Finger- und Zehenbeeren der Säugetiere und des Menschen; besteht aus 5–10 platten Zellen und einer Nervenfaser.

Meisterwurz (Imperatoria ostruthium), Doldenblütler auf Wiesen der Alpen und Mittelgebirge; Stengel gerillt und hohl; Blüten weiß bis rosarot; Wurzel stark aromat. und bitter; früher als Heilpflanze angebaut.

Melaleuca [griech.] ↑ Myrtenheide.

Melandrium [griech.], svw. ↑ Nachtnelke.

Melaneside (melanesische Rasse), Menschenrasse in Ozeanien; unterteilt in **Palämelaneside** mit untersetztem, gedrungenem Körperbau, tiefdunkler Haut, krausem Kopfhaar, massigem und niedrigem Gesicht, breiter Nase, fliehendem Kinn und tiefliegender Lidspalte (Hauptverbreitungsgebiet: v. a. Neukaledonien) und in **Neomelaneside** mit relativ schlankem, aber kräftigem Körperbau, dunkler Haut und krausem Kopfhaar, längl. Gesicht mit hoher - oft gebogener - und breiter Nase (Hauptverbreitung: Neuguinea).

Melanine [zu griech. mélas „schwarz"], durch enzymat. Oxidation der Aminosäure Tyrosin entstehende gelbl. bis braune oder schwarze Pigmente von Tieren und Menschen, die in der Epidermis oder in einer darunterliegenden Zellschicht gebildet und abgelagert werden. Sie bewirken die Färbung der Haut und ihrer Anhangsorgane (Haare, Federn) sowie der Regenbogen- und Aderhaut der Augen. Starke Ansammlungen von M. kommen entweder lokalisiert begrenzt vor (z. B. Leberflecke, Sommersprossen, Melanom) oder erstrecken sich über den gesamten Körper (↑ Melanismus). Eine defekte M.synthese bedingt ↑ Rutilismus. Die biolog. Bed. der M. liegt u. a. im Schutz vor zu starker Sonnenbestrahlung (bes. vor UV-Strahlen, die von ihnen absorbiert werden). Auch die Braunfärbung an Schnittstellen bei Äpfeln und Kartoffeln beruht auf der Bildung von Melaninen.

Melanismus [griech.], durch ↑ Melanine bewirkte Dunkelfärbung der Körperoberfläche, z. B. der menschl. Haut oder der Haare von Säugetieren. Evolutionsbiolog. interessant ist der bei Tieren in Industriegebieten vorkommende **Industriemelanismus:** Infolge der v. a. durch Ruß bedingten dunklen Färbung des Untergrundes sind dunklere Varietäten vor ihren Feinde besser geschützt als hellere Individuen derselben Art, was einen Selektionsvorteil darstellt.

Melanophoren [griech.], melaninhaltige, sich ausbreitende und wieder zusammenziehende Zellen, bes. bei Fischen und Amphibien; die Ausbreitung wird von dem Hypophysenhormon Melanotropin, das Zusammenziehen durch das Zirbeldrüsenhormon Melatonin gesteuert.

Melanotropin [griech.] (MSH, Intermedin), Zwischenlappenhormon der Hypophyse, das bei Fischen und Amphibien die Ausbreitung der Melanophoren bewirkt und bei den Säugetieren (einschl. Mensch) vermutl. die Hautpigmentierung über eine Vermehrung der Melaninsynthese reguliert. Gegenspieler des M. ist das ↑ Melatonin.

Melanzana [arab.-italien.], svw. ↑ Aubergine.

Melatonin [griech.], Hormon der Zirbeldrüse; bewirkt Aufhellung der Haut durch Melanophorenkontraktion (Gegenspieler: Melanotropin).

Melde (Atriplex), Gatt. der Gänsefußgewächse mit über 100 Arten; hauptsächl. Unkräuter der gemäßigt-warmen Gebiete der Nordhalbkugel; bevorzugen trockene, alkal. Böden. Die Blüten sind eingeschlechtig und meist auch einhäusig. Die bekannteste Art ist die **Gartenmelde** (Span. Spinat, Atriplex hortensis), 30–125 cm hoch, mit herzförmig-dreieckigen Grundblättern und längl.-dreieckigen Stengelblättern; früher Gemüsepflanze.

Melianthus, svw. ↑ Honigstrauch.

Melisse (Melissa) [zu griech. melissóphyllon „Bienenblatt"], Gatt. der Lippenblütler mit nur drei Arten; ausdauernde Pflanzen (jedoch nur einjährig kultiviert) mit hellgrünen, ovalen, am Rand gelappten Blättern, die einen zitronenähnl. Duft verbreiten; Blüten unscheinbar und weiß. In Europa kommt nur die **Zitronenmelisse** (Garten-M., Zitronenkraut, Melissa officinalis) vor; 30–90 cm hohe Staude mit vierkantigem Stengel, ei- bis rautenförmigen, gesägten Blättern und weißen Blüten in Scheinquirlen. Die Blätter duften stark nach Zitronen und schmecken würzig; Verwendung u. a. als Gewürz.

Melittine [griech.], in Bienengift enthaltene geradkettige Polypeptidamide, die für die hämolyt. Wirkung des Bienengifts verantwortl. sind.

Melocactus [griech.] (Melonenkaktus, Melonendistel, Türkenkopf, Mönchskopf), Gatt. der Kakteen mit rd. 40 Arten, von Mexiko bis Brasilien und bis zu den Westind. Inseln verbreitet. Der melonenförmige Kakteenkörper zeigt fortlaufende Rippen und im blühfähigen Alter ein ↑ Cephalium.

Melolontha [griech.], svw. ↑ Maikäfer.

Melone [italien., zu griech. mēlopépōn „apfelförmige M." (eigtl. „reifer Apfel")] (Garten-M., Zucker-M.; Cucumis melo), Kürbisgewächs der Tropen, auch in wärmeren Gebieten der gemäßigten Zonen in Kultur; Kletterpflanze mit rauhhaarigem Stengel, großen, fünfeckigen Blättern und großen, goldgelben, getrenntgeschlechtigen Blüten. Die fleischigen Beerenfrüchte (Melonen) werden als Obst roh gegessen oder zu Marmelade und Gemüse verarbeitet. Bekannte Kultursorte ist die gelbschalige, bes. süße Honigmelone.

Melonenbaum, (Carica) Gatt. der M.gewächse mit über 30 Arten im trop. und subtrop. Amerika; Bäume oder Sträucher mit großen, gelappten Blättern; Blüten meist zweihäusig; Beerenfrüchte.

Melopsittacus

◆ (Carica papaya, Papayabaum, Mamayabaum) in zahlr. Sorten in allen Tropenländern kultivierte Melonenbaumart; 4–8 m hoher, sehr schnell wachsender Obstbaum mit gelblichweißen Blüten. Die melonenförmigen, meist grünen bis gelben Beerenfrüchte (**Baummelone, Papayafrucht, Mamayafrucht, Kressenfeige**) werden durchschnittl. 15 cm lang und bis 1,5 kg schwer. Das orangefarbene Fruchtfleisch schmeckt aprikosen- oder melonenähnlich. Der gelblichweiße Milchsaft der Pflanze enthält Papain.

Melopsittacus [griech.], Gatt. der Papageien mit dem ↑ Wellensittich.

Melrose [engl. 'mɛlroʊz] ↑ Apfelsorten (Übersicht Bd. 1, S. 49).

Membran [zu lat. membrana „Haut, (Schreib)pergament"] (biolog. M.), dünnes, feines Häutchen, das trennende oder abgrenzende Funktion hat, (z. B. Trommelfell im Ohr). - ↑ Zellmembran, ↑ Biomembran.

Membranpotential, in der Biologie Bez. für die elektr. Potentialdifferenz, die an einer biolog. Grenzfläche (Membran) zw. dem Zellinneren und dem Außenmilieu jeder lebenden Zelle im Ruhezustand besteht. Das normale M. von Nerven-, Sinnes- oder Muskelzellen heißt **Ruhepotential**. Sinkt es unter bzw. übersteigt es einen bestimmten Schwellenwert, spricht man von Depolarisation bzw. von Hyperpolarisation. Das M. beruht auf der unterschiedl. Verteilung von Ionen im Innen- und Außenmilieu der Zelle sowie auf der unterschiedl. großen Durchlässigkeit der semipermeablen Membran für bestimmte Ionen. Im Zellinneren von tier. Zellen sind vorwiegend Kaliumionen (K^+-Ionen) und als Anionen vorliegende Proteine, dagegen wenig Natriumionen (Na^+-Ionen). Außerhalb der Zelle befinden sich hauptsächl. Natrium- und Chloridionen (Cl^--Ionen). Die ungleiche Verteilung der Natrium- und Kaliumionen wird durch aktive Transportmechanismen, sog. Ionenpumpen, erzeugt und aufrechterhalten. Da die Zellmembran stärker durchlässig für K^+-Ionen ist als für Na^+-Ionen und andererseits die K^+-Ionen dem für sie bestehenden Konzentrationsgefälle folgen und auszugleichen versuchen, werden positive Ladungen auf die Außenseite der Membran transportiert. Das Zellinnere wird negativ gegenüber dem Äußeren. Das dabei entstehende elektr. Potential wirkt nun einem weiteren Austreten von K^+-Ionen entgegen, es stellt sich ein Gleichgewichtszustand ein. Eine kurzfristige, positive Änderung (mit Ladungsumkehr außen/innen) des M. ist das ↑ Aktionspotential.

Menarche [griech.], Zeitpunkt des ersten Auftretens der ↑ Menstruation; normalerweise im Alter von 10 bis 12 Jahren.

Mendel, Gregor (Ordensname seit 1843), * Heinzendorf (= Hynčice, Nordmährisches Gebiet) 22. Juli 1822, † Brünn 6. Jan. 1884, östr. Vererbungsforscher. - Lehrer, dann Abt des Augustinerklosters in Brünn. Führte im Klostergarten umfangreiche botan. Vererbungsforschungen durch. Er kreuzte Varietäten derselben Pflanzenart (zunächst Gartenerbsen, später u. a. auch -bohnen) und führte künstl. Befruchtungen durch, wodurch rd. 13 000 Bastardpflanzen entstanden. Bei diesen „Versuchen über Pflanzenhybriden" (1865) leitete er die - später nach ihm benannten - Gesetzmäßigkeiten (↑ Mendel-Regeln) ab, die eine der Grundlagen der experimentellen Genetik bilden.

Mendeln, Bez. für das im Erbgang den ↑ Mendel-Regeln entsprechende Verhalten bestimmter Merkmale.

Mendel-Regeln, die von G. Mendel zuerst erkannten drei Grundregeln, die die Weitergabe der Erbanlagen beschreiben. 1. **Uniformitätsregel:** Kreuzt man reinerbige

Mendel-Regeln, Schema des Spaltungsgesetzes. $F_1, F_2, F_3,$ erste, zweite, dritte Tochtergeneration (Filialgeneration). P Elterngeneration (Parentalgeneration), R Erbanlage für rote Blütenfarbe, W Erbanlage für weiße Blütenfarbe

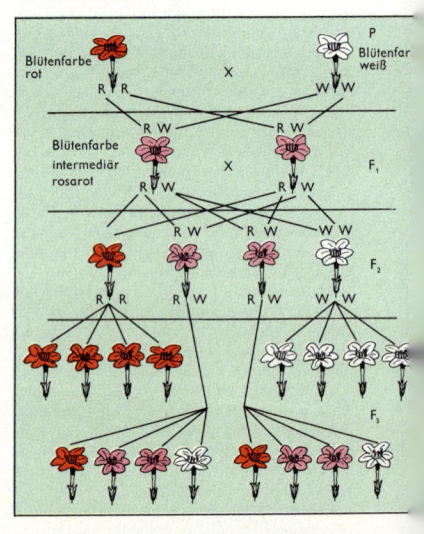

(homozygote) Individuen (P-Generation) miteinander, die sich nur in einem einzigen Merkmal bzw. in einem Gen unterscheiden, so sind deren Nachkommen (F_1-Generation) untereinander alle gleich (uniform), d. h. für das betreffende Gen mischerbig (heterozygot). War das Merkmal dominant, bestimmt es die äußere Erscheinung, den Phänotyp. Wenn die Nachkommen der F_1-Generation im Phänotypus zu gleichen Teilen beiden Eltern ähnl. sehen (z. B. Mischfarbe), liegt ein intermediärer Erbgang vor. 2. **Spaltungsregel:** Werden heterozygote Individuen der F_1-Generation untereinander gekreuzt, so sind ihre Nachkommen (F_2-Generation) nicht alle gleich, sondern es treten neben heterozygoten auch homozygote Individuen auf. Bei Dominanz eines der beiden Merkmale erfolgt eine Aufspaltung im Verhältnis 3:1 (Dominanzregel; 75% einheitl. wie der Elternteil mit dem dominanten Merkmal aussehend, dabei aber rein- und mischerbig im Verhältnis 2:1, und 25% reinerbig, entsprechend dem Elternteil mit dem rezessiven Merkmal). 3. **Gesetz der freien Kombinierbarkeit der Gene:** Werden Individuen miteinander gekreuzt, die sich in mehr als einem Gen voneinander unterscheiden, gilt für jedes einzelne Gen- bzw. Merkmalspaar die Uniformitäts- und die Spaltungsregel. Die freie Kombinierbarkeit gilt jedoch nur für Genpaare, die auf verschiedenen Chromosomen liegen. Die auf den gleichen Chromosomen lokalisierten Gene sind zu sog. Kopplungsgruppen zusammengefaßt, die sich im Kreuzungsexperiment wie ein einziges Gen verhalten.

📖 *Lewis, K. R./John, B.: The matter of Mendelian heredity. London; Boston (Mass.) 1964. - Colin, E. C.: Elements of genetics. Mendel's laws of heredity with special applications to man. New York* ³1956.

meningeal [griech.], auf die Gehirnhäute (Meningen) bezüglich.

Meningen (Einz. Meninx) [griech.], svw. ↑Gehirnhäute.

Meningokokken [griech.], Vertreter der menschenpathogenen Bakterienart *Neisseria meningitidis*, Erreger der (epidem.) Gehirnhautentzündung.

Meniskus [zu griech. mēnískos „mondsichelförmiger Körper"] (Meniscus), in der *Anatomie* ↑Kniegelenk.

Menopause [griech.], Aufhören der Regelblutung, meist zw. dem 47. und 52. Lebensjahr der Frau.

Menorrhö [griech.], svw. ↑Menstruation.

Menotaxie [griech., zu menō „ich bleibe" und táxis „Anordnung"], die bei der freien Richtungsbewegung von Tieren auftretende Einhaltung eines bestimmten Winkels zu einem Reizgefälle, meist mit obligator. Lernvorgängen verbunden; kommt bes. häufig als

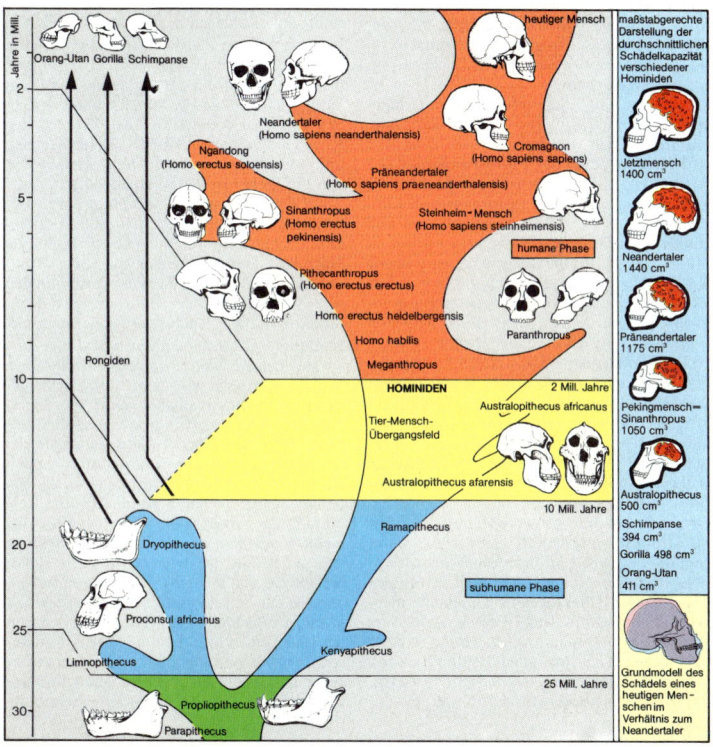

Mensch. Schema der menschlichen Entwicklung

Mensch

Winkeleinstellung zur Schwerkraft oder zum Licht *(Lichtkompaßreaktion)* vor. Einige Tierarten können die Reizqualitäten transponieren, d. h., beispielsweise wird der zum Licht eingehaltene Winkel im Dunkeln auf die Schwerkraft übertragen.

Mensch [zu althochdt. mennisco, eigtl. „der Männliche"], nach der biolog. Systematik ist die Unterart Homo sapiens sapiens der Art Homo sapiens das einzige noch lebende Mitglied der Gatt. Homo. Diese gehört zur Fam. Hominidae, die sich in die Unterfamilien Vormenschen, Urmenschen und Echtmenschen unterteilen läßt.

Die noch affenähnlichen **Vormenschen** lebten in der subhumanen (noch nicht menschlichen) Entwicklungsphase vor dem sog. Tier-Mensch-Übergangsfeld, dem für die Menschwerdung (Hominisation) entscheidenden Zeitraum vor etwa 5–2 Mill. Jahren; Belege für die Existenz der Vormenschen sind fossile Funde aus dem unteren Miozän Kenias *(Kenyapithecus)* und aus dem oberen Miozän Indiens *(Ramapithecus)*.

Im sog. Tier-Mensch-Übergangsfeld lebten die **Urmenschen** (Australopithecinae), eine afrikan. Hominidengruppe mit zwar noch stark äffisch wirkendem Schädel, relativ kleinem Gehirn (Volumen zw. 450 und 750 cm³), doch schon menschenähnl. Körper und Gebiß. Die Urmenschen gingen bereits aufrecht, was insbes. an der Struktur der Beckenfragmente erkennbar ist.

Gewissermaßen „Stammform" der Urmenschen ist der (1974/75 in Äthiopien entdeckte) *Australopithecus afarensis,* der vor etwa 4–3 Mill. Jahren gelebt hat. Für die Folgezeit lassen sich der als relativ grazil zu bezeichnende, rund 1,2 m große A-Typ *(Australopithecus africanus)* vor etwa 3–2 Mill. Jahren, mit den Funden von Taung (1924) und Sterkfontein (1936; Plesioanthropus), sowie der eine eigene Linie bildende robuste, auch größere P-Typ *(Australopithecus robustus* [Paranthropus]) vor etwa 2–1 Mill. Jahren nachweisen. Schwierig einzuordnen ist der - möglicherweise aus dem A-Typ weiterentwickelte - *Homo habilis,* aus dem dann Homo erectus und Homo sapiens hervorgegangen sein könnten.

Die **Echtmenschen** (Homininen) lassen sich gleichfalls in drei Gruppen gliedern: Frühmenschen (Archanthropinae), Altmenschen (Paläanthropinae) und Jetztmenschen (Neanthropinae).

Die **Frühmenschen** werden durch die Art *Homo erectus* repräsentiert. Der erste Fund stammt aus Java *(Javamensch,* Pithecanthropus, Homo erectus erectus; Gehirnvolumen 775–950 cm³, Überaugenwulst, jedoch menschenähnl. Gebiß). Nahe Peking wurde der *Pekingmensch* (Sinanthropus, Homo erectus pekinensis; Gehirnvolumen 900–1100 cm³), nahe Heidelberg der *Heidelbergmensch* (Homo [erectus] heidelbergensis; robuster, kinnloser Unterkiefer), nahe Mascara in Algerien der *Atlanthropus mauretanicus* (hpts. Unterkieferfragmente) gefunden. Die Frühmenschen lebten vor etwa 500 000 Jahren und haben bereits einfache Steinwerkzeuge hergestellt, den Chinamenschen war schon der Gebrauch des Feuers bekannt.

Auf die Frühmenschen folgten die **Altmenschen,** besser bekannt unter der Bez. *Neandertaler* (da man sie im Neandertal bei Düsseldorf zuerst entdeckt hat), die bereits in relativ vielfältiger Ausführung Werkzeuge sowie auch Waffen besaßen. Die geistigen Fähigkeiten der ↑ Neandertaler müssen als noch relativ gering erachtet werden. Als Vorfahren des heutigen Menschen kommen sie, die auf ihre Eiszeitumwelt spezialisiert waren, ohnedies nicht in Betracht. Vielmehr hatte sich die Art Homo sapiens in einer großen Zwischeneiszeit vor etwa 300 000 bis 150 000 Jahren in die beiden Unterarten *Homo sapiens neanderthalensis* und *Homo sapiens sapiens* aufgespalten. Recht unvermittelt erscheint nach dem Neandertaler vor etwa 40 000 Jahren in Westeuropa der *Cromagnonmensch* (↑ Cromagnontypus), ein bereits typ. **Jetztmensch** (Homo sapiens sapiens) mit jungpaläolith. Kulturzügen, v. a. auch einer relativ reichen Kunst. Ab der Steinzeit setzte überhaupt eine kontinuierl. kulturell-techn. Entwicklung der Menschheit ein.

Bis zum unteren Pleistozän, d. h. bis vor etwa 3 Mill. Jahren, war die menschl. Evolution prinzipiell gleich der tier. verlaufen. Die affenähnl. Vorfahren des M. standen unter denselben Gesetzen der natürl. Auslese (nach den Kriterien geeigneter körperl. Beschaffenheit und vorteilhafter instinktueller Veranlagung) wie die Tiere. Sie besaßen jedoch schon die genet. Information zur Ausbildung eines relativ großen Gehirns als Basis für die Ansammlung geistiger Information. Durch verstärkte Nutzung dieser Möglichkeit trat nach Verlassen des Tier-Mensch-Übergangsfeldes mit den sog. Echtmenschen der Geist als neuer Kausalfaktor in das Ursachengefüge der menschl. Evolution, während demgegenüber beim Tier, speziell bei den Menschenaffen, die dieselben Vorfahren wie der M. haben, durch Beibehaltung der Instinktivitätsdominanz die Handlungsfähigkeit weiterhin begrenzt blieb. Diese neue Möglichkeit der Auslese zugunsten der geistigen Information wirkte rückgekoppelt wiederum auf die genet. Information, da dasjenige Genom selektiert wurde, das die Ausbildung des besten Gehirns ermöglichte. Auf diese Weise kam es zur Parallelentwicklung von genet. und geistiger Information durch Steigerung der menschl. Gehirnkapazität einerseits und Ansammlung schnell wachsender geistiger Information andererseits. Da nun mit der geistigen Information die Möglichkeit besteht, erworbene Individualfortschritte weiterzugeben, durchläuft diese eine weit schnellere Evolution als die genet. Über die Vererbung

Mensch

hinaus kann sie durch Kommunikation auf eine große Zahl anderer Individuen und durch extrazerebrale Speicherung über Generationen hinweg weitergegeben werden. Das Zusammentreffen geistiger Information aus verschiedenen Bev. führte zur Addition der Einzelkenntnisse; Kontakte brachten erneut Populationen hervor, die vermehrte geistige Information besaßen. Die Speicherkapazität wurde schließl. in hohem Grade durch die Sprache gesteigert und später noch erhebl. durch die Schrift beschleunigt.

Eingeleitet wurde die mächtige Vergrößerung des menschl. Gehirns durch den Erwerb der aufrechten Körperhaltung und die damit verbundene Umfunktionierung der menschl. Hand. Gehirn und Hand sind die für den Kulturaufbau wichtigsten Organe des M., der immer mehr dazu überging, sich in einer weitgehend selbstgeschaffenen, kulturellen Umwelt zu leben; dies ist sein eigtl. Artmerkmal. Die kontinuierl. kulturelle und techn. Entwicklung der Menschheit (ab der Steinzeit) führte schließlich auch zur Überformung des Instinktverhaltens und zur Erweiterung der ↑ Funktionskreise sowie zur nahezu vollständigen Ablösung der Instinkte (als den vorher maßgebl. Verhaltensprogrammen) durch *Institutionen*, die - an ihrer Stelle - die Erhaltung von Verhaltensregeln durch Vorschriften sichern. Doch selbst noch im sehr plast. Verhalten des heutigen M.en lassen sich Erbkoordinationen, angeborene Auslösemechanismen und Auslöser, innere Antriebsmechanismen und angeborene Lerndispositionen nachweisen. Bes. sein Sozialverhalten ist noch durch stammesgeschichtl. Vorprogrammierungen geprägt.

Aufbau und Leistungen des M.en sind, trotz aller Besonderheiten, als Teil der belebten Natur zu verstehen, die wiederum ein Produkt der unbelebten Natur ist. Der *menschl. Körper* setzt sich daher sowohl aus anorgan. (etwa 60% Wasser und 5% Mineralstoffe) als auch aus organ. Substanzen (v. a. Proteine, Fette, Kohlenhydrate und Nukleinstoffe) zusammen. - Gegliedert wird der Körper in Kopf, Rumpf und Gliedmaßen. Das Knochengerüst (↑ Skelett, ↑ Knochen) ist die Stütze für die Organe. Es besteht (ohne Berücksichtigung der [bis etwa 32] Sesambeine) aus 208–212 Einzelknochen (der Schädel allein aus 22). Seine Beweglichkeit ist durch eine Vielzahl von Gelenken verschiedener Bauart gewährleistet. Das gesamte Knochengerüst ist von Muskulatur umgeben (über 600 Muskeln). Den äußeren Abschluß und Schutz bildet die Haut. Ein zentrales, peripheres und autonomes (vegetatives) Nervensystem reguliert zus. mit dem hormonalen System (↑ Hormone) die Lebensvorgänge. Sinnesorgane stellen den Kontakt zur Außenwelt her. Die Eingeweide stehen in der Funktion der Ernährung, Verdauung und Fortpflanzung, der Atmung, des Blutkreislaufs und Stoffwechsels.

Die Entwicklung des Organismus (Individualentwicklung, Ontogenese) ist nicht nur eine verkürzte Rekapitulation der Stammesgeschichte (Phylogenese), wie dies mit dem ↑ biogenetischen Grundgesetz formuliert wurde, sondern auch Ausgangsprozeß phylogenetischer Veränderung; die Summe aller Ontogenesen mit ihren bisher eingetretenen und noch mögl. Veränderungen bildet die Phylogenese (nicht umgekehrt).

Die Ontogenese (↑ auch Entwicklung) wird von der Befruchtung der Eizelle an durch ein ineinander verflochtenes System genetisch gesteuerter Mechanismen gewährleistet. Eine *chromosomale Differenzierung* erfolgt bereits bei der Befruchtung. Die ♀ Keimzellen (reife Eizellen) des Menschen enthalten neben 22 Autosomen auch immer ein X-Chromosom als Geschlechtschromosom, die Spermien entweder ein X- oder Y-Chromosom. Die Befruchtung durch ein Spermium mit X-Chromosom läßt eine ♀ Zygote entstehen, die durch ein Y-Spermium eine ♂. Mit der Ausdifferenzierung der ♀ Keimdrüsen (auf Grund der Anwesenheit von zwei X-Chromosomen beim ♀ Organismus) und der Bildung ♀ Keimdrüsenhormone entwickelt sich der Embryo in ♀ Richtung. Die Entwicklung des ♂ Organismus ist analog. Dementsprechend bleibt die XY-Chromosomenkonstellation erhalten, wodurch die Ausdifferenzierung der ♂ Geschlechtsdrüsen bzw. die Bildung der ♂ Keimdrüsenhormone bewirkt wird und der Embryo sich in ♂ Richtung entwickelt (↑ auch Entwicklung [Individualentwicklung]).

Mit der ↑ Pubertät setzt eine *sekundäre Geschlechtsdifferenzierung* ein. Die zentrale Steuerung erfolgt über Hormone des Hypophysenvorderlappens (↑ Geschlechtshormone). Die Pubertät schließt mit der Geschlechtsreife ab.

Neben den Chromosomen, dem sog. Geschlechtschromatin, den inneren und äußeren Geschlechtsorganen und den Keimdrüsenhormonen beziehen sich die *geschlechtsspezif. Besonderheiten* beim M.en v. a. auf den Habitus mit seiner (normalen) Variabilität (↑ aber auch Intersexualität). Da alle Merkmale oder Merkmalskomplexe, die zur Charakterisierung der ♀ oder ♂ Konstitution herangezogen werden, nicht das Ergebnis einer einfachen Gen-Merkmal-Beziehung, sondern durch viele Gene (polygen) bedingt sind, ist von vornherein nicht zu erwarten, daß es sich um Alternativmerkmale handelt. Betrachtet man innerhalb einer Bevölkerung das einzelne Merkmal, z. B. die Körpergröße, so findet man unter den Frauen dieser Population schon eine große Variabilität mit der größten Häufigkeit der mittleren Merkmalsklassen. Diese Verteilungskurve zeigt aber einen beträchtl. Überschneidungsbereich mit derjenigen für das ♂ Geschlecht und gilt - zwar von Merkmal zu Merkmal in unterschiedl. Grad - für morpho-

181

MENSCH I

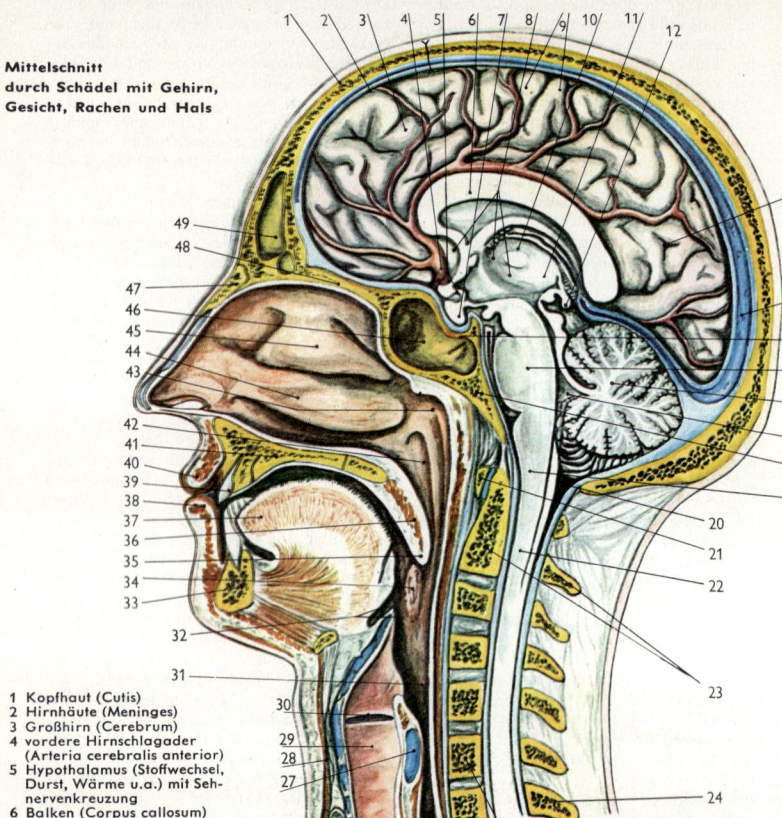

Mittelschnitt durch Schädel mit Gehirn, Gesicht, Rachen und Hals

1 Kopfhaut (Cutis)
2 Hirnhäute (Meninges)
3 Großhirn (Cerebrum)
4 vordere Hirnschlagader (Arteria cerebralis anterior)
5 Hypothalamus (Stoffwechsel, Durst, Wärme u.a.) mit Sehnervenkreuzung
6 Balken (Corpus callosum)
7 Hirnanhangsdrüse (Hypophyse)
8 Zwischenhirn (Diencephalon) mit Sehhügel (Thalamus; Lust-, Unlust- und Schmerzregion)
9 vordere (Gyrus praecentralis) Zentralwindung (sensorisch) und hintere (Gyrus postcentralis) Zentralwindung (motorisch)
10 Mittelhirn-(Mesencephalon-)Gegend (Reflexzentrum, Regulation der Motorik, Stellung und Haltung) mit Rautenhirn (Rhombencephalon)
11 dritte Hirnkammer (Ventriculus tertius)
12 Zirbeldrüse (Corpus pineale oder Epiphysis; Gegenspieler der Hypophyse in der Jugend)
13 Blutleiter der Hirnhaut (Sinus durae matris), führen das sauerstoffarme Blut ab
14 Türkensattel (Sella turcica), in den die Hirnanhangsdrüse eingebettet ist
15 Brücke (Pons)
16 Kleinhirn (Cerebellum)
17 vierte Hirnkammer
18 Körper des Hinterhauptsbeines (Os occipitale)
19 verlängertes Mark (Medulla oblongata; Atemzentrum, Kreislaufzentrum)
20 Hinterhauptszisterne (Cisterna cerebellomedullaris)
21 erster Halswirbel (Atlas)
22 Rückenmark (Medulla spinalis)
23 zweiter Halswirbel (Epistropheus)
24 Dornfortsätze (Processus spinales)
25 Wirbelkörper (Corpus vertebrae)
26 Schilddrüse (Glandula thyreoidea)
27 Ringknorpel (Cartilago cricoides)
28 Schildknorpel (Cartilago thyreoides)
29 Luftröhre (Trachea)
30 Stimmritze (Rima glottidis)
31 Speiseröhre (Ösophagus)
32 Kehldeckel (Epiglottis), hochgeklappt
33 Unterkiefer (Mandibula)
34 Gaumenmandel (Tonsilla palatina)
35 Zäpfchen (Uvula)
36 weicher Gaumen (Palatum molle)
37 Zunge (Lingua)
38 Unterlippe (Labium inferius)
39 Zähne (Dentes)
40 Oberlippe (Labium superius)
41 harter Gaumen (Palatum durum)
42 Rachen (Pharynx)
43 Rachenmandel (Tonsilla pharyngea)
44 untere Nasenmuschel (Concha nasalis inferior)
45 mittlere Nasenmuschel (Concha nasalis media)
46 Keilbeinhöhle (Sinus sphenoidalis)
47 Nasenbein (Os nasale)
48 Siebbeinplatte (Lamina cribriformis)
49 Stirnhöhle (Sinus frontalis)

MENSCH II

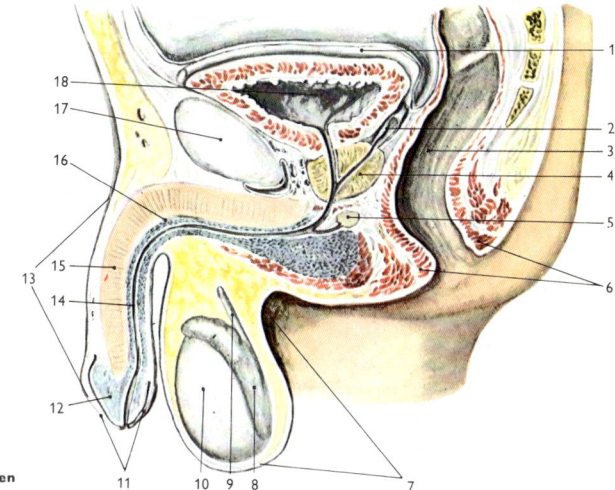

Querschnitt durch das männliche Becken

1 Samenleiter (Ductus deferens)
2 Samenbläschen (Glandula vesiculosa)
3 Mastdarm (Rectum)
4 Vorsteherdrüse (Prostata)
5 Cowper-Drüse (Glandula bulbourethralis)
6 After (Anus) mit Schließmuskulatur
7 Hodensack (Scrotum)
8 Nebenhoden (Epididymis)
9 Samenleiter (Ductus deferens)
10 Hoden (Testes)
11 Vorhaut (Präputium)
12 Eichel (Glans penis)
13 männliches Glied (Penis)
14 Harnröhre (Urethra masculina)
15 Rutenschwellkörper (Corpus cavernosum penis)
16 Schwellkörper (Corpus spongiosum penis)
17 Symphyse (Symphysis)
18 Harnblase (Vesica urinalis)

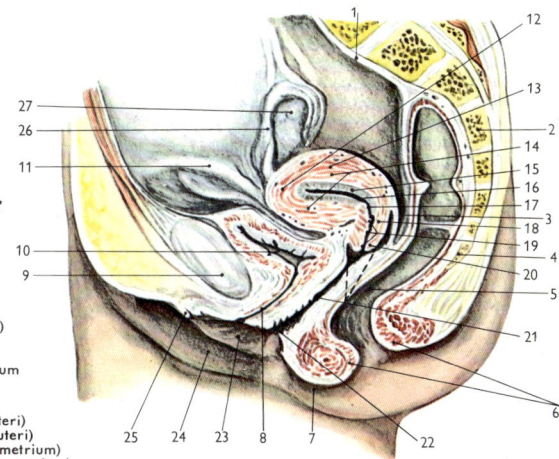

Querschnitt durch das weibliche Becken

1 Vorgebirge (Promunturium)
2 Kreuzbeinwirbel (Os sacrum), durchschnitten
3 Douglas-Raum
4 Steißbeinwirbel (Os coccygis; durchschnitten)
5 Mastdarm (Rectum)
6 After (Anus) mit Schließmuskulatur
7 Dammgegend (Perineum)
8 Harnröhre (Urethra feminina)
9 Symphyse (Symphysis)
10 Harnblase (Vesica urinalis)
11 rundes Mutterband (Ligamentum rotundum)

Gebärmutter (Uterus; 12-20)
12 Gebärmuttergrund (Fundus uteri)
13 Gebärmutterkörper (Corpus uteri)
14 Gebärmuttermuskulatur (Myometrium)
15 Gebärmutterschleimhaut (Endometrium)
16 Gebärmutterlichtung (Cavum corporis uteri)
17 Gebärmutterenge (Isthmus uteri)
18 Gebärmutterhals (Cervix uteri)
19 äußerer und innerer Muttermund (Orificium uteri)
20 Scheidenteil des Gebärmutterhalses (Portio vaginalis)
21 Scheide (Vagina) mit Scheidengewölbe
22 Gegend des Jungfernhäutchens (Hymen)
23 kleine Schamlippe (Labium minus pudendi)
24 große Schamlippe (Labium majus pudendi)
25 Kitzler (Clitoris) mit Schwellkörper
26 rechter Eileiter (Tuba uterina)
27 rechter Eierstock (Ovarium)

Menschen

log., physiolog. und psych. Merkmale. - ↑ auch Abb. S. 179, 182 f. und 186 f.
Der Mensch in der Religion: In der Religionsgeschichte nimmt der M. stets eine gegenüber anderen Lebewesen vorrangige Stellung ein. Deshalb werden in allen Religionen die entscheidenden Lebensphasen des M. wie Geburt, Hochzeit und Tod rituell geheiligt. - In der *christl. Theologie* (theolog. Anthropologie) liegt dem Nachdenken über den M. das bibl. M.bild zugrunde, in dem Gott dem M. seinen „lebendigen Odem" (1. Mos. 2,7) einhaucht, ihn nach seinem Bild gestaltet (Imago Dei, Gottebenbildlichkeit) und ihn zum Herrn der Welt macht, die er als Lebensraum und Mittel zum Leben nutzen darf. Seinen Mit-M. soll er menschl., sozial begegnen. - In der hellenist. Umwelt entfernt sich die christl. Anthropologie von dem bibl. M.bild. Der Geist (Seele) ist gut und unsterbl., das Fleisch (der Leib) ist schlecht (Sexualität) und dem Tod verfallen. Daraus folgte die individualist. Sorge um das Seelenheil und die Gleichgültigkeit gegenüber den anderen (Weltverneinung).

📖 *Gehlen, A.: Seine Natur u. seine Stellung in der Welt. Wsb.* [13]*1986. - Pannenberg, W.: Was ist der M.? Die Anthropologie der Gegenwart im Lichte der Theologie. Gött.* [7]*1985. - Wolff, H. W.: Anthropologie des AT. Mchn.* [4]*1984. - Moltmann, J.: M. Christl. Anthropologie in den Konflikten der Gegenwart. Gütersloh* [2]*1983. - Darwin, C.: Die Abstammung des Menschen. Dt. Übers. Stg.* [4]*1982. - Der Ursprung des Menschen. Bearb. v. W. Henke u. H. Rothe. Stg.* [5]*1980. - Campbell, B. G.: Entwicklung zum Menschen. Dt. Übers. Stg.* [2]*1979. - Hdb. systemat. Theologie. Hg. v. C. H. Ratschow. Bd. 8: Peters, A.: Der M. Gütersloh 1979. - Kull, U.: Evolution des Menschen. Stg. 1979. - Alsberg, P.: Das Menschheitsrätsel. Bln* [4]*1978. - Aspekte der Hominisation. Auf dem Wege zum M.sein. Hg. v. N. A. Luyten. Freib. 1978. - Leakey, R. E./ Lewin, R.: Wie der M. zum Menschen wurde. Dt. Übers. Hamburg 1978. - Overhage, P.: Die biolog. Zukunft der M.heit. Ffm. 1977. - Gieseler, W.: Die Fossilgesch. des Menschen. Stg.* [3]*1974.*

Menschen (Hominidae, Hominiden), Fam. der Menschenartigen mit drei Unterfam.: Vormenschen, Urmenschen und Echtmenschen; einziges rezentes Mitglied ist der heutige Mensch.

Menschenaffen (Große M., Pongidae, veraltet: Anthropomorphen, Anthropomorphae), Fam. etwa 65-150 cm langer Affen (Überfam. Menschenartige), v. a. in Wäldern W- und Z-Afrikas sowie Sumatras und Borneos; meist Pflanzenfresser mit längeren Armen als Beinen, kräftigem Schädel und im Alter starker Schnauzenbildung (Eckzähne bes. bei alten ♂♂ verlängert und spitz, im gegenüberliegenden Kiefer jeweils eine Zahnlücke, sog. „Affenlücke"); Daumen und Großzehe opponierbar, daher gute Greiffähigkeit bei allen vier Extremitäten. - Die in Bäumen hangelnden und kletternden oder am Boden (meist auf allen Vieren) laufenden M. besitzen ein relativ hochentwickeltes Gehirn. Ihre Bestände sind stark von der Ausrottung bedroht. - Zu den M. gehören Schimpanse, Bonobo, Gorilla und Orang-Utan. - ↑ auch Abb. Bd. 1, S. 13.

Menschenartige (Hominoidea), Überfam. geistig höchstentwickelter Affen. Zu den M. wird auch der Mensch (einziger Vertreter der M., der auch in der Neuen Welt vertreten ist) gerechnet. M. sind Baum- und Bodenbewohner mit rückgebildetem oder völlig reduziertem Schwanz, höchstentwickeltem, stark gefurchtem Gehirn und (bei der Geburt) wenig weit entwickelten, sehr hilflosen Jungen. - Zu den M. gehören drei Fam.: Menschenaffen, Gibbons und Menschen.

Menschenfloh ↑ Flöhe.

Menschenhaie (Blauhaie, Grauhaie, Carcharidae), Fam. bis 6 m langer, lebendgebärender, räuber. Haifische mit rd. 60 Arten, v. a. in warmen Meeren (z. T. auch in Süßgewässern); mit spitz vorspringender Nase, unterständigem Maul und spitzen Zähnen. M. ernähren sich hauptsächl. von Fischen. Einige Arten können auch dem Menschen gefährl. werden (z. B. Blauhai, Tigerhai).
◆ ↑ Weißhaie.

Menschenkunde, svw. ↑ Anthropologie.

Menschenläuse (Pediculidae), weltweit verbreitete Fam. der Läuse mit sechs auf Menschen, Menschenaffen und Kapuzineraffen parasitierenden Arten; Kopf im Ggs. zu den eigentl. ↑ Tierläusen mit pigmentierten Augen, relativ kurzem Rüssel und fünfgliedrigen Antennen. Auf dem Menschen leben Kleiderlaus, Kopflaus und Filzlaus.

Menschenrassen, geograph. lokalisierbare Formengruppen der Art Homo sapiens, die sich durch erbbedingte charakterist. Merkmale (mehr oder weniger deutl.) voneinander unterscheiden lassen. - Die auffälligsten Unterscheidungsmerkmale sind neben der Haut-, Haar- und Augenfarbe bestimmte Körper-, Kopf- und Gesichtsformen. Daneben bestehen auch gewisse physiolog. und psycholog. Unterschiede. Sie betreffen u. a. die Wärmeregulation, den Hormonhaushalt, die Empfindungsfähigkeit und das Verhalten. Zur Entstehung der M. gibt es mehrere Theorien. Nach dem dt. Anthropologen E. v. Eickstedt haben sich während der letzten Eiszeit durch Isolation nördl. der großen Kettengebirge die weiße, südl. des Himalaja im indischen Gebiet die schwarze und weiter im O die gelbe Hauptrasse herausgebildet. Heute werden vier *Großrassen* unterschieden: die ↑ Europiden, die ↑ Mongoliden, die (aus diesen hervorgegangenen) ↑ Indianiden und die ↑ Negriden. Dazu kommen noch einige *Rassengruppen* wie die Australiden und die afrikan. und asiat. Pygmiden.

Mesenchym

Der Prozeß der M.bildung ist eines der Ergebnisse der menschl. Evolution. Er hing v. a. von den Faktoren Isolation, Mutation und Selektion (bzw. Anpassung) ab. Da zw. M. keine biolog. Kreuzungsschranken bestehen, könnten durch Rassenmischung die Grenzen zw. den Rassen leicht verwischt werden. Einer größeren Nivellierung von Rassenunterschieden stehen jedoch v. a. soziale, kulturelle und ideolog. Kreuzungssperren im Wege. Andererseits haben eine hohe Wanderbeweglichkeit und eine weitgehende Unabhängigkeit gegenüber Klima und Ernährungsbasis zu relativ starker Durchmischung der Rassen geführt. Zudem gibt es - bes. in den Kontaktzonen - fließende Übergänge in den Merkmalskombinationen bei den einzelnen Rassen. - Karte S. 190.

Baker, J. R.: Die Rassen der Menschheit. Dt. Übers. Kiel 1986. - Rassengesch. des Menschen. Begr. v. K. Saller. Hg. v. I. Schwidetzky. Mchn. 1968 ff. Bis 1986 11 Lfgg.

Menschwerdung, svw. ↑ Hominisation.
Menses [lat.], svw. ↑ Menstruation.
Menstruation [lat., zu menstruus „monatlich"] (Monatsblutung, Regel[blutung], Periode, Katamenien, Menorrhö, Menses), die bei der geschlechtsreifen Frau period. (durchschnittl. alle 29,5 Tage) auftretende, 3-5 Tage dauernde Blutung aus der Gebärmutter als Folge der Abstoßung der Gebärmutterschleimhaut (Desquamation) nach einer Ovulation. Die M. unterliegt den rhythm. Schwankungen der Geschlechtshormone im *M.zyklus (Genitalzyklus)*, der seinerseits durch den Hypothalamus und die gonadotropen Hormone des Hypophysenvorderlappens gesteuert wird. Die M. erfolgt etwa 14 Tage nach der ↑ Ovulation, nach dem es in dem Eierstock zur Bildung eines ↑ Gelbkörpers kommt, der seinerseits die Gebärmutterschleimhaut auf hormonalem Wege zur Aufnahme eines befruchteten Eies vorbereitet *(Sekretionsphase)*; erfolgt keine Befruchtung, wird die Gebärmutterschleimhaut abgestoßen *(M.blutung)*. Wegen evtl. Zweifelsfragen einer bestehenden Schwangerschaft oder zur besseren Diagnose gynäkolog. Erkrankungen empfiehlt es sich für jede Frau im geschlechtsreifen Alter, einen *M.kalender* mit genauen Aufzeichnungen über Beginn, Ende und Stärke jeder M. zu führen. - M. kommen in entsprechender Weise bei allen weibl. Herrentieren vor. - Abb. S. 191.

Mentum [lat.], svw. ↑ Kinn.
◆ mittlerer Teil der Unterlippe bei Insekten.
Merck-Nashorn ↑ Nashörner.
Merinolandschaf [span./dt.] (Württemberg. Dt. Veredeltes Landschaf), im 19. Jh. aus schlichtwolligen Landschafen durch Einkreuzen von Merinoböcken gezüchtete, heute in Deutschland am stärksten vertretene Rasse mittelgroßer Hausschafe (♂♂); Jahreswollertrag 4-5 kg (♀♀) bis 7 kg (♂♂).

Merinoschafe [span./dt.] (Merinos), weltweit (v. a. in trockenen Gebieten) verbreitete, aus Vorderasien stammende Rassengruppe des Hausschafs; Haut mit starken Runzeln und Falten; mit gut gekräuselter weißer Wolle (ohne Oberhaar). M. bringen rd. 75% der Weltwollerzeugung bei einem Anteil von knapp 50% am Weltschafbestand.

Meristem [zu griech. meristós „geteilt"], in den Wachstumszonen der Pflanzen gelegenes teilungsbereites Zellgewebe, das neue Pflanzenteile hervorbringen kann. - ↑ auch Bildungsgewebe.

meristematisch [griech.], noch teilungsfähig, noch nicht voll ausdifferenziert; auf pflanzl. Gewebe bezogen.

Meristemkultur (Meristemzüchtung), durch schnelle Vermehrung von embryonalen Geweben (Meristeme) in der Pflanzenzüchtung angewandtes Verfahren zur Erzielung einer markt- oder betriebsgerechteren Produktion von Zucht- und Handelssorten einiger Kulturpflanzen (z. B. Orchideen, Nelken, Spargel, Blumenkohl). Vorteile gegenüber der Samenzucht: exakte Reproduktion der Mutterpflanzen (alle Zellen sind noch erbgleich), Herabsetzung der Entwicklungsdauer, Eliminierung von Viruskrankheiten.

Merkel-Körperchen (Merkel-Tastscheiben, Merkel-Zellen) [nach dem dt. Anatomen F. S. Merkel, *1845, †1919], Tastsinneszellen in den tiefen Oberhautschichten bes. der Säugetiere (einschließl. Mensch); sind von einer Neurofibrillennetzschale umhüllt.

Merkmal, charakterist. Eigenheit eines Organismus (z. B. Körperbau, biochem. Zus.setzung, physiolog. und psych. Leistung u. a.), die erbl., jedoch innerhalb der Reaktionsnorm modifizierbar (↑ Modifikation) ist (↑ Phän).

Merlan [lat.-frz.], svw. Wittling (↑ Dorsche).

Merlin [german.-frz.-engl.] (Zwergfalke, Falco columbarius, etwa 25 (♂)-33(♀) cm großer Falke, v. a. in offenen Landschaften und lichten Wäldern N-Eurasiens und N-Amerikas; jagt Vögel bis Taubengröße; Boden- oder Felsbrüter.

Merlot [frz. mɛrˈlo], empfindl. Rebsorte, die feine, milde Rotweine liefert; etwa 25% Anteil in guten Bordeauxweinen.

meroblastische Eier [griech./dt.] ↑ Ei.
merokrine Drüsen [griech./dt.] ↑ Drüsen.

Merostomen (Merostomata) [griech.], größtenteils ausgestorbene Klasse der Gliederfüßer, von der heute nur noch die Pfeilschwanzkrebse leben.

Mertenstanne ↑ Hemlocktanne.
Mescalin ↑ Meskalin.
Mesencephalon (Mesenzephalon) [griech.], svw. Mittelhirn (↑ Gehirn).

Mesenchym [griech.], aus dem Mesoderm (↑ Keimblatt) hervorgehendes, lockeres Füllgewebe *(M.gewebe)*, aus dem u. a. Binde-

MENSCH III

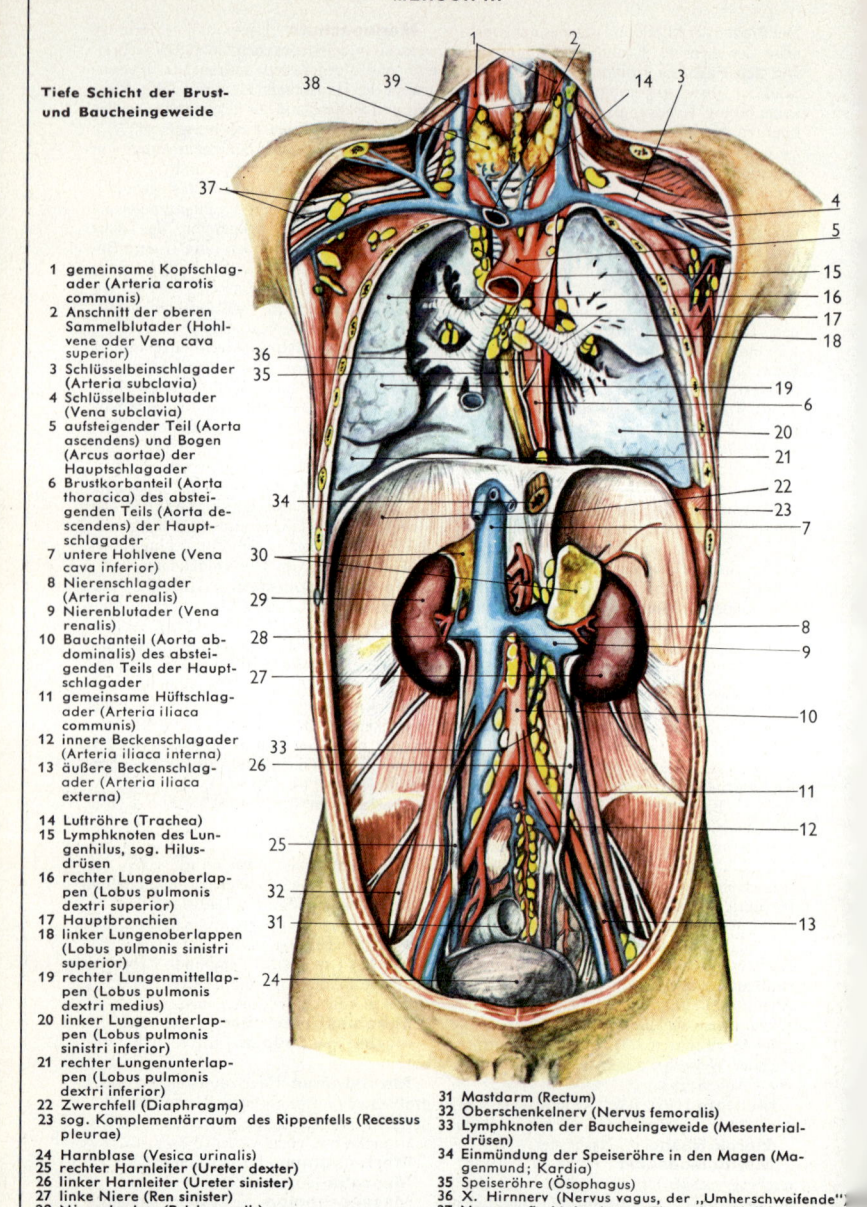

Tiefe Schicht der Brust- und Baucheingeweide

1. gemeinsame Kopfschlagader (Arteria carotis communis)
2. Anschnitt der oberen Sammelblutader (Hohlvene oder Vena cava superior)
3. Schlüsselbeinschlagader (Arteria subclavia)
4. Schlüsselbeinblutader (Vena subclavia)
5. aufsteigender Teil (Aorta ascendens) und Bogen (Arcus aortae) der Hauptschlagader
6. Brustkorbanteil (Aorta thoracica) des absteigenden Teils (Aorta descendens) der Hauptschlagader
7. untere Hohlvene (Vena cava inferior)
8. Nierenschlagader (Arteria renalis)
9. Nierenblutader (Vena renalis)
10. Bauchanteil (Aorta abdominalis) des absteigenden Teils der Hauptschlagader
11. gemeinsame Hüftschlagader (Arteria iliaca communis)
12. innere Beckenschlagader (Arteria iliaca interna)
13. äußere Beckenschlagader (Arteria iliaca externa)
14. Luftröhre (Trachea)
15. Lymphknoten des Lungenhilus, sog. Hilusdrüsen
16. rechter Lungenoberlappen (Lobus pulmonis dextri superior)
17. Hauptbronchien
18. linker Lungenoberlappen (Lobus pulmonis sinistri superior)
19. rechter Lungenmittellappen (Lobus pulmonis dextri medius)
20. linker Lungenunterlappen (Lobus pulmonis sinistri inferior)
21. rechter Lungenunterlappen (Lobus pulmonis dextri inferior)
22. Zwerchfell (Diaphragma)
23. sog. Komplementärraum des Rippenfells (Recessus pleurae)
24. Harnblase (Vesica urinalis)
25. rechter Harnleiter (Ureter dexter)
26. linker Harnleiter (Ureter sinister)
27. linke Niere (Ren sinister)
28. Nierenbecken (Pelvis renalis)
29. rechte Niere (Ren dexter)
30. Nebenniere (Corpus suprarenale)
31. Mastdarm (Rectum)
32. Oberschenkelnerv (Nervus femoralis)
33. Lymphknoten der Baucheingeweide (Mesenterialdrüsen)
34. Einmündung der Speiseröhre in den Magen (Magenmund; Kardia)
35. Speiseröhre (Ösophagus)
36. X. Hirnnerv (Nervus vagus, der „Umherschweifende")
37. Nervengeflecht des Armes (Plexus brachialis)
38. Schilddrüse (Glandula thyreoidea)
39. Nebenschilddrüse (Glandula parathyreoidea)

MENSCH IV

Obere Schicht der Brust- und Baucheingeweide

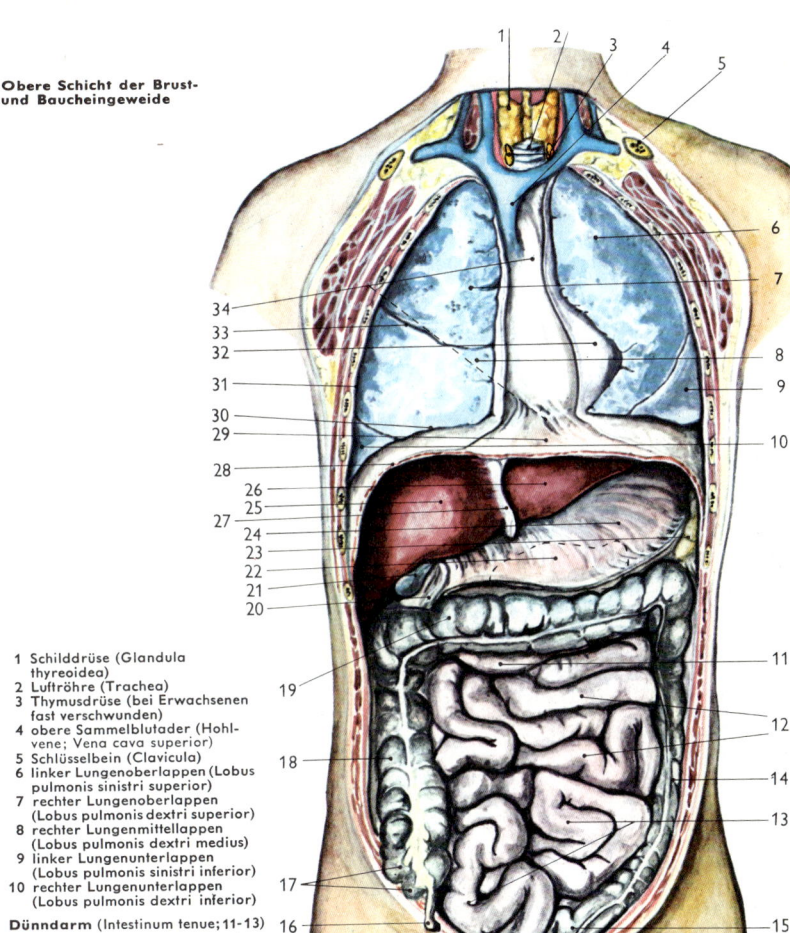

1 Schilddrüse (Glandula thyreoidea)
2 Luftröhre (Trachea)
3 Thymusdrüse (bei Erwachsenen fast verschwunden)
4 obere Sammelblutader (Hohlvene; Vena cava superior)
5 Schlüsselbein (Clavicula)
6 linker Lungenoberlappen (Lobus pulmonis sinistri superior)
7 rechter Lungenoberlappen (Lobus pulmonis dextri superior)
8 rechter Lungenmittellappen (Lobus pulmonis dextri medius)
9 linker Lungenunterlappen (Lobus pulmonis sinistri inferior)
10 rechter Lungenunterlappen (Lobus pulmonis dextri inferior)

Dünndarm (Intestinum tenue; 11-13)
11 Zwölffingerdarm (Duodenum)
12 Leerdarm (Jejunum)
13 Krummdarm (Ileum)

Dickdarm (Intestinum crassum; 14-19)
14 absteigender Ast (Colon descendens)
15 S-förmiger Anteil (Colon sigmoideum)
16 Wurmfortsatz (Appendix vermiformis)
17 Blinddarm (Intestinum caecum, Zäkum)
18 aufsteigender Ast (Colon ascendens)
19 querverlaufender Ast (Colon transversum)

20 Magenausgang oder Pförtner (Pylorus)
21 Gallenblase (Vesica fellea)
22 Projektion der Bauchspeicheldrüse (Pankreas, hinter dem Magen liegend)
23 Milz (Lien)
24 Magen (Ventriculus)
25 rechter Leberlappen (Lobus hepatis dexter)
26 linker Leberlappen (Lobus hepatis sinister)
27 Bauchfellduplikatur der Leber (Mesohepaticum)
28 Bauchfell (Peritonaeum)
29 Zwerchfell (Diaphragma)
30 Zwerchfellanteil des Brustfells (Pleura diaphragmatica)
31 eigentliches Rippenfell (Rippenanteil des Brustfelles; Pleura costovertebralis)
32 Herzbeutel (Pericardium), das Herz einhüllend
33 Lungenfell (Pleura pulmonalis), unmittelbar die Lungen überziehend
34 Raum des Mittelfells (Mediastinum)

Mesenterium

gewebe (einschließl. Knorpel und Knochen) sowie Blut (flüssiges M.gewebe) entstehen.

Mesenterium [griech.] (Gekröse), wie eine Kreppmanschette gekräuseltes, aus Bindegewebe bestehendes Aufhängeband des Dünndarms.

Meskalin (Mescalin, Mezkalin) [indian.-span.], zu den biogenen Aminen zählendes Alkaloid; ein Phenyläthylaminderivat, das als wasserlösl., farblose, ölige Flüssigkeit aus der mexikan. Kakteenart Lophophora williamsii gewonnen oder synthet. hergestellt wird. M. ist neben Haschisch und LSD das bekannteste Halluzinogen. Seine rauscherzeugende Wirkung (die oft mit unangenehmen Begleiterscheinungen, wie Kopfschmerzen, Schwindel, u. U. auch Übelkeit und Erbrechen, auftritt) ist der von LSD und Haschisch ähnl.; sie äußert sich je nach der Ausgangslage u. a. in verändertem Zeiterleben, lebhaften Farbvisionen, erhöhter Plastizität der bildhaften Eindrücke, in einem Gefühl der Schwerelosigkeit, in Verfremdungseffekten und einer Veränderung von Gehör- und Geruchserlebnissen. Zur Auslösung der Bewußtseinsänderungen ist etwa die 4 000fache Dosis von LSD erforderl. Chem. Strukturformel:

$$H_3CO-\underset{OCH_3}{\underset{|}{\bigcirc}}-CH_2-CH_2-NH_2$$

Mesoderm (Mesoblast) [griech.], das mittlere ↑Keimblatt.

Mesokarp [griech.] ↑Fruchtwand.

mesolezithale Eier [griech./dt.] ↑Ei.

Mesophyll [griech.] ↑Laubblatt.

Mesopsammion (Mesopsammon) [griech.], Lebensbereich der in Sandstränden von Süßgewässern oder Meeren lebenden Organismen; im marinen M. leben z. B. Nesseltiere, Strudelwürmer, Vielborster und Bärtierchen.

Mesosaurier [...i-ɛr] (Mesosauria), ausgestorbene Ordnung etwa 60–70 cm langer, fischfressender Saurier in den Süßwasserseen des Gondwanalandes an der Wende vom Karbon zum Perm; mit langer Schnauze und Reusenbezahnung. Ihre Verbreitung gilt als Beweis für die Kontinentalverschiebung.

Mesothel (Mesothelium) [griech.], aus dem Mesoderm (↑Keimblatt) von Mensch und Säugetieren hervorgegangenes, einschichtiges Deckzellenepithel, das bes. die Brusthöhle und die Bauchhöhle auskleidet.

mesotroph, von Gewässern, deren Gehalt an gelösten Nährstoffen (und an organ. Substanzen, tier. und pflanzl. Plankton sowie an Sauerstoff) zw. dem der eutrophen und oligotrophen Gewässer liegt.

Mesozoen (Mesozoa) [griech.], Abteilung etwa 0,05–7 mm langer, ausschließl. meerbewohnender Vielzeller mit rd. 50 Arten. Ihr Körper ist ein rings geschlossener, einschichtiger Zellschlauch mit Fortpflanzungszellen im Inneren. Alle M. leben zumindest zeitweise parasit., bes. in Weichtieren, Strudel- und Ringelwürmern. M. werden heute als stark rückgebildete Formen der Vielzeller angesehen.

Mespilus [griech.], svw. ↑Mispel.

Mesquitebaum [...'ki:tǝ; indian.-span./dt.] (Algarrobabaum, Prosopis juliflora), in den Tropen und Subtropen (v. a. in Amerika) kultiviertes Mimosengewächs, dessen Hülsenfrüchte als nährstoffreiches Viehfutter verwendet werden. - Die mex. Indianer bauten die Pflanze als Maisersatz an und verarbeiteten die saftigen und fleischigen Teile der Früchte zu Mehl und zu einem bierähnl. Getränk. Der Stamm liefert *Mesquite-* oder *Sonoragummi.*

Messenger-RNS [engl. 'mɛsɪndʒǝ „Bote" (zu lat. mittere „schicken")] (Boten-RNS), eine Form der ↑RNS.

Messeraale ↑Messerfische.

Messerfische, (Notopteridae) Fam. bis etwa 80 cm langer, langgestreckter Knochenfische mit vier Arten in Afrika und S-Asien; Körper hinten spitz zulaufend; z. T. beliebte Warmwasseraquarienfische.
◆ (Messeraale, Nacktaale, Gymnotidae) artenarme Fam. bis etwa 50 cm langer, langgestreckter Karpfenfische in S-Amerika.

Messermuscheln, svw. ↑Scheidenmuscheln.

Messingkäfer (Messinggelber Diebskäfer, Niptus hololeucus), von Kleinasien nach Europa und Amerika verschleppter, 3–5 mm großer, dicht goldgelb behaarter, flugunfähiger Diebskäfer; Schädling an Textilien.

Metabiose [griech.]: Form des Zusammenlebens von Organismen, bei der ein Partner die Voraussetzungen für die anschließende Entwicklung eines anderen schafft; z. B. kommen die Nitratbakterien stets mit den Nitritbakterien vergesellschaftet vor, weil sie auf deren Stoffwechselprodukt angewiesen sind.

Metabolie [griech.] ↑Metamorphose.

metabolisch (metabol) [griech.], 1. veränderlich, z. B. in bezug auf die Gestalt von Einzellern; 2. im Stoffwechselprozeß entstanden.

Metabolismus [zu griech. metabolé „Veränderung, Wechsel"], svw. ↑Stoffwechsel.

Metaboliten [griech.], Substanzen, die als Glieder von Reaktionsketten im normalen Stoffwechsel eines Organismus vorkommen und (als *essentielle M.*) für diesen unentbehrl. sind.

Metagenese (Ammenzeugung, Metagenesis), Form des sekundären ↑Generationswechsels, bei dem eine geschlechtl. und eine sekundär ungeschlechtl. Fortpflanzung *(Ammengeneration)* abwechseln; z. B. bei vielen Hohltieren der Wechsel zw. der sich ungeschlechtl. (Teilung, Knospung) fortpflanzenden Polypen- und der sich geschlechtl. fortpflanzenden Medusengeneration.

Metalimnion [griech.] ↑ Sprungschicht.

Metamerie [griech.] (Segmentierung), in der *Biologie* Gliederung des Tierkörpers in hintereinanderliegende, von ihrer Anlage her gleichartige Abschnitte (Glieder, Segmente, *Metameren*).

Metamorphose [gebildet zu griech. morphế „Gestalt"], (Metabolie, Verwandlung) in der *Zoologie* die indirekte Entwicklung vom Ei zum geschlechtsreifen Tier durch Einschaltung gesondert gestalteter selbständiger Larvenstadien bei vielen Tieren. Man unterscheidet verschiedene Typen der M.: Eine vollkommene Verwandlung (**Holometabolie**) kommt bei Käfern, Flöhen, Hautflüglern, Zweiflüglern und Schmetterlingen vor. Die Larvenstadien unterscheiden sich in Gestalt und Lebensweise vom vollentwickelten Insekt (Imago), wobei diesem ein Ruhestadium (die Puppe) vorausgeht. Während dieser Zeitspanne wird keine Nahrung aufgenommen und die vollständige Verwandlung findet statt. Bei der unvollkommenen Verwandlung (**Hemimetabolie**) geht das letzte Larvenstadium ohne Puppenruhe in die Imago über. Bereits die ersten Larvenstadien ähneln weitgehend dem erwachsenen Tier. Von Häutung zu Häutung erfolgt eine kontinuierl. Weiterentwicklung, Heranbildung der Geschlechtsorgane und (bei geflügelten Insekten) der Flügelanlagen und Flügelmuskulatur. Formen der Hemimetabolie: **Heterometabolie**, bei Schaben, Wanzen, Gleich-, Geradflüglern, Rindenläusen; die Larven sind imagoähnl., haben jedoch zusätzl. Merkmale als sekundäre, larveneigene Bildungen (z. B. Tracheenkiemen) oder unterscheiden sich vom Vollinsekt durch veränderte Körperproportionen (z. B. durch einen relativ stark vergrößerten Vorderkörper). **Paläometabolie**, bei Urinsekten und Eintagsfliegen; bereits im Larvenstadium treten die Merkmale der Imago deutl. auf; während des Imaginalstadiums können noch Häutungen vorkommen. **Neometabolie**, bei Blasenfüßen, Tannenläusen, Mottenschildläusen; auf flügellose Larvenstadien folgt ein Ruhestadium (ohne Nahrungsaufnahme); die sog. Nymphe hat schon Flügelanlagen.

Metaphase, bei der Zellteilung (↑ Mitose, ↑ Meiose) die am schnellsten ablaufende Phase zw. Prophase und Anaphase. Die stark verkürzten Chromosomen ordnen sich dabei in der Äquatorialplatte an.

Metasequoia [nach Sequoyah] (Chin. Mammutbaum), Gatt. der Sumpfzypressengewächse mit der einzigen, sehr urtüml. Art *M. glyptostroboides*, einem schnell wachsenden, sommergrünen Nadelbaum; heute fast überall in Kultur. Lebende Exemplare wurden erst 1941 in China entdeckt.

Metatarsalknochen [gr.; dt.], svw. Metatarsalia (↑ Fuß).

Metathorax, drittes (letztes) Brustsegment bei ↑ Insekten.

Metazoa (Metazoen) [griech.], svw. ↑ Vielzeller.

Metazöl [griech.], paarig ausgebildete sekundäre Leibeshöhle des hinteren Körperabschnittes bei Kragentieren, Kranzfühlern, Bartwürmern und Seeigeln.

Meteorobiologie [griech.], svw. Biometeorologie (↑ Bioklimatologie).

Methämoglobin [griech./lat.] (Hämiglobin), durch Gifte (z. B. Nitroverbindungen) oxidiertes Hämoglobin, das dreiwertiges Eisen enthält und als Sauerstoffträger ungeeignet ist.

Methanbakterien, zu den ↑ Archebakterien gehörende Gruppe meist thermophiler (wärmeliebender) Bakterien, die im Faulschlamm von Sümpfen und Kläranlagen sowie im Pansen von Wiederkäuern leben und aus Kohlendioxid und molekularem Wasserstoff ↑ Methan bilden. Sie werden auch zur Erzeugung von Biogas verwendet.

Methionin [griech.] (2-Amino-4-(methylthio)-buttersäure), Abk. Met; schwefelhaltige essentielle Aminosäure, die einen wichtigen Baustein der Proteine darstellt. M. wirkt wachstumsfördernd auf tier. Gewebe und wird medizin. u. a. bei Lebererkrankungen und Schwermetallvergiftungen verwendet. M. dient auch als Futtermittelzusatz.

Metschnikow, Ilja Iljitsch [russ. 'mjetʃnikɐf], *Iwanowka (Gouv. Charkow) 15. April 1845, †Paris 15. Aug. 1916, russ. Biologe. - Prof. in Odessa, ab 1890 am Institut Pasteur in Paris; widmete sich bes. der Erforschung von Toxinen und Antitoxinen des Choleraerregers. 1883 entdeckte er die Phagozytose von Bakterien durch Leukozyten. Zus. mit P. Ehrlich erhielt er für seine Arbeiten zur Theorie der Immunität 1908 den Nobelpreis für Physiologie oder Medizin.

Meyerhof, Otto, *Hannover 12. April 1884, †Philadelphia 6. Okt. 1951, dt. Biochemiker. - Prof. in Kiel, danach am Kaiser-Wilhelm-Inst. für Biologie in Berlin; 1938 Emigration und Aufenthalt in Paris; ab 1940 Prof. in Philadelphia. Seine Forschungen brachten wichtige Erkenntnisse über den intermediären Kohlenhydratstoffwechsel und über den enzymat. Vorgängen in den Muskelzellen. 1933 entwarf er unabhängig von G. Emden ein neues Schema der Glykolyse und alkohol. Gärung. Bereits 1922 erhielt er für die Entdeckung gesetzmäßiger Verhältnisse zw. dem Sauerstoffverbrauch und dem Milchsäureumsatz in Muskeln den Nobelpreis für Physiologie oder Medizin (zus. mit A. V. Hill).

Mezkalin [mɛs...] ↑ Meskalin.

Michaelis-Konstante, K_M, diejenige Substratkonzentration, bei der bei einem Enzym die halbmaximale Reaktionsgeschwindigkeit erreicht wird; liegt meist bei $10^{-2}–10^{-5}$ mol/Liter, wobei sich bei hoher Substrataffinität kleine, bei niedriger Substrataffinität große K_M-Werte ergeben.

Microbodies

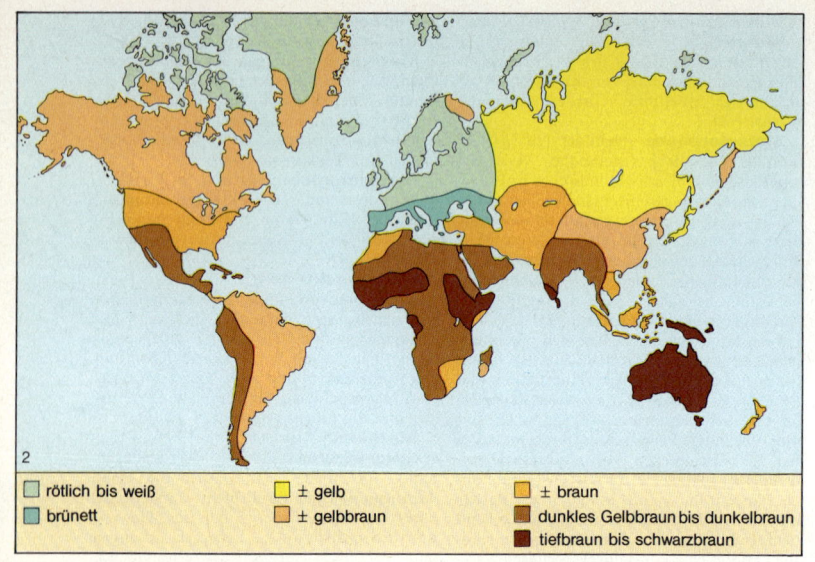

☐ rötlich bis weiß	☐ ± gelb	☐ ± braun
☐ brünett	☐ ± gelbbraun	☐ dunkles Gelbbraun bis dunkelbraun
		☐ tiefbraun bis schwarzbraun

Menschenrassen. Verteilung der Hautfarben auf der Erde

Microbodies [engl.] ↑ Peroxysomen.
Micrococcus [griech.] (Mikrokokken, Gaffkya), Gatt. der Eubakterien mit rd. zehn Arten; aerobe und anaerobe grampositive, oft gelb oder rosa gefärbte, teils begeißelte Kokken von 0,5–3 µm Durchmesser; einzeln, in unregelmäßigen Haufen oder in Paketen; weitverbreitet im Boden, in Gewässern und in der Luft; nicht pathogen. Die Gatt. umfaßt die Sarzinen und Vertreter der Knallgasbakterien.
Microsporidia (Mikrosporidien) [griech.], Ordnung der Sporentierchen, die sehr kleine Sporen bilden; parasitieren vorwiegend in den Zellen von Honigbienen und Seidenraupen; verursachen Nosemaseuche (wie Darmseuche und Fleckenkrankheit).
Miere, Bez. für verschiedene Nelkengewächse, z. B. Stern-M. (Stellaria), Schuppen-M. (Spergularia), Salz-M. (Honckenya), Nabel-M. (Moehringia).
◆ (Alsine, Minuartia) Gatt. der Nelkengewächse mit mehr als 100 Arten in den gemäßigten und kalten Zonen der Nordhalbkugel; Kräuter oder Halbsträucher mit meist weißen Blüten in Trugdolden. Einige polsterbildende Arten sind als Zierpflanzen in Kultur.
Miesmuschel [zu mittelhochdt. mies „Moos"] (Pfahlmuschel, Mytilus edulis), etwa 6–8 cm lange Muschel in den Küstenregionen des N-Atlantiks (einschließl. Ostsee); mit meist schief-dreieckiger, blauschwarzer bis gelblichbrauner Schale; heftet sich nach etwa 4wöchiger plankton. Larvenentwicklung an Steinen, Pfählen oder dergleichen mit Byssusfäden fest (häufig Massenansiedlungen). Die in großen Mengen in den Handel kommende M. wird auch gezüchtet *(Muschelzucht* v. a. an der frz. Atlantikküste in sog. *Muschelbänken,* in denen eingerammte Pfähle *[Muschelpfähle]* den M. zum Anheften dienen). - Als *Große M.* wird oft die sehr wohlschmeckende, nahe verwandte Art *Modiolus modiolus* bezeichnet (kalte Nordmeere; Schale ähnl. gefärbt, bis 14 cm lang). - Abb. S. 194.
Miesmuschelschildlaus, svw. ↑ Kommaschildlaus.
Migration [zu lat. migratio „Umzug"], in der *Zoologie* Bez. für: 1. eine dauerhafte Abwanderung *(Emigration)* oder dauerhafte Einwanderung *(Immigration)* einzelner oder vieler Individuen aus einer Population in eine andere Population der gleichen Art. Je nach den Verhältnissen, die die zugewanderten Tiere vorfinden, kann es durch Isolation zu einer neuen Unterart oder (später) Art kommen. Zuwanderungen ohne Ansiedlung werden als Durchzug (Durchwanderung, *Permigration)* bezeichnet (z. B. während eines Vogelzugs). Einen Sonderfall der M. bildet die ↑ Invasion; 2. einen Wirtswechsel bei verschiedenen niederen Tieren (bes. Blattläusen), die von einer Pflanzenart auf eine andere überwandern. - ↑ auch Tierwanderungen.
Mikania [nach dem tschech. Botaniker J. C. Mikan, * 1769, † 1844], Gatt. der Korbblütler mit mehr als 200 Arten, v. a. in Brasilien; meist Lianen mit weißen bis gelbl. Blüten. Bekannt ist v. a. die Art *M. scandens (*Kletter-

Milben

mikanie) mit weißen oder rosafarbenen Blüten.

Mikroben [griech.], gemeinsprachl. Bez. für Mikroorganismen; meist für Bakterien.

Mikrobiologie, Wiss. von den Mikroorganismen. Entsprechend der Vielfalt der Organismen gibt es innerhalb der M. die Teilgebiete Bakteriologie (Bakterien), Mykologie (Pilze), Phykologie (Algen), Virologie (Viren), Protozoologie (Einzeller). Abgezweigt von der allg. M. haben sich Spezialgebiete wie die medizin. M., die sich bes. mit der Untersuchung von Krankheitserregern beim Menschen befaßt, oder die industrielle M., die sich mit der Nutzung von Mikroorganismen für die Produktion von Nahrungs-, Genuß- und Arzneimittel (Antibiotika) befaßt.

Mikrofilamente (Plasmafilamente), im Zytoskelett aller Zellen vorhandene, 6–10 nm dicke, Aktin oder Myosin enthaltende Filamente.

Mikrokokken [griech.] ↑ Micrococcus.

Mikroorganismen, mikroskop. kleine, einzellige Organismen, also Bakterien, Blaualgen, Einzeller sowie ein großer Teil der Algen und Pilze. Die Viren sind keine M., da sie nicht zellulär organisiert sind.

Mikrophyllen [griech.], kleine, einadrige Blättchen einiger Urfarne und Bärlappe.

Mikropyle [griech.] ↑ Samenanlage.

Mikrosmaten [griech.], Bez. für Tiere mit nur schwach entwickeltem Geruchssinn.

Mikrosomen [griech.], submikroskop. kleine Zelltrümmer, die man nach Entfernen der Kern- und Mitrochondriensubstanz durch Zentrifugieren homogenisierter Zellen erhält; bestehen aus Bruchstücken des endoplasmat. Retikulums und aus ribosomaler RNS.

Mikrosporidien ↑ Microsporidia.

Mikrotubuli [griech./lat.] (Zytotubuli), 25 nm dicke, röhrenförmige, die Eiweißkomponenten Tubulin und Dynein enthaltende Strukturen in fast allen eukaryont. Zellen; bilden das ↑ Zentriol und sind an den Chromosomenbewegungen beteiligt.

Mikrovilli (Einz. Mikrovillus) [griech./lat.], nur elektronenmikroskop. sichtbare, fingerförmige, durch Mikrofilamente stabilisierte Zytoplasmafortsätze an Zelloberflächen; erleichtern durch Vergrößerung der Zelloberfläche den Stoff- bzw. Reizaustausch.

Milane [frz.] (Milvinae), mit zehn Arten v. a. in offenen Landschaften und Wäldern weltweit verbreitete Unterfam. etwa 30–60 cm langer, dunkel- bis rostbrauner, lang- und schmalflügeliger Greifvögel; ausgezeichnete Segler mit langem, oft gegabeltem Schwanz; ernähren sich von kleinen Wirbeltieren; Horste auf hohen Bäumen; Zugvögel. In M-Europa kommen vor: **Roter Milan** (Gabelweihe, Königsweihe, Milvus milvus), etwa 60 cm lang, mit Ausnahme des auf hellerem Grund dunkel gestrichelten Kopfes rotbraun; Schwanz tief gegabelt. **Schwarzer Milan** (Milvus migrans), bis über 50 cm groß, schwarzbraun gefärbt, Schwanz schwach gegabelt. - Abb. S. 194.

Milben [zu althochdt. mil(i)wa, eigtl. „mehlmachendes Tier"] (Acari, Acarina), mit rd. 10 000 Arten weltweit verbreitete Ordnung etwa 0,1–30 mm langer Spinnentiere in allen Lebensräumen an Land und in Gewässern; mit meist gedrungenem, in Vorder- und Hinterkörper gegliedertem, blaßgelbl. oder weißl. bis buntem Körper (Hinterleib stark verkürzt), vier (gelegentl. auch zwei) Beinpaaren und kauenden oder stechend-saugenden Mundwerkzeugen. - M. ernähren sich entweder räuber. (z. B. Meeres-M.), als Pflanzen- und Abfallfresser (z. B. Horn-M.) oder parasit. als Säftesauger an Pflanzen (z. B. Gall-M., Rote Spinne) oder (bei Tier und Mensch) als Blutsauger (z. B. Zecken), oder sie sind Gewebe- oder Hornfresser (Balg-M.). M. können auch an Nahrungsmittelvorräten schädl. werden (Vorrats-M., Wurzel-M.). - Zu den M. gehören noch Laufmilben, Spinnmilben und

Menstruation. Der weibliche Zyklus als Funktion des sexuellen Zentralsystems (a gonadotrope Hormone und Eierstockzyklus, b Blutspiegel der Eierstockhormone, c Zyklus der Gebärmutterschleimhaut, d Scheidenabstrich, e Basaltemperatur)

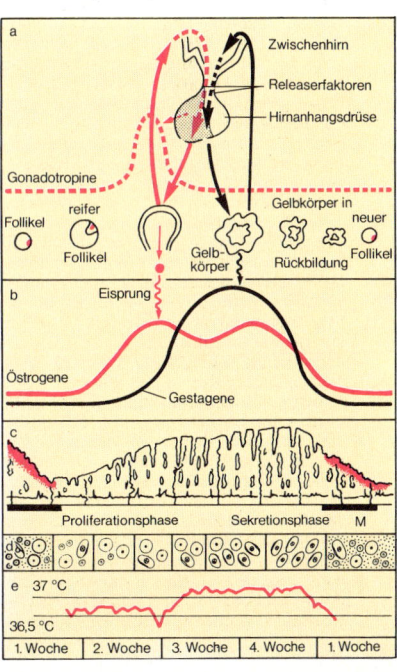

Milch

die Fam. **Käfermilben** (Parasitidae); bis 1,5 mm groß, goldbraun.

Milch, in den Milchdrüsen der weibl. Säugetiere gebildete Flüssigkeit (bei der Frau ↑ Muttermilch). Im allg. versteht man in Europa darunter Kuhmilch, die als „zubereitete M." in den Handel kommt. M. anderer Tiere (z. B. von Schaf oder Ziege) darf nur gekennzeichnet als solche in den Handel kommen. Die durch Melken gewonnene M. zählt zu den wichtigsten Nahrungsmitteln. Sie besteht zu 82–87 % aus Wasser und enthält emulgiertes Milchfett, ferner in kolloidaler und makromolekularer Verteilung Milcheiweiß und in echter Lösung M.zucker (Lactose), anorgan. Salze und die wasserlösl. Vitamine B_1, B_2, B_6, B_{12} und C. Der durchschnittl. Gehalt der M. an Fett, Eiweiß und M.zucker schwankt je nach Tierart und Rasse. Die wichtigsten Mineralstoffe der M. sind v. a. Phosphate von Kalium und Calcium, Zitrate und Chloride. Von ihnen ist das Calciumphosphat am wichtigsten, denn M. und M.produkte sind unter den Nahrungsmitteln die Hauptlieferanten dieses wichtigen Aufbaustoffes. Geringer ist der Gehalt an Sulfaten und Hydrogencarbonaten sowie an Eisen- und Magnesiumsalzen. Außerdem enthält die M. viele Spurenelemente wie Fluor, Mangan, Molybdän, Silicium, Vanadium, Zink, Selen. An Enzymen sind u. a. Lipase, Amylase, Katalase, Peroxidase enthalten, die z. T. durch Erhitzen zerstört werden.

Das M.fett und die M.proteine geben infolge ihrer Lichtdispersion der M. die weiße bis gelblichweiße Farbe. Beim Stehenlassen der M. steigen die Fetttröpfchen wegen ihres geringen spezif. Gewichts nach oben und bilden eine Rahmschicht (Sahne). Durch Homogenisieren (Zerstörung der Hüllmembranen der Fettkügelchen) und Pasteurisieren (Denaturierung der Hüllmembranen) wird dieser Vorgang verzögert. Frische M. (**Vollmilch**) hat ein spezif. Gewicht zw. 1,029 und 1,034 g/cm^3; das spezif. Gewicht der unter der Rahmschicht verbleibenden Magermilch ist höher. Die **Magermilch** enthält, abgesehen vom fehlenden Fett, die gleichen Substanzen im selben Verteilungszustand wie die Voll-M. Ein kg Kuh-M. entspricht 2 848 kJ (= 678 kcal) und hat einen Ausnutzungswert von 95–99 %. Vitaminreiche Kost bzw. Fütterung der M.tiere erhöht den Vitamingehalt der M., wie überhaupt die Ernährungs- und Haltungsbedingungen einen Einfluß auf Menge und Zusammensetzung der M. haben. - Der biolog. Wert der M. beruht auf der großen Zahl ihrer Inhaltsstoffe. M. kann daher Jungtieren bzw. Säuglingen in der ersten Lebenszeit als einziges Nahrungsmittel dienen. Kuh-M. ist eiweißreicher und zuckerärmer als Mutter-M. und wird daher Säuglingen immer verdünnt unter M.zuckerzusatz gegeben. M. fördert die Gesundheit des Erwachsenen und steigert die Abwehrkräfte des Organismus gegen Infektionskrankheiten.

Milchverarbeitung: Die ermolkene Milch wird gekühlt unter Lichtabschluß aufbewahrt, in Spezialbehältern zur Molkerei transportiert (in weiträumigen Einzugsgebieten unter Zwischenschaltung einer *Milchsammelstelle*) und dort nach zugelassenen Verfahren be- und verarbeitet. Zur Abtötung etwaiger Krankheitserreger wird die Milch einer Hitzebehandlung ausgesetzt. Unkontrolliertes Erhitzen der Milch führt zu tiefgreifenden, wertmindernden Veränderungen (Denaturierung von Proteinen, Inaktivierung von Enzymen, Vernichtung von Vitaminen), weshalb das Milchgesetz nur bestimmte Formen des Pasteurisierens zuläßt. Unmittelbar nach der Pasteurisierung wird die Milch nach anerkannten Verfahren gekühlt (auf mindestens 5 °C, aber nicht unter 0 °C). Vielfach wird die Milch auch homogenisiert und ihr Fettgehalt auf einen bestimmten Wert eingestellt.

Geschichte: Seit Urzeiten ist M. Hauptnahrungsmittel der Hirtenvölker und Nomaden. Nach bibl. Vorstellungen ist sie neben Honig ein wesentl. Attribut für das Gelobte Land. Auch in der Mythologie des griech.-röm. Altertums spielt M. eine bedeutende Rolle. Nach Euripides gehörte es zu den Wundern des Dionysos, M. und Honig aus dem Boden hervorzuzaubern. Im dt. Volksglauben werden neben M. und Honig v. a. M. und Blut in Zusammenhang gebracht.

 Blau, G./Kielwein, G.: Die Erzeugung von Qualitätsmilch. Gießen 1985. - Die M. Hg. v. *H. O. Gravert.* Stg. 1983. - *Renner, E.:* M. u. M.produktion in der Ernährung des Menschen. Mchn. ⁴1982. - Desinfektion in Tierhaltung, Fleischwirtschaft u. M.wirtschaft. Hg. v. *T. Schliesser u. D. Strauch.* Stg. 1981.

♦ in der *Fischkunde* Bez. für die milchig-weiße Samenflüssigkeit geschlechtsreifer männl. Fische *(Milchner).* - ↑ toter Rogen.

Milchbaum, svw. ↑ Kuhbaum.

Milchbrätling, svw. ↑ Brätling.

Milchdrüsen (Mammadrüsen, Glandulae lactiferae, Glandulae mammales), Milch absondernde Hautdrüsen bei Säugetieren (einschließl. Menschen), die sich stammesgeschichtl. aus Schweißdrüsen entwickelt haben. Sie bestehen aus einer großen Anzahl von Drüsenschläuchen, die entweder auf einem eng umgrenzten Hautfeld (bei Kloakentieren) oder auf warzenartigen Hauterhebungen (Zitzen, Brustwarzen) ausmünden. Bei der individuellen Entwicklung werden die Anlagen der M. von einem Paar epithelialer Leisten *(Milchleisten)* gebildet. Sie bilden sich in den ersten Lebensmonaten (beim Menschen dritter Monat) wieder zurück. Die Brust der Frau enthält je 15 bis 20 verzweigte Einzeldrüsen in unregelmäßigradiärer Anordnung. Sie vergrößern sich stark während der Schwangerschaft und Stillzeit; aber

auch während des ovariellen Zyklus sind sie, hormongesteuert, period. Veränderungen unterworfen. Rückbildung mit dem Beginn des Klimakteriums.
◆ (M.organe, M.körper, Mammaorgane, Mammae) die aus mehreren bis vielen Einzeldrüsen sowie aus Binde- und Fettgewebe sich zusammensetzenden milchgebenden Organe der Säugetiere, beim Menschen die Brust. - ↑auch Euter.

Milcheiweiß, das aus mehreren Proteinen bestehende Eiweiß der Milch von Säugetieren (einschließl. Mensch). Charakterist. Eiweißkörper der Milch ist das Phosphoproteid ↑Kasein ($\approx 3\%$). Dazu kommen die Serum- oder Molkenproteine sowie Antikörper, ferner Enzyme und andere, möglicherweise sekundär gebildete Proteine. Die biolog. vollwertigen Milchproteine enthalten alle essentiellen Aminosäuren und werden auch bei der normalen Milchbe- und -verarbeitung (einschließl. Pasteurisation, Sterilisation, Sprühtrocknung) nicht zerstört. M. wird in der Futter- und Nahrungsmittelind. sowie zur Herstellung von Leim, Kaseinfarben und Kunsthorn verwendet.

Milchfett, das in der Milch der Säugetiere (einschließl. Mensch) in Form feinster, von einer Membran abgegrenzter Tröpfchen enthaltene Fett. Das *Fett der Kuhmilch* (3–6%) besteht aus Glyceriden gesättigter und ungesättigter Fettsäuren und enthält Spuren von Cholesterin und Milchfarbstoffen (v. a. Karotinoide). Beim Ausbuttern und Homogenisieren wird die Membran zerstört, bei Hitzebehandlung kann sie denaturiert werden. M. dient u. a. zur Herstellung von Butter, Butterschmalz und Rahmpulver und wird aus Sahne gewonnen.

Milchfisch (Chanos chanos), bis etwa 1 m langer, heringsförmiger, silbriger bis milchigweißer Knochenfisch in küstennahen Salz-, Brack- und Süßgewässern der trop. Pazif. und des Ind. Ozeans; Speisefisch.

Milchgebiß, die ersten 20 Zähne *(Milchzähne)* eines Kindes (oder jungen Säugetiers), die nach einer bestimmten Zeit nach und nach ausfallen.

Milchkraut (Strandmilchkraut, Glaux), Gatt. der Primelgewächse mit der einzigen Art *Glaux maritima*: Salzpflanze der Meeresstrände und des Binnenlandes der gemäßigten Zone der Nordhalbkugel; Blätter fleischig, am Blattrand mit kleinen Drüsen, durch die überschüssiges Salz ausgeschieden wird; kleine, rosafarbene, einzelnstehende Blüten ohne Krone.

Milchlattich (Cicerbita), Gatt. der Korbblütler mit nur wenigen Arten in Europa und N-Amerika; milchsaftreiche, hohe Kräuter mit hohlem Stengel und meist blauen Blüten; einige Arten als Zierpflanzen.

Milchlinge (Reizker, Lactarius), Gatt. der Lamellenpilze mit meist trichterförmigem, zentral gestieltem Hut, weißen Sporen und meist weißem, auch wäßrig klarem oder orangerotem Milchsaft; rund 75 mitteleurop., giftige und eßbare Arten, die meist Mykorrhizen (↑Mykorrhiza) bilden. Bekannte und gute Speisepilze: ↑Brätling; **Edelreizker** (Lactarius deliciosus), orange- bis ziegelrot, mit orangefarbenen Lamellen, die bei Verletzung oder Druck grünfleckig werden; Milchsaft orangerot; wächst auf grasigen Standorten in Fichtenwäldern. **Blutreizker** (Lactarius sanguifluus), ähnl. dem Edelreizker, aber mit rotem Milchsaft; wächst auf Kalkböden unter Kiefern.

Milchröhren, lebende, häufig vielkernige Exkretzellen verschiedener Pflanzenarten, die Milchsaft führen. Man unterscheidet: 1. *ungegliederte M.*: aus einer Zelle hervorgehend, meist stark verzweigt, z.T. mehrere Meter lang werdend; bes. bei Wolfsmilch-, Maulbeer-, Hundsgiftgewächsen; 2. *gegliederte M.*: durch Fusion mehrerer Zellen unter Querwandauflösung entstehend; unverzweigte Röhren oder Netzwerke bildend; z. B. bei verschiedenen Wolfsmilchgewächsen (Kautschukbaum), Mohn- und Glockenblumengewächsen und vielen Korbblütlern (Löwenzahn).

Milchsaft (Latex), Zellsaftemulsion in den Milchröhren einiger Pflanzen; milchige, weiß, gelbe oder rötl. gefärbte, an der Luft trocknende Flüssigkeit, z.T. als Wundverschluß wirksam; enthält u. a. Salze organ. Säuren, Alkaloide, äther. Öle und Gummiharze.

Milchsäure (2-Hydroxypropionsäure), kristalline oder viskose, hygroskop., leicht wasserlösl. Hydroxycarbonsäure, die in zwei opt. aktiven Formen, als D($-$)-M. und L($+$)-M. sowie als opt. inaktives Racemat, D,L-M., vorkommt. L($+$)-M. entsteht in der Natur als Endprodukt der anaeroben ↑Glykolyse durch Reduktion von Brenztraubensäure. Dieser Vorgang läuft in den Muskeln nach starker Arbeitsleistung ab (Muskelkater). Ebenso bilden die Milchsäurebakterien racemat. M. als Stoffwechselendprodukt *(Milchsäuregärung)*. M. ist daher in saurer Milch, Sauerkraut usw. vorhanden. Techn. wird M. durch Vergären zucker- bzw. stärkehaltiger Rohstoffe (z. B. Kartoffeln, Melasse) mit Hilfe von Milchsäurebakterien, aber auch synthet. aus Acetaldehyd und Blausäure gewonnen. M. wird als Säuerungs- und Konservierungsmittel in der Nahrungsmittelind. verwendet. Die Salze und Ester der M. heißen **Lactate.** M. wurde 1750 von K. W. Scheele in saurer Milch entdeckt. Strukturformeln:

$$\begin{array}{cc} \text{COOH} & \text{COOH} \\ | & | \\ \text{HO}-\text{C}-\text{H} & \text{H}-\text{C}-\text{OH} \\ | & | \\ \text{CH}_3 & \text{CH}_3 \\ \text{L}(+)\text{-Milchsäure} & \text{D}(-)\text{-Milchsäure} \end{array}$$

Milchsäurebakterien

Milchsäurebakterien (Laktobakterien, Lactobacteriaceae), anaerobe, jedoch den Luftsauerstoff tolerierende, grampositive, unbewegl. Bakterien, die aus Kohlenhydraten durch Milchsäuregärung Energie gewinnen. Die M. sind von großer wirtsch. Bed. bei der Konservierung von Milch- und Pflanzenprodukten durch Milchsäure, beim Backen (Sauerteig: CO_2-Bildung). Sie gehören ferner zur Darmflora des Menschen. Einige M. sind pathogen (Streptokokken, Pneumokokken).

Milchsäuregärung ↑ Milchsäure.

Milchstern (Ornithogalum), Gatt. der Liliengewächse mit rd. 100 Arten, bes. in trockenen Gebieten Europas, Afrikas und Asiens; Zwiebelpflanzen mit meist weißen, in endständigen Trauben stehenden Blüten. Zierpflanzen sind die **Nickende Milchstern** (Ornithogalum nutans) sowie der **Stern von Bethlehem** (Ornithogalum thyrsoides).

Milchzähne ↑ Milchgebiß.

Milchzucker, svw. ↑ Lactose.

Milium [lat. „Hirse"], Gatt. der Süßgräser mit mehreren Arten in Eurasien und Amerika; bis 1 m hohe Gräser mit einblütigen, in Rispen stehenden Ährchen; bei uns meist in Laubwäldern; bekannt ist das ↑ Flattergras.

Milstein, César, * Bahia Blanca (Provinz Buenos Aires) 8. Okt. 1927, argentin. Immunologe. - Forschungen über Antikörperstruktur und die Produktion monoklonaler Antikörper; erhielt dafür 1984 zus. mit G. F. Köhler und N. K. Jerne den Nobelpreis für Physiologie oder Medizin.

Miltonia [nach dem brit. Politiker C. W. W. Fitzwilliam, Viscount Milton, * 1786, † 1857], Gatt. epiphyt. lebender Orchideen mit rd. 20 Arten in Brasilien und Kolumbien; beliebte Zierpflanzen.

Milz [zu althochdt. milzi, eigtl. „die Auflösende" (nach ihrer vermeintl. Funktion bei der Verdauung)] (Lien, Splen), hinter oder in der Nähe des Magens liegendes größtes lymphat. Organ der Wirbeltiere und des Menschen. Beim Menschen liegt sie links seitl. des Magens im oberen Bauchraum entlang der 9. bis 11. Rippe, ist weich, faustgroß, blaurot und hat die Form einer Bohne. Bei einer Länge von 10–12 cm und einer Breite von 6–8 cm wiegt sie 150–200 g. Sie enthält zw. den Trabekeln das weiche, bluterfüllte, rote M.gewebe (M.parenchym, *rote Pulpa*) eingelagert, das von vielen als weiße Pünktchen erscheinenden Lymphknötchen *(Milzknötchen)* durchsetzt ist, die zus. die weiße Pulpa ergeben. *Funktion:* Bildung weißer Blutkörperchen, Bildung von Antikörpern bei schweren Infektionskrankheiten (durch die starke Beanspruchung ist die M. stark angeschwollen), Abbau von roten Blutkörperchen (auch bei Krankheiten mit verstärktem Blutabbau, z. B. Malaria, ist die M. geschwollen), Bildung von Blut während der Embryonalzeit. - Die M. ist nicht unbedingt lebensnotwendig. Nach ihrer operativen Entfernung übernehmen die anderen lymphat. und retikulären Organe des Organismus (Leber, Knochenmark, Lymphknoten) ihre Funktion. Da die M. einen offenen Blutkreislauf hat, sind Verletzungen der M. nicht heilbar; es besteht die Gefahr des Verblutens. Kontraktionen der M. bei vermehrtem plötzl. Sauerstoffbedarf können *Seitenstechen (Milzstechen)* bewirken.

Milzbrandbazillus (Bacillus anthracis), einziger menschenpathogener Vertreter der Gatt. Bacillus, Erreger des Milzbrands beim Menschen und bei fast sämtl. Warmblütern. Aerobes, grampositives Stäbchen mit konkav eingewölbten Enden und jahrelang infektiösen Sporen.

Milzfarn, svw. ↑ Schriftfarn.

Milzkraut (Chrysosplenium), Gatt. der Steinbrechgewächse mit rd. 50 Arten, v. a. in O-Asien; rasenbildende, niedrige Stauden mit runden bis nierenförmigen Blättern und kleinen, grünlichgelben Blüten. In M-Europa kommen die Arten **Wechselblättriges Milzkraut** (Chrysosplenium alternifolium) und **Gegenblättriges Milzkraut** (Chrysosplenium oppositifolium) vor.

Mimese [zu griech. mímēsis „Nachahmung"], Nachahmung von belebten oder unbelebten Gegenständen durch Tiere (bes. In-

Miesmuschel

Schwarzer Milan

Minze

sekten), die die Tiere davor schützt, als Beute erkannt und gefressen zu werden, und im Unterschied zur ↑Mimikry nicht abschreckend wirkt. Man unterscheidet *Phyto-M.* (Nachahmung von Pflanzenteilen), *Zoo-M.* (Nachahmung von anderen Tieren) und *Allo-M.* (Nachahmung von unbelebten Umweltgegenständen).

Mimikry [...kri; griech.-engl., eigtl. „Nachahmung"], bei wehrlosen Tieren bes. Form der Schutzanpassung, die (im Unterschied zur ↑Mimese) durch Nachahmung von auffälligen Warntrachten durch täuschende Ähnlichkeiten mit wehrhaften oder widerl. schmeckenden Tieren abschreckend auf andere Tierarten wirkt.

Mimose [griech.], (Mimosa) svw. ↑Sinnpflanze.

♦ volkstüml. Bez. für einige Arten der Akazie.

Mimosengewächse (Mimosaceae), Fam. der Hülsenfrüchtler mit rd. 2 000 Arten in den Tropen und Subtropen; Sträucher oder Bäume, selten Kräuter mit meist doppelt gefiederten Blättern; die Blüten stehen meist in dichten Köpfchen oder in ährenartigen Trauben. Bekannte Gatt. sind ↑Akazie und ↑Sinnpflanze.

Mimulus [griech.], svw. ↑Gauklerblume.

Mimusops [griech.], Gatt. der Seifenbaumgewächse mit 30 Arten in Afrika und Asien; bekannt sind *M. elengi*, ein in Indien heiliger Baum, sowie Arten, die Nutzhölzer (Massaranduba, Makoré) und Milchsaft (Balata) liefern.

Minen [frz.] (Nomien), durch Fraßtätigkeit *(Minierfraß)* von Tieren (v. a. Insektenlarven) entstehende kleine Hohlräume im Innern meist lebender Pflanzenteile. Nach ihrer Form unterscheidet man linienartig dünne bis schlauchförmige Gangminen von breiten, kammerartigen Platzminen. Form und Verlauf der Mine sowie Anordnung des Kotes in der Mine sind meist artcharakterist. und können zum Bestimmen der Minierer (Minierfliegen, Blatttütenmotten, Bohr-, Borkenkäfer) verwendet werden.

Minierfliegen [frz./dt.] (Agromyzidae), weltweit verbreitete Fam. der Fliegen mit über 1 000 meist nur etwa 2 mm großen, grau oder braun gefärbten Arten. Die Larven fressen in Blättern, Stengeln oder anderen Pflanzenteilen und bilden artcharakterist. Minen aus (z. T. Kulturschädlinge).

Miniermotten [frz./dt.], svw. ↑Blatttütenmotten.

Miniersackmotten (Incurvariidae), in Eurasien und N-Amerika verbreitete Fam. zierl. Schmetterlinge mit rd. 200 (einheim. 25) 6–20 mm spannenden Arten. Die Larven minieren entweder dauernd in Blättern oder leben später in einem aus Blatteilen gefertigten Gespinstsack am Boden. Bekannt ist die 17 mm spannende, gelbbraune **Johannisbeermotte** (Incurvaria capitella); Raupen fressen in

Mimikry. Der wie eine Hornisse aussehende Hornissenglasflügler (Algeria apiformis)

Mimese. Die südeuropäische Nasenschrecke (Truxalis nasuta) ist kaum von einem Grasblatt zu unterscheiden

Früchten, Knospen und Trieben der Johannisbeere.

Mink [engl.] (Amerikan. Nerz, Mustela vison), etwa 30 (♀)–45 cm (♂) langer, mit Ausnahme eines weißen Kinnflecks meist tief dunkelbrauner Marder, v. a. an Gewässern großer Teile N-Amerikas; ausgezeichnet schwimmendes, v. a. kleine Landwirbeltiere, Krebse und Fische fressendes Raubtier, das wegen seines wertvollen Pelzes oft in Farmen *(Farmnerze;* in verschiedenen Farbvarianten) gezüchtet wird.

Minze (Mentha) [lat.], Gatt. der Lippenblütler mit rd. 20 Arten, v. a. im Mittelmeergebiet und in Vorderasien; Stengel vierkantig; Blüten klein und regelmäßig; Blätter gegenständig, gezähnt oder gelappt. Blätter und Stengel enthalten äther. Öl (Menthol). In M-Europa kommen 5 Arten wild vor, u. a. die 15–30 cm hohe **Ackerminze** (Mentha arvensis); Stengel und Blätter behaart; auf feuchten Standorten. Auf ebensolchen wächst auch die 20–80 cm hohe **Wasserminze** (Mentha aquatica); Blüten blaßviolett bis rötl., in endständigen Blütenköpfchen. 10–30 cm hoch wird die **Poleiminze** (Mentha pulegium); Blüten blauviolett bis lilafarben, in Scheinquirlen. Angebaut werden die ↑ Pfefferminze und die bis 90 cm hohe **Grüne Minze** (Mentha spicata); mit rosa- oder lilafarbenen Blüten in bis 6 cm langen ährenartigen Blütenständen; Blätter lanzettförmig, scharf gesägt, mit starkem Pfefferminzgeschmack; wird häufig als Küchengewürz verwendet.

Mirabelle ↑ Pflaumenbaum.

Mirabilis [lat.], svw. ↑ Wunderblume.

Miracidium [griech.], etwa birnenförmige, bewimperte erste Larvenform bei Saugwürmern; wächst im Wirtsgewebe zu einer Sporozyste heran, die ↑ Redien hervorbringt.

Miracosa [Kw.], Frucht einer Kreuzung aus Mirabelle und Aprikose; Aussehen ähnl. der Mirabelle; Geschmack ähnl. der Aprikose.

Miscanthus [griech.], Gatt. der Süßgräser mit mehreren Arten im trop. Afrika und SO-Asien; hohe Gräser mit schmalen Blättern und großen, in endständigen Rispen stehenden Blüten. Bekannt ist das als Ziergras angepflanzte *Jap. Seidengras* (Miscanthus sinensis) und das winterharte *Silberfahnengras* (Miscanthus sacchariflorus).

Mischerbigkeit, svw. ↑ Heterozygotie.

Mispel [griech.-lat.], (Mespilus) Gatt. der Rosengewächse mit der einzigen Art **Mespilus germanica:** Strauch oder kleiner Baum; heim. in Vorderasien, in Europa fast nur verwildert vorkommend; Blätter lang und schmal; große weiße Einzelblüten.- Die ausgereiften grünen oder bräunl. (erst nach Frosteinwirkung eßbaren) Früchte (**Mispeln**) haben die Form kleiner Birnen. Die M. liefert gutes Holz für Drechslerarbeiten.
◆ volkstüml. Bez. für verschiedene Apfelgewächse, z. B. Zwerg- oder Steinmispel, Glanzmispel.

Missing link [engl. „fehlendes Glied"], Bez. für eine noch fehlende (gesuchte) Übergangs- oder Zwischenform; speziell in der Stammesentwicklung, wenn in tier. und pflanzl. Stammbäumen ein Bindeglied, das zw. Stammformen und aus ihnen hervorgegangenen Gruppen existiert haben muß (z. B. auch zw. Mensch und tier. Ahnen), fossil bisher nicht nachgewiesen wurde.

Mississippialligator (Hechtalligator, Alligator mississippiensis), etwa 3 m langer, schwärzl., z. T. auch hell gezeichneter Alligator in und an Flüssen der sö. USA; Schnauze stark abgeflacht; Bestände stark bedroht; seit etwa 1970 Zuchterfolge in Alligatorenfarmen.

Mistbienen ↑ Schlammfliegen.

Mistel (Hexenkraut, Donnerbesen, Kreuzholz, Viscum), Gatt. der Mistelgewächse mit über 60 vorwiegend trop. Arten; in Deutschland nur die **Weiße Mistel** (Viscum album) mit drei wirtsspezif. Unterarten (Laubholz-, Tannen- und Kiefern-M.); immergrüne, zweihäusige strauchförmige Halbschmarotzer der Laub- und Nadelhölzer mit einfachen, gelbgrünen, lanzettförmigen und gegenständigen, ledrigen Blättern und gabeligen Zweigen; Blüten in Gruppen; die Frucht ist eine verschleimende, beerenartige Scheinfrucht, deren klebrige Samen durch Vogelkot verbreitet werden. *Geschichte:* Wegen ihrer ungewöhnl. Gestalt gewann die M. große Bed. in Sagen und Mythen; sie galt sowohl als Mittel für Abwehrzauber als auch für ein Heilmittel. Pharmokolog. werden die Substanzen der M. erst seit einigen Jahrzehnten (v. a. zur Herstellung blutdrucksenkender Mittel) genutzt. - Der bot. Weihnachtsbrauch, M.zweige in die Wohnung zu hängen, zeugt wahrscheinl. noch vom uralten Mythos, der die M. umgibt.

Misteldrossel (Turdus viscivorus), etwa 27 cm lange, oberseits graubraune, unterseits weißl., dunkelbraun gefleckte Drossel, v. a. in lichten Wäldern und Parkanlagen NW-Afrikas, Europas und Z-Asiens; frißt bes. gern Mistelbeeren.

Mistelgewächse (Loranthaceae), Pflanzenfam. mit rd. 1 400 meist trop. Arten; halbstrauchige, chlorophyllhaltige Halbparasiten; v. a. auf Bäumen durch Saugorgane haftend; Blätter meist gut entwickelt. Bekannte Gatt. sind Mistel und Riemenblume.

Mistfliegen, svw. ↑ Kotfliegen.

Mistkäfer (Geotrupinae), weltweit verbreitete Unterfam. 7-25 mm großer, oft metallisch-blau, -grün oder -violett glänzender Blatthornkäfer (Fam. Skarabäiden) mit rd. 300 (einheim. neun) Arten. Die Käfer und Larven leben von Exkrementen pflanzenfressender Säugetiere, die sie geformt in selbstgegrabenen Gangsystemen im Boden ablagern. - Zu den M. gehört u. a. die Gatt. Pillendreher.

Mistwurm ↑ Regenwürmer.

Mitchell [engl. ˈmɪtʃəl], Peter Dennis, * Mitcham (Surrey) 29. Sept. 1920, brit. Biochemiker. - Forschungschef der Glynn Research Laboratories in Bodmin (Cornwall). Grundlegende Arbeiten zur Bioenergetik, insbes. über die zur Energieübertragung und -versorgung von lebenden Zellen dienenden chem. Prozesse. Nach seiner 1961 aufgestellten „chemiosmot. Theorie der Phosphorylierung" ist die Bildung des Energiespeichers ATP mit einer gleichzeitigen Übertragung von Wasserstoffionen durch Zellmembranen hindurch gekoppelt und wird durch das sich zu beiden Seiten der Membranen ausbildenden Unterschied in der Wasserstoffionenkonzentration und elektr. Potentialdifferenzen ermöglicht, wobei verschiedene in den Membranen befindl. Enzyme beteiligt sind. Für diese heute in ihren Grundlagen experimentell und allg. als fundamentales Prinzip der Bioenergetik geltende Theorie erhielt er 1978 den Nobelpreis für Chemie.

Mitochondrien (Chondriosomen)

Mobilisierung

[griech.], 0,2 bis 8 µm große, längl. oder rundl. Organellen in allen kernhaltigen tier. und pflanzl. sowie in den menschl. Zellen. M. sind von zwei Membranen umgeben, von denen die innere röhrenförmige (*Tubuli mitochondriales*) oder flächige (*Cristae mitochondriales*) Ausstülpungen in den Innenraum (*Matrix*) sendet. An der inneren Membran sind die Enzyme der ↑Atmungskette lokalisiert. In der Matrix befinden sich die Enzyme des Zitronensäurezyklus und der oxidativen Decarboxylierung. Die zahlr. Enzymsysteme in den M. werden zum größten Teil von der Kern-DNS kodiert und über die entsprechenden Proteinsyntheseapparate (Ribosomen) synthetisiert. Möglicherweise lassen sich die M. (ebenso wie die Plastiden) von in Zellen eingewanderten endosymbiont. Prokaryonten (Bakterien, Blaualgen) herleiten. M. vermehren sich wie Plastiden durch Teilung.

Mitose [zu griech. mítos „Faden"] (indirekte Kernteilung, Karyokinese, Äquationsteilung), Kernteilungsvorgang, bei dem aus einem Zellkern zwei Tochterkerne gebildet werden, die gleiches (mit dem Ausgangsmaterial ident.) Genmaterial und (im Unterschied zur ↑Meiose) die gleiche Chromosomenzahl haben. Die Chromosomen werden während der zw. zwei Mitosen liegenden Interphase verdoppelt. Während einer M. werden folgende Phasen durchlaufen: *1. Prophase:* Die Chromosomen werden als fadenförmige Gebilde im Zellkern sichtbar. Durch schraubenartige Faltung werden sie verdickt und verkürzt. Die Kernspindel formt sich, die Kernmembran und der Nukleolus (Kernkörperchen) werden aufgelöst. *2. Metaphase:* Die Spindelfasern zw. den vorgebildeten Zentromeren (Einschnürung, die jedes Chromosom in zwei Schenkel teilt) und den Polen sind gebildet. Mit ihrer Hilfe ordnen sich die Chromosomen in einer Ebene zw. den Polen an. *3. Anaphase:* Die Zentromeren verdoppeln sich, und die Chromatiden (Chromosomenspalthälften) wandern entlang den Spindelfasern zu den Polen. *4. Telophase:* Sind alle Chromosomen an den beiden Polen, werden neue Kernmembranen und Nukleoli gebildet, der Spindelapparat wird abgebaut. Die Chromosomen entfalten sich, werden lichtmikroskop. unsichtbar, weil sie sich in die Arbeitsform des Interphasekerns umwandeln. - Normalerweise folgt der M. die Teilung des Zellplasmas (Zellteilung). Neben anderen Faktoren bewirken Mitosegifte, daß die Chromosomen nicht getrennt und die Kerne polyploid (↑Polyploidie) werden. Riesenchromosomen entstehen, wenn die M. nach der DNS-Replikation überhaupt nicht eingeleitet wird. - Abb. S. 198.

Mitralklappe [griech./dt.], svw. linke Atrioventrikularklappe.

Mitraschnecken (Mitridae), Fam. etwa 1-17 cm großer Schnecken (Unterklasse Vorderkiemer) mit fast 600 Arten, v. a. in trop. und subtrop. Meeren; Gehäuse turmförmig, oft bunt, bei manchen Arten einer Mitra ähnelnd, wie z. B. bei der 7 12 cm großen **Bischofsmütze** (Mitra episcopalis).

Mitschurin, Iwan Wladimirowitsch, * Dolgoje (= Mitschrowka, Gebiet Rjasan) 27. Okt. 1855, † Mitschurinsk 7. Juni 1935, russ.-sowjet. Botaniker. - Erfolgreicher Züchter zahlr. neuer Obstsorten, die es (v. a. der UdSSR) ermöglichten, die Obstbaumgrenze nach N vorzuschieben. Dabei entwickelte er neuartige Züchtungsmethoden vegetativer (z. B. durch Pfropfung) und generativer Art (z. B. Verwendung von Pollengemischen).

Mittagsblume (Mesembryanthemum), Gatt. der Eiskrautgewächse mit über 40 Arten, v. a. in S-Afrika; ein- oder zweijährige, krautige, meist am Boden kriechende Pflanzen mit sukkulenten Blättern und kleinen bis mittelgroßen, weißen, gelbl., grünl., rötl. oder lilafarbenen Blüten. Eine häufig als Zierpflanze kultivierte Art ist das **Eiskraut** (Mesembryanthemum crystallinum), dessen dicke, fleischige Blätter mit großen, wassergefüllten Papillen besetzt sind.

Mittelfell (Mediastinum) ↑Brusthöhle.

Mittelhandknochen (Metacarpalia), die fünf längl., zw. Handwurzel und Finger gelegenen Knochen der Vorderextremitäten bzw. der Hand der Wirbeltiere (einschließl. Mensch).

Mittelkrebse (Anomura), Unterordnung überwiegend meerbewohnender Zehnfußkrebse mit über 1 500 Arten; mit beginnender Rückbildung des (oft bauchwärts nach vorn umgeschlagenen und weichhäutigen) Hinterleibs; bekannteste Fam. ↑Einsiedlerkrebse.

Mittelmeerfruchtfliege ↑Fruchtfliegen.

Mittelmeerstabschrecke ↑Gespensterschrecken.

Mittelohr ↑Gehörorgan.

Mittelspecht (Mittlerer Buntspecht, Dendrocopos medius), etwa 22 cm großer Specht, v. a. in lichten Laubwäldern Europas (Ausnahme: Skandinavien, Spanien) und des Iran; ♂ und ♀ haben (wie die Jungvögel des auch sonst sehr ähnl. Großen ↑Buntspechts) eine (durchgehend) rote Kopfplatte und eine rosafarbene Unterschwanzregion.

mixotroph [griech.], Energie aus der Oxidation anorgan. Substrate gewinnend und gleichzeitig organ. Substrate als Kohlenstoffquelle nutzend; z. B. bei Knallgas-, Schwefelbakterien sowie fleischfressenden Pflanzen.

Mixozöl, die tertiäre ↑Leibeshöhle.

Mnemotaxis [griech.], gerichtete, durch Erinnerung an eine bestimmte Erfahrung gelenkte Fortbewegung eines Tiers (Taxis); z. B. das Aufsuchen einer Wasserstelle oder eines Schlafplatzes.

Mobilisierung (Mobilisation) [zu lat. mo-

Moderkäfer

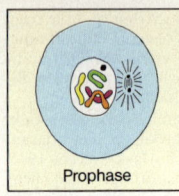

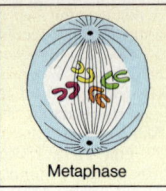

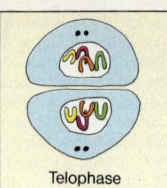

Mitose. Schematische Darstellung ihrer vier Phasen: Prophase, Metaphase, Anaphase, Telophase

bilis „beweglich"], die Einleitung oder Beschleunigung von biochem. Prozessen, um den Organismus vor Schaden zu bewahren (z. B. durch vermehrte Bereitstellung von Abwehrstoffen) oder um einen neuen Organismus aufzubauen (z. B. durch erhöhten Stärke-Zucker-Umbau bei keimenden Pflanzen).

Moderkäfer, (Lathridiidae) mit rd. 1 000 Arten weltweit verbreitete Fam. etwa 1–3 cm goßer, überwiegend rostroter bis braunschwarzer Käfer (in M-Europa etwa 60 Arten); Flügeldecken häufig längsgerippt; ernähren sich von Pilzmyzelien und sind daher oft an Baumschwämmen, modernden Baumrinden, z. T. auch in Kellern und feuchten Wohnungen zu finden.

◆ Bez. für einige Arten der Kurzflügler in M-Europa; z. B. **Schwarzer Moderkäfer** (Stinkender M., Staphylinus olens; etwa 3 cm lang).

Moderlieschen (Modke, Zwerglaube, Leucaspius delineatus), bis 8 cm langer, vorwiegend silbrig glänzender Karpfenfisch in stehenden und schwach fließenden Gewässern M-, N- und O-Europas; mit olivfarbener Oberseite und stahlblauem Schwanzstielstreif; Kaltwasseraquarien- und Köderfisch.

Moderpflanzen, svw. ↑Saprophyten.

Modifikabilität [lat.], Eigenschaft von Lebewesen ↑Modifikationen auszubilden.

Modifikation [zu lat. modificatio „die Abmessung einer Sache"], nicht erbl., durch bestimmte Umweltfaktoren *(M.faktoren, Modifikatoren;* z. B. Licht, Temperatur, Ernährungsbedingungen) hervorgerufene Abänderung eines Merkmals bei Lebewesen.

Modifikationsgene (Modifikatoren), nichtallele Gene, die nur verstärkend (Verstärker) oder abschwächend (Abschwächer) auf die Wirkung anderer Gene (Hauptgene) Einfluß nehmen.

Mohn (Papaver), Gatt. der M.gewächse mit rd. 100 Arten in den gemäßigten Gebieten der N-Halbkugel, nur eine Art (Papaver aculeatum) in S-Afrika und SO-Australien; einjährige, milchsaftführende Kräuter und Stauden mit meist gelappten oder geteilten Blättern, roten, violetten, gelben oder weißen Blüten und kugeligen, eiförmigen oder längl. Kapselfrüchten; z. T. Nutz- und Zierpflanzen. Bekannte Arten: **Klatschmohn** (Feuer-M., Feld-M., Papaver rhoeas), bis 90 cm hoch, mit gefiederten, borstig behaarten Blättern und scharlachroten, bis 10 cm breiten Blüten; auf Äckern und Ödland. Die Kronblätter wurden früher zur Herstellung roter Tinte verwendet. **Islandmohn** (Papaver nudicaule), 30–40 cm hoch, mit grundständigen, bläulichgrünen Blättern; Stengel dünn, blattlos, einblütig; Blüte gelb; in der arkt. und subarkt. Region. Wird als Schnittblume in verschiedenfarbigen Sorten kultiviert. **Schlafmohn** (Magsamen, Papaver somniferum), 0,5–1,5 m hoch, mit wenig geteilten, blaugrün bereiften Blättern und weißen oder violetten Blüten, die am Grund dunkle Flecken haben; im östl. Mittelmeergebiet. Aus den unreifen Fruchtkapseln wird Opium gewonnen. Das durch kaltes Pressen der weißen, blauen oder schwarzen Samen gewonnene Mohnöl wird als Speiseöl sowie industriell als trocknendes Öl verwendet. Blaue Samen werden auch in der Bäckerei verwendet. - **Geschichte:** Der Schlaf-M. stammt von der S-Küste des Schwarzen Meeres. Um 900 v. Chr. war er in Griechenland bekannt. Eine Wildform des M. ist bereits aus der Zeit der bandkeram. Kultur vom Niederrhein nachweisbar. In Pfahlbauten des Alpenvorlandes wurden Samen des Schlaf-M. gefunden. M.samen dienten schon sehr früh als Nahrungsmittel. Als Schlaf- und Schmerzmittel war zunächst nicht das Opium, sondern nur ein M.extrakt (Mekonium; bei den alten Ägyptern, bis zum 4. Jh. v. Chr. auch bei den Griechen und bis zum 17. Jh. n. Chr. bei den Chinesen) bekannt. In Deutschland wurde M. seit dem MA v. a. wegen seines ölhaltigen Samens angebaut.

Mohngewächse (Papaveraceae), zweikeimblättrige Pflanzenfam. mit über 40 Gatt. und rd. 700 Arten, v. a. in temperierten und subtrop. Gebieten der Nordhalbkugel; Kräuter oder Stauden (seltener Sträucher), meist milchsaftführend; viele Zierpflanzen. Bekannte Gatt. sind u. a. Goldmohn, Hornmohn, Mohn und Schöllkraut.

Möhre (Daucus), Gatt. der Doldengewächse mit rd. 60 Arten im Mittelmeergebiet, einzelne Arten auch in anderen Erdteilen. In M-Europa kommt die **Wilde Möhre** (Möhre i. e. S., Daucus carota) vor; meist zweijährige Kräuter mit weißen Doldenblüten; die mittlere Blüte hat dunklere Blütenblätter *(Mohrenblüte),* 2- bis 3fach gefiederte Laubblätter und Klettenfrüchte; unterscheidet sich von der

↑ Karotte durch eine spindelförmige, verholzte Pfahlwurzel.

Mohrenfalter (Erebia), artenreiche Gatt. vorwiegend schwärzl. bis rotbrauner Augenfalter, v. a. in Gebirgen, Tundren und nördl. Regionen der Nordhalbkugel (in Deutschland rd. 25 Arten von 3–5 cm Spannweite); Flügel mit mehreren kleinen Augenflecken in einer (meist) helleren Binde. Der weit verbreitete **Waldteufel** (Erebia aethiops) besiedelt neben dem kleineren **Alpenmohrenfalter** (Erebia triarius) auch die Gebirge.

Möhrenfliege ↑ Nacktfliegen.

Mohrenhirse, svw. ↑ Sorghumhirse.

◆ (Durrha, Sorg[h]um durrha) Art der Sorghumhirse, v. a. in den Trockengebieten Afrikas und Asiens; 1–5 m hohe, anspruchslose Kulturpflanze mit markigem Stengel, maisähnl., jedoch schmäleren Blättern und großer Rispe mit (im Ggs. zur Echten Hirse und Borstenhirse) zwei Ährchen an jedem Rispenast; in den Anbaugebieten wichtiges Brotgetreide, in N-Amerika als Futterpflanze angebaut.

Mohrenmaki ↑ Lemuren.

Mohrenwanze (Cydnus morio, Schirus morio), 8–11 mm große, schwarze Grabwanze in M- und S-Europa; wird gelegentl. schädl. an Beerenobst und Gemüse.

Mohrrübe, svw. ↑ Karotte.

Mokassinschlangen (Dreieckskopfottern, Agkistrodon), Gatt. bis über 1,5 m langer, meist lebendgebärender Grubenottern mit rd. 10 Arten, v. a. in Steppen, Halbwüsten, Wäldern und Feldern Amerikas und Asiens; mit leicht nach oben gekrümmter Schnauzenspitze und auffallend schwarzbraunem Hinteraugenstreif; Giftwirkung des Bisses selten tödlich. Die bis 75 cm lange **Halysschlange** (Agkistrodon halys) kommt v. a. in Steppen, z. T. auch in Halbwüsten und Wäldern des äußersten SO Europas bis O-Asien vor; rötl. bis graubraun mit dunklerer und hellerer Flecken- und Querbindenzeichnung.

Molaren [lat.], svw. Backenzähne (↑ Zähne).

Molche [zu althochdt. mol „Salamander, Eidechse"], Bez. für zahlr. fast stets im Wasser lebende Schwanzlurche, deren Schwanz oft seitl. zusammengedrückt ist; z. B. viele Querzahnmolche, Lungenlose M., *Echte M.* (*Wassermolche;* mit den einheim. Arten Kammmolch, Bergmolch, Teichmolch, Fadenmolch).

Molchfische (Lepidosirenidae), Fam. aalförmiger, kleinschuppiger Lungenfische mit fünf Arten in stehenden Süßgewässern Afrikas und S-Amerikas; paarige Flossen fadenförmig. Der **Schuppenmolch** (Lepidosiren paradoxa) überdauert die Austrocknung eines Gewässers in einer Schleimkapsel im Schlamm. Der **Leopardlungenfisch** (Protopterus aethiopicus) gräbt sich zu Beginn der Trockenzeit in den Schlamm ein.

Molekularbiologie, Wissenschaftszweig der modernen Biologie, der (in Zusammenarbeit mit Chemie und Physik) die Lösung biolog. Probleme auf molekularer Ebene anstrebt. Der Schwerpunkt der molekularbiolog. Forschungen liegt heute auf dem Gebiet der Molekulargenetik (↑ Genetik).

Molekulargenetik ↑ Genetik.

Moll-Drüsen [nach dem niederl. Ophthalmologen J. A. Moll, *1832, †1914] (Glandulae ciliares), Schweißdrüsen, die in die Haarbälge der Wimpern münden.

Mollmaus ↑ Schermaus.

Mollusken [lat.], svw. ↑ Weichtiere.

Mollymauk [engl.] (Schwarzbrauenalbatros, Diomedea melanophrys), etwa 85 cm langer, gelbschnäbeliger, oberseits dunkelgrauer, unterseits weißer Albatros der Südsee.

Moloch, eine austral. Agamenart (↑ Dornteufel).

Molosser [nach den Molossern], doggenähnl. Wach- und Kampfhunde der alten Römer; mit mächtigem Körper; stammten aus Epirus (Griechenland).

Moltebeere [skand., eigtl. „weiche Beere"] (Multebeere, Torfbeere, Rubus chamaemorus), auf der Nordhalbkugel vorkommendes, krautiges Rosengewächs ohne Stacheln; mit kurzen, einjährigen Sprossen, einfachen Blättern und einzelnen weißen Blüten. Die orangegelben Sammelfrüchte (mit großen Samen) werden in Skandinavien gesammelt und wie Obst verwendet. In Deutschland kommt die M. nur vereinzelt in den Mooren Oldenburgs vor.

Molukkenkakadu ↑ Kakadus.

Molukkenkrebse ↑ Pfeilschwanzkrebse.

Mombinpflaume [indian.-span./dt.], Bez. für zwei, heute häufig in den Tropen kultivierte Arten der Gatt. ↑ Balsampflaume. Die **Rote Mombinpflaume** (Rote Balsampflaume, Rote Ciruela, Spondias purpurea) wird wegen der eßbaren purpurroten Früchte in Mexiko und den NW-Staaten S-Amerikas angebaut. Die **Gelbe Mombinpflaume** (Gelbe Ciruela, Gelbe Balsampflaume, Schweinspflaume, Spondias mombin) hat gelbe, herb schmeckende, etwa pflaumengroße Früchte

Mohrenfalter. Waldteufel

Monarch

und wird im trop. Amerika, in W-Afrika und auf Java kultiviert.

Monarch [griech.] ↑Danaiden (ein Schmetterling).

Monarchen (Monarchinae) [griech.], Unterfam. etwa 15–53 cm (einschl. Schwanz) langer Singvögel (Fam. Fliegenschnäpper) mit mehr als 50 Arten, v. a. in Wäldern Afrikas (südl. der Sahara) und S-Asiens; ♂♂ prächtig gefärbt und, bes. bei den durch eine Haube gekennzeichneten **Paradiesschnäppern** (Schopfschnäpper, Terpsiphone), mit stark verlängerten Mittelschwanzfedern.

Monatsblutung, svw. ↑Menstruation.

Mönche (Mönchseulen, Cucullia), weltweit verbreitete Schmetterlingsgatt. der Eulenfalter mit 26 überwiegend unscheinbar gefärbten Arten in M-Europa; Flügelspannweite 4–6 cm; dämmerungs- und nachtaktive Tiere mit kapuzenartig aufrichtbaren Haarbüscheln am Brustteil und (bei Ruhe) steil dachförmig zusammengelegten Flügeln; Raupen meist bunt, fressen an Kräutern und Stauden.

Mönchsaffe ↑Schweifaffen.
Mönchseulen, svw. ↑Mönche.
Mönchsgeier ↑Geier.
Mönchsgrasmücke ↑Grasmücken.
Mönchskopf ↑Trichterling (ein Pilz).

Mönchspfeffer (Vitex), Gatt. der Eisenkrautgewächse mit über 200 Arten in den Tropen und Subtropen; Bäume oder Sträucher mit gegenständigen Blättern, kleinen, weißen, gelbl. oder blauen Blüten und kleinen Steinfrüchten. Eine bekannte Art ist der **Keuschlamm** (Vitex agnus-castus) aus dem Mittelmeergebiet und Z-Asien; 2–4 m hoher Strauch mit handförmig geteilten Blättern; Blüten klein, violett, blau, rosa oder weiß, in dichten Blütenständen. Die Steinbeerenfrüchte dieser alten Kulturpflanze werden in südl. Ländern als Pfefferersatz verwendet.

Mönchsrobben (Monachinae), Unterfam. oberseits braungrauer bis schwärzl., unterseits weißl., in ihren Beständen stark bedrohter Robben mit drei Arten in trop. und subtrop. Meeren; im Mittelmeer und Schwarzen Meer als einzige Art die 2–4 m lange, fast überall gesetzl. geschützte **Mittelmeermönchsrobbe** (Monachus monachus).

Mönchssittich ↑Keilschwanzsittiche.
Mondbein ↑Handwurzel.

Mondbohne (Duffinbohne, Limabohne, Phaseolus lunatus), in den Tropen und Subtropen angebaute Bohnenart, deren grüne Hülsen und reife, weiße Samen wie die der Gartenbohne genutzt werden (dunkelfarbige Samen sind giftig).

Mondfische (Klumpfische, Molidae), Fam. 0,8–3 m langer Knochenfische (Ordnung Haftkiefer) mit nur wenigen Arten in warmen und gemäßigten Meeren; Hochseefische mit seitl. stark zusammengedrücktem, im Umriß meist eiförmigem Körper; am bekanntesten der **Sonnenfisch** (Mondfisch i. e. S., *Meermond*, Mola mola), 2–3 m lang, Höchstgewicht 1 t, dunkelbraun bis grau, Rückenflosse weit nach hinten gerückt.
◆ ↑Glanzfische.

Mondfleck, svw. ↑Mondvogel (ein Schmetterling).

Mondhornkäfer (Copris), Gatt. glänzend schwarzer Blatthornkäfer mit mehreren Arten, v. a. in sandigen Gebieten Eurasiens und Afrikas; mit halbmondförmigem Kopfschild und längerem (♂) oder kürzerem (♀) Horn auf der Stirn.

Mondraute (Traubenraute, Botrychium), Gatt. der Natternzungengewächse; mit mehr als 30 Arten fast über die ganze Erde verbreitet; niedriger Farn mit nur einem, in einen sterilen und einen fertilen Ast gegabelten Blatt. Am bekanntesten ist die auf Trockenrasen und in Gebüschen wachsende **Echte Mondraute** (Botrychium lunaria).

Mondsame (Menispermum), Gatt. der **Mondsamengewächse** (Menispermaceae; 67 Gatt. mit über 400 Arten mit zwei Arten: *Menispermum dauricum* (von Sibirien bis Japan) und *Menispermum canadense* (östl. N-Amerika). Beide Arten sind auch in M-Europa kultivierte, winterharte Schlingpflanzen.

Mondvogel (Mondfleck, Phalera bucephala), 5–6 cm spannender Nachtschmetterling (Fam. Zahnspinner) in Auwäldern, Heiden und Parklandschaften Europas und N-Asiens; mit großem, rundem, gelbem Halbmondfleck an der Spitze der grauen Vorderflügel; täuscht in der Ruhestellung mit eng anliegenden Flügeln ein trockenes Zweigstück vor; Flugzeit Mai bis Juli.

Mongolenfalte (Indianerfalte), Hautfalte bes. bei Mongoliden, die den inneren Augenwinkel vom Oberlid her überlagert.

Mongolenfleck (blauer Fleck, Steißfleck), pigmentreicher Fleck über der unteren Lendenwirbelsäule oder dem Kreuzbein bei Neugeborenen; häufig bei Mongoliden und einigen Negriden, vereinzelt auch bei Europiden. Der M. verblaßt meist in den ersten Lebensjahren.

Mongolide (mongolider Rassenkreis), Bez. für die sog. **gelbe Rasse** als eine der drei menschl. Großrassen. Die M. sind hauptsächl. über Asien (Tungide, Sinide u. a.), Indonesien und Ozeanien (Polyneside, Malayide u. a.) sowie über Amerika (Eskimide, Nord- und Südindianide) verbreitet. Characterist. für die M. ist ein flaches Gesicht mit niedriger Nasenwurzel, betonte Jochbögen, flachliegende Lidspalte (Mongolenfalte), dickes, straffes, dunkles Haar, dunkle Augen, gelbbräunl. Haut, i. d. R. kurzer, untersetzter Wuchs.

Mongoloide, Bez. für Angehörige einer nicht (rein) mongoliden Menschenrasse, wenn sie Körper- (insbes. Gesichts-)merkmale aufweisen, die für ↑Mongolide charakterist. sind.

Monoaminoxidase, Abk. MAO, u. a.

in den Mitochondrien der Gehirnzellen lokalisiertes Enzym, das die Konzentration biogener Monoamine (z. B. Adrenalin, Noradrenalin, Dopamin) reguliert, die als Neurotransmitter für die Funktion des Nervensystems wichtig sind. Die Derivate einiger M.hemmstoffe (sog. MAO-Hemmer) werden daher als Psychopharmaka verwendet.

Monochasium [mono'ça:ziʊm; griech.] ↑sympodiale Verzweigung.

Monod, Jacques [frz. mɔ'no], *Paris 9. Febr. 1910, † Cannes 31. Mai 1976, frz. Biochemiker. - Direktor am Institut Pasteur in Paris, seit 1967 Prof. für Molekularbiologie am Collège de France. M. erhielt 1965 zus. mit A. Lwoff und F. Jacob den Nobelpreis für Physiologie oder Medizin für die Entdeckung der genet. Steuerung der Enzym- und Virussynthese. In seinem Werk „Zufall und Notwendigkeit" (1970) befaßt sich M. mit philosoph. Fragen der modernen Biologie.

Monodelphia [griech.], svw. ↑Plazentatiere.

Monogamie [griech.], Fortpflanzungssystem, bei dem sich stets dieselben beiden Geschlechtspartner paaren, d. h. monogam sind. Bes. verbreitet ist die M. bei Vögeln, selten bei Säugetieren (unter höheren nichtmenschl. Primaten fast nur bei Gibbons).

Monogenea [griech.], Ordnung etwa 0,1–3 cm langer Saugwürmer mit über 1 300 Arten; fast ausschließl. an Fischen und Lurchen (v. a. an Kiemen und der Haut) parasitierende Blutsauger mit Haftorganen; bekannt ist das ↑Doppeltier.

Monogonie [griech.], svw. ungeschlechtl. ↑Fortpflanzung.

Monoklinie [griech.], Gemischtgeschlechtigkeit bei Blüten, die gleichzeitig Staub- und Fruchtblätter tragen, d. h. zwittrig sind. - ↑dagegen Diklinie.

monoklonale Antikörper ↑Antikörper.

Monokotyledonen, svw. ↑Einkeimblättrige.

Monomorphismus [griech.], in der Histologie Bez. für den einheitl. Bau von Organen, Geweben usw. - ↑auch Dimorphismus, ↑Polymorphismus.

monophag [griech.], sich nur von einer Pflanzen- oder Tierart ernährend.

monopodiale Verzweigung [griech./dt.] (razemöse Verzweigung), pflanzl. Verzweigungsart, bei der die Seitenachsen in der Entwicklung gegenüber der Hauptachse *(Monopodium)* zurückbleiben. - Ggs. ↑sympodiale Verzweigung.

Monosomie [griech.] ↑Chromosomenanomalien.

Monotremata [griech.], svw. ↑Kloakentiere.

Monotropa, svw. ↑Fichtenspargel.

Monözie [griech.] (Synözie, Einhäusigkeit), Form der Getrenntgeschlechtigkeit (↑Diklinie) bei Blütenpflanzen: ♂ und ♀ Blüten treten stets auf der gleichen Pflanze auf (die Pflanzen sind *monözisch* oder einhäusig), z.B. bei Eiche, Buche, Kastanie. - ↑auch Diözie, ↑Triözie.

monozygot [griech.], eineiig, von einer einzigen befruchteten Eizelle (Zygote) herkommend; von Mehrlingen gesagt.

Monozyten [griech.] ↑Blut.

Monstera (Philodendron), Gatt. der Aronstabgewächse mit über 20 Arten im trop. Amerika; krautige Stauden oder Kletterpflanzen mit Luftwurzeln und durchlöcherten Blättern (durch Absterben bestimmter Zellbezirke verursacht). Bekannt: ↑Fensterblatt.

Monsunwald, überwiegend regengrüner trop. Wald mit zwei Baumschichten: oberes Stockwerk (25–35 m hoch) in der Trockenzeit völlig, unteres z.T. entlaubt; immergrüne Strauchschicht, z.T. mit Bambus.

montane Stufe ↑Vegetationsstufen.

Montbretie [...'bre:tsiə; nach dem frz. Naturforscher A. F. E. Coquebert de Montbret, *1805, †1837] ↑Tritonie.

Moorantilope ↑Riedböcke.

Moorbeere, svw. ↑Rauschbeere.

Moorbirke (Haarbirke, Betula pubescens), strauch- oder baumförmige, bis 15 m hohe Birkenart auf Mooren, Sümpfen und in feuchten Wäldern; junge Zweige samtig behaart; Rinde kalkweiß bis bräunlich.

Moore, Stanford [engl. mu:ə], *Chicago 4. Sept. 1913, †New York 23. Aug. 1982, amerikan. Biochemiker. - Prof. am Rockefeller Institute of Medical Research in New York; trug wesentl. zur Aufklärung der Struktur des Enzyms Ribonuklease bei. Er erhielt hierfür gemeinsam mit C. B. Anfinsen und W. Stein 1972 den Nobelpreis für Chemie.

Moorente ↑Enten.

Moorfrosch ↑Frösche.

Moorgelbling ↑Gelblinge.

Moorheide ↑Glockenheide.

Moorkiefer (Pinus mugo ssp. rotundata), strauchförmig wachsende oder niedrige Bäume ausbildende Unterart der Bergkiefer; Nadeln zu zweien, beide Seiten dunkelgrün; Zapfen asymmetrisch; Schuppenschilder schwach hakenförmig; wächst meist auf Hochmooren.

Moorleichen (Torfleichen), Bez. für alle aus dem Moor kommenden Menschenfunde. Die bisher über 1 300 M. stammen überwiegend aus Norddeutschland und S-Skandinavien und gehören v. a. in die jüngere Eisenzeit. Sie geben durch ihren Erhaltungszustand wertvolle Aufschlüsse über Kleidung, Ernährung und Gesundheitszustand der damaligen Populationen sowie über die Motive und Ursachen der Versenkung im Moor (Hinrichtung, Menschenopfer, Verbrechen, Unfälle).

Moos ↑Moose.

◆ Bez. für einige kleinblättrige Pflanzen aus den verschiedensten Gruppen des Pflanzen-

Moosbeere

reiches mit kriechendem, polsterartigem Wuchs; z. B. Irländ. Moos, Isländ. Moos, Moosfarn, Sternmoos.

Moosbeere (Vaccinium oxycoccus), Art der Gatt. Heidelbeere; kriechende Pflanze mit dünnem, fadenförmigem Stämmchen und bis 10 mm langen, eiförmig-längl. Blättern (Unterseite bläulich); hellrote, in Trauben stehende Blüten; Beerenfrüchte erbsengroß, säuerl. schmeckend; Charakterpflanze der Hochmoore.

metophyten dar, auf dem sich hier (erstmalig in der stammesgeschichtl. Entwicklung der Pflanzen) die mit einer sterilen Hülle umgebenen ♀ (Archegonien) und ♂ (Antheridien) Sexualorgane befinden. Die völlig anders gestaltete (diploide) Sporophytengeneration entsteht aus der befruchteten Eizelle (↑ Zygote) und bleibt zeitlebens mit dem Gametophyten verbunden, von dem sie auch ernährt wird. In der Kapsel der Sporophyten (Mooskapsel, Sporogon) erfolgt unter Reduktionsteilung

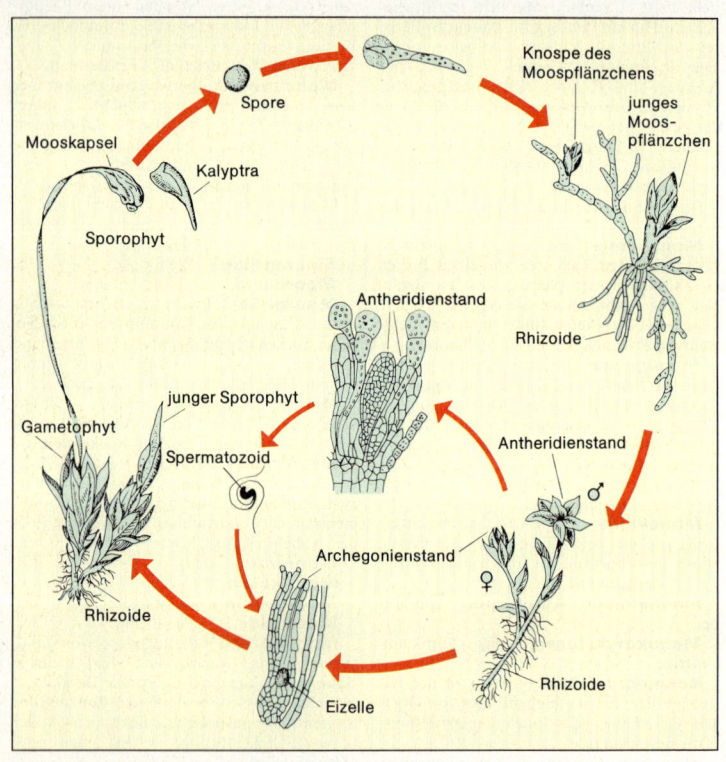

Moose. Generationswechsel eines Laubmooses (Schema)

Moose (Bryophyten, Moospflanzen), Abteilung der Sporenpflanzen mit rd. 26 000 Arten, die in die beiden Klassen ↑Laubmoose und ↑Lebermoose unterteilt werden. Es sind kleine, wurzellose, nur mit Rhizoiden (wurzelähnl. Organe) ausgestattete autotrophe Pflanzen, die überwiegend auf dem Land vorkommen. Typ. für die M. ist der heterophas. Generationswechsel (d. h. der Generationswechsel ist mit einem Kernphasenwechsel gekoppelt). Dabei stellt die unterschiedl. gestaltete und beblätterte Moospflanze den (haploiden) Ga-

die Bildung der Moossporen, die der Verbreitung dienen. Pflanzengesellschaften, in denen die M. dominieren, sind nur die Hochmoore der niederschlagsreichen Gebiete mittlerer Breiten. Zahlr. M. leben epiphyt. auf Baumstämmen. Eine wichtige Rolle im Wasserhaushalt der Landschaft spielen die Moosdekken unserer Wälder, die auf Grund ihres großen Wasserbindungsvermögens ausgleichend auf die Quellschüttung wirken. - M. trockener Standorte bilden dichte Polster, die durch das Auftreten von chlorophyllfreien Blattspit-

Mörderbiene

zen (Glashaare) bei Trockenheit weiß erscheinen.

Moosfarn (Mooskraut, Selaginella), bereits seit dem Erdaltertum nachgewiesene Gatt. der Bärlappordnung **Moosfarne** (Selaginellales) mit mehr als 700 Arten, hauptsächl. im trop. Regenwald; verschieden gestaltete, moosähnl., ausdauernde Kräuter mit dünnen, meist gabelig verzweigten Sprossen, flachgedrückten Zweigen und kleinen, schuppenförmigen, oft zweigestalteten Blättern (kleine Ober-, größere Unterblätter). Bekannt sind u. a. der moosartige Rasen bildende **Gezähnte Moosfarn** (Selaginella selaginoides) auf feuchten, grasigen oder moosigen Stellen höherer Gebirge Europas und in der Arktis; mit bis 7 cm hohen Stengeln und sehr kleinen, spiralig angeordneten Laubblättern.

Moosglöckchen, svw. ↑ Erdglöckchen.

Mooskarpfen, svw. Teichkarpfen (↑ Karpfen).

Moosrose ↑ Rose.

Moostierchen (Bryozoen, Bryozoa), seit dem Kambrium bekannte Klasse der Tentakelträger, heute mit rd. 4 000 Arten v. a. im Meer verbreitet. Die M. bilden durch Knospung entstehende, festsitzende, bäumchen- oder moosförmige Kolonien (**Zoarien),** die bis etwa 90 cm hoch, bei kriechenden Formen bis 2 m lang werden können. Die Einzelindividuen (**Zoide**) sind etwa 1–4,5 mm groß und von einer Kutikula umgeben, aus der das Vorderteil mit einem Kranz von Fangarmen herausragt. M. haben kein Blutgefäßsystem. - Die M. sind Strudler, die sich v. a. von Plankton und Detritus ernähren. Viele M. waren in früheren geolog. Epochen am Aufbau von Riffkalken (Bryozoenkalk) beteiligt.

Mops [niederdt.], zu den Doggen zählende Rasse kurzhaariger, bis 32 cm schulterhoher Kleinhunde mit gedrungenem Rumpf, rundl. Kopf und kleinen Hängeohren; Fell meist silbergrau oder beigefarben mit Aalstrich und schwarzer Gesichtsmaske.

Mopsfledermaus ↑ Fledermäuse.

Morchel [zu althochdt. morhala, eigtl. „Möhre"], (Morchella) Gatt. der Schlauchpilze mit 15 Arten; Fruchtkörper in Stiel und Hut gegliedert; Hut 4–12 cm groß, kegel- bis birnenförmig, bräunl., mit wabenartig gefelderter Oberfläche, auf der die Sporen gebildet werden; z. T. gute Speisepilze, z. B. die bis 25 cm hoch werdende **Speisemorchel** (Morchella esculenta); wächst von Mitte April bis Juni bes. auf humus- und kalkreichen Böden unter Eschen und Pappeln; Stiel gelblichweiß, Hut gelblichbraun.
◆ Bez. für Pilze aus verschiedenen Gatt., die ähnl. Fruchtkörperformen besitzen wie die Arten der Gatt. Morchella, z. B. Frühlorchel, Stinkmorchel.

Mörderbiene, volkstüml. Bez. für die Adansonbiene, an deren Stichen mehr als 150 Menschen gestorben sein sollen.

Speisemorchel

Lachmöwe (oben) und Heringsmöwe

Mörderwal, svw. Großer Schwertwal (↑ Schwertwale).

Mordfliegen (Laphria), weltweit verbreitete Gatt. der Raubfliegen mit großen, dicht behaarten und oft bunt gefärbten, manchmal hummel- und wespenähnl. Arten; jagen vorbeifliegende Insekten (bes. Käfer); Larven leben räuberisch in Baumstümpfen und Rindenritzen; in M-Europa zwölf bis 3 cm lange Arten.

Mordwespen, svw. ↑ Grabwespen.

Morelle [lat.-roman.] ↑ Sauerkirsche.

Morgan, Thomas [engl. 'mɔ:gən], * Lexington (Ky.) 25. Sept. 1866, † Pasadena (Calif.) 4. Dez. 1945, amerikan. Genetiker. - M. führte die Taufliege (Drosophila) als Versuchstier in die Genetik ein und konnte an ihr die schon von H. de Vries für Pflanzen erarbeitete Mutationstheorie für Tiere bestätigen. Er entdeckte die geschlechtsgebundene Vererbung und den ↑ Faktorenaustausch.

M., Walter [engl. 'mɔ:gən], * London 5. Okt. 1900, brit. Biochemiker. - Prof. in London; wichtig sind seine molekularbiol. Arbeiten über das menschl. Blutgruppensystem (insbes. AB0- und Lewis-System).

Morgenduft ↑ Apfelsorten (Bd. 1, S. 49).

Moringagewächse [Malajalam/dt.] (Meerrettichbaumgewächse, Moringaceae), Fam. der Zweikeimblättrigen mit der einzigen, zehn Arten umfassenden Gatt. *Moringa;* hauptsächl. im trop. Afrika, auf Madagaskar und in Vorderindien vorkommende Bäume mit dicken, flaschenförmigen Stämmen.

Morio-Muskat-Rebe [nach dem dt. Züchter P. Morio], Kreuzung aus den Rebsorten Silvaner und Weißer Burgunder; intensives Muskatbukett.

Mornellregenpfeifer [span./dt.] ↑ Regenpfeifer.

Morphofalter (Morphidae), Fam. bis 20 cm spannender, blau schillernder (♂♂) oder unscheinbar brauner (♀♀) Tagschmetterlinge mit rd. 50 Arten in den Urwäldern M- und S-Amerikas.

Morphogenese (Morphogenie), individuelle und stammesgeschichtl. Entwicklung der Gestalt der Organismen und ihrer Organe.

Morphologie, die Wiss. und Lehre vom äußeren Bau (Gestalt, Organisation) der Organismen und ihrer Teile sowie deren Umgestaltung im Verlauf ihrer Entwicklung (Ontogenie).

Morphose [griech.], in der Botanik Bez. für nichterbl. Gestaltvariationen der Pflanzen bzw. einzelner Organe, die durch Umwelteinflüsse *(morphogenet. Reize)* verursacht werden (↑ Modifikation). - Bei Pflanzen wird je nach Außenreiz unterschieden: Photo-M. (durch Lichtreize), Geo-M. (durch Schwerkraftreize), Hygro-M. (durch Feuchtigkeitsreize), Thermo-M. (durch Temperaturreize) und Thigmo-M. (durch Berührungsreize).

Morris, Desmond John [engl. 'mɔrɪs], * Purton (Wiltshire) 24. Jan. 1928, brit. Verhaltensforscher. - Studierte Zoologie, insbes. Ethologie (u. a. bei N. Tinbergen), wurde bekannt mit Filmen und Fernsehsendungen über das Verhalten von Tieren. 1968 erschien die dt. Übers. seines Buchs „Der nackte Affe", worin er menschl. Verhaltensweisen im wesentl. auf tier. zurückführt. - Werke: Der Mensch, mit dem wir leben (dt. 1978), Mein Leben mit Tieren (dt. 1981).

Mörtelbienen (Maurerbienen, Chalicodoma), Gatt. pelzig behaarter Bienen mit zahlr. Arten, v. a. in trockenen, felsigen Landschaften Eurasiens und Afrikas; bauen an Mauern und Steinen steinharte Nester aus Sand und Speichel, die meist aus 6–10 (von einer Mörtelschicht umschlossenen) Brutzellen bestehen. Jede Brutzelle erhält als Larvenfutter Honig und Blütenstaub und wird verschlossen. - Bekannteste Art bei uns ist die 14–18 mm große **Chalicodoma muraria**.

Morula [lat.] (Maulbeerkeim), frühes Stadium der Keimesentwicklung, in dem sich die Eizelle durch zahlr. totale Furchungsteilungen zu einem kompakten Zellhaufen entwickelt hat. Die M. zeigt noch keine Volumenzunahme, sondern entspricht in ihrer Größe noch der urspr. Eizelle.

Morus [lat.], svw. ↑ Maulbeerbaum.

Mosaikeier, Eizellen mit determinierten Plasmabezirken, d. h., in der Eizelle ist bereits festgelegt, welche Organanlagen bzw. Gewebe im Laufe der Entwicklung aus den einzelnen in die Furchungszellen übergehenden Plasmaanteilen der Zelle hervorgehen werden (z. B. bei Seescheiden).

Mosaikjungfern, svw. ↑ Aeschna.

Mosaikzwitter, svw. ↑ Gynander.

Moschinae [nlat.], svw. ↑ Moschustiere.

Moschus [pers.-griech., zu Sanskrit muschka „Hodensack" (wegen der Ähnlichkeit mit dem Moschusbeutel)] (Bisam), das ein bes. Riechstoffgemisch enthaltende braunrote, schmierige, in getrocknetem Zustand pulverigschwarze, auch heute noch in Asien stark begehrte Sekret aus dem M.beutel der männl. ↑ Moschustiere. Die M.beutel (enthalten bis 30 g M.) kommen getrocknet in den Handel; die Sekretinhaltstoffe, v. a. Muscon und Muscopyridin werden z. T. noch in der Parfümherstellung verwendet; sie werden jedoch immer mehr durch ähnl. riechende synthet. Substanzen verdrängt. Moschusartig riechende Sekrete werden auch von anderen Tieren (z. B. Moschusochse, Moschusböckchen, Bisamratte, Bisamrüßler, Moschusspitzmaus) ausgeschieden.

Moschusbisame, svw. ↑ Bisamrüßler.

Moschusbock (Aromia moschata), 22–32 mm langer, metall. grün glänzender Bockkäfer in Europa; mit stahlblauen Fühlern und Beinen und buckelig gerunzeltem Halsschild; scheidet ein moschusartig riechendes Sekret

aus ventralen Drüsen der Hinterbrust aus (enthält Salicylaldehyd).
Moschusböckchen (Suni, Neotragus moschatus), etwa 30–40 cm lange, oberseits graugelbe bis rotbraune, undeutl. hell gesprenkelte, unterseits weißl. Antilope (Unterfam. Böckchen) im dichten Busch O- und SO-Afrikas; mit moschusähnl. Sekret absondernden Voraugendrüsen und (♂) bis 10 cm langen, gerade nach hinten gerichteten, spitzen Hörnern (♀ hornlos).
Moschusente (Bisamente, Türkenente, Warzenente, Carina moschata), aus dem trop. S-Amerika stammende, zu den Glanzenten zählende, 80 cm große, langschwänzige Hausente; nacktes Gesicht mit roten Warzen, die ein moschusartig riechendes Fett absondern.
Moschuskörner, svw. ↑ Bisamkörner.
Moschuskraut (Bisamkraut, Adoxa), Gatt. der Moschuskrautgewächse mit der einzigen Art *Adoxa moschatellina;* bis 15 cm hohe, ausdauernde Frühlingspflanze der feuchten Wälder der Nordhalbkugel.
Moschuskrautgewächse (Bisamkrautgewächse, Adoxaceae), zweikeimblättrige Pflanzenfam. mit der einzigen Gatt. ↑ Moschuskraut.
Moschusmalve ↑ Malve.
Moschusochse (Schafochse, Ovibos moschatus), etwa 1,8–2,5 m langes (bis 1,4 m schulterhohes) Horntier, v. a. in arkt. Tundren Alaskas, N-Kanadas und N-Grönlands; auf Spitzbergen und in Norwegen eingebürgert; in Herden lebende Tiere mit ungewöhnl. langem, zottigem, dunkel- bis schwarzbraunem Fell, dessen Winterhaar im Frühjahr gelblichbraun ausbleicht; Hörner (bes. bei ♂♂) an der Basis breit, die Stirn helmartig bedeckend. - Die ♂♂ riechen während der Brunstzeit stark nach Moschus.
Moschustiere (Moschushirsche, Moschinae), Unterfam. etwa 0,8–1 m langer, geweihloser Hirsche mit der einzigen Art *Moschus moschiferus*, v. a. in feuchten Bergwäldern Z- und O-Asiens; vorwiegend nachtaktive, meist einzeln oder paarweise lebende, dunkel rötlichbraune Paarhufer mit nach hinten ansteigender Rückenlinie und kleinem Kopf. Die ♂♂ besitzen stark verlängerte obere Eckzähne und einen etwa 6 cm langen, 4 cm starken, behaarten, ↑ Moschus enthaltenden Moschusbeutel zw. Nabel und Penis.
Moschuswurzel ↑ Steckenkraut.
Moskitogras (Bouteloua), Gatt. der Süßgräser im sw. N-Amerika bis Argentinien; die Art *Bouteloua gracilis* ist eine Charakterpflanze der Weiden der Great Plains, andere Arten sind wichtige Futtergräser *(Gramagräser)* dieser Gebiete.
Moskitos [span., zu mosca (lat. musca) „Fliege"], svw. ↑ Stechmücken.
Motilität [lat.], Bewegungsvermögen von Organismen oder Zellorganellen.

Möwen

♦ Gesamtheit der nicht bewußt gesteuerten Bewegungsvorgänge des menschl. Körpers und seiner Organe (im Ggs. zur Motorik).
Motorik [lat.], Lehre von den Bewegungsfunktionen.
♦ Gesamtheit der willkürl. gesteuerten Bewegungsvorgänge. - Ggs. ↑ Motilität.
Motoriker [lat.] (motorischer Typ), vorwiegend mit Bewegungsabläufen arbeitender Menschentyp; der Vorstellungstyp, bei dem gleichermaßen akust. Vorstellungsbilder stark vertreten sind, wird auch als **Akustomotoriker** bezeichnet.
motorisch, in der Physiologie: der Bewegung dienend, Bewegungsvorgänge betreffend; z. B. von Nervenbahnen, die zur Skelettmuskulatur ziehen, gesagt.
Motten (Echte Motten, Tineidae), mit rd. 2 000 Arten weltweit verbreitete Fam. bis 2,5 cm spannender Kleinschmetterlinge; Kopf dicht behaart, Rüssel kurz und häufig zurückgebildet; Flügel schmal mit langen Fransen; Raupen meist in Gespinströhren, fressen v. a. an Flechten, Pilzen, Körnerfrüchten, vertrocknetem Kadaver. Viele Arten werden schädlich durch Fraß an Filz, Pelzen und Wollstoffen (z. B. *Fellmotte, Kleidermotte, Pelzmotte, Tapetenmotte*). **Schutzmaßnahmen:** Verwendung von Insektiziden, v. a. in Form von Sprüh- oder Stäubemitteln. Textilien und Pelze werden in dicht schließenden Behältern durch Zugabe von Mottenkugeln, Mottenpulver oder Mottenstrips (enthalten z. B. Naphthalin, Kampfer) eingemottet. Mottenechte Textilien sind mit Wirkstoffen (z. B. Eulane) versehen, die mit den Fasern eine dauerhafte Verbindung eingehen.
Mottenschildläuse (Mottenläuse, Schmetterlingsläuse, Schildmotten, Weiße Fliegen, Aleurodidae), mit rd. 200 Arten weltweit verbreitete Fam. etwa 1–3 mm großer Insekten (Ordnung Gleichflügler); von Wachsstaub weiß bepuderte, an Pflanzen saugende Tiere, deren Entwicklung über eine frei bewegl. und drei seßhafte, schildlausförmige Larvenstadien verläuft. M. können (bes. in Zitruskulturen) sehr schädl. werden. In M-Europa kommen 15 Arten vor, u. a. die 1–2 mm lange **Weiße Fliege** (Trialeurodes vaporariorum); mit vier dachförmig gehaltenen Flügeln; Schädling in Gewächshäusern.
Mousseron [musəˈrõ:; lat.-frz.], svw. Knoblauchschwindling (↑ Schwindling).
Möwen [niederdt.] (Larinae), weltweit verbreitete Unterfam. geselliger Vögel (Fam. Möwenvögel, Laridae), mit über 40 Arten; gewandt fliegende Koloniebrüter (bauen Bodennester v. a. auf Küstenfelsen und Sandinseln); mit leicht hakigem Schnabel, zugespitzten Flügeln und Schwimmhäuten zwischen den Vorderzehen; ernähren sich v. a. von Wirbellosen, z. T. auch von Fischen, Eiern und Jungen anderer Küstenvögel; z. T. Zugvögel. - Zu den M. gehören u. a.: **Lachmöwe** (Larus

205

ridibundus), etwa 40 cm groß, v. a. an Flüssen, Seen, in Sümpfen und auf Wiesen der nördl. und gemäßigten Regionen Eurasiens; Körper weiß, Flügel grau, mit dunklem Hinterkopffleck (Ruhekleid) oder schokoladenbraunem Kopf (Brutkleid). **Mantelmöwe** (Larus marinus), bis 76 cm groß (Flügelspannweite bis 1,7 m), vorwiegend an den Küsten und Flußmündungen, auch auf Mooren N-Eurasiens und N-Amerikas; Rücken und Flügeloberseite schwarz, sonst weiß, Beine fleischfarben. **Silbermöwe** (Larus argentatus), fast 60 cm groß, an Meeresküsten und Süßgewässern Eurasiens, N-Afrikas und N-Amerikas; unterscheidet sich von der sonst sehr ähnl., doch etwas kleineren Herings-M. v. a. durch den hellgrauen Rücken, ebensolchen Flügeloberseiten und die schwarzweißen Flügelspitzen; Schnabel gelb mit rotem Fleck. **Sturmmöwe** (Larus canus), etwa 40 cm groß, an Meeresküsten N-Eurasiens und Kanadas; unterscheidet sich von der sonst sehr ähnl., doch größeren Silber-M. durch den grünlichgelben Schnabel und die grünlichgelben Beine. **Heringsmöwe** (Larus fuscus), rd. 50 cm groß, paläarkt. verbreitet an Meeresküsten, Flüssen, Süß- und Salzwasserseen und auf Mooren, auch im Binnenland; mit schiefergrauem bis schwarzem Rücken und ebensolchen Flügeloberseiten; von der sonst sehr ähnl., aber größeren Mantel-M. durch die meist gelben Beine unterschieden; übriger Körper und Flügelränder weiß. **Dreizehenmöwe** (Rissa tridactyla), etwa 40 cm groß, im Bereich des N-Atlantiks und N-Pazifiks; mit weißem Gefieder, grauem Rücken und schwarzen Flügelspitzen; Schnabel gelb, Füße schwärzl., Hinterzehe fehlt. **Elfenbeinmöwe** (Pagophila eburnea), etwa 45 cm groß, rein weiß mit schwarzen Füßen; in der Arktis. **Eismöwe** (Larus hyperboreus), bis 80 cm groß, im Sommer an den Felsküsten aller arkt. Meere, im Winter an den Meeresküsten der gemäßigten Regionen; weiß mit hellgrauem Rücken und ebensolchen Flügeloberseiten, Beine fleischfarben, Schnabel gelb, rot gefleckt. **Polarmöwe** (Larus argentatus glaucoides), Unterart der Silber-M., etwa 65 cm groß, v. a. an den Küsten Islands und des arkt. N-Amerikas; unterscheidet sich von der größeren Eis-M. durch einen rötl. Augenring. - Abb. S. 203.

Möwensturmvögel ↑ Sturmvögel.
MSH, Abk. für: melanozytenstimulierendes Hormon (↑ Melanotropin).
Mucine ↑ Muzine.
Mücken (Nematocera), mit rd. 35 000 Arten weltweit verbreitete Unterordnung meist schlanker, langbeiniger, 0,5–50 mm langer (bis 10 cm spannender) Zweiflügler; mit langen, fadenförmigen Fühlern. Die Imagines (erwachsene Insekten) ernähren sich teils von Pflanzensäften, teils räuber., bes. aber blutsaugend. Ihre Larven haben (mit Ausnahme der Gallmücke) horizontal zangenartig gegeneinander bewegl. Oberkiefer; sie leben v. a. in stehenden Süßgewässern, Pflanzengeweben und faulenden Pflanzenstoffen. - Zu den M. gehören u. a. Falten-, Dung-, Pfriemen-, Stech-, Stelz-, Lid-, Schmetterlings-, Zuck-, Kriebel-, Haar-, Pilz-, Trauer- und Wintermücken sowie Schnaken und Gnitzen.

Mückenhafte (Bittacidae), mit rd. 70 Arten weltweit verbreitete Fam. schnakenförmiger, bis über 5 cm spannender Insekten (Ordnung Schnabelfliegen), davon in M-Europa zwei bis 1,5 cm lange Arten; mit sehr langen Beinen, von denen die beiden letzten als Fangbeine mit je einer Kralle ausgebildet sind; saugen andere Insekten aus.

Muckermann, Hermann, * Bückeburg 30. Aug. 1877, † Berlin 27. Okt. 1962, dt. Anthropologe. - Ab 1896 Jesuit, ab 1926 Weltgeistlicher; 1900–06 Prof. für Naturwiss. an jesuit. Hochschulen; 1927–33 Abteilungsleiter am Berliner Kaiser-Wilhelm-Institut für Anthropologie, menschl. Erblehre und Eugenik; nach 1933 ohne öffentl. Amt. Ab 1948 Prof. für angewandte Anthropologie und Sozialethik an der TU und an der Freien Univ. Berlin, gleichzeitig Leiter des dortigen Instituts für natur- und geisteswiss. Anthropologie; zahlr. Arbeiten v. a. zu Problemen der Genetik, Eugenik und Sozialethik.

Mucor [lat.], svw. ↑ Köpfchenschimmel.
Mucus [lat.], svw. ↑ Schleim.

Mufflon

Mufflon [italien.-frz.] (Europ. M., Europ. Wildschaf, Muffelwild, Ovis ammon musimon), mit etwa 1,1–1,3 m Länge und 65–90 cm Schulterhöhe kleinste Unterart des Wildschafs; urspr. auf Korsika und Sardinien, heute in vielen Gebieten Europas eingebürgert; Körper im Sommerkleid oberseits braun, unterseits weiß (Winterkleid des ♂ mit meist weißl. „Sattelfleck"); Stammform der europ. Hausschafrassen; mit großen, quer geringelten, kreisförmig nach hinten gebogenen (♂♂) oder kurzen, nach oben gerichteten Hörnern (♀♀; diese manchmal auch ohne Hörner).

Mugokiefer [italien./dt.] (Sumpfföhre, Pinus mugo var. mughus), Unterart der Bergkiefer im mittleren und östl. Teil der Alpen; niedrige, kriechende Bäume mit schwärzl.-brauner Rinde, 2–5 cm langen, dunkelgrünen Nadeln und meist sitzenden, symmetr. Zapfen.

Mukopolysaccharide [lat./griech.], hochpolymere Kohlenhydrate, die aus Aminozuckern und Uronsäuren aufgebaut sind; häufig ist auch Schwefelsäure in esterartiger Bindung enthalten. Zu den M. gehören v. a. die in Bindegewebe oder in Schleimen des tier. Körpers verbreiteten Substanzen Hyaluronsäure und Chondroitinschwefelsäure sowie das in der Leber gebildete Heparin.

mukös [lat.], schleimig, von schleimartiger Beschaffenheit (im Hinblick auf Sekrete); schleimabsondernd (von Drüsen bzw. Drüsenzellen, auch von bestimmten Karzinomen).

Muli [lat.], Bez. für das (wegen seiner Trittfestigkeit) als Gebirgslasttier eingesetzte Maultier (↑ Esel).

Mullemminge (Steppenlemminge, Lemmingsmulle, Ellobius), Gatt. 8–15 cm langer, gelblichbrauner Wühlmäuse mit zwei Arten in Steppen und Halbwüsten SW-Asiens; grabende Erdbewohner mit stumpfer Schnauze, großen Schneidezähnen und winzigen Augen; Ohrmuscheln fehlen.

Muller, Hermann Joseph [engl. ˈmʌlə], * New York 21. Dez. 1890, † Indianapolis 5. April 1967, amerikan. Biologe. - 1933–37 Mitarbeiter am Inst. für Erbforschung in Moskau; danach Emigration und Professor in Edinburgh und an der Indiana University in Bloomington. M. konnte bei genet. Versuchen an Taufliegen (Drosophila) durch Röntgenstrahlen Mutationen auslösen und erhielt für die Entdeckung der Möglichkeit und damit der Gefahr künstl. Mutationsauslösung durch Röntgenbestrahlung 1946 den Nobelpreis für Physiologie oder Medizin.

Müller, Fritz, * Windischholzhausen bei Erfurt 31. März 1821, † Blumenau (Brasilien) 21. Mai 1897, dt. Zoologe. - Prof. in Florianópolis; Darwinist („Für Darwin", 1864); untersuchte die Stammesgeschichte der Krebstiere zum Nachweis der Deszendenztheorie und formulierte erstmals das biogenet. Grundgesetz.

M., Johannes, * Koblenz 14. Juli 1801, † Berlin 28. April 1858, dt. Physiologe, Pathologe und Anatom. - Prof. in Bonn, dann in Berlin; Lehrer u. a. von R. Virchow und T. Schwann. M. war einer der bedeutendsten medizin. Wissenschaftler seiner Zeit. Bes. eingehend befaß-

Mund

Münsterländer

te er sich mit der Nerven- und Sinnesphysiologie, baute die Reflexlehre weiter aus und leistete grundlegende Forschungen zur Entwicklungsgeschichte des Urogenitalapparats. Schrieb u. a. „Physiologie des Menschen" (2 Bd., 1833–40).

Müller-Gang [nach Johannes Müller, * 1801, † 1858] (Ductus paramesonephricus), bei den meisten Wirbeltieren in beiden Geschlechtern embryonal neben jedem der beiden Urnierengänge angelegter, bei den ♀♀ zu den Eileitern werdender Kanal. Bei den Säugetieren (einschließl. Mensch) differenziert sich der M.-G. im weibl. Geschlecht außer in den paarigen Eileiter noch (durch Verschmelzung) in die Gebärmutter und den oberen Scheidenteil. Im männl. Geschlecht wird der M.-G. reduziert.

Müller-Thurgau-Rebe [nach dem schweizer. Pflanzenphysiologen H. Müller-Thurgau, * 1850, † 1927], 1882 in Geisenheim aus einer Kreuzung zw. Riesling und Silvaner gewonnene Rebsorte; liefert einen milden, duftigen, durchweg säurearmen Wein.

Mullmäuse, svw. ↑ Blindmulle.

Mulmbock (Zimmermannsbock, Ergates faber), etwa 3–6 cm langer, rost- bis hellbrauner Bockkäfer, v. a. in Kiefernwäldern Europas; mit (beim ♂) körperlangen Fühlern und zwei auffälligen Höckern auf dem scharfkantigen Halsschild; Raupen werden bis 9 cm lang und entwickeln sich bes. im Mulm von Nadelholzstümpfen.

Multienzymkomplex [...ti-ɛn...], verschiedene Einzelenzyme einer biolog. Reaktionskette (z. B. Fettsäuresynthese) oder eines Substrats (z. B. Hefepreßsaft), die sich gegenseitig strukturell und funktionell beeinflussen und damit regulieren.

Mummel, svw. ↑ Teichrose.

Mund (Os, Stoma), der meist durch Muskeln verschließbare und im allg. durch die Kiefer begrenzte Eingang zum Darmtrakt beim Tier und beim Menschen. Die Größe und Ausbildung des M. ist der Ernährungsweise angepaßt. - Beim Menschen wird der

Mundflora

M. durch die mit dem M.schließmuskel versehenen, die M.spalte (**Mundöffnung**) begrenzenden Lippen verschlossen. Zw. den Lippen und den Kieferwällen mit den beiden Zahnreihen befindet sich der M.vorhof, dessen seitl. Außenwände die Wangen bilden. In den M.vorhof münden die Ohrspeicheldrüsen. Der Raum zw. den Zähnen und der Rachenenge wird als **Mundhöhle** bezeichnet. Sie ist von Schleimhaut ausgekleidet. In sie münden die Unterkiefer- und Unterzungendrüse. Ein Teil der Muskeln des M.höhlenbodens bildet die Zunge. Das M.höhlendach stellt den Gaumen dar, der zum Rachen überleitet. - Im M. wird die Nahrung gekaut, außerdem ist er am Vorgang des Sprechens beteiligt.

Mundflora, Bez. für die in der Mundhöhle vorkommende Hefe- und Bakterienflora, die teilweise eine Schutzfunktion ausübt.

Mundgliedmaßen, für den Nahrungserwerb und die Nahrungsaufnahme umgebildete Gliedmaßenpaare der Gliederfüßer, v. a. an den Kopfsegmenten. Die *M. der Höheren Krebse* bestehen aus dem paarigen Oberkiefer (Mandibeln), zwei Paar Unterkiefern (Maxillen) und drei Paar Kieferfüßen an der Brust. - Die *M. der Insekten* sind je nach Art der Nahrung sehr unterschiedl. gebaut, sie gehen aber auf einen gemeinsamen Grundtypus zurück. Man unterscheidet beißend-kauende (kauend-leckende; Holz, Blätter, tier. Gewebe und feste ter. Stoffwechselprodukte werden aufgenommen, leckend-saugende (Nektar, Honigtau, Pflanzensäfte, vorverdaute Substanzen werden aufgenommen) und stechendsaugende M. (pflanzl. oder tier. Säfte werden nach Durchstechen der Epidermis aufgenommen). *Beißend-kauende M.* (bei Steinfliegen, Libellen, Käfern, Heuschrecken): Eine unpaare Hautfalte bildet die Oberlippe *(Labrum)*. Sie überdeckt den paarigen Oberkiefer, der Schneidezähne trägt. Hinter ihm sitzt der stärker gegliederte und vielseitig beweglich paarige Unterkiefer (erste Maxillen). Seitl. gehen nach außen die Unterkiefertaster und nach innen die Kauladen ab. Das zweite Maxillenpaar ist zur Unterlippe (Labium) verschmolzen, die das Mundfeld nach hinten begrenzt. Sie trägt seitl. ein Paar Lippentaster (Labialtaster). *Leckend-saugende M.* (Biene): Teile der Unterlippe bilden die lange, röhrenförmige Zunge. Die Außenladen des Unterkiefers und die Lippentaster bilden um die Zunge ein Saugrohr. *Saugende M.* (Schmetterlinge): Unterkiefer und Lippe sind zurückgebildet. Erhalten bleiben die Lippentaster. Die beiden Außenladen des Unterkiefers sind stark verlängert und rinnenförmig. Sie legen sich zu einem einrollbaren Saugrohr zus. *Stechendsaugende M.* (Stechmücken): Die Unterlippe bildet eine Rinne, die von der Oberlippe bedeckt wird. In ihr gleiten die Stechborsten, die aus dem Oberkiefer und den Kauladen des Unterkiefers entstanden sind.

Mundwerkzeuge, svw. ↑ Mundgliedmaßen.

Mungbohne [Hindi/dt.] (Mungobohne, Phaseolus aureus), v. a. in Asien kultivierte Bohnenart; die grau-dunkelgrünen Samen sind kleiner als bei der Gartenbohne.

Mungo [Tamil.-engl.] ↑ Mangusten.
♦ Kurzbez. für ↑ Indischer Mungo.

Mungobohne [Hindi/dt.], svw. ↑ Mungbohne.

Munk [schweizer.], landschaftl. Bez. für das Alpenmurmeltier.

Münsterländer (Großer Münsterländer), bis 58 cm schulterhoher dt. Vorsteh- und Stöberhund mit Hängeohren und langbehaartem Schwanz; Fell leicht gewellt; Farbe weiß mit schwarzem Kopf und schwarzen Platten und Flecken am ganzen Körper oder schwarz getigert. - Abb. S. 207.

Muntjak [javan.-engl.] (Muntiacus muntjak), etwa 0,9–1,3 m langer, 40–65 cm schulterhoher, oberseits vorwiegend rötlichbrauner, unterseits weißer Hirsch (Unterfam. Muntjakhirsche), v. a. in trop. Dschungeln und Wäldern S-Asiens.

Muralt ['muːralt, muˈralt], Alexander von, * Zürich 19. Aug. 1903, schweizer. Physiologe. - Prof. in Bern; Leiter des dortigen Theodor-Kocher-Instituts der Univ. sowie der Hochalpinen Forschungsstation Jungfraujoch; Arbeiten hauptsächl. zur Neurophysiologie und zur Bioklimatologie.

Muränen (Muraenidae) [griech.-lat.], Fam. meist bis 1 m langer Knochenfische (Ordnung Aalartige Fische) mit über 100 Arten, v. a. an Felsküsten der trop. und subtrop. Meere; räuber. lebende, oft gelbbraune, z. T. auffallend gefärbte und gezeichnete, aalförmige Fische mit dicker, schuppenloser Haut, großem Maul und giftigem Biß. - Zu den M. gehören u. a. **Drachenmuräne** (Muraena pardalis), braun bis orangefarben mit leuchtend weißer Fleckung; beide Nasenöffnungspaare zu Röhren ausgezogen, die vorderen kurz, die hinteren über den Augen stehenden, schnorchelartig lang, aufrecht stehend. **Pampan** (Pompa, Thyrsoidea macrurus), bis über 3 m lang. Als Speisefisch geschätzt ist die bis 1,5 m lange, braune, gelbl. marmorierte **Mittelmeermuräne** (Muraena helena).

Mureinsacculus [lat.], Stützschicht in der Zellwand der Bakterien und Blaualgen und in den Stielen der gestielten Bakterien, aus dem sackförmigen Riesenmolekül des Peptidoglykans (= Murein) bestehend. Der M. wird durch Lysozyme und andere Enzyme oder durch Penicillin zerstört.

Murmeltiere [zu lat. mus montis „Bergmaus" (unter Einfluß von murmeln)] (Marmota), Gatt. etwa 40–80 cm langer, gedrungener Erdhörnchen mit neun Arten, v. a. in Steppen, Hochsteppen und Wäldern Eurasiens und N-Amerikas; tagaktive, umfangreiche Erdbauten anlegende Bodenbewohner mit

Muskatnußbaum

kurzem, buschigem Schwanz, kurzen Extremitäten und rundl. Kopf. - M. halten einen ausgedehnten (im N ihres Verbreitungsgebietes bis acht Monate dauernden) Winterschlaf. Im Handel werden die Felle *(Murmel)* oft auf Nerz *(Nerzmurmel)* oder Zobel *(Zobelmurmel)* umgefärbt. - Zu den M. gehören u. a. ↑Alpenmurmeltier; **Steppenmurmeltier** (Bobak, Marmota bobak), Fell gelbbraun, Rükken dunkler; in O-Europa und M-Asien. **Waldmurmeltier** (Marmota monax), Fell gelblichbraun bis braun, mit grauweißen Grannenhaaren, Bauchseite heller, Füße dunkelbraun bis schwarz; in N-Amerika.

Mus [lat.], Gatt. der Mäuse (i. e. S.) mit rd. 20 Arten, davon am bekanntesten die ↑Hausmaus.

Musaceae [arab.], svw. ↑Bananengewächse.

Musangs [malai.] (Palmenroller, Rollmarder, Paradoxurus), Gatt. der Schleichkatzen mit drei Arten in S-Asien (einschließl. der Sundainseln); Körper etwa 45-55 cm lang; Fell bräunlichgrau bis braun, oft mit dunklerer Zeichnung; nachtaktive Baumbewohner; ernähren sich von Wirbellosen, kleineren Wirbeltieren und Früchten. Häufig ist der **Malaiische Palmenroller** (Fleckenmusang, Paradoxurus hermaphroditus), mit dunklen Punkten auf dem bräunlich-grauen Körper und schwärzl. Gesichtsmaske.

Muscari [griech.-lat.], svw. ↑Traubenhyazinthe.

Muscarin ↑Muskarin.

Muschel ↑Muscheln.

Muschelbänke ↑Miesmuschel.

Muschelgift (Mytilotoxin), vermutl. in den Genitalprodukten von Muscheln, v. a. während der heißen Jahreszeit, sich bildendes Toxin.

Muschelkrebse (Ostrakoden, Ostracoda), Unterklasse etwa 0,25 mm bis wenige cm langer Krebse mit rd. 12 000 Arten in Meeres- und Süßgewässern; mit stark verkürztem, von einer zweiklappigen Schale völlig umschlossenem Körper, wenigen Extremitätenpaaren und (meist) mit Naupliusauge. Manche ausgestorbenen M. spielen neuerdings als „Leitfossilien" bei Probebohrungen nach Erdöl eine bed. Rolle.

Muscheln [zu lat. musculus „Mäuschen", (übertragen:) „Miesmuschel"] (Bivalvia, Lamellibranchiata, Acephala), seit dem Kambrium bekannte, heute mit rd. 8 000 Arten in Meeres- und Süßgewässern verbreitete Klasse der Weichtiere; Körper zweiseitig symmetr., meist mit muskulösem Fuß, von zweiklappiger Kalkschale umgeben. Die Schalen können durch zwei Schließmuskeln fest verschlossen werden. Den M. fehlt die für die meisten Weichtiere kennzeichnende Radula, der Nahrungserwerb geschieht bei ihnen durch Ausfiltern von Kleinlebewesen aus dem Wasser mit Hilfe der Kiemen. Ein eigentl. Kopf fehlt; Sinnesorgane sind meist sehr spärl. entwickelt. - Die Befruchtung der meist getrenntgeschlechtl. M. erfolgt entweder außerhalb (Eier und Spermien werden ins Wasser ausgestoßen) oder innerhalb der Tiere (Spermien werden von den ♀♀ mit dem Atemwasser eingestrudelt). Manche M. spielen als Nahrungsmittel eine bed. Rolle (z. B. Miesmuscheln, Herzmuscheln, Austern), andere (Bohrmuscheln, Schiffsbohrwurm) können am Holz von Hafenbauten und Schiffen beträchtl. wirtschaftl. Schaden verursachen. Für die Schmuckindustrie ist v. a. die Seeperlmuschel von großer Bedeutung. Man unterscheidet vier Ordnungen: Fiederkiemer, Fadenkiemer, Blattkiemer, Verwachsenkiemer.

Muschelschaler (Conchostraca), Ordnung wenige Millimeter bis 1,7 cm großer Blattfußkrebse mit rd. 180 Arten; v. a. in kleinen Seen und Tümpeln lebend (ausgestorbene Arten vermutl. auch im Meer); Gehäuse muschelartig, zweiklappig, durch Kalkeinlagerungen verstärkt.

Museumskäfer (Anthrenus museorum), weltweit verbreiteter, 2-3 mm großer, dem ↑Kabinettkäfer ähnl. Speckkäfer; Larven können durch Fraß an Bälgen und Insektenpräparaten sowie an Pelz- und Wollwaren schädl. werden.

Musikantenknochen [griech./dt.], volkstüml. Bez. für einen Knochenhöcker (Epicondylus medialis humeri) am Ellbogen des Menschen, unter dem der Ellennerv (Nervus ulnaris) sehr oberflächl. liegt und der daher leicht unter charakterist., in das Hautgebiet der Kleinfingerseite projizierter Schmerzempfindung angestoßen werden kann.

Muskarin (Muscarin) [lat., nach dem Fliegenpilz Amanita muscaria], sehr giftiges Alkaloid des Fliegenpilzes, das auf die Rezeptoren des parasympathischen Nervensystems einwirkt.

Muskatblüten, fälschl. Bez. für Mazis (↑Muskatnußbaum).

Muskatfink (Muskatvogel, Lonchura punctulata), bis 12 cm (einschließl. Schwanz) langer ↑Prachtfink in S-Asien (einschließl. der Sundainseln); ♂ und ♀ oberseits rotbraun, unterseits weiß mit schwärzl. Federendbinden. - Abb. S. 210.

Muskatnußbaum (Myristica), Gatt. der Muskatnußgewächse (Myristicaceae); 15 Gatt. mit insgesamt 250 Arten) mit rd. 100 Arten, v. a. auf den Molukken. Die wirtschaftl. bedeutendste Art ist der **Echte Muskatnußbaum** (Myristica fragans), ein heute überall in den Tropen kultivierter, immergrüner, bis 15 m hoher Baum mit ganzrandigen, wechselständigen Blättern und zweihäusigen, kleinen Blüten. Die Frucht ist eine fleischige Kapsel mit nur einem von der *Mazis* (Samenmantel) umhüllten Samen, der **Muskatnuß**. Diese wird getrocknet und gegen Insektenfraß in Kalkmilch getaucht. Verwendung als Küchenge-

Muskelfasern

würz. In der Medizin wird sie als Magenmittel, Stimulans und Aromatikum benutzt. Aus minderwertigen Samen wird Muskatbutter bzw. Muskatnußöl gewonnen, das in der Pharmazie und Parfümind. verwendet wird. Größere Mengen Muskatnuß sollen halluzinogene Wirkungen haben.

Muskelfasern ↑ Muskeln.

Muskelgewebe, aus kontraktilen Zellen (Muskelzellen, Muskelfasern) und Bindegewebe aufgebautes Gewebe bei vielzelligen Tieren und beim Menschen.

Muskelkontraktion ↑ Muskeln.

Muskelkoordination, das vom Zentralnervensystem gesteuerte und den jeweiligen Gegebenheiten angepaßte, geordnete, harmon. Zusammenspiel der Skelettmuskulatur.

Muskelmagen, der starkwandige, muskulöse Magen verschiedener Tiere, durch dessen Muskelkontraktionen, oft in Verbindung mit aufgenommenen Sandkörnchen (z.B. bei Regenwürmern), kleinen Steinchen (als Mahlsteine; v.a. bei körnerfressenden Vögeln) oder bes. Bildungen der Mageninnenwand (und damit zum Kaumagen überleitend), die Nahrung bes. intensiv durchgeknetet und auch zerkleinert wird.

Muskeln (Musculi, Einz. Musculus) [lat., eigtl. „Mäuschen"], aus Muskelgewebe bestehende Organe, die sich kontrahieren (d.h. chem. Energie in mechan. [Arbeit] umwandeln) können. Sie dienen der Fortbewegung sowie der Gestaltveränderung und der Bewegung von Gliedmaßen und Organen. Der einzelne M. ist von Bindegewebssepten mit Nerven und Blutgefäßen umschlossen und wird an seiner Oberfläche von einer straffen, an den Bewegungen des M. nicht beteiligten Muskelscheide (M.faszie) begrenzt. Nach ihrer Form unterscheidet man längl. M., runde M. und breite, flächenhafte Muskeln. Die Gesamtheit der M. eines Organismus bezeichnet man als **Muskulatur.** Nach ihren funktionellen Einheiten, den M.zellen bzw. -fasern unterscheidet man glatte M., quergestreifte M. und Herzmuskulatur.

Glatte Muskeln: Die nicht dem Willen unterworfenen glatten M. bestehen aus langgestreckten, spindelförmigen, räuml.-netzförmig angeordneten, locker gebündelten oder in Schichten gepackt liegenden M.zellen, die beim Menschen etwa 15–225 µm lang und 4–7 µm breit sind. Im Zentrum dieser M.zellen liegt ein stäbchenförmiger Zellkern. In der Umgebung des Zellkerns liegen Mitochondrien. Parallel zur Längsachse verlaufen uneinheitl. angeordnete, dünne Eiweißfilamente (*Muskelfibrillen, Myofibrillen*), die, wie elektronenmikroskop. Aufnahmen zeigen, aus Untereinheiten bestehen. Je ein Aktin- und Myosinstrang von etwa 5 nm Durchmesser sind spiralig umeinander gewunden. Durch die parallele Anordnung der M.fibrillen ist der Brechungsindex der Zellen in Längsrichtung größer als in Querrichtung. Glatte M. arbeiten meist langsam und können die Kontraktion ohne großen Energieverbrauch oft längere Zeit aufrechterhalten (z.B. Schließ-M. der Muscheln). Vorkommen v.a. im Darm- und Urogenitalsystem, in den Luftwegen, Blut- und Lymphgefäßen, im Auge und in der Haut.

Quergestreifte Muskeln: Grundelemente der willkürl. quergestreiften M. (Ausnahme Herz-M.), der Skelett-M., sind immer die quergestreiften M.fasern. Sie sind zylindr. geformt, mehr- bis vielkernig, etwa 9–100 µm dick und etwa 2–30 cm lang (längste M.faser beim Menschen etwa 12 cm). Jede M.faser ist von Bindegewebe umhüllt. Die Zellkerne liegen am Rand, die Mitochondrien sind verstreut. Das Plasma (*Sarkoplasma*) der Fasern ist von M.fibrillen erfüllt, die in gleiche, einander entsprechende Struktureinheiten, die *Sarkomeren*, gegliedert sind. Diese sind Bündel aus zwei Sorten streng geordneter, unterschiedl. langer, miteinander verzahnter Elementarfibrillen, den dickeren Myosin- und den dünneren Aktinfäden. Die Myosinfäden setzen in der Mitte des Sarkomers am sog. M-Streifen an, die Aktinfäden an den Z-Streifen. Wegen unterschiedl. opt. Eigenschaften (Doppelbrechung), die die M.fibrillen (und durch die entsprechende gleiche Anordnung der Sarkomeren in den benachbarten Fibrillen auch die ganze M.faser) quergestreift erscheinen lassen, wird der einfach-brechende Bereich der Aktinfilamente als *I-Bande* (von isotrop), der doppelt-brechende Bereich der Myosinfilamente als *A-Bande* (von anisotrop) bezeichnet. Bei der Verkürzung der M.fasern verschieben sich die Aktin- und Myosinfilamente teleskopartig ineinander. Quergestreifte M. arbeiten sehr rasch und sind äußerst leistungsfähig. Deshalb ist auch der **Herzmuskel** quergestreift, obwohl er nicht dem Willen unterliegt. Sein Bau weicht etwas von dem der quergestreiften Skelett-M. ab. So bestehen die

Muskatfink

Muskeln

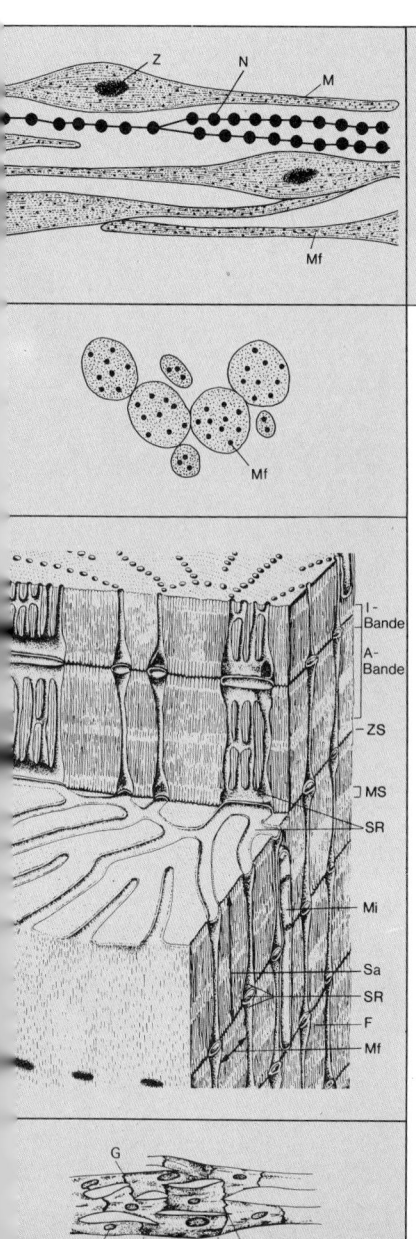

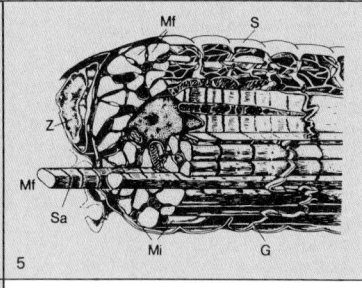

Muskeln. Glatte Muskulatur (1 Längsschnitt; 2 Querschnitt); Blockdiagramm eines quergestreiften Muskels (3); Herzmuskulatur (4 Längsschnitt; 5 Blockdiagramm). F Filamente, G Glanzstreifen, M Muskelzelle, Mf Muskelfibrille, Mi Mitochondrium, MS M-Streifen, N Nervenfaser, S Sarkolemm, Sa Sarkomeren, SR sarkoplasmatisches Retikulum, Z Zellkern, ZS Z-Streifen

Herzmuskelfasern aus hintereinander geschalteten Herzmuskelzellen, die durch sog. Glanzstreifen gegeneinander abgesetzt sind. Alle M. beziehen ihre Energie aus den Nährstoffen, die mit dem Blut an sie herangeführt werden. Dies geschieht z.T. im Verlauf der sauerstofffreien Kohlenhydrateverwertung (anaerobe Glykolyse) oder während der letzten gemeinsamen, sauerstoffverbrauchenden Abbaustufen für Kohlenhydrate und Fette im Zitronensäurezyklus und in der Atmungskette (sog. Endoxidation). Für die Umwandlung in mechan. Arbeit ist entscheidend, daß die chem. Energie schließl. in hochwirksamer Form auf Adenosintriphosphat (ATP) übertragen wird, das gewissermaßen ein muskeleigenes, schnell mobilisierbares Energieresevoir darstellt. ATP enthält u.a. eine endständige Phosphatbindung, aus der durch Spaltung in Adenosindiphosphat (ADP) und Phosphat (P) rasch ein hoher Energiebetrag freigesetzt und für die Kontraktionsarbeit zur Verfügung gestellt werden kann. Der mechan. Grundvorgang der **Muskelkontraktion** (Verkürzung der M.) besteht darin, daß ATP seine Energie an bestimmte fadenförmige Eiweißstoffe (die kontraktilen Proteine Aktin und Myosin) abgibt, die sich mit Hilfe kurzlebiger Haftbrücken ineinanderschieben. Die Kontraktion von Skelett-M. wird durch elektr. Erregungen (Aktionspotentiale) ausgelöst, die über die zuführenden motor. Nervenfasern kommen. Zw. Nervenfasern und M.fasern ist die *motor. Endplatte* als spezialisierte Übertragerstelle (Synapse) eingebaut. Die Übertragung der Erregung zw. Nerven- und M.faser geschieht

Muskelsinn

durch den Überträgerstoff (Transmitter) Acetylcholin. Dieses erzeugt im Bereich der subsynapt. Membran der M.faser ein stehendes Potential (das sog. Endplattenpotential), das auf der M.fasermembran ein neues Aktionspotential entstehen läßt. Das neue (muskeleigene) Aktionspotential läuft als elektr. Signal die M.faser entlang und löst in ihr schließl. auf indirektem Weg den Kontraktionsvorgang aus. Das Pfeilgift Kurare macht die subsynapt. Membran unempfindl. gegen Acetylcholin und verhindert so die Entstehung des Endplattenpotentials. Der M. ist dann durch einen myoneuralen Block gelähmt. Die Kontraktion der glatten M. verläuft ähnl., jedoch über ungeordnet liegende Fibrillen. Sie setzt erst etwa 150 ms nach Ende eines Aktionspotentials ein. - *Besonderheiten der Kontraktion des Herz-M.:* Seine Fasern verzweigen sich und nehmen über bes. durchlässige Querwände untereinander Kontakt auf. Daher breiten Aktionspotentiale im Herz-M. sich über immer weitere Fasern aus, bis die Erregung ganze Abschnitte und schließl. das ganze Herz erreicht. Das Herz kann und muß sich folgl. immer als Ganzes kontrahieren. Die Aktionspotentiale dauern länger, entsprechend länger ist die Erholungsphase. Dadurch können Extrareize abgehalten und Extraschläge (oder Extrasystolen) vermieden werden.

M. können sich nur zusammenziehen, nicht jedoch selbständig aktiv dehnen. Die der Kontraktion entgegengesetzte Bewegung erfolgt deshalb durch einen als Gegenspieler fungierenden anderen M. (z.B. Beuger und Strecker des Oberarms), durch elast. Bänder oder durch Flüssigkeiten (bei den Blutgefäßen). - Je nachdem, was die Kontraktion eines M. bewirkt, spricht man von: Abspreizer (Abduktoren), bewegen Gliedmaßen vom Körper weg; Adduktoren, bewegen sie zum Körper hin; Beuge-M. (Flexoren), veranlassen eine Beugebewegung im Gelenk; Streck-M. (Extensoren); Hebe-M. (Levatoren), ziehen Organe nach oben (z.B. das Schulterblatt); Senker (Depressoren), bewegen ein Organ nach unten (z.B. den Unterkiefer). Für Drehbewegungen gibt es die Einwärtsdreher (Pronatoren) und die Auswärtsdreher (Supinatoren).

Katz, B.: Nerv, M. und Synapse. Stg. ⁴*1985. - Wilkie, D. R.: Muskelphysiologie. Dt. Übers. Stg. 1983. - Hoepke, H./Landsberger, J.: Das Muskelspiel des Menschen. Stg.* ⁷*1979. - Reichel, H.: Muskelphysiologie. Bln. u.a. 1960.*

Muskelsinn (Myästhesie), mechan. Sinn, der Tiere und den Menschen befähigt, Veränderungen der Muskellänge und -spannung wahrzunehmen. Die entsprechenden Rezeptoren liegen in den Muskelspindeln der Skelettmuskulatur, die die Länge und Längenzunahme, aber auch in den Sehnenspindeln, die die Muskelspannung registrieren.

Muskeltonus, die Grundspannung eines nicht willkürl. innervierten Muskels. Man unterscheidet den *kontraktilen M.*, bei dem auf Grund der Spontanerregung der Muskelfaser eine energieverbrauchende Kontraktion abläuft (z.B. bei der Grund- oder Ruhespannung der Skelettmuskeln, dem Tonus der glatten Muskulatur von Hohlorganen), und den *plast. M.* oder *Sperrtonus*, der mit einer Umordnung der kontraktilen Muskeleiweiße einhergeht und kaum Energie benötigt.

Muskulatur [lat.] ↑ Muskeln.

Mustang [span.-engl., eigtl. „herrenloses Tier"], Bez. für die im W der USA verwilderten und später von Indianern und Kolonisten eingefangenen und weitergezüchteten, zähen, genügsamen Nachkommen der im 16. und 17. Jh. aus Europa eingeführten Hauspferde verschiedener Rassen; erst in jüngerer Zeit wurden aus dem M. spezielle Rassen herausgezüchtet, z.B. der 150 cm schulterhohe, kräftige, verschiedenfarbene *Span. Mustang.*

Mustela [lat.], svw. ↑ Wiesel.

Mutabilität [lat.], Veränderlichkeit, Unbeständigkeit. - Speziell die Fähigkeit der Gene zu mutieren.

Mutagene [lat./griech.], natürl. vorkommende und synthet. Substanzen (chem. M.) sowie Strahlen (physikal. M.), die Mutationen hervorrufen können; M. sind häufig zugleich karzinogen. Als *physikal. M.* wirken Röntgen-, Höhen-, Gamma- und Ultraviolettstrahlen. Bei den *chem. M.* unterscheidet man Substanzen, die die Nukleotidbasen der DNS verändern, z.B. *desaminierende M.* wie Nitrite und *alkylierende M.* wie Diazoalkane, Alkylnitrosamine, Dimethylhydrazine und Aflatoxin sowie *interkalierende M.* wie Benzpyren und Acridinamine, die sich in die Nukleotidkette einbauen, und Substanzen, die auf Grund ihres der Nukleotidbasen sehr ähnl. Baus in die DNS aufgenommen werden und zu einer fehlerhaften Replikation der DNS führen (z.B. Bromuracil, Joduracil, Fluoruracil, 2-Aminopurin). - M. werden in der Chemotherapie des Krebses eingesetzt.

Mutante [lat.], Individuum, dessen Erbgut in mindestens einem Gen gegenüber dem häufigsten Genotyp, dem *Wildtyp,* verändert ist.

Mutation [zu lat. mutatio „Veränderung"] (Erbänderung), plötzl. auftretende und dann konstant weitergegebene, also erbl. Veränderung in der Erbsubstanz. Eine M. kann spontan (ohne erkennbare Ursache) entstehen *(Spontan-M.)* oder durch Einwirkung von ↑ Mutagenen induziert werden *(induzierte Mutation).* M. an bestimmten Stellen auszulösen, z.B. an einem bestimmten Gen, ist bisher nicht möglich. Molekular betrachtet bedeutet eine M. die Änderung einer bestehenden Nukleinsäuresequenz. Dem entspricht in vielen Fällen auch eine Änderung der genet. Information; sie äußert sich nur dann nicht, wenn bei der M. aus einem bestimmten Codon ein anderes entsteht, das in die gleiche

Muttermilch

Aminosäure übersetzt wird. Mutative Veränderungen an der DNS (oder RNS) können zustande kommen: 1. durch chem. Umwandlung einer Nukleotidbase in eine andere; eine solche *Punkt-M.* führt zum Austausch nur einer Aminosäure gegen eine andere. 2. Durch Hinzufügen oder Wegnehmen eines Nukleotids aus einer in Nukleotiddreiergruppen „gelesenen" DNS wird der Sinn nicht nur der direkt betroffenen, sondern auch aller folgenden Dreiergruppen verändert. Solche *Rasterverschiebungs-M. (Frame-shift-mutations)* führen zur Zerstörung des Informationsgehalte eines Gens und haben ein funktionsloses Protein zur Folge. 3. Durch Punkt-M. kann mitten in einem Gen eine Dreiergruppe mit der Bed. „Ende der Proteinbiosynthese", d. h. ein Terminatorcodon, entstehen *(Terminator-M.);* diese Art der M. hat einen Abbruch der Proteinkette an dieser Stelle zur Folge und führt zu einem verstümmelten, funktionslosen Proteinfragment. - Je nach Ort und Umfang einer M. lassen sich auf Grund mikroskop. Analysen (im Unterschied zu den vorigen M. auf Grund molekularbiolog. Analysen) unterscheiden: *Genom-M.*, verändern die Anzahl einzelner Chromosomen oder ganzer Chromosomensätze. *Chromosomen-M.*, führen zu Umbauten im Chromosom (↑Chromosomenanomalie). *Gen-M.* betreffen einzelne Gene.
📖 *Gottschalk, W./Wolff, G.: Induced mutations in plant breeding. Bln. u. a. 1983. - Gebhart, E.: Chem. Mutagenese. Stg. 1977.*

Mutationshäufigkeit, svw. ↑Mutationsrate.

Mutationsrate (Mutationshäufigkeit, Mutationsfrequenz), die Häufigkeit, mit der in einem bestimmten Gen innerhalb einer Population (bzw. pro Generation) eine Mutation auftritt. Die *spontane M.* schwankt je nach Gen. zw. 10^{-4} (eine Mutation auf 10000 Individuen) und weniger als 10^{-9} (eine Mutation auf über eine Milliarde Individuen). Die M. kann durch die Einwirkung von Mutagenen (induzierte Mutationen) jedoch für bestimmte Gene bis auf Werte von 10^{-2} erhöht werden *(Experimentalrate).*

Mutationszüchtung, in der Tier- und Pflanzenzüchtung die Gewinnung nützl. Mutanten durch künstl. Auslösung von ↑Mutationen und die züchter. Vermehrung der Mutanten.

mutieren [lat.], eine erbl. Veränderung (↑Mutation) erfahren, sich im Erbgefüge ändern; von Genen, Chromosomen, Zellkernen, Zellen oder Organismen gesagt.
♦ sich im Stimmwechsel befinden.

Mutis, José Celestino, *Cádiz 6. April 1732, †Santa Fe de Bogotá (= Bogotá) 11. Sept. 1808, span. Arzt und Botaniker. - Erforschte die Vegetation S-Amerikas, insbes. der Anden. Er widmete sich speziell der Kultivierung und Verbreitung des Chinarindenbaums und machte sich um die Erforschung des Chinins verdient.

Muton [lat.], das Gen als Mutationseinheit; kleinster mutierbarer Baustein des Erbmaterials in Form eines Nukleotids des Nukleinsäuremakromoleküls.

Mutsu [jap.] ↑Apfelsorten, Bd. 1, S. 49.

Mutterband, 1. das breite M. (Ligamentum latum uteri), eine Eierstöcke, Eileiter und Gebärmutter umhüllende Bauchfellduplikatur; 2. das runde M. (Ligamentum teres uteri), ein bindegewebiges Halteband der Gebärmutter, durch den Leistenkanal zu den großen Schamlippen ziehend.

Mutterkorn (Secale cornutum), hartes, bis zu 2,5 cm großes, schwarzviolettes, hornartig aus der Ähre herausragendes Dauermyzelgeflecht (Sklerotium) des M.pilzes in Fruchtknoten bzw. im Korn des Getreides (bes. Roggen). Das M. enthält biogene Amine, Lysergsäureabkömmlinge und die pharmakolog. stark wirksamen ↑Mutterkornalkaloide. Durch ins Mehl gelangtes, gemahlenes M. traten früher schwere Vergiftungserkrankungen (**Ergotismus,** Mutterkornvergiftung, Kribbelkrankheit) auf.

Mutterkornalkaloide [...o-idə] (Ergolinalkaloide), sich chem. von der Lysergsäure herleitende Alkaloide, wobei die Lysergsäure beim *Ergometrin* mit 2-Amino-1-propanol, bei der *Ergotamin-* und *Ergotoxingruppe* mit versch. Tripeptiden verbunden ist. Vergiftungen mit M. rufen den sog. *Ergotismus* (↑Mutterkorn) hervor. M. werden medizin. u. a. als Migränemittel verwendet.

Mutterkornpilz (Claviceps purpurea), giftiger Schlauchpilz aus der Ordnung Clavicipitales, der bes. auf Roggen schmarotzt. Der von den Sporen des Pilzes infizierte Fruchtknoten wird vom Myzel des Pilzes durchwuchert und bildet bei der Kornreife das weit aus der Ähre herausragende ↑Mutterkorn.

Mutterkuchen, svw. ↑Plazenta.

Mutterkümmel, svw. ↑Kreuzkümmel.

Muttermilch (Frauenmilch), nach der Entbindung in den weibl. Brustdrüsen auf Grund hormoneller Reize gebildete Nährflüssigkeit für den Säugling. Schon in der Schwangerschaft wird die Brustdrüse unter dem Einfluß des hohen Östrogen- und Progesteronspiegels auf die Milchsekretion vorbereitet: Die Drüsengänge und -bläschen sprossen aus, der Drüsenkörper wird vergrößert und besser durchblutet. Gleichzeitig verhindert der hohe Östrogenspiegel durch Hemmung der Tätigkeit der Hypophyse, daß es während der Schwangerschaft schon zur Milchsekretion kommt. Mit der Geburt fällt der Östrogenspiegel im Blut ab; die Hypophyse kann jetzt Prolaktin bilden, das die vorbereitete Brustdrüse zur Milchsekretion anregt. In den ersten vier bis fünf Tagen nach der Geburt wird das ↑Kolostrum gebildet. Es enthält mehrere Immunglobuline (Antikörper), die das Neuge-

213

Muttermund

ZUSAMMENSETZUNG VON MUTTERMILCH UND KUHMILCH
(Mittelwerte)

	Kolostrum	transitor. Milch	reife Muttermilch	Kuhmilch
Gesamteiweiß g/l	22,9	15,9	10,6	30,9
Fette, gesamt g/l	29,5	35,2	45,4	38,0
Fettsäuren (Massen-% der Gesamtfettsäuren)				
gesättigte	42,8	45,7	47,1	67,4
ungesättigte	57,2	54,3	52,9	32,6
Aminosäuren g/l	12,0	9,4	12,8	33,0
Eisen mg/l	1,0	0,59	0,50	0,45
Calcium g/l	0,481	0,464	0,344	1,37
Milchzucker g/l	57	64	71	47
Energie				
kcal/l	671	735	747	701
kJ/l	2818	3087	3137	2944

borene u. a. gegen Durchfallerkrankungen und grippeähnl. Viruserkrankungen schützen. Nach der transitor. oder Zwischenmilch produziert die Brustdrüse von der zweiten bis dritten Woche an die reife Muttermilch (Menge der abgesonderten M. 8–10 Tage nach der Entbindung normalerweise rd. 500 cm³ täglich). Sie ist eine optimale Säuglingsnahrung und unterscheidet sich von der Kuhmilch z. B. durch den höheren Zucker- und Fettgehalt bei geringerer Eiweißkonzentration. Die Eiweiße der M. wirken hemmend auf das Wachstum pathogener Darmbakterien, so daß Durchfallerkrankungen wesentl. seltener vorkommen als bei „Flaschenkindern". Der hohe Anteil an weißen Blutkörperchen bewirkt wahrscheinl. einen Schutz vor Virusinfektionen.

Muttermund ↑ Gebärmutter.

Mutterwurz (Ligusticum), Gatt. der Doldenblütler mit über 25 Arten, v. a. auf der Nordhalbkugel; ausdauernde, kahle Kräuter mit fiedrigen Blättern und weißen (meist in vielstrahligen Dolden angeordneten) Blüten. Eine bekannte Art ist die **Zwergmutterwurz** (Ligusticum mutellinoides), eine auf den Wiesen der Alpen verbreitete gute Futterpflanze.

Mutualismus [lat.] (mutualist. Symbiose), in der Ökologie Bez. für enge zwischenartl. Beziehungen von Organismen zum beiderseitigen Nutzen (Symbiose i. w. S.); z. B. Bestäubung von Blüten durch Insekten und Vögel.

Mützenrobbe ↑ Seehunde.

Muzine (Mucine) [zu lat. mucus „Schleim"], Sammelbez. für die viskosen, von bes. Schleimzellen abgesonderten Schleimstoffe, die in unterschiedl. Zusammensetzung Glykoproteide, Mukoproteine und Mukopolysaccharide enthalten und u. a. Schutzfunktion für die Schleimhäute besitzen und Gleit-

mittel darstellen; kommen auch in Darmsaft und Speichel vor.

Mya [griech.], svw. ↑ Klaffmuscheln.

Mycobacterium [griech.], Bakteriengatt. mit rd. 20 Arten. Säurefeste, aerobe, unbewegl., vielgestaltige Stäbchen; oft durch Karotinoide gelb bis rot gefärbt. Die weitverbreiteten saprophyt. Formen leben im Boden und in Gewässern. Viele bauen Paraffine und Aromaten ab oder gehören zu den Knallgasbakterien. Daneben gibt es fakultative und obligate Parasiten, z. B. *M. tuberculosis* und *M. bovis*, Erreger der Tb bei Mensch und Rind.

Mycophyta [griech.], svw. ↑ Pilze.

Myelin [griech.], aus Lipiden und Proteinen bestehende Substanz in der Markscheide der Nervenfasern.

Myeloblasten [griech.], Vorstufen der ↑ Myelozyten im Knochenmark; gelangen bei Erkrankungen des Knochenmarks ins Blut.

Myelozyten [griech.], aus den Myeloblasten hervorgehende direkte Vorstufen der ↑ Granulozyten im Knochenmark.

Mykologie (Pilzkunde), Wiss. von den Pilzen; befaßt sich mit Bau, Stoffwechsel, Systematik und Ökologie der Pilze. Spezialgebiete beschäftigen sich mit den Krankheitserregern bei Mensch, Tier und Pflanze, den symbiont. Pilzen bei Flechten, Wurzelknöllchen und Mykorrhizen.

Mykoplasmen [griech.], kleinste (150–300 nm große) freilebende Bakterien; zellwandlos, daher ohne feste Gestalt; passieren bakteriendichte Filter und wachsen nur in komplexen Medien (bilden auf Agarplatten spiegeleiförmige Kolonien). Die beiden artenreichen Gattungen *Mycoplasma* und *Acholeplasma* sind im Boden, Abwasser sowie auf Schleimhäuten von Mensch und Tier weit verbreitet. Einige Vertreter sind Krankheitserreger bei Mensch, Tier und Pflanze.

Myrtengewächse

Mykorrhiza [griech.] (Pilzwurzel), Symbiose zw. den Wurzeln höherer Pflanzen und Pilzen, hauptsächl. Ständerpilzen. Wesentl. für die M. ist der wechselseitige Stoffaustausch der beteiligten Partner. Die Pilze erhalten von den höheren Pflanzen Kohlenhydrate, während die höheren Pflanzen von ihnen mit Wasser und Mineralsalzen versorgt werden. Man unterscheidet: *Ektotrophe M.:* liegt zumeist obligat bei Waldbäumen (Fichte, Lärche, Eiche), oft mit bekannten Gift- und Speisepilzen (Milchlinge, Röhrlinge, Wulstlinge), vor: Das Myzel umspinnt mit einem dichten Geflecht die Saugwurzeln, die daraufhin als Reaktion keine Wurzelhaare mehr ausbilden und zu einem keulig verdickten Wuchs angeregt werden. *Endotrophe M.:* Hier wachsen die Hyphen in die Zellen der Pflanze hinein, z. B. bei Orchideen (Korallenwurz, Nestwurz, Widerbart), deren Samen nur in Anwesenheit spezif. M.pilze keimen und sich weiterentwickeln können. - Die M. muß als biolog. Ganzheit angesehen werden, da sie eine bes. morpholog.-anatom. Differenzierung darstellt und jeder Partner für sich allein nicht oder nur unvollkommen entwicklungsfähig ist.

Mykotoxine (Pilzgifte), von Pilzen ausgeschiedene, tox. wirkende sekundäre Stoffwechselprodukte. Zu den M. gehören die Aflatoxine, die Mutterkornalkaloide, das Amanitin und das Phalloidin des Grünen Knollenblätterpilzes, Muskaridin und Muskarin des Pantherpilzes, Fliegenpilzes und Ziegelroten Rißpilzes sowie i. w. S. auch die meisten Antibiotika.

Mylodon [griech.], ausgestorbene, vom Oligozän bis Holozän bekannte Gatt. etwa rindergroßer, bodenbewohnender Riesenfaultiere in Amerika.

Myoglobin (Myohämoglobin), Protein von roter Farbe, das bes. reich in der Muskulatur der Säugetiere (einschließl. Mensch) vorkommt und dort als Sauerstoffspeicher dient. Das menschl. M. enthält 153 Aminosäuren und als prosthet. Gruppe das eisenhaltige Häm. M. ist v. a. in den Muskeln, die Dauerarbeit leisten (rote Muskeln wie Herzmuskeln, Flugmuskeln), reichlich enthalten. Bei tauchenden Säugetieren (Wale, Seehunde) ermöglicht M. eine verlängerte Tauchzeit.

Myokard [griech.], svw. Herzmuskel[schicht] (↑ Herz).

Myosin [griech.], Eiweißkomponente in den Muskeln, die den Hauptbestandteil der Muskelfibrillen ausmacht und an der Kontraktion beteiligt ist. M. ist ein Faserprotein, das sich aus zwei Polypeptidketten mit je etwa 2 000 Aminosäuren und zu 15 % aus kleineren Peptidketten zusammensetzt.

Myriapoda [griech.], svw. ↑Tausendfüßer.

Myriophyllum [griech.], svw. ↑Tausendblatt.

Myristica [griech.], svw. ↑Muskatnußbaum.

Myrmekologie [griech.] (Ameisenkunde), Wiss. von Bau, Physiologie und Verhalten der Ameisen.

Myrmekophilen [griech.], svw. ↑Ameisengäste.

Myrmekophyten [griech.], svw. ↑Ameisenpflanzen.

Myrobalanen [griech./hebr.], sehr gerbstoffreiche, rundl. bis birnenförmig-längl. Früchte einiger Arten der Gatt. ↑Almond; Verwendung zum Gerben und in der Medizin als Adstringens.

Myrrhenstrauch (Commiphora), Gatt. der Balsambaumgewächse mit rd. 100 Arten in den Trockengebieten der trop. Afrikas bis Indiens; kleine, mit Dornen besetzte Bäume oder Sträucher.

Myrte (Myrtus) [semit.-griech.], Gatt. der Myrtengewächse mit rd. 100 Arten, v. a. im außertrop. S-Amerika, in Australien und Neuseeland; immergrüne Sträucher oder kleine Bäume mit ledrigen Blättern, weißen Blüten und meist schwarzen Beeren; z. T. Zierpflanzen. Die bekannteste Art ist die im Mittelmeergebiet vorkommende **Brautmyrte** (Myrtus communis), deren Zweige als Braut- und Grabschmuck beliebt sind. - M. war bei den alten Griechen Symbol der Liebe und der Schönheit. Sie war der Aphrodite heilig. Bei Persern, Babyloniern und Juden diente bzw. dient M. kult. Zwecken.

Myrtengewächse (Myrtaceae), Pflanzenfam. mit rd. 3 000 fast ausschließl. trop. Arten; Bäume und Sträucher mit meist gegenständigen, immergrüne, ledrigen Blättern und in Blütenständen angeordneten Blüten; teils Gewürzpflanzen (Eukalyptus, Gewürznelkenbaum, Pimentbaum), teils Obstbäume (Guajavabaum, Kirschmyrte), teils Zierpflanzen (Myrte, Schönfaden).

Nachtigall

Myrtenheide

Myrtenheide (Melaleuca), Gatt. der Myrtengewächse mit über 100 Arten in Australien und Tasmanien; immergrüne Sträucher mit heidekrautähnl., aromat. duftenden Blättern und in Ähren oder Köpfchen stehenden Blüten; z.T. Zierpflanzen. Aus den Blättern von Melaleuca leucadendron wird **Kajeputöl** gewonnen, das in der Medizin und Parfümerie verwendet wird.

Myxobakterien [griech.] (Schleimbakterien, Myxobacteriales), Ordnung der Bakterien; gramnegative, sich gleitend fortbewegende Stäbchen, die unter ungünstigen Umweltbedingungen zusammenkriechen und komplexe Fruchtkörper aufbauen. Im Fruchtkörperinneren bilden sich die vegetativen Zellen zu rundl. **Myxosporen** (Dauerzellen) um. Rd. 40 Arten; leben im Boden, auf faulem Holz, Rinde und Mist von Pflanzenfressern.

Myxomyzeten, svw. ↑Schleimpilze.

Myxosporidia [griech.], Ordnung meist mikroskop. kleiner Sporentierchen; Entoparasiten überwiegend bei Fischen; verursachen wirtschaftl. Schäden v.a. bei Forellen und der Flußbarbe.

Myxoviren [griech./lat.], große, komplex gebaute RNS-Viren. Zu den M. gehören u.a. Influenzaviren, Mumps- und Masernviren.

Myzel (Mycelium) [griech.], die Gesamtheit der Hyphen eines Pilzes. Das M. bildet das Pilzgeflecht oder den Thallus. Das locker vernetzte M. bildet beim Übergang zum Vermehrungsstadium oft unechte Gewebe, sog. **Plektenchyme,** die dem Fleisch der Hutpilze entsprechen.

N

Nabel ↑Nabelschnur.

Nabelfleck (Chalaza), basaler Pol der pflanzl. ↑Samenanlage.

Nabelmiere (Moosmiere, Moehringia), Gatt. der Nelkengewächse mit rd. 20 Arten, v.a. in den gemäßigten Zonen der Nordhalbkugel; zarte Kräuter mit weißen Blüten; Zierpflanzen, z.B. **Moosartige Nabelmiere** (Moos-N., Moehringia muscosa); bis 20 cm hoch, moosartig, rasenbildend, mit fadenförmigen Blättern und kleinen weißen Blüten.

Nabelschnur (Nabelstrang, Funiculus umbilicalis), strangartige Verbindung zw. dem Embryo und dem Mutterorganismus beim Menschen und bei allen plazentalen Säugetieren. Sie entsteht zunächst am Rücken des Embryos und gelangt im Verlaufe der Entwicklung an dessen Bauchseite. Die N. umhüllt Gefäße, die einerseits den Embryo mit sauerstoff- und nährstoffreichem Blut versorgen, andererseits sauerstoffarmes und schlackenbeladenes Blut abführen. Beim *Menschen* ist die vom Amnion (eine Embryonalhülle) umhüllte N. zum Zeitpunkt der Geburt etwa 50–60 cm lang und bis 2 cm dick und meist spiralig gedreht. Sie ist meist in Schlingen um den Fetus gelegt. Nach Unterbrechung der Blutversorgung zw. Nachgeburt und Fetus und dem Abfallen der N. nach der Geburt bleibt an der Bauchseite des Neugeborenen eine narbig verwachsende Grube zurück, der **Nabel** (*Bauchnabel,* Umbilicus, Omphalos). *Geburtshilfl. Komplikationen durch die N.* können sich u.a. bei Anomalie des N.ansatzes auf der Plazenta, bei zu kurzer N., bei N.umschlingung und beim N.vorfall einstellen.

Nabelschweine (Pekaris, Tayassuidae), Fam. nichtwiederkäuender, etwa 0,7–1 m langer Paarhufer, v.a. in Wäldern und offenen Landschaften Mexikos, M- und S-Amerikas (mit Ausnahme des S und SW); Schwanz verkümmert; Kopf kurz, vorn spitz zulaufend; Beine auffallend dünn; eine unter dem langborstigen Fell verborgene Rückendrüse („Nabel") sondert ein stark riechendes Sekret ab. Man unterscheidet zwei Arten: **Halsbandpekari** (Tayassu tajacu), Färbung schwärzl.-grau-braun, mit dunklerem Aalstrich und blaßgelbem Halsband. **Weißbartpekari** (Tayassu albirostris), graubraun bis braunschwarz, Schnauzenseiten und Kehle leuchtend weiß.

Nabelstrang, svw. ↑Nabelschnur.

Nachahmung (Imitation), Übernahme von Bewegungen oder Lautäußerungen eines menschl. oder tier. Lebewesens durch ein anderes Lebewesen auf Grund von Beobachtungen bzw. Anhörungen. In der Verhaltensforschung wird angenommen, daß hierbei das erste (nachgeahmte) Lebewesen zum ↑Auslöser für die Reaktion des imitierenden Lebewesens wird (sog. **Nachahmungstrieb).** - Es ist zu unterscheiden zwischen unwillkürlicher N. und willkürlicher Nachahmung. Letztere ist bes. bedeutsam im Kindesalter für das Erlernen von Tätigkeiten und für den Spracherwerb. Als bewußtes und akti-

Nachtschwalben

ves Sichangleichen ist N. speziell ein Grundphänomen des sozialen Lebens des Menschen.

Nachgeburt (Secundinae), im Anschluß an die eigtl. ↑Geburt (N.periode) erfolgender, mit starker Blutung einhergehender Ausstoßungsvorgang des mütterl. und embryonalen Anteils der ↑Plazenta (nebst Eihäuten und dem Rest der Nabelschnur) sowie der (nur bei bestimmten Säugetieren angelegten) ↑Decidua. Viele Tiere fressen ihre N. auf.

Nachtaffe ↑Kapuzineraffenartige.

nachtaktive Tiere, svw. ↑Nachttiere.

Nachtblüher, Pflanzen, die nur in der Dunkelheit ihre Blüten öffnen (die Bestäubung erfolgt, dem Blührhythmus entsprechend, durch Nachtinsekten; z. B. Abendlichtnelke, Königin der Nacht. - Ggs. ↑Tagblüher.

Nachtechsen (Xantusiidae), Fam. etwa 15 cm langer, grauer bis brauner, nachtaktiver Echsen mit 12 Arten im südl. N-Amerika und in M-Amerika; lebendgebärend; die Augenlider sind zu einer „Brille" verwachsen.

Nachtfalter, svw. ↑Nachtschmetterlinge.

Nachtigall [zu althochdt. nahtagala, eigtl. „Nachtsängerin"], (Luscinia megarhynchos) mit dem rotbraunen Schwanz etwa 17 cm langer, sowohl im ♂ als auch ♀ Geschlecht oberseits brauner, unterseits bräunlichweißer, versteckt lebender Singvogel (Gatt. Erdsänger) in Laubwäldern und dichten Büschen S-, W- und M-Europas sowie NW-Afrikas und W-Asiens. Berühmt ist die N. wegen ihres bes. nachts (aber auch bei Tag) vorgetragenen Gesangs. - Abb. S. 215.

♦ (Poln. N.) ↑Sprosser.

♦ (Chin. N.) ↑Chinesischer Sonnenvogel.

♦ (Virgin. N.) svw. Roter Kardinal (↑Kardinäle).

Nachtkerze (Oenothera), Gatt. der Nachtkerzengewächse mit rd. 200 Arten, v. a. im außertrop. Amerika, nur wenige in den Alten Welt; Kräuter, Stauden oder Halbsträucher von verschiedener Gestalt mit wechselständigen Blättern und gelben, roten, bläul. gestreiften oder gefleckten achselständigen Einzelblüten. Die bekannteste Art ist die zweijährige, gelbblühende **Gemeine Nachtkerze** (Zweijährige N., Oenothera biennis), die auch nach Europa eingeschleppt wurde; z. T. beliebte Gartenzierpflanzen.

Nachtkerzengewächse (Onagraceae, Oenotheraceae), Pflanzenfam. mit rd. 650 Arten hauptsächl. in den wärmeren und subtrop. Gebieten, nur wenige Arten in den Tropen; meist Kräuter oder Stauden mit einzelnen Blüten oder traubigen, ährigen Blütenständen. Bekannte Gatt. sind Fuchsie, Hexenkraut, Nachtkerze und Weidenröschen.

Nachtnelke (Melandrium), Gatt. der Nelkengewächse mit rd. 80 Arten, v. a. in Eurasien; verschieden gestaltete Kräuter mit meist bauchigem Kelch und zweispaltigen Kronblättern. In Deutschland kommen vier Arten vor, darunter häufig die ↑Abendlichtnelke und die auf feuchten Wiesen und in Laubwäldern wachsende **Taglichtnelke** (Rote Lichtnelke, Melandrium rubrum); 0,3–1 m hoch, mit breit-lanzettförmigen Blättern und purpurroten (am Tage offenen) Blüten.

Nachtpfauenauge, Bez. für drei Arten der Augenspinner: 1. **Großes Nachtpfauenauge** (Wiener N., Saturnia pyri): im südl. M-Europa und im Mittelmeergebiet; bis 14 cm spannend (größter europ. Falter); mit je einem großen (schwarz und rötl. umrandeten) Augenfleck und weißem Endstreifen auf den braunen Flügeln; fliegt nachts von April bis Juni. 2. **Mittleres Nachtpfauenauge** (Eudia spini): in Niederösterreich, Mähren und Ungarn; bis 8 cm spannend; mit je einem dunklen Augenfleck und kräftig dunkelbraunen Querbinden auf den hellbraunen Flügeln; fliegt nachts im Mai. 3. **Kleines Nachtpfauenauge** (Eudia pavonia): in M-Europa verbreitet; Spannweite 6–8 cm; ähnl. gezeichnet wie das Mittlere N.; ♀♀ fliegen von März bis Juni, ♂♂ bei Sonnenschein.

Nachtschatten (Solanum), Gatt. der Nachtschattengewächse mit rd. 1 500 weltweit verbreiteten Arten, v. a. in den Tropen und Subtropen S-Amerikas; Pflanzen mit verschiedenen Wuchsformen, teilweise mit großen, verschieden gefärbten, glockenförmigen Blüten und fleischigen Beeren. Viele Arten enthalten ↑Solanin. Zur Gatt. N. gehören mehrere wichtige Kulturpflanzen (z. B. Aubergine, Kartoffel). In Deutschland heim. oder eingebürgert sind u. a. die Giftpflanzen Bittersüß und Schwarzer Nachtschatten, als Zier- und Topfpflanzen z. B. Korallenstrauch.

Nachtschattengewächse (Solanaceae), Pflanzenfam. mit rd. 2 300 Arten, hauptsächl. in Amerika; meist Bäume, Sträucher und Kräuter mit schraubig angeordneten Blättern und Blütenständen, seltener mit Einzelblüten; Früchte meistens Beeren oder Kapseln, sehr oft alkaloidhaltig. Zu den N. gehören viele Nutzpflanzen (z. B. Paprika, Tabak), Heil- und/oder Giftpflanzen (z. B. Tollkirsche, Bilsenkraut) und Zierpflanzen (z. B. Judenkirsche, Petunie).

Nachtschmetterlinge (Nachtfalter), volkstüml. Bez. für Schmetterlinge, die in der Dämmerung und Dunkelheit fliegen; z. B. Eulenfalter, Schwärmer, Spanner, Spinner.

Nachtschwalben (Schwalmartige, Ziegenmelkerartige, Caprimulgiformes), fast weltweit verbreitete Ordnung vorwiegend dämmerungs- und nachtaktiver, baumrindenartig gezeichneter Vögel mit rd. 100 großäugigen, breitschnäbligen, insektenfressenden Arten. Hierher gehören: **Fettschwalm** (Guacharo, Steatornis caripensis), etwa 45 cm lang, im nördl. S-Amerika; Gefieder rotbraun mit weißen Flecken, ↑Tagschläfer, ↑Schwalme, ↑Zwergschwalme, ↑Ziegenmelker.

Nachtsheim

Nachtsheim, Hans, * Koblenz 13. Juni 1890, † Boppard 24. Nov. 1979, dt. Genetiker. - Ab 1946 Prof. an der Berliner Humboldt-Univ. sowie 1949–56 an der Freien Univ., 1953–60 Direktor des Berliner Max-Planck-Instituts für vergleichende Erbbiologie und Erbpathologie; bed. Arbeiten über vergleichende Erbpathologie.

Nachttiere (nachtaktive Tiere), Tiere, die ihre Lebens- und Verhaltensgewohnheiten hauptsächl. nachts entwickeln, dagegen tagsüber schlafen, z. B. Leuchtkäfer, Nachtschmetterlinge, Geckos, Schlangen, die Nachtschwalben und fast alle Eulenvögel, viele Insektenfresser, Flattertiere und Halbaffen, das Erdferkel, die Gürteltiere sowie viele Nage- und Raubtiere. N. haben entweder sehr leistungsfähige (lichtstarke) oder sehr kleine Augen. Im letzteren Fall sind Geruchssinn und Ultraschall Orientierungshilfen.

Nachtviole (Hesperis), Gatt. der Kreuzblütler mit rd. 20 Arten, v. a. im östl. Mittelmeergebiet; einjährige oder ausdauernde, behaarte Kräuter mit vereinzelten Stengelblättern und meist violetten oder weißen Blüten in lockeren Trauben. Die bekannteste Art ist die **Gemeine Nachtviole** (Hesperis matronalis) in SW-Europa und W-Asien; als Zierpflanze etwa seit dem 15. Jh. verbreitet.

Nacken, die rückwärts (dorsal) gelegene, gewölbte Halsseite der Wirbeltiere (einschl. Mensch); auch svw. ↑Genick.

Nacktaale ↑Messerfische.

Nacktamöben (Unbeschalte Amöben, Wechseltierchen, Amoebina), Ordnung der Amöben; im Ggs. zu den ↑Schalamöben stets ohne Gehäuse; von ständig sich verändernder Gestalt. N. leben entweder entoparasit. oder frei in Meeres- und Süßgewässern (z. B. *Schlammamöbe* [Amoeba proteus; 0,2–0,5 mm groß, zuweilen in großer Zahl im Schlamm stehender Süßgewässer]) sowie in feuchter Erde.

Nacktfarne, svw. ↑Nacktpflanzen.

Nacktfingergeckos ↑Geckos.

Nacktfliegen (Psilidae), Fam. etwa 3–15 mm langer, schlanker, spärl. behaarter, brauner bis schwarzer Fliegen mit rd. 120 Arten, v. a. auf der Nordhalbkugel (davon rd. 30 Arten in Europa). In Europa, N-Amerika und Neuseeland kommt die bis 5 mm große **Möhrenfliege** vor; mit Ausnahme des bräunl. Kopfes und der gelben Beine glänzend schwarz. Die weißl., bis 7 mm langen Larven fressen v. a. an Möhren.

Nacktkiemer (Nudibranchia), rd. 4 500 Arten umfassende Ordnung meerbewohnender, oft sehr bunter Schnecken (Überordnung Hinterkiemer); Gehäuse, Mantelhöhle und Kammkiemen fehlen. Man unterscheidet ↑Fadenschnecken und ↑Sternschnecken.

Nacktpflanzen (Nacktfarne, Psilophytales), zu Beginn des Oberdevons ausgestorbene Ordnung der Urfarne; älteste bisher bekannte Landpflanzen, die mit Leitbündel und Spaltöffnungen ausgestattet waren.

Nacktsamer (Nacktsamige Pflanzen, Gymnospermae), Unterabteilung der ↑Samenpflanzen; ausschließl. Holzgewächse mit sekundärem Dickenwachstum, verschiedenartigen Blättern und getrenntgeschlechtigen, windbestäubten Blüten. Die Samenanlagen sitzen offen an den Fruchtblättern. Der Samen ist nicht in einen Fruchtknoten eingeschlossen. Durch Gewebswucherungen erscheinen manchmal fruchtähnl. Gebilde (z. B. bei der Steineibe). - Die heutigen N. werden in zwei Gruppen eingeteilt: 1. *Cycadophytina* (fiederblättrige N.; mit den Palmfarnen, den Gnetum-, Ephedra- und Welwitschiagewächsen). 2. *Coniferophytina* (gabel- und nadelblättrige N.; mit den Ginkgogewächsen und den Nadelhölzern). Die N. stellen eine Übergangsstufe von den Farnpflanzen zu den Bedecktsamern dar. - Im späten Paläozoikum, im Mesozoikum und im Tertiär spielten die N. eine wesentlich größere Rolle als heute.

Nacktschnecken, Bez. für Landlungenschnecken mit weitgehend rückgebildeter, vom Mantel vollkommen überwachsener, äußerl. nicht sichtbarer Schale. Man unterscheidet v. a. die Fam. Egelschnecken und Wegschnecken.

NAD, Abk. für: **N**ikotinsäureamid-**a**denin-**d**inukleotid, Koenzym wasserstoffübertragender Enzyme des Energiestoffwechsels z. B. der Atmungskette und der Glykolyse, das v. a. in den Mitochondrien und im Zytoplasma tier. und pflanzl. Zellen vorkommt. Im verwandten Koenzym **NADP** (**N**ikotinsäureamid-**a**denin-**d**inukleotid**p**hosphat) trägt die Ribose am Adenin einen weiteren Phos-

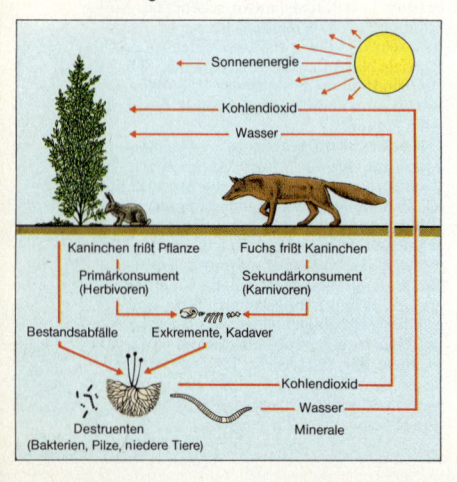

Nahrungskette. Schematische Darstellung mit den einzelnen Kettengliedern

phorsäurerest. Da der Pyridinteil im NAD und NADP eine positive Ladung trägt, werden die Koenzyme genauer als NAD^+ bzw. $NADP^+$ bezeichnet. Ein Molekül Koenzym bindet ein Wasserstoffatom und gibt seine Ladung an ein weiteres Wasserstoffatom ab, so daß die reduzierte Verbindung $NAD \cdot H + H^+$ bzw. $NADP \cdot H + H^+$ entsteht. Die Entdeckung des NAD als Bestandteil der Hefeenzyme durch Sir A. Harden und S. Young 1906 hatte große Bed. für die Enzymforschung. Chem. Strukturformeln von $NAD^+ [R=H]$ u. $NADP^+ [R=PO(OH)_2]$:

Nadelblatt (Nadel), in nadelförmige Blattspreite und Blattgrund gegliedertes Blatt der Nadelhölzer; nur die abfallende Blattspreite stellt die eigentl. Nadel dar.

Nadelfische (Eingeweidefische, Perlfische, Carapidae, Fierasferidae), Fam. bis 20 cm langer, aalförmiger, jedoch seitl. stärker zusammengedrückter, schuppenloser Knochenfische mit rd. 25 Arten, v. a. in trop. und subtrop. Meeren; vorwiegend in Seegurken, Muscheln und Feuerwalzen lebende Fische, die mit ihrem zugespitzten Körperende (Rücken- und Afterflosse zu einem Flossensaum verbunden, Schwanzflosse fehlt) durch die Ausströmöffnung in den Wirt gelangen und häufig (zur Erlangung ihrer Reife) Kiemen und Geschlechtsorgane ihres Wirts fressen. Hierher gehört z. B. der im Mittelmeer vorkommende Fierasfer (Carapus [Fierasfer] acus); durchscheinend, bräunl. gefärbt.

Nadelhechte, svw. ↑Hornhechte.

Nadelhölzer (Koniferen, Coniferae, Pinidae), wichtigste und artenreichste, weltweit verbreitete Unterklasse der nadelblättrigen Nacktsamer, die v. a. auf der N-Halbkugel einen fast geschlossenen Waldgürtel bilden; reich verzweigte, oft harzreiche Bäume, mit meist starkem sekundärem Holzmantel, zahlr. kleinen, nadel- oder schuppenförmigen Blättern und getrenntgeschlechtigen Blüten in verschiedengestaltigen Zapfen, die ♀ Zapfen meist verholzend. - Zahlr. Vertreter liefern wichtige Bau-, Werk- und andere Nutzhölzer oder werden als Zierbäume gepflanzt. Wichtige N. sind u. a. Kiefer, Fichte, Tanne, Lärche, Zypresse, Wacholder, Lebensbaum, Mammutbaum und Eibe. Auf der S-Halbkugel sind u. a. die Araukariengewächse und die Steineibengewächse verbreitet.

Nadelschnecke (Cerithium vulgatum), Vorderkiemer der Felsküstenzone im Mittelmeer und Atlantik; Gehäuse turmförmig, etwa 5 cm lang, buckelig-warzig.

Nadelwald, Pflanzengemeinschaft, in der Nadelbäume vorherrschen (im Ggs. zu Misch- und Laubwald). N. ist außerhalb des natürl. N.gürtels auf der Nordhalbkugel eine durch Aufforsten erreichte, nicht natürl. gewachsene Waldform (70% der heutigen Waldfläche sind N.). Gründe für die Umforstung zum N. sind die Schnellwüchsigkeit der Nadelbäume und damit die wirtsch. Nutzung. Nachteilig wirkt sich der N. auf den Wasserhaushalt der Natur aus. Das Nadelpolster verschließt den Boden und saugt das Regenwasser auf. So gelangt nur ein kleiner Teil des Wassers in den Boden, der größte Teil fließt oberird. ab und kann nicht gespeichert werden.

NADP ↑NAD.

Nagekäfer, svw. ↑Klopfkäfer.

Nagel (Unguis), an den Endgliedern der Finger (**Fingernagel**) und Zehen (**Zehennagel, Fußnagel**) ausgebildete, von der Kralle ableitbare, dauernd spitzenwärts wachsende Hornplatte (*N.platte*) bei manchen Halbaffen, den Affen und beim Menschen (das N.wachstum beträgt beim Menschen etwa 2 mm pro Monat). Die N.platte aus schuppenartigen, stark verhornten Epidermiszellen liegt dem *N.bett* auf, das am Rand in den *N.wulst (N.wall)* übergeht. In die dadurch beiderseits gebildete Rinne (*N.falz*) sind die Seitenränder des N. eingebettet. Der hintere N.wall ist Teil der *N.tasche,* in der die weiche (beim Menschen etwa 5 mm lange) *N.wurzel* steckt; die untere Hälfte der N.tasche, der die N.wurzel aufliegt, ist die Bildungszone *(Matrix)* des Nagels. Es ist ein mehrschichtiges, der Keimschicht (Stratum germinativum) der Epidermis zugehöriges Pflasterepithel. Auch der Teil der N.tasche, der der N.wurzel aufliegt, das *Eponychium,* ist N.bildungsbereich; es ist der Rest des urspr. *N.häutchens,* das die embryonale N.anlage noch ganz bedeckte. Der nicht mehr mit der N.platte verwachsene Bezirk des Eponychiums produziert die Hornschichten. Vor der N.tasche zeigt die N.platte beim Men-

Sumatranashorn

Nagelbett

schen das bogenförmig die Grenze der Matrix andeutende weißl. *Möndchen (Lunula)*, das durch lichtreflektierende Luftbläschen in den Hornschüppchen der N.platte zustande kommt.

Nagelbett ↑ Nagel.

Nagelfleck (Tau, Aglia tau), bis 6 cm spannender, ocker- bis bräunlichgelber Schmetterling (Fam. Augenspinner), u. a. in lichten Buchen- und Mischwäldern M-Europas; Flügel mit je einer nagel- oder T-ähnl. weißen Zeichnung in einem großen, runden, schwarzblauen Mittelfleck.

Nagelrochen ↑ Rochen.

Nagetiere (Nager, Rodentia), seit dem Paläozän bekannte, heute mit rd. 1 800 Arten weltweit verbreitete Ordnung etwa 5–100 cm langer Säugetiere; mit meist walzenförmigem Körper, relativ kurzen Beinen (Hinterbeine oft länger als Vorderbeine) und stummelförmigem bis überkörperlangem Schwanz. Bes. kennzeichnend ist das Gebiß der N.: im Ober- und Unterkiefer je zwei ↑ Nagezähne; die Eckzähne fehlen stets, häufig auch die Vorbackenzähne, wodurch eine Zahnlücke entsteht; die Backenzähne (und, soweit vorhanden, Vorbackenzähne) sind entweder wurzellos mit unbegrenztem Wachstum (wie bei den meisten Wühlmäusen) oder bewurzelt mit endl. Wachstum (z. B. bei Hausmaus und Hausratte). Die N. ernähren sich überwiegend von pflanzl. Stoffen (daher Darmkanal lang und Blinddarm sehr groß). Ihre Sinnesorgane sind gut entwickelt (bes. Geruchs- und Gehörsinn), viele Kleinnager nehmen Ultraschall wahr. Die Fortpflanzungsrate der N. ist meist hoch, die Tragzeit oft sehr kurz; die Geschlechtsreife tritt im allg. sehr früh ein. Die Lebensdauer ist meist kurz. Viele N. sind Schädlinge an Nutzpflanzen und Nahrungsvorräten, manche sind Krankheitsüberträger. Manche Arten liefern begehrtes Pelzwerk (z. B. Bisamratte, Nutria, Chinchilla). Wichtig sind einige N. als Versuchstiere der medizin. und biolog. Forschung (z. B. Weiße Mäuse, Meerschweinchen, Goldhamster). Die meisten N. sind relativ wenig spezialisiert und äußerst anpassungsfähig; sie stellen daher eine der erfolgreichsten heute lebenden Tiergruppen dar. Man unterscheidet vier Unterordnungen: Hörnchenartige (mit der einzigen Fam. Hörnchen), Mäuseartige, Stachelschweinartige, Meerschweinchenartige.

Nagezähne, funktionell und morpholog. spezialisierte, meißelförmige, mit je einem Paar (außerordentl.) tief im Ober- und Unterkiefer steckende Schneidezähne der Nagetiere und Hasenartigen; Wurzel fehlend oder klein und offen; Schmelzüberzug einseitig auf der Vorderseite (Nagetiere) oder beidseitig (Hasenartige) mit dann im Oberkiefer noch dahinter stehenden kleinen Stiftzähnen. Da die N. ständig nachwachsen, muß die Abnutzung (durch Nagen) dem Wachstum angeglichen werden; entsprechend zeigt sich im Verhalten der Tiere ein starker Nagetrieb, unabhängig von Hunger und Nahrungserwerb.

Nährboden (Substrat), Substanz aus flüssigen oder festen Stoffen als Untergrund für Pilz- und Bakterienkulturen sowie zur Anzucht von Zellgewebe.

Nährgewebe, mit Reservestoffen angereichertes pflanzl. Gewebe; dient der Ernährung des Keimlings. - ↑ auch Endosperm.

Nährpolypen (Freßpolypen, Magenschläuche, Trophozoide), für die Nahrungsaufnahme spezialisierte schlauchförmige Polypen der ↑ Staatsquallen.

Nährsalze, die für die pflanzl. Ernährung wichtigen Mineralsalze. Pflanzen können N. nur wassergelöst (in Ionenform) durch Wurzeln aus dem Boden aufnehmen. Lebensnotwendige Bestandteile der N. sind Stickstoff, Phosphor, Schwefel, Magnesium, Eisen, Kalium, Calcium. N. werden entweder in den Pflanzenkörper eingebaut oder bleiben in gelöster Form im Zellsaft (Mineralstoffwechsel). Bei ungenügender Zufuhr kommt es zu Mangelerkrankungen.

Nährstoffe (Nahrungsstoffe) ↑ Ernährung.

Nahrungskette, Bez. für eine Gruppe von Organismen, die in ihrer Ernährung voneinander abhängig sind. Das Tier ist nicht in der Lage, wie die grüne (autotrophe) Pflanze aus anorgan. Stoffen unter unmittelbarer Ausnutzung des Sonnenlichtes organ. Substanzen aufzubauen. Es muß vielmehr seinen Energie- und Baustoffbedarf aus den von den grünen Pflanzen synthetisierten organ. Verbindungen decken. Das tier. und damit auch das menschl. Leben ist also letzten Endes von der Lebenstätigkeit der grünen Pflanzen abhängig.

Die *grünen Pflanzen (Produzenten)* bilden somit das erste Glied der N.; im Wasser wird die pflanzl. Grundlage vorwiegend von *einzelligen Algen* gebildet, während auf dem Land die *höheren Pflanzen* vorherrschen. Die folgenden Glieder der N. bilden die *tier. Verzehrer (Konsumenten):* An erster Stelle stehen die *Pflanzenfresser (Herbivoren; Primärkonsumenten),* als nächstes Glied folgen die *Fleischfresser (Karnivoren, Räuber; Sekundärkonsumenten).* Zw. den ausgesprochenen Pflanzenfressern und den ausschließl. Fleischfressern stehen die als Konsumenten an verschiedenen Stellen der N. einstufbaren *Allesfresser (Omnivoren),* die sowohl tier. als auch pflanzl. Kost zu sich nehmen. Organismen mit einem solch weiten Nahrungsspektrum werden auch als *polyphag* (z. B. Mensch) bezeichnet, die auf eine bestimmte Nahrung spezialisierten dagegen als monophag (z. B. Parasiten). Den Übergang bilden die *oligophagen* Lebewesen (z. B. Insekten), die in der Auswahl ihrer Nahrung innerhalb gewisser Grenzen noch variieren können. Den Schluß der N.

bilden die *abbauenden Organismen (Destruenten, Reduzenten)*. Diese Gruppe besteht aus Bakterien, Pilzen und vielen bodenbewohnenden Tieren, die sich (als *Saprophyten* bzw. *Saprozoen*) von toter organ. Substanz (Exkrementen, Aas) ernähren, d. h. von dem, was von den bisherigen Gliedern der N. ausgeschieden wird bzw. übrigbleibt. Sie leben im Humus und produzieren letztlich anorgan. Substanz, wie sie die Pflanze wiederum zu ihrem Leben benötigt.

Die Konsumenten niederen Grades sind gewöhnl. klein, von hoher Individuenzahl bzw. Fortpflanzungspotenz, während am Ende der N. vielfach große Arten mit geringer Populationsdichte stehen, die sich durch hohe Organisation, Leistungsfähigkeit und großem Aktionsradius auszeichnen (z. B.: einzelige Alge–Wasserfloh–räuber. Kleinkrebs–junger Fisch–Friedfisch–Raubfisch–Mensch).

Ein bes. Problem stellen zunehmend schlecht abbaubare Substanzen (wie Schwermetalle, chlorierte Kohlenwasserstoffe) dar, die in den Endgliedern einer N. zu gefährl. Konzentration angereichert werden können. - Abb. S. 218.

Nährwert (Nahrungswert), Wert der Nahrung für das Wachstum und die Aufrechterhaltung der Körperfunktionen. Der N. hängt vom physiolog. Brennwert und von der Zusammensetzung sowie der Bekömmlichkeit der Nährstoffe (↑ Ernährung) ab.

Nährzellen, svw. ↑ Trophozyten.

Naht, in der *Anatomie* svw. ↑ Sutur.

Naja [ˈnaːdʒa; Sanskrit], svw. ↑ Kobras.

Nandaysittich ↑ Keilschwanzsittiche.

Nanderbarsche [Sanskrit/dt.] (Nandidae), Fam. etwa 6–25 cm langer, meist nachtaktiver, z. T. räuber. Barschfische, v. a. im nördl. S-Amerika, in W-Afrika und S-Asien; zu den N. gehören neben dem (Blätter nachahmenden) **Blattfisch** (Monocirrhus polyacanthus) die Vielstachler mit dem bis 25 cm langen **Ind. Vielstachler** (N. i. e. S., Nandus nandus), mit gold- bis dunkelbrauner Fleckung und zwei auffallenden keilförmigen, schwarzen Binden vom Auge bis zum Kiemendeckelrand.

Nandus [indian., nach dem männl. Balzruf] (Rheidae), Fam. bis 1,7 m scheitelhoher, flugunfähiger, dreizehiger, straußenähnl. Laufvögel in S-Amerika; zwei Arten: **Gewöhnl. Nandu** (**Pampasstrauß**, Rhea americana), in den Pampas und in Savannen, oberseits graubraun und schwärzl., unterseits weißl.; **Darwin-Nandu** (**Darwin-Strauß**, Pterocnemia pennata), auf Andenhochflächen, ähnl. gefärbt, doch kleiner als die vorige Art.

Napfpilze, svw. ↑ Nestpilze.

Napfschaler (Tryblidiacea, Monoplacophora), größtenteils ausgestorbene, heute lediglich durch 13 Arten (Gatt. *Neopilina*) in großen Meerestiefen (bis 6 500 m) verbreitete Klasse 2–37 mm großer Weichtiere; urtüml.,

Narzissenblütige Anemone

getrenntgeschlechtl., über kurzlebige Larvenstadien sich entwickelnde Tiere mit napfförmiger, den Körper überdachender Schale, rundem Fuß, zwei Paar Fühlerlappen und Mehrfachbildungen von Organen (fünf bis sechs Paar Kiemen, zwei Paar Geschlechtsdrüsen, vier Paar Ausscheidungsorgane). Die N. waren zunächst nur fossil bekannt, bis bei der Expedition des Forschungsschiffes „Galathea" (1952) die ersten lebenden Tiere gefangen wurden.

Napfschildläuse (Schalenschildläuse, Wachsschildläuse, Lecaniidae), Fam. bis 6 mm langer, oft mit wachsartigem Sekret bedeckter Schildläuse mit zahlr. z. T. schädl. Arten; ♀♀ napfförmig, flügellos, ♂♂ geflügelt. Zu den N. gehört u. a. die **Rebenschildlaus** (Wollige N., Pulvinaria vitis), 4–6 mm lang, längs gestreift und dunkelgebändert; saugt an Weinreben und Obstgehölzen.

Napfschnecken (Patellidae), in allen Meeren weit verbreitete Fam. der Schnecken mit zahlr. Arten an Felsen der Brandungszonen; mit napfförmiger Schale und breitem Fuß, durch den die Tiere (zum Schutz vor der Brandung) fest an der Unterlage haften (Saugkraft 14–15 kg); am bekanntesten die **Gemeine Napfschnecke** (Patella vulgata), an der europ. Atlantikküste und im Mittelmeer.

Narbe (Stigma), Teil des Fruchtknotens der Blütenpflanzen, an dem das Pollenkorn hängenbleibt und den Pollenschlauch bildet.

Narcissus ↑ Narzisse.

Narde [semit.-griech.], Bez. für verschiedene wohlriechende Pflanzen, die z. T. schon im Altertum zur Herstellung von Salben u. a. verwendet wurden; so der Große Speik und der N.baldrian.

Narwal [skand., eigtl. „Leichenwal" (vermutl. wegen der gelblich-weißen Farbe)] ↑ Gründelwale.

Narzisse (Narcissus) [griech., nach der Sagengestalt Narziß], Gattung der Amaryllisgewächse mit rd. 20 Arten in M-Europa und im Mittelmeergebiet; Zwiebelpflanzen mit meist linealförmigen Blättern und einzelnen bis mehreren (dann in Dolden stehenden) Blüten mit Nebenkrone (blütenkronenähnl. Blattkreis zw. Perigon- und Staubblättern). N. sind beliebte Zier- und Schnittblumen, u. a. die **Dichternarzissen** mit weißen, flach ausgebreiteten Blütenhüllblättern und nur kleiner, gelber, rot berandeter Nebenkrone. Eine langröhrige Nebenkrone hat die 20–40 cm hohe, gelb blühende **Osterglocke** (Gelbe N., Trompeten-N., Narcissus pseudonarcissus); blüht meist Ende März oder im April; viele Zuchtsorten werden kultiviert.

Narzissenblütige Anemone (Berghähnlein, Anemone narcissiflora), geschützte Anemonenart in den höheren Gebirgen Europas, O- und NO-Asiens und N-Amerikas; 20–40 cm hohe Staude mit weißen, doldig angeordneten Blüten.

221

Narzissengewächse

Narzissengewächse, svw. ↑Amaryllisgewächse.

Nase (Näsling, Mundfisch, Chondrostoma nasus), bis 50 cm langer, Schwärme bildender Karpfenfisch, v. a. in Fließgewässern N- und O-Europas (bes. in Donau und Rhein); mit unterständigem Maul und nasenförmigem Oberkiefer.

Nase [zu lat. nasus mit gleicher Bed.] (Nasus), Geruchsorgan vorn am Kopf der Wirbeltiere, bei den luftatmenden Landwirbeltieren auch Teil des Atmungsweges. - Während Knorpel- und Knochenfische nur ein Paar Riechgruben (häufig mit getrennten, hintereinanderliegenden Ein- und Ausströmöffnungen) haben, besteht bei allen anderen Wirbeltieren und auch beim Menschen eine Verbindung zw. den beiden äußeren N.öffnungen (Nasenlöcher) und der Mund- bzw. Rachenhöhle. Dies wird dadurch mögl., daß im Anschluß an die beiden N.höhlen zwei innere N.öffnungen, die Choanen, entstanden sind. Die N. des *Menschen* gliedert sich in die *äußere N.* und in die *N.höhle.* Die aus *N.wurzel, N.rücken, N.spitze* und *N.flügel* bestehende äußere N. wird im Bereich der N.wurzel v. a. vom paarigen, schmalen **Nasenbein** (Os nasale) gebildet. Daran anschließend formen nach vorn zu verschiedene hyaline Knorpelstücke als *knorpeliges N.skelett* die nachgiebige, für den Menschen typ. (äußere) Nase. Die knorpelige **Nasenscheidewand** *(N.septum)* trennt die N.höhlen voneinander; ihr oberer Rand biegt nach beiden Seiten um und bestimmt so mit dem N.bein zus. die Form des N.rückens. Überkleidet ist das Skelett der äußeren N. von Haut, die stark mit Talgdrüsen besetzt ist und in den *N.vorhof* übergeht. Dieser ist mit starken, reusenartig nach außen gerichteten **Nasenhaaren** zum Schutz gegen Fremdkörper, Staub und kleine Tiere ausgestattet. Bis auf das Riechepithel sind die N.höhlen von Schleimhaut mit Flimmerepithel ausgekleidet, das eingedrungene Staubpartikel rachenwärts transportiert. Während die Wand der n.höhlen im Septumbereich glatt ist, ragen von der Außenwand bis fast zur N.scheidewand drei übereinanderliegende *N.muscheln* in die N.höhle vor, die dadurch drei überdachte *N.gänge* erhält. In den unteren N.gang mündet der Abflußkanal der Tränendrüsen, in den mittleren fast alle Nebenhöhlen. Die obere N.muschel ist kleiner als die beiden anderen und außerdem nach hinten verlagert. Vor ihr läuft unter dem N.dach eine Rinne, deren Seitenwände das Riechepithel tragen.

Nasenaffe ↑Schlankaffen.

Nasenbären (Rüsselbären, Coatis, Nasua), Gatt. etwa 35–70 cm langer (einschließl. des buschigen Schwanzes bis 1,4 m messender) Kleinbären mit vier Arten, v. a. in Wäldern und Grassteppen des südl. N-Amerika bis S-Brasilien; gesellige Allesfresser mit vorwiegend braungrauem bis rotbraunem, kurz- und dichthaarigem Fell, längl. Kopf, langer, bewegl., rüsselartiger Nase und meist dunklen und weißen Gesichtszeichnungen. Zu den N. gehören z. B. der **Rote Nasenbär** (Südamerikan. N., Coati, Coatimundi, Nasua nasua) in S-Amerika, meist rötlichbraun (Schwanz mit dunklen Ringen), u. der **Bergnasenbär** (Kleiner N., Nasua olivacea) in Gebirgen des nw. S-Amerika, oliv- bis graubraun (Schwanz ebenfalls mit dunklen Ringen).

Nasenbein ↑Nase.

Nasenbeutler, svw. ↑Beuteldachse.

Nasendasseln (Nasendasselfliegen, Nasenbremsen, Oestrinae), mit über 100 Arten weltweit verbreitete Unterfam. etwa 7–15 mm langer, kräftiger, z. T. bunter Dasselfliegen, davon rd. 20 Arten in der Alten Welt; Imagines mit stark reduzierten Mundwerkzeugen, lebendgebärend, spritzen ihre Larven in die Nasen- und Augenregionen von Säugetieren (bes. Pferden, Schafen), wo sie sich im Nasenrachenraum entwickeln; befallen gelegentl. auch Menschen.

Nasenfrösche (Rhinodermatinae), Unterfam. (1 bis wenige cm langer) Frösche mit wenigen Arten in S-Amerika; am bekanntesten der **Darwin-Nasenfrosch** (Vaquero, Rhinoderma darwini) in den Küstenwäldern Chiles und S-Argentiniens, etwa 3 cm lang, überwiegend braun gefärbt, mit zipfelartigem Nasenfortsatz.

Nasenhaie (Scapanorhynchidae), Fam. bis über 4 m langer Haifische mit nur wenigen Arten; mit sehr langem, schaufelförmigem Schnauzenfortsatz.

Nasennebenhöhlen (Nebenhöhlen, Sinus paranasales), von der Nasenhöhle aus in die angrenzenden Knochen hinein ausgedehnte, von Schleimhaut ausgekleidete Lufträume der Nase. Beim Menschen sind die bei der Geburt erst angelegten N. im 12. bis 14. Lebensjahr voll entwickelt, können sich jedoch bis ins späte Alter hinein weiter ausdehnen. Sie erstrecken sich vom mittleren Nasengang aus in den Oberkiefer (**Kieferhöhle**), ins Stirnbein (**Stirnhöhle**) sowie in die vorderen Siebbeinzellen des Siebbeins hinein, vom oberen Nasengang aus in die hinteren Siebbeinzellen und vom oberen Winkel zw. Nasenwand und Keilbeinunterseite aus ins Keilbein (**Keilbeinhöhle**). Die N. beeinflussen als Resonatoren die Klangfarbe der Stimme.

Nasen-Rachen-Raum, zusammenfassende Bez. für die Nasenhöhlen und den Rachenraum.

Nashörner (Rhinozerosse, Rhinocerotidae), seit dem Eozän bekannte Fam. tonnenförmiger, fast haarloser, zweizehiger Unpaarhufer mit fünf Arten in den Savannen und Grasländern Afrikas und Asiens; laub- und grasfressende Tiere mit panzerartiger Haut, kurzen, säulenartigen Beinen und ein bis zwei hornförmigen Bildungen auf Nase

Nattern

bzw. Nasenbein (**Nasenhörner**); Gesichtssinn schlecht, Geruchssinn dagegen sehr gut ausgebildet. Nach einer Tragezeit bis zu eineinhalb Jahren wird ein Junges geboren, das bis zu zwei Jahren gesäugt wird. Die heute noch lebenden (in ihren Beständen z. T. stark bedrohten) Arten sind: **Breitmaulnashorn** (Weißes N., Ceratotherium simum), 3,5–4 m lang, in den Steppen Z- und S-Afrikas; Körper schiefergrau; das vordere Nasenhorn kann bis 1,5 m lang werden; Maul sehr breit. **Spitzmaulnashorn** (Schwarzes N., Diceros bicornis), 3–3,75 m lang, in Z-, O- und S-Afrika; Körper dunkelgrau; das vordere Nasenhorn ist meist 50 cm lang; Oberlippe fingerförmig verlängert, wird als Greiforgan benutzt. **Sumatranashorn** (Dicerorhinus sumatrensis), 2,5–2,8 m lang, in SO-Asien, auf Sumatra und Borneo; Hautpanzer mit Falten und Behaarung. Die beiden Arten der Gatt. Panzernashörner (Rhinoceros) haben nur ein Horn; Haut durch Falten in große, plattenartige Flächen aufgeteilt. **Javanashorn** (Rhinoceros sondaicus), bis etwa 3 m lang, nur noch vereinzelt in W-Java; Haut mit mosaikartig angeordneten, hornigen Erhebungen; ♂ mit kleinem Horn. **Panzernashorn (Indisches Nashorn,** Rhinoceros unicornis), bis über 4 m lang, in N-Indien und Nepal; Haut dunkel braungrau; an den Körperseiten, bes. über den Beinen, mit auffallend nietenförmigen Erhebungen. Sie sind aber nur ein kleiner Rest der bis zur Eiszeit auch in Europa weit verbreiteten N., wie z. B. **Merck-Nashorn** (Waldnashorn, Dicerorhinus kirchbergensis), **Steppennashorn** (Dicerorhinus hemitoechus) und das dichtbehaarte **Wollnashorn** (Coelodonta antiquitatis). - Nashorndarstellungen sind auf Wandbildern in den altsteinzeitl. Höhlen S-Frankr. (u. a. Lascaux und Font-de-Gaume) sowie auf Felszeichnungen in Transvaal und in der Sahara erhalten. - Abb. S. 219.

Nashornfische ↑Doktorfische.

Nashornkäfer (Riesenkäfer, Dynastinae), Unterfam. etwa 2–15 cm langer, nachtaktiver, meist rotbrauner bis schwarzer Blatthornkäfer (Fam. Skarabäiden), v. a. in den Tropen und Subtropen Amerikas und Eurasiens; ♂♂ mit je einem langen Horn auf dem Kopf. In M.-Europa nur der bis 4 cm große **Europ. Nashornkäfer** (Oryctes nasicornis), v. a. im Kompost und in verrotteten Sägemehlhaufen; Larven sind sehr groß und dick.

Nashornvögel (Bucerotidae), Fam. elster- bis putengroßer, vorwiegend schwarz und weiß befiederter Rackenvögel mit rd. 50 Arten im trop. Regenwald sowie in Steppen und Savannen Afrikas und S-Asiens; vorwiegend früchte- und kleintierfressende, baumbewohnende Vögel mit großem, gekrümmtem, an der Oberschnabelbasis oft einen Aufsatz („Horn") tragenden Schnabel; zum Brüten mauert das ♂ das ♀ ein. Zu den N. gehört u. a. der bis 90 cm (mit Schwanz bis 1,6 m)

lange **Helmvogel** (Dickhornvogel, Rhinoplax vigil) in den Urwäldern Malakkas, Sumatras und Borneos; Oberseite und Brust schwärzl., Bauch und Schwanzfedern weiß; Kopfseite rotbraun, Hals und Augenring bei ♂ nackt und leuchtend rot, beim kleineren ♀ violett, grünl. oder blau; hintere Schnabelhälfte einschließl. des massigen Aufsatzes rot.

Nastie [zu griech. nastós „(fest)gedrückt"], durch Außeneinflüsse verursachte, ohne Beziehung zur Reizrichtung stehende, wiederholbare Bewegung von Teilen festgewachsener Pflanzen. Nastien kommen entweder durch verstärktes Wachstum der einen Seite eines Organs oder durch Turgorschwankungen zustande. Nach der Art des auslösenden Reizes unterscheidet man u. a.: **Chemonastie**, eine durch chem. Reize verursachte Bewegung, z. B. die Krümmungsbewegungen der Drüsenhaare des Sonnentaus (hervorgerufen durch tier. Eiweißstoffe und deren Abbauprodukte). **Haptonastie** (Thigmo-N.), eine durch Berührungsreize ausgelöste Bewegung, z. B. das Einrollen der Blattrandtentakeln bzw. ganzer Blätter beim Sonnentau nach Berührung durch anfliegende Insekten. Die **Seismonastien** werden durch Erschütterungen ausgelöst und durch Änderung des Turgors in bestimmten Gewebezonen bewirkt. Ein bekanntes Beispiel sind die Bewegungen der Blätter der Mimose. Diese haben an den Stielen der Blätter und der Fiederblättchen Gelenke (Blattpolster). Stößt man eines der Fiederblättchen an, klappen diese nacheinander nach oben zus., die Fiederblattstiele neigen sich zueinander, der Blattstiel senkt sich.

Nasturtium [lat.], svw. ↑Brunnenkresse.

Nasus [lat.], svw. ↑Nase.

Nathans, Daniel [engl. 'nɛɪθənz], * Wilmington (Del.) 30. Okt. 1928, amerikan. Mikrobiologe. - Prof. für Mikrobiologie an der Johns Hopkins University School of Medicine in Baltimore; grundlegende Arbeiten zur Molekulargenetik, insbes. über die Anwendung der DNS-spaltenden Restriktionsenzyme zur Aufklärung der Genlokalisierung in den DNS der verschiedenen Organismen. Dafür erhielt er 1978 (zus. mit W. Arber und H. O. Smith) den Nobelpreis für Physiologie oder Medizin.

Nationalpark, großräumige Naturlandschaft, die durch ihre bes. Eigenart oft keine Parallele auf der Erde mehr hat. N. werden strengen Schutzbestimmungen im Sinne des Vollnaturschutzes unterworfen, können aber in Teilen auch für Erholungszwecke der Bev. zugängl. gemacht werden. In der BR Deutschland gibt es den „Nationalpark Bayerischer Wald", den „Nationalpark Berchtesgaden", den „Nationalpark Schleswig-Holsteinisches Wattenmeer" und den „Nationalpark Niedersächsisches Wattenmeer".

Nattern (Colubridae), mit mehreren Hundert Arten weltweit verbreitete, artenreichste Fam. meist schlanker, zieml. langschwänzi-

Natternhemd

ger, 0,3 bis 3,7 m langer Schlangen in fast allen Biotopen; ungiftige, z. T. auch giftige (Trugnattern), jedoch für den Menschen fast völlig ungefährl. Reptilien mit meist deutl. vom Hals abgesetztem Kopf, weit dehnbarem Maul, stark bezahnten Kieferknochen. Man unterscheidet elf Unterfam., davon sind am wichtigsten Schneckennattern, Eierschlangen, Wassertrugnattern, Trugnattern, *Echte N.* (Colubrinae) mit der einheim. Äskulapnatter und Glattnatter und *Wassernattern* (Natricinae) mit Ringelnatter, Würfelnatter und Vipernatter als einheim. Arten.

Natternhemd ↑ Häutung.

Natternkopf (Natterkopf, Echium), Gatt. der Rauhblattgewächse mit rd. 40 Arten in M-Europa bis Vorderasien; Kräuter oder Sträucher mit meist blauen, violetten oder roten Blüten in Ähren; bei uns bekannt ist der N. im engeren Sinne *(Echium vulgare)*, eine bis zu 1 m hohe, zweijährige, krautige Ruderalpflanze.

Natternzunge (Natterzunge, Natterfarn, Natternfarn, Ophioglossum), Gatt. der Natternzungengewächse mit fast 50 epiphyt. und terrestr. Arten in den wärmeren südl. und nördl. Gebieten der Erde; ausdauernde, blaßgrüne Farne mit kurzen unterird. Stämmen, die jedes Jahr nur ein zweigeteiltes Blatt (steriler und fertiler Teil) hervorbringen. Der sporangientragende (fertile) Blatteil bildet eine endständige Ähre. Die bekannteste Art ist die **Gemeine Natternzunge** (Ophioglossum vulgare), die bei uns auf feuchten, kalkreichen Wiesen und Flachmooren vorkommt.

Naturpark, großräumige Landschaft von bes. Schönheit und Eigenart, die nicht wie ein Naturschutzgebiet konserviert ist, sondern gepflegt und gestaltet wird als Stätte der Erholung. Die BR Deutschland verfügt über 63 N. (Stand 15. 3. 1986), die zus. eine Fläche von 5,3349 Mill. ha. haben, das entspricht 21% der Gesamtfläche des Bundesgebiets. Rechtsträger der einzelnen N. sind entweder ein Zweckverband als Körperschaft des öffentl. Rechts, ein eingetragener Verein oder eine staatl. Stelle. Bund, Länder, innerhalb eines N. gelegene Kreise und Gemeinden sowie die privaten N.träger kommen für die Kosten auf.

Naturreservat, v.a. im engl. und frz. Sprachraum Bez. für ein Naturschutzgebiet.

Naturschutz, Gesamtheit der Maßnahmen zur Erhaltung und Pflege von Natur- oder naturnahen Kulturlandschaften und Naturdenkmälern, sowie von selten und in ihrem Bestand gefährdeten Pflanzen und Tierarten sowie deren Lebensräumen und ihr Schutz vor Zivilisationsschäden. N. ist ein Teil des Umweltschutzes und soll nicht nur der Gefahr großräumiger Landschaftszerstörung entgegenwirken, sondern auch natürl. Regenerationsquellen erhalten. Auch Landschaftsteile (z. B. Hecken, Schilf- und Rohrbestände als Nistplätze für Vögel oder Unterschlupf für Niederwild) können unter N. gestellt werden. Wichtigste, auf dem Verordnungswege erfolgende N.maßnahmen sind: Einrichtung und Erhaltung von N.gebieten, von Landschaftsschutzgebieten sowie von National- und Naturparks, Schutz und Pflege von Naturdenkmälern sowie der Arten- und Biotopschutz (↑ geschützte Pflanzen, ↑ geschützte Tiere). Eigentümer, Besitzer oder Nutzungsberechtigte haben Schutz- und Erhaltungsmaßnahmen zu dulden und sind an auferlegte Nutzungsbeschränkungen gebunden. Nach Umfang des Schutzes unterscheidet man: 1. **Vollnaturschutzgebiete**: Eingriffe und Nutzungen sind nur zur Erhaltung des natürl. Zustandes erlaubt, das Betreten ist verboten; 2. **Teilnaturschutzgebiete**: Gebiete mit speziellen Schutzzielen und den dazu notwendigen Nutzungsbeschränkungen; hierzu gehören auch Pflanzenschutzgebiete und Tierschutzgebiete (z. B. Vogelschutzgebiete); 3. **Landschaftsschutzgebiete**: naturnahe Flächen, die zur Erhaltung ihrer ökolog. Vielfalt sowie eines ausgeglichenen Naturhaushaltes und ihres Erholungswertes gegen Veränderungen (Abholzung, Aufforstung, Überbauung, Industrialisierung) geschützt werden. - Wichtige N.gebiete sind z. B. das Königsseegebiet, Karwendel und Karwendelgebirge, der Große Arbersee und die Arberseewand, das Federseegebiet, der N.park Lüneburger Heide und das Biberschutzgebiet an der mittleren Elbe. Bed. N.gebiete im benachbarten Ausland sind die Hohen Tauern (Österreich), der Nationalpark Engadin (Schweiz), die Camargue (Frankreich).

📖 *Lorz, A.: N.recht. Artenschutz, internat. Übereinkommen, EG-Recht, Bundes-/Landesrecht u.a. Mchn. 1985. - N. u. Umweltschutz in der BR Deutschland. Hg. v. G. Olschowy. Hamb. 1985. - Blab, J., u. a.: Rote Liste der gefährdeten Tiere u. Pflanzen in der Bundesrepublik Deutschland. Greven ⁴1984. - Hdb. für Planung, Gestaltung u. Schutz der Umwelt. Hg. v. K. Buchwald u. W. Engelhardt. Mchn. 1978ff. 4 Bde.*

Naturwaldreservate (Naturwaldzellen, Bannwälder [in Bad.-Württ.]), als charakterist. Vegetationsgesellschaften ausgewählte, v. a. der Erforschung ökolog. Systeme dienende, durch Erlaß der Länder der BR Deutschland unter unumschränkten Schutz gestellte Waldteile (Mindestgröße 5 ha), deren Erhaltung Aufgabe der Landespflege ist.

Naumann, Johann Friedrich, * Ziebigk (= Cosa, Landkreis Köthen) 14. Febr. 1780, † ebd. 15. Aug. 1857, dt. Ornithologe. - Prof. und Inspektor am herzogl. Ornitholog. Museum in Köthen/Anhalt; Wegbereiter der dt. Feldornithologie. Künstler. hochbegabt, illustrierte er das zus. mit seinem Vater *Johann Andreas N.* (* 1744, † 1826) angelegte zwölfbändige Werk „Naturgeschichte der Vögel Deutschlands" (1820 ff.).

Nebenhoden

Nauplius [zu griech. naúplios „Krebs"] (Naupliuslarve), erstes Larvenstadium der Krebstiere; Körper länglich-oval, mit drei Gliedmaßenpaaren (erstes und zweites Antennenpaar, Mandibeln) und unpaarem medianem Pigmentbecherauge († Naupliusauge).

Naupliusauge (Mittelauge), bei den Niederen Krebsen dauernd vorhandenes, bei den Höheren Krebsen nur während des Naupliusstadiums ausgebildetes, sehr einfaches, unpaares, dicht neben dem Gehirn liegendes Auge, das im allg. aus drei Pigmentbecherozellen zusammengesetzt ist.

Nautiliden (Nautilidae) [griech.], mit Ausnahme der Gatt. Nautilus († Perlboote) ausgestorbene Fam. der Kopffüßer mit zumindest im Bereich der Anfangskammern spiralig in einer Ebene gewundenem Gehäuse.

Nautilus [zu griech. nautílos „Seefahrer"], svw. † Perlboote.

Navelorange [engl. 'neɪvəl „Nabel"] (Navel, Nabelorange), (fast) kernlose Frucht einer aus Amerika stammenden Kulturform der Orange mit kräftigerer Schale und kleiner, am unteren Pol außen einen kleinen Nabel bildenden Nebenfrucht.

Neandertaler (Homo [sapiens] neanderthalensis), paläanthropolog. Bez. jener Gruppe fossiler Menschen († auch Altmenschen), die während der Würmeiszeit *(klass. N.)* und während der Riß-Würm-Zwischeneiszeit *(Prä-N.)* v. a. in W-Europa und N-Afrika gelebt haben. Bisher wurden - mehr oder weniger bruchstückhafte - Reste von etwa 150 Individuen gefunden (erstmals im Neandertal). Der N. war ein extrem auf seine Umwelt spezialisierter Altmensch, der als Vorfahre des Jetztmenschen nicht in Betracht kommt († auch Mensch, Abstammung). Die N. lebten v. a. in der Tundra unter Bedingungen, wie sie heute etwa im nördl. Lappland bestehen. Sie waren Jäger und Sammler. Als Werkzeuge dienten v. a. Faustkeile und Abschlagwerkzeuge; daneben Schaber und bereits Messer.

Nearktis [griech.] (nearktische Region), Bez. für eine tiergeograph. Region, die kalte, gemäßigte und subtrop. Klimate Nordamerikas einschließl. Grönlands umfaßt; Teilbereich der † Holarktis.

Nebelkrähe (Graue Krähe, Corvus corone cornix), Rasse der Aaskrähe in O-Europa (etwa östl. der Elbe) und W-Asien; rd. 45 cm lange Vögel; unterscheiden sich von der sonst recht ähnl. † Rabenkrähe durch grauen Rücken und graue Unterseite. - Abb. S. 226.

Nebelparder (Neofelis nebulosa), etwa 0,8 bis 1 m körperlange, oberseits vorwiegend ocker- bis bräunlichgelbe, unterseits hellere Kleinkatze in Wäldern S-Asiens (einschließl. Sumatra und Borneo); gewandt kletternder Baumbewohner mit langen Eckzähnen, großen, eckigen, schwarz umrandeten Seitenflecken und (an Kopf und Extremitäten) kleineren runden, schwarzen Flecken.

Nebenblätter (Stipeln, Stipulae), Anhangsorgane (kleine „Auswüchse") am Blattgrund vieler zweikeimblättriger Pflanzen; meist paarig und blattartig entwickelt (z. B. bei Rosengewächsen), auch in Form paariger † Dornen (Nebenblattdornen), oder unpaare, tütenförmige basale Hüllen bildend (z. B. Gummibaum, Rhabarber).

Nebenbronchien, die in den Lungenflügeln der Säugetiere (einschließl. Mensch) vom rechten und linken Hauptbronchus in je einen Lungenlappen hinein abzweigenden (sekundären) Bronchien (**Lappenbronchien,** Bronchi lobares), die sich dann dichotom in die **Segmentbronchien** (Bronchi segmentales) weiterverzweigen; mit Schleimdrüsen und Flimmerepithel ausgestattet.

Nebeneierstock (Epoophoron, Epovarium, Parovarium, Rosenmüller-Organ), dem Nebenhoden homologes rudimentäres Anhangsgebilde der ♀ Geschlechtsorgane jederseits oberhalb des Eierstocks der Wirbeltiere und des Menschen.

Nebenfruchtformen, bes., meist massenhaft ausgebildete, sporenbildende Vermehrungsorgane (z. B. Konidien), die neben den **Hauptfruchtformen** (Geschlechtszellen ausbildende sexuelle Fortpflanzungsorgane) im normalen Entwicklungsgang bei Pilzen, bes. bei Deuteromyzeten, auftreten.

Nebengelenker (Nebengelenktiere, Fremdgelenker, Xenarthra), seit dem Paleozän bekannte, im Tertiär noch mit vielen Arten verbreitete, heute nur mit knapp 30 Arten vorkommende Unterordnung der Säugetiere (Ordnung Zahnarme) im südl. Nordamerika sowie in Mittel- und Südamerika; meist zahnlose Tiere mit (der Versteifung dienenden) Gelenkfortsätzen an Lenden- und letzten Brustwirbeln. Man teilt die heute lebenden N. in drei (sehr unterschiedl.) Fam. auf: Faultiere, Ameisenbären, Gürteltiere.

Nebenhoden (Epidydimis), Teil der abführenden ♂ Geschlechtswege der Wirbeltiere. Der N. geht entwicklungsgeschichtl. aus dem vorderen Abschnitt der Urniere hervor und ist bei den Säugetieren zu einem kompakten Organ geworden, das dem Hoden eng anliegt. Aus dem Hoden treten die ausführenden (ableitenden) Samenkanälchen zum N. über, den sie als *N.kanälchen* (Ductuli epididymidis) durchziehen, um sich dann im *N.gang* (Ductus epididymidis = primärer Harnleiter bzw. Wolff-Gang) zu vereinigen, der als Speicher für die Spermien dient. Der N.gang leitet in den Harn-Samen-Leiter bzw. Samenleiter über. - Im N. der Säugetiere (einschließl. Mensch) kann ein Kopf, ein Körper- und ein Schwanzteil unterschieden werden. Im *N.kopf* (Caput epididymidis) liegen die ausführenden Samenkanälchen, im *N.körper* (Corpus epididymidis) die gewundenen N.kanälchen und der N.gang, der dann in den *N.schwanz* (N.schweif, Cauda epididymidis) übergeht, in

225

Nebenhöhlen

dem er bes. stark aufgewunden verläuft. Die Kontraktionen der starken Ringmuskulatur des N.schwanzes pressen die Spermien in den anschließenden Samenleiter (Ductus deferens) aus (Abb. S. 19).

Nebenhöhlen ↑ Nasennebenhöhlen.

Nebenkern, svw. ↑ Nukleolus.

Nebenniere (Glandula suprarenalis, Corpus suprarenale, Epinephron), endokrines Organ der Wirbeltiere, das bei Säugetieren (einschließl. Mensch) kappenförmig jeder der beiden Nieren aufsitzt (ohne irgendwelche Beziehung zu diesen) und aus dem *N.mark* und der *N.rinde* besteht. Stammesgeschichtl. haben Mark und Rinde unterschiedl. Ursprung. Die Zellen des Marks entstammen dem Grenzstrang des sympath. Nervensystems bzw. kommen von der Neuralleiste her und werden insgesamt als **Adrenalorgan** bezeichnet. Die Zellen der Rinde entstehen aus dem (mesodermalen) Zölomepithel (**Interrenalorgan**). Beide Komponenten sind bei Rundmäulern, Knorpel- und Knochenfischen noch völlig getrennt, bei Amphibien liegen sie nebeneinander auf der Ventralseite der Nieren, bei vielen Reptilien und den Vögeln vermischen sich beide Gewebe in Form von Strängen, bei den Säugern formen sie dann aus Mark und Rinde bestehendes einheitl. Organ. Funktionell ist die N. (in bezug auf die N.rinde) durch ihre Hormonproduktion ein lebenswichtiges Organ. Die Interrenalzellen produzieren unter der Kontrolle von ACTH aus dem Hypophysenvorderlappen eine Reihe von Steroidverbindungen (↑ Nebennierenrindenhormone). Das adrenale Gewebe des Marks dagegen produziert ↑ Adrenalin und das eng verwandte ↑ Noradrenalin.

Die *N. des Menschen* sind 11–18 g schwer und von halbmondförmiger (links) bzw. dreieckiger (rechts), abgeplatteter Gestalt. Sie liegen mit ihrer konkaven Grundfläche dem oberen Teil der Nieren an. Das (nicht lebensnotwendige) N.mark (mit einem Anteil von etwa 20 % gegenüber 80 % Rinde) hat eine weißgraue Farbe. Seine Zellen vermögen

Nebelkrähe

bösartige Tumoren mit einer beträchtl. Menge an Adrenalin oder Noradrenalin zu bilden. - Die (lebensnotwendige) gelbl. N.rinde besteht von außen nach innen aus drei in den einzelnen Lebensaltern verschieden stark ausgebildeten Zonen von Epithelzellhaufen, näml. der äußeren *Zona glomerulosa* (aus rundl. Zellhaufen), der mittleren *Zona fasciculata* (aus parallelen Zellsträngen) und der innersten *Zona reticularis* (aus netzartig angeordneten Strängen), die insgesamt rund 40 verschiedene Kortikosteroide produzieren.

Nebennierenrindenhormone (Kortikosteroide), die wichtigsten der von der Nebennierenrinde erzeugten Hormongruppen sind: 1. die ↑ Androgene (↑ auch Geschlechtshormone); 2. die **Glukokortikoide**, die v. a. den Kohlenhydrat-, Fett- und Eiweißstoffwechsel beeinflussen. Sie verstärken die Zuckerbildung aus Eiweiß, erhöhen den Blutzuckerspiegel und vermehren den Glykogengehalt der Leber. Sie greifen außerdem auch in den Fettstoffwechsel ein und verändern die Fettverteilung im Körper. Beim Streß nehmen die Glukokortikoide eine zentrale Rolle ein. Es kommt zu einem raschen Anstieg der ACTH- und damit der Glukokortikoidsekretion. Der biolog. Sinn dieses Vorgangs scheint in der Bereitstellung von schnell verfügbarer Energie zu liegen. Die Glukokortikoide führen zu Kochsalzretention und Kaliumausscheidung, hemmen die Entwicklung des mesenchymalen Systems (v. a. des lymphat. Gewebes und des Bindegewebes), unterdrücken allerg. und entzündl. Reaktionen, vermindern die Antikörperbildung und in lymphat. Geweben auch die RNS-Synthese. Sie wirken in der Therapie daher antiallerg., antiphlogist., antirheumat., antiproliferativ und immunosuppressiv. Natürl. vorkommende Glukokortikoide sind Hydrokortison (Kortisol), Kortison und Kortikosteron; 3. die **Mineralokortikoide** mit überwiegender Wirkung auf den Elektrolytstoffwechsel, in dem die in den Körperflüssigkeiten enthaltenen Salze in ihrer Zusammensetzung und Konzentration reguliert werden; v. a. ↑ Aldosteron und ↑ Desoxykortikosteron, die auch als Hormonpräparate zur Anwendung kommen (↑ auch Hormone, Übersicht, S. 30).

Nebenschilddrüse (Epithelkörperchen, Glandula parathyreoidea, Parathyreoidea), aus Epithelknospen der Kiementaschen entstehende, kleine, gelbl. bis bräunl. Drüsen der vierfüßigen Wirbeltiere (einschließl. Mensch); meist in 1 oder 2 Paaren neben der Schilddrüse oder in deren randnahes Gewebe eingebettet; Funktion in vielen Fällen ungeklärt, bei Säugetieren und beim Menschen (einschließl. Mensch) Erzeugung des lebenswichtigen, den Calciumstoffwechsel regulierenden ↑ Parathormons (↑ auch Hormone, Übersicht, S. 30).

Nebenwurzeln (Beiwurzeln), sproßbürtige Wurzeln, die zur normalen Entwicklung

Nelke

einer Pflanze gehören, z. B. an der Unterseite von Ausläufersprossen der Erdbeere.

Negerhirse ↑ Federborstengras.

Negride [lat.-span.] (negrider Rassenkreis), Bez. für die sog. schwarze Rasse als eine der drei menschl. Großrassen (↑ auch Menschenrassen). Die N. sind v. a. südl. der Sahara auf dem afrikan. Kontinent beheimatet. Den negriden Durchschnittstyp repräsentieren die vielfach durch Rassenmischungen beeinflußten **Kafriden** (auch *Bantuide* genannt), die in relativ großer regionaler Variabilität anzutreffen sind. Sie sind morpholog. bes. durch mittelgroßen und kräftigen Körperbau, langen und mäßig hohen Kopf, niedriges Gesicht mit ausgeprägten Fettpolstern und gerade, breite Nase charakterisiert. Ihr Hauptverbreitungsgebiet ist die südafrikan. Trockenwaldzone und Ostafrika. Zum negriden Rassenkreis zählen außerdem die ↑ Sudaniden und ↑ Nilotiden sowie die ↑ Palänegriden und Bambutiden (↑ bambutide Rasse). Eine rass. Mischform zw. Europiden und N. sind die ↑ Äthiopiden.

negroid [lat.-span./griech.], nicht [rein] negrid; entweder (genet. bedingt) negriden Einschlag zeigend oder (nicht genet. bedingt, wie etwa bei den ↑ Australiden) ledigl. Merkmale der Negriden aufweisend.

Nektar [griech.], pflanzl. Drüsensekret, das aus dem meist in der Blüte liegenden Nektarien ausgeschieden und blütenbesuchenden Insekten als „Lockspeise" geboten wird; wässerige Flüssigkeit mit hohem Gehalt an Trauben-, Frucht- und Rohrzucker sowie an verschiedenen organ. Säuren, blütenspezif. Duft- und Mineralstoffen.

Nektarien [griech.] (Honigdrüsen), pflanzl. Drüsengewebe oder Drüsenhaare, die Nektar ausscheiden. N. liegen meist innerhalb der Blüte; außerhalb liegende N. befinden sich an Blattstielen (z. B. bei Akazien) oder an Nebenblättern (z. B. bei der Wicke). N. können aus allen Blütenorganen hervorgehen, offen in den Blüten liegen oder in Kronröhren und Spornen verborgen angeordnet sein.

Nektarine [griech.], glatthäutiger Pfirsich mit leicht herauslösbarem Stein.

Nektarvögel (Honigsauger, Nectariniidae), Fam. etwa 10–25 cm langer (einschließl. Schwanz), den Kolibris äußerl. ähnelnder, doch mit ihnen nicht verwandter Singvögel mit mehr als 100 Arten in der trop. Alten Welt; blütenbesuchende, im ♂ Geschlecht häufig bunte, metall. schillernde, im ♀ Geschlecht weniger bunt gefärbte Vögel mit langem, dünnem, röhrenförmigem, meist abwärts gebogenem Schnabel und vorstreckbarer, an der Spitze zweiröhriger Zunge zur Aufnahme von Kerbtieren und Nektar. Zu den schönsten N. gehören der 12 cm lange **Königsnektarvogel** (Cinnyris regius) im Grenzgebiet von Uganda und Kongo und der 11 cm lange **Gelbbauchnektarvogel** (Cinnyris venustus).

Nekton [zu griech. nēktón „das Schwimmende"], zusammenfassende Bez. für die im Wasser (im Ggs zum ↑ Plankton) aktiv schwimmenden Lebewesen, deren Fortbewegung nicht oder nur unwesentlich durch Wasserströmungen bestimmt wird (v. a. Fische).

Nelke [zu mittelhochdt. negellīn, eigtl. „Nägelchen"; urspr. (wegen der Form) Bez. für Gewürznelken, dann auf die Blume übertragen], (Dianthus) Gatt. der Nelkengewächse mit rd. 300 Arten, v. a. im Mittelmeergebiet, aber auch in anderen Erdteilen; fast ausschließl. Stauden mit endständigen, meist roten oder weißen Blüten; in Deutschland nur wenige Arten: u. a. **Kart[h]äusernelke** (Dianthus carthusianorum), auf trockenen, kalkigen Böden, bis 60 cm hoch, Stengel kahl, Blüten blutrot, in büscheligen Köpfchen; **Pfingstnelke** (Dianthus gratianopolitanus), bis 30 cm hohe, polsterbildende Staude mit rosaroten Einzelblüten; **Prachtnelke** (Dianthus superbus), 30–60 cm hoch, mit langen, schmalen Stengelblättern und großen, blaßlilafarbenen

Gelbbauchnektarvogel   Heidenelke    Gartennelke

Nelkengewächse

fransigen Blüten; **Heidenelke** (Dianthus deltoides), 15–30 cm hoch, Blätter graugrün, purpurrote, innen weiß punktierte und dunkel gestreifte Blüten. - Neben den niedrigen, v. a. für Steingärten geeigneten Arten wie ↑Alpennelke und ↑Steinnelke sind bes. für einen Blumenschnitt die zahlr. Hybriden und Sorten der ↑Bartnelke, ↑Chinesernelke, **Federnelke** (Dianthus plumarius, bildet bis 30 cm hohe, liegende Büsche, rosa oder weiße Blüten, meergrüne Blätter) und **Gartennelke** (Dianthus caryophyllus, mehrjährig, Blüten meist einzeln, purpur-, rosafarben oder weiß, stark duftend) wichtige Zierpflanzen.
◆ ↑Viole.

Nelkengewächse (Caryophyllaceae), Pflanzenfam. mit rd. 2 000 Arten, v. a. in der gemäßigten Zone der N-Hemisphäre; meist Kräuter oder Halbsträucher mit oft schmalen Blättern und unterschiedl. Blütenstandsformen; bekannte Gatt. sind Bruchkraut, Hornkraut, Leimkraut, Lichtnelke, Mastkraut, Nabelmiere und Nelke.

Nelkenköpfchen (Felsennelke, Felsnelke, Tunica), Gatt. der Nelkengewächse mit rd. 30 Arten in Eurasien, v. a. im östl. Mittelmeergebiet; in Deutschland nur zwei Arten, darunter die 10 bis 25 cm hohe, ausdauernde, auf Trocken- und Felsrasen wachsende **Steinbrech-Felsennelke** (Tunica saxifraga) mit weißen bis hellilafarbenen Blüten.

Nelkenwurz (Geum), Gatt. der Rosengewächse mit mehr als 50 Arten, v. a. in der nördl. gemäßigten Zone; Stauden mit gefiederten oder geteilten Blättern und einzelnen, meist jedoch in Dolden stehenden großen, gelben, roten oder weißen Blüten; Nußfrüchtchen, meist mit hakig verlängertem Griffel. In Deutschland sind fünf Arten heimisch, darunter die gelbblühende **Echte Nelkenwurz** (Geum urbanum) in Laubmischwäldern und die ↑Bachnelkenwurz.

Nematocera [griech./lat.], svw. ↑Mükken.

Nematoden [griech.], svw. ↑Fadenwürmer.

Nematomorpha [griech.], svw. ↑Saitenwürmer.

Nemertini [griech.], svw. ↑Schnurwürmer.

Neoceratodus [griech.], Gatt. sehr urtüml. ↑Lungenfische mit dem ↑Djelleh als einziger Art.

Neodarwinismus, auf dem ↑Darwinismus basierende, auf genet. Forschungen begr. neuere Theorie über die Abstammung.

Neogäa, svw. ↑neotropische Region.

Neolamarckismus, die von dem amerikan. Paläontologen E. D. Cope gegen Ende des 19. Jh. begründete Weiterentwicklung der lamarckist. Deszendenztheorie, wobei insbes. die (auch schon von J.-B. Lamarck vertretene) Anschauung eine wichtige Rolle spielt, daß psych. Faktoren (Wille, Bedürfniserfüllung) in teleolog. Hinsicht für die phylogenet. Entwicklung und Formgestaltung der Organismen maßgebend seien (sog. **Psycholamarckismus**). - Als N. werden auch die bes. in der UdSSR zur Zeit Stalins protegierten und u. a. von I. W. Mitschurin und T. D. Lyssenko durchgeführten Pflanzenversuche (mit Pfropfungen, Klimaänderungen u. a.) bezeichnet, die den Beweis der Erblichkeit von direkten Umweltanpassungen erbringen sollten.

Neometabolie ↑Metamorphose.

Neotenie [griech.] (Progenese), Eintritt der Geschlechtsreife in jugendl. bzw. larvalem Zustand vor Erreichen des Erwachsenenstadiums; kann z. B. bei Schwanzlurchen als Regelfall (z. B. beim Axolotl) oder äußerst selten unter bes. Bedingungen auftreten (z. B. bei einheim. Molchen).

neotropische Region (Neotropis, Neogäa [im engeren Sinne]), tiergeograph. Region, die die S- und M-Amerika (einschließl. der Westind. Inseln) umfaßt; sehr kennzeichnende Fauna mit vielen endem. Gruppen, z. B. Schlitzrüßler, Neuweltaffen, mehrere Fledermausfamilien (bes. Vampire, Blattnasen), Ameisenbären, Faultiere, Gürteltiere, verschiedene Nagetiergruppen (v. a. Meerschweinchenartige) sowie zahlreiche kleinere Beuteltierarten. Die Vogelwelt ist ungewöhnl. formenreich, mit sehr vielen endem. Fam., u. a. Nandus, Wehrvögel, Hokkohühner, Schopfhühner, Trompetervögel, Steißhühner und Pfefferfresser. Unter den Kriechtieren sind bes. Leguane, Schienenechsen und Boaschlangen kennzeichnend. Bei den Lurchen fällt der große Artenreichtum an Laubfröschen und das (mit Ausnahme des N) völlige Fehlen der Schwanzlurche auf. Auch unter den Süßwasserfischen finden sich viele endem. Gruppen (z. B. die Lebendgebärenden Zahnkarpfen).

neotropisches Florenreich (Neotropis), Vegetationsgebiet der trop. und großer Teile der subtrop. Zonen der Neuen Welt; umfaßt M- und S-Amerika (mit Ausnahme der südl. Anden). Wichtigste Vegetationsformen: trop. Regenwald, Nebelwald, montaner Regenwald, Monsunwald, Trockenwald, Trockengebüsch, Steppe, Sukkulentenformationen. Wichtigste Pflanzenfam. sind Ananasgewächse und Kakteen sowie pantrop. Palmen, Ingwer-, Gesnerien-, Pfeffer- und Maulbeerbaumgewächse.

Neottia [griech.], svw. ↑Nestwurz.

Nephridien [...i-εn; griech.] (Metanephridien, Segmentalorgane), paarige (bei Weichtieren auch nur ein einzelnes unpaares Nephridium), urspr. segmental angeordnete Exkretionsorgane vieler wirbelloser Tiere mit sekundärer Leibeshöhle wie Ringelwürmer, Hufeisenwürmer, Kelchtiere, Weichtiere, in abgewandelter Form als Antennen- und Maxillendrüsen oder als Koxaldrüsen auch bei Gliederfüßern. Die typ. N. öffnen sich über

Nervensystem

einen Wimpertrichter (**Nephrostom**) nach der Leibeshöhle zu (bei Weichtieren in den Herzbeutel). Daran schließt sich ein stark gewundener Schlauch (**Schleifenkanal, Nephridialkanal**) an, der zum folgenden Körpersegment überleitet und über eine Öffnung *(Uroporus)* nach außen mündet.

Nephron ↑ Niere.
Nephros [griech.] ↑ Niere.
Nephrozyten [griech.], Zellen (v. a. bei Insekten) mit der Eigenschaft, Abfallstoffe des Körpers aufzunehmen und zu speichern *(Speichernieren)*.
Nereidae [griech.] (Lycoridae), mit zahlr. Arten v. a. an Meeresküsten verbreitete Fam. langer, schlanker, aus sehr vielen (bis 175) Segmenten bestehender Ringelwürmer (Klasse Vielborster) mit einem Paar Antennen, zwei Paar Augen und ausstülpbarem Rüssel. Die deutl. zweiästigen Stummelfüßchen (Parapodien) verbreitern sich bei den meisten N. bei Eintritt der Geschlechtsreife stark; die so entstehenden Individuen sind Dauerschwimmer. Nach Entleerung ihrer oft fast den ganzen Körperhohlraum ausfüllenden Gonaden sterben sie ab. Die N. ernähren sich vorwiegend von Algen und kleinen Bodentieren. Bekannteste Gatt.: Nereis im Küstenbereich, z. T. auch in Brackgewässern und (in den Tropen) gelegentl. auch in feuchter Erde; bis über 75 cm lang, meist jedoch sehr viel kleiner.

Nerfling, svw. ↑ Aland (ein Fisch).
neritisch [griech.], im freien Wasser des Uferbereichs vorkommend (im Meer der bis etwa 200 m Tiefe reichende Schelf, in Süßgewässern oft das ganze Freiwasser).
Nerv ↑ Nervenzelle.
nerval [lat.], das Nervensystem bzw. die Nerventätigkeit betreffend oder durch die Nervenfunktion bewirkt.
Nervatur [lat.] (Aderung), Bez. für die Anordnung der Leitbündel in der Blattspreite (↑ Laubblatt) der Farne und Samenpflanzen.
Nerven [zu lat. nervus „Sehne, Flechse"], Bez. für die zu Bündeln vereinigte ↑ Nervenfasern (↑ auch Nervenzelle).
◆ (Blattnerven) ↑ Blatt.
Nervenbahnen ↑ Nervenzelle.
Nervenbündel ↑ Nervenzelle.
Nervenendplatte, svw. ↑ Endplatte.
Nervenfaser, Bez. für längere, bes. Hüllen aufweisende Nervenfortsätze; im allg. svw. Neurit. Einzelne N.bündel mit bindegewebigem **Endoneurium** zw. den Fasern und einem peripheren **Perineurium** als Hülle sowie mehrere Bündel zusammen, zw. denen das bindegewebige **Epineurium** liegt, werden als *Nerven* bezeichnet.
Nervengeflecht (Nervenplexus), netzartige Verknüpfung von Nerven, bei Säugetieren (einschl. Mensch) z. B. in der Schulter- und Kreuzbeingegend als Geflecht mehrerer Spinalnerven, aus denen Arm- und Beinnerven hervorgehen.

Nervengewebe, aus dem Ektoderm stammendes Gewebe vielzelliger Tiere, das der Erregungsleitung und -verarbeitung dient und in Form des Nervensystems das Zusammenspiel der Teile des Körpers gewährleistet. Abgesehen von Hilfsgeweben wie Gefäßen und Bindegewebe, bauen zwei Zelltypen das N. auf: die Gliazellen (Neuroglia, ↑ Glia) und die ↑ Nervenzellen.
Nervenkern ↑ Kern.
Nervenknoten, svw. ↑ Ganglion.
Nervenphysiologie, svw. ↑ Neurophysiologie.
Nervenstrang ↑ Nervenzelle.
Nervensystem, Gesamtheit des Nervengewebes als Funktionseinheit, die in Zusammenarbeit mit ↑ Rezeptoren und ↑ Effektoren Reize aufnimmt, verarbeitet, teilweise speichert, koordiniert und beantwortet. In den Rezeptoren werden die aufgenommenen Signale umgeformt und kodiert. Bes. zuführende Nerven leiten die empfangenen Reize zu den zentralen Sammelstellen Gehirn und Rückenmark. Dort werden sie verarbeitet. Die Befehle dieser Zentren gelangen auf die ableitenden Nervenfasern zu den Organen der Körperperipherie, wo sie entsprechende Reaktionen auslösen.

Beim **Menschen** und bei den Wirbeltieren konzentriert sich in der Embryonalentwicklung die Masse des Nervengewebes im ↑ Medullarrohr am Rücken, das dann im Kopfbereich das ↑ Gehirn, im Rumpfbereich das ↑ Rückenmark formt. Diesem Zentralnervensystem mit Nerven- und Gliazellen (bilden die Neuroglia [↑ Glia]) steht im übrigen Körper das ↑ periphere Nervensystem gegenüber. Neben willkürmotor. (Bewegungsnerven) und sensiblen Nerven und Ganglien enthält es ein spezielles ↑ vegetatives Nervensystem *(Eingeweidenervensystem)*, das über ↑ Sympathikus und ↑ Parasympathikus die Funktion der Eingeweide steuert und kontrolliert. Nach funktionellen Gesichtspunkten unterscheidet man ferner ein animales Nervensystem, das der Regelung der Beziehungen des Organismus zur Außenwelt dient.

Das N. in der stammesgeschichtl. Entwicklung: Die urspr. Art der Nachrichtenübermittlung findet sich bei den Einzellern, bei denen die gesamte Körperoberfläche die Reize aus der Umwelt aufnimmt und das gesamte Plasma die Erregungsleitung übernimmt. - Bei den Schwämmen erfolgt die Erregungsleitung von Zelle zu Zelle. Erst bei den Hohltieren kann mit dem Auftreten von bes. Nervenzellen von einem N. gesprochen werden. Es ist ein netzartiger Verband von Nervenzellen im Ento- und Ektoderm, ein sog. diffuses N. oder Nervennetz. - Bei den Quallen werden die Fortsätze der Nervenzellen bereits zu dickeren Strängen gebündelt, wobei es auch zu Ganglienbildungen an der Basis ihrer Sinnesorgane kommt. - Die nächste Höherentwicklung zeigt sich bei

229

Nervensystem

den Strudelwürmern. Hier konzentrieren sich die Nervenzellen in der Körpermitte entlang einer Längsachse. Diese Zentralisation schreitet fort, indem sich die Nervenzellen mit ihren Fortsätzen zu Längssträngen, den Konnektiven, vereinigen und auch über zahlr. Querverbindungen (Kommisuren) miteinander in Verbindung treten. - Mit der Herausbildung

Nerven. 1 Nervengewebe; Neuron mit markhaltigem Neuriten
(DN Dendriten mit Neurofibrillen; ZK Zellkörper mit Kern;
N Neurit; R-S Ranvier-Schnürring; M Markscheide; NK Neurilemm mit Kern;
AN Achsenzylinder mit Neurofibrillen; Neu Neurodendrium).
2–5 Nervensystem: 2 Strickleiternervensystem eines Ringelwurms
(B Bauchganglien; G Gehirn; K Konnektive; Sk Schlundkonnektiv);
3 Nervennetz eines Süßwasserpolyps;
4 Nervensystem eines Strudelwurms mit Marksträngen;
5 zentralisiertes Nervensystem des Menschen
(grau: Zentralnervensystem; schwarz: peripheres Nervensystem)

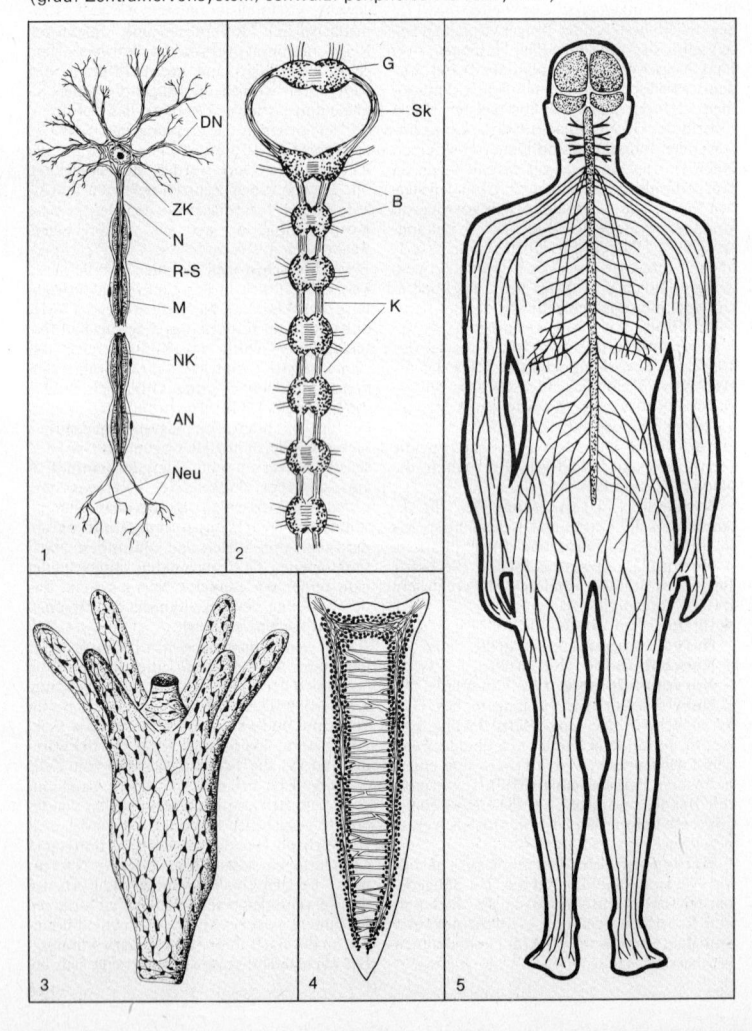

Nervenzelle

eines Kopfes mit seinen Sinnesorganen konzentrieren sich immer mehr Neuronen in diesem Gebiet und vereinigen sich zu übergeordneten motor. und Assoziationszentren. - Bei den Gliedertieren befindet sich urspr. in jedem Körpersegment auf der Bauchseite ein Ganglienpaar. Durch die Längs- und Querverbindungen zw. diesen Ganglien kommt es zur Ausbildung eines sog. Strickleiternervensystems. - Die Gliederfüßer schließl. haben neben dem Bauchmark in der Kopfregion noch ein Oberschlundganglion, das durch die Verschmelzung der den ersten drei Körpersegmenten entsprechenden Ganglien entstanden sind. Dieses „Gehirn" verarbeitet und koordiniert alle Erregungen, die von den Komplex- und Stirnaugen, den Fühlern und den anderen Sinnesorganen des Kopfs eintreffen. - Bei den Weichtieren sind die Nervenzellen auf wenige Ganglien konzentriert, die paarigen Fuß-, Wand-, Seiten- und Gehirnganglien. Letzteres ist bei den Tintenfischen bes. hoch entwickelt.

Benninghoff, A.: Makroskop. und mikroskop. Anatomie des Menschen. Bd. 3: Zenker, W.: N., Haut u. Sinnesorgane. Mchn. [13–14]*1985. - Rohen, J. W.: Funktionelle Anatomie des N. Stg.* [4]*1985. - Voss, H./Herrlinger, R.: Tb. der Anatomie. Bd. 3: Dorn, A.: N., Sinnessystem, Hautsystem, Inkretsystem. Stg.* [16]*1982.*

Nervenzelle (Ganglienzelle), Bauelement des Nervengewebes. In den N. (beim Menschen rd. 25 Mrd. allein im Gehirn, davon etwa 14 Mrd. in der Großhirnrinde) entstehen die nervösen Erregungen, die dann über unterschiedl. lange Fortsätze, die **Nervenfasern**, weitergeleitet werden. Die Nervenfasern mehrerer N. schließen sich im allg. zu einem Faserbündel, dem **Nerv**, zusammen. N. und Fortsätze in ihrer Gesamtheit bilden eine funktionelle, morpholog. und genet. Einheit, das **Neuron**. Es entspricht der Zelle anderer Gewebe. Das Zytoplasma *(Neuroplasma)* umschließt einen chromatinarmen (stoffwechselaktiven) Kern, der bei hochentwickelten Tieren und beim Menschen nicht mehr teilungsfähig ist. Im Zytoplasma befinden sich u. a. noch Mitochondrien und Pigmente sowie charakterist. Strukturen, die *Nissl-Schollen*. Diese sind bes. große Membranstapel des endoplasmat. Retikulums mit bes. vielen Ribosomen als Orten der Eiweißsynthese. - Jede N. hat unterschiedl. viele Nervenfortsätze. Ein bestimmter Nervenfortsatz, der **Neurit**, leitet bei jeder N. die Erregungen von der Zelle weg. Alle anderen Fortsätze, die **Dendriten**, führen der Zelle Erregungen zu. Diese Dendriten sind meist sehr viel kürzer und verzweigen sich früh. N. mit nur einem Fortsatz nennt man unipolar. Meist haben die N. zwei Fortsätze, die einander gegenüberstehen (bipolare N.; kommen beim erwachsenen Menschen nur in Auge und Ohr vor) oder sich an ihrem Anfang vereinigen (pseudopolare N.). Sind mehr als zwei Fortsätze ausgebildet, so spricht man von multipolaren N. - Der Neurit wächst bei der Entwicklung der N. zuerst aus. Er ist von einer bes. Isolierschicht, der *Schwann-Scheide (Neurilemm)* umgeben. Damit wird der Neurit zum Achsenzylinder (↑ Axon) der Nervenfaser. Seine Membran heißt Axolemm und besteht aus einer bimolekularen Lipidschicht zw. zwei Proteinschichten. Im Axolemm bzw. der N.membran läuft die Erregungsleitung ab. Die Schwann-Scheide wird von Schwann-Zellen gebildet, die den Gliazellen des Gehirns entsprechen. Sie verlassen ihren Ursprungsort (z. B. das Rückenmark) und überziehen zunächst schlauchartig den Neuriten. Im Laufe der Entwicklung wickelt sich die Schwann-Zelle mehrfach spiralig um das Axon. Schließl. liegen die Zellmembranen der Schwann-Zelle übereinander. Sie bilden die dem Axolemm aufliegende *Markscheide (Myelinscheide)*. Je nach der Anzahl der Umwicklungen entstehen markarme oder markreiche Nervenfasern, bei denen mehrere in dieser Weise aufgerollte Schwann-Zellen in Längsrichtung aufeinanderfolgen. Zw. diesen Zellen verbleibt eine marklose, nur vom Axolemm umhüllte Lücke, der *Ranvier-Schnürring*.

Häufig schließen sich Nervenfasern zu parallel verlaufenden, oft von einer gemeinsamen Bindegewebshülle umschlossenen **Nervenbündeln** *(Nervensträngen)* zus., die dann als **Nerven** bezeichnet werden. Makroskop. sichtbare Nerven bestehen wiederum aus einer verschieden großen Anzahl von Nervenfaserbündeln. Innerhalb des Zentralnervensystems bezeichnet man die Faserbündel als **Nervenbahnen**. Angehäuft zusammenliegende Nervenzellkörper bilden die Ganglien.

Erregungsleitung: Die Erregungsleitung spielt sich in den Nervenfasern ab. Sie beruht auf einer kurzfristigen elektr. Spannungsänderung (↑ Aktionspotential) der Zellmembran, die eine andauernde elektr. Spannung der Membran (↑ Membranpotential) voraussetzt. - Der Erregungsvorgang, der die Nervenleitung ermöglicht, besteht im wesentl. aus einer vorübergehenden Änderung der an der Zellmembran liegenden Potentialdifferenz. Dabei erfolgt zuerst eine Spannungsabnahme (Depolarisation), dann eine kurzfristige Umpolung (Umpolarisation) der Membran. Ursache der Umpolung der Membran im Augenblick der Erregung ist eine plötzl. kurzfristige sehr viel stärkere Durchlässigkeit für Natriumionen, die nun stärker nach innen streben können als die Kaliumionen nach außen und so der Membraninnenseite ihre positive Ladung aufzwingen. Das Aktionspotential klingt ähnl. rasch wieder ab, und zwar deshalb, weil die Durchlässigkeit für Natriumionen wieder absinkt und sekundär die Durchlässigkeit für Kaliumionen ansteigt. Die Fortpflanzung des Aktionspotentials als Bedingung für die Weiterleitung des

Nervenreizes erfolgt dadurch, daß das Aktionspotential die Depolarisationswelle vor sich „herschiebt" und so für die eigene Weiterleitung sorgt. Bei marklosen Nervenfasern wird die Erregung kontinuierl. durch sehr schwache lokale Ströme fortgeleitet, die über den Innenleiter durch die unmittelbar benachbarten Membranstellen fließen und diese depolarisieren. Die Geschwindigkeit der Leitung solcher Nervenfasern liegt zw. 0,5 und 2 m pro Sekunde. Bei den markhaltigen Nervenfasern sind nur bestimmte Membranstellen erregbar. Die Strecke zw. zwei solchen erregbaren „Schnürringen" ist durch die Markscheide elektr. recht gut isoliert. Daher springt die Erregung hier von Schnürring zu Schnürring (**saltatorische Erregungsleitung**). Die Geschwindigkeit der Leitung beträgt bis 120 m pro Sekunde. Die Übertragung der Erregung von Neuron zu Neuron erfolgt an ↑ Synapsen.

📖 *Katz, B.:* Nerv, Muskel u. Synapse. Stg. ⁴1985. - *Poliakov, G. I.:* Neuron structure of the brain. Cambridge (Mass.) 1972.

Nervus [lat.], Abk.: N., in der Anatomie svw. Nerv (↑ Nervenzelle).

Nerze [slaw., zu ukrain. noryća, eigtl. „Taucher"] (Lutreola), Untergatt. 30–53 cm langer (einschl. des buschig behaarten Schwanzes bis 75 cm langer) Marder, v. a. in wasser- und deckungsreichen Landschaften Eurasiens und Nordamerikas; Körper mäßig langgestreckt, mit hell- bis dunkelbraunem, kurzhaarigem, dichtem Fell, kurzem, breiten Kopf, zieml. kurzen Beinen und kleinen Schwimmhäuten zw. den Zehen. Die dämmerungs- und nachtaktiven (z.T. jedoch auch tagaktiven) Tiere schwimmen und tauchen sehr gut. Sie ernähren sich bes. von Nagetieren, daneben von Fischen, Krebsen und Vögeln. Nach einer Tragezeit von fünf bis zehn Wochen werden in einem Erdbau (häufig in einer Uferböschung) drei bis sechs zunächst noch blinde Junge geboren. - Man unterscheidet zwei sehr ähnl. Arten: Amerikan. Nerz (↑ Mink) und **Europ. Nerz** (*Nörz, Sumpf-* oder *Krebsotter, Wasserwiesel, Steinhund*, Mustela lutreola, Lutreola lutreola) in Eurasien; Körper bis 40 cm (einschl. Schwanz bis 55 cm) lang, mit weißem Kinn und meist auch weißer Oberlippe; Restvorkommen in Frankr., im übrigen nur noch in Osteuropa und Asien. N. werden als Pelztiere heute in sog. Nerzfarmen gezüchtet.

Nessel, Bez. für nesselähnl., aber nicht zu den Nesselgewächsen gehörende Pflanzen; z. B. Goldnessel (↑ Taubnessel).

Nesselfaden ↑ Nesselkapseln.

Nesselgewächse (Urticaceae), Pflanzenfam. mit mehr als 700 weltweit verbreiteten Arten, v. a. in den Tropen; meist Kräuter mit unscheinbaren Blüten; bekannte Gatt. sind ↑ Brennnessel und ↑ Boehmeria.

Nesselhaare, svw. ↑ Brennhaare.

Nesselkapseln (Knidozysten, Kniden, Nematozysten, Cnidae), in den Nesselzellen der Nesseltiere liegende, hochspezialisierte Gebilde, die der Feindabwehr und dem Beutefang dienen. Sie bestehen jeweils aus einer längl., doppelwandigen Blase mit handschuhfingerförmig eingestülptem, aufgerolltem, dünnem Schlauch (**Nesselfaden**). Durch mechan. oder chem. Reizung eines kurzen, fadenförmigen, aus der Nesselzelle herausragenden Fortsatzes (**Knidozil**) explodiert die unter Druck stehende Kapsel und stülpt den Nesselfaden aus. Dieser dringt bei den Stilettkapseln in die Beute ein und entleert ein Giftsekret.

Nesselschön ↑ Kupferblatt.

Nesseltiere (Knidarier, Cnidaria), Stamm 0,5 mm bis 2,2 m langer Hohltiere mit rd. 10 000 Arten, v. a. in Meeren (einige Arten auch in Süßgewässern [Süßwasserpolypen]; mit in eigenen Zellen (Nesselzellen) gebildeten, dem Nahrungserwerb (Zooplankton, Kleintiere) sowie der Abwehr dienenden ↑ Nesselkapseln und mundnahem Tentakelkranz. N. treten primär (z. B. viele Blumenquallen) in zwei Habitusformen auf: als schlauchförmige, [mit Ausnahme der Staatsquallen] festsitzende, durch (ungeschlechtl.) Knospung oder Teilung oft stockbildende Polypen und als freischwimmende, getrenntgeschlechtl. Medusen.

Nest [eigtl. „Stelle zum Niedersitzen"] (Nidus), meist gegen Feinde, Kälte oder Nässe bes. geschützter, oft schwer zugängl. Aufenthaltsort für viele Tiere, der dem Nächtigen (z. B. *Schlafnester* der Menschenaffen) oder dem Überdauern ungünstiger Witterungsverhältnisse wie Trockenheits-, Hitze- oder Kälteperioden (z. B. *Winternester* für Winterschläfer) dient. Am weitesten verbreitet sind jedoch die Nester, die der Aufnahme der Eier bzw. der frisch geborenen Jungen sowie dem Erbrüten und/oder der Aufzucht der Nachkommen dienen.

Als Baumaterial für ein N. *(Nistmaterial)* können unterschiedl. Stoffe verwendet werden: Zweige, Gräser, Moos (z. B. bei Bilchen und vielen Singvögeln) oder Sand, Lehm, Schlamm (z. B. bei Erdwespen, Rauch- und Mehlschwalbe, auch Holzfasern (bei Wespen und Kartonameisen), Wachse (bei Honigbienen), Speichel (bei Salanganen), Gespinstfäden (z. B. bei Spinnen oder in Form der *Raupennester* bei manchen Schmetterlingen) und sogar Schaummassen *(Schaumnester,* z. B. bei Zikaden). Die häufig verwendeten Federn oder Haare zum Auspolstern der N. reißen sich die N.bauer oft selbst aus.

Die N. für die Jungen der Säugetiere befinden sich oft in natürl. (z. B. bei Braunbären) oder in selbst oder von anderen Tieren gegrabenen Höhlen (z. B. in den Erdbauen bei Fuchs, Dachs, Kaninchen, Hamster, Mäusen).

Bei den N. der Vögel unterscheidet man: **Bo-**

Neunaugen

dennester (z. B. bei Lauf-, Enten- und vielen Hühnervögeln); **Schwimmnester** (aus Wasserpflanzen gebaute, auf der Wasseroberfläche schwimmende N., v. a. bei Lappentauchern); **Erd-** und **Baumhöhlennester** bei den Höhlenbrütern; **Baumnester** im Gezweig der Bäume und Sträucher. z. B. bei Krähe, Elster, vielen Singvögeln); **Pfahlbaunester** (an senkrecht stehenden Rohrhalmen befestigte N., bes. bei Rohrsängern); **Beutelnester** (z. B. bei Beutelmeisen); **Kugelnester** (Halmnester, die bis auf ein Einflugloch geschlossen sind, z. B. bei Zaunkönig, Schwanzmeise).

Nestfarn ↑ Streifenfarn.

Nestflüchter (Autophagen), die im Ggs. zu den ↑ Nesthockern in weit entwickeltem Zustand zur Welt kommenden, schnell den Geburtsort bzw. das Nest verlassenden Tiere; z. B. Hühner-, Enten- und Laufvögel, der Feldhase, Huftiere. Sie erkennen oft nur jenes Lebewesen als führende Mutter an, das ihnen während einer kurzen, artspezif. festgelegten Prägungszeit (↑ Prägung) als erstes begegnet.

Nesthocker (Insessoren), Jungtiere verschiedener Vogel- und Säugetierarten, die in einem noch unvollkommenen postembryonalen Entwicklungsstadium geboren werden. Sie kommen nackt zur Welt. Ihre Augen und Ohren sind meist durch epitheliale Verwachsungen geschlossen. Sie bedürfen bes. Pflege und bes. Schutzes durch die Eltern (↑ auch Brutpflege). Bei den Säugetieren ist - im Unterschied zu den Vögeln - der N.zustand als primitiv anzusehen, d. h., niedere Säugetiere sind i. d. R. N. (mit kurzer Tragezeit und vielen Jungen in einem Wurf); die höheren Säugetierarten, z. B. Affen und Huftiere, sind als **sekundäre Nestflüchter** (mit wenigen, aber reifen Jungen in einem Wurf) zu bezeichnen. Eine Ausnahme bildet der Mensch (↑ Kind).

Nestling, noch nicht flügger Vogel.

Nestorchis, svw. ↑ Nestwurz.

Nestorpapageien [nach Nestor (wohl wegen des hohen Alters, das sie erreichen)] (Nestorinae), Unterfam. etwa krähengroßer, vorwiegend düster gefärbter, dämmerungsaktiver, gut fliegender Papageien mit zwei rezenten Arten (Gatt. *Nestor*) in den Hochgebirgen Neuseelands; von pflanzl. und tier. Stoffen sich ernährende Vögel mit verlängertem, sichelförmig gebogenem Oberschnabel. Am bekanntesten ist der **Kea** (Nestor notabilis), etwa 45 cm lang, olivgrün und bräunlich.

Nestpilze (Napfpilze, Nidulariaceae), Fam. der Bauchpilze mit rd. 50 meist saprophyt. Arten; die kleinen, napf- bis becherförmigen Fruchtkörper sind mit einem Deckel verschlossen, der bei der Reife aufreißt und die Sporenträger freigibt; eine bekannte Gatt. sind die ↑ Teuerlinge.

Nestwurz (Nestorchis, Neottia), saprophyt. Orchideengatt. mit rd. zehn Arten, verbreitet von Europa bis O-Asien. Am bekanntesten ist die einheim. **Vogelnestwurz** (N. i. e. S., Nestorchis i. e. S., Vogelnestorchis, Neottia nidus-avis) in schattigen Buchenwäldern, seltener in Nadelmischwäldern; mit kleinen (bis 15 mm großen), in Blütenständen stehenden, braunen, unangenehm-süßl. riechenden Blüten an 20-45 cm hohen Stengeln und vogelnestartig verflochtenen Wurzeln.

Netzannone (Ochsenherz, Annona reticulata), Art der Gatt. ↑ Annone mit apfelgroßen, süßen, schmackhaften Früchten (**Custardapfel**), deren Oberfläche in fünfeckige Felder aufgeteilt ist.

Netzauge, svw. ↑ Facettenauge.

Netzblatt (Goodyera, Goodyere), Gatt. der Orchideen mit rd. 20 Arten in Europa, N-Amerika und Asien; Erdorchideen mit netzadrig gezeichneten, grundständigen Laubblättern und kleinen, in einer dichten Traube stehenden Blüten.

Netzflügler (Neuropteroidea, Neuropteria), mit rd. 7300 Arten weltweit verbreitete Ordnung (auch Überordnung) etwa 2-16 cm spannender Insekten; im allg. (zumindest als Larven) räuber. lebende Tiere mit (im Imaginalzustand) vier großen, meist netzartig geäderten, in Ruhe dachförmig zusammengelegten Flügeln; mit vollkommener Metamorphose. Man unterscheidet drei Unterordnungen: ↑ Hafte (von einigen Systematikern als N. i. e. S. bezeichnet), ↑ Kamelhalsfliegen, ↑ Schlammfliegen.

Netzhaut ↑ Auge.

Netzmagen ↑ Magen.

Netzpython ↑ Pythonschlangen.

Netzschlange ↑ Pythonschlangen.

Netzwanzen, svw. ↑ Gitterwanzen.

Netzwühlen (Blanus), Gatt. der ↑ Doppelschleichen mit vier kleinen, [bei oberflächl. Betrachtung] regenwurmähnl. Arten.

Neufundländer, erstmals in England gezüchteter starker, mächtiger (Schulterhöhe bis 75 cm) gutmütiger Schutz- und Begleithund mit breitem, kräftigem Kopf und Hängeohren, kräftigen Beinen, langer, buschiger Rute und dichtem, langem, i. d. R. tiefschwarzem Fell mit dichter Unterwolle. Eine Spielart ist der heute als eigene Rasse aufgeführte, schwarzweiß gefleckte **Landseer**.

Neunaugen (Petromyzones, Petromyzontes, Petromyzoniformes), mit rd. 25 Arten in Süß- und Meeresgewässern der kalten und gemäßigten Regionen der Nordhalbkugel verbreitete Unterklasse etwa 12-100 cm langer fischähnl. Wirbeltiere (Klasse ↑ Rundmäuler); aal- bis wurmförmige, meist in erwachsenem Zustand an Fischen blutsaugende Tiere mit (beiderseits) sieben Kiemenöffnungen (einschließl. Nasenöffnung und Auge also „neun Augen"), rundem, kräftig bezahntem Saugmaul, zwei Rückenflossen und einer kleinen Schwanzflosse. Die Larven schlüpfen stets in Süßgewässern aus ihren Eiern; sie machen nach zwei bis fünf Jahren eine Metamorphose durch. Unter den N. unterscheidet

233

Neuntöter

man *Wanderformen* (nach der Metamorphose Abwanderung in Meeres- oder Brackgewässer, später Laichwanderung in die Süßgewässer), wie z. B. **Flußneunauge** (Pricke, Petromyzon fluviatilis, 30–50 cm lang, oberseits dunkelblau bis graugrün, unterseits silbrigweiß) und **Meerneunauge** (Lamprete, Neunaugenkönig, Petromyzon marinus, bis 1 m lang, oberseits braun bis dunkel olivgrün, unterseits hell, getupft), und *Süßwasserformen* (bleiben stets in Süßgewässern), zu denen v. a. das ↑Bachneunauge gehört.

Neuntöter mit Hirschkäfer als Beutetier

Neuntöter (Dorndreher, Rotrückenwürger, Lanius collurio), einschl. Schwanz etwa 17 cm langer Singvogel (Fam. ↑Würger), v. a. in Feldgehölzen und Parkanlagen großer Teile Eurasiens; ♂ oberseits mit rotbraunem Rücken und ebensolchen Flügeln, blaugrauem Oberkopf und Bürzel, weißem Gesicht, schwarzer Gesichtsmaske und weißen Seitenfedern am schwarzen Schwanz; Unterseite rahmfarben; ♀ unscheinbarer gefärbt; Zugvogel, der im Herbst bis in die Tropen zieht.

neural [griech.], auf Nerven bezügl., vom Nervensystem ausgehend.

Neuralrohr, svw. ↑Medullarrohr.

Neurit [griech.] ↑Nervenzelle.

Neurobiologie, Teilgebiet der Biologie als Forschungszweig bzw. Lehre von den Nerven und vom Nervensystem; mit den Arbeitsrichtungen Neuroanatomie, Neurohistologie, Neuropharmakologie, Neurophysiologie und Neuropathologie.

Neuroblasten [griech.], Zellen des embryonalen Nervengewebes, aus denen die Nervenzellen entstehen.

neuroendokrines System (neurosekretor. System), Bez. für die anatom. und funktionelle Verknüpfung von neurohämalen Organen, insbes. für das Hypophysen-Zwischenhirn-System der Wirbeltiere, bei dem auf nervösem Wege die Tätigkeit der Hypophyse und damit die Bildung, Ausschüttung und Wirkung der Hormone vom Zwischenhirn her reguliert wird.

Neurohormone, von neurosekretor. tätigen Nervenzellen gebildete Substanzen mit Hormonwirkung, die bei Wirbellosen und Wirbeltieren (bei diesen v. a. im ↑Hypothalamus) vorkommen.

Neuron [griech.] ↑Nervenzelle.

Neurophysiologie (Nervenphysiologie), Fachrichtung der Physiologie (und Teilgebiet der Neurobiologie), die die Funktion des Nervensystems untersucht und beschreibt; bedient sich experimentell v. a. elektrophysiolog. und neuropharmakolog. Methoden.

Neuroplasma ↑Nervenzelle.

Neuropteria [griech.], svw. ↑Netzflügler.

Neurosekrete, zusammenfassende Bez. für Neurohormone und neurogen gebildete Überträgersubstanzen (Neurotransmitter) wie Acetylcholin, Adrenalin und Noradrenalin.

Neurosekretion (Neurokrinie), die Absonderung von Neurosekreten aus mehr oder weniger drüsenartig veränderten Nervenzellen (**neurosekretor. Zellen**) in Ganglien und im Zentralnervensystem. Oft sind **neurohämale Organe** ausgebildet, in denen sich Blutraume mit sezernierenden Nervenendigungen verflechten. – N. findet sich bei den meisten Tieren, z. B. im ↑neuroendokrinen System des Hypothalamus bei den Wirbeltieren (einschl. Mensch).

neurosekretorisches System, svw. ↑neuroendokrines System.

neurosensorisch [griech./lat.], einen an der Sinneswahrnehmung beteiligten Nerv betreffend, sich auf einen sensiblen Nerv beziehend.

Neurospora [griech.], saprophyt. Schlauchpilzgattung, deren bekannteste Vertreter, N. crassa und N. sitophila (Brotpilz), oft auf feuchtem Brot vorkommen. Die raschwüchsigen N.arten sind wichtige Forschungsobjekte der Genetik und Biochemie.

Neurotransmitter [griech./lat.] (Überträgerstoffe), neurogen gebildete Aktionssubstanzen, die bei der Erregungsübertragung in den ↑Synapsen der Neuronen (↑Nervenzelle) freigesetzt werden: Acetylcholin (bei den sog. cholinerg. Nervenzellen), Adrenalin und Noradrenalin (bei adrenerg. Nervenzellen).

Neurula [griech.], auf die ↑Gastrula folgendes Stadium der Embryonalentwicklung der ↑Chordatiere, das die Ausbildung der Körpergrundgestalt einleitet. Bes. kennzeichnend ist die Bildung des dorsalen Neuralrohres im Bereich der Medullarplatte. Darunter

Nickende Distel

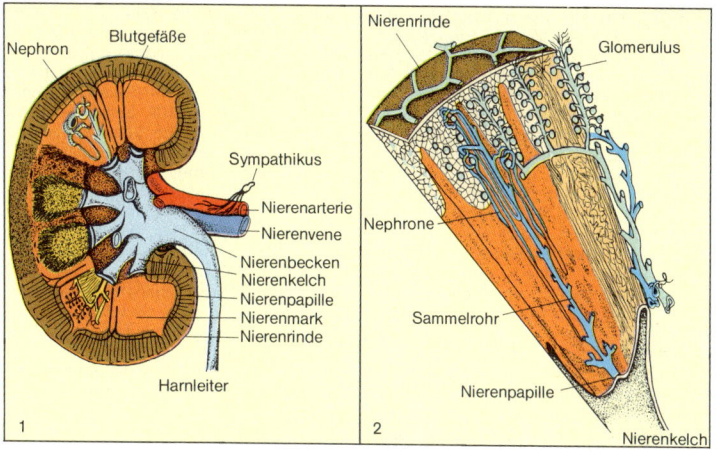

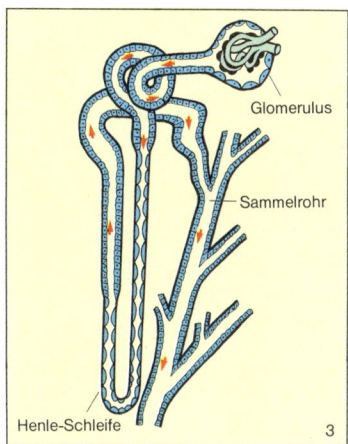

Niere des Menschen. 1 Längsschnitt, 2 Nierenlappen, 3 Nephron

(ventral) entsteht die ↑Chorda dorsalis, unter dieser der Darmhohlraum. An den Seiten des Keims grenzen sich Muskelsegmente ab.

Neuston [griech., eigtl. „das Schwimmende"], Bez. für die Kleinlebewesen und die abgestorbenen Elemente im Bereich des Oberflächenhäutchens des Wassers.

Neuweltaffen, svw. ↑Breitnasen.

Neuweltgeier (Cathartidae), Fam. bis 1,3 m (einschließl. Schwanz) großer, aasfressender, ausgezeichnet segelnder (Flügelspannweite bis etwa 3 m) Greifvögel (Gruppe Geier) mit sieben Arten in der Neuen Welt; altertüml. Vögel, die mit dem bis 5 m spannenden, ausgestorbenen Teratornis incredibilis seit der Eiszeit bekannt sind (↑auch Geier).

Neuwelthirsche (Amerikahirsche, Odocoileini), Gattungsgruppe hasen- bis rothirschgroßer, schlanker, großohriger Trughirsche mit 11 Arten in der Neuen Welt; mit meist bogig nach vorn geschwungenem, vielendigem Geweih und großen Voraugendrüsen; obere Eckzähne häufig fehlend. - Zu den N. gehören u.a.: ↑Andenhirsche; **Maultierhirsch** (Großohrhirsch, Odocoileus hemionus), bis 2 m langer und bis etwa 1 m schulterhoher, großohriger Hirsch, v. a. in N-Amerika; **Pampashirsch** (Kamphirsch, Odocoileus bezoarticus), bis 1,3 m langer und 75 cm schulterhoher Hirsch in S-Amerika; **Pudus,** Gatt. bis 90 cm langer und 40 cm schulterhoher Hirsche in Chile und Bolivien; **Spießhirsche** (Mazamas), Gatt. bis 135 cm langer und 80 cm schulterhoher Hirsche in M- und S-Amerika; **Virginiahirsch** (Weißwedelhirsch, Odocoileus virginianus), 80–200 cm langer und 55–110 cm schulterhoher Hirsch in N- und M-Amerika; auch in Europa eingeführt.

Neuweltmäuse (Neuweltratten, Hesperomyini), Gattungsgruppe der ↑Wühler mit rd. 360 maus- bis rattengroßen Arten in N- und S-Amerika (auch auf den Galapagosinseln); bekannteste Gatt.: ↑Weißfußmäuse.

Niacin [Kw.], svw. Nikotinsäure (↑Vitamine).

Nichtwiederkäuer (Nonruminantia, Suiformes), seit dem Eozän bekannte, im Miozän und Pliozän sehr formenreiche, heute nur noch mit drei Fam. (↑Schweine, ↑Nabelschweine, ↑Flußpferde) vertretene Unterordnung primitiver, hasen- bis nilpferdgroßer Paarhufer mit einfach gebautem Magen, relativ vollständigem Gebiß und geringer Verschmelzungstendenz am Extremitätenskelett.

Nickende Distel ↑Distel.

Nickhaut

Nickhaut (Membrana nictitans), drittes Augenlid vieler Wirbeltiere, das als häufig durchsichtige Bindehautfalte meist im inneren (nasalen) Augenwinkel entspringt, hier von Nickhautdrüsen befeuchtet wird und durch bestimmte Muskeln (*N.muskeln*) unterhalb der beiden anderen Augenlider von innen oben schräg nach unten über den Augapfel ausgebreitet werden kann. Unter den Fischen besitzen nur wenige (z. B. Blauhaie, Hammerhaie) eine N., bei den Amphibien kommt sie bei den Froschlurchen vor. Die Sauropsiden (Reptilien, Vögel) weisen immer, die Säugetiere z. T. eine N. auf. Meist ist die N. bei Säugetieren aber reduziert, z. B. bei Primaten bis zu einer halbmondförmigen Bindehautfalte.

Nidation [zu lat. nidus „Nest"] (Einbettung), das Sicheinbetten bzw. die Implantation eines befruchteten Eies in die Gebärmutterschleimhaut.

Nidularie [...i-ε; zu lat. nidus „Nest"] (Nestrosette, Nidularium), Gatt. der Ananasgewächse mit rd. 20 (meist epiphyt.) Arten in den feuchten Wäldern Brasiliens; mit rosettenartig angeordneten, dornig gezähnten Blättern und endständigem Blütenstand; Warmhaus- und Zierpflanzen.

Niederblätter (Kataphylla), an der Basis einer Sproßachse (oberhalb der Keimblätter) auftretende einfache, schuppenförmige Blattorgane mit reduzierter Spreite (v. a. aus dem Unterblattanteil bestehend); auch an Rhizomen und Ausläufern und als Knospenschuppen. - ↑ auch Hochblätter.

niedere Tiere, svw. ↑ Wirbellose.

Niederungsvieh (Tieflandrind), Sammelbez. für dt. Rinderrassen, die im Ggs. zum ↑ Höhenvieh vorwiegend im Norddt. Tiefland gehalten werden, heute jedoch zunehmend auch in Mittelgebirgslagen vordringen. Zum N. zählen die weniger knochigen, tiefer gebauten, edleren Rassen wie das **Schwarzbunte Niederungsvieh**, eine auf Milch- und Fleischleistung gezüchtete Rasse schwarz-weiß gescheckter Rinder (v. a. in Ostfriesland, Oldenburg und in der Altmark gezüchtet), das **Rotbunte Niederungsvieh**, eine rot-weiß gescheckte Rasse mit guter Milchleistung und Mastfähigkeit (Zuchtgebiete v. a. Schl.-H., Westfalen, Oldenburg), und das ↑ Angler Rind.

Niere (Ren, Nephros), stammesgeschichtl. und auch im Verlauf der Embryonalentwicklung zuletzt ausgebildetes paariges Exkretionsorgan der Wirbeltiere und des Menschen. Die *N. des Menschen* sind zwei bohnenförmige, dunkelrote, je 120–200 g schwere, etwa 11 cm lange, 5 cm breite und 3 cm dicke Organe, die links und rechts der Wirbelsäule in Höhe der untersten Brust- und oberen Lendenwirbel an der Hinterwand des Bauchraums liegen. Dicht über den beiden oberen N.polen befinden sich die ↑ Nebennieren. Jede N. ist von einer derben, bindegewebigen *Nierenkapsel* und zudem noch von einer sog. *Fettkapsel* umhüllt. Am inneren Rand des Organs (d. h. wirbelsäulenwärts) befindet sich der *N.hilus* als Ein- bzw. Austrittsstelle der N.arterie bzw. N.vene sowie des ↑ Harnleiters und der N.nerven. Die N. besteht innen aus dem *N.mark*, das außen konzentr. von der *N.rinde* umschlossen wird. Das N.mark nimmt stellenweise die Form einer Pyramide an, deren Spitze, die von einer Aussackung des N.beckens (*N.kelch*) umfaßte *N.papille*, in das Nierenbecken hineinragt. Der N.kelch fängt den Harn auf und leitet ihn ans N.becken weiter. - Die N. des Menschen besitzen das 10–20 annähernd radiär stehenden *N.lappen*, denen i. d. R. eine Pyramide, eine Papille und je ein N.kelch zugeordnet sind.

Die Funktionseinheit der N. sind die in der N.rinde lokalisierten *Nierenkörperchen* (Malphighi-Körperchen). Jedes N.körperchen enthält einen Knäuel (Glomerulus) aus Blutkapillarschlingen, der von einer Kapsel (*Bowman-Kapsel*) umgeben ist. Von dieser führt ein 3–4 cm langes, gewundenes N.kanälchen (*N.tubulus*) in den Bereich des N.marks. Hier verengt es sich und bildet eine sehr dünne, U-förmige Schleife (*Henle-Schleife*), erweitert sich in der N.rinde wieder und geht zus. mit den N.kanälchen in ein Sammelröhrchen über, die im einheitl. Sammelrohr der N.papille zusammenkommen. Die N.kanälchen werden von den Haargefäßen, die aus dem Glomerulus kommen, umsponnen. Eine solche morpholog. und funktionelle Einheit aus N.körperchen und N.tubulus wird auch als **Nephron** bezeichnet. Die N. des Menschen enthält rd. 1. Million Nephronen. - Funktionell wird in den N.körperchen durch einen Filtervorgang aus dem Blut der *Primärharn* bereitet. Im Primärharn finden sich alle Blutplasmaanteile mit Ausnahme der hochmolekularen Eiweiße. Viele wichtigen Salze und Nährstoffe (z. B. Glucose) sowie Wasser werden dann im N.tubulus wieder rückresorbiert. Das Nephron dient damit sowohl der Wasserausscheidung und Stoffwechselschlackenbeseitigung aus dem Blut als auch v. a. der Regulation des elektrolyt. Haushalts zur Konstanthaltung des inneren Milieus (Homöostasewirkung). Beim Menschen passieren tägl. etwa 170 l Wasser die N.körperchen, die ausgeschiedene Tagesharnmenge beträgt nur 1–2 l. Ein funktionell hoch bedeutsames Strukturdetail der N., der *juxtaglomeruläre Apparat*, befindet sich im Bereich des Gefäßpols der einzelnen N.körperchen. Sein wichtigster Bestandteil sind die epitheloiden Zellen (umgewandelte Muskelzellen), die ↑ Renin bilden und bei Bedarf (u. a. bei einer Verminderung der N.durchblutung) dieses ans Blut abgeben können. Teilaspekte der Homöostasewirkung der N. sind die Einstellung und Erhaltung der geeigneten Ionenzusammensetzung, des normalen osmot. Drucks, des Säurewertes

und Volumens der entsprechenden Körperflüssigkeiten. Hinzu kommen mindestens zwei wichtige hormonartige Leistungen der N., die Sekretion von Renin und Erythropoetin. - Abb. S. 235.
📖 *Brod, J.: Kompendium der Nephrologie. Stg. ²1985. - Die N. Hg. v. A. Bohle u. a. Stg. 1984. - Lange, S.: N. u. ableitende Harnwege. Stg. 1983. - Valtin, H.: Funktion der N. Stg. 1978.*

Nierenbaum (Acajoubaum, Cashewbaum, Marañonbaum, Anacardium occidentale), immergrünes Anakardiengewächs aus dem trop. S-Amerika; heute in allen Tropen, v. a. in Indien, kultivierter Obstbaum mit ganzrandigen, ledrigen Blättern und charakterist. Steinfrüchten (↑ Cashewnuß).

Nierenbecken (Pelvis renalis, Sinus renalis), Harnsammelbecken der Niere; wird gebildet durch Vereinigung der (beim Menschen etwa 10) Nierenkelche. Es ist mit glatter Muskulatur versehen, liegt im Nierenhilus hinter den Nierengefäßen und Nerven und nimmt den im Bereich der Nierenpapillen austretenden Harn auf und leitet ihn in den Harnleiter weiter.

Nierenkörperchen ↑ Niere.

Niesen, reflektor. (durch chem., therm. u. a. Reize) ausgelöstes heftiges Ausstoßen von Luft durch die Nase, nachdem zunächst der Rachenraum durch Hebung des Gaumensegels gegen die Nase hin abgeschlossen wurde.

Nieswurz [die zu Pulver verarbeiteten Wurzeln rufen einen Niesreiz hervor] (Helleborus), Gatt. der Hahnenfußgewächse mit rd. 25 Arten in Europa und Zentralasien; mit oft fußförmig gefiederten Blättern, röhrenförmigen Honigblättern in der Blüte und Balgfrüchten; giftig. Bekannte einheim. Arten sind ↑ Christrose, **Grüne Nieswurz** (Helleborus viridis, 30–50 cm hohe Staude mit scharf gesägten, fußförmigen Blättern und grünen Blütenhüllen) und **Stinkende Nieswurz** (Helleborus foetidus, 30–80 cm hohe Staude mit fußförmigen Stengelblättern und eiförmigen Hochblättern, die in gelbgrüne Blütenhüllblätter übergehen). Die Christrose war eines der wichtigsten Arzneimittel der Antike. Sie wurde als brechenerregendes, menstruationsförderndes, abtreibendes Mittel sowie als Mittel gegen Epilepsie und Manie verwendet.

Nikotin [frz., nach dem frz. Gelehrten J. Nicot, *1530, †1600] (3-(1-Methyl-2-pyrrolidinyl)-pyridin), $C_{10}H_{14}N_2$, Hauptalkaloid der Tabakpflanze, das in der Wurzel gebildet und in den Blättern abgelagert wird. N. ist eine farblose, ölige Flüssigkeit und eines der stärksten Pflanzengifte (tödl. Dosis für den Menschen ca. 0,05 g). In kleinen Dosen führt N. durch Erhöhung der Adrenalin- und Noradrenalinsekretion zur Steigerung von Blutdruck, Darmperistaltik, Schweiß- u. Speichelsekretion. Eine *N.vergiftung* äußert sich durch Speichelfluß, Schwindel, Übelkeit, Erbrechen, Durchfall, Schweißausbruch, Krämpfe und führt zum Tod durch Atemlähmung. Chem. Strukturformel:

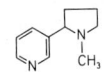

Nikotinsäure ↑ Vitamine.
Nikotinsäureamid ↑ Vitamine.
Nilbarsch ↑ Glasbarsche.
Nilgans ↑ Halbgänse.

Nilhechte (Mormyriformes), Ordnung etwa 5 cm bis 1,5 m langer, häufig unscheinbar gefärbter Knochenfische mit über 150 Arten in Süßgewässern Afrikas südl. der Sahara und im Nil; Körper meist langgestreckt, mit kleiner Mundöffnung am oft rüsselartig verlängerten Maul und mit schwachen elektr. Organen, die der Orientierung dienen.

Nilkrokodil ↑ Krokodile.

Nilotide [griech.] (nilotide Rasse), Unterform der Negriden; schlanker, hochwüchsiger und langbeiniger Menschenrassentyp mit sehr dunkler Haut. Hauptverbreitungsgebiet sind die Sumpfgegenden des oberen Weißen Nils.

Nilpferd ↑ Flußpferde.
Nilwaran ↑ Warane.

Nimmersatte, zusammenfassende Bez. für Vertreter der Gatt. *Ibis* und *Mycteria;* etwa 1 m lange, vorwiegend weiß gefiederte Störche mit 4 Arten v. a. an Gewässern Afrikas, Asiens und Amerikas; gut segelnde, sich v. a. von Fischen und Amphibien ernährende Vögel mit nacktem, häufig auffällig gefärbtem Gesicht, schwarzen Handschwingen und schwarzen Schwanzfedern. Zu den N. gehören: **Afrika-Nimmersatt** (Ibis ibis), Gefieder weiß mit rötl. Schimmer, Gesicht rot, Schnabel und Füße gelb (trop. Afrika, Madagaskar); **Malaien-Nimmersatt** (Ibis cinereus), Gefieder rein weiß (in Hinterindien und auf den großen Sundainseln); **Amerika-Nimmersatt** (Mycteria americana), Gefieder weiß, Kopf und Hals nackt und (wie Schnabel und Füße) bläulichschwarz (South Carolina bis Buenos Aires); Koloniebrüter.

Nirenberg, Marshall Warren [engl. ˈnarrnbəːg], *New York 10. April 1927, amerikan. Biochemiker. - Seit 1962 Leiter der Abteilung für biochem. Genetik am National Heart Institute in Bethesda (Md.). N. leistete Pionierarbeiten zur Entzifferung des genetischen Codes, wofür er 1968 (zus. mit R. W. Holley und H. G. Khorana) den Nobelpreis für Physiologie oder Medizin erhielt.

Nissen, Bez. für die relativ großen Eier der Läuse und Federlinge, die die ♀♀ mit einem aus der Geschlechtsöffnung ausfließenden Kitt einzeln außerordentl. fest an die Haare ihrer Wirte oder an Stoffasern festkleben.

Nissl, Franz [Alexander], *Frankenthal (Pfalz) 9. Sept. 1860, †München 11. Aug. 1919, dt. Neurologe und Psychiater. - Ab 1904 Prof.

Nitidulidae

Noriker

in München; befaßte sich v. a. mit der Histologie und Histopathologie der Nervenzellen. Entdeckte 1894 die intrazellulären *N.-Schollen* (↑ Nervenzelle).

Nitidulidae [lat.], svw. ↑ Glanzkäfer.
Nitratbakterien ↑ Nitrifikation.
Nitratatmung, svw. ↑ Denitrifikation.
Nitratpflanzen (nitrophile Pflanzen, Salpeterpflanzen), nitratanzeigende und teilweise auch nitratspeichernde Pflanzen, die auf stickstoffreichen Böden (z. B. Überschwemmungsböden, Waldlichtungen, Kulturland und Ruderalstellen) bes. gut gedeihen und dort z. T. geschlossene Massenbestände bilden. Derartige Bodenanzeiger sind u. a. Weidenröschen, Brennessel, Bärenklau, Wiesenkerbel.
Nitrifikation (Nitrifizierung), die Oxidation von Ammoniak (Ammoniumsalzen) durch ↑ Nitrobakterien. Erfolgt in zwei Schritten: Die **Nitritbakterien** (**Nitrosobakterien**) bilden Nitrite: $NH_4^+ + \frac{3}{2}O_2 \rightarrow NO_2^- + H_2O$, die **Nitratbakterien** daraus Nitrate: $NO_2^- + \frac{1}{2}O_2 \rightarrow NO_3^-$. Die N. erfordert gut durchlüftete Böden.
Nitritbakterien ↑ Nitrifikation.
Nitrobakterien (Salpeterbakterien, Nitrobacteriaceae), Fam. aerober, begeißelter, gramnegativer, chemolithotropher Stäbchen oder Kokken; oxidieren Ammoniak zu Nitrit bzw. Nitrit zu Nitrat (↑ Nitrifikation); gewinnen so Energie und Reduktionsäquivalente zur Kohlendioxidfixierung; weit verbreitet; u. a. die Gatt. Nitrosomonas, Nitrobacter.
Nitrogenase, Multienzymkomplex der ↑ stickstoffixierenden Bakterien.
nivale Stufe ↑ Vegetationsstufen.
Nixenkraut (Najas), einzige Gatt. der Fam. *Nixenkrautgewächse* (Najadaceae) mit rd. 35 Arten in den trop. und gemäßigten Zonen; einjährige, untergetaucht lebende Wasserpflanzen mit dünnem Stengel und langen, am Rand gezähnten Blättern und eingeschlechtigen Blüten.
Nodium [lat.], Blattknoten, Ansatzstelle eines Blattes bzw. deren Achselknospe.
Nomadismus [griech.] (Vagabundismus, permanente Translokation), in der *Zoologie* das ständige oder fast ständige weiträumige Umherstreifen (↑ Translokation) von Tieren ohne festen Wohnplatz, eine Verhaltensweise zahlr. Arten mit unterschiedl. Ausprägung. Dabei verbinden sich vielfach der Zwang zur Nahrungssuche und ein arteigener Bewegungstrieb. Nahezu dauernde Gruppenwanderungen (auch mit jahreszeitl. bedingtem Gebietswechsel) kennen Huftierherden (z. B. Gazellen, Gnus, Zebras und Rentiere). Ihnen folgen Rudel des Hyänenhundes (Afrika) bzw. des Wolfs (Asien). Den Herden des Bartenwals folgt der räuber. Schwertwal, den Schwärmen des Frühjahrsherings der Heringshai, denen der Wanderheuschrecken der Lappenstar (SW-Afrika) bzw. der Rosenstar.
Nomenklatur [zu lat. nomenclatura „Namenverzeichnis"], im Rahmen der biolog. Terminologie gibt es außer der für die Anatomie des Menschen festgelegten N. noch die systemat. (taxonom.) N., d. h. die Namengebung für die Vertreter der systemat. (taxonom.) Kategorien (↑ Taxonomie). Diese N. regelt die internat. Einheitlichkeit der wiss. Namen der einzelnen Kategorien, von der Unterart aufwärts bis zur Überfamilie („geregelte Nomenklatur"). Dabei gilt im Regelfall das *Prioritätsprinzip:* In der *zoolog.* N. gilt jeweils der erste, einem Tier ab 1. Jan. 1758 (es gilt das Jahr der 10. Auflage von C. von Linnés „Systema naturae") gegebene wiss. Name, sofern er den N.regeln im übrigen gerecht wird. Die *botan.* N. entspricht weitgehend der zoologischen; Ausgangspunkt ist hier das Jahr 1753 (Ausgabe von C. von Linnés „Species plantarum"). - Die Benennung der Arten ist bei Tieren und Pflanzen binär *(binäre N.):* Dem Namen der Gatt. folgt der eigtl. Artname; hinzugefügt wird noch der (eventuell abgekürzte) Name der Person, die den eigtl. Artnamen in Verbindung mit der wiss. Beschreibung gegeben hat, sowie das Jahr, in dem der wiss. Name so erstmals veröffentlicht wurde (z. B. Wolf: *Canis lupus* L., 1785; L. = Linné). Bei Unterarten wird dem Gattungs- und Artnamen noch ein dritter Name, die wiss. Bez. der Unterart, beigefügt *(trinäre N., ternäre N.;* z. B. Europ. Wolf = *Canis lupus lupus L.,* 1758).
Nonne [nach der an Nonnentracht erinnernden Farbe] (Limantria monacha), bis 5 cm langer, dämmerungs- und nachtaktiver Schmetterling (Fam. ↑ Trägspinner) in Europa; Vorderflügel meist weißl. mit gezackten, schwarzen Querbinden, Hinterflügel grau; Eiablage in Rindenritzen. Die Raupen, grünlich- bis weißbraun, stark behaart, mit

Nukleinsäuren

bunten Warzen, können durch Blatt- bzw. Nadelfraß an Laub- und Nadelbäumen (bes. Fichten) sehr schädlich werden.

Nonnenmeise, svw. Sumpfmeise (↑Meisen).

Noradrenalin [nor-a...] (Norepinephrin, 1-(3,4-Dihydroxyphenyl)-2-aminoäthanol), im Nebennierenmark, Teilen des Stammhirns und v. a. in den Synapsen postganglionärer, sympath. Nervenfasern gebildetes Hormon, das gefäßverengend und blutdrucksteigernd wirkt sowie als Antagonist des ↑Adrenalins die Herzfrequenz vermindert und nur geringe Wirkung auf den Fett- und Kohlenhydratstoffwechsel hat. Chem. Strukturformel:

$$HO-C_6H_3(OH)-CH(OH)-CH_2-NH_2$$

Nordafrikanische Ginsterkatze ↑Ginsterkatzen.

Nordafrikanischer Wildesel ↑Esel.

Nordamerikanisches Flughörnchen ↑Flughörnchen.

Nordfledermaus ↑Fledermäuse.

Nordide (nord. Rasse), Unterform der ↑Europiden; schlanker, hochwüchsiger, langköpfiger und schmalgesichtiger (kräftiges, reliefreiches Profil; gerade Nase mit anliegenden Nasenflügeln und spitzer Kuppe) Menschenrassentyp mit weißrosiger Haut (Aufhellung der Hautfarbe gegenüber anderen Europiden am weitesten fortgeschritten), goldblonden bis hellbraunen Haaren und blauen bis blaugrauen Augen; Hauptverbreitungsgebiet: Nord- und Nordwesteuropa, speziell Skandinavien und Dänemark, Norddeutschland und Nordpolen, Niederlande und Brit. Inseln.

nordische Rasse, svw. ↑Nordide.

Nordkaper ↑Glattwale.

Nordlandhunde, Sammelbez. für die im hohen Norden der Alten und der Neuen Welt gezüchteten spitzartigen Hunderassen: Polarhund, Finnenspitz, Elchhund, Husky, Karel. Bärenhund, Renhund, Laiki, Samojede.

Nördlicher Glatthai ↑Glatthaie.

Nußbohrer. Eichelbohrer

Nordluchs ↑Luchse.

Nordmannstanne [nach dem finn. Naturwissenschaftler A. von Nordmann, *1803, †1866] ↑Tanne.

Nordseegarnele ↑Garnelen.

Noriker (Nor. Pferd) [nach der Prov. Noricum], bis 165 cm schulterhohes Kaltblutpferd; meist braun (auch rauhhaarig) oder gescheckt. Ergebnis einer Kombinationszüchtung, vermutl. ausgehend von den schweren röm. Pferden der Prov. Noricum unter Einkreuzung mehrerer anderer Rassen (z. B. Normänner, Cleveländer, Oldenburger); Gebirgs- und Arbeitspferd in zwei Schlägen, dem leichteren *Oberländer* in Bayern und dem schweren *Pinzgauer* v. a. in Österreich.

Notogäa [griech.], svw. ↑australische Region.

Nubische Falbkatze ↑Falbkatze.

Nubischer Steinbock ↑Steinbock.

Nubischer Wildesel ↑Esel.

Nucellus (Nuzellus) [zu lat. nucella „kleine Nuß"], fester, diploider Gewebekern der ↑Samenanlage der höheren Pflanzen; selten nackt, meist von ein bis drei ↑Integumenten umschlossen; enthält den Embryosack.

Nudibranchia [lat./griech.], svw. ↑Nacktkiemer.

Nukleasen [zu lat. nucleus „Fruchtkern, Kern"] (Nucleasen, nukleolyt. Enzyme), Sammelbez. für die zu den Hydrolasen zählenden, Nukleinsäuren spaltenden Enzyme (Phosphodiesterasen), die v. a. bei Tieren in der Bauchspeicheldrüse vorkommen. Je nach Substrat unterscheidet man zw. den die DNS spaltenden *Desoxyribonukleasen* (↑DNasen) und den die RNS abbauenden *Ribonukleasen* (↑RNasen). Weiterhin unterscheidet man zw. den von den Enden her angreifenden *Exo-N.* und den auf der ganzen Länge der Nukleinsäuremoleküle (mit Ausnahme der Enden) einwirkenden *Endonukleasen*.

Nukleinsäurebasen (Nucleinsäurebasen) [lat./dt./griech.], als Bestandteile der Nukleinsäuren vorkommende stickstoffhaltige Basen; vom Pyrimidin leiten sich ↑Zytosin und ↑Thymin sowie das nur in der RNS enthaltene ↑Uracil *(Pyrimidinbasen)*, vom Purin ↑Adenin und ↑Guanin ab *(Purinbasen)*.

Nukleinsäuren [lat./dt.] (Nucleinsäuren, Kernsäuren), in den Zellen aller Lebewesen (v. a. im Zellkern und Ribosomen, in geringen Mengen auch in den Mitochondrien) vorkommende hochpolymere Substanzen; man unterscheidet ↑DNS (Desoxyribo-N.) und ↑RNS (Ribo-N.). Beide bestehen aus Ketten (die DNS aus Doppelketten) von ↑Nukleotiden, die jeweils aus einer Nukleinsäurebase, einem Monosaccharid (Pentose) und einem Phosphorsäurerest zusammengesetzt sind. Die Verknüpfung der Nukleotide geschieht über den Phosphorsäurerest, der mit dem Kohlenstoffatom in 3′- oder 5′-Stellung der Pentose des folgenden Nukleotids verbunden ist. Auf der bes. Reihenfolge der Basen im N.molekül beruht die ↑genetische Information.

Nukleolus [lat. „kleiner Kern"] (Kernkörperchen, Nebenkern, Nucleolus, Nukleolarsubstanz), lichtbrechendes, membranloses, meist von Vakuolen durchsetztes, je nach Stoffwechselaktivität des Zellkerns in Anzahl und Größe zellspezif. variierendes Körperchen im lebenden Zellkern (ausgenommen bei Zellen während der Kernteilung, bei Spermien und frühembryonalen Zellen). Der N. stellt keine eigene Organelle dar, sondern eine Ansammlung von Bausteinen (v. a. ribosomale RNS und Eiweiße) für die Synthese der Ribosomen. Die Nukleolen bilden sich am achromat., zu einem Satelliten überleitenden Filament (**Nukleolarfaden, N.organisator**) von Satellitenchromosomen.

nukleolytische Enzyme [lat./griech.], svw. ↑Nukleasen.

Nukleoside [lat./griech.], Verbindungen aus einer Nukleinsäurebase und einer Pentose (Ribose oder Desoxyribose), die Bestandteile der ↑Nukleotide sind. Sie werden nach den zugrundeliegenden Nukleinsäurebasen benannt, indem dem Wortstamm der Pyrimidinbasen die Endung -idin, dem der Purinbasen die Endung -osin angehängt wird.

Nukleosom [lat./griech.], Untereinheit des Chromatins; besteht aus einem DNS-Stück mit 140-200 Basenpaaren, das sich um einen Komplex von acht ↑Histonen windet.

Nukleotide [lat./griech.], i. e. S. die Phosphorsäuremonoester der ↑Nukleoside, i. w. S. auch die Phosphordi- und -triäsureester. N. sind die Bausteine der Nukleinsäuren, kommen aber auch frei in der Zelle vor. Häufig zu Dinukleotiden verbundene N. spielen als Koenzyme im Zellstoffwechsel eine wichtige Rolle, z. B. ↑NAD (Nikotinsäureamidadenindinukleotid) und FAD (Flavinadenindinukleotid). Die höherphosphorylierten freien N., bes. das ATP (Adenosintriphosphat, ↑Adenosinphosphate), sind wichtige Energieüberträger und -speicher in den Zellen. Die cycl. N. haben regulator. Funktionen für viele Stoffwechselabläufe in den Zellen.

Nukleus [...kle-ʊs; lat.] (Nucleus, Zellkern, Kern, Karyon, Karyoplast), 1830 von R. Brown unter dem Lichtmikroskop entdecktes, etwa 5-25 µm großes, meist kugeliges, auch gelappt oder verästelt ausgebildetes Organell in den Zellen der Eukaryonten (Nukleobionten), das im ↑Zytoplasma eingebettet ist und oft in einem bestimmten Verhältnis zur Zellgröße steht (Kern-Plasma-Relation; ↑Zellteilung); in mehrkernigen Zellen (z. B. bestimmte Leber- und Knochenmarkszellen, verschiedene Einzeller) sind zwei oder mehrere derartige Organellen vorhanden. In den Zellkernen ist fast das gesamte genet. Material eines Lebewesens in Form der chromosomalen ↑DNS (Hauptanteil des Kernplasmas) eingeschlossen. Von den Zellkernen aus werden die Erbmerkmale weitergegeben. Sie sind auch vermutl. ausschließlicher Ort der RNS-Synthese. Neben den ↑Chromosomen enthält der N. im allg. noch ein Kernkörperchen (↑Nukleolus), selten mehrere. Er ist von einer feinen, nur elektronenmikroskop. erkennbaren, oft außen Ribosomen bzw. Ribosomengruppen (Polysomen) tragenden Kernmembran aus Lipoproteiden umhüllt. Die Vermehrung des N. erfolgt im allg. durch ↑Mitose (↑aber auch Amitose). Man unterscheidet Mitosekern und Arbeitskern (Interphasenkern). Bei der Kernteilung erfolgt am Ende der Prophase ein zweistufiger Abbau der Kernmembran: 1. Fragmentation (= Teilung in unregelmäßige Stückchen); 2. Dispersion (= Auflösung der Fragmente). Ihr Wiederaufbau geht vom ↑endoplasmatischen Retikulum aus. Der vom N. beeinflußte Zytoplasmabereich wird als ↑Energide bezeichnet.

Nummuliten (Nummulitidae) [zu lat. nummulus „kleine Münze" (als Bez. für das scheibenförmige Gehäuse)], Fam. der ↑Foraminiferen; seit der Oberkreide bekannt, Blütezeit im Tertiär (v. a. im Eozän), heute bis auf wenige Arten ausgestorben; Einzeller in Küstengewässern, mit linsen- bis scheibenförmigem, im Durchmesser bis maximal über 10 cm messendem Gehäuse, dessen zahlr., spiralig angeordnete Kammern ein (extrazelluläres) Innenskelett bilden. Die überlieferten Gehäuse der N. sind wichtige Leitfossilien; v. a. im Mittelmeerraum entstand aus ihren Ablagerungen Kalkstein (**Nummulitenkalk**).

Nuß (Nußfrucht), einsamige, als Ganzes abfallende Schließfrucht (↑Fruchtformen), deren Fruchtwand bei der Reife ein trockenes, ledriges oder holziges Gehäuse aus Sklerenchym- bzw. Steinzellen bildet (z. B. Eichel, Buchecker, Edelkastanie, Erdnuß, Haselnuß).

Nußapfel (Steinapfel), Sammelfrucht einiger Apfelgewächse (z. B. Dornmispel). Die Fruchtwand wird dick und steinartig hart. Die Einzelfrüchte stellen kleine Nüsse dar.

Nußbaum, als Pflanze ↑Walnuß.

Nußbohrer (Curculio), v. a. in Eurasien und Amerika verbreitete Gatt. der Rüsselkäfer mit elf 1,5-9 mm langen Arten in Deutschland; Käfer fressen an verschiedenen Laubbäumen. Zur Eiablage bohren die ♀♀ mit ihrem dünnen, sehr langen und gebogenen Rüssel in der Entwicklung befindl. Früchte (bes. Nüsse, Eicheln, Kirschen, Kastanien) an. Zur Verpuppung verlassen die Larven im Herbst die meist vorzeitig abgefallenen Früchte durch ein kreisrundes Loch. Zu den N. gehören u. a. **Eichelbohrer** (Curculio glandium, 5-8 mm groß, braun) und **Haselnußbohrer** (Curculio nucum, 6-9 mm groß, mit dicht gelbgrauer, fleckiger Behaarung). - Abb. S. 239.

Nußgelenk ↑Gelenk.
Nußhäher ↑Tannenhäher.
Nußkiefer ↑Kiefer.

Nüstern [niederdt.], die Nasenöffnungen (Nasenlöcher) beim Pferd und bei anderen Unpaarhufern.

Nutationsbewegungen (Nutationen), lageverändernde Bewegungen von Organen festgewachsener Pflanzen, die durch z. T. zeitl. wechselndes, unterschiedl. starkes Wachstum verschiedener Organseiten zustande kommen, z. B. bei Ranken- und Windepflanzen oder die *Entfaltungsbewegungen* (Krümmungen) bei Blättern und Blütenteilen.

Nutria [lat.-span.], svw. ↑ Biberratte.

Nyala [ˈnjaːla; afrikan.] ↑ Drehhornantilopen.

Nyktinastie [griech.] (nyktinast. Bewegung), mit dem Tag-Nacht-Rhythmus zusammenfallende, autonome, meist durch Licht- und Temperaturreize hervorgerufene Lageveränderung pflanzl. Organe.

Nymphae [griech.], die kleinen Schamlippen.

Nymphaea [nʏmˈfɛːa; griech.] ↑ Seerose.

Nymphalis [griech.], Gatt. der Edelfalter (Gruppe Eckflügler) mit zahlr. Arten auf der Nordhalbkugel, davon in M-Europa v. a. Großer und Kleiner Fuchs, Trauermantel.

Nymphe [griech., eigtl. „Braut, jungvermählte Frau"], letztes Entwicklungsstadium bestimmter Insekten.

Nymphensittich (Nymphicus hollandicus), bis 32 cm langer, vorwiegend bräunlichgrauer Papagei (Familie Kakadus oder Sittiche), v. a. in Galeriewäldern und Savannen Australiens; beliebter Käfigvogel.

O

Oberarmknochen (Oberarmbein, Humerus), Röhrenknochen des Oberarms (↑ Arm). Der *Oberarmkopf (Caput humeri)* ist Teil des Schultergelenks. Unten ist der O. über eine Gelenkrolle *(Trochlea humeri)* mit der Elle und über ein danebenliegendes Gelenkköpfchen *(Oberarmköpfchen; Capitulum humeri)* mit der Speiche gelenkig verbunden.

Oberblatt ↑ Laubblatt.
Oberhaar, svw. ↑ Deckhaar.
Oberhaut, svw. ↑ Epidermis.
Oberkiefer ↑ Kiefer.
Oberschenkel ↑ Bein.

Oberschlundganglion (Supraösophagealganglion, Zerebralganglion), bei Weichtieren, Ringelwürmern und Gliederfüßern das über dem Schlund gelegene, urspr. paarige Kopfganglion als vorderster und meist übergeordneter Teil des Nervensystems. Während bei den Ringelwürmern das O. nicht wesentl. nach Ausmaß und Funktion vom übrigen [Strickleiter]nervensystem (↑ Bauch) unterschieden ist, tritt bei den Gliederfüßern im Zuge der Kopfbildung aus den vorderen Segmenten eine Konzentration der Ganglienmassen zu einem übergeordneten O. oder letztl. einem ↑ Gehirn auf.

Obersproß ↑ Geweih.

Obst [zu althochdt. obas, eigtl. „Zukost"], Bez. für die eßbaren, meist saftreichen, fleischigen Früchte bzw. die Samenkerne von Kulturarten v. a. mehrjähriger O.gehölze. Im O.bau und O.handel unterscheidet man: Kernobst (z. B. Apfel, Birne), Steinobst (z. B. Kirsche, Aprikose), Schalen-O. (z. B. Hasel- und Walnuß) und Beeren-O. (↑ Beere; z. B. Heidelbeere, Johannisbeere, Weinbeere). Nach Güte und Verwendungszweck werden *Tafel-O. (Edel-O.)* und *Wirtschafts-O.* unterschieden; nach dem Reife- und Verwendungszeitpunkt: das zum sofortigen oder baldigen Verzehr bestimmte *Sommer-O.*, das sich nicht lange aufbewahren läßt (z. B. Beeren-O. und bis zur Genußreife [Vollreife] spätestens Ende Sept. am Baum bleibendes Kern- und Steinobst) und das *Herbst-O.* (bis Mitte Nov. reifendes Kern-O.) sowie das bei physiolog. Pflückreife gepflückte *Winter-O.*, das zur Nachreife eingelagert wird. Die meist erst bei zunehmender Fruchtreife in Erscheinung tretende art- und sortenspezif. Farbe der Früchte kommt durch im Zellsaft gelöste Farbstoffe zustande. O. zählt wegen seines Gehalts an Vitaminen, Spurenelementen, Fruchtsäuren, Frucht-, Trauben- und Rohrzucker sowie Aromastoffen (Fruchtäther) zu den gehaltvollsten Lebensmitteln. - ↑ auch Apfelsorten, Bd. 1, S. 48 ff., ↑ Birnensorten, Bd. 1, S. 106 ff.

Obstbanane ↑ Banane.

Obstbaumgespinstmotte (Pflaumengespinstmotte, Yponomeuta padellus), etwa 20–22 mm spannende, an den Vorderflügeln weiße, schwarz gepunktete ↑ Gespinstmotte in Eurasien und N-Amerika; Raupen gesellig in Gespinstnestern, können sehr schädl. werden durch Fraß an Knospen (und später an Blättern) von verschiedenen Obstbäumen (bes. Pflaumenbaum).

Obstbaumschädlinge, pflanzl. und

Obstbaumspinnmilbe

tier. Organismen, die Obstbäume und ihre Früchte schädigen; vorwiegend Insektenarten und deren Larven, v. a. Frostspanner, Gespinstmotten, Ringelspinner, mehrere Wickler- und Blattlausarten, Obstbaumspinnmilben, Schildläuse, Blütenstecher, Sägewespen und Fruchtfliegen, aber auch Wühlmäuse, Engerlinge, Vögel und Wild. Niedere Pilze verursachen z. B. Schorf, Mehltau, Moniliakrankheit und Obstbaumkrebs. Der Bekämpfung dienen in erster Linie vorbeugende Maßnahmen, z. B. Wahl des Standorts, gute Humus- und Nährstoffversorgung, vorbeugende Obstbaumspritzungen, Ausschaltung von Sorten, die gegen bestimmte Schädlinge bes. anfällig sind.

Obstbaumspinnmilbe (Paratetranychus pilosus), bis 0,4 mm lange, im ♀ Geschlecht rot gefärbte, oberseits weiß beborstete ↑ Spinnmilbe (♂ gelb bis gelbgrün), die sehr

Weidenblättriges Ochsenauge

Oldenburger Warmblutpferd

schädl. werden kann durch Saugen an Blättern von Obstgehölzen (bes. Pflaumen-, Apfel- und Birnbäume, auch Stachel- und Johannisbeersträucher); Blätter überziehen sich mit bräunl. Flecken und vertrocknen.

Obstbaumsplintkäfer, Bez. für zwei etwa 2–5 mm lange Borkenkäfer in weiten Teilen Eurasiens, die durch Anlegen eines senkrechten Muttergangs zw. Rinde und Holz an Kernobstgehölzen schädl. werden: **Großer Obstbaumsplintkäfer** (Scolytus mali; nach Amerika eingeschleppt; schwärzl., mit braunen Flügeldecken; Larven bohren bis zu 80 Seitengänge; **Kleiner Obstbaumsplintkäfer** (Runzeliger O., Scolytus rugulosus; schwarzbraun, kleiner als vorige Art). - Bekämpfung der O. durch Fällen und Verbrennen der befallenen Bäume oder durch Winterspritzung.

Obstfliegen, zusammenfassende Bez. für am Obst schädlich werdende Fliegen, bes. ↑ Taufliegen, z. T. ↑ Fruchtfliegen.

Obstmade ↑ Apfelwickler.

Oca [indian.-span.], Bez. für die Knollen des Sauerkleegewächses Oxalis tuberosa; angebaut in den Anden von Peru, Bolivien und Chile. Die sehr stärkehaltigen Rhizomknollen sind ein wichtiges Nahrungsmittel v. a. der indian. Bevölkerung; auch in Europa (v. a. Frankr.) als Gemüse verwendet.

Ochoa, Severo [engl. oʊˈtʃoʊa; span. oˈtʃoa], * Luarca (Prov. Oviedo) 24. Sept. 1905, amerikan. Biochemiker span. Herkunft. - Seit 1954 Prof. an der University School of Medicine in New York; arbeitet v. a. über den Kohlenhydrat- und Fettstoffwechsel, die Photosynthese und die Rolle der Nukleinsäuren bei der Proteinsynthese, wofür er 1959 gemeinsam mit A. Kornberg den Nobelpreis für Physiologie oder Medizin erhielt. 1961 gelang ihm unabhängig von J. Matthaei und M. Nirenberg die Entzifferung des genet. Codes.

Ochse [zu althochdt. ohso, eigtl. „Samenspritzer" (d. h. Zuchtstier)], kastriertes ♂ Hausrind; mit ruhigem Temperament; als Zugtier und zur Mast verwendet.

Ochsenauge, (Rindsauge, Buphthalmum) Gatt. der Korbblütler mit zwei nur in Europa vorkommenden Arten; verschieden gestaltete Stauden mit großen, einzeln stehenden, gelben oder orangefarbenen Blüten und wechselständigen Blättern. In Deutschland kommt nur das **Weidenblättrige Ochsenauge** (Gemeines O., Buphthalmum salicifolium) mit unverzweigtem Stengel und einem gelben Blütenköpfchen vor.
◆ (Kuhauge, Großes O., Maniola jurtina) etwa 4–5 cm spannender ↑ Augenfalter in fast allen Biotopen weiter Teile Eurasiens und N-Afrikas; fliegt von Juni bis Aug., legt Eier einzeln an verschiedenen Grasarten (bes. Rispengras) ab.

Ochsenfrosch, Bez. für drei etwa 8–20 cm lange ↑ Froschlurche, deren ♂♂ (zur

Ohr

Paarungszeit) durch eine unpaare Schallblase ihre Stimmen tief und laut brüllend erschallen lassen: *Amerikan. O.* (↑Frösche), *Ind. O.* (Kaloula pulchra): etwa 8 cm großer, überwiegend landbewohnender Engmaulfrosch Südostasiens (einschließ. der Großen Sundainseln); Körper bräunl., auffallend gelb gezeichnet, *Südamerikan. O.* (↑Pfeiffrösche).

Ochsenzunge (Anchusa), Gatt. der Rauhblattgewächse mit rd. 40 Arten in Europa, N- und S-Afrika und W-Asien; rauhhaarige oder zottige Kräuter mit längl., wechselständigen Blättern und meist blauen, violetten oder weißen Blüten mit Deckblättern; einfach zu kultivierende Sommerblumen.

Octopoda [griech.], svw. ↑Kraken.
Octopodacea [griech.], svw. ↑Kraken.
Octopus [griech. „Achtfüßler"], Gatt. etwa 10–50 cm langer (einschl. der Arme bis 3 m messender) ↑Kraken mit mehreren Arten in allen Meeren. Am bekanntesten ist der hell- bis dunkelbraune, marmoriert gefleckte **Gemeine Krake** (Octopus vulgaris, Oktopus); v. a. im Mittelmeer und in wärmeren Regionen des W- und O-Atlantiks; ernährt sich vorwiegend von Muscheln, Krebsen und Fischen.

Oculus [lat.], in der Anatomie svw. ↑Auge.

Odermennig [entstellt aus griech.-lat. agrimonia] (Agrimonia), Gatt. der Rosengewächse mit rd. 20 Arten in der nördl. gemäßigten Zone, vereinzelt auch in den Tropen und Anden; ausdauernde Kräuter mit gefiederten Blättern; die gelben, seltener weißen, in aufrechter, ährenförmiger Traube stehenden Blüten haben einen mehrreihigen Kranz von Weichstacheln. Eine einheim. Art ist der **Gewöhnl. Odermennig** (Ackermennig, Agrimonia eupatoria), häufig an Wegrändern und auf Wiesen, bis 1 m hoch, mit gelben Blüten in langen Trauben.

Odonata [griech.], svw. ↑Libellen.
Odontoblasten [griech.], Zellen, die im Verlauf der Zahnentwicklung das *Prädentin* (Knochengrundsubstanz mit Kollagenfasern) bilden. Das Prädentin verkalkt später zum Dentin (↑Zahnbein).

Odontoglossum [griech.], Gatt. epiphyt. Orchideen mit rd. 90 Arten, v. a. in den höheren, kühlen Gebirgsgegenden der trop. Amerika; mit meist birnen- bis eiförmigen, seitl. abgeflachten Pseudobulben, die an ihrer Spitze meist ein Blatt, am Grunde vier bis sechs Blätter tragen; z. T. Zierpflanzen (oft Hybriden).

Oenanthe [ø...; griech.], svw. ↑Steinschmätzer.

Ofenfischchen (Thermobia domestica), bis 12 mm langes, schwarzgelb beschupptes Urinsekt (Fam. Fischchen) in den Mittelmeerländern, SW- und S-Asien, Australien und N-Amerika; wärmeliebendes, in kleinen Höhlungen lebendes Tier.

Offenblütigkeit, svw. ↑Chasmogamie.
offener Blutkreislauf ↑Blutkreislauf.

Ohr (Auris), dem Hören dienendes Sinnesorgan (↑Gehörorgan) der Wirbeltiere, das bei den Säugetieren (einschließ. Mensch) aus ei-

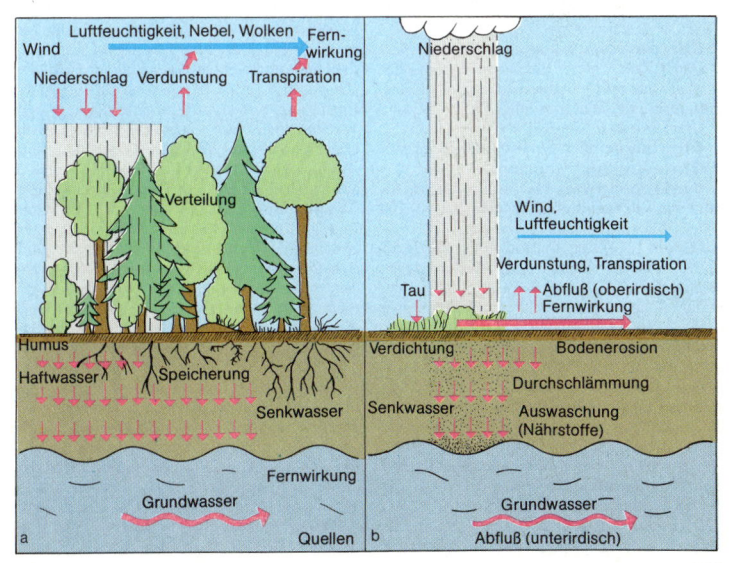

Ökologie. Wasserhaushalt im Wald (a) und Wasserkreislauf nach Entwaldung (b)

243

nem äußeren O., einem Mittel-O. und einem Innen-O. (Labyrinth) besteht. Oft wird unter der Bez. O. auch nur das äußere O. (hauptsächl. die Ohrmuschel) verstanden.

Ohrblume (Otanthus), Gatt. der Korbblütler mit der einzigen Art **Otanthus maritimus** in den Küstengebieten des Mittelmeers und des Atlantiks; ausdauernde Strandpflanze mit am Grunde verholzenden Stengeln; Blätter fast ganzrandig, spatelförmig, stengelumfassend, wie die ganze Pflanze schneeweiß filzig behaart; Blütenköpfchen fast kugelig, in dichten Büscheln, gelb.

Ohrenbeuteldachse (Kaninchennasenbeutler, Macrotis, Thylacomys), Gatt. etwa 20–50 cm langer (einschließl. Schwanz bis 75 cm messender), überwiegend grauer Beuteldachse mit zwei Arten in Z- und S-Australien; mit stark verlängerter Schnauze und ungewöhnl. langen Stehohren.

Ohrengeier ↑Geier.

Ohrenmakis, svw. ↑Galagos.

Ohrenqualle (Aurelia aurita), farblose, durchscheinende Scheibenqualle, sehr häufig im Atlantik bzw. in der Nord- und Ostsee: Durchmesser des Schirms bis 40 cm; mit vier halbkreisförmigen, gelbl., rötl. oder violetten Gonaden, vier Mundarmen und zahlr. kurzen Randtentakeln.

Ohrenrobben ↑Robben.

Ohrenschmalz (Ohrschmalz, Zerumen, Cerumen), im äußeren Gehörgang sich bildende klebrigweiche Mischung aus dem Talg von Haarbalgdrüsen, aus abgeschilfertem Epithel und dem gelbl. Sekret der Ohrenschmalzdrüsen in Verbindung mit eingedrungenem Schmutz; dient dem Schutz des Gehörgangs, v. a. gegen Austrocknung.

Ohrentaucher ↑Lappentaucher.

Ohreulen, Bez. für neun Arten der ↑Eulenvögel mit Federohren; z. B. Uhus, Sumpfohreule, Waldohreule.

Ohrfasanen ↑Fasanen.

Ohrhöcker, svw. ↑Darwin-Ohrhöcker.

Ohrläppchen ↑Ohrmuschel.

Ohrlappenpilze (Auriculariales), Ordnung der Phragmobasidiomycetes mit rd. 100 Arten; bekannt ist das ↑Judasohr.

Ohrlöffel (Ohrlöffelstacheling, Auriscalpium vulgare), kleiner, auf Kiefernzapfen wachsender, filzig-zottiger, dunkelbrauner, ungenießbarer Stachelpilz mit 1–2 cm großem Hut und schlankem Stiel.

Ohrmuschel (Auricula), äußerster Teil des Außenohr beim Menschen und bei Säugetieren; besteht, mit Ausnahme des aus Fettgewebe gebildeten **Ohrläppchens** (unteres Ende des Ohrs) aus Knorpel. Sie hat die Form eines flachen Trichters, der die auftreffenden Schallwellen sammelt und in den Gehörgang weiterleitet. Beim Menschen sind die Muskeln der O. weitgehend verkümmert.

Ohrspeicheldrüse (Parotis, Glandula parotis), große Speicheldrüse der Säugetiere (einschließl. Mensch), beiderseits zw. aufsteigendem Unterkieferteil und äußerem Gehörgang gelegen und im Wangenbereich der oberen Mahlzähne in die Mundhöhle mündend. Der von den O. abgesonderte Speichel ist dünnflüssig und dient zur Verdünnung des von anderen Drüsen produzierten schleimigen (mukösen) Gleitspeichels. Beim *Menschen* ist sie die größte Mundspeicheldrüse. Sie liegt vor und unter dem Außenohr. Ihre Mündung liegt auf der Wangeninnenseite gegenüber dem zweiten oberen Backenzahn. Mit dem Kaumuskel zus. ist die menschl. O. von einer derben Membran umhüllt, so daß sie bei jeder Kaumuskelbewegung massiert und zur Sekretion veranlaßt wird sowie bei einer Schwellung (z. B. bei Mumps) zieml. Schmerzen verursachen kann.

Ohrwürmer (Dermaptera), mit rd. 1 300 Arten weltweit verbreitete Ordnung etwa 0,5–5 cm langer Insekten; tier. und pflanzl. sich ernährende, nachtaktive, meist in Ritzen und Spalten lebende Tiere mit kauenden Mundwerkzeugen, sehr kleinen Vorderflügeln und zwei eingliedrigen, zu einer Zange umgestalteten Schwanzborsten (dienen zum Ergreifen kleiner Gliederfüßer). Am bekanntesten ist die Gattung *Forficula* mit dem **Gemeinen Ohrwurm** (Forficula auricularia; 9–16 mm lang; vorwiegend braun gefärbt; kann an Kulturpflanzen schädl. werden).

Ohrzikade ↑Zwergzikaden.

Oidium [griech.], Bez. für die Nebenfruchtform der Echten Mehltaupilze.

Okapi [afrikan.] ↑Giraffen.

Ökologie [griech.], aus der Biologie hervorgegangene Wiss., die sich mit den Wechselbeziehungen zw. den Organismen und der unbelebten (*abiot. Faktoren* wie Klima, Boden) und der belebten Umwelt (*biot. Faktoren* [↑biotisch]) befaßt. Sie untersucht ihre zeitl. Entfaltung, Krisen in ihrer Entwicklung und Mechanismen der Wiederherstellung von Gleichgewichten. Teilgebiete der Ö. sind **Autökologie** (untersucht die Umwelteinflüsse auf die Individuen einer Art), **Demökologie** (Populations-Ö.; befaßt sich mit den Umwelteinflüssen auf ganze Populationen einer bestimmten Tier- und Pflanzenart) und **Synökologie** (beschäftigt sich mit Wechselbeziehungen der Organismen einer Lebensgemeinschaft sowie zw. dieser und der Umwelt). - Die Ö. wird unterstützt von der Systemforschung, die die mathemat. Grundlagen für die Berechnung ihrer speziellen Ökosysteme liefert. Darüber hinaus benutzt die Ö. die Erkenntnisse jeder speziellen Grundlagenforschung, indem sie die gewonnenen Einzeldaten zu einem Gesamtverständnis verbindet und damit die Bedingungen und Möglichkeiten für stabile oder krit. Entwicklungen in der Zukunft aufzeigt. Die Ö. kann demnach Auskunft geben über die Belastbarkeit von Ökosystemen (z. B. Flüsse, Seen, Wälder,

Ölbaum

landw. Anbaugebiete). Sie kann die Folgen einseitiger Eingriffe (z. B. durch chem. Schädlingsbekämpfung) aufzeigen. Gegenüber den auf die Durchsetzung von Teilansprüchen angelegten Spezialwiss. leistet die Ö. auch einen ideellen Beitrag: Sie erzieht zu kooperativem Denken und zur Rücksichtnahme.
Die Ö. bedarf, wenn sie sich den komplexen Wechselbeziehungen zw. den Menschen, seiner techn. Welt und dem sie tragenden Ökosystem zuwendet, der Unterstützung zahlr. anderer Wiss.; hier wird die Ebene der einzelnen Fachdisziplinen endgültig verlassen. Die so erweiterte Ö. ist die **Humanökologie** (sie untersucht die Beziehungen Mensch-Umwelt), die nicht als neue Fachdisziplin, sondern als das Gegenteil jeder Spezialisierung verstanden werden muß, als der Versuch, die Umweltprobleme unter Einbeziehung aller mögl. Aspekte zu lösen.
Ein **Ökosystem** ist eine aus Lebensgemeinschaft (Biozönose) und deren Lebensraum (Biotop) bestehende natürl. ökolog. Einheit, die ein mehr oder weniger gleichbleibendes System bildet, das durch die Wechselwirkungen zw. Organismen und Umweltfaktoren gekennzeichnet ist. Ökosysteme sind offene Systeme, die von der Sonne einseitig Energie aufnehmen. Die natürl. Stoffkreisläufe in einem Ökosystem sind ausgeglichen, so daß sich ein dynam. Gleichgewicht, ein sog. Fließgleichgewicht, einstellt. Die Ökosystemforschung ist äußerst wichtig für den gesamten Natur- und Umweltschutz. - Abb. S. 243.
📖 *Stugren, B.: Grundll. der Allg. Ö. Stg. ⁴1986. - Tischler, W.: Einf. in die Ö. Stg. ³1984.*

ökologische Nische, die Gesamtheit der ausschlaggebenden Umweltfaktoren, die einer Pflanzen- oder Tierart (entsprechend ihren Lebensansprüchen) das Überleben in der betreffenden Umgebung ermöglichen.

ökologisches Gleichgewicht, langfristig unveränderbare Wechselwirkungen zw. den Gliedern einer Lebensgemeinschaft. Ein ö. G. ist dadurch gekennzeichnet, daß jede Veränderung im Ökosystem selbsttätig über eine Regelkreisbeziehung eine entsprechende Gegenveränderung auslöst, die den alten Zustand weitgehend wiederherstellt. So sind z. B. bei Wühlmäusen oder Hasen deutl. Populationswellen zu verzeichnen, die darauf zurückzuführen sind, daß beim Anwachsen der Population entweder die Nahrungsgrundlage verknappt oder die Freßfeinde und Parasiten ebenfalls zunehmen. Lebensgemeinschaften mit großem Artenreichtum haben ein stabiles, wenig störanfälliges ökolog. Gleichgewicht.

Ökomone [griech.], Sammelbez. für Stoffe, die in einem Ökosystem zw. Individuen einer Art oder zw. Individuen verschiedener Arten wirksam werden und dem Absender oder Empfänger Vorteile bringen. Man unterscheidet u. a. Ektohormone, Kairomone, Phytoalexine.

Ökosystem ↑ Ökologie.
Ökotop [griech.], kleinste ökolog. Einheit einer Landschaft.
Ökotrophologie, svw. ↑ Ernährungswissenschaft.
Ökotyp (Ökotypus), an die Bedingungen eines bestimmten Lebensraums (Biotops) angepaßte Sippe einer Pflanzen- oder Tierart *(ökolog. Rasse),* die sich von anderen in ihren physiolog. Eigenschaften und ökolog. Ansprüchen stark unterscheidet.

Oktopoden [griech.], svw. ↑ Kraken.
Oktopus [griech.], svw. Gemeiner Krake (↑ Kraken).
Okuliermücke [lat./dt.] (Okuliergallmücke, Thomasiniana oculiperda), etwa 2 mm lange, mit Ausnahme des braunen Hinterleibs schwarze Gallmücke in Europa; legt ihre Eier an Veredelungsstellen von Kernobstbäumen und Rosen ab, wo die bis 2,5 mm langen, roten Larven *(Okuliermaden)* durch Fraß schädl. werden.

Okwabaum (Treculia africana), Maulbeerbaumgewächs im trop. Afrika; 20–25 m hoher Waldbaum mit großen ganzrandigen Blättern; Samen eßbar, Nahrungsmittel.

okzipital [lat.], zum Hinterkopf gehörend, das Hinterhaupt betreffend.

Ölbaum (Olivenbaum, Olea), Gatt. der Ölbaumgewächse mit rd. 20 Arten im trop. und mittleren Asien, in Afrika, im Mittelmeergebiet sowie in Australien und Neukaledonien; Bäume oder Sträucher mit kleinen, in Rispen angeordneten Blüten. Mehrere Arten liefern wertvolle Nutzhölzer. Die wichtigste Art als Kultur- und Nutzpflanze ist der **Echte Ölbaum** (Olea europaea), ein wahrscheinl. aus dem östl. Mittelmeergebiet stammender, gedrungener, mehr als 1 000 Jahre alt werdender, 10–16 m hoher Baum mit knorrigem, im Alter oft drehwüchsigem und durch Ausfaulen in skurrile Stelzen zerteiltem Stamm; Blätter weidenartig, ledrig, unterseits silbergrau; Blüten weiß, klein, in traubigen Ständen. - Die Frucht des Ö. ist eine pflaumenähnl. Steinfrucht (**Olive**). Die grüne, rötl. oder schwarze Fruchthaut ist dünn, das grünlich-weiße Fruchtfleisch sehr ölreich. Der harte Steinkern enthält meist nur einen ölreichen Samen. - Der Ö. wird heute in zahlr. Kulturvarietäten angebaut, v. a. in Spanien, S-Frankreich, Italien, in den Küstenbereichen Griechenlands und N-Afrikas sowie in den USA und in S-Amerika. Die für Speisezwecke verwendeten größeren, fruchtfleischreicheren und ölarmen *Speiseoliven* werden gepflückt, die kleineren *Öloliven* mit dünnem, ölreichem Fruchtfleisch abgeschüttelt.

Geschichte: Der Ö. wird seit dem 3. Jt. v. Chr. im südl. Vorderasien angebaut. In Griechenland war der Ö. der Göttin Athena heilig. *Ölzweige* waren im allg. Zeichen des Sieges, bei Juden und Christen jedoch Zeichen des Friedens. - Das Öl der *Olive* wurde von den

Ölbaumgewächse

Nordamerikanisches Opossum

Phönikern, die auch den Ö. nach Tunis, Spanien und möglicherweise nach Sizilien brachten, zum Handelsartikel gemacht.

Ölbaumgewächse (Oleaceae), Pflanzenfam. mit rd. 600 Arten in den Tropen und den gemäßigten Gebieten, im pazif. Bereich fehlend; vorwiegend Holzpflanzen mit Blüten in meist rispigen oder traubigen Blütenständen. Die Früchte sind oft einsamige Kapseln, Nüsse, Beeren oder Steinfrüchte. In Deutschland sind nur die Gemeine Esche und der Gemeine Ligustrer heim.; viele Ö. werden als Zierpflanzen kultiviert, u. a. zahlr. Arten und Sorten des Flieders, der Forsythie, des Jasmins und der Duftblüte. Wichtigste Kulturpflanze ist der Ölbaum.

Oldenburg, svw. Geheimrat Oldenburg (↑Apfelsorten; Übersicht Bd. 1, S. 48).

Oldenburger Warmblutpferd (Oldenburger), unter Einkreuzung verschiedener Vollblutlinien gezüchtetes, heute tief und breit gebautes, 160–165 cm schulterhohes Deutsches Reitpferd im Zuchtgebiet Oldenburg; Allzweckpferd mit Reitpferdeigenschaft; durchweg Braune und Rappen. - Abb. S. 242.

Öldotter ↑Leindotter.

Olduwaischlucht [nach dem afrikan. Pflanzennamen Olduwai] (Oldowayschlucht, engl. Olduvai Gorge), über 35 km langes Schluchtsystem am SO-Rand der Serengeti, Tansania. An den durch die Schlucht aufgeschlossenen, bis zu 100 m mächtigen alt- und mittelpleistozänen Ablagerungen zahlr. Funde tier. und menschl. Überreste (Zinjanthropus, Homo habilis, Homo erectus) sowie von Stein- und Knochenwerkzeugen. Die Fundstellen der ältesten (bis fast 2 Mill. Jahre) Funde wurden namengebend für die ostafrikan. Kultur des sog. **Oldowan,** aus dem kreisförmige, wohl zu Behausungen gehörende Steinsetzungen erhalten geblieben sind (älteste bekannte Belege menschl. Architektur). -

Ende 1974 wurden bei **Laetolil** (40 km südl. der O.) mehr als 3,5 Mill. Jahre alte Funde vermutl. der Gattung Homo gemacht.

Oleander [lat.-italien.] (Nerium), Gatt. der Hundsgiftgewächse mit 3 Arten im Mittelmeergebiet bis zum subtrop. O-Asien; aufrechte, kahle Sträucher mit schmalen, ledrigen Blättern und großen Blüten in traubigen Blütenständen. - Die bekannteste Art ist der **Echte Oleander** (Rosenlorbeer, Nerium oleander), ein 3–6 m hoher Strauch oder kleiner Baum mit 10–15 cm langen, gegen- oder quirlständigen Blättern und rosafarbenen Blüten (Kulturformen bis 8 cm breit, auch rot, weiß, gelb, gestreift oder gefüllt). Die verschiedenen giftigen Formen des O. werden in S-Europa als Freilandzierpflanzen, in M-Europa als Kübelpflanzen kultiviert.

Oleaster [griech.-lat.], Wildform (vielleicht auch verwilderte Kulturform) des Ölbaums; im gesamten Mittelmeergebiet, v. a. in der Macchie, verbreitet; meist sparriger Strauch oder kleiner Baum mit bis 4 cm langen, kleinen Blättern und rundl., ölarmen, kleinen Früchten.

olfaktorische Organe [lat./griech.], svw. ↑Geruchsorgane.

Ölfrüchte ↑Ölpflanzen.

Oligosaccharide [...zaxaˈriːdə] ↑Kohlenhydrate.

Oligosaprobionten (Oligosaprobien), Bez. für Organismen, die in Wasser leben, das eine geringe Menge faulender Substanzen enthält. - ↑auch Katharobionten, ↑Saprobionten.

oligotroph, nährstoff- und humusarm; gesagt von Gewässern und Böden, die nur eine relativ geringe Produktivität aufweisen. - Ggs. ↑eutroph.

Olive [griech.-lat.], Frucht des Echten ↑Ölbaums.

Olivenbaum, svw. ↑Ölbaum.

Olivenschnecken (Olividae), Fam. überwiegend trop. Meeresschnecken (Unterordnung Schmalzüngler) mit rd. 300 Arten, v. a. auf Sandgrund; Gehäuse bis über 10 cm lang, meist schlank bis tonnenförmig, glatt; ernähren sich räuberisch von anderen Weichtieren.

Ölkäfer (Pflasterkäfer, Blasenkäfer, Maiwürmer, Meloidae), mit über 2 500 Arten weltweit verbreitete Fam. bis 5 cm langer, vorwiegend dunkelbrauner bis schwarzer, meist pflanzenfressender Käfer, davon 16 Arten in Deutschland. - In M-Europa ist die bekanntesten die Gatt. *Meloe* (Ö. im engeren Sinne), deren Arten (wegen des vor der Eiablage wurmförmig verlängerten ♀ Hinterleibs) als **Ölwurm** oder **Maiwurm** bezeichnet werden (♀♀ laufen oft im Mai auf grasigen Hängen), und die zur Gatt. *Lytta* gehörende, 12–21 mm lange, metall. grüne bis grünlichblaue **Span. Fliege** (Lytta vesicatoria).

Ölkörper, svw. ↑Elaiosom.

Ölmadie [...i-ɛ] ↑ Madie.

Olme (Proteidae), Fam. langgestreckter Schwanzlurche mit sechs Arten in Süßgewässern Europas und N-Amerikas; nie an Land gehende, zeitlebens im Larvenzustand verbleibende und in diesem Zustand auch geschlechtsreif werdende Tiere mit kleinen Extremitäten; Atmung über Lungen oder äußere Kiemen; Augenlider fehlend. - Zu den O. gehört u. a. der etwa 20–25 cm lange **Grottenolm** (Proteus anguinus); in unterird. Gewässern Jugoslawiens; Körper hell fleischfarben, aalartig langgestreckt; Schwanz seitl. abgeflacht, oben und unten mit Hautsaum; Gliedmaßen mit drei Fingern und zwei Zehen.

Ölpalme (Elaeis), Gatt. der Palmen mit acht Arten im trop. W-Afrika und in S-Amerika; mit dickem, aufrechtem Stamm, breitfiederförmigen, endständigen Blättern und dicken, am Rand bewehrten Blattstielen. Die wirtschaftl. wichtigste Art ist die **Afrikan. Ölpalme** (Elaeis guineensis), eine in den Tropen kultivierte, 15–30 m hohe Palme mit säulenförmigem Stamm von 60–80 cm Durchmesser und auffallender Ringelung. Die Blattkrone besteht aus 20–25 Wedeln mit Längen von 3–7 m. Die ovalen Fruchtstände tragen pro Fruchtstand etwa 800–2 000 pflaumengroße Einzelsteinfrüchte mit fleischigem Mesokarp und hartem Samen. Aus dem Mesokarp wird Palmfett, aus den Samen Palmkernfett gewonnen. Die Fasern der Stammbasis und des Blattstiels sowie die Blätter und Blattstiele werden vielseitig verwendet.

Ölpest, die Verschmutzung von Uferregionen, v. a. der Meeresküsten, samt der dortigen Flora und Fauna durch Rohöl (z. B. aus Tankerhavarien, Off-shore-Bohrungen) oder Ölrückstände (z. B. aus dem Bilgenwasser der Schiffe), die in Fladen oder großen Teppichen auf dem Wasser schwimmen. Das ausgelaufene Öl beeinträchtigt den Gasaustausch sowie andere Lebensfunktionen des Biotops Wasser erheblich. Innerhalb von 1–2 Wochen verfliegen die leichteren Bestandteile des Öls, die schwer flüchtigen Komponenten verbinden sich mit dem Meerwasser zu einer zähen, braunen Brühe, die nach einigen Wochen entweder auf den Meeresgrund absinkt, als Teerklumpen an die Strände treibt oder sich in den großen Wirbelströmungen sammelt. Augenfälligste Folge ist das massenhafte Verenden von Wasservögeln durch Verkleben des Gefieders. - Auf dem freien Meer schwimmende Ölfelder werden erst in einigen Wochen bis Monaten durch Bakterien und Hefepilze weitgehend abgebaut. Chem. Verfahren, das Öl durch Dispersionsmittel zum Absinken zu bringen, sind sehr umstritten, da sie, bes. in flachen Küstengewässern, möglicherweise die Organismen des Meeresbodens vergiften. Die Bekämpfung der Ö. erfolgt daher v. a. durch Eingrenzen und Abschöpfen bzw. Abpumpen der Ölschicht. - Zur biolog. Bekämpfung sind erste Ansätze durch die Züchtung eines Bakterienstammes (Pseudomonaden) gemacht worden. Die durch genet. Manipulation entstandenen Bakterien können das in einem Nährmedium enthaltene Rohöl etwa zu 60 % abbauen.

Ölpflanzen, Kulturpflanzen, deren Samen oder Früchte fette Öle liefern, die der menschl. und tier. Ernährung dienen und für medizin. und techn. Zwecke verwendet werden. Zu den **Ölsaaten** gehören z. B. die Samen von Erdnuß, Öllein, Ölkürbis, Raps, Rizinus, Soja, Senf, Mohn, Lein, Rübsen und Sonnenblume. Zu den **Ölfrüchten** gehören die Früchte des Echten Ölbaums, der Ölpalme und der Kokospalme.

Ölrettich ↑ Rettich.

Ölsaaten ↑ Ölpflanzen.

Oltmanns, Friedrich, * Oberndorf (Landkr. Land Hadeln) 11. Juli 1860, † Freiburg im Breisgau 13. Dez. 1945, dt. Botaniker. - Prof. in Freiburg i. Br.; bed. Forschungen auf dem Gebiet der Algenkunde.

Ölweide (Elaeagnus), Gatt. der Ölweidengewächse mit rd. 40 Arten in Asien, S-Europa und N-Amerika; sommer- oder immergrüne Sträucher, selten Bäume, mit einfachen, silbrig, auch rotbraun behaarten Blättern, röhrig-glockigen Blüten, oft dornigen Zweigen und steinfruchtartigen Nußfrüchten. - Als Ziersträucher bekannt sind die **Schmalblättrige Ölweide** (Elaeagnus angustifolia) und die **Silber-Ölweide** (Elaeagnus commutata).

Ölwurm ↑ Ölkäfer.

ombrophil (ombriophil) [griech.], regenliebend; von Tieren und v. a. Pflanzen bzw. Pflanzengesellschaften gesagt, die bevorzugt in Gebieten mit längeren Regenzeiten und

Orangenpflanze. Blüten und Früchte

hoher Niederschlagsmenge leben (z. B. im trop. Regenwald); im Ggs. zu **ombrophoben** Organismen, die v. a. regenarme Gebiete besiedeln.

ombrophob [griech.] ↑ ombrophil.

Ommatidien [griech.] ↑ Facettenauge.

Ommochrome [griech.], Gruppe tier. Farbstoffe, deren Synthese von der Aminosäure Tryptophan ausgeht und die in den Augen und der Haut von Krebsen und Insekten vorkommen. O. können gelb, orange, braun oder schwarz sein.

omnipotent [lat.] (totipotent), zu jeder Differenzierung befähigt; v. a. von den noch kaum differenzierten Zellen der frühen Embryonalentwicklung gesagt.

Omnivoren [lat.], svw. ↑ Allesfresser.

Omorikafichte ↑ Fichte.

Onager [griech.-lat. „Wildesel"], svw. Pers. ↑ Halbesel.

Oncidium [griech.], Gatt. epiphyt. Orchideen mit rd. 750 Arten; verbreitet von Florida bis Argentinien; mit seitl. Blütenstengeln und gelben bis braunen, oft schön gezeichneten Blüten; z. T. als Zierpflanzen.

Oncille [span.], svw. ↑ Ozelotkatze.

Onkogene, Bez. für ursprüngl. aus dem normalen Zellgenom stammende Gene, die in den normalen Zellen wichtige, vermutl. regulierende Funktionen haben und potentiell karzinogen sind.

onkotischer Druck [griech./dt.] (kolloidosmot. Druck), der osmot. Druck, der durch die in den Körperflüssigkeiten gelösten Eiweiße hervorgerufen wird.

Ononis [griech.], svw. ↑ Hauhechel.

Onopordum [griech.], svw. ↑ Eselsdistel.

Ontarioapfel ↑ Apfelsorten, Bd. 1, S. 49.

Ontogenese, svw. ↑ Ontogenie.

ontogenetisch, die Individualentwicklung (↑ Entwicklung) betreffend.

Ontogenie [griech.] (Ontogenese, Individualentwicklung), die gesamte ↑ Entwicklung eines Individuums (Ggs. Stammesentwicklung).

Onychophora [griech.], svw. ↑ Stummelfüßer.

Onza [span.], svw. ↑ Jaguar.

Oogamie [o-o...; griech.], Art der geschlechtl. Fortpflanzung, bei der der weibl. Gamet eine unbewegl. Eizelle ist und der männl. Gamet ein bewegl. Spermium.

Oogenese [o-o...] (Eibildung, Eireifung), Entwicklung der Eizellen aus den Ureizellen (Oogonien) der Keimbahn bis zur Entstehung der reifen Eizellen. Während der O. treten drei charakterist. Perioden auf: 1. *Vermehrungsphase:* fortlaufende mitot. Teilungen der Ureizelle, die zum Wachstum der Eierstöcke (Ovarien) führen. Beim Menschen ist diese Periode mit der Geburt abgeschlossen; es sind dann in beiden Eierstöcken zus. rd. 400 000 Ureizellen vorhanden. 2. *Wachstumsphase:* Die Ureizellen wachsen zu wesentl. größeren Eizellen (Oozyten) erster Ordnung heran, wobei sie v. a. bei den Wirbeltieren (einschl. Mensch) noch von einer ein- bis mehrschichtigen Hülle (↑ Eifollikel) umschlossen werden. 3. *Reifungsphase:* In dieser Periode erfolgt die Reduktion des Chromosomenbestandes der Oozyte erster Ordnung durch eine Meiose, woraus über die Entstehung einer Oozyte zweiter Ordnung eine große haploide reife Eizelle hervorgeht. Beim Menschen läuft die erste Reifeteilung zur Oozyte zweiter Ordnung während des Follikelsprunges (Ovulation) ab; die zweite Reifeteilung kommt erst nach Eindringen des Spermiums zustande.

Oogonium [o-o...; griech.], Ureizelle (↑ Urgeschlechtszellen). - ↑ auch Oogenese.

◆ ♀ Geschlechtsorgan der Lagerpflanzen.

Oologie [o-o...] (Eierkunde), Teilgebiet der Ornithologie (Vogelkunde), das sich mit der Erforschung der Vogeleier befaßt.

Oophoron [griech.], svw. ↑ Eierstock.

Oozyte [o-o...; griech.] (Eimutterzelle), Bez. für zwei Vorstadien (O. erster und zweiter Ordnung) der reifen Eizelle im Verlauf der ↑ Oogenese.

Operon [Kw.], Einheit der Genregulation. Das O., ein bestimmter Abschnitt auf der DNS, setzt sich zus. aus einer *Kontrollregion,* einer Gengruppe (*Strukturgene*), deren Produkte (meist Enzyme) gemeinsam an einem biochem. Prozeß (z. B. der Verwertung eines Nahrungsstoffs) beteiligt sind, und einem *Terminator.*

Ophioglossum [griech.], svw. ↑ Natternzunge.

Ophrys [griech.], svw. ↑ Ragwurz.

Opisthobranchia [griech.], svw. ↑ Hinterkiemer.

Opium [griech.-lat., zu griech. opós „(milchiger) Pflanzensaft"], der an der Luft zu einer plast. Masse getrocknete, durch Anritzen der unreifen Fruchtkapsel gewonnene Milchsaft des Schlafmohns. Roh-O. enthält 20–25 % Alkaloide (10–12 % Morphin, daneben Noskapin, Thebain, Kodein, Papaverin, Narcein); wegen seiner beruhigenden, schmerzstillenden Wirkung wird es, bes. in asiat. Ländern, als Rauschmittel mißbraucht, indem es geraucht, gegessen oder in Wasser gelöst auch injiziert wird. Die körperl. Auswirkungen einer O.sucht sind Appetitlosigkeit und Abmagerung bis zur völligen Entkräftung. Gereinigtes O. (mit unterschiedl. hohem Morphingehalt) wird als schmerzstillendes Arzneimittel verwendet; O.verschreibungen unterliegen dem Betäubungsmittelgesetz.

Geschichte: Die ersten sicheren Nachrichten über O.gewinnung stammen aus dem 7. Jh. v. Chr. Vermutl. wurde O. erstmals von ägypt. Ärzten als Arznei verwendet. Die Griechen kannten im 4. Jh. v. Chr. neben dem ausgepreßten „Mekonium" das durch Anritzen der Kapsel gewonnene „Opos" (Saft). In röm. Zeit wurde O. zum wichtigsten Bestandteil des universellen „Gegengiftes" Theriak.

Orchideen

Opossummäuse (Caenolestidae), Fam. spitzmausähnl. aussehender Beuteltiere mit sieben Arten von etwa 9–13 cm Körperlänge (einschl. Schwanz bis 27 cm messend) im westl. S-Amerika; mit dichtem, weichem Fell; Beutel fehlend.

Opossumratten (Potoroinae), Unterfam. etwa 30–52 cm langer (einschl. Schwanz bis 90 cm messender), vorwiegend grauer bis graubrauner Känguruhs mit acht Arten in Australien und Tasmanien. Die größte Art ist das einzeln lebende **Rote Rattenkänguruh** (Aepyprymnus rufescens).

Opossums [indian.-engl.] (Didelphis), Gatt. bis 45 cm langer (einschl. Schwanz bis 80 cm messender), überwiegend grauer und weißl. Beutelratten mit zwei Arten in N- und S-Amerika: **Nordamerikan. Opossum** (Didelphis marsupidis; auf Bäumen gut kletterndes Tier, dessen Fell zu Pelzwerk verarbeitet wird); **Südamerikan. Opossum** (Paraguayan. O., Didelphis paraguayensis; kleiner als die vorige Art; mit dunkler Kopfzeichnung. - Abb. S. 246.

opponiert [lat.], svw. gegenständig, gegenübergestellt; bezogen auf: 1. eine Blattstellung, bei der an einer Sproßachse ein Blatt einem anderen gegenübersteht (z. B. bei Lippenblütlern); 2. den Daumen, der den übrigen Fingern gegenübergestellt ist.

Opposition (Oppositio) [lat.], die durch drehende Einwärtsbewegung erreichbare Gegenstellung des Daumens zu den anderen Fingern; diese Opponierbarkeit macht die Hand zur Greifhand.

Opsonine [griech.], den ↑Alexinen zugeordnete, im Blut vorkommende thermolabile Bakterizidine; ermöglichen den Leukozyten die Phagozytose eingedrungener Bakterien.

Optikus [griech.-lat.], Kurzbez. für Nervus opticus (Sehnerv; ↑Gehirn).

Opuntie [...ti-ɛ] (Opuntia) [nach Opus, der Hauptstadt der opunt. Lokris], Kakteengatt. mit rd. 200 Arten in N- und S-Amerika, in andere Erdteile eingeschleppt; baum- oder strauchförmige Pflanzen mit flachgedrückten Sproßabschnitten, kleinen, walzen- bis pfriemförmigen, sehr bald abfallenden Blättern, filzigen ↑Areolen und kurzröhrigen, breit-trichterförmigen, gelben oder roten Blüten. Die Früchte einiger Arten sind eßbar. O. sind bei uns Kalthauspflanzen, einige sind auch für das Freiland geeignet. Eine bekannte Art ist der **Feigenkaktus** (Opuntia ficus-indica) im trop. Amerika; mit feigengroßen, roten, eßbaren Früchten.

Orange [oˈrãːʒə; pers.-frz.] (Apfelsine, Chinaapfel), kugelige bis eiförmige, hellorange bis dunkelrote Frucht der ↑Orangenpflanze; mit glatter, ablösbarer Schale und süßsäuerl., aromat. Fruchtfleisch. O. werden als Frischobst gegessen und zu Marmeladen und Fruchtsäften verarbeitet. Aus den Fruchtschalen junger Früchte, Blüten und Blättern werden äther. Öle gewonnen. - ↑auch Blutorange, ↑Navelorange.

Orangenpflanze [oˈrãːʒən] (Apfelsinenpflanze, Citrus sinensis), Zitruspflanzenart in den Tropen und Subtropen sowie im Mittelmeergebiet; immergrüne Sträucher oder kleine Bäume mit oft bedornten Zweigen, längl.-eiförmigen, ledrigen Blättern, deren Blattstiele schwach geflügelt sind, und weißen, stark duftenden Blüten; Frucht eine längl. bis kugelige Beere (↑Orange). - Von der O. sind über 100 Varietäten bekannt. Ausgedehnte Kulturen finden sich in den USA, Spanien, Italien und Israel. - Abb. S. 247.

Orangenrenette [oˈrãːʒən], svw. Cox' Orange (↑Apfelsorten; Übersicht Bd. 1, S. 48).

Orang-Utan [malai. „Waldmensch"] (Pongo pygmaeus), Menschenaffe in den Regenwäldern Borneos und Sumatras; Körperlänge etwa 1,25–1,5 m; Beine kurz, Arme sehr lang (bis etwa 2,25 m spannend); Gewicht der ♂♂ bis 100 kg; ♀♀ deutl. kleiner und nur rd. 40 kg schwer; Fell sehr lang und dicht, rötl. bis dunkel- oder hellbraun; Gesicht fast unbehaart, alte ♂♂ mit Bart, starken Backenwülsten und mächtigem Kehlsack (letzterer auch bei ♀♀, jedoch schwächer entwickelt). - Der O.-U. ist der einzige echte Baumbewohner unter den Menschenaffen (typ. Schwingkletterer). Am Boden bewegt er sich relativ langsam (z. T. auch aufrecht gehend) fort. Der O.-U. ist ein wenig geselliger Pflanzenfresser. - Nach einer Tragzeit von etwa acht Monaten wird ein hilfloses Junges geboren, das bis zu vier Jahren gesäugt und erst mit etwa zehn Jahren geschlechtsreif wird. - Der O.-U. steht dem Menschen in seinen psych. Fähigkeiten ferner als der Schimpanse. Die Bestände des O.-U. sind durch früheren intensiven Fang und durch Abholzen der Regenwälder stark zurückgegangen und bedroht; durch gesetzl. Schutz hat sich die Lage etwas gebessert. Der O.-U. wird in vielen zoolog. Gärten heute erfolgreich gezüchtet; er wird höchstens 30 Jahre alt. - Abb. S. 251.

Orant - [mittellat.] (Zwerglöwenmaul, Chaenorrhinum), Gatt. der Rachenblütler mit rd. 20 Arten, verbreitet vom Mittelmeergebiet bis NW-Indien; in Deutschland nur die Art **Kleiner Orant** (Chaenorrhinum minus): unscheinbare Pflanze mit kleinen, lilafarbenen Blüten; auf Äckern und Ödland.
◆ svw. ↑Dorant.

Orchideen [ɔrçi...; frz., zu griech. órchis „Hoden, (übertragen:) Pflanze mit hodenförmigen Wurzelknollen"] (Orchidaceae), eine der größten Pflanzenfam. mit rd. 20 000 Arten in mehr als 600 Gatt., v. a. in den Tropen und Subtropen der Alten und Neuen Welt; einkeimblättrige, ausdauernde Kräuter von verschiedener Gestalt, in den Tropen meist als Epiphyten, in M-Europa oft als Saprophyten lebend; Blätter längl., oft fleischig oder ledrig; Blüten einzeln oder in ährigen oder

Orchis

traubigen Blütenständen, oft prächtig gefärbt und kompliziert gebaut, z. T. duftend. - Die Anzucht der O. erfolgt durch die sehr kleinen Samen ohne Nährgewebe (eine Fruchtkapsel enthält mehrere Millionen Samen). Die endospermlosen Embryonen sind nur dann entwicklungsfähig, wenn sie von den in der Mutterpflanze lebenden Mykorrhizapilzen durchwuchert werden. Die Weiterentwicklung erfolgt in O.häusern. - Bekannte Gatt. sind: ↑Cattleya, ↑Frauenschuh, ↑Knabenkraut, ↑Ragwurz und ↑Vanille. - Die einheim. O.arten (Erdorchideen) stehen unter Naturschutz. **Geschichte:** O. (im Volksmund und im Aberglauben „Knabenkräuter") galten wegen der hodenförmigen Gestalt ihrer Knollen und der Ähnlichkeit des Duftes einiger Arten mit sexuellen Gerüchen seit alters als Aphrodisiakum. - In den 1830er Jahren gab es O. in Privatgärten in Hamburg und Dresden. 1851 wurden im Garten des Grafen von Thun rd. 500 trop. Arten gezüchtet.

📖 *Bechtel, H., u. a.: O.-Atlas.* Stg. ²1985. - *Rysy, W.: O.* Mchn. u. a. ³1985. - *Kohlhaupt, P.: Mittel- u. Südeurop. O.* Bozen 1981.

Orchis ['ɔrçɪs; griech.], svw. ↑Hoden.
Orchis ['ɔrçɪs; griech.] ↑Knabenkraut.
Ordensbänder ↑Eulenfalter.
Ordenskaktus, svw. ↑Stapelia.
Ordenskissen, svw. ↑Weißmoos.
Ordnung (Ordo), eine systemat. Einheit; faßt näher verwandte Tier- oder Pflanzenfam. bzw. Überfam. oder Unterordnungen zusammen.

Orfe [griech.-lat.], svw. ↑Aland (ein Fisch).
Organ (Organum) [griech.], bei Vielzellern, die durch ihre spezif. Funktion und entsprechende Morphologie und zellige Feinstruktur charakterisierten und abgrenzbaren Körperteile wie Muskeln, Lunge, Auge u. a. Die O. bauen sich aus einer Vielzahl von Zellen auf, wobei es zur Bildung von Geweben kommt. - *Vegetative* O. stehen im Dienste der Ernährung, Ausscheidung und Fortpflanzung. *Animal.* O. bilden die Sinnes-O. und das Bewegungs- und Nervensystem. - *Rudimentäre* O. sind solche, die in ihrer Anlage funktionslos verharren (Zehenreste beim Pferd, Beckengürtel bei Schlangen usw.). Auch bei pflanzl. Organismen spricht man in diesem Sinne von O., z. B. Wurzeln, Sproß, Blätter, Blüte.

Organellen [griech.], Strukturen in Einzellern, die in ihrer Funktion Organen bei Vielzellern entsprechen; z. B. Augenfleck, kontraktile Vakuole, Nahrungsvakuole, Geißel, Zellmund.

Organisation [griech.-lat.-frz.], Bauplan eines Organismus, Ausbildung und Anordnung seiner Organe (bzw. Organellen).

organisch, ein Organ oder den Organismus betreffend, der belebten Natur angehörend; mit etwas eine Einheit bildend.

Organismus [griech.], svw. ↑Lebewesen.
◆ Bez. für das Gesamtsystem der Organe

Osagedorn. Links oben männliche Blütenstände; links unten unreife Sammelfrucht; rechts ein Zweig mit weiblichem Blütenstand

des lebenden Körpers (vielzelliger Lebewesen), das sich aus verschiedenen, der Entwicklung, Erhaltung und Vermehrung des Lebens dienenden funktionellen Einheiten aufbaut.

Organologie [griech.] (Organlehre), Teilgebiet der Morphologie, das sich mit dem Bau und der Funktion von Organen befaßt.

organotroph [griech.], Organismen, die als Wasserstoffdonatoren organ. Verbindungen verwenden. O. sind Tiere und die meisten Mikroorganismen. - Ggs.: ↑lithotroph.

Organum, anatom. Bez. für ↑Organ.
Orgasmus [zu griech. orgān „von Saft und Kraft strotzen, schwellen"], Höhepunkt (**Klimax**) der sexuellen Erregung mit dem anschließenden Gefühl einer sehr angenehmen Entspannung. Die sexuelle Reaktion kann man in vier Phasen, den sog. **sexuellen Reaktionszyklus,** einteilen. Die erste der **Erregungsphase** kann durch phys. und/oder psych. sexuell-erot. Reize hervorgerufen werden. Trifft der ausgeübte Reiz auf einen empfangsbereiten Partner, dann geht die Erregungsphase in die **Plateauphase** über. In ihr summieren sich die sexuellen Spannungen bis zu jener Höhe, auf der die **Orgasmusphase** ablaufen kann. Sie läuft unwillkürl. ab und ist meist auf wenige Sekunden beschränkt. In der darauffolgenden **Rückbildungsphase** klingt die sexuelle Erregung ab. Bei beiden Geschlechtern bestehen allerdings grundsätzl. Unterschiede hinsichtl. Intensität und Dauer der Reaktionsabläufe. So steigt die Erregungsphase beim Mann relativ steiler an als bei der Frau, auch klingt seine Erregung ra-

scher ab. Nach dem O. (der beim Mann mit der ↑Ejakulation gekoppelt ist) ist der Mann eine gewisse Zeit für erneute Erregungen weitgehend unempfindl. (Refraktärzeit). Bei der Frau können mehrere Erregungsphasen nacheinander ablaufen. Außerdem dauert auch die Rückbildungsphase bei ihr länger als beim Mann. Viele Frauen befinden sich nach dem O. für längere Zeit in einem Zustand, der demjenigen der Plateauphase entspricht. Werden sie in diesem Stadium wieder wirksam stimuliert, so können sie sehr schnell wieder zum O. gelangen.

Der O. der Frau ist im wesentl. gekennzeichnet durch mehrere rhythm. Kontraktionen der Scheiden- und Gebärmuttermuskulatur. Die rhythm. Kontraktionen des Samenleiters, der Samenblase, der Schwellkörper und des Beckenbodens sowie das Ausspritzen des Spermas bedingen beim Mann das Gefühl des Orgasmus.

📖 *Heimann, J., u. a.: Gelöst im O. Entwicklung des sexuellen Selbst-Bewußtseins f. Frauen. Dt. Übers. Ffm. 1978. - Fisher, S.: O. - sexuelle Reaktionsfähigkeit der Frau. Dt. Übers. Stg. 1976. - Sigusch, V.: Exzitation u. O. bei der Frau. Stg. 1970. - Reich, W.: Die Funktion des O. Dt. Übers. Köln u. Bln. 1969.*

Orgelkaktus ↑Säulenkaktus.

Orgelkorallen (Tubiporidae), Fam. koloniebildender Lederkorallen im Ind. und Pazif. Ozean; die bis über kopfgroßen Kolonien bestehen aus orgelpfeifenähnl., nebeneinanderstehenden, bis 20 cm langen, roten Kalkröhren, in deren oberstem Abschnitt je ein grüner Polyp sitzt.

Orientalide [lat.], europide Mischrasse (Verbindungsglied zw. Mediterraniden und Indiden), v. a. auf der Arab. Halbinsel, in Mesopotamien und N-Afrika verbreitet; mittelhoher und graziler Wuchs, langer Kopf, schmales, ovales Gesicht, große, leicht gebogene Nase, fast mandelförmige Lidspalte, dunkelbraune Augen, schwarzes, lockiges Haar und hellbraune Haut.

Orientalis [lat.], svw. ↑orientalische Region.

Orientalischer Amberbaum ↑Amberbaum.

orientalische Region (ind. Region, Orientalis), tiergeograph. Region; umfaßt den südl. und sö. Teil der Paläarktis: Vorder- und Hinterindien, Ceylon, das trop. S-China, Taiwan, die Großen Sundainseln und die Philippinen; kennzeichnende endem. Tiergruppen sind z. B. Spitzhörnchen, Gespenstmakis, Gibbons, Pelzflatterer und Bambusbären unter den Säugetieren; an Kriechtieren u. a. Großkopfschildkröten, Gaviale.

Orientalische Schabe, svw. ↑Küchenschabe.

Orientbuche ↑Buche.

Orientkärpflinge (Aphanius), Gatt. etwa 5–8 cm langer Eierlegender Zahnkarpfen mit zahlr. Arten in Binnengewässern SW-Asiens, des Mittelmeergebiets und W-Europas; ♀♀ meist unscheinbar gefärbt, ♂♂ etwas kleiner, häufig kontrastreich gezeichnet; z. T. Aquarienfische.

Origanum [griech.], svw. ↑Dost.

Orleanbaum (Orleanstrauch, An[n]attostrauch, Achote, Bixa orellana), einzige Art der Orleanbaumgewächse; kleiner Baum oder Strauch, aus dem trop. Amerika stammend; rosafarbene Blüten in endständigen Rispen; die Frucht ist eine langbestachelte Kapsel mit zahlr. Samen, die mit schalenartig zusammenfließenden roten Papillen besetzt sind. - Der O., seines Farbstoffs (Orlean) wegen über die gesamten Tropen verbreitet (vielfach verwildert), wird in mehreren Formen kultiviert.

Orleanstrauch, svw. ↑Orleanbaum.

Orlowtraber [nach dem Züchter A. G. Graf Orlow], Rasse etwa 160 cm schulterhoher, eleganter Trabrennpferde; Farbvarianten: Braune, Schimmel, Rappen.

Ornithin [zu griech. órnis „Vogel, Huhn" (da zuerst in Hühnerexkrementen nachgewiesen)] (2,5-Diaminovaleriansäure), bas. Aminosäure, die nicht in Proteinen vorkommt, jedoch als Zwischenprodukt der Harnstoffzyklus auftritt. Bei Vögeln wird die beim Abbau aromat. Aminosäuren entstehende Benzoesäure durch O. in ungiftige Ornithursäure (Dibenzoylornithin) umgewandelt.

Ornithinzyklus, svw. ↑Harnstoffzyklus.

Ornithischier (Ornithischia) ↑Dinosaurier.

Ornithologie [zu griech. órnis „Vogel"], Vogelkunde; Spezialgebiet der Zoologie, erforscht Körperbau, Lebensweise, Verhalten und Verwandtschaft der Vögel.

Orobanche [griech.], svw. ↑Sommerwurz.

Orang-Utans

Orthoceras

Orthoceras [griech.] (Geradhorn), ausgestorbene, vom Ordovizium bis zur Trias bekannte Gatt. meerbewohnender Kopffüßer; mit geradem, bis 2 m langem, kegelförmigem, gekammertem Gehäuse.

Orthogenese (Orthogenie), Hypothese, die besagt, daß die stammesgeschichtl. Entwicklung der Lebewesen durch zielgerichtete innere Faktoren vorbestimmt ist.

Orthoptera [griech.], svw. ↑Geradflügler.

orthotrop [griech.], senkrecht (abwärts oder aufwärts) wachsend; bezogen auf die Wuchsrichtung pflanzl. Organe unter dem Einfluß der Erdschwerkraft.

Ortolan [italien., zu lat. hortulanus „zum Garten gehörend"] (Gartenammer, Emberiza hortulana), etwa buchfinkgroße Ammer in busch- und baumreichem Gelände Europas, SW-Asiens und der gemäßigten Region Asiens; ♂ mit olivfarbenem Kopf und Hals, gelber Kehle und gelbem Bartstreif; ♀ unscheinbarer gefärbt.

Ortsgedächtnis, bei den meisten Wirbeltieren, v. a. den revierbundenen, in geringem Maße auch noch beim Menschen vorhandene Fähigkeit, sich einzelne Orte und Stellen in der Umwelt zu merken und sie wieder aufzufinden, z. T. durch direktes, gezieltes Ansteuern (↑Mnemotaxis).

Oryxantilope [griech.], svw. ↑Spießbock.

Oryza [griech.], svw. ↑Reis.

Os (Mrz. Ora) [lat.], in der Anatomie svw. ↑Mund.

Os (Mrz. Ossa) [lat.], anatom. Bez. für Bein, Knochen; z. B. *Os frontale*, Stirnbein.

Osagedorn [engl. ˈoʊseɪdʒ; nach den Osage] (Osageorange, Indianerorange, Maclura pomifera), bis 20 m hohes, dorniges Maulbeergewächs im südl. N-Amerika; mit kugeligen ♀ Blütenständen, aus denen sich je ein faustgroßer, orangefarbener, warzig gerunzelter eßbarer Fruchtstand entwickelt; in mitteleurop. Weinbaugebieten als winterharter Zierstrauch oder -baum in Kultur. - Abb. S. 250.

Osmanthus [griech.], svw. ↑Duftblüte.

Osmophoren [griech.], Duftstoffträger; Blütenteile, von denen Duftstoffe ausgehen.

Osmoregulation [griech./lat.] ↑Osmose.

Osmorezeptoren [griech./lat.], Bez. für Rezeptoren, die auf Änderung des osmot. Drucks in Körperflüssigkeiten ansprechen; sie sind als Nervenkerne im Hypothalamus lokalisiert.

Osmose [zu griech. ōsmós „Stoß, Schub"], einseitig verlaufende Diffusion, die immer dann auftritt, wenn zwei gleichartige Lösungen unterschiedl. Konzentration durch eine semipermeable (halbdurchlässige) Membran getrennt sind. Durch diese Membran können nur die kleineren Moleküle des Lösungsmittels hindurch, nicht aber die größeren Moleküle bzw. Ionen des gelösten Stoffes. Dabei diffundieren mehr Moleküle in die stärker konzentrierte Lösung als umgekehrt. Die höher konzentrierte Lösung wird dabei so lange verdünnt, bis gleich viele Lösungsmittelmoleküle in beide Richtungen diffundieren. Der dann auf der Seite der sich verdünnenden, weiterhin aber stärker konzentrierten Lösung herrschende hydrostat. Überdruck wird als **osmot. Druck** bezeichnet. Er ist umso höher, je größer die Konzentrationsunterschiede sind. - Da auch die Zellmembranen semipermeabel sind, entsteht ein osmot. Druck auch in lebenden Zellen. Der O. ist bes. für Pflanzenzellen wichtig. Sie bewirkt den Stofftransport, reguliert den Wasserhaushalt und erzeugt einen als ↑Turgor bezeichneten Innendruck, der der Pflanze Form und Stabilität verleiht. In Pflanzenzellen herrschen osmot. Drucke von 10 bis 40 bar. Eine andere Erscheinung, die ebenfalls auf O. beruht, ist die ↑Plasmolyse. - Bei Tieren wird die Konstanthaltung des osmot. Drucks in den Körperflüssigkeiten gegenüber dem Außenmilieu als **Osmoregulation** bezeichnet. Bei Landtieren dient die Osmoregulation der Verhinderung von Wasserverlusten. Für die Konstanthaltung des osmot. Drucks und des Ionenmilieus ist hier die Niere ausschlaggebend. Menschl. und tier. Zellen halten einen osmot. Druck von etwa 7 bar aufrecht. - Die Umkehrung der O. ist die Hyperfiltration.

📖 *Gilles, R.:* Mechanism of osmoregulation in animals. New York 1979. - *Höfer, M.:* Transport durch biolog. Membranen. Weinheim 1977. - *Hammel, H. T., u. a.* Osmosis ... Bln. u. a. 1976.

osmotisch [griech.], durch Osmose hervorgerufen.

Osmunda, svw. ↑Rispenfarn.

Ösophagus [griech.], svw. ↑Speiseröhre.

Ossein [lat.] ↑Knochen.

Ossiculum (Mrz. Ossicula) [lat.], in der Anatomie svw. Knöchelchen; z. B. *Ossicula auditus*, Gehörknöchelchen.

ostbaltische Rasse, svw. ↑Osteuropide.

Osteichthyes [ɔste'ɪçtyɛs; griech.], svw. ↑Knochenfische.

osteogen, svw. knochenbildend (von Geweben gesagt).

Osteoglossidae [griech.], svw. ↑Knochenzüngler.

Osteologie (Knochenlehre), Lehre vom Bau der Knochen; Teilgebiet der Anatomie.

Osteostraken (Osteostraci) [griech.], ausgestorbene, vom oberen Silur bis zum Oberdevon bekannte Klasse fischähnl. Wirbeltiere (Unterstamm Kieferlose); Kopf und Vorderkörper gepanzert; mit elektr. Organen im Kopfbereich, nahe beieinanderliegenden Augen auf der Oberseite des abgeplatteten Kopfes und zehn Paar Kiemenöffnungen; Schwanzflosse heterozerk, Brustflossen meist vorhanden und beschuppt; eine oder zwei Rückenflossen, keine Bauchflossen.

Osterglocke ↑Narzisse.
Osterkaktus (Rhipsalidopsis gaertneri), in Brasilien beheimatete Kakteenart mit bis 5 cm langen, flachen, mehrkantigen Sproßgliedern (Phyllokladien) und endständigen, rosenroten, bis 5 cm breiten, trichterförmigen Blüten; blüht von März bis Mai.
Osterluzei [zu griech. aristolochía unter lautl. Anlehnung an „Ostern"] (Pfeifenblume, Aristolochia), Gatt. der Osterluzeigewächse mit rd. 500 Arten in den gemäßigten und warmen Gebieten der ganzen Erde; mit ganzrandigen, wechselständigen Blättern und meist pfeifenförmigen, grünl. oder gelbl. Blüten. Die bekannteste Art ist die **Gemeine Osterluzei** (Aristolochia clematitis), eine typ. Mittelmeerpflanze, bei uns oft verwildert, mit hellgelben, gebüschelten Blüten.
Osterluzeigewächse (Aristolochiaceae), zweikeimblättrige Pflanzenfam. mit rd. 600 meist trop. Arten; Blüten meist pfeifenförmig, grünl., fahlgelbl. oder gescheckt; in M-Europa Haselwurz und Osterluzei.
Osteuropide (ostbalt. Rasse), europide Menschenrasse in O-Europa (hauptsächl. Großrußland, Weißrußland und Mittelpolen); mittelgroßer, gedrungener Körperbau, kurzer Kopf, breites Gesicht, niedriges Kinn, leicht vorgeschobene Wangenbeine, schmale Lidspalte, graue bis grünl. Augen, fahlrötl. Haut und aschblondes bis aschgraues Haar.
ostische Rasse, svw. ↑alpine Rasse.
Ostium [lat.] (Mrz. Ostien), in der Anatomie Bez. für die Einmündungsstelle an einem Hohlorgan bzw. Körperhohlraum; z. B. *O. aortae:* Öffnung der linken Herzkammer in die Aorta.
Ostradiol [Kw.] ↑Östrogene.
Ostrakoden [griech.], svw. ↑Muschelkrebse.
Östriol [Kw.] ↑Östrogene.
Östrogene [griech., zu oĩstros „Leidenschaft"] (östrogene Hormone, Follikelhormone), zu den Steroidhormonen gehörende weibl. Geschlechtshormone, die im Eifollikel, Gelbkörper, der Plazenta sowie in geringem Umfang (auch beim Mann) in der Nebennierenrinde gebildet werden. Ö. bewirken die Ausbildung der sekundären weibl. Geschlechtsmerkmale und sind in der ersten Hälfte des Menstruationszyklus für den Aufbau der Gebärmutterschleimhaut (Proliferationsphase) verantwortl. Die Biosynthese der Ö. geht vom Testosteron aus. Die natürl. vorkommenden Ö. sind das **Östriol** (Östratrien-3,16,17-triol), das **Östron** (Östratrien-3-ol-17-on), das 1929 als erstes Geschlechtshormon isoliert wurde, sowie das physiolog. wirksamste Ö., das **Östradiol** (Östratrien-3,17-diol). Die natürl. (früher aus dem Harn trächtiger Stuten, heute teilsynthet. aus anderen Steroiden gewonnenen) Ö. und ihre Derivate werden medizin. bei Östrogenmangelerscheinungen (v. a. während der Wechseljahre) und

der Tumortherapie verwendet und sind zus. mit den ↑Gestagenen wichtige Bestandteile von Ovulationshemmern.
ꟼ *Clark, J. K./Peck, E. J.: Female sex steroids.* Bln. u. a. 1979. - *Kley, H. K.:* Ö. im Plasma des Mannes. Mchn. u. Wien 1975. - Ageing and estrogens: Workshop Conference, Genf 1972. Hg. v. P. A. van Keep u. C. Lauritzen. Basel u. a. 1973. - Diczfalusy, E./Lauritzen, C.: Ö. beim Menschen. Bln. u. a. 1961.
Östron [griech.] ↑Östrogene.
Östrus [griech.], svw. ↑Brunst.
Ostseegarnele ↑Garnelen.
Oszillatoria [lat.], svw. ↑Schwingalgen.
Otter [zu althochdt. ottar, eigtl. „Wassertier"] (Wassermarder, Lutrinae), mit Ausnahme von Australien, Neuseeland, Madagaskar und den Polargebieten weltweit verbreitete Unterfam. etwa 0,5–1,5 m langer (einschließl. des rundl. oder abgeplatteten Schwanzes bis 2,2 m messender) Marder mit 19 dem Wasserleben angepaßten Arten; Kopf breit, Augen relativ klein; Ohren verschließbar; Beine kurz, mit Schwimmhäuten; Fell sehr dicht, wasserundurchlässig. - O. ernähren sich von Wassertieren. Ihre Bestände sind vielerorts stark reduziert, stellenweise weitgehend ausgerottet, und zwar teils (wegen ihres sehr wertvollen Pelzes) durch Bejagung, teils durch Lebensraumzerstörung und Gewässerverschmutzung. - Zu den O. gehören u. a. die 10 Arten umfassende Gatt. **Fischotter** (Lutra) mit der über fast ganz Eurasien verbreiteten Art *Lutra lutra;* bis 85 cm lang, Schwanz etwa 35–55 cm lang, oft mit weißer Kehle und einem kleinen, weißen Flecken am Kopf; bewohnt meist einen selbstgegrabenen Bau mit unter dem Wasserspiegel liegendem Eingang in Uferböschungen; in Deutschland sehr selten, steht unter Naturschutz. In Süß- und Brackgewässern S-Asiens lebt der rd. 60 cm (mit Schwanz bis 90 cm) lange **Zwergotter** (Amblonyx cinerea); Körper dunkelbraun bis braungrau mit hellerer Unterseite. 1–1,5 m lang ist der in S-Amerika vorkommende **Riesenotter** (Pteronura brasiliensis); Schwanz etwa 70 cm lang; Fell oberseits dunkelbraun, unterseits heller, an Kehle und Brust mit weißl. Fleckung. Der **Glattotter** (Lutra perspicillata) ist bis etwa 1,2 m lang mit flach einem deutl. abgeflachten, dreikantigen Schwanz; in SW- bis SO-Asien; Fell schwarzbraun bis sandfarben, Unterseite etwas heller, Kehle weißl. bis gelblich. In den Küstengewässern des N-Pazifiks kommt der rotbraune bis schwarze **Meerotter** (See-O., Kalan, Enhydra lutris) vor; bis 1,3 m lang, mit flossenförmigen Hinterbeinen. - Abb. S. 254.
Ottern, svw. ↑Vipern.
Otterspitzmäuse (Potamogalidae), Fam. etwa 15–35 cm langer (einschließl. Schwanz bis 65 cm messender), oberseits brauner, unterseits hellerer Säugetiere (Ordnung Insektenfresser) mit drei Arten in un-

Otterzivette

an Süßgewässern W- und Z-Afrikas; flinkschwimmende und tauchende, sich vorwiegend von Krebsen und Fischen ernährende Tiere mit langem (vorn otterähnl. abgerundetem) Kopf, kleinen Augen und Ohrmuscheln sowie mit kurzem und weichem Fell.

Otterzivette (Mampalon, Cynogale bennetti), gedrungene, etwa 70–80 cm lange (einschließl. Schwanz bis 95 cm messende), vorwiegend braune Schleichkatze, v. a. an und in Gewässern N-Vietnams, der Halbinsel Malakka und der Großen Sundainseln; ausgezeichnet schwimmendes und tauchendes, sich von Fischen, Weichtieren und Früchten ernährendes Raubtier.

ovales Fenster (Vorhoffenster), ovale Öffnung zw. der Paukenhöhle und dem Vorhof des Innenohrs.

Ovar [lat.], svw. ↑Eierstock.

Ozelot

Fischotter. Lutra lutra

Ovarium [lat.], svw. ↑Eierstock.
◆ svw. ↑Fruchtknoten.

Ovidukt [lat.], svw. ↑Eileiter.

Oviparie [lat.], Form der geschlechtl. Fortpflanzung; Ablage von einzelligen, unentwickelten Eiern. Die Befruchtung der Eier erfolgt entweder außerhalb des mütterl. Körpers (viele Fische, Lurche) oder während der Eiablage (Insekten, Spinnen). - ↑Ovoviviparie, ↑Viviparie.

Ovis [lat.], svw. ↑Schafe.

Ovoflavin ↑Riboflavin.

Ovoviviparie, Form der geschlechtl. Fortpflanzung, bei der (im Unterschied zur ↑Oviparie und ↑Viviparie) Eier mit voll entwickelten, unmittelbar nach der Ablage aus den Eihüllen schlüpfenden Embryonen hervorgebracht werden (z. B. manche Insekten, Lurche und Reptilien)

Ovulation [lat.] (Follikelsprung, Eisprung), das bei den Säugetieren im ♀ Geschlecht zur Zeit der Brunst, beim Menschen rd. 14 Tage nach Einsetzen der letzten Menstruation erfolgende Freiwerden der reifen Eizelle aus einem ↑Eifollikel des Eierstocks (beim Menschen, auch bei den höheren Affen, alle vier Wochen). Dabei wird die mit der Follikelflüssigkeit ausgeschwemmte Eizelle von der Eileitertube aufgefangen. Die O. wird durch eine Veränderung der Mengenverhältnisse der Hypophysenvorderlappenhormone FSH und LH im Blut durch Ansteigen des LH-Anteils ausgelöst.

Ovulum [lat.], svw. ↑Samenanlage.

Ovum [lat.] ↑Ei.

Oxalis [griech.], svw. ↑Sauerklee.

oxidative Phosphorylierung ↑Atmungskette.

Oxytozin (Oxytocin, Ocytocin) [griech.] ↑Hormone (Übersicht).

Oxytropis [griech.], svw. ↑Spitzkiel.

Oxyuren, svw. ↑Pfriemenschwänze.

Ozellen [lat.], svw. ↑Punktaugen.

Ozelot [aztek.-frz.] (Pardelkatze, Leopardus pardalis), bes. in Wäldern und Buschlandschaften der südl. USA bis S-Amerika (mit Ausnahme des S) lebende Kleinkatze; Körper 65–100 cm lang, Schwanz etwa 30–45 cm lang; Beine stämmig; Grundfärbung sandgelb bis ockerfarben (Unterseite weißl.), mit schwarzbrauner bis schwarzer (innen häufig hellerer) Fleckenzeichnung (teilweise bänderartig zusammenfließend) und kennzeichnendem schwarzem Streifen vom hinteren Augenwinkel bis zum untersten Ohrrand; nachtaktiv, frißt v. a. kleinere Säugetiere und Vögel. Nach einer Tragezeit von rd. 70 Tagen werden zwei bis vier Junge geboren. Durch rücksichtslose Bejagung wegen seines sehr begehrten Fells (wird deshalb heute in Zuchtfarmen gehalten) im Bestand bedroht.

Ozelotkatze (Tigerkatze, Oncille, Tigrillo, Leopardus tigrinus), etwa 40–55 cm lange (einschl. Schwanz bis 95 cm messende),

Papierbirke

Atmung unterstützt. Ein bekannter Warmwasseraquarienfisch ist der bis 6 cm lange **Gefleckte Panzerwels** (Corydoras paleatus); Körper gelblichweiß bis rötlichgrau mit zahlr. kleinen Tüpfeln.

Päonie [griech.], svw. ↑ Pfingstrose.

Papageien [arab.-frz.] (Psittacidae), Fam. etwa 0,1–1 m langer Vögel mit mehr als 300 Arten, bes. in wärmeren Gebieten der Neuen und Alten Welt (Ausnahme: Europa); Körper häufig bunt befiedert; mit am Nasenbein bewegl., hakigem Oberschnabel, der (ebenso wie der Greiffuß) auch zum Klettern auf Bäumen dient; meist Höhlenbrüter, die ein bis zehn weiße Eier legen; Fütterung der Jungen (Nesthocker) mit im Kropf aufgeweichter und enzymat. aufbereiteter Nahrung. - Nach dem Verhalten und der Entwicklung des Gehirns gehören P. zu den höchstentwickelten Vögeln. Ihr Stimmorgan befähigt sie zu außerordentl. modulationsfähigen Lautäußerungen, die bei einigen Arten zum Nachsprechen von ganzen Sätzen führen können. - Zu den P. gehören u. a. Nestorpapageien, Kakadus, Loris, Unzertrennliche, ferner die *Echten P.* (*Psittacinae*; u. a. mit Aras, Sittichen, Amazonenpapageien) und dem rd. 40 cm langen **Graupapagei** (Jako, Psittacus erithacus) in den Regenwäldern Z- und W-Afrikas; Gefieder grau, Schwanz rot und kurz; Augenumgebung nackt und weißlichgrau; Schnabel schwarz; gilt als sprechbegabtester P. und kann über 100 Jahre alt werden. Ferner die Unterfam. **Zwergpapageien** (Specht-P., Micropsittinae) mit 6 bis 10 cm langen Arten in Wäldern Neuguineas und benachbarter Inseln; mit kurzem, steifem Schwanz, der (nach Art der Spechte) als Stütze beim Klettern benutzt wird. Der rabengroße, nachtaktive **Eulenpapagei** (Kakapo, Strigops habroptilis) kommt in den Gebirgswäldern Neuseelands vor; Gefieder (wie bei Eulen) sehr weich, schmutziggrün mit braunen und weißen Zeichnungen.

Geschichte: Das älteste bekannte P.bild stammt aus dem 5. Jh. v. Chr. Nachrichten über einen Vogel, der eine Zunge und Stimme wie Menschen besitze, gelangten erstmals von Indien nach Persien, wie der griech. Historiograph Ktesias berichtete. Sichere Nachrichten über P. brachte erst Nearchos nach Griechenland. Aus Mosaikdarstellungen geht hervor, daß P. später (3.–2. Jh. v. Chr.) an Höfen griech. Herrscher gehalten wurden. Plinius d. Ä. gab Indien als Heimat der P. an, deren Gestalt und Gefieder er beschrieb. Im Spät-MA wurden P. an vielen Fürstenhöfen gehalten. Eine P.haltung am päpstl. Hof läßt sich ohne Unterbrechung über Jh. verfolgen.

📖 *Pinter, H.: Hdb. der P.kunde.* Stg. ²1982. - *Enehjelm, C. af: P. Haltung - Zucht - Arten.* Stg. ⁷1982.

Papageienblatt (Alternanthera), Gatt. der Fuchsschwanzgewächse mit mehr als 150 Arten, v. a. im trop. und subtrop. Amerika; viele Arten werden wegen ihrer buntgescheckten Blüten als Zierpflanzen kultiviert.

Papageientaucher (Lund, Fratercula arctica), bis 35 cm langer Meeresvogel (Fam. Alken) auf Inseln und an Küsten des N-Atlantiks und des Nordpolarmeers; oberseits schwarz, unterseits weiß gefiedert; mit sehr hohem, seitl. zusammengedrücktem Schnabel, der (bes. zur Brutzeit) leuchtend blau-rot-gelb gefärbt ist.

Papageifische (Scaridae), Fam. der Barschartigen mit rd. 80 Arten, fast ausschließl. in trop. Meeren; Körper bis über 2 m lang, mit großen Schuppen bedeckt, auffallend bunt gefärbt; Kopf groß; Zähne mehr oder minder zu einer papageischnabelähnl. Platte verwachsen; leben v. a. an Korallenriffen.

Papaver [lat.], svw. ↑ Mohn.

Papayabaum [karib.-span./dt.] ↑ Melonenbaum.

Papierbirke (Betula papyrifera), bis 30 m hohe Birkenart N-Amerikas; Verwendung

Papierbirke.
Teil des Stammes

Papierblume.
Blüte (Längsschnitt)

Paprika.
Capsicum annuum

Papierblume

des Holzes für Kisten, Zündhölzer und Drechslerarbeiten, der Rinde für Kanus und der sich von der Rinde ablösenden, weißen Borke für Gerbzwecke.

Papierblume (Spreublume, Xeranthemum), Gatt. der Korbblütler mit 6 Arten im Mittelmeergebiet und in Vorderasien; einjährige, aufrechte Kräuter mit einzelnen langgestielten Blütenköpfchen mit mehrreihigen, [papierartig] trockenhäutigen Hüllblättern, die oft vermehrt auftreten, so daß die Blüten „gefüllt" erscheinen; die eigtl. Blüten sind unscheinbar. - Abb. S. 259.

Papiermaulbeerbaum (Broussonetia papyrifera), Maulbeergewächs in China und Japan; bis 10 m hoher Strauch mit kugeligen ♀ Blütenständen und zylindr. ♂ Blütenständen (hängende Kätzchen) sowie orangefarbenen Fruchtständen. Der Bast der Zweige dient zur Herstellung von Tapa und gutem, dünnem, reibfestem Papier (**Kozo**), das zum Reinigen opt. Linsen verwendet wird.

Papiernautilus (Argonauta argo), in warmen Meeren vorkommender ↑ Krake.

Papierstaude, svw. ↑ Papyrusstaude.

Papilio [lat.], Gatt. der Tagschmetterlinge mit zahlr. Arten, bes. in den Tropen; in M-Europa nur der Schwalbenschwanz.

Papilionaceae [lat.], svw. ↑ Schmetterlingsblütler.

Papillarleisten [lat./dt.] (Dermoglyphae), svw. ↑ Hautleisten.

Papille (Papilla) [lat.], anatom. Bez. für kleine, rundl. bis kegelförmige Erhebung an oder in Organen; z. B. Geschmacks-P. auf der Zunge; Papilla mammae, svw. ↑ Brustwarze.

Papillon [papi'jō:; lat.-frz., eigtl. „Schmetterling" (nach der Form der Ohren)] (Schmetterlingshündchen), 20 bis 25 cm schulterhoher Zwergspaniel aus Belgien; Fell mit langen, weichen, leicht gewellten Haaren; einfarbig (weiß bis braun) oder weiß mit farbigen Flekken.

Papio [mittellat.], svw. ↑ Paviane.

Pappatacimücken [papa'ta:tʃi; italien./dt.], svw. ↑ Sandmücken.

Pappel (Populus) [lat.], Gatt. der Weidengewächse mit rd. 40 rezenten, formenreichen Arten in Europa, Asien, N-Afrika und N-Amerika; sommergrüne, raschwüchsige, meist sehr hohe Bäume mit wechselständigen, meist eiförmigen bis lanzenförmigen Blättern mit langem, oft seitl. zus.gedrücktem Stiel; zweihäusige Blüten in hängenden Kätzchen, die vor der Belaubung erscheinen. Die Früchte sind aufspringende Kapseln mit zahlr. kleinen, mit Haarschopf versehenen Samen. Von forstwirtschaftl. Bed. sind mehrere Arten bzw. Bastarde. Vielfach gepflanzt werden außerdem die einheim. Arten **Silberpappel** (Weiß-P., Populus alba; bis 30 m hoch, Blätter unterseits dicht filzig behaart) und **Zitterpappel** († Espe). Bekannt sind noch: **Schwarzpappel** (Populus nigra; mit schwärzl.-rissiger Borke),

Graupappel (Populus canescens; eine Kreuzung zw. Silber-P. und Espe; Blätter unterseits graufilzig behaart) und **Pyramidenpappel** (Varietät der Schwarz-P.; oft Alleebaum).

Pappelschwärmer (Laothoe populi), in Flußtälern, Auen und Parklandschaften Europas und N-Afrikas verbreiteter, 6–7 cm spannender Nachtfalter (Fam. Schwärmer) mit breiten, gezackten, grauen bis braunen Flügeln. Die gelbgrünen Raupen haben gelbe Schrägstreifen; sie fressen an Pappeln, Weiden und Espen.

Pappelspinner (Weidenspinner, Atlasspinner, Ringelfuß, Leucoma salicis), in N-Afrika und Eurasien verbreiteter, 3–5 cm spannender, seidenweißer Schmetterling (Fam. Trägspinner), der vom Juni bis August (bes. in der Abenddämmerung) fliegt; Raupen schwarzgrau mit weißen Rückenschildern und Nesselhaaren, können durch Blattfraß an Pappeln und Weiden schädl. werden.

Paprika [ungar., zu serb. papar „Pfeffer" (von lat. piper mit gleicher Bed.)] (Capsicum), Gatt. der Nachtschattengewächse mit rd. 30 Arten in M- und S-Amerika; formenreiche Kräuter, Halbsträucher oder Sträucher mit kleinen Blüten und leuchtend gefärbten, meist scharf schmeckenden, innen hohlen, vielsamigen Beerenfrüchten. Die heute in N-Amerika und Europa angebauten Kultursorten stammen vermutl. sämtlich von der einjährigen Art Capsicum annuum ab. Sie sind mit weißen, gelben, roten oder violetten bis schwarzen, langen schmalen oder kurzen dicken Früchten (P.schoten) bekannt. Die an Vitamin C und P sowie an Karotin reichen Früchte werden vielseitig verwendet: unausgereift (großfrüchtige Sorten als Gemüse-P.; kleinfrüchtige Sorten als Peperoni), ausgereift (zur Bereitung von Gewürzen). - Abb. S. 259.

Papyrusstaude (Papierstaude, Cyperus papyrus), 1–3 m hohe, ausdauernde Art der Gatt. Zypergras im trop. Z-Afrika und im oberen Stromgebiet des Weißen Nil, urspr. in ausgedehnten Papyrussümpfen; Staude mit fleischigem Wurzelstock, aufrechten, dreieckigen Halmen, oben mit einem Schopf von Blättern und Blütenähren - Die P. wurde seit dem Altertum häufig kultiviert (v. a. am unteren Nil) und zur Herstellung von Flößen, Booten, Matten, Seilen und v. a. von Papyrus wendet, heute noch als Flechtmaterial und zur Papierherstellung. - Abb. S. 262.

Parabiose [griech.], das Zusammenleben zweier miteinander verwachsener Organismen (**Parabionten**). P. kann bei erwachsenen geschlechtsreifen Tieren den Normalzustand darstellen (z. B. beim ↑ Doppeltier), sie kann auch eine Mißbildung sein (z. B. bei siames. Zwillingen).

Paradiesapfel ↑ Paradiesapfelbaum.

◆ (Adamsapfel, Esrog, Ethrog) Bez. für eine Varietät der Zitronatzitrone.

◆ (Paradeiser) östr. Bez. für die Tomate.

Parasiten

Paradiesapfelbaum, Wildapfelform auf der Balkanhalbinsel, bis W-Asien; mit strauchiger Wuchsform. Die Früchte **(Paradiesäpfel)** sind rundl., klein, etwa 1,5 cm groß (↑ auch Apfelbaum).
Paradieselstern ↑ Paradiesvögel.
Paradiesfisch ↑ Makropoden.
Paradieskranich ↑ Kraniche.
Paradieslilie, svw. ↑ Trichterlilie.
Paradiesschnäpper ↑ Monarchen.
Paradiesvögel (Paradisaeidae), Fam. etwa staren- bis rabengroßer Singvögel mit rd. 40 Arten in trop. Regenwäldern Neuguineas, NO-Australiens und der Molukken; ♂♂ meist prächtig bunt befiedert, oft mit verlängerten Schmuckfedern, die bei der Balz durch Aufrichten und Abspreizen zur Schau gestellt werden; ♀♀ unscheinbar braun gefärbt, z. T. gesperbert. - Zu den P. gehören u. a.: **Königsparadiesvogel** (Cicinnurus regius), 15 cm lang, in den Urwäldern Neuguineas; ♂ oberseits samtrot, unterseits weiß mit grünem Halsring. Die Gatt. **Paradieselstern** (Astrapia) hat fünf etwa elsterngroße Arten; mit aufrichtbarem Federkragen am Hals. Die ♂♂ der Gatt. **Strahlenparadiesvögel** (Korangas, Parotia) haben sechs stark verlängerte, fadenförmig dünne, am Ende zunehmend verbreiterte Federstrahlen am Kopf. Die **Große Paradiesvogel** (Göttervogel, Paradisaea apoda) lebt auf Neuguinea und den Aruinseln; Körper bis 45 cm lang; Kopf und Oberrücken gelb, Kehle grün, Flügel und Brust braun bis bräunlichschwarz; Körperseitenfedern gelb, bei der Balz als riesiger Federbusch aufrichtbar.
Paradiesvogelblume ↑ Strelitzie.
Paradieswitwe ↑ Witwen (in den Vogel).
Parahippus [griech.], ausgestorbene Gatt. altmiozäner nordamerikan. Pferdevorfahren von etwa 70 cm Schulterhöhe; dreizehig, mit noch niedrigkronigem Gebiß.
Parakautschukbaum (Federharzbaum, Hevea brasiliensis), wirtsch. wichtigste Art der Gatt. Hevea in den Tropen; 15-30 m hoher Baum mit langgestielten, dreizähligen Blättern. Der als Ausgangsprodukt für den Kautschuk verwendete Milchsaft befindet sich v. a. in der Rinde. Der P. liefert während der Zapfzeit etwa 3-5 kg Kautschuk.
Paramecium [griech.], svw. ↑ Pantoffeltierchen.
Parameren [griech.], die beiden spiegelbildl. gleichen Hälften bilateral-symmetr. Lebewesen.
Paramyxoviren, Untergruppe der Myxoviren; unregelmäßig kugelig gestaltete RNS-Viren von 100-800 nm Durchmesser. Zu den P. gehören u. a. **Parainfluenzaviren,** die Entzündungen der Atemwege bzw. Lunge verursachen.
Paranthropus [griech.] ↑ Mensch.
Paranuß [nach dem brasilian. Bundesstaat bzw. Ausfuhrhafen Pará], dreikantige, ölreiche, gutschmeckende dick- und hartschalige Samen des ↑ Paranußbaums. Die verholzten Kapselfruchtschalen werden in den Anbaugebieten als Töpfe, Schüsseln und dgl. verwendet.
Paranußbaum (Bertholletia), Gatt. der Topffruchtbaumgewächse mit der einzigen Art **Bertholletia excelsa** im nördl. trop. S-Amerika; über 30 m hohe Bäume mit dicken, holzigen Kapselfrüchten, die die Paranüsse enthalten.
Parapodien (Einz. Parapodium) [griech.], an jedem Körpersegment paarweise vorhandene, nach vorn und hinten schwenkbare, lappenartige Stummelfüße bei vielborstigen Ringelwürmern (Polychäten).
Parasexualität (Protosexualität), bei Prokaryonten und Viren der Austausch und die Rekombination genet. Materials ohne typ. sexuelle Vorgänge (Kernverschmelzung, Meiose); man unterscheidet ↑ Transformation, ↑ Transduktion, ↑ Konjugation.
Parasiten [zu griech. parásitos, eigtl. „Mitspeisender"] (Schmarotzer), Bakterien-, Pflanzen- oder Tierarten, die ihre Nahrung anderen Lebewesen entnehmen und sich vorübergehend oder dauernd an oder in deren Körper aufhalten. Man unterscheidet **fakultative Parasiten** (Gelegenheits-P.), die gewöhnl. von sich zersetzender Substanz leben, aber z. B. auch vom Darm aus oder von Wunden in lebendes Gewebe eindringen können (z. B. manche Fliegenmaden), und **obligate Parasiten,** die sich so an einen Wirt angepaßt haben, daß sie nur noch zus. mit diesem lebensfähig sind. Außerdem unterscheidet man ↑ Ektoparasiten, die auf der Körperoberfläche des Wirts leben, und ↑ Endoparasiten, die im Innern des Wirts leben. - In den allermeisten Fällen ist ein P. ganz spezif. an ein bestimmtes Wirtstier oder eine Wirtspflanze gebunden. Es gibt aber auch P., deren vollständige Entwicklung nur durch einen oder mehrere Wirtswechsel mögl. ist, z. B. bei den Bandwürmern. Die meisten P. zeigen auf Grund einer ähnl. Lebensweise ähnl. Anpassungserscheinungen, wie z. B. Rückbildung des Bewegungsapparates oder der Sinnesorgane, Verlust der Pigmentierung, Rückbildung der Mundwerkzeuge und des Verdauungssystems (v. a. bei Darm- und Blut-P.). Die Erhaltung der Art wird (da durch den oft sehr komplizierten Entwicklungsgang hohe Verluste auftreten) durch eine große Eizahl (Spulwurm rd. 50 Mill.), durch vegetativ sich vermehrende Larvenstadien (Hundebandwurm) oder Zwittrigkeit (Bandwürmer) gesichert.
Bei Pflanzen unterteilt man die P. in Halb- und Voll-P. Die **Halbparasiten** (Hemiparasiten, Halbschmarotzer; z. B. Mistel, Augentrost, Klappertopf, Wachtelweizen) haben voll ausgebildete grüne Blätter und sind zu eigener Photosynthese befähigt. Ihren Wasser- und Mineralstoffbedarf jedoch müssen sie mit Saugwurzeln aus dem Sproß- und

Parasitismus

Papyrusstaude. Schopf

Wurzelsystem von Wirtspflanzen decken. Die **Vollparasiten** (Vollschmarotzer, *Holo-P.*; z. B. Kleeseide, Sommer-, Schuppenwurz, Rafflesien) leben ↑heterotroph, d. h., sie haben kein Chlorophyll mehr und weisen meist einen vereinfachten Bau der Vegetationsorgane auf. 📖 *Tischler, W.: Grundr. der Humanparasitologie. Stg.* ³*1982. - Mehlhorn, H./Piekarski, G.: Grundr. der P.kunde. P. des Menschen u. der Nutztiere. Stg. 1981. - Scholtysek, E.: Fine structure of parasitic protozoa. Bln. u. a. 1979. - Frank, W.: Parastologie. Stg. 1976.*

Parasitismus (Schmarotzertum), bes. Form der Wechselbeziehungen zw. Organismen, wobei der Parasit auf oder in dem Wirt lebt (schmarotzt) und sich auf dessen Kosten ernährt.

Parasolpilz (Großer Schirmling, Lepiota procera), bis 25 cm hoher Schirmling in Europa und N-Amerika; Stiel faserig, hohl, mit doppeltem Ring und knollenförmigem Fuß; Hut 10–20 cm im Durchmesser, anfangs dunkelbraun, später hellgrau, mit groben, braunen, konzentr. angeordneten Schuppen und deutl. Buckel über dem Stielansatz; Lamellen breit, weiß; jung guter Speisepilz; wächst von Mitte Juli bis Mitte September in lichten Wäldern und auf schattigen Wiesen.

Parasympathikus (parasympath. System), Teil des vegetativen Nervensystems, Gegenspieler des ↑Sympathikus. Zum P. gehören vier vom Hirnstamm ausgehende Gehirnnerven (Augenmuskelnerv, Gesichtsnerv, Zungen-Schlund-Nerv, Eingeweidenerv), von denen der Eingeweidenerv der wichtigste ist, sowie Nerven des Rückenmarks der Kreuzbeinregion. Das Haupterregungsmittel des P. ist Acetylcholin. Der P. ruft die trophotropen Funktionen, die der Energieeinsparung, der Erholung und dem Aufbau des Körpers dienen, hervor. Er wirkt hemmend auf die Atmung, verlangsamt die Herztätigkeit, setzt den Blutdruck herab, regt die Peristaltik und Sekretion des Verdauungssystems an, fördert die Glykogensynthese in der Leber, steigert die Durchblutung der Geschlechtsorgane und inneriviert den Ziliarmuskel des Auges und den ringförmigen Irismuskel, der die Pupille verengt.

Parathormon [Kw.] (parathyreoideales Hormon, Parathyreoideahormon, PTH), Hormon der Nebenschilddrüse. Es hält den Blutcalciumspiegel konstant, indem es bei Bedarf Ca^{2+}-Ionen aus den Knochen mobilisiert.

Parathyreoidea [griech.], svw. ↑Nebenschilddrüse.

Parathyreoideahormon, svw. ↑Parathormon.

Parazoa [griech.], nach den Mesozoen niederste Abteilung der Vielzeller mit dem einzigen Stamm ↑Schwämme; von den übrigen Vielzellern durch das Fehlen echter Gewebe unterschieden; charakterist. ist der Besitz von Kragengeißelzellen.

Pärchenegel (Schistosoma), Gatt. bis etwa 2 cm langer, getrenntgeschlechtiger Saugwürmer, überwiegend in trop. Gebieten, bes. Afrikas und Asiens; ♂ abgeflacht, umfaßt das stielrunde ♀ hüllenartig; leben erwachsen im Venensystem, beim Menschen insbes. in den Verzweigungen der Pfortader. Das ♀ legt seine mit einem Stachel versehenen Eier v. a. in den Unterleibsvenen ab, von wo sie in die Harnblase durchbrechen. Die Eier entwickeln sich in stehenden Süßgewässern zu **Mirazidien**, die sich in Schnecken einbohren. Aus den dort entstehenden Sporozysten gehen **Gabelschwanzzerkarien** hervor, die die Schnecke verlassen und sich bei im Wasser watenden Menschen in die Haut einbohren können. Auch mit dem Trinkwasser sind Infektionen möglich. Die P. sind Erreger der Bilharziose.

Pardelluchs ↑Luchse.

Pardelroller (Fleckenroller, Nandinia binotata), etwa 45–60 cm lange Schleichkatze im trop. Afrika; Schwanz etwa ebensolang, buschig behaart; Fell lang, dicht und weich, überwiegend braun, mit zahlr. kleinen, dunklen Flecken; Schwanz oberseits dunkel quergebändert; kurzbeinig; geschickter Kletterer; frißt Insekten, Vögel, kleine Säugetiere und Pflanzen.

Parenchym [griech.], bei Tieren und beim Menschen das für ein relativ solides (keine größeren Hohlräume aufweisendes) Organ spezif. Gewebe; z. B. Leber-, Nieren-, Hodenparenchym.
♦ in der *Botanik* svw. ↑Grundgewebe.

parental [lat.], den Eltern, der Elterngeneration zugehörig.
♦ von der Elternzelle stammend, von dieser unverändert (d. h. ohne Replikation bzw.

Neusynthese) übernommen; von bestimmten Zellbestandteilen einer [Tochter]zelle gesagt.
Parentalgeneration, svw. Elterngeneration (↑ Filialgeneration).
parietal [...ri-e...; lat.], in der Biologie: 1. wandständig, zur Körperwand, zur Wand eines Organs oder Gefäßes gehörend, diese Wand betreffend; 2. zum Scheitelbein gehörend, scheitelbeinwärts.
Parietalauge [...ri-e...], svw. ↑Scheitelauge.
Parietale [...ri-e...; lat.], Kurzbez. für: Os parietale (Scheitelbein).
Parietalorgan [...ri-e...] ↑ Pinealorgane.
Paris, svw. ↑ Einbeere.
Parkettkäfer ↑ Splintholzkäfer.
Parnassia [griech., nach dem Parnaß], svw. ↑ Herzblatt.
Parodontium (Paradentium) [griech.], zusammenfassende Bez. für den die Zahnwurzel und den Zahnhals umgebenden Befestigungsapparat der Zähne; bestehend aus knöcherner Alveole, Zahnwurzelhaut, Wurzelzement und Zahnfleischrand.
Parovarium, svw. ↑ Nebeneierstock.
Parthenium [griech.], Gatt. der Korbblütler mit 15 Arten in N- und M-Amerika; Kräuter oder Stauden mit wechselständigen, ganzrandigen oder fiederteiligen Blättern und rispenartigen Blütenständen. Eine bekannte Art ist der mex. **Guaylestrauch** (P. argentatum), der kautschukhaltigen Milchsaft führt.
Parthenocissus [griech.], svw. ↑Jungfernrebe.
Parthenogenese [griech.], svw. Jungfernzeugung (↑ Fortpflanzung).
Parthenokarpie [griech.], svw. ↑Jungfernfrüchtigkeit.
partielle Furchung ↑ Furchungsteilung.
Partus [lat.], svw. ↑ Geburt.
Paß (P.gang) ↑ Fortbewegung.
Passiflora [lat.], svw. ↑ Passionsblume.
Passionsblume (Passiflora), Gatt. der zweikeimblättrigen Pflanzenfam. **Passionsblumengewächse** (Passifloraceae; rd. 600 Arten in 12 Gatt.) mit über 400 Arten, fast alle im trop., wenige im subtrop. Amerika, einige im trop. Asien, Australien und Polynesien; kletternde Sträucher mit Sproßranken, die einfache oder gelappte bis gefingerte Blätter tragen. Die bunten, meist fünfzähligen Blüten haben auffallend ausgebildete Einzelteile: Die Blütenachse ist meist fleischig und napf-, glocken- oder röhrenförmig; die fünf Kelchblätter sind auf der Innenseite oft kronblattartig gefärbt; die fünf Kronblätter sind den Kelchblättern ähnl.; zw. den Kronblättern ist eine reich entwickelte, strahlenkranzartige Nebenkrone ausgebildet; der breite Blütengrund bildet eine einheitl. Nektarraum; die fünf Staubblätter und drei Griffel sitzen fast stets auf einer stielartigen Verlängerung. - Die einzelnen Teile der Blüte werden in Beziehung zur Passion Jesu gebracht (z. B.

Mantelpavian

der Strahlenkranz zur Dornenkrone). - Verschiedene Arten der P. werden wegen der saftigen, wohlschmeckenden Früchte (↑ Passionsfrüchte) kultiviert. Neben der in Warmhäusern wachsenden, weiß-purpurnen **Riesenpassionsblume** (Passiflora quadrangularis) mit bis zu 12 cm großen, duftenden Blüten und der traubige Blütenstände mit scharlachrot-dunkelblauen Blüten zeigenden *Passiflora racemosa* ist v. a. die **Blaue Passionsblume** (Passiflora coerulea) mit einigen Gartenformen als Kalthaus-, Zimmer- bzw. Kübelpflanze verbreitet.
Passionsfrüchte (Grenadillen), Bez. für die Früchte verschiedener, in den Tropen und Subtropen (v. a. S-Amerika) angebauter Arten der Passionsblume; ovale, melonenartige, 5 bis 25 cm große, gelbgrüne bis rote oder blauschwarze Beerenfrüchte mit saftigem, gallertartigem Fruchtfleisch. Bekannt sind die v. a. zu Saft und Nektar verarbeiteten **Maracujas.**
Pastinak (Pastinaca) [lat.], Gatt. der Doldengewächse mit 14 Arten in Europa und W-Asien. In Deutschland kommt auf Fettwiesen und in Unkrautgesellschaften nur der formenreiche **Gemeine Pastinak** (Pastinake, Pasternak, Hammelmöhre, Pastinaca sativa) vor, teilweise auch kultiviert; zweijährige, 30–100 cm hohe Pflanzen mit dünner, harter (Wildsippe) bzw. dicker, zarter, fleischiger, nach Möhren duftender Wurzel, kantigem, gefurchtem Stengel und meist einfach gefiederten Blättern; die Dolden sind fünf- bis 20strahlig, mit goldgelben Einzelblüten.
Pastorenbirne ↑Birnensorten, Bd.1, S.106.
Patas [afrikan.] ↑ Husarenaffe.
Patella [lat.], svw. Kniescheibe (↑ Kniegelenk).
Patellarsehnenreflex [lat./dt./lat.]

Paukenbein

(Kniesehnenreflex, Patellarreflex), reflektor. Streckbewegung des Unterschenkels, wenn bei entspannter Haltung des Beins ein Schlag mit dem Reflexhammer gegen die Patellarsehne des vierköpfigen Schenkelstreckers geführt wird. Der P. fehlt z. B. bei Rückenmarksschwindsucht und Nervenentzündungen; übernormal ausgeprägt ist er bei Pyramidenbahnerkrankungen.

Paukenbein (Tympanicum), das Trommelfell und (bei den Plazentatieren) den äußeren Gehörgang größtenteils umschließendes Knochenstück bei den Wirbeltieren. Bei den Säugetieren (einschließl. Mensch) bildet die P. als Teil des Schläfenbeins die seitl. und vordere Wand der Paukenhöhle (↑ auch Felsenbein).

Paukenhöhle, Hohlraumsystem des Mittelohrs mit den Gehörknöchelchen.

Pauropoda [griech.], svw. ↑ Wenigfüßer.

Paviane [frz.-niederl.] (Papio), Gatt. zieml. großer kräftiger Affen (Fam. Meerkatzenartige) in Savannen und Steppen Afrikas und S-Arabiens; überwiegend Baumbewohner; Körperlänge etwa 50–115 cm; Kopf groß, mit stark verlängerter, kantiger, hundeähnl. Schnauze; ♂♂ deutl. größer und stärker als ♀♀, oft mit Mähne oder Bart; Eckzähne sehr lang, dolchartig spitz; Gesäßschwielen stark entwickelt, oft leuchtend rot. Etwa 60–75 cm lang ist der braun bis graubraun gefärbte **Mantelpavian** (Hamadryas, Papio hamadryas); Schwanz 40–60 cm lang; alte ♂♂ mit auffallender mantelartiger Mähne an Schultern, Brust und Kopfseiten. Die anderen 4 Arten sind Anubis-P., Sphinx-P., Tschakma und Gelber Babuin (↑ Babuine). - Abb. S. 263.

Pavie [nach dem niederl. Botaniker P. Pa(a)w, † 1617] ↑ Roßkastanie.

Pawlow, Iwan Petrowitsch, * Rjasan 14. Sept. 1849, † Leningrad 27. Febr. 1936, russ.-sowjet. Physiologe. - Prof. an der Militärärztl. Akad. in Petersburg. Sein Hauptinteresse galt der Physiologie der Verdauung, speziell der nervalen Steuerung der dabei beteiligten inneren Sekretion. Durch operative Durchtrennung der versorgenden Nerven bzw. durch Ausschaltung bestimmter Organe und Organteile und Anlegung von Fisteln gelangen ihm fraktionierte Untersuchungen der einzelnen Verdauungssekrete. Außerdem untersuchte P. den reflektor. Vorgang der Speichel- und Magensekretion. Die Beschäftigung auch mit der „höheren Nerventätigkeit" führte ihn zur Unterscheidung zw. ↑ unbedingtem Reflex und ↑ bedingtem Reflex. Erhielt 1904 den Nobelpreis für Physiologie und Medizin.

Peanut [engl. ˈpiːnʌt], svw. ↑ Erdnuß.

Pechnelke (Viscaria), Gatt. der Nelkengewächse mit fünf Arten im Mittelmeergebiet, in der gemäßigten Zone Europas, in SW- und W-Asien; meist rasenbildende, ausdauernde Kräuter mit schmalen Blättern und roten oder weißen Blüten. In Deutschland kommt auf Magerrasen und Heiden nur die **Gemeine Pechnelke** (Viscaria vulgaris) vor: 15–60 cm hoch; unterhalb der Knoten klebrige Stengel; schmale Blätter und rote Blüten in lockeren Rispen.

Pecten [lat.], svw. Pektenmuscheln (↑ Kammmuscheln).

Pectus [lat.] ↑ Brust.

Pedicularis [lat.], svw. ↑ Läusekraut.

Pedipalpen [lat.], zweites Extremitätenpaar der Spinnentiere, das für unterschiedl. Aufgaben abgewandelt ist. Bei Schwertschwänzen sind die P. Laufbeine, bei Webspinnen Taster, bei Spinnenmännchen auch Begattungsorgan, bei Skorpionen Scheren.

Pedizellarien [lat.], etwa 1 mm bis etwa 1 cm lange Greiforgane auf der Körperoberfläche von Seeigeln und Seesternen; dienen dem Beuteerwerb, der Verteidigung und der Reinhaltung der Körperoberfläche.

Pedobiologie, svw. ↑ Bodenbiologie.

Peganum [griech.], svw. ↑ Steppenraute.

Peitschenkaktus, svw. ↑ Schlangenkaktus.

Peitschenmoos (Bazzania), Gatt. der Lebermoose mit nur wenigen Arten auf feuchten, kalkfreien Böden und auf morschem Holz; lockere Polster bildende Moose mit niederliegendem, zweiteiligem, beblättertem Thallus, unterseits langen, peitschenartigen Rhizoiden und schwarzbrauner Sporenkapsel. Die in M-Europa häufigste Art ist das **Dreilappige Peitschenmoos** (Bazzania trilobata), eine Charakterart der Fichtenwälder.

Peitschenwurm (Trichuris trichiura), 3–5 cm langer Fadenwurm mit peitschenartig verjüngtem Vorderkörper; parasitiert im Dick- und Blinddarm des Menschen und des Schweins, wo er sich in die Schleimhaut einbohrt; Schädigung des Wirts im allg. gering; ohne Wirtswechsel.

Pekannußbaum [indian./dt.] ↑ Hickorybaum.

Pekaris [karib.-frz.], svw. ↑ Nabelschweine.

Pekinese [nach der chin. Hauptstadt Peking] (Pekingese, Peking-Palasthund, Chin. Palasthund), aus China stammende Hunderasse; bis 25 cm schulterhoch, kurzbeinig, mit relativ großem Kopf, herzförmigen Hängeohren und über dem Rücken getragener Rute; seidenweiches, langes Haar, bes. üppig am Schwanz und Hals (Mähne oder Krause); in allen Farben, einfarbig, gestromt, mit Abzeichen oder Platten. - Abb. S. 266.

Pekingmensch ↑ Mensch.

Pektenmuscheln [lat./dt.] ↑ Kammuscheln.

Pektinase [griech.] (Pektindepolymerase), in Pflanzen vorkommendes Enzym, das die beim hydrolyt. Abbau der Pektine durch *Pektinesterase* gebildete Pektinsäure zu Galakturonsäure spaltet. Beide Enzyme zus. bewirken die Auflösung pflanzl. Gewebes in Einzelzellen durch Abbau der aus Pektinen bestehenden Mittellamelle, z. B. bei der Reifung von Früchten oder der Gewinnung von Flachs- und Hanffasern.

Pektine [zu griech. pēktós „fest, geronnen"], v. a. aus dem Methylester der hochmolekularen *Pektinsäure (Polygalakturonsäure)* bestehende Polysaccharide, die in wasserlösl. Form im Zellsaft von Pflanzen (v. a. in unreifen Früchten) vorkommen, in Form wasserunlösl. Calcium- oder Magnesiumsalze (als sog. *Protopektine*) den Hauptbestandteil der Mittellamelle von Pflanzenzellen (in geringerem Umfang auch der Primärwand der pflanzl. Zellwand) darstellen und den Zusammenhalt des Gewebes bewirken.

Pektinesterase ↑ Pektinase.

Pektinsäure ↑ Pektine.

pektoral [lat.], in der Anatomie für: die Brust betreffend, zur Brust gehörend.

Pektoralis [Kurzbez. für lat. Musculus pectoralis], anatom. Bez. für den großen bzw. kleinen Brustmuskel.

Pelagial [griech.] (pelag. Zone), in der *Ökologie* Bez. für das freie Wasser der Meere und Binnengewässer, von der Oberfläche bis zur größten Tiefe.

Pelamide [griech.] (Sarda sarda), bis etwa 70 cm langer Knochenfisch (Fam. Makrelen) im Atlantik (einschl. Nordsee, Mittelmeer und Schwarzes Meer); silberglänzend, Rücken metall. grünlich, mit meist 8-9 dunklen, schrägen Längsstreifen; Speisefisch.

Pelargonie [zu griech. pelargós „der Storch"] (Geranie, Pelargonium), Gatt. der Storchschnabelgewächse mit rd. 250 Arten, v. a. in Südafrika; strauchige, halbstrauchige oder auch sukkulente Pflanzen, deren meist unregelmäßige (zygomorphe) Blüten einen Sporn haben. Für den gärtnerischen Anbau wichtig sind u. a. die als Zimmerpflanzen verwendeten **Edel-Pelargonien** (Engl. P.; mit häufig mehr als 5 cm breiten roten, rosafarbenen oder weißen Blüten mit meist dunklen Flekken auf den Kronblättern) und die v. a. als Beet- und Balkonpflanzen dienenden **Efeupelargonien** (Pelargonium peltatum; mit duftenden rosenroten Blüten) sowie die aus einer Kreuzung hervorgegangenen **Zonalpelargonien** (Scharlach-P.; mit verschiedenfarbigen, auch gefüllten Blüten in Dolden; Blätter flaumig behaart, mit einem braunen Streifen).

Pelikane (Pelecanidae) [griech.], seit dem Oberoligozän bekannte, heute mit sieben Arten (Gatt. *Pelecanus*) verbreitete Fam. großer, rd. 1,3-1,8 m langer Vögel (Ordnung Ruderfüßer), die an bzw. auf Süß- und Meeresgewässern, bes. der Tropen und Subtropen, vorkommen; gesellige, ausgezeichnet fliegende und segelnde Tiere, die durch mächtigen Körper, lufthaltiges Unterhautgewebe, sehr langen Schnabel und dehnbaren Hautsack am Unterschnabel gekennzeichnet sind. - P. ernähren sich v. a. von Fischen; sie nisten meist in großen Kolonien. Bekannte Arten sind der weißl., etwa 1,8 m große, bis 3 m spannende **Krauskopfpelikan** (Pelecanus crispus); v. a. in SO-Europa (Donaudelta), Vorder- und Z-Asien; mit verlängerten, gekräuselten Kopfund Halsfedern. Ebenfalls weißl., nur zur Brutzeit rosafarben ist der etwa 1,7 m große **Rosapelikan** (Pelecanus onocrotalus); v. a. in SO-Europa (Donaudelta), SW-Asien und S-Afrika. Oberseits dunkelbraun, unterseits weißl. ist der an amerikan. Meeresküsten lebende **Meerespelikan** (Brauner P., Pelecanus occidentalis); etwa 1,3 m groß, Stoßtaucher. **Geschichte:** Auf einem altägypt. Wandbild im Felsengrab des Haremheb in Theben sind erstmals P. (zus. mit Eierkörben) dargestellt. Wahrscheinl. über den griech. Physiologus kam es zu der Legende, daß P. ihre Jungen zunächst töten und nach drei Tagen mit dem eigenen Blut zu neuem Leben erwecken. In der alten Kirche symbolisierten deshalb entsprechende Pelikanbilder den Opfertod Christi. Für die Alchimisten verkörperte der Pelikan den Stein der Weisen. - Abb. S. 266.

Pellikula (Pellicula) [lat.], feste, formbeständige Zelle mancher Einzeller, v. a. der Wimpertierchen.

Pelmatozoen [griech.] (Gestielte Stachelhäuter, Pelmatozoa), seit dem Kambrium bekannter Unterstamm der Stachelhäuter mit der einzigen heute noch lebenden Klasse ↑ Haarsterne.

Peluschke [slaw.], svw. ↑ Ackererbse.

Pelvis [lat.], in der Anatomie svw. ↑ Becken.

Pelz [zu lat. pellis „Fell, Pelz, Haut"], Bez. für das dicht- und weichhaarige Fell bestimmter Tiere, z. B. des Bären.

Pelzbienen (Wandbienen, Anthophora), mit rd. 800 Arten weltweit verbreitete Gatt. einzeln lebender, hummelähnl., pelzig behaarter Bienen, davon 13 (9-18 mm große) Arten in Deutschland; Hinterschienen der ♀♀ pelzig behaart.

Pelzflatterer, svw. ↑ Riesengleitflieger.

Pelzflohkäfer (Leptinidae), in Eurasien, N-Amerika und N-Afrika verbreitete Käferfam. mit zehn 2-3 mm großen, augenlosen, nur schwach pigmentierten, in Nestern von Nagetieren und teilweise auch in deren Haarkleid lebenden Arten, davon in M-Europa der **Mäusefloh** (Leptinus testaceus); Körper stark dorsiventral abgeplattet, keilförmig, mit kurzen Fühlern.

Pelzkäfer, Bez. für zwei Arten etwa 3-5 mm langer, vorwiegend dunkelbrauner bis schwarzer Speckkäfer in Eurasien und N-Amerika, deren Larven durch Fraß (bes. an Pelzen, Wollstoffen, Teppichen) schädl. werden: **Gefleckter Pelzkäfer** (Gemeiner P., Attagenus pellio); mit je einem weißen Punkt auf den Flügeldecken und drei weißen Flecken am Halsschild; Larven goldgelb, hinten mit langem Haarschopf, bis 12 mm lang; **Dunkler**

Pelzrobben

Pelzkäfer (Attagenus piceus); Imagines ohne hellere Zeichnung.

Pelzrobben (Seebären, Arctocephalini), Gattungsgruppe etwa 1,5–2,5 m langer Ohrenrobben mit acht Arten in zwei Gatt. *(Arctocephalus* und *Callorhinus)* in Meeren v. a. der Südhalbkugel (zwei Arten ausgenommen, darunter die ↑Bärenrobbe); ♂♂ wesentl. größer und schwerer als die ♀♀. In den Gewässern in S-Afrika lebt die **Kerguelen-Zwergpelzrobbe** (Arctocephalus pusillus). - Während der Fortpflanzungszeit leben P. sehr gesellig in großen Gruppen an Meeresküsten und auf Inseln. Im Ggs. zu den Seelöwen haben P. eine sehr dichte, weiche Unterwolle, sie wurden deswegen bejagt. Durch strengen Schutz bzw. Abschußbeschränkung beginnen die meisten Bestände sich langsam zu erholen.

Pelztiere, Säugetiere, die ihres Pelzes liefernden Fells wegen gezüchtet oder gejagt werden; weltweit mehr als 100 Tierarten, von denen einige von der Ausrottung bedroht und daher geschützt sind. Außer den Tieren der Pelztierzucht gelten als Pelzlieferanten: Leopard, Jaguar, Nebelparder, Ozelot, Luchse, Zibetkatzen, Ozelotkatze und mehrere Kleinkatzen; Rotfuchs, Polarfuchs, Präriewolf, Graufüchse, Marderhund; Iltis, Marder, Hermelin, Kleines Wiesel, Fisch- und Seeotter; Baumhörnchen (Feh), Skunk, Bisamratte, Biber, Hamster, Murmeltier, Ziesel und Präriehund; Schneehase, Wildkaninchen; Känguruhs, Fuchskusus; Waschbär; Schaf, Rind, Ren; Pelzrobben, Hundsrobben, Seehunde, Mähnenrobben; Meerkatzen, Klippschliefer.

Penetranz [lat.], in der *Genetik* die Wahrscheinlichkeit (d. h. Häufigkeit), daß sich ein (dominantes oder homozygot vorhandenes rezessives) Gen im äußeren Erscheinungsbild einer bestimmten Individuengruppe ausprägt.

Penicillium [lat.], svw. ↑Pinselschimmel.

Penis [lat. „Schwanz"] (Phallus, [männl.] Glied, Rute), männl. Begattungsorgan bei vielen Tieren und beim Menschen; dient der Samenübertragung in den Körper des weibl.

Pekinese

oder zwittrigen Geschlechtspartners, manchmal (v. a. bei Bandwürmern) auch in den eigenen (zwittrigen) Körper.
Bereits bei den *Plattwürmern* kommen P.bildungen vor, entweder als stets vorhandener, zu einem rutenförmigen Organ nach außen drückbarer „echter P." oder (v. a. bei den Saug- und Bandwürmern) als das nur bei sexueller Erregung zu einem Schlauch *(Zirrus)* ausgestülpte, sonst eingestülpte Ende des Samengangs. - Bei den *Schnecken* kann der P. als Kopfanhang ausgebildet sein oder als Ausstülpung aus der Geschlechtsöffnung in Erscheinung treten, wobei er durch Einpumpen von Körperflüssigkeit eine beträchtl. Länge erreichen kann (bei der nur 15 cm langen Nacktschnecke Limax redii bis 1 m). - Bei den *Insekten* sind die P.bildungen oft durch artspezif. Fortsätze und Anhänge hochkomplexe Organe (v. a. bei den Käfern). In seiner Grundausbildung ist hier der P. ein konisches, meist stark sklerotisiertes Rohr. Den meisten *niederen Wirbeltieren* fehlt ein echter Penis. Bei *Haifischen* wird seine Funktion von einer umgebildeten Bauchflosse übernommen, bei *Knochenfischen* mitunter von Teilen der Afterflosse. Bei den *Reptilien* und *Vögeln* können die Begattungsorgane ver-

Pelikane.
Links:
Krauskopfpelikan;
rechts:
Rosapelikan

schiedener Herkunft sein: Echsen und Schlangen haben seitl. der Kloake eine paarige ausstülpbare Tasche mit je einem oft durch dornartige Hautverknöcherungen stacheligen *Hemipenis.* Bei Schildkröten, Krokodilen und wenigen Vögeln (v.a. bei Steißhühnern, Entenvögeln) ist an der ventralen Kloakenwand ein unpaarer P. ausgebildet, der den morpholog. Vorläufer des Säuger-P. darstellt. Durch hohen Blut- bzw. Lymphdruck in einem paarigen Schwellkörper wird dieser P. erigiert und dabei beträchtl. vergrößert. Bei den ♂ *Säugetieren* (einschl. *Mensch*) entwickelt sich der P. (wie auch die Klitoris) aus dem Geschlechtshöcker und den Geschlechtsfalten. Durch die Unterteilung der urspr. Kloake (nach Ausbildung des Damms) in After und Urogenitalsinus kommt die Geschlechtsöffnung und damit der P. bei den Plazentatieren ventral vom After zu liegen, wobei er in Ruhe meist mehr oder weniger weit in die Bauchwand eingesenkt ist *(P. appositus);* seltener (am ausgeprägtesten beim Menschen) ist er als ein in Ruhe nach außen herabhängender P. entwickelt *(P. pendulus).* Der bei den Säugern in Länge und Form sehr unterschiedl. P. wird von der Harn-Samen-Röhre durchzogen. Die diese flankierenden Schwellkörper bewirken durch Blutfüllung die P.erektion. Zusätzl. kann noch ein in den P. eingelagerter *Penisknochen* ausgebildet sein (dient der permanenten Versteifung des Penis; z.B. beim Hund und bei Affen). Beim Menschen (wie auch bei anderen Säugern) können folgende P.teile unterschieden werden: Die den Schambeinen ansitzende *P.wurzel* und der mit einer dehnbaren Bindegewebshülle ausgestattete *P.schaft;* dieser setzt sich aus zwei miteinander verwachsenen *Rutenschwellkörpern* und dem unpaaren, die Harn-Samen-Röhre einschließenden *Harnröhrenschwellkörper* zus. Letzterer erweitert sich hinten, unter Bildung der P.wurzel, zur *Zwiebel (Bulbus penis);* vorn, im Anschluß an die *Ringfurche,* ist die *Eichel (Glans penis)* ausgebildet, die die Enden der Rutenschwellkörper überdeckt. Die Eichel ist von einer zarten Hornschicht überzogen und an ihrem Rand mit Talgdrüsen besetzt, deren Sekret, vermischt mit abgeschilferten Epithelzellen, bei Unsauberkeit zum *Smegma* wird. Sie wird von einer bewegl., unterseits in Längsrichtung an der Eichel über das *Vorhautbändchen* verbundenen Hautfalte, der *Vorhaut,* mehr oder weniger umhüllt. Die von einer starren Bindegewebskapsel umhüllten Rutenschwellkörper sind durchsetzt von feinen Blutlakunen (Kavernen) innerhalb eines Schwammwerks aus glatter Muskulatur. Die Kavernen entsprechen im Bau erweiterten Blutkapillaren. Eine Reizung der sensiblen Eichelendkörperchen oder psych. Einflüsse lösen über den Parasympathikus einen Reflex aus, der die zuführende Arterie des P. erweitert, so daß verstärkt Blut in die nach außen unnachgiebigen Schwellkörper einströmt. Dabei können arterielle Gefäße und Venen über arteriovenöse Anastomosen „kurzgeschlossen" werden. Außerdem erschlafft die glatte Muskulatur der Schwellkörper, während sich die Venen durch die blutdruckbedingten Straffungen innerhalb der Schwellkörperkapseln verengen: Der venöse Rückfluß wird gestaut; es kommt zu einer ↑Erektion. Bei voller Erektion hat der menschl. P. eine durchschnittl. Länge von 14 bis 16 cm; sein Umfang beträgt an der Wurzel etwa 10 cm, der Durchmesser etwa 4 cm. Besondere, mit dem P. in Verbindung stehende Drüsen sind die ↑Prostata und die ↑Cowper-Drüsen.

Pensée [pã'se:; zu frz. penser „denken"], svw. Gartenstiefmütterchen (↑Stiefmütterchen).

pentadaktyle Wirbeltiere [griech./ dt.], Wirbeltiere, deren Extremitäten durch Fünfstrahligkeit (**Pentadaktylie**) gekennzeichnet sind (fünf Finger und fünf Zehen). Zu den p. W. zählen die meisten Kriechtiere und viele Säugetiere, aber nur wenige Lurche. Keine p. W. sind Fische und Vögel.

Pentastomida [griech.], svw. ↑Zungenwürmer.

Pentosephosphatzyklus (Warburg-Dickens-Horecker-Weg), bei Pflanzen und Tieren neben der Glykolyse und dem Zitronensäurezyklus ablaufender Stoffwechselweg zum Abbau der Glucose zu Kohlendioxid und Wasserstoff. Zwischenprodukte sind Pentosephosphate. Der P. dient nicht der Energiegewinnung, sondern der Bereitstellung von Wasserstoff in Form von $NADPH \cdot H^+$, u.a. für die Fettsäuresynthese und von Pentosephosphaten für die Nukleinsäuresynthese. Bei grünen Pflanzen dient der P. auch der Bildung des für die Photosynthese wichtigen Kohlendioxidakzeptors *Ribulosediphosphat.*

Peperoni [italien., zu lat. piper „Pfeffer"] ↑Paprika.

Pepsin [zu griech. pépsis „Verdauung"],

Kerguelen-Zwergpelzrobbe

Pepsinogen

eine im Magensaft vorkommende Endopeptidase, die aus einer inaktiven Vorstufe, dem Pepsinogen, durch autokatalyt. Abspaltung eines Polypeptids entsteht. P. spaltet die Proteine der aufgenommenen Nahrung in Albumosen und Peptone, wobei sein Wirkungsoptimum im sauren Bereich (bei pH 1,5–2,5) liegt; es wird medizin. bei bestimmten Verdauungsstörungen angewandt.
Pepsinogen [griech.], die in der Magenschleimhaut gebildete inaktive Vorstufe des Pepsins.
Peptidasen [griech.], Enzyme, die Peptidbindungen bes. von niedermolekularen Eiweißstoffen hydrolyt. spalten. Man unterscheidet *Endo-P.* (Spaltung innerhalb des Moleküls) und *Exo-P.* (Spaltung von den Molekülenden her). Zu den P. gehören die Verdauungsenzyme Pepsin, Trypsin und Chymotrypsin.
Peptide [griech.], durch [Poly]kondensation von Aminosäuren, d. h. durch Reaktion der Aminogruppe einer Aminosäure mit der Carboxylgruppe einer anderen entstehende Verbindungen mit der charakterist. **Peptidbindung** $-CO-NH-$, die in der Natur weitverbreitet vorkommen. **Oligopeptide** (z. B. *Di-, Tri-, Tetra-P.* usw.) enthalten bis zu 10 Aminosäurereste, **Polypeptide** bis 100 und **Proteine** über 100. Oligo- und Poly-P. haben als Hormone, Antibiotika und Gifte (z. B. Phalloidin) physiolog. Bedeutung. Chem. Strukturformel:

$$H_2N-CH-CO-NH-CH-CO-NH-CH-COOH$$
$$\quad\;|R_1\qquad\quad|R_2\qquad\quad|R_3$$

1.   2.   3. Aminosäurerest

Percheron [frz. pɛrʃə'rõ; nach der frz. Landschaft Perche (Normandie)], verbreitete frz. Rasse schwerer, jedoch edler (bis 174 cm schulterhoher), ausdauernder und temperamentvoller Kaltblutpferde mit langgestrecktem, mächtigem Körper.
Pereiopoden (Peräopoden) [peraɪo...; griech.], Bez. für die bei den Höheren Krebsen (Malacostraca) auf die drei Paar Kieferfüße folgenden fünf Brustfußpaare als die Schreit- bzw. Schwimmbeine des mittleren Körperabschnitts.
perennierend [lat.], svw. ↑ausdauernd.
Pereskie (Pereiskia, Peireiskia) [nach dem frz. Gelehrten N. C. F. de Peiresc, *1580, †1637], Gatt. der Kaktusgewächse mit rd. 20 Arten im trop. Amerika und in Westindien; meist strauchartige, verholzende und stark verzweigte Pflanzen. Die Früchte (Barbadosstachelbeeren) und die jungen Blätter der Art Pereskia aculeata sind eßbar.
Perianth [griech.], svw. ↑Blütenhülle.
Pericardium [griech.], svw. Herzbeutel (↑Herz).

Perichondrium [griech.], svw. Knorpelhaut (↑Knorpel).
Periderm [griech.] ↑Kork.
Perigon [griech.] ↑Blüte.
Perigord-Trüffel [frz. peri'gɔːr] ↑Trüffel.
Perikambium, svw. Perizykel (↑Wurzel).
Perikard, svw. Herzbeutel (↑Herz).
Perikarp [griech.], svw. ↑Fruchtwand.
Periklinalchimäre [griech.] ↑Chimäre.
Perilymphe ↑Gehörorgan.
Periode [griech.], die monatl. Regelblutung der Frau (↑Menstruation).
Periodontium [griech.], svw. Zahnwurzelhaut (↑Zähne).
Periost [griech.], svw. Knochenhaut (↑Knochen).
Periostrakum [griech.], hornartige Außenschicht der Schalen bzw. Gehäuse von Weichtieren und Armfüßern.
peripheres Nervensystem, Bez. für die Gesamtheit der Anteile des Nervensystems, die als periphere Nerven und Ganglien sowohl mittels zuleitender (afferenter, sensor.) Nervenbahnen Erregung aus der Körperperipherie und den inneren Organen zum Zentralnervensystem übertragen als auch über efferente (motor.) Bahnen Muskeln und Drüsen versorgen. Kennzeichnend für das p. N. sind Bündelung der Axone und Umhüllung dieser Bündel durch bindegewebige Scheiden, wodurch eine Gliederung in Nerven erreicht wird. Die peripheren Nerven treten durch Löcher (Foramina) in der Schädelbasis als Hirnnerven und zw. den Wirbelbögen als Spinalnerven nach außen.
Periplaneta [griech.] (Großschaben), weltweit verschleppte Gatt. der Schaben, von der zwei Arten v. a. in Gewächshäusern durch Fraß an Jungpflanzen schädl. werden können: die 23–36 mm lange, rotbraune **Amerikan. Schabe** (P. americana; mit rostgelber Binde am hinteren Halsschildrand) und die 23–30 mm lange, schwarzbraune **Austral. Schabe** (P. australasiae; mit gelber Randbinde rund um den Halsschild).
Perissodactyla [griech.], svw. ↑Unpaarhufer.
Peristaltik [griech.], das wellenförmige Sichzusammenziehen der glatten Muskulatur in den Wänden von Hohlorganen (z. B. Magen-Darm-Kanal, Harnleiter, wodurch deren Inhalt weitertransportiert wird) oder des ↑Hautmuskelschlauches bei der peristalt. ↑Fortbewegung.
Peristase [griech.], Bez. für die neben den Genen auf die Entwicklung des Organismus einwirkende Umwelt.
Peristom [griech.] (Peristomium, Mundfeld), die bes. ausgeprägte Umgebung des Mundes (z. B. bei Wimpertierchen, Seeigeln).
◆ i. d. R. von Zähnen gebildeter Mundbesatz an der Sporenkapsel von Laubmoosen.
Perithecium (Perithezium) [griech.],

krug- bis flaschenförmiger Fruchtkörper der Schlauchpilze.
Peritoneum [griech.], svw. ↑Bauchfell.
peritrich [griech.], mehrere einzelne Geißeln über die Zelloberfläche verteilt aufweisend (von Bakterien gesagt). Ist ein Geißelbüschel an einem Zellpol vorhanden, spricht man von **lophotrich**, ist nur eine Geißel vorhanden, von **monotrich**.
Perizykel [griech.] ↑Wurzel.
Perla [lat.], Gatt. der Steinfliegen mit vier 15–28 mm großen einheim. Arten; v. a. an Mittelgebirgsbächen, in denen sich die Larven innerhalb von drei Jahren entwickeln.
Perlaugen, svw. ↑Florfliegen.
Perlboote (Nautilus), Gatt. der Kopffüßer mit sechs heute noch lebenden Arten im Ind. und Pazif. Ozean; Gehäuse 10–27 cm groß, planspiralig aufgerollt, gekammert und von einem zentralen Körperfortsatz *(Sipho)* durchzogen, der der Gasabscheidung in die Kammern dient (die unterschiedl. Gasmenge erlaubt das Schweben in verschiedenen Wassertiefen). Das Tier sitzt vorn in der großen Wohnkammer. Der Kopf besitzt bis zu 90 in zwei Kreisen angeordnete Fangarme ohne Saugnäpfe. - Die P. sind nachtaktive, v. a. von Krebsen lebende Tiere. Die bekannteste Art ist das **Gemeine Perlboot** (Nautilus pompilius).
Perlfisch (Frauenfisch, Graunerfling, Rutilus frisii meidingeri), bis etwa 70 cm langer, fast heringsförmiger Karpfenfisch in den Zuflüssen der oberen Donau und den zugehörigen Seen; mit Ausnahme des schwärzlichgrünen Rückens gelblich- bis silbrigweiß; ♂♂ mit knötchenförmigem „Laichausschlag".
Perlgras (Melica), Gatt. der Süßgräser mit über 30 Arten in der gemäßigten Zone der Nord- und Südhalbkugel; mittelgroße, ausdauernde Gräser mit oft einseitswendigen Rispen mit hängenden Ährchen. In Deutschland kommen 5 Arten vor, davon verbreitet in Wäldern das **Nickende Perlgras** (Melica nutans) mit nickenden, zweiblütigen und das **Einblütige Perlgras** (Melica uniflora) mit aufrechten, einblütigen Ährchen.
Perlhirse, svw. Negerhirse (↑Federborstengras).
Perlhühner (Numidinae), Unterfam. der Fasanenartigen; fast haushuhngroße, bodenbewohnende Hühnervögel mit 6 Arten in den Savannen und Regenwäldern Afrikas. Gefieder schwärzl. bis grau und meist weiß geperlt gezeichnet. Oberhals und Kopf sind nackt, letzterer häufig mit helmartiger Knochenauftreibung (auch mit Federschopf) und farbigen Hautfalten an den Mundwinkeln. Etwa 70 cm lang ist das **Geierperlhuhn** (Acryllium vulturinum); Halsgefieder aus stark verlängerten, schwarz-weiß-blau längsgestreiften Federn, Brust blau, Band schwarz, übriges Gefieder auf grauschwarzem Grund weiß getupft; ♂ und ♀ gleich gefärbt.

Perlkörbchen (Perlpfötchen, Anaphalis), Gatt. der Korbblütler mit rd. 30 Arten in der nördl. gemäßigten Zone, v. a. in O-Asien; aufrechte Kräuter mit sitzenden oder am Stengel herablaufenden Blättern und unscheinbaren Blüten in kleinen Köpfchen, die von meist schneeweißen, strahlig-abstehenden Hüllblättern umgeben sind.
Perlmuschel ↑Seeperlmuscheln.
◆ svw. ↑Flußperlmuschel.
Perlmutterfalter, Gruppe der Edelfalter mit zwölf 3–6 cm spannenden Arten in Eurasien, N-Amerika und N-Afrika; Flügel rötlichgelb, mit fast gleichmäßig über die Oberfläche verstreuten kleinen, schwarzen Flecken; Hinterflügel mit perlmutterartig bis silbern schimmernden Feldern; in Deutschland u. a. **Großer Perlmutterfalter** (Mesoacidalis charlotta), **Kleiner Perlmutterfalter** (Issoria lathonia), **Moor-Perlmutterfalter** (Boloria alethea) und **Alpen-Perlmutterfalter** (Clossiana thore).
Perlpfötchen, svw. ↑Perlkörbchen.
Perlpilz (Fleischchampignon, Perlwulstling, Amanita rubescens), 8–15 cm hoher Wulstling mit 6–15 cm großem Hut, der meist rotbraun bis fleischfarben ist und hellgraue bis rötlichgraue, abwischbare Schuppen hat; Stiel mit großem, gestreiftem, nach unten hängendem Ring und wulstigem Fuß sowie bei Verletzung langsam rötl. anlaufendem Fleisch (im Ggs. zum Pantherpilz und zu anderen giftigen Wulstlingen!); riecht nach rohen Kartoffeln; gekocht (niemals roh!) guter Speisepilz; wächst von Juli bis Okt. in Laub- und Nadelwäldern. - Abb. S. 270.
Perltang, svw. ↑Knorpeltang.
Perlzwiebel (Schlangen[knob]lauch, Rocambole, Allium sativum var. ophioscorodon), durch Kultur weltweit verbreitete Varietät des Knoblauchs. - Die von der Hauptzwiebel gebildeten kleinen Nebenzwiebeln werden ebenso wie die erbsengroßen Brutzwiebeln des Blütenstandes in Essig eingelegt und vielseitig verwendet, u. a. auch für Mixed Pickles.
Peronospora [griech.], Gatt. der Falschen Mehltaupilze, z. B. ↑Blauschimmel.
Peroxidasen, Enzyme (Oxidoreduktasen), die Substrate mit Wasserstoffperoxid (H_2O_2) oxidieren, wobei das H_2O_2 durch den von der zu dehydrierenden Substanz abgespaltenen Wasserstoff zu Wasser reduziert wird. P. haben als prosthet. Gruppe einen Häminkomplex.
Peroxysomen (Peroxisomen) [griech.], 0,5–1,5 μm große Zellorganellen in pflanzl. und tier. Zellen; bes. reich an Katalase, Peroxidasen und Flavinoxidase. Zus.fassend als **Microbodies** bezeichnet.
Perserkatze, vermutl. aus Kleinasien stammende Rasse der Hauskatze; mit gedrungenem Körper, großem Rundkopf, mähnenartiger Halskrause, langem, seidigem, dichtem Haar (Langhaarkatze) und buschigem

Persimone

Perlpilz

Schwanz; wird in den Farben Schwarz, Weiß, Blau, Rot oder Creme, ein- bis dreifarbig, auch gestromt und mit unterschiedl. Augenfarbe gezüchtet.

Persimone [indian.] (Virgin. Dattelpflaume, Diospyros virginiana), im östl. N-Amerika beheimatete und auch gelegentl. kultivierte Art der Gatt. Diospyros; bis 20 m hoher Baum mit meist ellipt., bis 12 cm langen, glänzenden, oberseits tiefgrünen Blättern. Die orangefarbenen, eßbaren Früchte *(Persimonen)* sind 2,5–3 cm breit, bei Kultursorten auch größer.

Persorption [lat.], die Aufnahme unverdauter, ungelöster kleinster [Nahrungs]partikeln durch die Darmepithelzellen im Gegensatz zur **Resorption**, bei der gelöste Stoffe und Wasser aufgenommen werden.

Perspiration [lat.], svw. ↑Hautatmung.

Perückenstrauch (Cotinus), Gatt. der Anakardiengewächse mit nur zwei Arten. In S-Europa bis M-Asien wird die Art *Cotinus coggygria* mit einigen Gartenformen als Zierstrauch angepflanzt. Die sommergrünen, bis 4 m hohen Sträucher haben im Herbst orangefarbene Blätter und perückenartige Fruchtstände mit langen, durch abstehende grüne oder rote Haare bes. dekorativ wirkenden Fruchtstielen.

Perückentaube ↑Strukturtauben.

Perutz, Max Ferdinand, * Wien 19. Mai 1914, brit. Chemiker östr. Herkunft. - Lebt seit 1936 in Großbrit.; leitet das 1962 gegründete molekularbiolog. Laboratorium des Medical Research Council in Cambridge. Arbeitet v. a. über die Strukturanalyse von Proteinen und Nukleinsäuren und klärte die räumlr. Struktur des Hämoglobins auf, wofür er 1962 (mit J. C. Kendrew) den Nobelpreis für Chemie erhielt.

Perzeption [lat.], in der *Sinnesphysiologie* die Wahrnehmung von Reizen, die durch die Sinneszellen oder Sinnesorgane aufgenommen wurden.

perzipieren [lat.], (sinnl.) wahrnehmen, durch Sinne Reize aufnehmen.

Pes [lat. „Fuß"], in der *Anatomie* svw. Fuß.

Pessimum [lat.], Begriff aus der Ökologie zur Bez. sehr schlechter, gerade noch ertragbarer Umweltbedingungen für Tiere und Pflanzen.

Pestfloh ↑Rattenflöhe.

Pestratten, Bez. für mehrere mäuse- bis rattengroße, pestübertragende Nagetiere, wie z. B. Hausratte, Wanderratte, Kurzschwanz-Mäuseratte und die Ind. Maulwurfsratte.

Pestwurz (Petasites), Gatt. der Korbblütler mit rd. 20 Arten v. a. in N-Asien; Stauden mit grundständigen, meist nach der Blüte erscheinenden, großen (bis über 1 m), oft herz- oder nierenförmigen, unterseits filzig behaarten Blättern und traubigen oder rispig angeordneten Blütenköpfchen an aufrechtem Schaft. Die in Europa beheimatete Art ist die **Gemeine Pestwurz** (Echte P., Rote P., Petasites hybridus) mit rötl. Blütenköpfchen; wächst an Ufern und auf feuchten Wiesen.

Petalen [griech.], svw. ↑Blumenblätter.

Petermännchen, (Großes P., Trachinus draco) meist 20–30 cm langer Drachenfisch im Küstenbereich des Mittelmeers und des europ. Atlantiks. Der schlanke Körper ist überwiegend braun mit bläul. Netzaderung und unterseits hell. Die Stachelstrahlen der ersten Rückenflosse und der Kiemendeckeldorn sind mit Giftdrüsen verbunden, die ein starkes Blut- und Nervengift absondern. Da sich das P. tagsüber im Sand vergräbt, bildet es eine Gefahr für Badende.

◆ (Kleines P., Zwerg-P., Viperqueise, Trachinus vipera) dem Großen P. ähnl., ebenfalls sehr giftig, jedoch höchstens 20 cm groß; von braungelber Farbe und ohne Kiemendeckeldorn; an den Küsten des Mittelmeers und der Nordsee verbreitet.

Petersfisch [nach dem Apostel Petrus], svw. ↑Heringskönig.

Petersilie [griech.-lat.] (Garten-P., Petroselinum crispum), durch Kultur weit verbreiteter zwei- bis mehrjähriger Doldenblütler mit rübenförmiger, schlanker Wurzel und dunkelgrünen, glänzenden, zwei- bis dreifach gefiederten Blättern. Die P. bildet im zweiten Anbaujahr einen bis 120 cm hohen, verzweigten Stengel mit zusammengesetzten, vielstrahligen Dolden, gelbgrünen bis rötl. Blütenblättern (nicht zu verwechseln mit der giftigen ↑Hundspetersilie) und zweiteiligen, etwas zusammengedrückten, graubraunen Früchten. - Die P. wird wegen ihres Gehaltes an äther. Öl (v. a. in der Wurzel und in den Früchten) und wegen ihres hohen Vitamin-C-Gehaltes als Heil- und Gewürzpflanze verwendet. Man unterscheidet die glattblättrige *Blatt-P.* (Schnitt-P., Kraut-P.), die bes. häufig angebaute *Krausblättrige P.* (Krause, Mooskrause) und die *Wurzel-P.* (P.wurzel; die fleischige Wurzelrübe wird als Gemüse gegessen).

Petri-Schale [nach dem dt. Bakteriologen J. R. Petri, *1852, †1921], flache Glasschale mit [übergreifender] Deckschale; wird v. a. für Bakterienkulturen auf Nährböden verwendet.

Petroselinum [griech.], Gatt. der Doldenblütler mit vier Arten in M-Europa und im Mittelmeergebiet; die bekannteste Art ist Petersilie.

Petunie (Petunia) [indian.], Gatt. der Nachtschattengewächse mit rd. 25 Arten in S-Brasilien und Argentinien; meist klebrigweichbehaarte Kräuter mit trichter- oder tellerförmigen, großen Blüten. Die durch Züchtung geschaffenen, mit violetten, roten, rosafarbenen und weißen, auch gestreiften oder gefleckten Blüten ausgestatteten **Gartenpetunien** gehören zu den beliebtesten Beet- und Balkonpflanzen.

Pfaffenhütchen ↑Spindelstrauch.
Pfahlbaunest ↑Nest.
Pfahlbohrwurm, svw. ↑Schiffsbohrwurm.
Pfahlmuschel, svw. ↑Miesmuschel.
Pfanne, Kurzbez. für Gelenkpfanne (↑Gelenk).
Pfannengelenk, svw. Nußgelenk (↑Gelenk).
Pfauen [zu lat. pavo „Pfau"] (Pavo), Gatt. sehr großer Hühnervögel (Fam. Fasanenartige) mit zwei Arten, v. a. in Wäldern und dschungelartigen Landschaften S-Asiens und der Sundainseln; ♂♂ mit verlängerten, starkschäftigen, von großen, schillernden Augenflecken gezierten Oberschwanzdecken, die bei der Balz zu einem „Rad" aufgerichtet werden; ♀♀ unscheinbar gefärbt. Am bekanntesten ist der **Blaue Pfau** (Pavo cristatus) in Indien (einschließl. Ceylon), in Europa häufig in zoolog. Gärten: ♂♂ im Prachtkleid von der Schnabelspitze bis zum Ende der angelegten Oberschwanzdecken über 2 m lang.

Pfauenauge, Bez. für verschiedene Schmetterlingsarten mit auffallenden Augenflecken auf den Flügeln; z. B. Tagpfauenauge, Abendpfauenauge, Nachtpfauenauge.

Pfauenaugenbarsch (Pfauenaugen-Sonnenbarsch, Centrarchus macropterus), bis etwa 15 cm langer Knochenfisch (Fam. Son-

Großes Petermännchen

nenbarsche) im östl. N-Amerika; Körper seitl. stark abgeflacht, relativ hoch; grünl. bis braun, Seiten heller, mit Silberglanz und dunkler Querbänderung; an der Basis des Rückenflossenendes ein schwarzer, orangerot geränderter Fleck; Kalt- und Warmwasseraquarienfisch.

Pfauenblume ↑Tigerblume.
Pfauenfederfisch, svw. Meerjunker (↑Lippfische).
Pfauenkaiserfisch ↑Kaiserfische.
Pfauenspinner, svw. ↑Augenspinner.
Pfaufasanen (Argusianinae), Unterfam. bis pfauengroßer Hühnervögel (Fam. Fasanenartige) mit acht Arten, v. a. in feuchten Wäldern SO-Asiens und der Sundainseln; das meist graue bis braune Gefieder ist von zahlr. buntschillernden Augenflecken geziert. Dadurch und durch die Fähigkeit der ♂♂, zur Fortpflanzungszeit ein „Rad" zu schlagen, stellen die P. ein Bindeglied zw. Fasanen und Pfauen dar. - Zu den P. gehören die *Eigentl. P.* (*Spiegelpfauen,* Polyplectron; mit dem 60 (♀) bis 70 (♂) cm langen **Grauen Pfaufasan** [Polyplectron bicalcaratum]), der **Perlenpfau** (*Rheinartfasan,* Rheinartia ocellata; mit bis 1,7 m langem Schwanz) und der ↑Argusfasan.

Pfautaube ↑Strukturtauben.
Pfeffer, Wilhelm, * Grebenstein 9. März 1845, † Leipzig 31. Jan. 1920, dt. Botaniker. - Prof. in Bonn, Basel, Tübingen und Leipzig; Arbeiten zur Pflanzenphysiologie, bes. über Tropismus, Pflanzenatmung und Photosynthese. Grundlegende Untersuchungen über den osmot. Druck (↑Osmose).

Pfeffer [griech.-lat., zu Sanskrit pippalī „Beere, Pfefferkorn"] (Piper), Gatt. der P.gewächse mit rd. 700 Arten in den Tropen; verholzende Kletterpflanzen oder Sträucher mit wechselständigen, ellipt. bis herzförmigen Blättern, unscheinbaren Blüten und kleinen Steinfrüchten; zahlr., auch buntblättrige Zierpflanzen sowie viele Gewürzpflanzen. Die wirtschaftl. wichtigste Art ist der wahrscheinlich an der Malabarküste heim. **Pfefferstrauch** (Echter P., Piper nigrum); ausdauernde, an Stangen und Spalieren gezogene Kletterpflanze mit wechselständigen, häutig-ledrigen, oberseits dunkelgrünen Blättern. Die Früchte sind fast runde, einsamige, zunächst grüne, reif dann gelbe bis rote Steinfrüchte. Der P. liefert das wichtigste Welthandelsgewürz, den **schwarzen Pfeffer,** der aus den ganzen, unreif geernteten, ungeschälten Früchten besteht. Der **weiße Pfeffer** dagegen wird aus den reifen, durch Fermentation von der äußeren Schale befreiten Früchten gewonnen. Beide Sorten kommen ganz oder gemahlen in den Handel. Der brennende Geschmack des P. wird durch das Alkaloid Piperin bewirkt, der aromat. Geruch durch ein äther. Öl.

Geschichte: P. kam in der Antike durch Karawanen in den Mittelmeerraum, wo er von Griechen und Römern als Gewürz geschätzt

Pfefferfresser

wurde. Im MA war P. ein wichtiger Handelsartikel, der auch bei Tribut- und Steuerzahlungen Verwendung fand und den Reichtum der Städte Genua, Venedig und vieler - bes. auch arab. - Kaufleute begründete („*P.säkke*"). Hauptsächl. wegen des P. suchte man den Seeweg nach Indien. Bis ins 18. Jh. hatten die Portugiesen das Monopol des Pfefferhandels.

Pfefferfresser (Tukane, Rhamphastidae), Fam. etwa 30–60 cm langer, meist prächtig bunter Spechtvögel mit rd. 40 Arten in trop. Wäldern M- und S-Amerikas; baumbewohnende Höhlenbrüter, die mit ihrem mächtigen, leuchtenden Schnabel kleine Wirbeltiere packen und Früchte zerquetschen. - Zu den P. gehören u. a. die *Eigentl. P.* (Rhamphastos; mit schwarzer Oberseite und häufig bunter Unterseite). In diese letzte Gruppe wird der **Riesentukan** (Rhamphastos toco) als größte P.art gestellt.

Pfeffergewächse (Piperaceae), Pflanzenfam. mit 1 400 Arten in 10–12 Gatt. in den Wäldern der Tropen, v. a. im trop. Amerika; aufrechte oder schlingende Kräuter oder Sträucher mit meist wechselständigen, oft dickfleischigen Blättern und sehr kleinen, meist in dichten Ähren stehenden Blüten; der scharfe Geschmack kommt durch den Gehalt an Piperin in den Ölzellen zustande; viele Zier- und Nutzpflanzen, v. a. aus den Gatt. ↑ Pfeffer und ↑ Pfefferkraut.

Pfefferkraut, svw. ↑ Gemeiner Beifuß.
◆ (Zwergpfeffer, Peperomia) Gatt. der Pfeffergewächse mit rd. 600 Arten, v. a. in den Tropenwäldern Amerikas; z. T. Epiphyten; Stauden mit meist fleischig verdickten Blättern und zwittrigen Blüten.

Pfefferling, svw. ↑ Pfifferling.

Pfefferminze (Echte P., Hausminze, Mentha piperita), aus einer Kreuzung zw. der Grünen Minze und der Wasserminze hervorgegangener Bastard der Gatt. ↑ Minze; bis 80 cm hohe Staude mit fast völlig kahlen, glänzenden, oft rot überlaufenen Stengeln und gestielten Blättern sowie rötlichlilafarbenen, in 3–7 cm langen, kopfigen Scheinähren sitzenden Blüten. Die Blätter und auch der Stengel enthalten viel äther. Öl (Pfefferminzöl). Die P. wird in zahlreichen Kultursorten weltweit angebaut. - Seit etwa 1780 wird die P. in Deutschland kultiviert und gilt als bewährtes Volksheilmittel. Verwendet wird Pfefferminztee zur Behandlung von Erkrankungen der Atemwege und der Verdauungsorgane.

Pfeffermuscheln (Scrobulariidae), Fam. der Muscheln mit zwei Arten, v. a. auf schlammigen Meeresböden der europ. Küsten: 1. **Gemeine Pfeffermuschel** (Scrobularia plana): mit flachen, weißl., bis 5 cm langen Schalen; 2. **Kleine Pfeffermuschel** (Abra alba): Schalen dünn, irisierend; kaum 2 cm lang; Charakterart der Nordseeweichböden.

Pfefferstrauch ↑ Pfeffer.

◆ (Pfefferbaum, Mastixstrauch, Schinus) Gatt. der Anakardiengewächse mit rd. 30 Arten von Mexiko bis Chile; Sträucher oder kleine Bäume mit meist unpaarig gefiederten Blättern und kleinen, in Rispen oder Scheintrauben angeordneten, zweihäusigen Blüten. Die Rinde enthält Gerbstoffe und Harze. Die bekannteste Art ist der **Peruan. Pfefferstrauch** (Schinus molle) mit 12–20 cm langen, gefiederten, pfefferartig duftenden Blättern; die gelblichweißen Blüten stehen in bis 5 cm langen Rispen.

Pfeifenblume, svw. ↑ Osterluzei.

Pfeifenfische (Flötenmäuler, Fistulariidae), Fam. extrem langgestreckter, bis 1,5 m langer Knochenfische mit nur wenigen Arten in Flußunterläufen und an den Küsten des trop. Amerika, Australiens sowie von O-Afrika bis Japan; Körper unbeschuppt; lange Röhrenschnauze mit kleiner Mundöffnung; Schwanzflosse trägt peitschenartigen, bis halbmeterlangen Fortsatz. Am bekanntesten ist die an amerikan. Küsten vorkommende Art **Tabakspfeife** (Fistularia tabaccaria) mit rotbrauner Oberseite, silbrigweißer Unterseite und mit Längsreihen großer, blauer Flecken.

Pfeifengras (Molinia), Gatt. der Süßgräser mit fünf Arten und zahlr. Varietäten auf der Nordhalbkugel. In Deutschland kommt das **Blaue Pfeifengras** (Molinia coerulea) auf wechselfeuchten, meist nährstoffarmen, sauren Böden vor: 15–90 cm hohe Staude mit nur 3–6 mm breiten, weichen, blaugrünen Blättern und an der Halmbasis zusammengedrängten Knoten. Die Ährchen stehen in einer schieferblauen Rispe.

Pfeifenstrauch (Philadelphus), Gatt. der Steinbrechgewächse mit rd. 70 Arten von S-Europa bis zum Kaukasus, in O-Asien und v. a. in N-Amerika; strauchige, überwiegend sommergrüne Arten, deren Gartenformen und Bastarde als Ziersträucher verwendet werden. Bekannt ist der bis zu 3 m hohe **Blasse Pfeifenstrauch** (*Falscher Jasmin*, Philadelphus coronarius) aus S-Europa mit bis zu 3 cm großen, stark duftenden weißen Blüten.

Pfeiffrösche (Leptodactylinae), Unterfam. der Südfrösche an und in Gewässern des trop. und subtrop. Amerika sowie Australiens; legen ihre Eier z. T. außerhalb des Wassers ab, oft auch in Schlammnestern. Viele P. geben schrille Pfeiftöne von sich.

Pfeifgänse (Baumenten, Dendrocygna), Gatt. etwa entengroßer, langhalsiger, hochbeiniger Gänse mit acht Arten, v. a. in Süßgewässern der Tropen und Subtropen; nachtaktive, vorwiegend braune, schwarze und weiße Vögel, die helle Pfeiflaute ertönen lassen.

Pfeifhasen (Pikas, Ochotonidae), Fam. der ↑ Hasenartigen mit rd. 15 Arten in Asien, eine Art auch im westl. N-Amerika; Körper gedrungen, etwa 12–25 cm lang; Schwanz stummelförmig, äußerl. nicht sichtbar; Fell dicht, überwiegend rotbraun bis grau; Ohren kurz abgerundet. - Die P. sind gesellige, in Erdbauen lebende Steppen- und Gebirgsbewohner. Sie verständigen sich untereinander durch schrille Pfiffe.

Pfeilgiftkäfer, Bez. für einige südafrikan. Arten der Flohkäfer, aus deren 7–10 mm langen Larven (zus. mit Bestandteilen gewisser Pflanzen) die Buschmänner W- und SW-Afrikas ein tödl. wirkenes Pfeilgift herstellen.

Pfeilhechte (Barrakudas, Meerhechte, Sphyraenidae), Fam. bis 3 m langer, hechtförmiger Knochenfische mit 18 Arten in trop. Meeren; Rückenflossen weit voneinander getrennt; Kopf auffallend lang, mit zugespitzter Schnauze, vorstehendem Unterkiefer und großen Zähnen. Zu den P. gehören der **Mittelmeer-Barrakuda** (Europ. Pfeilhecht, Sphyraena sphyraena; im östl. Atlantik und Mittelmeer; bis 1 m lang; Oberseite bleigrau bis olivbraun, Unterseite silberweiß) und der bis 2 m lange **Pikuda** (Sphyraena picuda; mit grünlichbleigrauem Rücken und silberweißer Unterseite; im westl. Atlantik).

Pfeilkalmar ↑ Kalmare.

Pfeilkraut (Sagittaria), Gatt. der Froschlöffelgewächse mit rd. 30 Arten, v. a. im trop. und gemäßigten Amerika; meist Sumpf- und Wasserpflanzen. In Deutschland ist das **Gewöhnl. Pfeilkraut** (Sagittaria sagittifolia) in stehendem, seichtem Wasser verbreitet: mit pfeilförmigen, grundständigen Blättern, in tiefem Wasser auch mit bis 2,50 m langen Unterwasserblättern; die weißen, am Grunde braunroten Blüten stehen in dreizähligen Quirlen.

Pfeilkresse (Herzkresse, Cardaria), weltweit verbreitete Gatt. der Kreuzblütler. In Deutschland ist nur die Art **Cardaria draba** in Schuttunkrautgesellschaften anzutreffen: 20 bis 250 cm hohe, grauhaarige Staude. Die weißen Blüten stehen in dichten Scheindolden.

Pfeilnaht ↑ Schädelnähte.

Pfeilnatter ↑ Zornnattern.

Pfeilotter (Causus rhombeatus), relativ schlanke, etwa 60–90 cm lange giftige Otter (↑ Vipern) in Afrika, südl. der Sahara; graubraun bis graugrün, mit dunkelbraunen, oft weißl. eingefaßten rhomb. Rückenflecken und kennzeichnender pfeilförmiger Binde am Hinterkopf.

Pfeilschnäbel (Stachelaale, Pfeilaale, Mastacembelidae), Fam. aalförmiger, etwa 10–90 cm langer Knochenfische mit rd. 50 Arten in Afrika und Asien; Flossen bilden oft einen durchgehenden Saum; vor der Rückenflosse eine Reihe freistehender Stacheln; Kopf mit lang ausgezogenem Schnabel und rüsselartiger Verlängerung der Nasenöffnungen.

Pfeilschwanzkrebse (Pfeilschwänze, Schwertschwänze, Xiphosura), seit dem Kambrium bekannte, heute nur noch mit fünf Arten vertretene Ordnung ausschließl. meerbewohnender Gliederfüßer (Unterstamm Fühlerlose); Gesamtlänge bis etwa 60 cm, die Hälfte der Länge entfällt auf den Schwanzstachel; Körper von zweigeteiltem, flachem, schaufelartigem Panzer bedeckt; sehr häufige Grundbewohner der Küstengewässer N-Amerikas (↑ Limulus) und SO-Asiens (Gattungsgruppe **Molukkenkrebse**).

Pfeilwürmer (Borstenkiefer, Gleichflosser, Chaetognatha), Stamm wurmförmiger, etwa 0,5–10 cm langer wirbelloser Tiere (Stammgruppe Deuterostomier) mit etwa 50 meerbewohnenden Arten; Körper glasartig durchscheinend, in drei Abschnitte (Kopf, Rumpf, Schwanz) gegliedert; mit einem oder zwei Paar waagerechten Seitenflossen am Rumpf und einer paarigen Gruppe langer Greifhaken am Kopf; in großen Massen im Plankton. Die bekannteste Gatt. ist *Sagitta* (mit nur wenigen Arten, darunter zwei Arten in der Nord- und Ostsee).

Pfeilwurz (Arrowroot, Maranta arundinacea), wirtschaftl. wichtigste Art der Gatt. Maranta, heute in den Tropen allg. angebaut; 1–3 m hohe Staude mit verzweigtem Stengel, lanzettl.-eiförmigen, langscheidigen Blättern und weißen Blüten. Die 25–45 cm langen, dickfleischigen Wurzelstöcke liefern die feine **Marantastärke,** die u. a. für Kinder- und Diätkost Verwendung findet.

Pfennigkraut, (Täschelkraut, Hellerkraut, Thlaspi), Gatt. der Kreuzblütler mit rd. 60 weltweit verbreiteten Arten, v. a. auf der Nordhalbkugel; niedrige Stauden mit meist rosettigen Grundblättern und weißen oder rosafarbenen, in Trauben stehenden Blüten; Schötchen rund oder herzförmig, oft geflügelt. Die wichtigste einheim. Art ist das ↑ Ackerpfennigkraut.

◆ (Lysimachia nummularia) niederliegende, weit kriechende einheim. Art der Gatt. Gilbweiderich; mit gegenständigen, kreisrunden, an eine Münze erinnernden, in einer Ebene ausgebreiteten Blättern und goldgelben Blüten; wächst teilweise untergetaucht an Ufersäumen, Wassergräben, auf feuchten Wiesen, Weide- und Waldböden.

Pferde [zu mittellat. paraveredus „Postpferd"] (Einhufer, Equidae), weltweit verbreitete Fam. großer Unpaarhufer mit sechs rezenten (in der einzigen Gatt. Equus zusammengefaßten) Arten in Savannen und Steppen; hochbeinige, schnellaufende, grasfressende Säugetiere, bei denen alle Zehen (mit Ausnahme der stark verlängerten, in einem ↑ Huf endenden Mittelzehe) zurückgebildet sind. Von der zweiten und vierten Zehe sind nur winzige Reste (↑ Griffelbeine) erhalten geblieben. Ein weiteres Kennzeichen der P. ist das typ. Pflanzenfressergebiß mit hochkronigen Backenzähnen und (auf der Kaufläche) harten Schmelzfalten (als hervorragende An-

Pferde

passung an harte, silicatreiche Nahrung). Die Eckzähne der P. sind verkümmert, sie fehlen bei den ♀♀ meist völlig. P. leben in kleinen Gruppen bis zu sehr umfangreichen Herden. Die heute lebenden P. (i. e. S.) haben nur noch eine einzige in Gefangenschaft lebende Art (↑ Prschewalskipferd), aus der das ↑ Hauspferd (mit seinen Rassen) gezüchtet wurde. Im weiteren Sinne gehören zu den P. ↑ Zebras, ↑ Esel und ↑ Halbesel.

Die P. haben sich vor rd. 60 Mill. Jahren aus einer etwa fuchsgroßen Stammform (↑ Eohippus) in Amerika entwickelt. Sie waren zunächst waldbewohnende Laubfresser und wurden später Grasfresser in offenen Landschaften. Vor rd. 2,5 Mill. Jahren (Ende des Pliozäns) gelangte ein Seitenzweig nach Asien, wohingegen in Amerika alle P. nach der Eiszeit auf unerklärl. Weise ausstarben. In prähistor. Zeit waren sie noch Zeitgenossen der Indianer. Von der Alten Welt kamen die P. dann mit den span. Seefahrern wieder nach Amerika.

Geschichte: Die Domestikation des vorher nur gejagten Wildpferds setzte in N- und W-Europa gegen Ende des 3. Jt. v. Chr. ein. Spätneolith. Domestikationszentren befanden sich im S Sibiriens, im Altai- und Sajangebirge sowie in Z-Asien. Um die Mitte des 2. vorchristl. Jt. sind P. als Last-, Reit- und Opfertiere in Indien und China bekannt. Aus dieser Zeit stammen auch die ersten Reiterbilder (Ritzzeichnungen auf Knochen) und Steigbügeldarstellungen (Reliefs der Stupa in Sanchi). Aus dem Zweistromland stammt die älteste erhaltene schriftl. Urkunde über die Existenz von P. (um 2000 v. Chr.). Nach Ägypten kamen die P. im 17. Jh. v. Chr. Der Weg des P. nach Griechenland ist ungeklärt. Während die P. im griech. Verteidigungswesen nur eine untergeordnete Rolle spielten, waren sie in der Mythologie Lieblingstiere der Götter. - Ebenso wie bei den Griechen waren auch die röm. Truppen zunächst nicht mit Streit-P. ausgerüstet. Nach dem 1. Pun. Krieg und nach der Niederlage der Römer gegen die

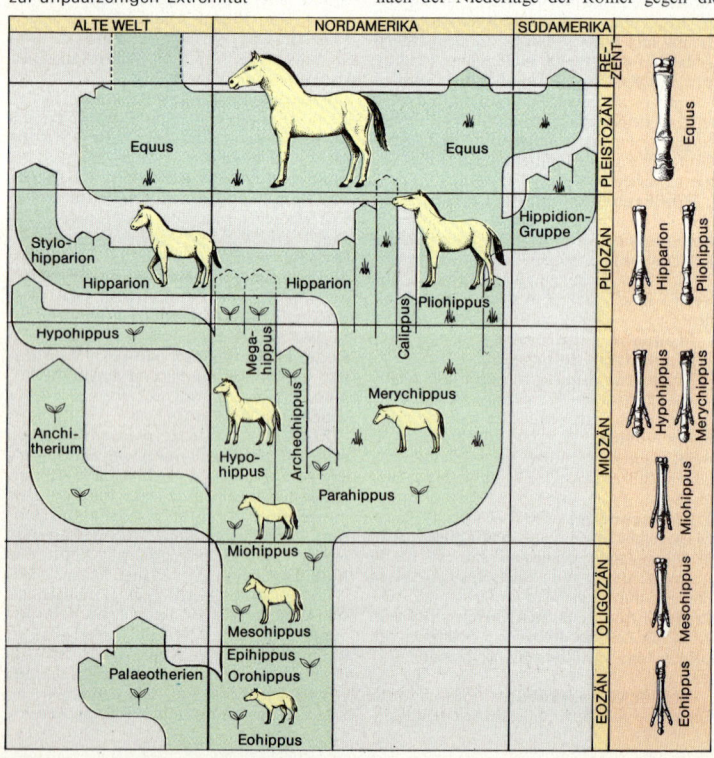

Pferde (Stammbaum). Die in ein Feld mit Laubblättern beziehungsweise Grasbüscheln gestellten Tiere sind laubfressende beziehungsweise grasfressende Pferde gewesen; die neben die Tiere gestellten Gliedmaßenskelette zeigen die Entwicklung von der dreizehigen zur unpaarzehigen Extremität

Parther begann der Aufbau schlagkräftiger Kavallerien. - Kelten und Germanen besaßen Reiterheere. - Unter arab. Einfluß breitete sich seit der Karolingerzeit die Hochzucht verschiedener Rassen, bes. der schweren Turnier-P., aus. Die Reitkunst hat sich seit der Mitte des 16. Jh. am Vorbild der neapolitan. Schule orientiert; später setzte sich die Tradition der Span. [Hof]reitschule durch.
📖 *Hdb. P. Zucht, Haltung ... Red. P. Thein. Mchn. ^{2}1986. - Isenbart, H. H./Bührer, E. M.: Das Königreich des Pferdes. Mchn. ^{2}1985. - Hertsch, B.: Anatomie des Pferdes. Warendorf 1983. - Blendinger, W.: Psychologie u. Verhaltensweise des Pferdes. Bln. ^{4}1980. - Goodall, D. M.: P. der Welt. Bln. ^{5}1980. - Löwe, H./ Meyer, H.: P.zucht und P.fütterung. Stg. 1979. - Dent, A.: Das Pferd. Fünftausend Jahre seiner Gesch. Dt. Übers. Bln. 1975. - Zeuner, F. E.: Gesch. der Haustiere. Mchn. u. a. 1967.*

Pferdeantilope ↑ Pferdeböcke.

Pferdeböcke (Laufantilopen, Hippotraginae), Unterfam. großer, kräftiger Antilopen in Afrika; beide Geschlechter mit langen, spießartigen oder nach hinten gebogenen Hörnern; in meist kleinen Herden in offenem Gelände. Zu den P. gehören u. a.: Oryxantilope (↑ Spießbock); **Pferdeantilope** (Hippotragus equinus), bis über 2,5 m lang, etwa 1,25–1,6 m schulterhoch; grau- bis rötlichbraun, mit schwarzweißer Gesichtsmaske und weißem Bauch; Nackenmähne schwärzl. gesäumt. **Rappenantilope** (Hippotragus niger), rd. 1,5 m schulterhoch; rötl. und dunkelbraun (♀) bis schwarz (♂), mit weißer Gesichtszeichnung.

Pferdebohne (Ackerbohne, Feldbohne, Futterbohne, Große Bohne, Dicke Bohne, Saubohne, Puffbohne, Marschbohne, Vicia faba), in zahlr. Sorten angebaute Wickenart; mit paarig gefiederten, rankenlosen Blättern, großen, weißen, in Büscheln angeordneten Blüten und abgeflachten, bis 20 mm langen, 15 mm breiten und 5–8 mm dicken, braunen, schwarzen, grüngefleckten oder weißen, eiweißreichen, reif schwer verdaul. Samen. - Die P. ist eine der ältesten Kulturpflanzen des Mittelmeergebiets. Ihre Samen werden heute überwiegend als Viehfutter verwendet; unreif werden sie (auch die ganz jungen Hülsen) verschiedentl. als Gemüse gegessen.

Pferdebohnenkäfer ↑ Bohnenkäfer.

Pferdebremse (Tabanus sudeticus), mit bis 25 mm Länge die größte mitteleurop. Fliegenart (Fam. Bremsen) mit großen, kupferfarbenen Augen und schwarzbraunem, weißl. gezeichnetem Hinterleib; lebt bes. an feuchten Orten; ♀♀ sind lästige Blutsauger, v. a. an Pferden und Rindern, können Tularämie übertragen.

Pferdeegel (Unechter P., Haemopis sanguisuga), etwa 10 cm langer, in langsam fließenden und stehenden Gewässern sehr verbreiteter Blutegel; meist grünlich- bis bräunlichschwarz, bisweilen seitl. mit orangefarbenem bis gelb. paarigem Längsband; kein Blutsauger.
◆ (Echter P., Roßegel, Limnatis nilotica) 8–10 cm langer Kieferegel in Quellen und Pfützen südeurop. und nordafrikan. Mittelmeerländer; Blutsauger.

Pferdemagenbremsfliege (Pferdemagenbiesfliege, Pferdemagenfliege, Pferdemagenbremse, Große Magenbremse, Gast[e]rophilus intestinalis), fast weltweit verschleppte, urspr. paläarkt., 12–14 mm große, bräunlichgelbe Fliege (Fam. Magendasseln); mit starker Behaarung und trüben, braunfleckigen Flügeln; ♀♀ legen im Fluge an Haaren von Pferden und Eseln (v. a. in der Brust- und Vorderbeinregion) ihre Eier ab. Die schlüpfenden Larven werden mit der Zunge beim Lecken aufgenommen und siedeln sich später zum Blutsaugen an der Magenwand an. Nach etwa acht Monaten verlassen die bis 2 cm langen Maden mit dem Kot den Wirt und verpuppen sich in der Erde. Die parasit. Maden können auch am Menschen auftreten und minieren dann in der Oberhaut oder im Auge.

Pferdeschwamm (Hippospongia communis), im Durchmesser bis 90 cm erreichender Schwamm, v. a. im Mittelmeer; mit zahlr. eingelagerten Fremdkörpern; Verwendung als „Industrieschwamm".

Pferdespringer ↑ Springmäuse.

Pfifferling [zu ↑ Pfeffer, nach dem pfefferähnl. Geschmack] (Echter P., Eierschwamm, Gelbschwämmchen, Goldschwämmchen, Rehling, Pfefferling, Cantharellus cibarius), häufiger Leistenpilz der Laub- und Nadelwälder; erscheint Juli bis Ende Sept.; Hut 3–8 cm breit, oft trichterförmig vertieft, mit unregelmäßigem Rand, an der Unterseite mit herablaufenden, schmalen, lamellenartigen, gegabelten Leisten; Farbe blaß- bis eidottergelb; Stiel blasser; Fleisch weißlich; wertvoller Speisepilz. Er wird gelegentl. mit dem im Nadelwald häufigen **Falschen Pfifferling** (Orangegelber Gabelblättling, Hygrophoropsis aurantiaca), einem Trichterling, verwechselt: Hut dünnfleischig und orangerot bis lederfarben; mit schmalen, gegabelten, herablaufenden Lamellen; Stiel gleichfarben; wenig schmackhaft und zäh.

Pfingstnelke ↑ Nelke.

Pfingstrose (Päonie, Paeonia), einzige Gatt. der Pfingstrosengewächse (Paeoniaceae) mit mehr als 30 Arten in Europa, Asien und N-Amerika; ausdauernde Pflanzen mit krautigen oder verholzenden Stengeln, zusammengesetzten Blättern und großen, weißen, gelben, rosafarbenen oder roten Blüten. Die P. gehört zu den beliebtesten Zierpflanzen. Die wichtigsten Arten mit zahlr. Zuchtformen sind die krautige **Edelpäonie** (Chin. P., Paeonia lactiflora), mit mehr als 3000 Gartenformen (v. a. als Schnittblumen), die **Strauchpfingstrose** (Paeonia suffruticosa) sowie die bis 60 cm hohe **Echte Pfingstrose** (Bauern-P.,

Bauernrose, Gichtrose, Klatschrose, Paeonia officinalis) mit doppelt dreizähligen, tief eingeschnittenen Blättern und bis zu 10 cm großen roten, oft gefüllten Blüten.

Pfirsich [zu lat. persicum (malum) „persischer" (Apfel)] ↑Pfirsichbaum.

Pfirsichbaum (Prunus persica), in vielen Ländern der Erde (u. a. in S-Europa, Kalifornien, S-Amerika) angepflanztes Rosengewächs; bis 8 m hoher Baum oder baumartiger Strauch mit breit-lanzettl., 8–15 cm langen, lang zugespitzten Blättern und rosafarbenen oder roten, 2–3,5 cm breiten Blüten, die meist vor den Blättern erscheinen. Die eßbaren, kugeligen, seidig behaarten Steinfrüchte, die **Pfirsiche,** haben eine deutl. hervortretende Bauchnaht und einen dickschaligen Kern. Eine glattschalige Varietät sind die **Nektarinen.** Das Öl der Samen wird für kosmet. Präparate und als Salbengrundlage verwendet.

Geschichte: Der P. ist wahrscheinl. in Z-China heim., wo er schon im 3. Jt. v. Chr. in mehreren Sorten kultiviert wurde. Um 200 v. Chr. ist er in Vorderasien nachweisbar. Von den Persern lernten ihn zunächst die Römer kennen, die ihn „pers. Pflaume" nannten und ihn im 1. Jh. n. Chr. im ganzen Röm. Reich, auch nördl. der Alpen und in Gallien, verbreiteten.

Pfirsichblättrige Glockenblume ↑Glockenblume.

Pflanzen [zu lat. planta „Setzling"], formenreiche Organismengruppe, die gemeinsam mit den Tieren und dem Menschen die Biosphäre besiedelt, in weiten Gebieten der Erde das Landschaftsbild prägt und seit dem Präkambrium nachweisbar ist. Dem Menschen, der P. schon frühzeitig in Kultur nahm (↑Kulturpflanzen), liefern sie Nahrungs-, Futter- und Heilmittel sowie als Nutz- und Industrie-P. Rohstoffe für Kleidung, Behausung und Werkzeuge. Die Abgrenzung der P. gegenüber den Tieren ist im Bereich der ↑Flagellaten schwierig und erst auf höherer Organisationsstufe auf Grund der Ernährungsweise und des Zellbaus möglich. P. sind im allg. autotroph, d. h. sie bauen mit Hilfe des Sonnenlichts (↑Photosynthese) ihre organ. Körpersubstanz aus unbelebtem, anorgan. Material auf. Damit schaffen die P. die Existenzvoraussetzungen für die heterotrophen Tiere, für einige heterotrophe P. und den Menschen, die alle ihre Körpersubstanz nur aus organ., letztl. von P. aufgebautem Material bilden können. - Die äußere Form der P. ist der autotrophen Lebensweise durch Ausbildung großer äußerer Oberflächen (Blätter, verzweigte Sproß- und Wurzelsysteme) zur Aufnahme von Energie und Nährstoffen am Standort angepaßt. Es fehlen die zur aktiven Nahrungssuche durch Ortsveränderung notwendigen Bewegungs- und Koordinationssysteme, wie sie die Tiere haben.

Die urspr. P.gruppen sind z. T. einzellig (Bakterien, Flagellaten, niedere Algen), bilden lokkere Zellkolonien (verschiedene Grünalgen) oder besitzen einen einfachen, fädigen oder gelappten Vegetationskörper (Thallus). Bei den Laubmoosen andeutungsweise beginnend, tritt, fortschreitend über die Farne zu den Samenpflanzen, eine Gliederung des Vegetationskörpers zu einem Kormus (↑Kormophyten) ein. Unterschiede in Zahl, Anordnung und Größe sowie Metamorphosen der Grundorgane verursachen die Formenmannigfaltigkeit der P., die sich mit ihren rd. 360 000 Arten zu einem System von Gruppen abgestufter Organisationshöhe ordnen lassen, das als Abbild der stammesgeschichtl. Entwicklung gilt.

Grundbaustein der inneren Organisation der P. ist die ↑Zelle. - Die Fortpflanzung und Vermehrung der P. erfolgt auf geschlechtl. Wege durch Vereinigung von Geschlechtszellen oder auf ungeschlechtl. Wege durch Sporen. Bei vielen P. tritt zusätzl. eine vegetative Vermehrung durch Zellverbände auf, die sich von der Mutterpflanze ablösen (↑Brutkörper, ↑Ausläufer). - Auf Außenreize reagieren P. durch verschiedene Organbewegungen (↑Tropismus, ↑Nastie); freibewegl. Formen zeigen ortsverändernde ↑Taxien. - Abb. S. 278.

Frohne, D./Jensen, U.: Systematik des P.reiches Stg. ³1985. - *Grohmann, G.: Die Pflanze.* Stg. ³⁻⁶1981. 2 Bde. - *Kelle, A./Sturm, H.: P. leicht bestimmt.* Bonn 1978. - *Das Krüger Lex. der P.* Ffm. 1978.

Pflanzendecke, svw. ↑Vegetation.

Pflanzenformation ↑Formation.

Pflanzenfresser (Phytophagen), zusammenfassende Bez. für Tiere, die sich von Pflanzen bzw. bestimmten Pflanzenteilen ernähren, z. B. hauptsächl. von Kräutern (**Herbivoren;** viele Huftiere, Hasen), Früchten (**Fruktivoren;** Flederhunde, viele Affenarten, Pilzen (**Myzetophagen;** verschiedene Käfer und Schnecken), Algen (**Algenfresser;** Wasserschnecken, Saugschnecken), Flechten (**Flechtenfresser,** Lichenophagen; Flechtenspinnerraupen). Von abgestorbenen Pflanzenteilen leben z. B. die **Holzfresser** (Xylophagen; Bockkäferlarven, Termiten).

Pflanzengeographie, svw. ↑Geobotanik.

Pflanzengesellschaft (Pflanzengemeinschaft, Phytozönose), Bez. für eine Gruppe von Pflanzen verschiedener Arten, die Standorte mit gleichen oder ähnl. ökolog. Ansprüchen besiedeln, die gleiche Vegetationsgeschichte aufweisen und stets eine mehr oder weniger gleiche, durch Wettbewerb und Auslese entstandene Vergesellschaftung darstellen. P. geben der Landschaft ihr Gepräge (z. B. die P. des Laub- und Nadelwaldes, des Hochmoors und der Steppe), sind gute Standortanzeiger und können als Grundlage wirtschaftl. Nutzung und Planung dienen. Sie sind zeitl. stabil, solange nicht durch Klimaänderungen, geolog. Vorgänge, menschl. Eingriffe, Einflüsse von Gesellschaftsgliedern selbst (z. B. Rohhumusbildung) oder durch Zuwanderung neuer Arten neue Wettbewerbsbedingungen und dadurch Änderungen in der Artenzusammensetzung verursacht werden.

Pflanzenhormone (Phytohormone), von den höheren Pflanzen selbst synthetisierte Stoffe, die wie Hormone wirken. P. steuern physiolog. Reaktionen, wie z. B. Wachstum, Blührhythmus, Zellteilung und Samenreifung. Sie werden bei jungen Pflanzen z. B. in den Keimblättern, bei älteren Pflanzen z. B. in den Laubblättern gebildet und von dort im Leitgewebe zu ihren Wirkungsorten transportiert. Bekannte P.: ↑Auxine, ↑Gibberelline, ↑Zytokinine, ↑Abszisinsäure, ↑Äthylen.

Pflanzenläuse (Sternorrhyncha), mit mehr als 7 500 Arten weltweit verbreitete Gruppe bis 8 mm langer Insekten (Ordnung Gleichflügler), die (im Ggs. zu den Zikaden) nur ein- bis zweigliedrige Tarsen und lange Fühler besitzen. Zu den P. gehören Blattläuse, Schildläuse, Mottenschildläuse und Blattflöhe.

Pflanzennährstoffe ↑Nährsalze.
Pflanzenphysiologie ↑Botanik.
Pflanzenreich, Begriff der botan. Systematik, der die Gesamtheit der pflanzl. Organismen umfaßt. – Abb. S. 278.
Pflanzensauger, svw. ↑Gleichflügler.
Pflanzenschutz, im Rahmen des Naturschutzes der Schutz ganzer Pflanzengesellschaften und bestimmter Wildpflanzen vor ihrer Ausrottung (↑geschützte Pflanzen).
Pflanzensoziologie ↑Geobotanik.
Pflanzensystematik ↑Taxonomie,↑Systematik.
Pflanzenwespen (Symphyta), mit rd. 7 000 Arten weltweit verbreitete Unterordnung bis 4 cm langer Insekten (Ordnung Hautflügler), bei denen der Hinterleib im Ggs. zu den Taillenwespen breit am Thorax ansetzt; Mundwerkzeuge kauend-leckend; ♀♀ mit sägeartigem Legebohrer zum Ablegen der Eier in pflanzl. Gewebe; Larven raupenförmig, Pflanzenfresser. Wichtigste Vertreter: Blattwespen, Keulhornblattwespen, Gespinstblattwespen, Holzwespen, Halmwespen.

Pflanzenzüchtung (Pflanzenzucht), die Schaffung neuer Kulturpflanzensorten, die den bes. Standortverhältnissen oder den veränderten Anbaumethoden und Ansprüchen des Menschen angepaßt sind. Durch Kreuzung oder durch Erzeugung von Mutationen treten neue Erbmerkmale auf, so daß Formen mit neuen Eigenschaften entstehen. Ziel der P. ist es, v. a. ertragreichere, gegen schädigende Einflüsse beständigere, auch form- und farbschönere Sorten zu erhalten. Die Züchtung einer neuen Kulturpflanzensorte dauert etwa 10–18 Jahre.

Pflasterepithel ↑Epithel.
Pflaume ↑Pflaumenbaum.
Pflaumenbaum (Prunus domestica), wahrscheinl. in Vorderasien aus einer Kreuzung von Schlehdorn und Kirschpflaume entstandener Bastard mit zahlr. kultivierten und verwilderten Sorten; 3–10 m hoher Baum mit ellipt., 5–10 cm langen, feinkerbig gesägten Blättern und grünlich-weißen Blüten; die Früchte (**Pflaumen**) sind kugelige oder eiförmige, süße, saftige Steinfrüchte, die roh, gekocht oder getrocknet gegessen, zu Mus verarbeitet oder für alkohol. Getränke verwendet werden. Die zahlr. Formen können in folgende Unterarten eingeteilt werden: **Haferpflaume** (Haferschlehe, Krieche, Kriechenpflaume, Prunus domestica ssp. insititia), 3–7 m hoher Strauch oder Baum mit zuweilen dornigen Zweigen, Früchte kugelig, gelblichgrün oder blauschwarz, süß; **Mirabelle** (Prunus domestica ssp. syriaca), mit runden, hellgelben oder hellgrünen, saftigen, süßen Früchten; **Reneklode** (Reineclaude, Rundpflaume, Prunus domestica ssp. italica), mit grünl., kugeligen, süßen Früchten; **Zwetsche** (Zwetschge, Prunus domestica ssp. domestica), Früchte (*Zwetschen, Zwetschgen, Pflaumen*) längl.-eiförmig, dunkelblau, mit leicht abwischbarem Wachsüberzug; Fruchtfleisch gelbl., süß schmeckend.

Geschichte: Die Pflaume war als Kulturform in M-Europa schon in prähistor. Zeit bekannt, Griechen und Römer verbreiteten in der Antike den Anbau des P. und verwendeten die Frucht als Obst und das Harz als Arzneimittel. Die Kräuterbücher des 16./17. Jh. berichten über zahlr. Sorten.

Pflaumenbohrer (Pflaumenstecher, Rhynchites cupreus), in Eurasien verbreiteter, 3,5–8 mm langer, dunkel kupferfarbener Rüsselkäfer, der an Früchten, Blüten, Knospen und Blättern v. a. von Pflaumen-, Kirsch- und Apfelbäumen frißt; Larven entwickeln sich in den vom ♀ zur Eiablage angebohrten Früchten; Verpuppung und Überwinterung im Boden.

Pflaumenmaden ↑Pflaumenwickler.
Pflaumenwickler (Grapholitha funebrana), in Europa, S-Rußland und N-Afrika verbreiteter, 15 mm spannender Kleinschmetterling (Fam. Wickler) mit braungrauen, dunkel gezeichneten Vorderflügeln; Raupen (**Pflaumenmaden**) karminrot, bis 15 mm lang, können schädl. werden durch Fraß v. a. in Pflaumen, Mirabellen und Aprikosen.

Pflugscharbein (Vomer), pflugscharähnl. Knochen, der den hinteren Teil der Nasenscheidewand bildet.

Pfortader [zu lat. porta „Tür"] (Vena portae), kurze, starke Vene, die durch Vereinigung der oberen Eingeweidevene und der Milzvene entsteht und nährstoffhaltiges Blut aus den Verdauungsorganen zur Leber leitet.

Pfriemengras, svw. ↑Federgras.
Pfriemenmücken (Phryneidae), seit dem Jura bekannte, heute mit rd. 70 Arten weltweit verbreitete Fam. etwa 5–10 mm lan-

Pfriemenschwänze

ger, nicht blutsaugender Mücken mit kurzem Rüssel und oft gefleckten Flügeln; Larven aalartig dünn, entwickeln sich in faulender organ. Substanz oder unter Rinde.

Pfriemenschwänze (Oxyuren, Oxyuroidea), Ordnung etwa 2–150 mm langer, spulwurmförmiger Fadenwürmer mit rd. 140 parasit. lebenden Arten in Gliederfüßern, landlebenden Wirbeltieren und im Menschen. Hierher gehört z. B. der ↑Madenwurm.

Pfropfbastard, svw. Pfropfchimäre (↑Chimäre).

Phagen [zu griech. phageĩn „essen"], svw. ↑Bakteriophagen.

Phagozyten [griech.], svw. ↑Freßzellen.

Phagozytose [griech.], die Aufnahme partikulärer Substanzen, auch lebender Zel-

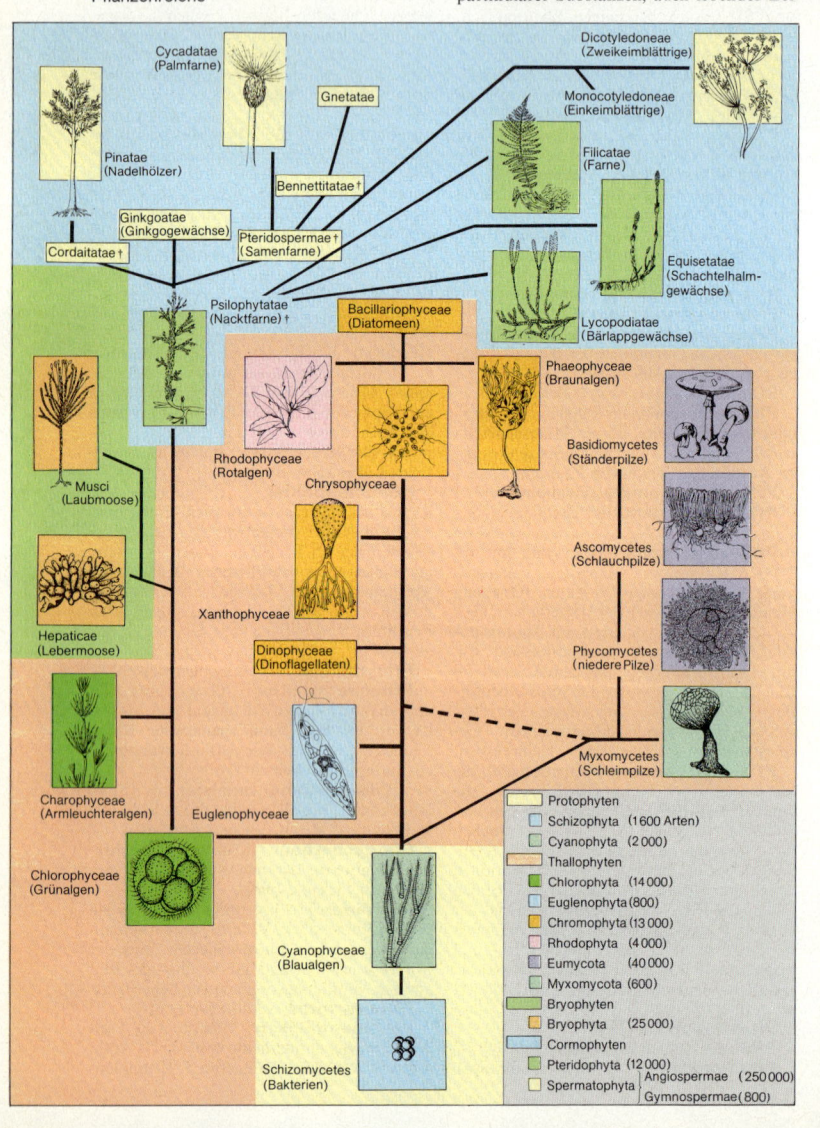

Pflanzen. Stammbaum des Pflanzenreichs

Protophyten	
Schizophyta	(1 600 Arten)
Cyanophyta	(2 000)
Thallophyten	
Chlorophyta	(14 000)
Euglenophyta	(800)
Chromophyta	(13 000)
Rhodophyta	(4 000)
Eumycota	(40 000)
Myxomycota	(600)
Bryophyten	
Bryophyta	(25 000)
Cormophyten	
Pteridophyta	(12 000)
Spermatophyta	Angiospermae (250 000)
	Gymnospermae (800)

len (z. B. Bakterien), in den Zelleib von Einzellern (z. B. bei Amöben, Geißeltierchen u. a.; zu deren Ernährung) oder in bes. Zellen (↑Freßzellen) von Mehrzellern. Bei der P. stülpt sich die Plasmamembran des Zellkörpers mit dem aufzunehmenden Partikel ein (**Endozytose**); anschließend wird diese Einstülpung als Nahrungsvakuole (P.vesikel, **Phagosom**) nach innen abgeschnürt und ihr Inhalt enzymat. abgebaut (verdaut).

Phalaenopsis [...ɛ...; griech.] (Malaienblume), Gatt. der Orchideen mit rd. 70 Arten in Indien und N-Australien; epiphyt. Pflanzen mit sehr kurzen, beblätterten Stämmchen, fleischige, zweizeiligen Blättern und traubigen oder rispigen Blütenständen. Viele der farbenprächtigen Hybriden werden kultiviert.

Phalangen [griech.], die einzelnen bewegl., auf die Mittelhand- bzw. Mittelfußknochen folgenden Finger- bzw. Zehenknochen der höheren Wirbeltiere (einschließl. Mensch).

Phalaris [griech.], svw. ↑Glanzgras.

Phalloidin [griech.], neben Amanitin Hauptgiftstoff des Grünen Knollenblätterpilzes; hoch tox., cycl. Polypeptid, das auch durch Erhitzen nicht zerstört wird. - ↑auch Giftpilze.

Phallus [griech.], Gatt. der ↑Rutenpilze.

Phallus [zu griech. phallós mit gleicher Bed.], bes. bei Insekten svw. ↑Penis.

Phallusia [griech.], Gatt. der Manteltiere (Klasse Seescheiden) mit einigen Arten im Atlantik und Mittelmeer, darunter als größte Art die **Knorpelseescheide** (P. mammillata): bis 15 cm lang; mit dickem, milchig weißem, knorpeligem Mantel; kommt häufig an Steinen des Mittelmeers vor (bis 180 m Meerestiefe).

Phän [griech.], ein einzelnes, deutl. in Erscheinung tretendes ↑Merkmal eines Lebewesens.

Phanerogamen [griech.], svw. ↑Samenpflanzen.

Phanerophyten [griech.] (Luftpflanzen), Holzgewächse, deren Triebe und Erneuerungsknospen (teils mit, teils ohne Knospenschutz) für die nächste Wachstumsperiode über dem Erdboden liegen. Man unterscheidet: **Makrophanerophyten**: mit Knospen, die in mehr als 2 m Höhe liegen; hierzu gehören die Bäume, Baumgräser (Bambus) und die Schopfbäume (Palmen); **Nanophanerophyten**: alle strauchartigen Pflanzen, bei denen die Knospen etwa 0,25–2 m hoch über dem Erdboden liegen.

Phänogenese [griech.], die Ausdifferenzierung der erbl. Merkmale (des Phänotyps) eines Individuums im Verlauf seiner Entwicklung durch die Wechselwirkung von Erbanlage und Umwelt.

Phänokopie [griech./lat.], die Änderung eines äußeren Merkmals bei einem Individuum, die das Vorhandensein einer Mutation vortäuscht, jedoch nicht erbl. ist und allein durch die Auswirkung bestimmter Umweltfaktoren hervorgerufen wird.

Phänotyp [griech.] (Phänotypus, Erscheinungsbild), in der *Genetik* die Gesamtheit aller Phäne (Merkmale) eines Lebewesens als Ergebnis aus dem Zus.wirken der Erbanlagen mit der Umwelt.

phänotypische Geschlechtsbestimmung ↑Geschlechtsbestimmung.

Pharaoameise (Monomorium pharaonis), im trop. Asien beheimatete, heute weltweit verschleppte, bis 2,5 mm lange Ameise (Fam. Knotenameisen) mit bernsteingelben Arbeiterinnen und bräunlichgelben bis schwarzbraunen Geschlechtstieren; legt ihre königinnenreichen Nester gern in beheizte Gebäude, wo die Tiere durch Zerstörung von Nahrungsmitteln und Holzbalken lästig bzw. schädl. werden können.

Pharynx [griech.] (Schlund, Rachen), bei den *Wirbeltieren* der aus dem Kiemendarm hervorgehende, mit Gleitspeichel produzierender Schleimhaut ausgekleidete, durch bes. Schluckmuskeln muskulöse Abschnitt des Darmtrakts. Der P. beginnt bei den Säugetieren (einschließl. Mensch) hinter dem weichen Gaumen und nimmt den Bereich zw. Nasenhöhle, Mundhöhle und Speiseröhre ein. Über den P. werden die Nahrung von der Mundhöhle zur Speiseröhre und die Atemluft von der Nase zum Kehlkopf geleitet, wobei sich beide Wege kreuzen. Man kann drei Abschnitte unterscheiden: den oberen, mit Flimmerepithel ausgekleideten **Nasenrachenraum** (Epipharynx), den mittleren hinter der Mundhöhle liegenden **Mundrachen** (Mesopharynx) und den hinter dem Kehlkopf liegenden **Kehlkopfrachen** (Hypopharynx). Beim Menschen liegen im P.bereich die Rachenmandel, die paarige Gaumenmandel und die Zungenmandel. Bei den wirbellosen Tieren wird der vorderste Teil des Vorderdarms zw. Mundöffnung bzw. Mundraum und Speiseröhre als P. bezeichnet.

Phaseolus [griech.-lat.], svw. ↑Bohne.

Phasianidae [griech.], svw. ↑Fasanenartige.

Phasianinae [griech.], svw. ↑Fasanen.

Phellem [griech.], svw. ↑Kork.

Phenylalanin, Abk. Phe, essentielle ↑Aminosäure; wird im Organismus über Tyrosin in Acetessigsäure abgebaut.

Pheromone, svw. ↑Ektohormone.

Philodendron [griech.] (Baumfreund, Baumlieb), Gatt. der Aronstabgewächse mit über 200 Arten im trop. Amerika; strauchige, baumartige oder kletternde Pflanzen, meist mit Luftwurzeln; Blätter oft groß, sehr verschiedengestaltig; Blütenstände end- oder achselständig, mit dicker, weißer, roter oder gelber Blütenscheide; beliebte Blattpflanzen.

◆ oft gebrauchte Bez. für das ↑Fensterblatt.

Phlebotomus

Phlebotomus (Phlebotomen) [griech.], in den Tropen und Subtropen verbreitete Gatt. der Mücken († auch Sandmücken) mit rd. 100 2-4 mm großen, gelben Arten; ♀♀ sind Blutsauger an Warmblütern und dadurch gefährl. Krankheitsüberträger.

Phlobaphene [griech.], bei Oxidation von Gerbstoffen auftretende, meist rötlichbraune, wasserunlösl., fäulnishemmende Pigmente in den Wänden toter pflanzl. Zellen (z. B. von Rindengewebe, Kernholz); bedingen auch die Herbstfärbung der Laubblätter.

Phloem [griech.], svw. Siebteil († Leitbündel).

Phlox [griech.] (Flammenblume), Gatt. der Sperrkrautgewächse mit rd. 60 Arten in N-Amerika; ausdauernde, selten einjährige Kräuter mit ganzrandigen Blättern, einzelnen, in rispigen, doldentraubigen oder straußartigen Blütenständen stehenden Blüten und fünfteiliger, tellerförmiger Krone mit schmalem Schlund und dünner Röhre, die oft flammend gefärbt ist. Bekannte Zierpflanzen sind die Sorten des **Einjahresphloxes** (Phlox drummondii; mit urspr. roten, bei Kultursorten jedoch in vielen Pastelltönen gefärbten Blüten) und die zahlr. Sorten des **Staudenphloxes** (Phlox paniculata), über 1 m hoch, Blüten in Dolden; die wertvollste Art ist der **Polsterphlox** (Moosphlox, Phlox subulata), eine 5-10 cm hohe, rasenartig wachsende Pflanze.

Phocinae [griech.], svw. † Seehunde.
Phoenicopteridae, svw. † Flamingos.
Phoenix [griech.], svw. † Dattelpalme.
Phonotaxis [griech.] † Taxie.
Phoresie [zu griech. phóresis „das Tragen"], Form der Nutznießung (Probiose) bei Tieren, bei der der Partner kurzfristig zum Transportmittel für eine Ortsveränderung (zum Aufsuchen neuer Nahrungsplätze, zur Artausbreitung) wird; dabei heftet sich das Tier aktiv oder passiv an seinen Partner an. P. kommt bei aas- oder kotbewohnenden Larven von Fadenwürmern und Milben und unter den Fischen beim Kopfsauger vor.

Phoridae [griech.], svw. † Buckelfliegen.
Phosphatide, svw. † Phospholipide.
Phospholipide (Phospholipoide, Phosphatide) [griech.], in tier. und pflanzl. Zellen v. a. als Bestandteile biolog. Membranen vorkommende Lipoide. Bei den P. ist Phosphorsäure einerseits mit Glycerin (*Glycerin-P*., z. B. Lezithine) oder Sphingosin (*Sphingolipide*) und andererseits mit Cholin, Kolamin, Serin oder Inosit verestert.

Phosphomutasen [griech./lat.] (Mutasen), Enzyme (Isomerasen), die Phosphatreste scheinbar intramolekular verschieben, tatsächl. aber diese Isomerisierung durch Übertragung eines Phosphatrestes von einem Kohlenhydratmolekül auf ein zweites bewirken und daher zu den Transferasen (Transphosphatasen) gehören. P. sind bei der alkohol. Gärung und der Glykolyse wirksam.

Phosphorylierung [griech.], die enzymat. Einführung eines Phosphorsäurerests in ein Substrat, das dadurch aktiviert wird. Als oxidative P. bezeichnet man die Speicherung der in der Atmungskette frei werdenden chem. Energie in Form von ATP. Bei der *nichtcycl.* und *cycl. Photophosphorylierung* in der Photosynthese wird die durch Elektronentransportvorgänge gewonnene Energie ebenfalls in Form von ATP gespeichert.

Photoautotrophie, autotrophe Ernährungsweise, bei der die Strahlungsenergie des Lichtes zum Aufbau organ. Substanz aus Kohlendioxid und Wasser verwendet wird.

Photobiologie, Arbeitsgebiet der Biologie, das sich mit der Untersuchung lichtabhängiger pflanzl. und tier. Lebensvorgänge (z. B. Photosynthese, Sehvorgänge) beschäftigt.

Photolyse, Spaltung chem. Verbindungen durch elektromagnet. Strahlung, bes. Licht.

Photomorphogenese, lichtgesteuerter pflanzl. Entwicklungsprozeß, der bestimmte Gestaltausprägungen *(Photomorphosen)* bewirkt.

Photonastie, durch unterschiedl. Lichthelligkeit verursachte † Nastie; bewirkt u. a. Öffnen und Schließen vieler Blüten.

Photoperiodismus, Reaktionsvermögen vieler Pflanzen- und Tierarten auf die relative Länge der tägl. Licht- und Dunkelperioden; neben Lichtwechsel und Hormonen ist wohl eine endogene Tagesperiodik beteiligt.

photophil, das Licht bevorzugend; von Tieren und Pflanzen[teilen] gesagt, die lichtarme Regionen meiden. - Ggs.: **photophob**.

Photophoren [griech.], svw. † Leuchtorgane.

Photorespiration (Lichtatmung), der normalen, im Licht gehemmten Dunkelatmung formal ähnl., lichtabhängige Nebenreaktionen der Photosynthese mit Sauerstoffaufnahme und Kohlendioxidabgabe. Die biolog. Bedeutung der Ph. (außer der Serinsynthese) ist unbekannt.

Photorezeptoren, lichtempfindl. Elemente, z. B. Sehzellen, lichtempfindl. Pigmente (Chlorophyll Phytochrom).

Photosynthese, i. w. S. Bez. für eine chem. Reaktion, die unter der Einwirkung von Licht oder anderer elektromagnet. Strahlung abläuft und zur Synthese einer chem. Verbindung führt. I. e. S. Bez. für die fundamentale Stoffwechselreaktion der grünen Pflanzen. Zur P. befähigt sind alle höheren Pflanzen, Farne, Moose, Rotalgen, Grünalgen, Braunalgen, Blaualgen und verschiedene Bakterienarten. Bei der P. wird Lichtenergie in chem. Energie umgewandelt, mit deren Hilfe das in der Luft und im Wasser vorhandene CO_2 organisch in Form von Glucose gebunden wird. Diese Überführung körperfremder, niedermolekularer Substanz in körpereigene,

Phykobiline

höhermolekulare nennt man ↑Assimilation. Die Bruttogleichung der P. lautet:

$$6\,CO_2 + 12\,H_2O \xrightarrow{Licht} C_6H_{12}O_6 + 6\,O_2 + 6\,H_2O$$

Wie aus der Gleichung ersichtlich, werden CO_2 und Wasser mit Hilfe von Lichtenergie in Kohlenhydrat überführt. Dabei müssen folgende Vorgänge ablaufen: Wasser muß gespalten werden; diesen Vorgang nennt man *Photolyse*. Diese und der damit eng verknüpfte Elektronentransport zählen zu den *Primärvorgängen* der Photosynthese. CO_2 muß an einen organ. Akzeptor assimiliert werden und mit Hilfe des aus der Photolyse stammenden Wasserstoffs zu Kohlenhydrat reduziert werden *(Dunkelreaktion, Sekundärvorgänge)*.

Bei der **Lichtreaktion** werden in zwei miteinander gekoppelten Reaktionen (Lichtreaktion I = LR I und Lichtreaktion II = LR II) Energieäquivalente bereitgestellt, indem das im Pigmentsystem I (Photosystem I, P I, Absorptionsmaximum 700 nm) und im Pigmentsystem II (Photosystem II, P II, Absorptionsmaximum 680 nm) lokalisierte Chlorophyll a aktiviert (angeregt) wird.

Die Bedeutung der Aktivierung liegt darin, daß die Elektronen des Chlorophyll-a-Moleküls auf ein höheres Elektronenniveau gehoben werden (Chlorophyll aI, Chlorophyll aII) und dabei ein unterschiedlich hohes Redoxpotential erhalten. Die angeregten Elektronen werden von P I in einer *Elektronentransportkette* (Redoxsystem) unter Beteiligung von FRS („Ferredoxin-reduzierende-Substanz"), Ferredoxin und Flavoprotein auf $NADP^+$ übertragen. Das $NADP^+$ wird dabei unter Aufnahme von H^+ (aus dem Wasser) reduziert. In der LR II werden die angeregten Elektronen von P II über eine weitere Elektronentransportkette auf Plastochinon (PQ) und über dieses auf *Zytochrom* b und f, dann auf Plastocyanin und endlich Chlorophyll aI übertragen. Dadurch erhält Chlorophyll a wieder sein ursprüngl. Redoxpotential. Chlorophyll aII ersetzt seine abgegebenen Elektronen auf bis jetzt unbekannte Weise aus der Photolyse des Wassers; diese vollzieht sich nach der Summengleichung:

$$2\,H_2O \rightarrow 2\,H^+ + 2\,e^- + H_2O + 1/2\,O_2.$$

Der Reaktionsablauf von Plastochinon zu Chlorophyll aI ergibt einen Energiegewinn. Dieser wird durch die Synthese von ATP (↑Adenosinphosphate) festgelegt (*acycl. Phosphorylierung*, nichtcycl. Photophosphorylierung; ↑auch Atmungskette).

Insgesamt laufen also in den Lichtreaktionen die von der Photolyse gelieferten Elektronen zum $NADP^+$, das mit Hilfe der 2e (Elektronen) und der $2\,H^+$ zu $NADPH + H^+$ reduziert wird. Gleichzeitig wird ATP geliefert. Kehrt ein Elektron nach Durchlaufen nur einiger Redoxsysteme zu seinem ursprüngl. Elektronendonator zurück, so spricht man von *cycl. (Photo)phosphorylierung*. Diese Reaktion ist heute jedoch noch umstritten. Ein weiterer Weg zur Entstehung von ATP besteht nach der chemiosmotischen Hypothese darin, daß es durch H^+-Transport des Plastochinons zu einer Verschiebung der Wasserstoffionenkonzentration u. damit zur Ausbildung eines Membranpotentials kommt, was an bestimmten Stellen der Membran durch die Tätigkeit des Enzyms ATPase (unter Bildung von ATP) wieder ausgeglichen wird.

Die Endprodukte der Primärreaktion sind also gespeicherte Energie in Form von ATP und $NADPH + H^+$ (als Reduktionspotential), die nun in die Sekundärprozesse eingeschleust werden. Die *Sekundärreaktionen*, die auch im Dunkeln ablaufen und daher **Dunkelreaktionen** genannt werden, bestehen in einer Reihe chem. Umsetzungen. Sie laufen in einem als *Calvin-Zyklus* bezeichneten Kreisprozeß ab, bei dem das CO_2 zunächst an das aus Ribulose-5-phosphat und ATP entstandene Ribulose-1,5-diphosphat zu einer noch unbekannten C_6-Zwischenverbindung angelagert wird. Diese zerfällt in zwei Moleküle Phosphoglycerinsäure, die durch $NADPH + H^+$ und ATP zu 3-Phosphoglycerinaldehyd (Triosephosphat), die erste Kohlenhydratsubstanz, reduziert wird. Aus dem Triosephosphat entsteht einerseits (über Fructose-1,6-diphosphat, Fructose-6-phosphat und Glucose-6-phosphat) Glucose, andererseits bildet sich in enzymat. Prozessen das Ribulose-5-phosphat zurück.

Wie die Summengleichung der P. zeigt, werden 6 Moleküle CO_2 assimiliert; für ihre Anlagerung sind daher 6 Moleküle Ribulose-1,5-diphosphat erforderlich, aus denen 12 Moleküle Triosephosphat entstehen. Von diesen werden 2 Moleküle für den Aufbau der Glucose verbraucht, während die restl. 10 Moleküle wieder in Ribulose-5-phosphat umgewandelt werden. Insgesamt werden für die Reduktion der 6 Moleküle CO_2 zu einem Molekül Fructose-6-phosphat 18 Moleküle ATP und 12 Moleküle $NADPH + H^+$ verbraucht. - Abb. S. 282.

   📖 *Buschmann, C./Grumbach, K.: Physiologie der P. Bln. 1985.* - *Lichtenthaler, H./Pfister, K.: Praktikum der P. Hdbg. 1978.*

Phototaxis [griech.] ↑Taxie.

phototroph, Licht als Energiequelle für Stoffwechselprozesse nutzend; sind die Wasserstoffdonatoren anorgan. Stoffe, so handelt es sich um **photolithotrophe**, sind sie organ. Stoffe, so ist es eine **photoorganotrophe** Ernährungsweise. Ph. u. a. sind grüne Pflanzen.

phototrophe Bakterien, im Wasser lebende, anaerobe und durch Bakteriochlorophyll a, b, c oder d gefärbte Bakterien; z. B. ↑Chlorobakterien.

Phototropismus ↑Tropismus.
Phrygana [griech.] ↑Garigue.
Phykobiline (Phycobiline) [griech./lat.],

Phykologie

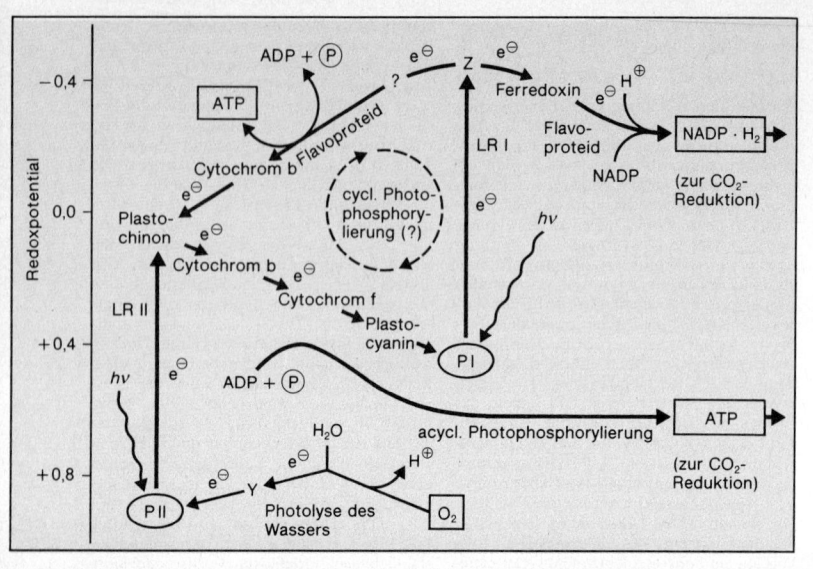

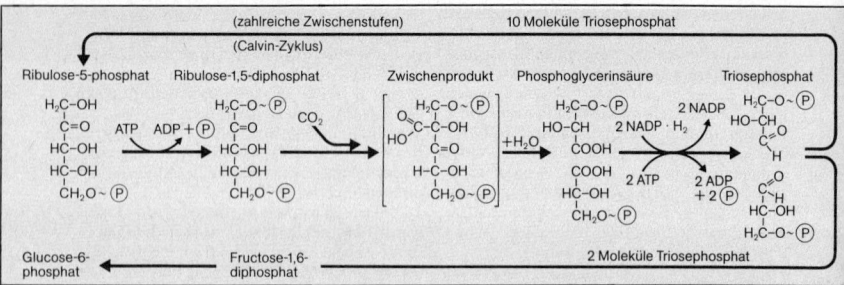

Photosynthese. Primärreaktionen (oben) und Sekundärreaktionen

Naturfarbstoffe, die bes. in Blaualgen (*Phykozyane*; blaugrün), in Rotalgen (*Phykoerythrine*; rotviolett) u. in einigen Flagellatengruppen verbreitet sind. Als Begleitfarbstoffe des Chlorophylls sind sie auf Grund ihrer Lichtabsorption im grünen Spektralbereich als Photosynthesepigmente bes. im Tiefenwasser geeignet. Auch das ↑Phytochrom der Pflanzen ist ein Phykobilin.

Phykologie [griech.], Algenkunde.

Phycomycetes (Phygomyzeten) ↑Algenpilze.

phyletisch [griech.], die Abstammung betreffend.

Phyllocactus [griech.], svw. ↑Blattkaktus.

Phyllocladus [griech.] (Blatteibe), Gatt. der Steineibengewächse mit nur wenigen Arten in Neuseeland, Tasmanien, Neuguinea und auf den Philippinen; Bäume oder Sträucher, deren Langtriebe kleine Schuppenblätter tragen; in den Achseln der Langtriebe stehen blattähnl., breite Kurztriebe (Phyllokladien). Die bekannteste Art ist die **Farneibe** (Phyllocladus asplenifolius), ein immergrüner Baum, dessen Blüten sich zu fleischigen Beerenzapfen entwickeln.

Phyllodium [griech.] (Blattstielblatt), blattartig verbreiteter Blattstiel mit Assimilationsfunktion bei rückgebildeter Blattspreite; z. B. bei verschiedenen Akazienarten.

Phyllokaktus, svw. ↑Blattkaktus.

Phyllokladium [griech.], ein ↑Flachsproß bei Kurztrieben.

Phyllopoda [griech.], svw. ↑Blattfußkrebse.

Phylogenie [griech.], svw. Stammesentwicklung (↑Entwicklung).

Pigmentbakterien

Phylum [griech.] ↑ Stamm.

Physiognomie [griech.], die äußere Erscheinung, insbes. der Gesichtsausdruck eines Menschen (oder Tiers).

Physiognomik [griech.], Sammelbez. für die (unbewegte) Ausdruckserscheinung des menschl. (und tier.) Körpers, von dessen Form und Gestaltung auf innere Eigenschaften geschlossen wird.

Physiologie, Teilgebiet der Biologie; die Wiss. und Lehre von den normalen, auch den krankheitsbedingten (**Pathophysiologie**) Lebensvorgängen und Lebensäußerungen der Pflanzen *(Pflanzen-P.)*, der Tiere *(Tier-P.)* und speziell des Menschen *(Human-P.)*. Die P. versucht mit physikal. und chem. Methoden die Reaktionen und die Abläufe von Lebensvorgängen (Wachstum, Entwicklung, Fortpflanzung u. a.) bei den Organismen bzw. ihren Zellen, Geweben oder Organen aufzuklären.

physiologische Kochsalzlösung, 0,9%ige Lösung von NaCl in Wasser; hat denselben osmot. Druck wie Blut.

physiologische Uhr (biolog. Uhr, innere Uhr, endogene Rhythmik, Zeitgedächtnis), Bez. für einen rhythm. ablaufenden physiolog. Mechanismus, der bei den Menschen, allen Pflanzen und Tieren, auch bei Einzellern, vorhanden ist und nach dem die Stoffwechselprozesse, Wachstumsleistungen und Verhaltensweisen festgelegt werden. Die p. U. ist in der Zelle lokalisiert; die molekularen Vorgänge in ihrer Funktion sind noch nicht bekannt. Die Periodendauer der p. U. beträgt ziemI. genau 24 Stunden. Bislang ist noch nicht bekannt, ob die Zeitgeber von inneren oder äußeren Faktoren gesteuert werden. - Neuere Untersuchungen zeigten, daß z. B. die Körpertemperatur regelmäßigen Schwankungen unterworfen ist. Verbringt eine Versuchsperson einige Wochen in einem abgeschirmten Bunker, so daß alle äußeren Faktoren ausgeschaltet sind, dann stellt sich ein natürl. rhythm. Auf und Ab ein, das nicht mehr genau an einen 24-Stunden-Tag gebunden ist. Alle bisher gemachten Beobachtungen lassen den Schluß zu, daß der tageszeitl. Rhythmus zunehmend an Bed. für unser Leben gewinnt. In der Pädagogik, bei Transatlantikflügen sowie im Berufsleben können die neueren wiss. Untersuchungen prakt. Konsequenzen haben. Die größte Bed. hat die p. U. jedoch für die Medizin. Aus Tierversuchen ist bekannt, daß Medikamente in einer bes. empfindl. Phase des inneren biolog. Rhythmus eine größere Wirkung zeigen. - Bei Vögeln ist ein Zusammenhang zw. der p. U. und der Sekretion von ↑ Melatonin festgestellt worden.

Physoklisten (Physoclisti) [griech.], Knochenfische mit geschlossener Schwimmblase (ohne Luftgang zum Darm); u. a. Dorschfische, Barschartige (↑ Physostomen).

Physostomen (Physostomi) [griech.], Bez. für (primitivere) Knochenfische, deren Schwimmblase durch einen Luftgang mit dem Darm in Verbindung steht; z. B. Welse, Heringe, Flösselhechte, Lungen- und Karpfenfische. - Ggs. ↑ Physoklisten.

Phytoalexine, in verschiedenen Pflanzen als Bestandteil ihres Immunsystems nach Verletzung oder Infektion gebildete Abwehrstoffe (meist Phenolderivate) zur Verhinderung einer weiteren Ausbreitung der Parasiten.

Phytochrom (Phytochromsystem), in Pflanzen vorkommendes Chromoproteid mit zwei Isomeren. Ein P. absorbiert Licht der Wellenlänge 660 nm (hellrot), ein anderes Licht der Wellenlänge 730 nm (dunkelrot). Letzteres leitet vermutI. indirekt über Stoffwechselreaktionen und dadurch ausgelöste Aktivierungen im genet. Material lichtabhängige Entwicklungsvorgänge ein, z. B. Samenkeimung, Keimlingsentwicklung, einige Wachstumsprozesse und Blütenbildung.

Phytoecdyson, mit α-Ecdyson (Insektenhäutungshormon aus der Prothoraxdrüse) ident. Verbindung, die zus. mit anderen Ecdysonsteroiden in Farnarten, Eiben, Eisenkraut und Fuchsschwanzgewächsen in rd. 1000mal höheren Konzentrationen vorkommt. Ihre Rolle in Pflanzen ist noch ungeklärt.

Phytohämagglutinine [griech./lat.] (Phytoagglutinine, Lektine), Gruppe meist pflanzl. und lösl. Glykoproteide, die sich spezif. an Zuckerreste z. B. von Zelloberflächen anlagern und vernetzen und dadurch agglutinierend wirken ohne selbst Antikörper zu sein. Ihre blutgruppen- und tumorzellenspezif. Affinität wird diagnost. genutzt.

Phytohormone, svw. ↑ Pflanzenhormone.

Phytologie, svw. ↑ Botanik.

Phytophagen, svw. Pflanzenfresser.

Phytozönose ↑ Lebensgemeinschaft.

Picea [lat.] ↑ Fichte.

Piciformes [lat.], svw. ↑ Spechtvögel.

Picinae [lat.], svw. ↑ Spechte.

Picornaviren [Kw.], kleine RNS-Viren mit ikosaedr. Kapsid (Durchmesser 20–30 nm) und einsträngiger RNS. Zu den P. gehören die (humanen) ↑ Enteroviren mit den Coxsackie-Viren und Poliomyelitisviren sowie die Rhinoviren. Tierpathogen ist das Virus der Maul-und-Klauenseuche.

Pieper [niederdt.], fast weltweit verbreitete, aus zwei Gatt. *(Anthus* und *Macronyx)* bestehende Gruppe etwa buchfinkengroßer Stelzen; meist graubraun, stets dunkel gefleckt oder gestreift, etwas zierlicher und kleiner als die eigentl. Stelzen, Schwanz kürzer. Zu den P. gehören Baumpieper, Brachpieper, Wiesenpieper und Wasserpieper.

Pigmentbakterien (Farbstoffbildner), Bakterien der Gatt. Sarcina, Micrococcus, Mycobacterium, Nocardia, Korynebakterien und Myxobakterien, die eine genet. fixierte

Pigmente

Fähigkeit zur Farbstoffbildung (v. a. Karotinoide) besitzen und Pigmente im Zellkörper einlagern *(chromophore P.)* oder in das Medium abgeben *(chromopare Pigmentbakterien)*.
Pigmente [zu lat. pigmentum „Farbe, Färbstoff"], im weiteren Sinne Sammelbez. für alle in Pflanze, Tier und Mensch auftretenden farbgebenden Substanzen, im engeren Sinne für die in bestimmten Zellen (Zellbestandteilen) abgelagerten Farbkörperchen.
An der Färbung der *Pflanzen* sind ↑ Chlorophyll und ↑ Karotinoide beteiligt. Diesen entsprechen bei Blau- und Rotalgen die Phykoerythrine und Phykozyane (↑ Phykobiline). Die zweite Gruppe der Farbstoffe sind die in Zellsaft gelösten ↑ Anthozyane und ↑ Flavone. Eine dritte Gruppe bilden die in den Wänden toter Zellen eingelagerten ↑ Phlobaphene.
An der Färbung der Haut, Haare, Schuppen, Federn oder Chitinpanzer der *Tiere* sind bes. ↑ Melanine, ↑ Karotinoide, ↑ Guanin und ↑ Gallenfarbstoffe beteiligt. Die P. sind in Geweben abgelagert, in der Körperflüssigkeit gelöst oder in bes. Pigmentzellen (↑ Chromatophoren) konzentriert. Zusätzl. Farbeffekte (Struktur- bzw. Interferenzfarben) entstehen durch Interferenzerscheinungen, z. B. an den Schuppen von Schmetterlingsflügeln; zus. mit den Pigmentfarben entstehen so oft prächtige Farberscheinungen *(Schillerschuppen)*. Kalkskelette und -schalen enthalten z. T. anorgan. P. (Mineralfarben; z. B. bei Schwämmen, Korallen, Schnecken, Muscheln, Stachelhäutern). Die funktional wichtigsten P. der Tiere sind die ↑ Atmungspigmente.
Beim *Menschen* sind die Melanine maßgebend für die Hautfarbe. ↑ Haare.
Pikas [tungus.], svw. ↑ Pfeifhasen.
Pikuda [span.] ↑ Pfeilhechte.
Pilgermuschel ↑ Kammuscheln.
Pili [lat.] (Fimbrien), fädige Proteinanhänge an der Oberfläche gramnegativer Bakterien, bes. bei ↑ Enterobakterien. Man unterscheidet mehrere Arten: Die *I-Pili* (3–10 nm dick) und die noch dickeren *V-Pili* (25–30 nm) sind meist kurz, treten in großer Zahl auf (oft viele Hundert an einer Zelle) und dienen anscheinend dazu, die Bakterien aneinander oder an Substratoberflächen zu verankern. Die *F-Pili (Geschlechtspili)* zur DNS-Übertragung werden in geringer Anzahl (1–3) ausschließl. von solchen Zellen gebildet, die den *F-Faktor* (Sexfaktor; ein zusätzl. DNS-Molekül) tragen.
Pillendreher, svw. ↑ Pillenkäfer.
♦ (Skarabäen, Scarabaeus) v. a. in S-Rußland und im Mittelmeerraum, in Deutschland in klimat. begünstigten Gegenden verbreitete Gatt. etwa 2–4 cm großer, schwarzer, breit und zieml. flach gebauter Kotkäfer mit kräftigen Grabbeinen. P. verfertigen aus Huftierkot entweder Futterpillen für die eigene Ernährung oder Brutpillen (für die Ernährung der Larven). Die rd. 2–3 cm großen Brutpillen werden oft bis mehrere Meter weit rückwärts mit Hilfe der Hinterextremitäten fortgerollt, dann eingegraben und damit vor Austrocknung geschützt. - Die bekannteste Art ist der **Heilige Pillendreher** (Hl. Skarabäus, Scarabaeus sacer), der im alten Ägypten als Bringer der Wiedergeburt und des Glücks als heilig verehrt wurde.
Pillenkäfer (Pillendreher, Byrrhidae), weltweit verbreitete Käferfam. mit rd. 750 (in Deutschland 28) Arten von eiförmig gewölbter Körpergestalt. - Die P. stellen sich bei Störungen tot und legen Fühler und Beine in passende Vertiefungen so eng an den Körper, daß die Käfer Pillen ähneln. Sie leben meist an feuchten Orten, auf nassen Wiesen und in Wäldern.
Pillenwespen (Eumenes), weltweit verbreitete, rd. 100 (in Deutschland 8) Arten umfassende Gatt. schwarzgelb gezeichneter Lehmwespen, die aus feuchtem Lehm urnen- bis pillenförmige Brutzellen an Steinen, Mauern und Holzwänden bauen. Diese Zellen enthalten ein an einem Spinnfaden aufgehängtes Ei sowie mehrere späterhin Schmetterlingsraupen als künftiges Larvenfutter.
Pilotfisch, svw. Lotsenfisch (↑ Stachelmakrelen).
Pilotwale, svw. Grindwale (↑ Delphine).
Piltdownmensch [engl. 'pɪltdaʊn] (Eoanthropus dawsoni), Bez. für einen 1910–15 in Piltdown (Sussex) gemachten „Schädelfund", der zunächst als frühmenschlich gedeutet wurde, sich aber 1955 bei einer Fluoranalyse als raffinierte Fälschung erwies.
Pilus (Mrz. Pili) [lat. „Haar"], svw. Haar (↑ Haare).
Pilze [zu griech.-lat. boletus „Pilz (Champignon)"] (Mycophyta), Abteilung des Pflanzenreichs mit rd. 100 000 bis heute bekannten Arten. Alle Pilze sind blattgrünfreie, folglich heterotroph oder saprophyt. lebende Lagerpflanzen. Ihre das Substrat durchziehenden Zellfäden heißen Hyphen. Diese Hyphen bilden oft ein dichtes Geflecht, das Myzel. Die Zellwände der P. bestehen aus Chitin, nur bei wenigen Arten (z. B. bei den Schleim-P.) kommt Zellulose vor. Als Reservestoffe speichern P. Glykogen und Fett. Die ungeschlechtl. Vermehrung erfolgt durch verschiedene Sporenarten (Endosporen, Konidien). Bei der geschlechtl. Fortpflanzung verschmelzen Gameten (es kommt Iso-, Aniso- und Oogamie [↑ Befruchtung] vor), außerdem gibt es Gametangiogamie (ganze Gametangien kopulieren) und Somatogamie (zwei vegetative Zellen kopulieren miteinander). Einige Pilze vermehren sich auch durch Zerfall des Myzels in einzelne Zellen. - Die Abteilung der P. gliedert sich in 6 Klassen. Die bekanntesten sind ↑ Schlauchpilze, ↑ Ständerpilze, ↑ Schleimpilze. Die Wiss., die sich mit der Erforschung der P. befaßt, ist die Mykologie.
Zu den *Echten Pilzen* (Eumycota; dazu zählen

Joch-P., Chytridiales, Schlauch- und Ständer-P.) gehören etwa 99% aller Arten. Die bekanntesten Echten P. bilden charakterist. Fruchtkörper. Unter ihnen gibt es zahlr. eßbare Arten. Geschätzt sind sie wegen ihrer Geschmacks- und Aromastoffe (z. B. Champignon, Stein-P., Trüffel). Ihr Nährwert ist gering, ihr Vitamin- und Mineralstoffgehalt entspricht etwa dem anderer pflanzl. Nahrungsmittel. Einige Arten (z. B. Champignon) werden heute in großem Umfang gezüchtet. - Unter den Echten P. gibt es viele Arten, die mit dem Wurzelsystem verschiedener Waldbäume in Symbiose (↑ Mykorrhiza) leben. Große wirtschaftl. Schäden entstehen durch Rost- und Brand-P., die jedes Jahr einen erhebl. Teil der Weltgetreideernte vernichten. Auch die Erreger von Pflanzenkrankheiten in Wein- und Obstkulturen (z. B. ↑ Mehltaupilze) verursachen große Schäden. - Die Hefe-P. (Hefen) sind zur Wein- und Bierbereitung, im Bäckereigewerbe und bei der Käsebereitung wichtig. Andere Schlauch-P. werden industriell gezüchtet und v. a. zur Gewinnung von Antibiotika und Enzymen verwendet. Zu den P. gehören auch die ↑ Deuteromyzeten. Die meisten Arten dieser Gruppe gehören vermutl. zu den Schlauch-P., nur wenige dagegen zu den Ständer-P. Im tier. und im pflanzl. Organismus können sie Mykosen hervorrufen.

Hdb. für Pilzfreunde. Begr. v. E. Michael. Hg. v. H. Kreisel. Stg. $^{2-5}$1983–86. 5 Bde. - Mykolog. Wörterb. 3 200 Begriffe in 8 Sprachen. Hg. v. K. Berger. Stg. 1980. - Jahn, H.: P. die an Holz wachsen. Herford 1979. - Haas, G./Gossner, G.: P. Mitteleuropas: Speise- u. Giftpilze. Stg. ^{14}1978.

Pilzgifte, svw. ↑ Mykotoxine.

Pilzkäfer (Erotylidae), mit rd. 2 300 Arten weltweit verbreitete Fam. etwa 1–30 mm langer Käfer, die v. a. in den Tropen charakterist. Warnfärbungen zeigen und scharf riechende, ätzende Wehrsekrete produzieren. P. entwickeln sich meist in Baumschwämmen, in morschem, schimmeligem Holz und unter verpilzter Rinde. In Deutschland kommen fünfzehn 3–7 mm große Arten vor.

Pilzkorallen (Fungia), Gatt. einzeln lebender ↑ Steinkorallen, bei denen der becherförmige Mutterpolyp an seiner Mundscheibe wiederholt große, scheibenförmige Einzelpolypen (Durchmesser bis 25 cm, jedoch meist deutl. kleiner) abschnürt.

Pilzkunde, svw. ↑ Mykologie.

Pilzmücken (Fungivoridae), v. a. paläarkt. verbreitete Mückenfam. mit rd. 2 000 zarten, durchschnittl. 5 mm langen, meist an schattigen, feuchten Orten lebenden, nicht stechenden Arten. Die Larven entwickeln sich in Pilzen (bes. Hutpilzen).

Pilzwurzel, svw. ↑ Mykorrhiza.

Pimentbaum (Nelkenpfefferbaum, Pimenta dioica), zu den Myrtengewächsen gehörender, bis 10 m hoher, immergrüner Baum in W-Indien und in Z-Amerika; mit großen, oval-lanzettförmigen, oberseits leuchtend grünen Blättern und zahlr. in achselständigen Rispen stehenden, kleinen, weißen Blüten. Die kugeligen Früchte liefern Piment und das in der Gewürz-, Likör-, Kosmetik- und Seifenind. verwendete Pimentöl.

Pimpernuß (Klappernuß, Staphylea), Gatt. der zweikeimblättrigen Pflanzenfam. **Pimpernußgewächse** (Staphyleaceae; 50 Arten in 7 Gatt.) mit zwölf Arten in der nördl. gemäßigten Zone; sommergrüne Sträucher oder kleine Bäume mit gegenständigen, gefiederten Blättern, weißen oder rötl. Blüten und blasig aufgetriebenen, häutigen Kapselfrüchten mit zwei bis drei erbsengroßen, glatten, glänzenden, beim Schütteln der Frucht klappernden („pimpernden") Samen; z. T. als Ziersträucher gepflanzt.

Pimpinella [lat.-italien.] ↑ Bibernelle.

Pinaceae [lat.], svw. ↑ Kieferngewächse.

Pincus, Gregory [engl. ˈpɪŋkəs], * Woodbine (N. J.) 9. April 1903, † Boston 22. Aug. 1967, amerikan. Physiologe. - Prof. in Boston; befaßte sich u. a. mit der Schwangerschaftsphysiologie. P. wies nach, daß während einer Schwangerschaft das Hormon Progesteron in wesentl. höherer Konzentration als üblicherweise auftritt und daß dadurch eine erneute Ovulation verhindert wird. Aus dieser Erkenntnis entwickelte P. mit seinen Mitarbeitern die sog. Antibabypille.

Pindowapalme [indian./dt.] (Piakavapalme, Attalea), Gatt. der Palmen mit rd. 40 Arten, v. a. in Brasilien; hohe oder auch stammlose Bäume mit breiten, regelmäßig gefiederten Blättern. Wichtige Art: **Motacupalme** (Attalea princeps), deren Blätter als Viehfutter und Dachdecken Verwendung finden.

Pinealapparat, svw. ↑ Pinealorgane.

Pinealdrüse [lat./dt.], svw. ↑ Zirbeldrüse.

Pinealorgane [lat./dt.] (Pinealapparat, Scheitelorgane, Medianorgane), unpaare Anhänge des Zwischenhirndachs der Wirbeltiere, bestehend aus dem *Parietalorgan* bzw. (z. B. bei Reptilien) dem lichtempfindl., unter dem Scheitelloch liegenden *Parietalauge (Scheitelauge, Medianauge)* und dem dahinterliegenden *Pinealorgan* i. e. S., aus dem die Zirbeldrüse hervorgeht (sondert als neurosekretor. tätige Drüse ↑ Melatonin ab).

Pineapple [engl. ˈpaɪnæpl] ↑ Ananas.

Pinguine (Spheniscidae), seit dem Eozän bekannte Fam. bis 1,2 m hoher, flugunfähiger Meeresvögel mit fast 20 Arten um die Antarktis und entlang der kalten Meeresströmungen; vorwiegend Fische, Weichtiere und Krebse fressende, dem Wasserleben angepaßte Tiere mit schwerem, spindelförmigem Körper, kurzen, zu Flossen umgewandelten Flügeln und schuppenförmigen Federn. P. können unter Wasser sehen, sie haben Schwimmhäute an den Füßen der weit hinten eingelenkten Beine (fast senkrechter Körperstand) und (als Wärmeschutz) ein dickes Unterhautfettpolster. Sie brüten meist in großen Kolonien auf Inseln, nur der Kaiser-P. auf dem ewigen Eis. Das Gelege der kleineren Arten (z. B. des ↑Adeliepinguins) besteht aus zwei Eiern, das der großen Arten aus einem Ei. Bes. bekannte Arten sind: **Kaiserpinguin** (Aptenodytes forsteri), mit 1,2 m Höhe größter lebender, oberseits blaugrauer, unterseits weißer P. in der Antarktis; das ♂ brütet, das ♀ übernimmt die Jungenaufzucht; **Königspinguin** (Aptenodytes patagonica), etwa 1 m groß, orangegelbe Hals- und Kopfseitenpartie; auf den Inseln um die Südspitze S-Amerikas.

Kaiserpinguin

Pinheiro [pɪnˈjeːro; brasilian. piˈɲeȷru; portugies.] (Brasilian. Schmucktanne, Araucaria brasiliensis), bis 50 m hohe, kiefernähnl. Araukarie im südl. Brasilien, wo dieser Baum große Wälder bildet; Äste fast waagrecht, mit kurzen, an den Enden der Äste gehäuften Zweigen; Nadeln 3–5 cm lang, abstehend. Die kugeligen Zapfen haben einen Durchmesser von etwa 20 cm und enthalten rd. 800 nährstoffreiche Samen, die von der einheim. Bev. gegessen werden.

Pinie [lat.] ↑Kiefer.
Pinnae [lat.], svw. ↑Flossen.
Pinnipedia [lat.], svw. ↑Robben.
Pinot [frz. piˈno], svw. ↑Burgunderreben.
Pinozytose [griech.], die Aufnahme von gelösten Substanzen in das Zellinnere durch Einstülpen kleinerer Bereiche der Zellmembran und Abschnüren dieser Einstülpungen als Pinozytosevesikel. - ↑auch Endozytose, ↑Phagozytose.
Pinseläffchen (Seidenäffchen, Callithrix), Gatt. zierl. Affen (Unterfam. ↑Marmosetten) mit mehreren Arten in S-Amerika; Körper bis 30 cm lang, Schwanzlänge bis etwa 40 cm; Fell dicht und seidig, Gesicht fast unbehaart, an den Ohren meist lange, abwärts gekrümmte Haarbüschel. Zu den P. gehören u. a. **Weißpinseläffchen** (Callithrix jacchus, im östl. S-Amerika, graubraun, mit weißen Haarbüscheln an den Ohren) und **Schwarzpinseläffchen** (Callithrix penicillata, in SO-Brasilien, rötlich-grau, Ohren mit schwarzen Haarbüscheln).

Pinselkäfer (Trichiinae), Unterfam. der Blatthornkäfer (Fam. Skarabäiden) in Eurasien, N-Afrika u. N-Amerika; mit sechs einheim., 1–3 cm langen, meist stark behaarten Arten; Imagines besuchen Blüten oder lecken Baumsäfte; Larven leben in zerfallendem Holz.

Pinselschimmel (Penicillium), Gatt. der Schlauchpilze mit mehr als 200 weltweit verbreiteten, meist saprophyt. lebenden Arten. Charakterist. sind die meist grünen, pinselartig aus dem Konidienträger wachsenden Konidien. Wichtigste Vertreter der Gatt. P. sind *Penicillium notatum* und *Penicillium chrysogenum*, die die Antibiotika der Penicillingruppe liefern. *Penicillium roquefortii* und *Penicillium camemberti* sind für die Herstellung bestimmter Käsesorten nötig.

Pinselschwanzbeutler (Phascogale), Gatt. bis 22 cm langer, vorwiegend grauer bis brauner ↑Beutelmäuse mit drei Arten in Australien und auf Neuguinea; Schwanz etwa körperlang, hintere Hälfte buschig behaart; Schnauze lang und zugespitzt; flinke, nachtaktive Baumbewohner; ernähren sich v. a. von kleinen Wirbeltieren.

Pinselschwanzkänguruh ↑Felskänguruhs.

Pinselzungenpapageien (Pinselzüngler, Trichoglossini), Gattungsgruppe der Papageien (Fam. ↑Loris), bei denen (im Unterschied zu allen übrigen Papageien) in Anpassung an ihre Nahrung (Blütennektar, weiche Früchte) die Zunge vorn pinselartig aufgefasert ist *(Pinselzunge)*. - Zu den P. gehören z. B. die Glanzloris.

Pinto [span.], von Amerika ausgehende Bez. für bestimmte Farbvarianten vieler Hauspferdrassen (seit 1963 als eigene Rasse anerkannt). Man unterscheidet: Schwarzschecken *(Piebald)* und Braun- oder Fuchsschecken *(Skewbald)*. Die Farbmerkmale sind dominant bei *Tobianos* (weiße Grundfarbe, dunkle Flecken, v. a. in N-Amerika und Europa), rezessiv dagegen bei *Overos* (dunkle Grundfarbe, weiße Flecke; v. a. in S-Amerika und Asien).

Pinus [lat.] ↑Kiefer.

Pinzettfische, v. a. Bez. für Knochenfische der Gatt. *Chelmon* und *Forcipiger* (Unterfam. Gauklerfische), bei denen die kleine, endständige Mundöffnung am Ende einer

Gestreifter Pinzettfisch

deutlich bis sehr stark röhrenartig verlängerten Schnauze liegt, die der Futtersuche dient. Am bekanntesten (Meeresaquarienfisch) ist der **Gestreifte Pinzettfisch** (Pinzettfisch, Chelmon rostratus) an den Küsten SO-Asiens; 10 bis 20 cm lang, silberweiß, mit leuchtend orangefarbenen, schwarz gesäumten Querstreifen und schwarzem Augenfleck am Grunde der hinteren Rückenflosse.

Pionierpflanzen, Bez. für diejenigen Pflanzen, die als erste einen vegetationslosen Boden besiedeln. Dazu gehören z. B. Flechten, die Felsflächen und neu entstandene Erdhänge besiedeln.

◆ Bez. für Kulturpflanzen, die minderwertige Böden für anspruchsvolle Pflanzen bewohnbar machen; z. B. Lupine, Steinklee und Esparsette.

Pipalbaum [Hindi/dt.] (Pepulbaum, Aschwatthabaum), bei uns meist **Bobaum** gen. Feige (Ficus religiosa). Unter einem P. saß Buddha während seiner Erleuchtung.

Piper [griech.-lat.] ↑ Pfeffer.
Piperaceae [griech.-lat.], svw. ↑ Pfeffergewächse.

Pippau [slaw.-niederdt.] (Feste, Crepis), Gatt. der Korbblütler mit rd. 200 Arten auf der Nordhalbkugel sowie im trop. Afrika; ausdauernde oder einjährige Kräuter mit grund- oder wechselständigen Blättern und Blütenköpfchen aus gelben oder roten, selten weißen Zungenblüten. In Deutschland kommen rd. 20 Arten vor, u. a. häufig auf feuchten Wiesen und in Flachlandmooren der *Sumpfpippau* (Crepis paludosa) sowie auf Fettwiesen der *Wiesenpippau* (Crepis biennis).

Pirañas (Piranhas) [pi'ranjas; indian.-span.], svw. ↑ Pirayas.

Pirayas [indian.] (Pirañas, Piranhas, Karibenfische, Sägesalmler, Serrasalminae), den ↑ Salmlern nahestehende Unterfam. der Knochenfische in S-Amerika; Körper hochrückig, seitl. stark abgeflacht, die kielartige Bauchkante sägeartig gekerbt; Schuppen klein, größtenteils mit starkem Silberglanz; Schwarmfische mit ungewöhnl. scharfen Zäh-

Pithecanthropus

nen; überwiegend Fischfresser, greifen aber gelegentl. auch andere Wirbeltiere im Wasser an. Die Gefährlichkeit der P. für den Menschen ist sehr umstritten und keineswegs erwiesen.

Pirol (Golddrossel, Oriolus oriolus), etwa amselgroßer Singvogel, v. a. in dichtbelaubten Baumkronen von Parkanlagen, Au- und Laubwäldern Eurasiens (bis zum Jenissei) der gemäßigten und südl. Regionen; ♂ leuchtend gelb mit schwarzen Flügeln und Schwanzfedern sowie rötl. Schnabel und Augen; ♀ unscheinbar grünl. und grau; melod. Flötenruf. - Der P. kehrt nach M-Europa erst gegen Ende des Frühjahrs zurück („Pfingstvogel"); er verläßt Deutschland schon wieder im Aug. und überwintert in O- und S-Afrika.

Pirus [lat.] ↑ Birnbaum.
Pisang [malai.], svw. ↑ Bananenstaude.
Pisces [lat.], svw. ↑ Fische.
Pisidium [lat.], svw. ↑ Erbsenmuscheln.
Pistakistrauch [pers.-griech.-lat./dt.] (Pistacia lentiscus), Pistazienart im Mittelmeergebiet; 2 bis 8 m hoher Strauch mit leicht gekrümmten, nach unten hängenden Zweigen. Die immergrünen Blätter sind wechselständig, gefiedert und haben einen rötl. Blattstiel. Die rötl. Blüten sind zweihäusig und stehen in Trauben. Die zuerst dunkelrote Steinfrucht wird bei der Reife schwarz. Rinde und Blätter enthalten Tannin und werden deshalb als Gerbmittel verwendet. Der P. ist wesentl. Bestandteil der mediterranen Macchie.

Pistazie [pers.-griech.-lat.] (Pistacia), Gatt. der Anakardiengewächse mit rd. 20 Arten, v. a. im Mittelmeergebiet sowie in W- und O-Asien und im südl. N-Amerika; Bäume oder Sträucher mit meist gefiederten Blättern und Blüten in zusammengesetzten Rispen. Mehrere Arten werden als Nutzpflanzen verwendet.

◆ (Echte P., Alepponuß, Pistakinuß, Grüne Mandel, Pistacia vera) im gesamten Mittelmeergebiet kultivierter, bis 10 m hoher Baum. Die mandelförmigen Steinfrüchte enthalten im Steinkern je einen grünl., ölhaltigen, aromat. schmeckenden Samen (**Pistazien**), die gesalzen gegessen oder als würzige Zutat (Wurst, Eiscreme) verwendet werden.

Pistillum [lat.] ↑ Stempel.
Pistolenkrebs ↑ Garnelen.
Pisum [lat.], svw. ↑ Erbse.
Pitcairnie [pɪt'kɛrniə; nach dem engl. Botaniker W. Pitcairn, † 1791] (Pitcairnia), Gatt. der Ananasgewächse mit über 250 Arten in M- und S-Amerika, eine Art in W-Afrika (Guinea); stammlose Rosettenpflanzen im Boden oder an Fels und Geröll, selten Epiphyten; mit starren und stachelig gesägten, schmalen, lineal- oder schwertförmigen Blättern; Blüten in lockeren oder dicht knäuelförmigen Blütenständen; z. T. Zimmerpflanzen.

Pithecanthropus [griech.-lat. „Affen-

Pithecoidea

mensch"] (Homo erectus, Javamensch) ↑ Mensch.

Pithecoidea [griech.], svw. ↑ Affen.

Pittas [drawid.] (Prachtdrosseln, Pittidae), Fam. 15–28 cm langer, farbenprächtiger, gedrungener Sperlingsvögel (Unterordnung ↑ Schreivögel) mit 24 Arten in Wäldern der Alten Welt; vorwiegend Insekten, Würmer und Schnecken fressende, relativ langbeinige Bodenvögel mit kräftigem Drosselschnabel, großem Kopf, kurzen Flügeln und kurzem Schwanz; bauen große, kugelförmige Nester am Boden (z. T. auch auf Sträuchern und Bäumen) mit seitl. Flugloch; Zugvögel.

Placenta, ↑ Plazenta.

Placentalia [griech.-lat.], svw. ↑ Plazentatiere.

plagiogeotrop [griech.], unter dem Einfluß der Schwerkraft waagrecht oder schräg wachsend (z. B. Rhizome). - ↑ auch Tropismus.

Plakapong [Thai] (Barramundi, Lates calcarifer), bis mehrere Meter langer, maximal 260 kg Gewicht erreichender ↑ Glasbarsch im Ind. Ozean (vom Pers. Golf bis N-Australien), der zum Laichen in die Flüsse aufsteigt; Speisefisch.

Plakoidschuppe [griech./dt.], charakterist. schuppen- bis zahnartige Hautbildung der Haie und Rochen. Die P. gliedert sich in eine knöcherne rhomb. Basalplatte und einen darauf aufsitzenden, nach hinten gerichteten knöchernen „Zahn". Die P. ist mit Dentin überzogen, der Zahn selbst meist zusätzl. mit einer Außenschicht aus zahnschmelzähnl. Durodentin. Im Innern des Zahns befindet sich eine mit Bindegewebe und Blutgefäßen versehene Pulpa. Die P. entwickelte sich im Erdaltertum aus einer der ↑ Ganoidschuppe ähnl. Form.

Planarien [lat.] (Tricladida), mit vielen Arten weltweit verbreitete Unterordnung etwa 0,2–60 cm langer Strudelwürmer, an deren Vorderende oft durch eine halsartige Einschnürung ein Kopf abgesetzt ist. Je nach ihrem Vorkommen unterscheidet man: 1. *Süßwasser-P.* (Paludicola) in fließenden und stehenden Süßgewässern; sie lassen sich wegen ihrer sehr unterschiedl. Temperatur- und Wassergüteansprüche als Leitfermen zur Gewässerzonierung heranziehen; 2. *Meeres-P.* (Maricola); 3. *Land-P.* (Terricola), v. a. im Humus und unter Blättern trop. Regenwälder.

Planipennia [lat.], svw. ↑ Hafte.

Plankter ↑ Plankton.

Plankton [griech. „das Umherschweifende"], Gesamtheit der im Wasser schwebenden tier. und pflanzl. Lebewesen (**Planktonten, Plankter**), die keine oder nur eine geringe Eigenbewegung haben, so daß Ortsveränderungen (insbes. in horizontaler Richtung) ausschließl. oder ganz überwiegend durch Wasserströmungen erfolgen. In der Vertikalrichtung führen jedoch auch viele Planktonten ausgeprägte, von der Lichtintensität, der Temperatur und den chem. Gegebenheiten (z. B. O_2-Gehalt) abhängige, tages- und jahresrhythm., aktive Ortsbewegungen (Vertikalwanderungen) durch. - Kennzeichnend für P.organismen sind Sonderbildungen, die das Schweben im Wasser erleichtern, indem sie die Absinkgeschwindigkeit verringern, z. B. lange Körperfortsätze, Ölkugeln oder Gasblasen im Körper. Zum P. zählen neben überwiegend einzelligen Algen u. a. viele Hohltiere (bes. Quallen), Kleinkrebse, Räder- und Manteltiere, Flügelschnecken sowie die Larvenstadien z. B. von Schwämmen, Schnurwürmern, Weichtieren, Ringelwürmern, Moostierchen, Stachelhäutern und Höheren Krebsen. - Pflanzl. P.lebewesen werden insgesamt als *Phytoplankton*, tier. als *Zooplankton* bezeichnet. Daneben unterscheidet man *Meeres-P.* (Halo-P.) und *Süßwasser-P.* (Limno-P.). Das P. ist eine außerordentl. wichtige Grundnahrung bes. für Fische und für Bartenwale. - ↑ auch Krill.

Plantain [engl. 'plæntɪn; span.-engl.] ↑ Bananenstaude.

plantigrad [lat.], auf den Sohlen gehend; von Tieren *(Sohlengänger, Plantigrada)* gesagt, die bei der Fortbewegung die ganze [Fuß]sohle auf den Boden aufsetzen; z. B. Insektenfresser, Herrentiere (einschließlich Mensch), Nagetiere, Bären.

Planula [lat.] (Planularlarve), die aus einer Blastula durch Entodermbildung entstehende länglich-ovale, bewimperte, urdarm- und mundlose Larvenform der Nesseltiere, die frei umherschwimmt oder sofort zu Boden sinkt und dort umherkriecht. Aus der P. entsteht entweder (nach dem Sichfestsetzen) ein Polyp oder eine Actinulalarve (↑ Actinula).

Plaque [frz. plak], das durch Auflösung (Lyse) in einer Bakterienkultur gebildete runde Loch in einem lysierenden Bakteriophagen; hat einen Ø von 0,5–5 mm und ist phagenspezif.; anhand von P.auszählungen läßt sich die eingebrachte Phagenzahl bestimmen.

Plasma [griech. „Geformtes, Gebildetes"] (Protoplasma), die lebende Substanz in den Zellen von Mensch, Tier und Pflanze. Das P. schließt die plasmat. Grundsubstanz, das *Hyaloplasma*, und alle Zellorganellen ein. Häufig wird das Kern-P. des Zellkerns vom übrigen, als *Zytoplasma* (Zell-P.) bezeichneten P. unterschieden.

◆ (Blut-P.) die zellfreie Blutflüssigkeit (↑ Blut).

Plasmalemma, die Zellmembran bei Pflanzen (↑ Zelle).

Plasmamembran, svw. Zellmembran (↑ Zelle).

Plasmaströmung (Protoplasmaströmung), gerichtete Bewegung des Protoplasmas in pflanzl. Zellen; vermutl. durch Aktinfilamente verursacht.

Plasmazellen, bei inneren Infektionskrankheiten auftretende Zellen des Knochenmarks, die aus Lymphozyten bzw. Retikulum-

Platterbse

zellen unter dem funktionellen Reiz von Antigenen hervorgehen. Die P. sind an der Bildung der Bluteiweißkörper, bes. der Gammaglobuline, beteiligt und daher bei der Synthese der antigenspezif. Antikörper wichtig.

Plasmid [griech.] (Episom), extrachromosomales genet. Element bei Bakterien: ein kleines, ringförmiges DNS-Stück. P. tragen oft wichtige Gene, u. a. Resistenzfaktoren gegen Antibiotika und Sulfonamide.

Plasmin, svw. ↑ Fibrinolysin.

Plasmodesmen [griech.], plasmat. Verbindungen zw. benachbarten Pflanzenzellen durch die Zellwand hindurch; dienen wahrscheinl. als Transportbahnen und Reizleitungssystem. Ähnl. Plasmabrücken über außerplasmat. Bezirke hinweg werden als **Ektodesmen** bezeichnet.

Plasmodium [griech.], Gatt. der Sporentierchen mit verschiedenen Arten, darunter die Erreger der Malaria.
♦ durch aufeinanderfolgende Vielteilung des Kerns ohne nachfolgende Zellteilung entstandener vielkerniger Plasmakörper; z. B. der Vegetationskörper der ↑ Schleimpilze.

Plasmolyse [griech.], Erscheinung bei vakuolisierten Pflanzenzellen, die auf Osmose beruht: Durch eine höher als die Vakuolenflüssigkeit konzentrierte Außenlösung wird der Vakuole über die semipermeablen Membranen der Zelle (Tonoplast und Plasmalemma) Wasser entzogen, so daß die Vakuolen schrumpfen und sich der Protoplast von der Zellwand abhebt.

Plasmon [griech.] (Plasmatyp), Bez. für die Gesamtheit aller außerhalb der Chromosomen lokalisierten Erbfaktoren der Zelle (dagegen ↑ Kariotyp); bei grünen Pflanzen **Plastom** (Plastidotyp) genannt.

Plasmopara [griech./lat.], Gatt. der Falschen Mehltaupilze mit dem Falschen Rebenmehltau als bekanntester Art.

Plasten [griech.], mit Ausnahme des Zellkerns Zellorganellen, die nur durch Teilung aus ihresgleichen (sui generis) hervorgehen können, also ↑ Plastiden und ↑ Mitochondrien.

Plastiden [griech.], Zellorganellen der Pflanzen mit Ausnahme der Pilze, Blaualgen und Bakterien. Die P. sind von 2 biolog. Membranen umgeben; sie vermehren sich (wie die ↑ Mitochondrien) durch Teilung und besitzen innerhalb der Zelle eine gewisse genet. Selbständigkeit, da sie eine eigene DNS haben. Man unterscheidet folgende P.typen: **Proplastiden** sind kleine P. in noch nicht ausdifferenzierten (meristemat.) Zellen mit charakterist. Einschlüssen wie Stärke und Lipidtröpfchen. Die Pro-P. sind die Vorstufen für alle übrigen P.typen. **Chloroplasten** bestehen aus der farblosen Grundsubstanz *(Stroma)*, in die lichtmikroskop. sichtbare Strukturen mit hoher Chlorophyllkonzentration *(Grana)* eingelagert sind. In ihnen läuft die Photosynthese ab. - In den Samenpflanzen sind die Chloroplasten zieml. einheitl. ellipsoidförmig (Länge rd. 5 µm), bei Algen treten auch andere Formen auf. ↑ Etioplasten sind eingeschränkt funktionsfähige Chloroplasten. **Leukoplasten** finden sich in Zellen, die auch bei Belichtung keine Chloroplasten ausbilden; ein diesen entsprechendes Membransystem fehlt. Sie bilden in Parenchymzellen von Speicherorganen bzw. -geweben aus Zucker Stärke; sie heißen dann auch Amyloplasten. **Chromoplasten** sind durch Karotinoide gelb bis rot gefärbt; sie haben kein Chlorophyll. - Die Farbpigmente tragenden P. wie Chloro- und Chromoplasten werden auch **Chromatophoren** genannt.

plastisches Sehen, svw. räuml. ↑ Sehen.

Plastochinon, in Chloroplasten enthaltene Chinonverbindung; bed. bei der ↑ Photosynthese als reversibles Redoxsubstrat.

Plastocyanin, in Chloroplasten enthaltenes Pigment, das als Redoxsystem der Photosynthese fungiert; chem. ein Protein, das 2 Atome Kupfer pro Molekül enthält.

Plastom ↑ Plasmon.

Plastron [griech.], ventraler, abgeplatteter Teil des Schildkrötenpanzers; besteht aus mehreren hintereinander gelegenen Platten.

Platane (Platanus) [griech.], einzige Gatt. der *Platanengewächse* (Platanaceae) mit 6-7 rezenten Arten, verbreitet von N-Amerika bis Mexiko, in SO-Europa sowie in Asien bis Indien und zum Himalaja; 30-40 m hohe, sommergrüne Bäume mit in Platten sich ablösender Borke, wechselständigen, ahornähnl. Blättern und unscheinbaren, einhäusigen Blüten in kugeligen Köpfchen. Die Früchte hängen einzeln oder zu mehreren an einem langen Stiel herab. - Als Park- und Alleebäume werden in Mitteleuropa neben der **Amerikan. Platane** (Platanus occidentalis; mit meist kleinschuppiger Borke und dreilappigen Blättern) v. a. die **Morgenländ. Platane** (Platanus orientalis; mit großschuppig sich ablösender Borke und 5-7lappigen Blättern) sowie am häufigsten die Kreuzung beider Arten, die auch Großstadtklima gedeihende **Ahornblättrige Platane** (Platanus hybrida; mit drei- bis fünflappigen Blättern) kultiviert.

Plateauphase [pla'to:] ↑ Orgasmus.

Plathelminthes [griech.], svw. ↑ Plattwürmer.

Plattenepithel ↑ Epithel.

Platterbse (Lathyrus), Gatt. der Schmetterlingsblütler mit mehr als 150 Arten in der nördl. gemäßigten Zone und in den Subtropen auch in trop. Gebirgen; ein- oder mehrjährige Kräuter mit paarig gefiederten Blättern, oft mit Blattstielranken. In Deutschland kommen rd. 15 Arten vor, u. a.: **Frühlingsplatterbse** (Frühlingswicke, Lathyrus vernus), im April und Mai blühende, bis 40 cm hohe Staude mit rotvioletten, vierbis sechsblütigen Blütentrauben und rankenlosen Blättern; **Saatplatterbse** (Dt. Kicher, Lathyrus sativus), einjährige, nur kultiviert

Plattfische

bekannte Pflanze mit bis 1 m hohem Stengel, Blüten bläul., rötl., oder weiß, meist einzeln, Hülsen kahl mit kantigen Samen (eßbar); **Waldplatterbse** (Lathyrus sylvestris), ausdauernde Pflanze mit 1–2 m langen liegenden oder kletternden Stengeln und blaßroten Blüten, in Gebüschen und Laubwäldern; **Wiesenplatterbse** (Lathyrus pratensis), 30–100 cm hohe Staude auf Wiesen, Blüten gelb; **Wohlriechende Platterbse** (Lathyrus odoratus), in S-Italien heim. einjährige, 1–2 m hohe Kletterpflanze mit duftenden, verschiedenfarbigen Blüten.

Plattfische (Pleuronectiformes), Ordnung wenige Zentimeter bis mehrere Meter langer Knochenfische mit rd. 600 Arten, v. a. in flachen Meeresgewässern, wenige Arten in größerer Meerestiefe, einige im Süßwasser; Körper seitl. stark abgeplattet, asymmetr.; beide Augen und Nasenlöcher auf der pigmentierten (je nach Art rechten oder linken), dem Licht (nach oben) zugekehrten Körperseite. Mit der helleren Körperseite liegen die P. am Grund oder graben sich in diesen ein; beim Schwimmen ist diese Seite nach unten gerichtet. Manche Arten können sich durch Farbwechsel täuschend dem Aussehen des Bodengrunds anpassen. Die Jugendstadien sind bilateral-symmetr. (also wie andere Fische gestaltet) und freischwimmend; nach der Umwandlung sind sie Bodenbewohner. - P. sind z. T. wichtige Speisefische, z. B. Scholle, Heilbutt, Steinbutt, Seezunge und Flunder.

Plattkäfer (Schmalkäfer, Cucujidae), weltweit verbreitete Käferfam. mit rd. 1 300 2–3 mm langen Arten, davon rund 50 Arten in M-Europa; Körper schmal und abgeplattet, mit großem Kopf und gerippten Flügeldecken. Viele P. leben unter Baumrinden von zerfallendem pflanzl. Material oder jagen andere Rindeninsekten. Manche Arten sind Vorratsschädlinge, z. B. der braune **Getreideplattkäfer** (Oryzaephilus surinamensis).

Plattmuscheln (Tellmuscheln, Tellinidae), Fam. z. T. prächtig gefärbter Muscheln im Pazifik und Atlantik. Die Schalen der **Pazif. Plattmuschel** (Macoma nasuta) wurden von Indianern als Geld benutzt. In der Nord- und Ostsee ist die **Balt. Plattmuschel** (Rote Bohne, Macoma baltica), eine bis 2,5 cm große, rundl., bräunl. Muschel, Charakterart der Gezeitenzone.

Plattschwänze (Laticauda), Gatt. etwa 1–1,5 m langer, giftiger, überwiegend im Ind. Ozean verbreiteter, eierlegender ↑ Seeschlangen; meist auffallend gefärbt, z. B. der **Gewöhnl. Plattschwanz** (Laticauda laticaudata; schwarz und himmelblau geringelt).

Plattwanzen (Hauswanzen, Cimicidae), weltweit verbreitete Fam. der ↑ Landwanzen mit rd. 20 an Säugetieren und Vögeln blutsaugenden Arten (auch die Larven sind Blutsauger); Körper sehr flach, oval; Vorderflügel zu kleinen Schüppchen reduziert, Hinterflügel fehlend. Die bekannteste Gatt. ist *Cimex,* zu der u. a. die **Bettwanzen** gehören mit der weltweit verschleppten **Gemeinen Bettwanze** (Cimex lectularius) und der in S-Asien und Afrika verbreiteten **Trop. Bettwanze** (Cimex rotundatus). Weiterhin gehört zu dieser Gatt. die an Tauben und Hühnern schmarotzende **Taubenwanze** (Cimex columbarius). Die für den Menschen sehr lästige Gemeine Bettwanze saugt auch an anderen Warmblütern, so daß sie häufig auch in Taubennestern, bei Hausgeflügel und in Kaninchenställen vorkommt. Sie ist erwachsen 5–8 mm lang und gelbl. bis rotbraun. Der Rüssel liegt in Ruhe zurückgeschlagen zw. den Vorderbeinbasen. An der Basis der Hinterbeine münden Stinkdrüsen, von denen der typ. Wanzengeruch ausgeht. Die ♀♀ haben eine bes. Begattungstasche *(Ribaga-Organ)* seitl. am vierten Hinterleibsring. Die Gemeine Bettwanze sucht ihre Opfer nur nachts, über ihren Geruchs- und Temperatursinn geleitet, auf. Tagsüber verharrt sie in einem Versteck. Erwachsen nimmt sie wöchentl. etwa einmal Blut auf und wird über ein Jahr alt. Bei Nahrungsmangel kann sie bis über ein halbes Jahr hungern.

Plattwürmer (Plathelminthes), Tierstamm mit über 12 000 Arten von etwa 0,5 mm bis über 15 m Länge; die Leibeshöhle ist von Parenchym erfüllt („parenchymatöse Würmer"); Blutgefäßsystem und bes. Atmungsorgane sind nicht entwickelt; der Darm endet blind (ein After fehlt). Im Ggs. zu der im übrigen einfachen Organisation zeigen die Geschlechtsorgane der fast stets zwittrigen P. einen hochentwickelten Bau: Der Eierstock ist meist in einen ausschließl. dotterlose Eizellen bildenden Abschnitt und in einen solchen getrennt, der nur Dotterzellen bildet. Mit Ausnahme der primitiven P., bei denen der Dotter in der Eizelle selbst enthalten ist, haben alle übrigen P. zusammengesetzte Eier. - Die P. leben teils im Meer, teils im Süßwasser, selten an Land. Sie sind freilebend (fast alle ↑ Strudelwürmer) oder parasit. (alle ↑ Saugwürmer und ↑ Bandwürmer).

Platy [griech.] (Spiegelkärpfling, Xiphophorus maculatus), bis 4 cm (♂) bzw. 6 cm

Platy

Plazentatiere

(♀) langer, meist hochrückiger ↑Lebendgebärender Zahnkarpfen in Süßgewässern Mexikos und Guatemalas; Färbung durch Zuchten (Warmwasseraquarienfisch) sehr variabel; Stammform oberseits olivbraun, an den Seiten bläulich schimmernd.

Plazenta [griech.-lat. „breiter, flacher Kuchen"] (Placenta, Mutterkuchen), blutgefäßreiches Gewebe als Verbindung zw. dem Embryo (bzw. der sich ausbildenden Nabelschnur) und dem Mutterorganismus bei den ↑Plazentatieren (einschließl. Mensch). Die P. dient der Versorgung des Embryos mit Nährstoffen, dem Abtransport von Schlackenstoffen aus dem embryonalen Stoffwechsel zur Mutter hin und dem Gasaustausch. Außerdem kommen vom mütterl. Organismus Vitamine und Immunstoffe. Dieser Stoffaustausch erfolgt über den fetalen Blutkreislauf. Das Herz des Embryos pumpt venöses (sauerstoffarmes) Blut durch die Nabelarterie zur Plazenta. Das dort aufgefrischte Blut wird nur zum kleinen Teil durch die noch untätigen Lungen gepumpt. Der größere Anteil gelangt direkt in den Körperkreislauf. Die Ernährung des Embryos über die P. ermöglicht eine oft weit fortschreitende Entwicklung innerhalb der schützenden Gebärmutter, d. h. im mütterl. Organismus. - Die P. setzt sich aus einem embryonalen Anteil (*Fruchtkuchen*, Placenta fetalis) und einem mütterl. Anteil (Mutterkuchen i. e. S., Placenta materna) zusammen. Ersterer geht aus Divertikeln der Embryonalhüllen, v. a. des Chorions in Verbindung mit der Allantois hervor. Der mütterl. Anteil entsteht aus Umbildungen der Gebärmutterschleimhaut. Die Oberfläche des Chorions (äußerste Embryonalhülle) tritt dabei durch fingerartige Fortsätze, die Zotten, mit dem mütterl. Gewebe in Verbindung.

Die **menschl. Plazenta** wiegt am Ende der Schwangerschaft etwa 500 g. Sie ist diskusförmig mit einem Durchmesser von etwa 15-20 cm und einer Dicke von 1,5-3,5 cm. Auf 1 cm^2 P. befinden sich mehr als 100 Zotten. Alle Zotten haben zus. eine Oberfläche von rd. 7 m^2, was dem 5fachen der Hautoberfläche eines erwachsenen Menschen entspricht. Neben der Nährfunktion übernimmt die P. etwa ab dem 4. Schwangerschaftsmonat die Produktion von Hormonen (Follikel-, Gelbkörperhormon, gonadotropes Hormon), die schwangerschaftserhaltend wirken. Sie regeln u. a. das Gebärmutterwachstum, die Milchbildungsbereitschaft der Milchdrüsen und gegen Ende der Schwangerschaft mittelbar die Auslösung der Wehen. - Nach der Geburt wird durch Wehen die P. als ↑Nachgeburt ausgestoßen.

📖 *Neue Erkenntnisse über die Orthologie u. Pathologie der Placenta.* Hg. v. H. J. Födisch. Stg. 1977. - *Morpholog. u. funktionell klin. Aspekte des placentouterinen Systems.* Hg. v. W. Auerswald u. a. Wien 1975.

Pointer

Polarhund

◆ in der Botanik: auf dem Fruchtblatt liegendes Bildungsgewebe, aus dem die ↑Samenanlage hervorgeht.

Plazentatiere (Plazentalier, Höhere Säugetiere, Eutheria, Monodelphia, Placentalia), seit dem Tertiär bekannte, heute mit über 4000 Arten weltweit verbreitete Unterklasse der Säugetiere, bei denen die Embryonen in der Gebärmutter des mütterl. Körpers über eine Plazenta ernährt werden. Die Jungen werden in mehr oder minder weit entwickeltem Zustand geboren. Das Urogenitalsystem und der Darm münden stets getrennt voneinander. Das Gehirn erfährt eine drast. Steigerung seiner Leistungsfähigkeit; die Fähigkeit zur Regulation der Körpertemperatur ist stark ausgeprägt. - Drei der 17 Ordnungen der P. haben sich an das Leben im Wasser angepaßt (Wale, Seekühe, Robben), eine andere Ordnung (Flattertiere) hat vollkommene Flugfähigkeit entwickelt. - Zu den P. zählen alle

Plazentophagie

Säugetiere (einschließl. Mensch), mit Ausnahme der ↑Kloakentiere und ↑Beuteltiere.
Plazentophagie [griech.-lat./griech.], svw. ↑Eihautfressen.

Pleiotropie [griech.] (Polyphänie), gleichzeitiges Inerscheinungtreten von Veränderungen bei mehreren voneinander verschiedenen äußeren Merkmalen durch die Mutation nur eines einzigen Gens. Einem solchen Gen bzw. dessen Genprodukten (d. h. den jeweils gebildeten Enzymen) ist demnach ein ganzes (die verschiedenen betroffenen Merkmale umfassendes) Wirkungsfeld zuzuordnen.

pleiozyklische Pflanzen [griech./dt.] (plurienne Pflanzen), Pflanzen, die nur einmal, und zwar am Ende ihres mehrjährigen Wachstums, blühen und dann absterben; z. B. die Arten der Agave (nach 10–100 Jahren).

Plektenchym [griech.], svw. Scheingewebe (↑Gewebe).

pleomorph [griech.], verschiedengestaltig, mehrgestaltig; von Bakterien mit variabler Zellform gesagt.

Pleopoden [griech.], Extremitäten am Hinterleib (Pleon) der Höheren Krebse; urspr. Spaltfüße, die dann für verschiedene Funktionen, wie Schwimmen, Atmen (durch Kiemenausbildung), Brutpflege oder Begattung, umgestaltet wurden.

Plerom [griech.], der im Wurzelspitzenbereich höherer Pflanzen sich ausdifferenzierende Gewebestrang, aus dem der Zentralzylinder hervorgeht.

Plerozerkus [griech.] (Dithydridium), Larvenform (↑Finne) der Bandwürmer; mit verdicktem, kompaktem Hinterende, in das das Vorderende (Scolex) eingestülpt ist.

Plesiosaurier (Plesiosauria) [griech.], ausgestorbene, nur aus der Jura- und Kreidezeit bekannte Unterordnung bis 14 m langer Reptilien (Ordnung Sauropterygier), die küstennahe Meeresregionen bewohnten; räuber. lebende Tiere mit sehr langem Hals und kräftigen (der Fortbewegung im Wasser dienenden) Ruderflossen.

Pleura [griech.], svw. ↑Brustfell; *P. costalis*, svw. ↑Rippenfell; **pleural,** zum Brustfell gehörend.

Pleurahöhle (Brustfellhöhle, Cavum pleurae), spaltförmiger, mit einer serösen Flüssigkeit als Gleitmittel erfüllter Raum zw. den beiden Wänden des ↑Brustfells.

pleurodonte Zähne [griech./dt.], ↑haplodonte Zähne vieler Eidechsen und Schlangen, die seitl. der Innenfläche der Kieferknochen ansitzen.

Pleuronectidae [griech.], svw. ↑Schollen.

Pleuronectiformes [griech./lat.], svw. ↑Plattfische.

Pleuston [griech. „Schwimmendes"], die Gesamtheit der an der Wasseroberfläche treibenden Organismen, v. a. höhere Pflanzen, deren Sprosse z. T. über das Wasser hinausragen und deren Wurzeln ins Wasser tauchen (z. B. Wasserlinse, Wasserfarne, Wasserhyazinthe).

plexodonte Zähne [lat./griech./dt.], im Unterschied zu den ↑haplodonten Zähnen die kompliziert aufgebauten Zähne v. a. der Säugetiere.

Plexus [lat.], netzartige Vereinigung bzw. Verzweigung (Geflecht) von Gefäßen *(Ader-, Lymphgeflecht)* oder Nerven *(Nervengeflecht).* - ↑auch Eingeweidegeflecht.

Pliohippus [griech.], ausgestorbene, nur aus dem Pliozän N-Amerikas bekannte Gatt. etwa zebragroßer Pferdevorfahren, die als unmittelbare Stammform der heutigen Pferde angesehen wird; Tiere mit funktionell einzehigen Beinen, die bei einigen Arten noch vollständige Seitenzehen besaßen; Backenzähne im Muster etwa denen der heutigen Pferde entsprechend.

Pliopithecus [griech.], Gatt. ausgestorbener Menschenartiger im Miozän Eurasiens und Afrikas; mit flachem, menschenaffenartigem Gesicht, fünfhöckerigen Zähnen, freischwingenden Armen und halbaufrechter Körperhaltung; werden vielfach als Vorläufer der Gibbons angesehen.

plizident [lat.], faltenzähnig; von Backenzähnen gesagt, bei denen die Wände der Zahnkrone stark gefaltet sind, z. B. bei vielen Nagern, bei Elefanten, Wiederkäuern und Pferden.

Ploidiegrad [plo-i...; griech./dt.], die Anzahl der (vollständigen) Chromosomensätze einer Zelle.

Plötze [slaw.] (Rotauge, Rutilus rutilus), etwa 25–40 cm langer, gestreckter Karpfenfisch, v. a. in Stillgewässern großer Teile des nördl. und gemäßigten Eurasien, z. T. auch in Brackgewässern und in der Ostsee; Körper silberglänzend, mit dunklem Rücken, rotem Augenring und rötl. Flossen; häufiger Schwarmfisch.

Plumbaginaceae [lat.], svw. ↑Bleiwurzgewächse.

plurienn [lat.], svw. ↑mehrjährig.

pluripotent [lat.], viele Potenzen, viele Entwicklungsmöglichkeiten in sich bergend; z. B. von der Neuralleiste gesagt, aus der während der Embryonalentwicklung die verschiedenartigsten Zellen bzw. Gewebe hervorgehen.

Pneumatisation [griech.], die Ausbildung von lufthaltigen Zellen oder Hohlräumen in Geweben, v. a. in Knochen (z. B. die Bildung der Paukenhöhle und der Nasennebenhöhlen in den Schädelknochen).

Pneumatophor [griech.], aus einer umgewandelten Meduse entstandene, als Schwebeeinrichtung dienende, flaschenförmige Bildung am oberen Ende des Stocks mancher Staatsquallen; besteht aus einem gasgefüllten Behälter und einer darunterliegenden ektodermalen Gasdrüse. Die Gasfüllung des P.

Pollenkorn

kann variiert werden und ermöglicht so ein Auf- und Absteigen des Staatsquallenstocks.

Pneumokokken [griech.], Bakterien der Art Streptococcus pneumoniae (früher Diplococcus pneumoniae, Diplococcus lanceolatus; ↑ Diplokokken). Die P. gehören zu den Milchsäurebakterien und weisen zahlr. Stämme bzw. Typen auf. Die P.stämme mit den relativ dicken Kapseln aus Polysacchariden sind pathogen (krankheitserzeugend). Ihre Einteilung erfolgt auf Grund der verschiedenen in den Kapseln lokalisierten Antigene. - P. finden sich bei 40–70 % der Erwachsenen symptomlos im Nasen-Rachen-Raum. Sie können aber, oft im Gefolge einer Virusinfektion, gefährlich pathogen werden: Lungen-, Mittelohrentzündung, Meningitis, Sepsis. Bekämpfung durch Antibiotika.

Pochkäfer, svw. ↑ Klopfkäfer.

Pockenschildläuse (Pockenläuse, Asterolecaniidae), Fam. etwa 1–3 mm großer, an Pflanzen saugender Schildläuse, v. a. in wärmeren Ländern. In Deutschland kommt v. a. die **Eichenpockenschildlaus** (Asterolecanium variolosum) vor: bis 2 mm groß, gelbgrün bis braun; ruft durch Saugen an jungen Eichenästen Rindenwucherungen hervor.

Pockenviren, quaderförmige Viren von komplexem Bau. Nach den Antigenen unterscheidet man: die Erreger der menschl. Pocken, der Kuhpocken, Mäusepocken, der Affen- und Kaninchenpocken sowie der Vogelpocken (Geflügelpocken), ferner Tumorviren wie *Myxoma* (Erreger der Myxomatose) und *Fibroma*. - Das **Vakziniavirus,** ein im Labor gezüchteter Virusstamm, wurde für die Schutzimpfung gegen Pocken (gelten seit 1979 als ausgerottet) angewendet, da es eine geringe Pathogenität für den Menschen besitzt.

poikilotherm [griech.] (wechselwarm, kaltblütig, heterotherm), die Körpertemperatur nicht konstant haltend, gesagt von den sog. ↑ Kaltblütern. - Ggs. ↑ homöotherm.

Pointer [engl.] (Engl. Vorstehhund), engl. Haushundrasse (Vorstehhunde); 53–65 cm Schulterhöhe; Haare dicht, kurz, glatt anliegend; Rute i. d. R. in Form eines Pumpenschwengels nach hinten abstehend; Fell weiß, mit braunen, schwarzen, orangefarbenen oder gelben Platten oder Tupfen. - Abb. S. 291.

Polarbirkenzeisig ↑ Hänflinge.

Polarfuchs (Eisfuchs, Alopex lagopus), zirkumpolar verbreiteter, 45–70 cm körperlanger Fuchs mit 30–40 cm langem, buschig behaartem Schwanz, kleinen, abgerundeten Ohren und im Winter dicht behaarten Fußsohlen, Fell im Winter sehr viel dichter als im Sommer. Je nach Färbung des Fells im Winter unterscheidet man zwei Farbvarianten: ↑ Blaufuchs und *Weißfuchs* (rein weiß).

Polarhase, eine Unterart der Schneehasen (↑ Hasen).

Polarhund (Eskimohund, Grönlandhund), vermutl. ursprüngl. aus O-Sibirien stammender Nordlandhund (Schlitten-, Jagdhund); 55–60 cm schulterhoch; alle Farben; Schnauze keilförmig; Rute buschig behaart, geringelt; zunehmend beliebt. - Abb. S. 291.

Polarität [griech.], das Vorhandensein zweier *Pole* (die sich an den Enden einer Längsachse gegenüberstehenden unterschiedl. Bezirke eines biolog. Objekts) bei einer molekularen Struktur, einer Zelle, einem Organ oder bei einem Organismus (z. B. vorderer und hinterer Körperpol, Sproß- und Wurzelpol). Die P. ist oft auch entscheidend für Wachstums- bzw. Entwicklungsvorgänge, die Richtung einer Fortbewegung, auch für die Reizaufnahme und Reizbeantwortung bzw. das Verhalten eines Organismus.

Polarluchs ↑ Luchse.
Polarmöwe ↑ Möwen.
Polarwolf ↑ Wolf.
Poleiminze [lat./dt.] ↑ Minze.

Poliomyelitisvirus (Poliovirus), ausschließl. für die Herrentiere pathogene ↑ Enteroviren; Durchmesser 20 nm; Erreger der Kinderlähmung; die drei nach Antigene unterschiedenen Typen (Poliotyp I, II und III) hinterlassen eine lebensläng. typenspezif. postinfektiöse Immunität.

Polkappen, bei Bedecktsamern anstelle der ↑ Zentriolen vorkommende kappenartige Plasmadifferenzierung an den beiden Zellpolen während der Zellteilung.

Polkörper (Richtungskörper[chen]), kleine Zellen mit haploidem Chromosomensatz, die bei den beiden Reifeteilungen während der Oogenese durch inäquale Teilung der primären und sekundären Oozyte entstehen.

pollakanthe Pflanzen [griech./dt.], Bez. für ausdauernde Pflanzen (v. a. Bäume), die mehrmals blühen. Diese Gewächse benötigen lange Zeit, bis sie zum erstenmal Blüten tragen. Dann wiederholt sich die Blütenbildung viele Jahre.

Pollen [lat. „Mehlstaub, Staub"] (Blütenstaub), Gesamtheit der Pollenkörner (↑ Pollenkorn) der Samenpflanzen.

Pollenanalyse, Methode der Paläobotanik zur Bestimmung der Flora der erdgeschichtl. jüngeren Vegetationsperioden aus Pollenkörnern. Die Widerstandsfähigkeit des Pollenkorns gegen äußere Einflüsse und seine für jede Pflanzenart bzw. -gatt. charakterist. Form erlauben nach Jahrtausenden noch Rückschlüsse z. B. auf die Geschichte der Kulturpflanzen, indirekt auch auf das Klima.

Pollenblumen, Pflanzen mit meist großen, staubblattreichen Blüten, die den besuchenden Insekten nur Pollen, jedoch keinen Nektar bieten (z. B. Rose, Mohn).

Pollenforschung, svw. ↑ Palynologie.

Pollenkorn, ungeschlechtl., durch Meiose aus Pollenmutterzellen in den Pollensäcken der Staubblätter entstehende haploide ♂ Fortpflanzungszelle (Mikrospore) der Samenpflanzen. Im P. entwickelt sich bei der Reifung

Pollensäcke

der ♂ Mikrogametophyt, bestehend aus einer vegetativen und einer darin eingeschlossenen generativen Zelle, die sich vor oder nach der Blütenbestäubung in zwei Spermazellen teilt. Nach Übertragung auf die Narbe (bzw. auf die nackte Samenanlage der Nacktsamer) treibt die innere Wand, die Intine, zum Pollenschlauch aus; dieser dringt in die ↑Samenanlage ein, wo die Befruchtung stattfindet.

Pollensäcke (Lokulamente), Teile der Staubblätter, in denen die Pollenkörner gebildet werden.

Pollenschlauch, Zellschlauch, der bei Samenpflanzen nach der Bestäubung auf der Narbe einer Blüte aus der inneren Wand des Pollenkorns auskeimt, chemotaktisch (meist) durch den Griffel hindurch zur Samenanlage wächst und durch die Entlassung der beiden Spermazellen des Pollenkorns in den Eiapparat des Embryosacks die Befruchtung einleitet.

Pollination [lat.], svw. ↑Blütenbestäubung.

Pollinium [lat.] (Pollenkörbchen), zusammenhängende Pollenmasse einer Staubbeutelhälfte (Theka) bei verschiedenen Blütenpflanzen, die geschlossen von blütenbesuchenden Insekten verschleppt wird (z. B. bei der Schwalbenwurz und bei Orchideen).

Polnische Nachtigall, svw. ↑Sprosser.

Polsterpflanzen, Gruppe immergrüner, krautiger oder holziger Pflanzen mit charakterist., an extreme klimat. Bedingungen angepaßter Wuchsform *(Polsterwuchs):* flache oder halbkugelige, am Boden angepreßte, feste Polster aus kurzer Hauptachse und zahlr. radial angeordneten, gestauchten, reich verzweigten Seitentrieben. P. sind verbreitet in polnahen Tundragebieten (Island, Spitzbergen, subantarkt. Inseln), in Schutt- und Felsfluren der alpinen und nivalen Stufe der Hochgebirge (z. B. Mannsschild-, Steinbrech- und Leimkrautarten in den Alpen, Azorellaarten in den Anden) sowie in Trockenvegetationsformationen des Mittelmeergebiets (Wolfsmilcharten) und in Wüsten. Im Gartenbau werden P. zum Bepflanzen von Trockenmauern und Steingärten sowie als Rasenersatz verwendet.

Polstrahlen (Asteren), mit Beginn einer Zellteilung (Prophase) auftretendes System von Kernspindelfasern (Mikrotubuli), das von den Zellpolen ausgeht. Aus den P. entsteht in der späten Prophase die ↑Kernspindel.

Polyantharosen [griech./dt.] ↑Rose.

Polychorie [griech.] ↑Allochorie.

Polyembryonie [griech.], die Bildung mehrerer Embryonen: 1. bei Pflanzen entweder aus einer oder aus mehreren befruchteten Eizellen pro Samenanlage oder auch aus somat. Zellen der Samenanlage durch Ausbildung von ↑Adventivembryonen; 2. bei Tieren, auch beim Menschen, durch Teilung der Embryoanlage, woraus eineiige Mehrlinge hervorgehen.

Polygala [griech.], svw. ↑Kreuzblume.

polygam [griech.], sich mit mehreren Individuen des anderen Geschlechts paarend (↑Polygamie).

◆ (bei Pflanzen) svw. ↑polyözisch.

Polygamie [griech.], tier. Fortpflanzungssystem, bei dem im Ggs. zur ↑Monogamie die Paarung eines ♂ mit mehreren ♀♀ *(Polygynie;* z. B. bei vielen Hühnervögeln, den meisten Robben, beim Rothirsch) oder, seltener, eines ♀ mit mehreren ♂♂ *(Polyandrie;* z. B. bei der Honigbiene) erfolgt.

◆ die Tatsache, daß manche Pflanzenarten *(polygame Pflanzen)* Zwitterblüten neben rein ♀ oder ♂ Blüten aufweisen; z. B. Weißer Germer, Feldthymian, Esche.

Polygen (multiples Gen), Gen, das für eine hohe Syntheseleistung in vielfacher Anzahl im Genom vorkommt.

Polygenese, Hypothese, nach der die Entstehung desselben neuen Tier- oder Pflanzentyps an verschiedenen Orten oder zu verschiedener Zeit mehrfach stattfinden könne.

Polygenie [griech.], die Erscheinung, daß an der Ausbildung eines Merkmals eines Phänotypus mehrere Gene beteiligt sind.

Polygonum [griech.], svw. ↑Knöterich.

polykarp (polykarpisch) [griech.], viele Früchte ausbildend; gesagt von Pflanzen, aus deren Blüten mehrere Früchte entstehen.

polylezithale Eier [griech./dt.] ↑Ei.

Polymastigina (Polymastiginen) [griech.], Ordnung fast ausschließl. parasitisch, kommensalisch oder symbiontisch im Darm von Gliederfüßern und Wirbeltieren lebender ↑Flagellaten; mit vier bis sehr vielen (bis mehrere Hundert) Geißeln und einem bis zahlreichen Zellkernen.

Polymerasen [griech.], die Aneinanderreihung von Nukleotiden zu Nukleinsäuren bewirkende, d. h. an der Replikation der DNS und RNS beteiligte Enzyme.

Polymorphismus [griech.], (Polymorphie, Heteromorphie) das regelmäßige Vorkommen unterschiedlich gestalteter Individuen (auch verschieden ausgebildeter einzelner Organe) innerhalb derselben Art, v. a. als ↑Dimorphismus, bei sozialen Insekten und Tierstöcken als *sozialer P.* (↑Kaste).

◆ (Chromosomen-P.) durch Chromosomenmutationen bedingtes Vorkommen von zwei oder mehr strukturell unterschiedl. alternativen Formen eines ,einem Chromosom in den Zellen der Individuen einer Population.

Polyneside, Menschenrasse in Polynesien und Mikronesien. Charakterist. Merkmale der P. sind: hoher und kräftiger Wuchs, mäßig breites, leicht eckiges Gesicht, mäßig breite Nase, große Lidspalte, dunkelbraune Augen, schwarzes und welliges Haar, lichtbraune Haut.

polyözisch [griech.] (polygam), mehrhäusig; gesagt von Pflanzenarten, die sowohl zwittrige als auch eingeschlechtige Individuen hervorbringen (z. B. Esche, Silberwurz, Thymian).

Polypen [zu griech. polýpous „vielfüßig"], mit Ausnahme der Staatsquallen festsitzende Habitusform der Nesseltiere, die sich (im Ggs. zu Quallen) i. d. R. durch (ungeschlechtl.) Knospung und Teilung fortpflanzt und dadurch oft große Stöcke bildet (z. B. Korallen); Körper schlauchförmig, mit Fußscheibe am Untergrund festgeheftet; die gegenüberliegende Mundscheibe fast stets von Tentakeln umgeben. P. können nach ein bis mehreren Generationen Medusen abschnüren oder als alleinige Habitusform auftreten.
◆ Bez. für ↑ Kraken.

Polypeptide ↑ Peptide.

polyphag [griech.] (multivor), sich von vielen unterschiedl. Pflanzen- bzw. Tierarten ernährend. - ↑ auch Allesfresser.

Polyphaga [griech.], weltweit verbreitete Unterordnung der Käfer, deren erste drei Bauchringe deutl. voneinander getrennt sind (im Unterschied zu den ↑ Adephaga); umfaßt die Hauptmasse aller Käfer.

polyphyletisch [griech.], verschiedenartigen Ursprungs, mehrstämmig, von mehreren Stammformen ausgehend; von Tier- oder Pflanzengruppen gesagt, die sich stammesgeschichtl. von mehreren nicht näher miteinander verwandten Ausgangsformen herleiten lassen.

Polyplacophora [griech.], svw. ↑ Käferschnecken.

polyploid [griech.], mehr als zwei Chromosomensätze (↑ diploid) enthaltend; von Zellen mit drei *(triploid)*, vier *(tetraploid)* und mehr Chromosomensätzen oder von Lebewesen mit solchen Körperzellen gesagt.

Polyploidie [...plo-i...; griech.], das Vorhandensein von mehr als zwei ganzen Chromosomensätzen in († polyploiden) Zellen bzw. Lebewesen durch verschiedene Ursachen (z. B. ↑ Endomitose). P. führt zur Vergrößerung der Zellen bzw. des ganzen Organismus und ist daher v. a. für die Pflanzenzüchtung von großer Bedeutung.

Polysaprobionten (Polysaprobien) [griech.], Organismen, die in der am stärksten verschmutzten (polysaproben) Zone der Gewässer leben, z. B. der Gemeine Schlammröhrenwurm, eine Tubifexart.

Polysomen [griech.] ↑ Ribosomen.

Polyspermie [griech.], das Eindringen von mehreren Spermien (bei 2 Spermien spricht man von **Dispermie**) in die Eizelle. Pathol. P. kommt vor z. B. nach Schädigung der Eizelle und führt zum Absterben der Zygote oder zur Entstehung abnormer Embryonen. Physiolog. P. kommt regelmäßig vor bei manchen Insekten, bei Amphibien, Reptilien und Vögeln, wobei jedoch die in das Ei eingedrungenen überzähligen Kerne zugrundegehen, so daß eine normale Befruchtung und Entwicklung gewährleistet ist.

polyzyklisch, svw. ↑ mehrjährig.

Pomeranze [italien., zu pomo „Apfel" und arancia „bittere Apfelsine"] (Bigarade, Bitterorange, Citrus aurantium ssp. amara), wildwachsende Unterart der Gatt. Citrus (↑ Zitruspflanzen) am S-Abfall des Himalaja, angebaut in Indien und im Mittelmeergebiet; kleiner Baum mit längl.-ovalen, schwach gekerbten Blättern und weißen, stark duftenden Blüten. Die kugelförmigen, orangefarbenen Früchte (**Pomeranzen**) haben saures Fruchtfleisch und eine bitter schmeckende Fruchtschale. Sie werden zur Herstellung von Marmelade und Likör verwendet. Aus den Schalen der unreifen Früchte wird durch Pressen **Pomeranzenöl** (Orangenöl) gewonnen (wichtig in der Parfüm- und Genußmittelind.).

Pompadourfische ['pompadu:r; nach der Marquise de Pompadour], svw. ↑ Diskusfische.

Pongidae [afrikan.], svw. ↑ Menschenaffen.

Pontederiengewächse (Pontederiaceae) [nach dem italien. Botaniker G. Pontedera, * 1688, † 1757], Fam. der Einkeimblättrigen mit rd. 30 Arten in 7 Gatt. in den Tropen und Subtropen; ausdauernde Kräuter mit rosettig angeordneten Blättern und kurzlebigen Blüten in verschiedenen Blütenständen. P. kommen meist in Sümpfen oder schwimmend vor; viele Teich- und Aquarienpflanzen; eine bekannte Gatt. ist die ↑ Wasserhyazinthe.

pontische Pflanzen (pontisch-pannon. Pflanzen), Pflanzen des pontisch-zentralasiat. Florengebiets des ↑ holarktischen Florenreichs, deren Hauptverbreitung sich über die Wiesen und Federgrassteppen vom Ungar. Tiefland bis nach Mittelasien erstreckt (verschiedene Federgras-, Schwingel- und Seggenarten).

Ponys ['poni:s; engl.], Rasse relativ kleiner Hauspferde (Schulterhöhe bis 148 cm). P. sind durchweg robust, genügsam, arbeitswillig und im allg. gutartig, in den Farben häufig mausgrau bis graugelb, mit Aalstrich. Die Untergliederung ist wenig einheitlich. Man unterscheidet vielfach: 1. Eigentl. P. *(Zwergpferde)*, bis 117 cm hoch; z. B. **Shetlandpony** (anspruchslose, tief und gedrungen gebaute P. mit glattem, langem Haar in allen Farben) und *Skirospony;* 2. P. im erweiterten Sinne sind *Kleinpferde* (120–134 cm hoch); z. B. *Exmoorpony*, **Islandpony** (kräftige, genügsame P. mit rauhem Fell in verschiedenen Farbschlägen; ausdauernd, mit sehr gutem Seh- und Orientierungsvermögen) und *Welsh-Mountain-Pony* sowie die als *Mittelpferde* bezeichneten, 135–148 cm hohen Rassen, wie z. B. *Fjordpferd*, *Haflinger* und *Koniks*.

Population [lat.], alle in einem Gebiet vorkommenden Individuen einer *Tier-* oder *Pflanzenart* (bzw. auch verschiedener am

Populationsdichte

gleichen Ort vorkommender Arten [*Mischpopulation*]). Als Kriterium wird nicht selten gefordert, daß die Angehörigen einer P. sich uneingeschränkt untereinander fortpflanzen und daher die P. einen gemeinsamen Genpool besitzt (*Mendelpopulation*).

Populationsdichte, svw. Individuendichte (↑ Abundanz).

Populationsdynamik, die zeitl. Schwankungen in der Individuendichte (↑ Abundanz, ↑ auch Massenwechsel) einer Population in Abhängigkeit von abiot. (z. B. Witterung) und biot. Umwelteinflüssen (z. B. Nahrungsangebot, Feinde).

Populus [lat.], svw. ↑ Pappel.

Pore (Porus, Mrz. Pori) [griech.-lat.], kleines Loch, feine Öffnung, z. B. in der tier. und menschl. Haut (v. a. als Ausmündung der Schweißdrüsen), im Außenskelett und in den Schalen und Gehäusen von Tieren, in Kapselfrüchten (P.kapsel), in der Kern- und Zellmembran.

Porenkapsel ↑ Kapselfrucht.

Porenpilze, svw. ↑ Porlinge.

Porenschwämme, svw. ↑ Porlinge.

Poriales [griech.] ↑ Porlinge.

Porifera [griech./lat.], svw. ↑ Schwämme.

Porlinge (Löcherpilze, Porenschwämme, Porenpilze), systemat. uneinheitl. Sammelgruppe von saprophyt. und parasit. Pilzen, deren Fruchtkörper oft zäh, lederartig und konsolenförmig sind. Die sporenbildende Fruchtschicht auf der Unterseite überzieht runde oder vieleckige Röhrchen oder Waben. Die P. gehören z. T. zur Fam. *Polyporaceae* (bekannte Vertreter: Schuppiger Porling, Winterporling), z. T. zu verschiedenen Fam. der Ordnung *Poriales* (Aphyllophorales). Bekannte Gatt. bzw. Arten der Poriales sind Eichhase, Fomes, Feuerschwamm und die Trameten. - Die bodenbewohnenden, weichfleischigen *Saft-P.* (Scutiger) sind, zus. mit den Vielhütern, als einzige P. eßbar. - Viele P. zählen zu den Baumparasiten.

Porogamie [griech.], pflanzl. Befruchtungsweise bei Blütenpflanzen: der Pollenschlauch dringt direkt durch die Mikropyle in die ↑ Samenanlage ein.

Porphinfarbstoffe [griech. (zu Porphyr)], Naturfarbstoffe, zu denen die Farbkomponenten des Hämoglobins und bestimmter Enzyme (z. B. Zytochrome, Peroxidasen), des Chlorophylls und Vitamins B_{12} (mit komplexgebundenen Metallen) sowie die metallfreien, als Stoffwechselprodukte des Blutfarbstoffs oder als Körperfarbstoffe von Tieren vorkommenden **Porphyrine** gehören (abgeleitet vom aus vier, durch vier Methingruppen miteinander verbundenen Pyrrolringen bestehenden **Porphin** (Porphyrin).

Porphyra [griech.], Gatt. der Rotalgen mit rd. 25 marinen Arten; *P. tenera* und andere Arten liefern *Meerlattich (Amanori)*, der in Japan als Nahrungsmittel geschätzt ist.

Porphyrine [griech.] ↑ Porphinfarbstoffe.

Porree [lat.-frz.] (Breitlauch, Winterlauch, Küchenlauch, Allium porrum), wahrscheinl. aus Südeuropa stammende, in Kultur meist einjährige Art des ↑ Lauchs; Zwiebeln wenig ausgeprägt, äußere dickere Zwiebelblätter in lange, längsgestreifte Laubblätter übergehend, unten einen abgerundeten, verdickten Scheinstamm bildend; Blüten weiß bis hellrosa, in Scheindolden auf einem bis 180 cm hohen Schaft. Der P. wird in vielen Kultursorten angebaut. Die Sorten des *Sommer-P.* werden meist nur als Gewürz, die des *Winter-P.* als Gemüse verwendet.

Porst (Ledum), Gatt. der Heidekrautgewächse mit fünf Arten in Eurasien und N-Amerika; immergrüne Sträucher mit unterseits filzigen oder drüsigen, stark aromat. Blättern, deren Rand sich bei Lufttrockenheit einrollt und so die Verdunstung einschränkt; Blüten klein, weiß bis rötlich, mit fünfteiliger Krone. 0,5–1,5 m hoch wird der **Sumpfporst** (Wilder Rosmarin, Mottenkraut, Ledum palustre); aromat. duftender Strauch in Torfmooren.

Portemonnaiebaum [pɔrtmɔ'nɛ, ...'ne:] ↑ Afzelia.

Porter, Rodney Robert [engl. 'pɔːtə], * Ashton-under-Lyne 8. Okt. 1917, † Winchester (Hampshire) 7. Sept. 1985, brit. Biochemiker. – Prof. in Oxford; befaßte sich bes. mit der Strukturanalyse der an der Immunabwehr beteiligten Antikörper. Unabhängig von G. M. Edelman, mit dem zus. er 1972 den Nobelpreis für Physiologie und Medizin erhielt, wies P. nach, daß das Molekül eines Antikörpers aus zwei Kettenpaaren aufgebaut ist.

Portmann, Adolf, * Basel 27. Mai 1897, † Basel 28. Juni 1982, schweizer. Biologe. - Prof. in Basel; Arbeiten u. a. zur vergleichenden Morphologie, zur allg. Biologie und zur Entwicklungsgeschichte. In seinen anthropolog. Studien befaßt sich P. speziell mit der biolog. Sonderstellung des Menschen.

Portugieser (Blauer Portugieser), ertragreiche, frühreife, blaue Rebsorte, liefert einen milden, jedoch schnell alternden Rotwein.

Portugiesische Auster ↑ Austern.

Portugiesische Galeere (Span. Galeere, Seeblase, Physalia physalis), in allen warmen Meeren verbreitete Staatsqualle; treibt mit Hilfe einer bis 30 cm langen, silbern, blau und purpurn schimmernden Luftkammer an der Wasseroberfläche. An der Unterseite der Luftkammer sitzen bis mehrere Tausend Einzelindividuen mit (bis 50 m) langen Fangfäden, deren Nesselkapseln auch beim Menschen lebensgefährl. Verbrennungen hervorrufen können.

Portulak [lat.] (Bürzelkraut, Portulaca), Gatt. der Portulakgewächse mit über 100 Arten in den trop. und subtrop. Gebieten der ganzen Erde; Kräuter mit wechsel- oder fast gegenständigen Blättern und endständigen,

Prachtlilie

in Wickeln oder einzelnstehenden Blüten. Eine bekannte Art ist das **Portulakröschen** (Portulaca grandiflora) mit 2–4 cm großen, häufig roten Blüten; beliebte Sommerblume.
Portulakgewächse (Portulacaceae), Fam. der zweikeimblättrigen Pflanzen mit rd. 500 Arten in 19 Gatt., v. a. an der pazif. Küste Amerikas und in den Anden; meist einjährige oder auch ausdauernde Kräuter, selten Sträucher, mit spiralig angeordneten, schmalen, ungeteilten, teilweise sukkulenten Blättern und unscheinbaren Blüten in Blütenständen. Bekannte Gatt. sind Claytonie, Lewisie und Portulak.
Porus [griech.-lat.], svw. ↑ Pore.
Porzana [italien.], svw. ↑ Sumpfhühner.
Porzellanschnecken (Cypraeidae), Fam. der Schnecken (↑ Vorderkiemer) mit zahlr. Arten in allen Meeren; Schale eiförmig, porzellanartig, nicht selten stark gemustert. Die P. leben vorwiegend auf Korallen, Schwämmen und Manteltieren. Zu den P. gehören u. a. Pantherschnecke, Tigerschnecke und Kaurischnecken.
Posthornschnecke (Planorbarius corneus), bis etwa 3 cm lange, braune Lungenschnecke, v. a. in stehenden, pflanzenreichen Süßgewässern Norddeutschlands; Gehäuse spiralig gewunden; wurde früher als „Purpurschnecke des Süßwassers" bezeichnet, weil sie bei stärkerer Belästigung einen roten Blutstropfen abgeben kann.
Postillion [lat.] ↑ Gelblinge.
Potamogeton [griech.], svw. ↑ Laichkraut.
potentielle Unsterblichkeit ↑ Tod.
Potentilla [lat.], svw. ↑ Fingerkraut.
Potometer (Potetometer) [griech.], zur Feststellung (Grobmessung) der pflanzl. Transpiration benutztes wassergefülltes Gefäß, in dessen Hals der zu prüfende, frische Sproß luftdicht eingelassen wird. Die vom Sproß aufgenommene Wassermenge wird der transpirierten Wassermenge gleichgesetzt und an einem horizontal angesetzten, mit Skala versehenen Kapillarröhrchen durch eine im Wasser wandernde Luftblase angezeigt.
Potoroinae [austral.], svw. ↑ Rattenkänguruhs.
Pottwale (Physeteridae), mit Ausnahme der Polarmeere weltweit verbreitete Fam. der ↑ Zahnwale; vorwiegend Tintenfischfresser, deren funktionsfähige Zähne nur im schmalen Unterkiefer sitzen, der vom großen Oberkopf überragt wird. Man unterscheidet zwei Arten: **Zwergpottwal** (Kogia breviceps), etwa 2,7–4 m lang, Körper schwarz mit hellerer Unterseite, Kopf kurz, abgestumpft. Unterkiefer verkürzt; **Pottwal** (Spermwal, Cachelot, Physeter catodon), etwa 11 (♀) bis knapp 20 m (♂) lang, schwärzl., mit riesigem, fast vierantigem Kopf (rd. $1/3$ der Gesamtlänge); Unterkiefer sehr schmal und lang. Der Pottwal lebt gesellig in einem polygamen Verband. Er taucht bis in 1 000 m Tiefe. Neben Walrat liefert er auch Amber. Die Verständigung zw. den Herdentieren soll durch knarrende Laute erfolgen. Die Bestände sind bedroht.
PP-Faktor ↑ Vitamine.
Prachtbarsche (Pelmatochromis), Gatt. etwa 7–10 cm langer, prächtig bunt gefärbter Buntbarsche in stehenden und fließenden Süßgewässern (z. T. auch Brackgewässern) des trop. W-Afrika; z. T. aggressive, z. T. zieml. friedl. Fische, von denen einige Arten beliebte Warmwasseraquarienfische sind.
Prachtbienen (Goldbienen, Euglossini), Gattungsgruppe bis hummelgroßer, prachtvoll bunter Bienen in trop. Regenwäldern Südamerikas; nicht staatenbildende, z. T. hummelähnl. behaarte Insekten.
Prachtfinken (Astrilde, Estrildidae), Fam. bis meisengroßer Singvögel mit rd. 125 Arten, v. a. in Steppen, Savannen und lichten Wäldern Afrikas, Südostasiens und Australiens; gesellige, sich vorwiegend von Grassamen und Insekten (bes. Ameisen und Termiten) ernährende, meist prächtig bunt gefärbte Vögel, die aus Gräsern Kugelnester mit seitl. Einflugsloch (z. T. auch mit längerer Eingangsröhre) v. a. in Büschen und niedrigen Bäumen bauen; beliebte Stubenvögel. - Zu den P. gehören u. a. Amadinen, Goldbrüstchen, Muskatfink, Reisfink, Schönbürzel, Zebrafink und das bis 10 cm lange, oberseits bräunl., unterseits graue **Orangebäckchen** (Estrilda melpoda).
Prachtglanzstar ↑ Glanzstare.
Prachtkäfer (Buprestidae), mit fast 15 000 Arten weltweit verbreitete Fam. 0,3–8 cm langer, meist auffallend metall. schimmernder Käfer; Imagines sind Blütenbesucher und fressen an Blättern, die Larven bohren in Stengeln sowie in Stämmen und Ästen. - In M-Europa kommen rd. 90 zw. 3 und 25 mm lange Arten vor, u. a. **Buchenprachtkäfer** (Grüner Prachtkäfer, Agrilus viridis), 6–9 mm groß, grün, blau oder kupferfarben schillernd; die Larve *(Zickzackwurm)* frißt bis 75 cm lange Gänge in den Bast bei Eiche, Erle, Espe, Buche, Birke und verursacht einseitiges oder vollständiges Absterben der Bäume.
Prachtkärpflinge (Aphyosemion), Gatt. etwa 4–12 cm langer Eierlegender Zahnkarpfen mit zahlr. Arten, v. a. in flachen, z. T. austrocknenden Süßgewässern (selten in Brackgewässern) des trop. W-Afrika; ♂♂ sehr bunt gefärbt, ♀♀ unscheinbar graubraun; beliebte Warmwasseraquarienfische.
Prachtkopfsteher ↑ Kopfsteher.
Prachtlein (Linum grandiflorum), nordafrikan. Leingewächs; einjährige, bis 40 cm hohe, verzweigte Pflanze mit graugrünen, wechselständigen, lanzenförmigen Blättern und roten oder violetten Blüten in Doldenrispen; Zierpflanze.
Prachtlibellen, svw. ↑ Seejungfern.
Prachtlilie ↑ Lilie.

Prachtnelke

Präriehunde (Cynomys ludovicianus)

Prachtnelke ↑Nelke.
Prachtspiere, svw. ↑Astilbe.
Prachtstrauch (Brennender Busch, Embothrium), Gatt. der Proteusgewächse in den südl., außertrop. Anden. Die einzige Art **Embothrium coccineum** ist ein bis 10 m hoher immergrüner Baum mit wechselständigen, dunkelgrünen, glänzenden Blättern und roten, in Trauben stehenden Blüten; in Mitteleuropa sommerblühender Zierstrauch.
Prachttaucher (Polartaucher, Gavia arctica), etwa 65 cm lange Vögel (Fam. ↑Seetaucher) auf den Gewässern N-Eurasiens (in M-Europa von Brandenburg und Westpreußen) und N-Kanadas; ♂ und ♀ im Brutkleid mit aschgrauem Oberkopf, schwarzer Kehle und schwarzer, weiß gefleckter Körperoberseite; an Hals- und Brustseiten schmale weiße Streifen; im Winter Oberseite grau und braun, Unterseite weiß.
Präformationstheorie, bis zur Mitte des 18. Jh. herrschende Lehre über die Individualentwicklung der Organismen, nach der alle Lebewesen in den Geschlechtszellen bereits fertig vorgebildet (ineinandergeschachtelt) sind und sich nach der Befruchtung nur noch entfalten.
Prägung, in der Verhaltensforschung Bez. für eine sehr schnell sich vollziehende Fixierung eines Lebewesens bzw. einer seiner Instinktbewegungen auf einen Auslöser. Die P. ist dadurch gekennzeichnet, daß extrem rasch und nur während einer als *sensible Phase* bezeichneten Zeitdauer gelernt wird. Geht diese Phase vorüber, ohne daß der Lernvorgang ablaufen konnte, ist auch die P.bereitschaft vorüber. Das einmal Gelernte kann nicht vergessen werden; auch ein Umlernen ist nicht möglich. Bekanntes Beispiel ist die *Nachfolge-P.* bei Gänsen. Die frischgeschlüpften Küken laufen dem ersten bewegten Gegenstand, der Töne von sich gibt, nach. Nach kurzer Zeit wird das Nachlaufen an weitere Merkmale des Objekts geknüpft. - Das Phänomen P. wurde von K. Lorenz entdeckt und bes. von E. Hess erforscht.
Auch beim Menschen spielt wahrscheinl. die P. auf die Bezugsperson im Säuglingsalter eine wichtige Rolle für die Persönlichkeitsentwicklung.
Prämaxillare [lat.], svw. Intermaxillarknochen (↑Zwischenkieferknochen).
Prämolaren, svw. Vorbackenzähne (↑Zähne).
Pranke, Tatze der Raubtiere.
Präparate [lat.], aus Lebewesen hergestellte Demonstrationsobjekte für Forschung und Lehre. Sie werden als **Frischpräparate** in frisch präpariertem, lebendem Zustand zur Untersuchung physiolog. Vorgänge und zur Beobachtung natürl. Strukturen verwendet. Vorbehandelte P. mit fixierten, eingebetteten, geschnittenen und gefärbten Objekten sind **Dauerpräparate**. - *Makroskop.* P. können ohne opt. Hilfsmittel betrachtet werden. Als *Total-P.* (Ganz-P.) zeigen sie das ganze Objekt. P. liegen als *Trocken-P.* (z. B. Herbarpflanzen, Insekten), als *Naß-P.* (in Konservierungsflüssigkeiten wie Alkohol, Formol) oder als *Einschluß-P.* (in glasartigen, fest werdenden Kunststoffen) vor. - *Mikroskop.* P. können wegen ihrer Feinheit nur mit dem Mikroskop untersucht werden
Präparieren, das Anfertigen anatom. Präparate für Lehrzwecke durch Zerlegen des toten menschl., tier. oder pflanzl. Körpers mit anschließendem Haltbarmachen (Konservieren) der Teile bzw. Organe.
Prärie [frz., zu lat. pratum „Wiese"], das natürl. Grasland in N-Amerika zw. der Laubwaldzone des Zentralen Tieflandes im O und SO, den Dornstrauchsavannen im SW, den Rocky Mountains im W und dem borealen Nadelwald im N, untergliedert von O nach W in: 1. Hoch- oder Langgras-P. mit mannshohen Gräsern; 2. Übergangs-P. mit Lang- und Kurzgräsern und Halbsträuchern; 3. Kurzgrassteppe.
Präriehuhn (Tympanuchus cupido), etwa 48 cm langes, gebietsweise ausgerottetes Rauhfußhuhn in den Prärien des zentralen N-Amerika; vorwiegend auf braunem Grund hellgezeichnete Bodentiere, deren ♂♂ an jeder Halsseite einen gelbroten (bei der Balz aufblähbaren) Luftsack besitzen und beim Imponiergehabe (auf Massenbalzplätzen) zwei relativ lange Federbüschel am Hinterkopf aufstellen. Die ♀♀ legen in Bodennester 12–16 bräunl. Eier.
Präriehunde (Cynomys), seit dem Pleistozän N-Amerikas bekannte, heute nur noch mit zwei Arten vertretene Gatt. der Erdhörnchen, v. a. in den Prärien der westl. N-Amerika; Körperlänge knapp 30–35 cm, Schwanz etwa 3–10 cm lang, mit weißer oder schwarzer Spitze; übrige Färbung fahlbraun. - P. leben in großen Kolonien mit weitverzweigten unterird. Gangsystemen; können in Kulturland sehr schädl. werden; Winterschläfer.
Präerieklapperschlange ↑Klapperschlangen.

Primel

Präriewolf (Kojote, Coyote, Heulwolf, Canis latrans), in Prärien und Wäldern N- und M-Amerikas weit verbreitetes Raubtier (Fam. Hundeartige; Körperlänge etwa 80–95 cm; Schwanz 30–40 cm lang, buschig, wird beim Laufen auffallend nach unten getragen; Schnauze spitz; Fell oberseits überwiegend bräunlich- bis rötlichgrau, unterseits weißl.; der höhlenbewohnende, überwiegend nachtaktive P. gibt kurze, hohe Heultöne von sich. Er ernährt sich überwiegend von Kleintieren.

Präsapiensgruppe [lat./dt.], Bez. für eine Homininengruppe, die bereits vor den (klass.) Neandertalern existierte, jedoch noch weniger als diese spezialisiert war bzw. in einer Reihe von morpholog. Merkmalen dem Jetztmenschen bereits etwas näher stand.

Präzipitation [lat.] (Immunpräzipitation), Ausfällung infolge einer ↑Antigen-Antikörper-Reaktion zw. einem kolloidalen Antigen *(Präzipitinogen)* und einem Antikörper *(Präzipitin)* im Blutserum oder ↑in vitro.

Preiselbeere (Grantl, Kronsbeere, Riffelbeere, Vaccinium vitis-idaea), Art der Gatt. ↑Heidelbeere auf sauren Böden im nördl. Europa, in Sibirien und Japan sowie im arkt. N-Amerika; winterharter, immergrüner, kriechender, bis 10 cm hoher Strauch mit oberseits glänzend grünen, unterseits helleren, schwarz punktierten Blättern und kleinen, weißen oder rötl. Blüten in Trauben. Die Früchte (**Preiselbeeren**) sind etwa erbsengroß, rot und schmecken herb und säuerlich. Sie werden meist zu Kompott und Marmelade verarbeitet.

Pressorezeptoren [lat.] (Blutdruckzügler), auf den arteriellen Blutdruck ansprechende Endigungen von Gefäßnerven in der Wand des Aortenbogens und des Karotissinus (Erweiterung der Halsschlagader und des von ihr abzweigenden inneren Astes), deren afferente Nervenfasern dem Vagus und Zungen-Schlund-Nerv zuzuordnen sind und die Erregungen in den blutdrucksenkenden Zonen im verlängerten Rückenmark leiten. Als Reiz wirkt auf die P. die Dehnung der Gefäßwand bei Blutdruckanstieg (sowohl bei Änderung des mittleren Blutdrucks als auch bei jeder einzelnen Pulswelle).

Preßwehen (Austreibungswehen) ↑Geburt.

Preußenfische (Dascyllus), Gatt. zieml. kleiner ↑Korallenbarsche, v. a. in Korallenriffen trop. Meere; Körperfärbung variabel, häufig weiß mit breiten, schwarzen Querbinden (z. B. beim *Perlpreußenfisch,* Dascyllus melanurus).

Priapswürmer [griech./dt.], svw. ↑Rüsselwürmer.

Priapulida [griech.] ↑Rüsselwürmer.

Pricke [niederdt.], Bez. für einige Arten der Neunaugen, wie z. B. *Bach-P.* (↑Bachneunauge).

Priesterfisch (Streifenfisch, Atherina presbyter), bis etwa 15 cm langer Ährenfisch im Mittelmeer und an der Atlantikküste W-Europas und N-Afrikas, auch in Flußmündungen; sehr schlank, silbrig, mit dunklerem Rücken und goldgrünem Längsband an jeder Körperseite.

Priestervogel ↑Honigfresser.

primäre Knochen, svw. ↑Ersatzknochen.

primäre Leibeshöhle ↑Leibeshöhle.

primärer Generationswechsel ↑Generationswechsel.

Primärharn ↑Niere.

Primärinsekten (primäre Insekten), in der Forstwirtschaft Bez. für Insekten, die gesundes lebendes pflanzl. Gewebe befallen; z. B. Waldmaikäfer, Riesenbastkäfer, Kieferneule und Fichtenläuse. - Ggs.: **Sekundärinsekten,** die „kränkelnde" oder tote pflanzl. Gewebe befallen; z. B. Prachtkäfer, Holzwespen und Borkenkäfer (viele Borkenkäfer können auch als P. auftreten).

Primärkonsumenten ↑Nahrungskette.

Primärwald, Bez. für eine sich ohne menschl. Beeinflussung einstellende Waldform.

Primaten (Primates) [lat.], svw. ↑Herrentiere.

Primatenzentrum, Einrichtung zur artgemäßen Haltung und Züchtung von Affen und Halbaffen, die als notwendige Versuchstiere für die Humanmedizin benötigt werden. Dadurch soll einer Dezimierung bzw. Ausrottung in der freien Wildbahn vorgebeugt werden. In der BR Deutschland besteht seit 1983 ein P. an der Univ. Göttingen.

Primel [lat., eigtl. „erste (Blume des Frühlings)"] (Himmelsschlüssel, Schlüsselblume, Primula), Gatt. der Primelgewächse mit über 500 Arten in Europa und in den gemäßigten Zonen Asiens; meist ausdauernde Kräuter

Preiselbeere
mit Blüten und Früchten

Primelgewächse

mit trichter- oder tellerförmiger Blütenkrone und röhrigem, glockigem oder trichterförmigem Kelch. Beliebte Zierpflanzen sind: ↑Aurikel; **Frühlingsschlüsselblume** (Duftende Schlüsselblume, Duftende P., Frauenschlüssel, Primula veris), auf sonnigen Wiesen und an Waldrändern in Europa und Asien; mehrjährige Pflanzen mit wohlriechenden, dottergelben, am Schlund orangerot gefleckten Blüten und weitglockigem Kelch in einseitswendiger Dolde auf einem 10 bis 30 cm langen Schaft; Blätter behaart, längl. gezähnt, in grundständiger Blattrosette; werden medizin. u. a. als Husten- und Abführmittel verwendet; **Giftprimel** (Becher-P., Primula obconica), rot bis weiß blühende, weichbehaarte asiat. P.art mit 2- bis 13blütiger Dolde und becherförmigem Kelch; Sekret der Drüsenhaare stark hautreizend; **Mehlprimel** (Mehlstaub-Himmelschlüssel, Primula farinosa), besiedelt sumpfige, kalkhaltige Alpenwiesen und Flachmoore Europas; Blätter unterseits, ebenso wie der Blütenstand, mehlig bestäubt; Blüten lila, seltener purpurfarben oder weiß mit tiefgelbem Schlund; geschützt.

Primelgewächse (Primulaceae), Pflanzenfam. mit rd. 800 Arten in 40 Gatt. in den gemäßigten und wärmeren Gebieten der Nordhalbkugel; v. a. Kräuter, z. T. Rosettenstauden, Polster- oder Knollenpflanzen mit meist schraubig angeordneten Blättern; häufig Drüsenhaare; Blüten einzeln oder in Dolden, Rispen und Trauben. Bekannte Gatt. sind Alpenveilchen, Gilbweiderich, Gauchheil, Mannsschild und Primel.

Primitivrassen (Naturrassen, Urrassen), Haustierrassen, die unmittelbar durch Domestikation aus Wildtieren hervorgegangen sind. P. bilden das Ausgangsmaterial für Landrassen und Leistungsrassen.

Primula [lat.], svw. ↑Primel.

Primulaceae [lat.], svw. ↑Primelgewächse.

Prinzenapfel ↑Apfelsorten, Bd. 1, S. 50.

Probiose [griech.] (Nutznießung, Karpose), Form der Beziehung zw. Tieren einer Art und artfremden Lebewesen, wobei erstere einseitig die Nutznießer sind (im Unterschied zur ↑Symbiose), jedoch den Partner nicht erkennbar schädigen (wie bei ↑Parasiten) oder ihn gar als Beute betrachten (z. B. das Nisten der Eiderente in Kolonien von Seeschwalben zum Schutz der Gelege vor Raubmöwen.

Proboscidea [griech.], svw. ↑Rüsseltiere.

Processus [lat.], in der *Anatomie* svw. Fortsatz, Vorsprung an einem Organ, v. a. an Knochen; z. B. *P. spinosus* (Dornfortsatz).

Prochlorophyta [griech.], 1975 entdeckte Abteilung einzelliger, in Symbiose mit Seescheiden lebender, den Prokaryonten zugeordneter Algen. Die kugeligen, 6–11 µm großen Zellen enthalten jedoch wie die photoautotrophen, eukaryont. echten Algen Chlorophyll a und b; die ↑Phykobiline fehlen jedoch.

Proconsul ↑Mensch (Abstammung).

Procyonidae [griech.], svw. ↑Kleinbären.

Produktiden (Productidae) [lat.], ausgestorbene, vom Ordovizium bis zum Perm bekannte Fam. bis 30 cm großer Armfüßer, die bes. vom Karbon bis zum Perm ihre Leitformen entwickelte; Schalenoberfläche teilweise oder ganz mit hohlen, z. T. sehr langen Stacheln besetzt.

Produzenten [lat.] ↑Nahrungskette.

Proenzym [pro-ɛn...], inaktive Vorstufe eiweißabbauender Enzyme; z. B. sind *Trypsinogen* (Bauchspeicheldrüse) bzw. *Pepsinogen* (Magenschleimhaut) die P. des Trypsins bzw. Pepsins.

Profundal [lat.] (P.zone), die tiefere Bodenregion von Süßwasserseen mit Schlammablagerungen; liegt unterhalb des ↑Litorals. Das P. ist als lichtlose Zone durch das Fehlen phototropher Pflanzen gekennzeichnet. Die Fauna dieser Zone kann als Indikator für den Stoffwechselzustand des Gewässers dienen. Hohes Nährstoffangebot ist Vorbedingung für hohe Individuenzahl, hoher Sauerstoffgehalt (z. B. in oligotrophen Seen) für den Artenreichtum.

Progerie [griech.], vorzeitige Vergreisung (als rezessiv erbl. Erkrankung).

Progesteron [Kw.] (Corpus-luteum-Hormon, Gelbkörperhormon, 4-Pregnen-3,20-dion), vom Gelbkörper und in der Plazenta, ferner auch in den Hoden und in der Nebennierenrinde gebildetes Steroidhormon; Ausgangssubstanz zur Biosynthese der Kortikosteroide und Androgene. P. bewirkt die Aufnahmebereitschaft der Gebärmutterschleimhaut (Sekretionsphase) für das befruchtete Ei und wirkt schwangerschaftserhaltend. P. ist Ausgangsmaterial zur (halbsynthet.) Herstellung von Kortikosteroiden und ist in oralen empfängnisverhütenden Mitteln enthalten.

Proglottiden [griech.] ↑Bandwürmer.

Prokaryonten [griech.], zusammenfassende Bez. für Lebewesen mit einfacher Zellorganisation. Im Ggs. zu den ↑Eukaryonten ist ihr genet. Material nicht von einer Hüllmembran umschlossen, sondern liegt frei im Zellplasma. Zu den P. gehören Bakterien, Archebakterien, Blaualgen und die Prochlorophyta.

Prolaktin [lat.] (Laktationshormon, laktotropes Hormon, luteotropes Hormon, LTH), ein zu den Gonadotropinen (↑Geschlechtshormone) zählendes, die Milchsekretion auslösendes Hormon des Hypophysenvorderlappens. Das P. bewirkt eine Vermehrung des Brustdrüsengewebes und steigert die Milchproduktion. Daneben hat es starke psych. Wirkungen, z. B. durch Auslösen von Brutpflegeinstinkten bei Säugern (nicht beim Menschen!). Auch bewirkt es eine vermehrte Progesteronbildung des

Proteinbiosynthese

Gelbkörpers und wirkt damit erhaltend auf die Schwangerschaft.

Prolepsis [griech. „Vorwegnahme"], vorzeitige Entfaltung der für die nächstjährige Vegetationsperiode angelegten pflanzl. Organe im Herbst; ausgelöst durch Schädlingsbefall oder klimat. Einwirkungen auf Blütenknospen und Laubsprosse († Johannistrieb).

Proliferation [lat.], Wucherung eines Gewebes durch Zellvermehrung (z. B. zur Regeneration; auch die physiolog. Gewebsvermehrung der Gebärmutterschleimhaut).

Promoter [engl.] ↑ Genregulation.

Pronatoren [lat.] ↑ Muskeln.

Propagation [lat.], svw. Fortpflanzung, Vermehrung.

Prophase, bei der Zellteilung das erste, die ↑ Interphase ablösende Stadium, in dem sich die Chromosomen spiralisieren und dadurch sichtbar werden.

Propionibacterium [griech.], Bakteriengatt. mit acht Arten; unbewegl., anaerobe Stäbchen, die Zucker, Polyalkohole und Milchsäure zu Propionsäure und CO_2 (*Propionsäuregärung*) vergären. *P. freudenreichii* und *P. shermanii* werden zur großtechn. Herstellung von Vitamin B_{12} verwendet.

Propriorezeptoren [lat.] (Enterorezeptoren, Enterozeptoren, Interozeptoren), Bez. für Fühler (sensible Endorgane, Rezeptoren), die, in einem Körperorgan gelegen, auf Zustandsänderungen dieses Organs ansprechen und auf reflektor. Weg zu einer Reaktion desselben führen. - ↑ auch Exterorezeptoren.

prosenchymatisch [pros-ɛn...; griech.], in die Länge gestreckt, zugespitzt und faserähnlich; gesagt von Zellen, die in Grundgeweben von Pflanzen vorkommen.

Prosimiae (Prosimii) [lat.], svw. ↑ Halbaffen.

Prosobranchia [griech.], svw. ↑ Vorderkiemer.

Prosoma [griech.], vorderster Körperabschnitt der ↑ Tentakelträger, ↑ Kragentiere, ↑ Spinnentiere und ↑ Fühlerlosen.

Prosopis [griech.], Gatt. der Mimosengewächse mit mehr als 30 Arten in den Tropen und Subtropen, v. a. in Amerika; Bäume oder Sträucher mit doppelt gefiederten Blättern und kleinen, in achselständigen, zylindr. Ähren oder (seltener) in kugeligen Köpfchen stehenden Blüten. - Zur Gewinnung von Gummi wird der ↑ Mesquitebaum kultiviert.

Prostaglandine [griech./lat.], aus ungesättigten Fettsäuren, v. a. in der Samenblase, aber auch in zahlr. anderen Organen gebildete Hormone mit gefäßerweiternder (d. h. blutdrucksenkender), wehenauslösender und Erschlaffung der Bronchialmuskulatur hervorrufender Wirkung. P. werden als blutdrucksenkende Mittel, Antiasthmatika und Wehenmittel verwendet. P. sind Derivate der *Prostansäure*; neben den natürl. P. sind zahlr. synthet. P. bekannt.

Prostata [zu griech. prostátēs „Vorsteher"] (Vorsteherdrüse), häufig in paarige Drüsenkomplexe mit getrennten Ausführgängen gegliederte akzessor. Geschlechtsdrüse der ♂ Säugetiere. Die P. besteht beim Mann einerseits aus 30-50 Einzeldrüsen, andererseits aus einem dichten Flechtwerk aus glatten Muskelfasern und aus Bindegewebe. Sie ist kastaniengroß, kastanienförmig und etwa 20 g schwer. Die P. umfaßt die Harnröhre des Mannes unmittelbar unter der Harnblase ringförmig und wird außer von der Harnröhre auch von den beiden Spritzkanälchen durchzogen, die noch im Bereich der P. auf einer Vorwölbung der Harnröhrenwand in die Harnröhre münden. Dicht neben der Vorwölbung befinden sich auch die punktförmigen Mündungen der P. einzeldrüsen. Diese liefern vor und während der Ejakulation das dünnflüssige, milchig-trübe, alkal. P. sekret und damit den größten, für die Beweglichkeit der Spermien wichtigen und die Neutralisierung saurer Urinreste in Harnröhre und Vagina bewirkenden Anteil der Samenflüssigkeit. Die glatten Muskelzellen der P. haben die Aufgabe, beim Samenerguß durch ruckweise Kontraktion die Samenflüssigkeit in die Harn-Samen-Röhre zu pressen.

prosthetische Gruppe [griech./dt.] ↑ Enzyme, ↑ Proteide.

Prostoma [griech.], svw. ↑ Urmund.

Protea [griech.], Gatt. der Proteusgewächse mit rd. 100 Arten v. a. in S-Afrika; immergrüne Sträucher mit lederartigen, oft seidenglänzenden Blättern und in Köpfen stehenden, von Hochblättern umgebenen Blüten; einige Arten sind dekorative Kalthauspflanzen.

Proteasen [griech.], zu den Hydrolasen gehörende Enzyme, die die Spaltung der Peptidbindungen von Proteinen und Peptiden katalysieren. P. sind v. a. Verdauungsenzyme, kommen aber auch als Gewebs-P. in tier. und menschl. Gewebszellen und in Pflanzenzellen vor. Man unterscheidet ↑ Peptidasen und ↑ Proteinasen.

Proteide [griech. (↑ Proteine)], aus einer Protein- und einer Nichtproteinkomponente (*prosthet. Gruppe*) zusammengesetzte, in der Natur verbreitet vorkommende Substanzen. Nach der Art der prosthet. Gruppe werden ↑ Chromoproteide (enthalten Farbstoffe), ↑ Glykoproteide (enthalten Kohlenhydrate), ↑ Lipoproteide (enthalten Fette) und ↑ Phosphoproteide (enthalten Phosphorsäure) unterschieden.

Proteinasen [...te-i...; griech.], v. a. Proteine hydrolyt. spaltende Enzyme (Proteasen), die die Peptidbindungen im Inneren der Moleküle angreifen. Zu den P. gehören neben den Verdauungsenzymen das Thrombin, die Kathepsine und das Papain.

Proteinbiosynthese (Proteinsynthese, Eiweißsynthese), die P. ist der Vorgang, bei

Proteine

dem die Reihenfolge der Basen (Basensequenz) der DNS in eine bestimmte Aminosäuresequenz (Reihenfolge der Aminosäuren im Proteinmolekül) übersetzt wird *(Translation)*. Bildungsort der Proteine sind die ↑Ribosomen. Die genet. Information für den Proteinaufbau befindet sich in der DNS des Zellkerns. Folgl. muß ein „Vermittler" die genet. Information aufnehmen und sie zu den Ribosomen im Zellplasma bringen. Diese Aufgabe hat die m-RNS (Boten-RNS), die eine Art Arbeitskopie der DNS ist, an der sie durch ↑Transkription gebildet wird. Jeweils drei aufeinanderfolgende Basen der einen RNS, die ein Codon bilden, kodieren für eine Aminosäure. Die im Plasma gebildeten Aminosäuren müssen mit einer weiteren RNS, der t-RNS (Transport-RNS) zu den Ribosomen gebracht werden. - Im einzelnen werden zunächst die 20 verschiedenen Aminosäuren, die die Bausteine der Proteine darstellen, mit Hilfe von ATP (↑Adenosinphosphate) aktiviert und an das eine Ende einer t-RNS geknüpft. Für jede Aminosäure gibt es eine bis mehrere spezif. t-RNS. Die beladenen t-RNS lagern sich nacheinander an den Ribosomen mit ihrem an einer bestimmten Stelle des Moleküls gelegenen Anticodon (das ebenfalls aus drei Basen besteht und zu dem entsprechenden Codon der m-RNS komplementär ist *[Adaptorhypothese]*) an das jeweilige Codon der m-RNS an. Hierbei wird eine Peptidbindung zw. der neu hinzukommenden Aminosäure und der vorangegangenen geknüpft und gleichzeitig die t-RNS der vorangegangenen Aminosäure freigesetzt. Die Synthese beginnt an einem Startcodon der m-RNS *(Initiator)* und läuft weiter *(Elongation)*, bis auf der m-RNS ein Stoppcodon erscheint *(Termination)*. Die P. ist ein energieverbrauchender Prozeß, der seine Energie aus Guanosintriphosphat bezieht. An der P. sind eine ganze Reihe von Enzymen und „Faktoren" (spezielle Proteinkomponenten) beteiligt; auch findet eine zykl. Ortsveränderung der wachsenden Aminosäurekette innerhalb des Ribosoms bei jeder Anknüpfung einer weiteren Aminosäure statt. Nach Beendigung der Aminosäurekette, d. h. nach Fertigstellung des Proteins, zerfällt das Ribosom in seine beiden Untereinheiten; es kann anschließend mit einer anderen m-RNS zu einer neuen Synthese zusammentreten. An einer m-RNS können mehrere Ribosomen gleichzeitig „arbeiten". Ein solcher Komplex aus einer m-RNS und mehreren Ribosomen wird als *Polysom* bezeichnet.

Proteine [zu griech. prōtos „erster"] (Eiweiße, Eiweißstoffe), als Polykondensationsprodukte von Aminosäuren aufzufassende, hochmolekulare Verbindungen (Polypeptide) mit einer Molekülmasse über 10 000 (z. T. bis über 100 000). Charakterist. für die P. (wie für die Peptide) ist die Peptidbindung. P. und ↑Proteide sind Bestandteile der Zellen aller Organismen; alle Enzyme und zahlr. Hormone sind Proteine. Die P. werden nach ihrer Molekülgestalt und ihren Löslichkeitseigenschaften in *Sklero-P.* (Gerüsteiweiße, Faser-P.; z. B. Keratine und Kollagene) und in *Sphäro-P.* (globuläre P.; z. B. Albumine und Globuline) sowie nach ihrem Vorkommen, ihren physiolog. Wirkungen und ihrer molekularen Struktur (z. B. Rinderserum-Albumin) eingeteilt. Beim Aufbau der P. un-

Proteine. Struktur der α-Helix

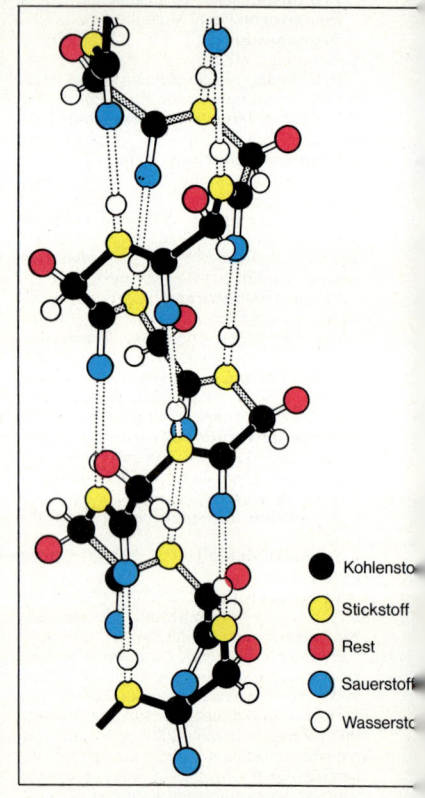

- ● Kohlenstoff
- ○ Stickstoff (gelb)
- ● Rest (rot)
- ○ Sauerstoff (blau)
- ○ Wasserstoff

terscheidet man Primär-, Sekundär-, Tertiär- und Quartärstruktur. Als *Primärstruktur* wird die Aufeinanderfolge der Aminosäuren bezeichnet; die *Sekundärstruktur* (bes. bei den Sklero-P.) ist durch Ausbildung von Wasserstoffbrücken zw. CO- und NH-Gruppen der Peptidketten gekennzeichnet. Dies führt zu schraubenartig gewundenen Polypeptidketten (α-*Helix*- oder α-*Keratinstruktur*) oder zu einer mehr oder weniger flachen, leicht aufgefalteten Struktur der Polypeptidketten *(Falt-*

blatt- oder *β-Keratinstruktur*). Durch kovalente Bindungen, d. h. durch Verknüpfung der SH-Gruppen von je zwei Molekülen der Aminosäure Cystein und durch elektrostat. Wechselwirkungen zw. polaren Substituenten (z. B. -COOH- und -NH$_2$-Gruppen) kommt es zur *Tertiärstruktur.* Bei einigen Sphäro-P. konnte die Tertiärstruktur durch Röntgenstrukturanalyse aufgeklärt werden (z. B. beim Hämoglobin). Als *Quartärstruktur* bezeichnet man die Aggregation mehrerer (in sich abgeschlossener) Polypeptidketten zu einem Molekül, wobei der Zusammenhalt der Untereinheiten durch kovalente Bindungen und Dipolwechselwirkungen zustande kommt. Ein P. mit Quartärstruktur ist z. B. das Insulin. Durch Einwirken von Temperaturen über 60 °C, durch starke pH-Wert-Änderungen und bestimmte organ. Lösungsmittel wird die Struktur von Sphäro-P. irreversibel zerstört (Eiweißdenaturierung). Nur grüne Pflanzen können Aminosäuren und damit P. aus anorgan. Substanzen aufbauen. Tier und Mensch müssen P. über die Nahrung (Pflanzen, Fleisch, Eier, Milch) aufnehmen und im Verdauungstrakt durch hydrolyt. Enzyme (Proteasen) in die Aminosäuren zerlegen (*Eiweißspaltung*), um körpereigene P. aufbauen zu können. Im Hinblick auf die zunehmende Weltbevölkerung wurden Methoden zur Erschließung von Proteinquellen unter Beteiligung von Mikroorganismen (z. B. Hefen, Grünalgen) entwickelt. Da die erhaltenen Produkte jedoch unansehnl. sind, z. T. auch schädl. Nebenprodukte enthalten und daher aufwendigen Aufbereitungstechniken unterworfen werden müssen, hat die mikrobielle P.erzeugung derzeit nur in der Gewinnung zusätzl. Futtermittel Bedeutung.

Geschichte: Die P. wurden erst im 19. Jh. als gesonderte Substanzklasse erkannt. J. Mulder stellte um 1840 eine Hypothese auf, nach der alle Eiweiße aus einem gemeinsamen „Radikal", dem sog. „Protein" und unterschiedl. Mengen Wasserstoff, Stickstoff, Phosphor und Schwefel bestehen. Trotz der Unrichtigkeit der Hypothese wurde die Bez. P. beibehalten. 1890 isolierte F. Hofmeister das Eialbumin als erstes kristallisiertes P., und 1902 erkannten er und E. Fischer die P. als Polypeptide. 1952 entwarf L. Pauling das Helixmodell für Proteine. Um 1960 gelang J. C. Kendrew und M. Perutz die Ermittlung der dreidimensionalen Struktur des Hämoglobins und Myoglobins und G. Braunitzer die Aufklärung der Reihenfolge der Aminosäuren im Hämoglobin.

Der Energie- u. Proteinbedarf des Menschen. Hg. v. B. Blanc u. H. Bickel. Darmst. 1979. - Schulz, G. E./Schirmer, R. H.: Principles of protein structure. Bln. u. a. ^{2}*1979. - Dickerson, R. E./Geis, I.: Struktur u. Funktion der P. Dt. Übers. Whm.* ^{2}*1975. - The proteins. Hg. v. H. Neurath u. R. L. Hill. New York* ^{3}*1975–82.*

Prote̱insynthese, andere Bez. für die ↑Proteinbiosynthese.

Proteolyse [griech.], Aufspaltung von Eiweißkörpern in Aminosäuren, z. B. der enzymat. Abbau des Nahrungseiweißes bei der Verdauung.

Proteusgewächse (Silberbaumgewächse, Proteaceae), zweikeimblättrige Pflanzenfam. mit rd. 1 400 Arten in 62 Gatt. v. a. in Australien und S-Afrika; meist immergrüne Bäume oder Sträucher mit meist wechselständigen, lederartigen Blättern und in Trauben, Dolden oder Ähren angeordneten Blüten. Bekannte Gatt. sind Protea, Grevillea und Silberbaum.

Prothallium [griech.] (Vorkeim), haploider, aus einer Spore hervorgehender, thallöser Vorkeim (Gametophyt) der Farnpflanzen, an dem die Fortpflanzungsorgane entstehen.

Prothrombin, im Blutplasma enthaltenes Glykoproteid, Vorstufe des für die Blutgerinnung wichtigen Thrombins.

Protogene, dominante ↑Allele.

Protomonadina [griech.], Ordnung farbloser Flagellaten mit meist ein bis zwei Geißeln. Hierher gehören u. a. die Kragengeißeltierchen und die Trypanosomen.

Protone̱ma [griech.], aus einer Spore hervorgehender, haploider Vorkeim der Moose, aus dem sich die Moospflanze mit den Geschlechtsorganen entwickelt.

Protonephridien, Exkretionsorgane der Platt- und Schnurwürmer, der Rädertiere sowie vieler Larvenformen. Paarige, entweder segmental angelegte oder zu verzweigten Röhrensystemen zusammengeschlossene Kanälchen, die in der primären Leibeshöhle oder im Parenchym mit einer Exkretionszelle beginnen und über eine Pore an der Körperoberfläche ausmünden.

Prschewalskipferd. Östliches Steppenwildpferd

Protophyten

Protophyten [griech.], Bez. für eine Organisationsstufe der Pflanzen, die alle einzelligen oder lockere Zellverbände darstellenden Pflanzen umfaßt. Zu den P. zählen Flagellaten, Bakterien und Schleimpilze.

Protoplasma ↑ Plasma.

Protoplasmaströmung, svw. ↑ Plasmaströmung.

Protoplast, in der Botanik der lebende, das Protoplasma darstellende Zelleib einer Zelle.

Protosexualität, svw. ↑ Parasexualität.

Protostomier [griech.] (Urmundtiere), Stammgruppe des Tierreichs, bei der der Urmund zur Mundöffnung wird und der After sekundär durchbricht; Hauptstränge des Nervensystems liegen bauchseits; die Rükkenregion trägt demgegenüber die kontraktilen Elemente (Herz) des Blutkreislaufsystems. Die P. umfassen mit knapp 1 Mill. Arten die überwiegende Mehrheit aller Tiere, u. a. Platt- und Schlauchwürmer, Gliedertiere, Weichtiere, Tentakelträger. - Ggs. ↑ Deuterostomier.

prototroph, Mikroorganismen, die einfachste Nähr- und Mineralstoffe zum Wachstum benötigen, ohne auf bes. Wachstumsfaktoren wie Vitamine angewiesen zu sein. - Ggs. ↑ auxotroph.

Protozoen [griech.] (Urtierchen, Protozoa), Unterreich der Tiere (tier. ↑ Einzeller) mit rd. 20 000 bekannten etwa 1 μm bis 2 mm großen rezenten Arten; fossile Formen (z. B. Nummuliten) bis 10 cm groß; ein- oder mehrkernig, Zytoplasmakörper nicht zellig gliedert, aber oft mit sehr ausgeprägter Differenzierung (↑ Organellen); Zelloberfläche nackt und weitgehend formveränderlich (z. B. bei Amöben) oder mit fester, relativ formkonstanter ↑ Pellikula. Während endoparasit. P. ihre Nahrung häufig osmot. aufnehmen, finden sich bei freilebenden Arten bes. Ernährungsorganellen (Nahrungsvakuolen). Der Exkretion und Osmoregulation bei Süßwasser-P. dienen *kontraktile* Vakuolen (pulsierende Vakuolen), sich rhythm. zusammenziehende und dabei das eingedrungene Wasser entleerende bläschenartige Zellorganellen. - Die Fortpflanzung erfolgt ungeschlechtl. durch Zweiteilung, Vielfachteilung oder Knospung, bei vielen P. auch geschlechtl. durch Kopulation oder Konjugation. Viele endoparasit. P. (Sporentierchen) haben Generationswechsel, nicht selten verbunden mit Wirtswechsel. - Zahlr. P. können ungünstige Lebensbedingungen als Dauerstadien (Zysten) überstehen. - P. bewegen sich mit Hilfe von Scheinfüßchen, Geißeln oder Wimpern fort. Sie leben einzeln oder bilden Kolonien, sind Ekto- oder Endoparasiten und z. T. gefährl. Krankheitserreger. Zu den P. gehören tier. Flagellaten, Wurzelfüßer, Sporentierchen und Wimperntierchen.

Provitamine ↑ Vitamine.

proximal [lat.], näher zur Körpermitte bzw. zu typ. Bezugspunkten hin liegend als andere Körper- oder Organteile. - Ggs. ↑ distal.

Prozessionsspinner (Thaumetopoeidae), v. a. in Europa, N-Afrika und W-Asien verbreitete Fam. der Nachtfalter mit rd. 100 z. T. als gefährl. Forstschädlinge gefürchteten Arten; Falter mittelgroß, plump, meist grau gefärbt, ohne Rüssel (nehmen keine Nahrung auf); Raupen leben gesellig in großen Gespinstnestern an Waldbäumen und ziehen meist nachts in langer, geschlossener, ein- oder mehrreihiger „Prozession" zur Fraßstelle und wieder zurück. In Deutschland bekannt sind der bis 3 cm spannende **Eichenprozessionsspinner** (Thaumetopoea processionea), mit braungrauen Vorderflügeln und dunklem Bogenstreif auf den helleren Hinterflügeln, und der bis 3,5 cm spannende **Kiefernprozessionsspinner** (Thaumetopoea pinivora), dessen Raupen Kiefernnadeln fressen.

Prschewalskipferd [nach N. M. Prschewalskij] (Przewalskipferd, Wildpferd, Urwildpferd, Equus przewalski), urspr. mit mehreren Unterarten in weiten Teilen Eurasiens verbreitete Pferdeart, Stammform der Hauspferde; sämtl. ausgerottet. Die heute in Zoolog. Gärten noch existierende Unterart Östl. Steppenwildpferd (Mongol. Wildpferd, P. i. e. S., Equus przewalski przewalski) wurde 1978 ausgerottet. Die stämmigen Tiere mit dickem Hals, massigem Kopf, einer Schulterhöhe von rd. 1,2–1,45 m und schwarzbrauner, aufrechtstehender Mähne sind zimtbraun mit schwarzem Aalstrich, schwarzem Schweif und schwarzgestiefelten Beinen. - Abb. S. 303.

Prunkbohne, svw. ↑ Feuerbohne.

Prunkkäfer (Lebia), Gatt. der Laufkäfer mit sechs einheim., 4–8 mm langen Arten, die metall. grün bis blau oder schwarzgelb gefärbt sind.

Prunkwinde, svw. ↑ Trichterwinde.

Prunus [lat.], Gatt. der Rosengewächse mit rd. 200 Arten, v. a. in den gemäßigten Zonen; meist sommergrüne Bäume und Sträucher mit wechselständigen Blättern, einzelnen oder in Büscheln oder Trauben stehenden fünfzähligen Blüten und meist einsamigen Steinfrüchten. In Deutschland sind v. a. Traubenkirsche, Schlehdorn und Vogelkirsche heimisch. Neben wichtigen Kulturpflanzen wie Sauerkirsche, Süßkirsche, Mandelbaum, Pflaumenbaum und Pfirsichbaum werden zahlr. Sorten und Arten als Zierbäume und Ziersträucher verwendet, u. a. Japanische Kirschen und Kirschlorbeer.

Przewalskipferd [prʃe...] ↑ Prschewalskipferd.

Psalterium [griech.], svw. ↑ Blättermagen.

Psammion (Psammon) [griech.], Bez. für die Lebensgemeinschaft der in oder auf dem Sand der Uferzone des Meeres oder von Süßgewässern lebenden Organismen.

Psammophyten [griech.], svw. ↑ Sandpflanzen.

Pseudobulbus (Scheinzwiebel, Luftknolle), aus einem oder mehreren Sproßglie-

dern gebildete, scheiben-, keulen-, flaschenförmige oder ellipsoide knollenartige Verdikkung der Sprosse vieler epiphyt. Orchideen; dient als Wasser- oder Reservestoffspeicher.
Pseudohermaphrodit (Scheinzwitter), svw. ↑ Intersex.
Pseudohermaphroditismus, svw. ↑ Intersexualität.
Pseudomonaden, Bakterien der Gatt. *Pseudomonas* mit rd. 30 Arten. Die P. gewinnen ihre Energie nur durch Atmung und verwerten eine große Anzahl niedermolekularer Substanzen (u. a. aromat. und heterocycl. Verbindungen). P. sind in Boden und Gewässern weit verbreitet; einige sind pflanzenpathogen. **Pseudomonas aeruginosa** verursacht beim Menschen bösartige Infektionen (z. B. Brand) und Hospitalismus. **Pseudomonas pseudomallei** ist Erreger einer rotzähnl. Krankheit bei Mensch (seltener) und Tier. **Pseudomonas mallei** ist Erreger des Rotzes. - ↑ auch Ölpest.
Pseudopodien [griech.], svw. ↑ Scheinfüßchen.
Pseudosuchier [griech.] (Scheinechsen, Pseudosuchia), Unterordnung ausgestorbener, 20 cm bis 5 m großer Kriechtiere in der Trias; Gestalt oft krokodil- oder eidechsenähnl., häufig gepanzert; mit gestreckten Schädel, langem Schwanz und langen bis sehr langen, schlanken Extremitäten.
Psilocybin [griech.], ein Indolalkaloid, das in Form wasserlösl., farbloser Kristalle aus dem mex. Rauschpilz *Psilocybe mexicana* gewonnen wird. P. ist neben Haschisch, Meskalin und LSD das bekannteste Halluzinogen. Oral eingenommen, hat es eine dem LSD vergleichbare rauscherzeugende Wirkung, die sich in lebhaften Farbvisionen und Bewußtseinserweiterung, verbunden mit unangenehmen Begleiterscheinungen wie starke Lichtempfindlichkeit und Persönlichkeitsspaltung, äußert. - Schon vor rd. 3 000 Jahren wurde P. von südamerikan. Indios zu kult. Zwecken verwendet. Es wird in der Psychotherapie zur Behandlung von Psychoneurosen herangezogen.
Psittacus [griech.], Gatt. der ↑ Papageien mit dem Graupapagei als einziger Art.
Psoas [griech.], Kurzbez. für den großen Lendenmuskel (Musculus psoas major).
Psycholamarckismus ↑ Neolamarckismus.
Psychomotorik, Bez. für alle willkürl. gesteuerten Bewegungsabläufe (wie Gehen, Sprechen, Ausdrucksbewegungen, Koordinationsleistungen).
Psychrobionten [psycro...; griech.], Lebewesen, die in Biotopen mit niederen Temperaturen leben (z. B. viele Mikroorganismen).
Psychrophyten [psycro...; griech.], Pflanzen kalter Böden, die lang anhaltenden Frost zu ertragen vermögen (z. B. Tundravegetation).
Psyllidae [griech.] ↑ Blattflöhe.

Psyllina [griech.], svw. ↑ Blattflöhe.
Pteridium [griech.], svw. ↑ Adlerfarn.
Pteridophyta [griech.], svw. ↑ Farnpflanzen.
Pteridospermae [griech.], svw. ↑ Samenfarne.
Pterobranchia (Pterobranchier) [griech.], svw. ↑ Flügelkiemer.
Pteroclididae [griech.], svw. ↑ Flughühner.
Pteromyinae [griech.], svw. ↑ Flughörnchen.
Pterophoridae [griech.] ↑ Federmotten.
Pterosauria [griech.], svw. ↑ Flugsaurier.
Pterygium [griech.], Bez. für flächig ausgebreitete anatom. Strukturen bei Tieren, z. B. das Flossenskelett von im Wasser lebenden Wirbeltieren oder die Flughäute bei einigen Reptilien und Säugern; auch Bez. für die Insektenflügel.
Pterygoid [griech.] (Flügelbein), paariger Deckknochen des Munddachs der Wirbeltiere; nimmt urspr. nahezu die ganze Länge des Munddachs ein; bei höher entwickelten Wirbeltieren beschränkt es sich auf dessen hinteren Teil. Durch Verschmelzen mit dem benachbarten Keilbein entsteht bei einigen höheren Säugern (auch beim Menschen) ein flügelähnl. paariger Fortsatz (**Flügelfortsatz,** Processus pterygoideus) an der Basis des Hirnschädels.
Pterygota [griech.], svw. ↑ Fluginsekten.
PTH, Abk. für: ↑ Parathormon.
Ptilium [griech.], Gatt. der Laubmoose mit der einzigen Art ↑ Federmoos.
Ptilonorhynchidae [griech.], svw. ↑ Laubenvögel.
Ptyalin [griech.] ↑ Amylasen.
Ptychopteridae [griech.], svw. ↑ Faltenmücken.
Pubertät [lat.], die ontogenet. Entwicklungsphase des Menschen zw. Kindheit und Erwachsensein. Beginn und Ende der P. liegen in M-Europa bei Mädchen etwa zw. dem 11. und 15./16. und bei Knaben etwa zw. dem 12. und 16./17. Lebensjahr. - Außer durch die Ausbildung der sekundären Geschlechtsmerkmale sowie (bereits bei Beginn der P.) dem Auftreten der ersten Menstruation bei Mädchen und der ersten Ejakulation bzw. Pollution bei Knaben ist der P. bes. durch Veränderungen hinsichtl. des Körperwachstums gekennzeichnet (**puberaler Wachstumsschub**). - Die körperl. Entwicklung in der P. ist mit der geistigen Entwicklung zur sozial selbständigen Individualität verbunden. Bedingt durch das Spannungsverhältnis physiolog. (v. a. hormonal) bedingter Körperveränderungen (↑ auch Frau, ↑ Mann) und sozial noch nicht „geordneten" Geschlechtslebens, ist die P. auch eine Phase sozialer und psych. Unausgeglichenheit. Im Verhalten zeigen sich leicht hervorrufbare, starke Erregtheit, Gefühlsambivalenz und -übersteigerung („Zer-

Pubes

rissenheit"), Protesthaltung (v. a. gegen die Erwachsenenwelt) und soziale Orientierungsschwierigkeiten.

Pubes [lat.], Scham, Schamgegend; Bereich der äußeren Genitalien.
- ♦ svw. Schambehaarung.

Pudel, aus Lauf- und Hütehunden hervorgegangene alte Rasse lebhafter Luxushunde mit dichter, wolliger und gekräuselter, schwarzer, brauner oder weißer Behaarung. P. werden häufig geschoren, vielfach wird die Rute kupiert. Man unterscheidet nach der Größe: *Groß-P.* (bis 55 cm), *Klein-P.* (bis 45 cm) und *Zwerg-P.* (unter 35 cm schulterhoch).

Pudelpointer, aus Pointer und Pudel gezüchtete aus Pointer und Pudel gezüchtete Rasse großer (bis 65 cm schulterhoher), drahthaariger Vorstehhunde mit rauhem „Bart", anliegenden Hängeohren und kupierter Rute; Behaarung dicht und rauh in den Farben Weiß, Schwarz oder Braun; hervorragender Jagdhund.

Pudus [indian.] ↑ Neuwelthirsche.

Puffmais ↑ Mais.

Puffotter (Bitis arietans), bis 1,5 m lange, mit Ausnahme des äußersten N über ganz Afrika verbreitete Viper; Körper plump, mit breitem, dreieckigem Kopf; Färbung sehr variabel, Grundton blaßgelb bis braun oder dunkeloliv, mit wechselnder Zeichnung, längs des Rückens stets mit gelben oder braunen, meist schwarz gesäumten U- bis V-förmigen Flecken; wenig angriffslustig, jedoch außerordentl. giftig.

Puffs [engl.] (Bulbs), an ↑ Riesenchromosomen mikroskop. sichtbare lokale, sich wieder zurückbildende Ausstülpungen (Entspiralisierungen) bestimmter Querscheiben, die den Regionen mit starker Genaktivität entsprechen. Bes. große P. werden als **Balbiani-Ringe** bezeichnet. Das Verteilungsmuster der P. ist für jede Stufe der Individualentwicklung und die dem jeweiligen Gewebe bzw. Organ entsprechende Zellart charakteristisch und spiegelt das Aktivitätsspektrum der entsprechenden Genabschnitte wider.

Pulmo [lat.] ↑ Lunge.

Pulmonalklappe [lat./dt.] ↑ Herz.

Pulmonaria [lat.], svw. ↑ Lungenkraut.

Pulmonata [lat.], svw. ↑ Lungenschnecken.

Pulpa [lat.„das Fleisch(ige)"], (Zahn-P.) ↑ Zähne.
- ♦ svw. Milzgewebe (↑ Milz).
- ♦ das Innere des Federschafts der ↑ Vogelfeder.
- ♦ das fleischige Gewebe, das bei manchen Früchten (z. B. bei Zitrusfrüchten, Bananen), vom Endokarp ausgehend, zw. den Samen ausgebildet ist.

Pulpen [lat.], svw. ↑ Kraken.

Puls [lat. „das Stoßen, Schlagen"] (Pulsus), i. w. S. jede an den Herzzyklus gekoppelte Strom-, Druck- oder Volumenschwankung innerhalb des Kreislaufsystems (Strom-, Druck-, Volumen-P.); i. e. S. der **arterielle Puls** *(P.schlag)*, der als Anstoß der vom Herzschlag durch das Arteriensystem getriebenen Blutwelle an den Gefäßwänden bes. gut über der Schlagader am Handgelenk zu fühlen ist. Diagnostisch bes. wichtig ist die **Pulsform,** d. h. die Form der (mit geeigneten Instrumenten aufgezeichneten) arteriellen Druckpulskurve. Der höchste Druckwert im Verlauf der P.kurve entspricht dem systol., der niedrigste dem diastol. Druck; der Abstand zw. beiden wird **Pulsdruck** (Druckamplitude) genannt. Die **zentrale Pulskurve** (in den herznahen Arterien) wird durch einen steilen Anstieg (Beginn der Austreibungszeit des linken Herzens während der Systole) mit anschließendem langsamerem Abfall (nach der den Aortenklappenschluß anzeigenden Inzisur während der Diastole des Herzens) gekennzeichnet. Die **periphere Pulsform** unterscheidet sich von der zentralen durch eine Überhöhung des systol. Druckwerts und einen zweiten Anstieg im abfallenden Kurvenabschnitt (zunehmender Wellenwiderstand, Reflexion der Pulswelle).

Die **Pulsfrequenz** ist die normalerweise mit der Herzfrequenz übereinstimmende Zahl der P.schläge pro Minute (beim Erwachsenen 60–80 pro Minute). Unter *Pulsqualität* versteht man die z. T. schon durch Pulsfühlen feststellbare Beschaffenheit (z. B. rascher, langsamer, harter, weicher P.) des arteriellen P., aus der Rückschlüsse auf den Zustand des Herz-Kreislauf-Systems gezogen werden können. Die Geschwindigkeit der P.welle (**Pulswellengeschwindigkeit,** Abk. PWG), die als Laufzeit entlang einer Arterienstrecke gemessen wird, ist u. a. von der Beschaffenheit der Gefäßwand (Elastizität, Verhältnis von Wanddicke und Radius) abhängig. Sie beträgt im Bereich der Aorta 5–6 m/s, in den Unterschenkelarterien etwa 10 m/s. Sie liegt damit deutl. über der Geschwindigkeit der Blutströmung (in der Aorta über eine P.periode gemittelt z. B. 20–25 cm/s). Als **Pulsation** bezeichnet man die rhythm. Zu- und Abnahme des (arteriellen) Gefäßvolumens (und fortgeleitet des Volumens von Organen, z. B. der Leber oder Milz) mit den einzelnen P.schlägen.

Pulsadern, svw. ↑ Arterien.

Pulsatilla [lat.], svw. ↑ Kuhschelle.

Pulsdruck ↑ Puls.

Pulsfrequenz ↑ Puls.

pulsierende Vakuole ↑ Protozoen.

Pulsqualität ↑ Puls.

Pulsschlag ↑ Puls.

Pulswellengeschwindigkeit ↑ Puls.

Puma [indian.] (Silberlöwe, Berglöwe, Kuguar, Puma concolor), früher (mit Ausnahme des hohen N) über das gesamte N- und S-Amerika verbreitete, vorwiegend nachtaktive Kleinkatze, heute im östl. und mittleren N-Amerika ausgerottet, in den übrigen Gebieten z. T. im Bestand bedroht; Länge etwa 105–160 cm; Schwanz rund 60–85 cm lang, mit auffallend dichter Behaarung; Körper schlank, Kopf klein und rund; Fell dicht, braun bis rötlich- oder silbergrau (sehr selten schwarz); Jungtiere dunkel gefleckt, mit schwarzen Ohren. - Der P. erbeutet v. a. Säugetiere von Maus- bis Hirschgröße. Er ist ein gut kletternder Einzelgänger; er greift den Menschen nicht an.

Punica [lat.], svw. ↑ Granatapfelbaum.

Puma

Punischer Apfel ↑ Granatapfelbaum.

Punktaugen (Einzelaugen, Nebenaugen, Ozellen, Ocelli), bei den Gliederfüßern (v. a. den Tausendfüßern, Spinnentieren und Insekten sowie vielen Larven) neben Facettenaugen vorkommender, noch kein Bildsehen ermöglichender Augentyp: kleine, punktartige, pigmentführende Augen mit jeweils nur einer Linse als dioptr. Apparat und mehreren, die Retina bildenden Lichtsinneszellen. Beim Insektengrundtyp stehen drei P. in charakterist. Anordnung zw. den Facettenaugen. Bei Spinnen sind i. d. R. 4, seltener 3, manchmal auch bis 7 Paar P. in für die einzelnen Gatt. charakterist. Anordnung vorhanden, wobei Mittel- (Haupt-) und Seitenaugen (Nebenaugen) unterschieden werden können.

Pupille [lat.], die schwarze Lichteintrittsöffnung (Sehöffnung, Sehloch) des ↑ Auges.

Pupillenreaktion (Pupillenreflex), (Lichtreaktion, Irisreflex) ein Fremdreflex, der bei Belichtung des Auges eine Verengung der Pupille bewirkt.
◆ (Lidschlußreaktion, Lidschlußreflex) reflexhafte Pupillenverengung bei kräftigem oder zwangsweisem Lidschluß.

Puppe [lat.] (Pupa, Chrysalide, Chrysalis), letztes, aus dem letzten Larvenstadium hervorgehendes Entwicklungsstadium der Insekten mit vollkommener Verwandlung. Nach Entleerung des Darminhalts, Einstellung der Nahrungsaufnahme und Erreichen eines geeigneten Verpuppungsorts kommt die verpuppungsreife Larve zur Ruhe. Noch unter der Larvenkutikula werden die Anlagen für die Körperanhänge des Vollinsekts (Fühler, Flügel, Beine) ausgestülpt. Nach der Häutung (**Verpuppung**) zeigt die P. bereits die Gliederung und Anhänge des voll ausgebildeten Insekts. Die P. stellt ein Ruhestadium mit aufgehobener oder zumindest eingeschränkter Bewegungsfähigkeit dar. Im Verlauf der tiefgreifenden inneren Metamorphose werden die larvalen Organe ab- und die imaginalen aufgebaut. - Zum Schutz der P. kann die verpuppungsreife Larve in Erde, Mulm oder Holz Höhlungen als **Puppenwiegen** anlegen (z. B. bei Bockkäfern) oder sie kann sich in einen Puppenkokon einspinnen.

Puppenräuber (Kletterlaufkäfer, Calosoma), in Europa verbreitete Gatt. der Laufkäfer mit vier einheim., 1,2–3,2 cm langen, metall. grün bis kupferig glänzenden Arten; Imagines und Larven klettern auf Bäume und Sträucher und sind nützl. durch Jagd auf Schmetterlingsraupen und andere Insekten.

Puppenschnecke (Tönnchenschnecke, Getreideschnecke, Abida frumentum), bis 8 mm lange, hellbraune Landlungenschnecke, v. a. an sonnigen Rasenabhängen kalkhaltiger Böden Europas; Gehäuse längl.-eiförmig.

Purgierkreuzdorn ↑ Kreuzdorn.

Purinbasen [lat./griech.], in der Natur weitverbreitete Substanzen, denen das aus einem Pyrimidin- und einem Imidazolring aufgebaute (in der Natur nicht vorkommende) **Purin** zugrunde liegt. Wichtige Vertreter sind die Nukleinsäurebasen Adenin und Guanin, die Harnsäure sowie die Alkaloide Koffein, Theobromin und Theophyllin.

Purkinje, Johannes Evangelista Ritter von (tschech. Jan E. Purkyně), * Libochovice bei Litoměřice 17. Dez. 1787, † Prag 28. Juli 1869, tschech. Physiologe. - Prof. in Breslau und in Prag. Arbeiten zur Physiologie des Sehens (u. a. Entdeckung des Purkinje-Phänomens). P. gilt als einer der Begründer der wiss. Histologie bzw. mikroskop. Anatomie. 1825 beobachtete er als erster das Keimbläschen im Ei und 1834 die Flimmerbewegung auf den Schleimhäuten. Er differenzierte 1837 die Struktur der Nervenfasern und Ganglienzellen des Gehirns und beschrieb 1845 die nach ihm benannten Fasern des Herzens. 1839 prägte er den Begriff „Protoplasma".

Purkinje-Fasern (Purkinje-Fäden) [nach J. E. Ritter von Purkinje], spezielle Muskelfasern des Reizleitungssystems des Herzens (↑ Herzautomatismus) am distalen Teil des His-Bündels, v. a. im Anschluß an dessen Aufspaltung in einen rechten und lin-

Purkinje-Phänomen

ken Schenkel. Die P.-F. unterscheiden sich von normalen Herzmuskelfasern durch bes. Dicke, Fibrillenarmut, Sarkoplasma- und Glykogenreichtum.

Purkinje-Phänomen, erstmals 1825 von J. E. Ritter von Purkinje beschriebene physiolog. Erscheinung: Zwei verschieden gefärbte Flächen, die bei Tageslicht gleich hell erscheinen, werden unter den Bedingungen des Dämmerungssehens als unterschiedl. hell wahrgenommen. Das P.-P. beruht auf der unterschiedl. Spektralempfindlichkeit der Stäbchen und der Zapfen der Netzhaut.

Purpurbakterien, Bez. für phototrophe, mit den ↑Chlorobakterien verwandte, gramnegative und begeißelte Bakterien aus den Fam. Schwefelfreie P. und Schwefelpurpurbakterien.

Purpurglöckchen (Heuchera), Gatt. der Steinbrechgewächse mit rd. 50 Arten in N-Amerika (mit Mexiko); die bekannteste Art ist **Heuchera sanguinea** (P. im engeren Sinn), 30–40 cm hohe Pflanze mit runden, dunkelgefleckten Blättern und roten, in Rispen stehenden Blüten; z. T. wertvolle Gartenstauden.

Purpurhühner (Porphyrio), Gatt. prächtig blauer und violetter, teilweise grünl. schillernder Rallen mit fünf Arten, v. a. in schilf- und röhrichtreichen Teichrändern der altweltl. Tropen und Subtropen; durch hohen, roten Schnabel, rote, hornige Stirnplatte und rote Füße gekennzeichnete Vögel, die im allg. nicht schwimmen, sondern im Schilf und Röhricht umherstreifen und sich vorwiegend von Wasserpflanzen ernähren.

Purpurknabenkraut ↑Knabenkraut.

Purpurprunkwinde (Ipomoea purpurea), einjähriges Windengewächs im trop. Amerika; Schlingpflanze mit herzförmigen, weichhaarigen Blättern und großen, glockig-trichterförmigen, purpurroten Blüten. Die vielen Gartenformen haben weiße, rosafarbene und dunkelblaue, z. T. auch gefüllte Blüten.

Purpurreiher (Ardea purpurea), etwa 80 cm hoher Reiher, v. a. in Sümpfen, an schilf- und buschreichen Süßgewässern und in Galeriewäldern Afrikas und S-Eurasiens (in Europa noch am Neusiedler See, in der ČSSR und im Donaudelta); Rücken dunkelgrau, mit verlängerten, kastanienbraunen Deckfedern, Hals (mit Ausnahme schwarzer Längsstreifen) und Brust kastanienbraun. Der in kleinen Kolonien brütende P. baut seine Horste in Büschen; Teilzieher.

Purpurschnecken (Leistenschnecken, Stachelschnecken, Muricidae), Fam. meerbewohnender Schnecken (Unterklasse Vorderkiemer) mit starkwandigen, oft auffällig skulpturierten und bestachelten Gehäusen. Eine im Mantelraum liegende Drüse bildet ein zunächst farbloses Sekret, das sich im Sonnenlicht leuchtend rot bis purpurviolett verfärbt und früher den Purpur zur Tuchfärbung lieferte.

Purpurseerose (Erdbeerrose, Gemeine Seerose, Pferdeaktinie, Actinia equina), in der Gezeitenzone des Atlantiks, des Mittelmeers und der Nordsee stark verbreitete ↑Seerose (Hohltier); bis etwa 5 cm hoch, rot bis grün oder braun; verträgt zeitweises Trockenliegen bei Ebbe.

Purpurweide ↑Weide.

Purpurwinde, svw. ↑Trichterwinde.

Puschkinia (Puschkinie) [nach dem russ. Wissenschaftler A. A. Graf Mussin-Puschkin, 18. Jh.], Gatt. der Liliengewächse mit nur zwei Arten in W-Asien; bis 15 cm hohe Zwiebelpflanzen mit porzellanblauen oder weißen Blüten in Trauben und lanzettförmigen Blättern; winterharte, sich durch Selbstaussaat verbreitende Gartenpflanzen.

Pustelschwein (Sus verrucosus), etwa 90–160 cm langes Schwein mit zahlr. Unterarten, v. a. in offenen Landschaften der Philippinen, Javas und Celebes'; Fell mehr oder minder dicht und lang; Färbung häufig schwarzbraun mit gelbbraunen Partien; an jeder Kopfseite drei große, beborstete Höcker.

Pute, das ♀ der Truthühner.

Puter, das ♂ der Truthühner.

Putzerfische (Putzer), Bez. für kleine Fische, die Haut, Kiemen und Mundhöhle v. a. größerer Raubfische (die durch bestimmte Verhaltensweisen die P. zum „Putzen" auffordern) von Parasiten u. a. Fremdkörpern säubern. Die P. sind meist langgestreckt und auffallend längsgestreift. Häufig Lippfische.

Puya [span.], Gatt. der Ananasgewächse mit über 100 Arten in S-Amerika; meist stammbildende ↑Xerophyten mit scharf zugespitzten, dornig gezähnten Blättern und in Trauben, Ähren oder Köpfchen angeordneten Blüten. Bekannt ist die ↑Riesenbromelie.

Pygmide [griech.], Bez. für Angehörige zwergwüchsiger Menschenrassen.

Pykniker [griech.] ↑Körperbautypen.

Pylorus [griech.] (Pförtner, Magenpförtner), mit einem Ringmuskel (Musculus sphincter pylori) als *Magenschließmuskel* versehene Verengung des Darmlumens am Übergang des Magens in den Dünndarm (Zwölffingerdarm) der Wirbeltiere (einschließl. Mensch) zur Regulation des Speisebreidurchgangs. Der P. öffnet sich nur unter gewissen Bedingungen (z. B. muß im Anfangsteil des Zwölffingerdarms alkal. Milieu herrschen, während der Speisebrei im P.anteil des Magens sauer sein muß) zur portionsweisen Abgabe des Mageninhalts.

Pyramidenbahn (Tractus corticospinalis), wichtigste der motor. Nervenbahnen, deren erstes (zentrales) Neuron von Arealen der Großhirnrinde jeder Hemisphäre über die innere Kapsel durch die Großhirnschenkel bis zur ↑Brücke (Pons) und der Pyramide bzw. zum verlängerten Mark verläuft. Dort (an der Grenze zum Rückenmark) kreuzt der größte Teil der Neuriten zur Gegenseite (**Py-**

ramiden[bahn]kreuzung) und läuft weiter im seitl. Rückenmark abwärts (als paarige **Pyramidenseitenstrangbahn**). Ein kleiner Teil bleibt im Vorderstrang des Rückenmarks und kreuzt erst kurz vor der Synapse zur motor. **Vorderhornzelle**, der Umschaltstelle für beide Teile der Pyramidenbahn.

Pyramidenpappel ↑ Pappel.

Pyramidenzellen, für die Großhirnrinde charakterist., multipolare, pyramidenförmige Ganglienzellen mit je einem großen, an der Spitze des Zellkörpers entspringenden, zur Gehirnoberfläche ziehenden Hauptdendriten und kleineren, vom unteren Teil des Zelleibs ausgehenden Nebendendriten. Der Neurit entspringt stets von der Grundfläche der Zelle und ist markwärts orientiert.

Pyrenäenhund, aus Spanien und Frankr. stammende Rasse großer (65–80 cm schulterhoher), schwerer Hütehunde; Kopf mit zieml. langem Fang, kleinen, dreieckigen Hängeohren und Halskragen; Rute lang und üppig behaart; Fellhaare mittellang und weich, meist weiß, selten mit dachsfarbenen oder wolfsgrauen Flecken; Wach- und Begleithunde.

Pyrenomyzeten [griech.] (Pyrenomycetales, Kernpilze), Ordnungsgruppe der Schlauchpilze. Sie sind teils Pflanzenparasiten, teils Saprophyten v. a. auf Holz und Mist. Zu den P. zählen die drei Ordnungen Sphaeriales, Clavicipitales und Laboulbeniales.

Pyrethrum [griech.], früher Gatt.bez. für einige Arten der Wucherblume (sog. Insektenpulverpflanzen), aus denen das Insektizid Pyrethrum gewonnen wird.

Pyridoxin [griech.], Sammelbez. für die natürl. vorkommenden Pyridinderivate mit Vitamin-B_6-Aktivität.

Pyrimidin [griech.] (1,3-Diazin), sechsgliedrige heterocycl. Verbindung mit zwei Stickstoffatomen in 1,3-Stellung im Ring. Physiol. wichtige P.derivate sind die Nukleinsäurebasen Zytosin, Uracil und Thymin.

Pyrophorus, svw. ↑ Leuchtschnellkäfer.

Pyrophyten [griech.], Pflanzenarten, die durch verschiedene Baumerkmale (z. B. günstige, geschützte Lage der Erneuerungsknospen, dicke Borke, tiefreichendes Wurzelsystem) gegen Brände weitgehend resistent sind und daher in brandgefährdeten Trockengebieten (Savanne, Heide, Buschwald) die Vegetation bestimmen.

Pyrrhocoridae [griech.], svw. ↑ Feuerwanzen.

Pyrrhophyceae, svw. ↑ Dinoflagellaten.

Pyrus [lat.], svw. ↑ Birnbaum.

Pyruvat ↑ Brenztraubensäure.

Pythonschlangen (Pythoninae), rein altweltl. Unterfam. bis etwa 10 m langer Riesenschlangen in Afrika und S-Asien bis N-Australien; überwiegend dämmerungs- und nachtaktive Tiere, die sich v. a. von Säugetieren und Vögeln ernähren, die sie durch Umschlingen erdrosseln. Die ♀♀ legen Eier, um die sie sich mehrmals herumringeln, wenn sie zu „bebrüten". Dabei erhöhen die P. ihre Körpertemperatur um 3–4 °C über die Umgebungstemperatur. Bekannt u. a. **Rautenpython** (Rautenschlange, Morelia argus), bis etwa 3,75 m lang, in Australien und Neuguinea; Färbung braun bis blauschwarz, mit auffallenden gelben (auch zu Bändern vereinigten), rautenförmigen Flecken; Boden- und Baumbewohner, und die **Pythons** (Gatt. Python), u. a. mit: **Felsenpython** (Felsenschlange, Hieroglyphenschlange, Python sebae), bis etwa 6,5 m lange Riesenschlange mit weiter Verbreitung im gesamten trop. Afrika; Oberseite hell- bis graubraun mit variabler, dunkelbrauner, oft schwärzl. geränderter Zeichnung; **Netzschlange** (Netzpython, Gitterschlange, Python reticulatus), mit maximal etwa 10 m Länge eine der größten Riesenschlangen, v. a. in Regenwäldern SO-Asiens, mit schwarzbrauner Netzzeichnung und weißl. Seitenflecken auf gelblich- bis graubraunem Grund; **Tigerpython** (Tigerschlange, Python molurus), bis 7 m lang, in Vorder- und Hinterindien, braun mit großen dunkelbraunen Flecken.

Q

Quadrupedie (Vierfüßigkeit), Form der Fortbewegung bei ↑ Vierfüßern.

Quagga [afrikan.] (Equus quagga), ausgerottete, zu Beginn des 19. Jh. noch in großen Herden im westl. S-Afrika verbreitete Zebraart (das letzte freilebende Tier wurde 1878 abgeschossen, das letzte Zooexemplar starb 1883); sehr ähnl. dem Steppenzebra, nur Kopf und Hals mit deutl. schwarz-weißer Streifenzeichnung, am Vorderrumpf noch undeutl. erkennbar; übriger Körper einheitl. braun, Extremitäten und Bauchseite sowie die

Quallen

Schwanz weißl.; Schulterhöhe etwa 135 cm, Länge rd. 270 cm.

Quallen [niederdt.] (Medusen), glocken- bis schirmförmige, freischwimmende Geschlechtstiere fast aller Hydrozoen (↑ Hydromedusen) und Scyphozoa (↑ Skyphomedusen); meist in Generationswechsel mit einer ungeschlechtl. Polypengeneration, die die Qu. hervorbringt. Zw. der konvexen Außenwand (*Exumbrella*) und der konkaven Innenwand (*Subumbrella*) des Schirms (*Umbrella*) liegt eine zellarme bis zellfreie, gallertige, außerordentl. wasserhaltige Stützlamelle; diese ist bes. bei Hydromedusen von *Radiärkanälen* (Radialkanälen) durchzogen, die mit dem klöppelartig nach unten hängenden Magenstiel (*Manubrium*) in Verbindung stehen, an dessen Ende sich die Mundöffnung befindet. – Die Berührung einiger Qu., v. a. Nessel-Qu. mit einem Nesselapparat, erzeugt Hautjucken und -brennen. Später kommt es zur Hautrötung und u. U. zu Quaddelbildung. Die in der Nordsee vorkommende *Gelbe Haarqualle* (Cyanea capillata) ruft unangenehme Verbrennungen hervor, ebenso die ↑ Leuchtqualle.

Quantenbiologie, Arbeitsrichtung der Biologie bzw. Biophysik, die sich mit der Einwirkung von Quanten auf die lebenden Zellen eines Organismus und den dabei im Bereich der Atome und Moleküle auftretenden energet. Prozessen und Veränderungen befaßt.

Quappe [niederdt.], svw. ↑ Aalquappe.

Quassia [nach dem surinam. Medizinmann Graman Quassi, 18. Jh.], Gatt. der Bittereschengewächse mit rd. 35 Arten in S-Amerika und W-Afrika; Sträucher oder Bäume mit schraubig angeordneten Blättern und kleinen, meist in Rispen stehenden Blüten. Der **Amerikan. Quassiaholzbaum** (Qu. amara), ein ca. 3 m hoher Baum mit geflügelten Blattstielen und roten Blüten, liefert ein hellgelbes, bitter schmeckendes Holz **(Surinam-Bitterholz)** für Magenmittel und Insektizide **(Fliegenholz),** auch verwendet für Spirituosen.

Quastenflosser (Krossopterygier, Crossopterygii), seit dem Devon bekannte, mit Ausnahme der Art Latimeria chalumnae (↑ Latimeria) ausgestorbene Ordnung bis 1,8 m langer Knochenfische mit zahlr. Arten in Süß- und Meeresgewässern; stimmen im Zahnbau und in der Anordnung der Schädelknochen mit den ersten Amphibien überein. Man unterscheidet zwei Unterordnungen: die (mit echten Choanen und Lungen ausgestatteten) *Rhipidistier* (Rhipidistia), aus denen sich die ↑ Vierfüßer entwickelt haben, und die ↑ Hohlstachler.

Quastenstachler (Atherurus), Gatt. der Stachelschweine mit vier sehr ähnl. Arten im trop. Afrika und Asien (auch auf Sumatra); Körperlänge etwa 40–50 cm; Schwanz etwa 15–25 cm lang, mit langer Stachelquaste am Ende; übriger Körper mit dichtem, relativ kurzem Stachelkleid, lange Stacheln längs der Rückenmitte; Waldbewohner.

Quebracho [ke'bratʃo; span.], das Holz des **Quebrachobaums** (in Z- und S-Amerika); dauerhaft, sehr hart, schwer bearbeitbar; das dunkelrote Kernholz liefert Tannin, die Rinde Gerbstoffe.

Quecke (Agropyron), Gatt. der Süßgräser mit rd. 100 Arten auf der nördl. Halbkugel und im südl. S-Amerika; Pflanzen mit rundem, an den Knoten verdicktem Stengel, zweizeiligen Blättern und unscheinbaren zwittrigen Blüten, die dicht gedrängt in mehrblütigen Ährchen mit zwei ausgebildeten Hüllspelzen stehen. – Bekannte einheim. Arten sind u. a. **Binsenquecke** (Agropyron junceum), ein 30–60 cm hohes Dünengras an der Nord- und (seltener) Ostsee, sowie die **Gemeine Quecke** (Agropyron repens), ein 20–150 cm hohes, grünes oder blaubereiftes Süßgras in Europa, N-Asien und N-Amerika; lästiges Unkraut durch die oft meterlangen unterird. Ausläufer.

Quellenkrebse (Thermosbaenacea), Ordnung der Höheren Krebse mit sechs etwa 3–4 mm großen Arten in Extrembiotopen (warme Quellen, Höhlen, brackiges Küstengrundwasser, Salzseen); Körper walzenförmig bis schlank langgestreckt, Augen rückgebildet.

Queller (Glasschmalz, Salicornia), Gatt.

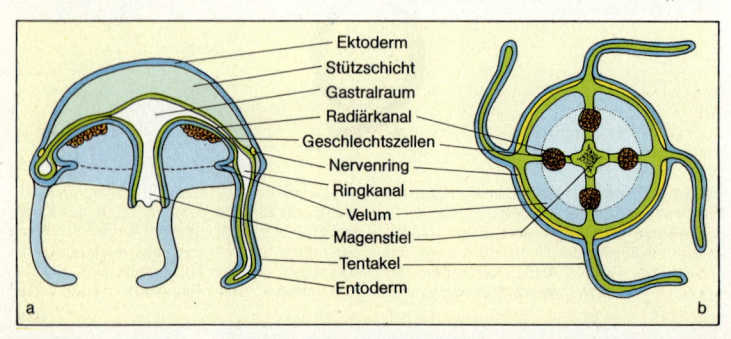

Quallen. Längsschnitt (a) und Ansicht von unten (b)

der Gänsefußgewächse mit rd. 30 weltweit verbreiteten, oft bestandbildenden Arten an Meeresküsten und auf Salzböden im Binnenland. Die bekannteste Art ist der **Gemeine Queller** (Qu. i. e. S., Salicornia europaea), eine ein- oder zweijährige, wenig bewurzelte, glasig-fleischige Salzpflanze, deren Stengel 10–40 cm hoch werden und einfach oder kandelaberartig verzweigt sind; Blätter zu Schüppchen reduziert. Blüten unscheinbar (Windbestäubung); Pflanzenasche ist reich an Soda (früher in der Glasbläserei und zur Seifenherstellung verwendet).

Quellerwiesen (Quellerrasen, Quellerwatt), aus Reinbeständen salztoleranter, sukkulenter Quellerarten (↑ Queller) gebildete Vegetationszone in der Ebbe-Flut-Wechselbereich geschützter Sandküsten außertrop. Gebiete; bes. verbreitet in N-Amerika, im Lagunengebiet S-Frankr. und in NW-Europa (Nordseeküste). Qu. fördern die Schlickablagerung und damit die Landneubildung.

Quellkraut (Montia), Gatt. der Portulakgewächse mit rd. 50 Arten, vorwiegend in Amerika, einige Arten weltweit verbreitet. Einheimisch an Bächen, Gräben und auf feuchten Äckern ist u. a. das **Bachquellkraut** (Montia fontana), eine 10–30 cm hohe Pflanze mit spatelförmigen, gelbgrünen Blättern und unscheinbaren weißen Blüten.

Quellmoos, volkstüml. Bez. für ↑ Brunnenmoose.
◆ (Philonotis) Gatt. der Laubmoose mit rd. 170 weltweit verbreiteten Arten; die bekannteste Art ist *Philonotis fontana*, ein Charaktermoos auf kalkarmen bis kalkfreien Wiesenmooren.

Quendel [griech.-lat.], svw. Feldthymian (↑ Thymian).

Quercus [lat.] ↑ Eiche.

quergestreifte Muskeln ↑ Muskeln.

Querzahnmolche (Ambystomatidae), Fam. der Schwanzlurche mit über 30 etwa 8–30 cm langen Arten in N- und M-Amerika; Körper kräftig, mit ausgeprägter seitl. Ringelung, kleinen Augen am breiten Kopf und am Mundhöhlendach in Querreihen angeordneten Zähnen.

Quese [niederdt.], svw. ↑ Drehwurm.

Quesenbandwurm (Multiceps multiceps), etwa 60–100 cm langer Bandwurm, der im erwachsenen Zustand in Darm verschiedener Raubtiere (bes. Hund) schmarotzt. Zwischenwirte sind v. a. das Hausschaf, daneben auch Rinder und Nagetiere, in deren Gehirn sich die Finne zu einer bis hühnereigroßen Blase entwickeln kann (↑ Drehwurm), an deren Innenwand sich zahlr. Köpfe bilden (ungeschlechtl. Fortpflanzung). Die befallenen Zwischenwirte führen wegen des durch die Finne bewirkten Drucks Zwangsbewegungen aus (Drehkrankheit).

Quetzal [kɛ...; aztek.] (Quesal, Pharomachrus mocinno), etwa 40 cm (♀ 35 cm) langer, im ♂ Geschlecht oberseits glänzend smaragdgrüner, unterseits scharlachroter, vorwiegend früchtefressender Vogel (Fam. Trogons) in feuchten Bergwäldern S-Mexikos bis Panamas; mit vier fast 1 m langen, bandartig nach hinten fallenden Deckfedern des Schwanzes. - Der Qu. wurde in den alten Kulturen der Mayas und Azteken verehrt. Er ist noch heute der Wappenvogel von Guatemala.

Quirl, bei Pflanzen Bez. für eine Gruppe von mehr als zwei seitl. Gliedern, die auf gleicher Höhe der Sproßachse oder eines Seitensprosses entspringen; seltener Bez. für Blatt- und Blütenwirtel (↑ Wirtel).

Quitte [griech.-lat.] (Echte Qu., Cydonia oblonga), einzige Art der Rosengewächsgatt. *Cydonia* aus Vorderasien; bis 8 m hoher Baum mit eiförmigen, ganzrandigen, unterseits filzig behaarten Blättern und einzelnen, rötlichweißen Blüten. In S- und M-Europa werden die Varietäten *Birnenquitte* (Cydonia oblonga var. piriformis) und *Apfelquitte* (Cydonia oblonga var. maliformis), mit birnen- bzw. apfelförmigen Früchten, kultiviert. Das Fruchtfleisch der Qu. ist hart, sehr aromat., roh aber nicht genießbar. Die Früchte (Kernobst) werden zu Marmelade oder Saft verarbeitet. Die Samen enthalten über 20% Schleimstoffe, die sich isolieren lassen und zur Herstellung von Husten-, Magen- und Darmmitteln, von Appreturmitteln und kosmet. Emulsionen verwendet werden. Bed. hat die Qu. auch als Veredlungsunterlage für kleine Birnensorten.

Quokka [austral.] (Kurzschwanzkänguruh, Setonix brachyurus), früher in W-Australien weit verbreitetes Känguruh, heute dort und auf einigen vorgelagerten Inseln nur noch in Restpopulationen; Länge etwa 50–60 cm, Schwanz 25–35 cm lang; Fell kurzhaarig und borstig, graubraun; Ohren kurz.

Apfelquitten

R

Rabe, svw. ↑Kolkrabe (↑auch Raben).
Raben [zu althochdt. hraban, eigtl. „Krächzer"], große, kräftige, meist schwarze, klotzschnäbelige ↑Rabenvögel mit nur wenigen Arten aus den Gatt. Corvus, Rhinocorax und Corvultur in Eurasien, Afrika und N-Amerika. In Europa kommt nur der ↑Kolkrabe vor.
Rabenbein (Korakoid, Os coracoideum), Knochenelement im Schultergürtel der Wirbeltiere; Ersatzknochen, der schon bei den fossilen Reptilien des Perms das Prokorakoid zu verdrängen beginnt.
Rabengeier ↑Geier.
Rabenkrähe (Corvus corone corone), etwa 45 cm lange Unterart schwarzer Aaskrähen in Wäldern und offenen, von Bäumen durchsetzten Landschaften W- und M-Europas (bis etwa zur Elbe) und O-Asiens (ab Jenissei); Schnabel kräftig, schwarz und (im Unterschied zur Saatkrähe) stets befiedert. - Die R. ernährt sich vorwiegend von Kleintieren (bes. Insekten, Würmer), Jungvögeln, Eiern, Abfall und Aas.
Rabenvögel (Krähenvögel, Corvidae), mit Ausnahme der Polargebiete und Neuseelands weltweit verbreitete Fam. drossel- bis kolkrabengroßer Singvögel mit rd. 100 allesfressenden Arten. Zu den R. gehören u. a. Häher, Elster, Dohle, Krähen, Raben, Alpendohle, Alpenkrähe.
Rachen, svw. ↑Pharynx; i. e. S. (als **Fauces**) dessen bei Säugetieren und Mensch erweiterter Anfangsteil hinter der zw. Gaumensegel und Zungenwurzel ausgebildeten Schlundenge.
◆ v. a. bei größeren Raubtieren Bez. für die gesamte bezahnte Mundhöhle.
Rachenblütler (Braunwurzgewächse, Scrophulariaceae), Fam. zweikeimblättriger Pflanzen mit rd. 3000 weltweit verbreiteten Arten in etwa 200 Gatt.; meist Kräuter oder Stauden, auch Sträucher und Lianen, bisweilen Saprophyten oder Halbparasiten mit wechsel- oder gegenständigen Blättern und meist dorsiventralen, oft zweilippigen, manchmal auch gespornten Blüten in Blütenständen; der oberständige Fruchtknoten bildet Kapselfrüchte. Bekannte Gatt. sind Ehrenpreis, Fingerhut, Gnadenkraut, Braunwurz, Klappertopf, Königskerze und Löwenmaul.
Rachenmandel (Rachentonsille, Pharynxtonsille, Tonsilla pharyngea), am Dach des Nasenrachenraums gelegenes unpaares Organ des lymphat. Rachenrings mit zerklüfteter Oberfläche; enthält zahlr. Lymphozyten. Die R. kann bei Kindern abnorm vergrößert sein und so die Nasenatmung beeinträchtigen, auch kann sie zu einer Infektionsquelle für Mittelohr und Nasenhöhle werden, obwohl sie sonst ein Abwehrorgan für Infektionskeime darstellt. In der Pubertät wird die R. weitgehend rückgebildet.
Rachenreflex, svw. ↑Würgereflex.
Rackelkrähe, fruchtbarer Mischling aus Nebelkrähe und Rabenkrähe.
Racken (Raken, Coraciidae), Fam. etwa taubengroßer, bunt gefärbter Singvögel (Ordnung Rackenvögel) mit rd. 15 Arten, v. a. in lichten Wäldern und Savannen Afrikas und des gemäßigten und südl. Eurasien; Füße kurz, Schnabel häherartig. Zu den R. gehören u. a. ↑Blauracke und **Kurol** (Leptosomus discolor), fast krähengroß, auf Madagaskar und auf den Komoren, mit dunkelgrüner Oberseite und grauer Unterseite.
Rackenvögel (Coraciiformes), seit dem Eozän bekannte, heute mit fast 2000 Arten v. a. in den Tropen und Subtropen verbreitete Ordnung (mit Schwanz) etwa 10–100 cm langer, meist leuchtend bunt gefärbter Singvögel. Die R. ernähren sich vorwiegend von Insekten und anderen Kleintieren. Sie sind Höhlenbrüter. - Zu den R. gehören v. a. Racken, Eisvögel, Bienenfresser, Hopfe und Nashornvögel.
Radbaum (Trochodendron aralioides), einzige rezente Art der *Radbaumgewächse* (Trochodendraceae), verbreitet von Japan bis Taiwan; immergrüner, bis 20 m hoher Baum mit aromat. riechender Rinde, lederartigen Blättern und leuchtend grünen Zwitterblüten in endständigen Trauben.
Rade (Agrostemma), Gatt. der Nelkengewächse mit nur wenigen Arten in M-Europa; Pflanzen mit großen, purpurroten einzelnen Blüten und Kapselfrüchten; bekannteste Art ist die **Kornrade** (Agrostemma githago), ein 30–100 cm hohes Getreideunkraut mit 3–5 cm großen, fast radförmigen, langgestielten, purpurfarbenen Blüten.
Rädertiere (Rotatoria), Klasse der Schlauchwürmer mit rd. 1500 etwa 0,05–3 mm (meist 0,1–1 mm) langen, v. a. im Süßwasser lebenden Arten; wegen der leichten Verfrachtbarkeit ihrer sehr resistenten Dauerstadien oft weltweit verbreitet. Der Körper der festsitzenden R. ist meist wurmförmig,

der der freischwimmenden häufig sackförmig. Ihre Nahrung wird dem kompliziert gebauten Kaumagen meist strudelnd mit Hilfe eines *Räderorgans* (mit bandförmig in einem Bogen angeordneten Wimpern; dient auch zur Fortbewegung) im Bereich der Mundöffnung zugeführt. Die Form der Fortpflanzung ist weitgehend von Umweltbedingungen und der Populationsdichte abhängig; ↑Heterogonie ist vorherrschend. Die ♂♂ sind kurzlebig, bes. klein und weitgehend rückgebildet (keine Nahrungsaufnahme); bei einigen Arten fehlen sie (nur Jungfernzeugung). R. stellen v. a. während der warmen Jahreszeit einen hohen Anteil des Süßwasserplanktons. - Abb. S. 314.

Radgelenk, svw. Drehgelenk (↑Gelenk).

radialsymmetrisch (radiärsymmetrisch, monaxon), strahlig gebaut; gesagt von der Körpergrundform mancher Lebewesen, bei der außer einer bestimmten Hauptachse (Längsachse des Körpers) mehrere senkrecht zu dieser gestellte, untereinander gleiche Nebenachsen (**Radien**), auf denen dann die meisten Körperorgane angeordnet liegen, zu unterscheiden sind. Jede Ebene durch die Hauptachse und einen der Radien teilt den Körper stets in symmetr. Hälften.

radiärsymmetrisch, svw. ↑radialsymmetrisch.

Radiata [lat.], svw. ↑Hohltiere.

Radiation [lat.], an Hand von Fossilfunden feststellbare „Entwicklungsexplosion", die während eines relativ kurzen geolog. Zeitabschnitts aus einer Stammform zahlr. neue Formen entstehen läßt; Ursache für die heutige Formenfülle unter den Säugetieren.

Radicchio [ra'dıkio; italien., zu lat. radix „Wurzel"] ↑Wegwarte.

Radien [lat.], svw. ↑Flossenstrahlen.

Radieschen [lat.-roman., zu lat. radix „Wurzel"] ↑Rettich.

Radikation [lat.] (Bewurzelung), die Entwicklung und Ausbildung der Pflanzenwurzeln. Je nach Bau des pflanzl. Embryos unterscheidet man **Allorrhizie** (bei Samenpflanzen ist die Primärwurzel [Hauptwurzel] alleiniger Träger des späteren Wurzelsystems) und **Homorrhizie** (Ausbildung von [sproßbürtigen] Wurzeln an der Sproßachse einer Pflanze [z. B. bei Farnen]).

Radiolarien [lat.], svw. ↑Strahlentierchen.

Radioökologie, Teilgebiet der Ökologie, das die natürl. und künstl. Strahlenbelastung auf Mensch, Tier und Pflanze sowie auf Ökosysteme untersucht.

Radius [lat. „Stab, Speiche, Strahl"], svw. ↑Speiche.

Radix [lat. „Wurzel"], svw. [Pflanzen]wurzel.

Radmelde (Kochia), Gatt. der Gänsefußgewächse mit rd. 80 Arten in Australien, Eurasien, Afrika und im westl. N-Amerika; kleine Sträucher oder Kräuter mit kleinen, schmalen, seidenhaarigen Blättern und unscheinbaren Blüten. Eine bekannte Art ist das in M-Europa als Zierstrauch kultivierte **Besenkraut** (Besenradmelde, Kochia scoparia), das in SO-Europa und Asien getrocknet zu Besen verarbeitet wird.

Radnetzspinnen (Kreuzspinnen, Araneidae), nahezu weltweit verbreitete Fam. der Spinnen mit über 2 500 kleinen bis mittelgroßen Arten, die meist sehr regelmäßig gebaute radförmige Netze anlegen. Eine bekannte Gatt. ist *Araneus* mit über 25 einheim., meist auffallend gezeichneten Arten; bekannt v. a.: **Kreuzspinne** (Gartenspinne, Araneus diadematus), bis 17 (♀) bzw. 11 (♂) mm lang, Färbung variabel, Hinterleib meist mit weißer, kreuzförmiger Zeichnung, sitzt in Ruhe kopfabwärts in etwa 30 cm großen Netz; gefangene Insekten werden erst eingesponnen, dann getötet; Eiablage im Herbst, Jungtiere schlüpfen im Mai; Biß für den Menschen ungefährlich. **Wespenspinne** (Zebraspinne, Tigerspinne, Argiope bruennichi), bis etwa 20 mm lang, in M- und S-Europa weit verbreitet, mit auffallend gelbschwarzer, wespenartiger Querbänderung auf der Oberseite.

Radtintling ↑Tintling.

Radula [lat.], mit (bis rd. 75 000) Zähnchen in Längs- und Querreihen besetzte Chitinmembran auf einem muskulösen, verschiebbaren, durch einen starren Bindegewebskörper im Inneren versteiften Längswulst (*R.polster*) des Bodens der Mundhöhle bei vielen Weichtieren (bes. den Schnecken). Mit Hilfe dieses *Zungenapparats,* der nach Art eines Schaufelbaggers oder zusätzl. noch wie ein Greifbagger arbeitet, wird die Nahrung abgeschabt, abgerissen oder als Ganzes eingeschlungen und zum Schlund befördert. Die R. wächst ständig aus einem engen Blindsack des Pharynx (*R.tasche*) nach.

Rafflesiengewächse [nach dem brit. Kolonialbeamten Sir T. S. Raffles, * 1781, † 1826] (Schmarotzerblumen, Rafflesiaceae), bis subtrop. zweikeimblättrige Pflanzenfam. mit über 50 Arten in neun Gatt.; extrem angepaßte, fleischige Parasiten auf Holzpflanzen; Sproß sehr kurz, mit Schuppenblättern, ohne Chlorophyll und Wurzeln. Die eingeschlechtigen Blüten sitzen direkt der Wirtspflanze auf. Bekannt ist die ↑Riesenrafflesie.

Ragwurz (Ophrys), Orchideengatt. mit rd. 20 Arten in M-Europa und in Vorderasien; bes. auf Kalkböden wachsende Erdorchideen, deren Stengel und Blütentraube aufrecht wachsen. Bei einigen einheim. Arten ähnelt die Lippe der bunten Blüten bestimmten Insekten. Bekannte Arten sind **Fliegenragwurz** (Fliegenorchis, Ophrys insectifera, bis 30 cm hoch, Lippen der Blüten rotbraun mit bläul. glänzendem Fleck am Grund) und **Hummelragwurz** (Ophrys fuciflora, bis 50 cm hoch, Blüten hummelähnl., Lippe braun, samtig be-

Raigras

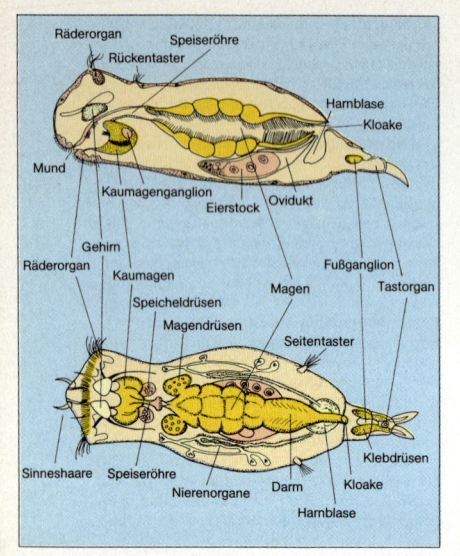

Rädertiere.
Sagittalschnitt (oben)
und Dorsalansicht

haart mit bläul. oder grüngelber Zeichnung, Blütenhüllblätter weiß bis rosa.

Raigras [engl./dt.] ↑ Lolch.

Rainfarn (Wurmkraut, Chrysanthemum vulgare), bis über 1 m hoher einheim. Korbblütler in Auwäldern, Hecken und an Wegrändern; mit farnähnl. Blättern und goldgelben, halbkugeligen Köpfchen ohne Zungenblüten. Die Blüten enthalten äther. Öl (Verwendung als Wurm- und Magenmittel).

Rainkohl (Lapsana communis), bis etwa 1 m hoher Korbblütler mit zahlr. gelben Köpfchen in lockeren Rispen und leierförmigen, buchtig gezähnten Blättern; auf Äckern, Schutt und an Wegrändern.

Rainweide, svw. ↑ Liguster.

Rajiformes [lat.], svw. ↑ Rochen.

Raken, svw. ↑ Racken.

Rallen [frz.] (Rallidae), seit der oberen Kreide nachweisbare, heute mit Ausnahme der Polargebiete weltweit verbreitete Fam. sperlings- bis hühnergroßer Vögel, deren mehr als 100 Arten vorwiegend Sümpfe und pflanzenreiche Süßgewässer besiedeln; vielfach nächtl. lebende, ungern auffliegende Tiere mit schlankem Körper, kurzen, breiten Flügeln und meist kurzem Schwanz. Die z. T. sehr langen Zehen befähigen die R. zum Laufen auf Schwimmblättern. Zu den R. gehören u. a. Bläßhuhn, Teichhuhn, Purpurhuhn, Wasserralle, Wachtelkönig und Sumpfhühner.

Rammler, das ♂ bei Kaninchen und Hase.

Ramonda [nach dem frz. Botaniker L. Baron Ramond de Carbonnières, *1753, †1827], Gatt. der Gesneriengewächse mit nur drei Arten in den Pyrenäen und auf dem Balkan; niedrige Stauden mit weich-runzeligen Blattrosetten und violetten, hell purpurfarbenen oder weißen Blüten auf blattlosem Schaft; Kleinstauden für Steingärten und Trockenmauern.

Ramón y Cajal, Santiago [span. rra'mon i ka'xal], *Petilla de Aragón (Navarra) 1. Mai 1852, †Madrid 17. Okt. 1934, span. Histologe. - Prof. in Zaragoza, Valencia, Barcelona und Madrid; übernahm und verbesserte die histolog. Färbemethoden von C. ↑Golgi und wandte sie erfolgreich bei der Erforschung der Feinstruktur des [Zentral]nervensystems an. Dabei gelang ihm 1889 die erste präzise Darstellung der nervalen Bahnen in der grauen Substanz des Gehirns und Rückenmarks. Auf gleiche Weise konnte er den funktionellen Aufbau der Netzhaut im Auge klären. Als Ergebnis seiner morphol. Arbeiten entwickelte R. y C. die Neuronenlehre. 1906 erhielt er (gemeinsam mit C. Golgi) den Nobelpreis für Physiologie oder Medizin.

Ramsar-Konvention [pers. ram'sær; nach dem Ort Ramsar in Iran], internat. Übereinkommen zum Schutz von Feuchtgebieten von internat. Bedeutung, insbes. als Lebensraum für Wat- und Wasservögel. Das von 18 Staaten (mit Sekretariat bei der Internat. Union für Naturschutz in Morges [Schweiz]) paraphierte Abkommen trat im Dez. 1975 in Kraft. Die BR Deutschland ist Mgl. seit 1976; sie hat vorerst siebzehn Gebiete zur Aufnahme in die Liste der Gewässer und Feuchtgebiete benannt (u. a. Steinhuder Meer, Dümmer, Starnberger See, Ammersee, Chiemsee, Donauauen, Donaumoos).

Ramskopf, in der Tierzüchtung auftretende Kopfform mit konvexer Stirn- und Nasenwölbung. - Ggs. ↑Hechtkopf.

Ramtil [Hindi] (Gingellikraut, Guizotia abyssinica), im trop. Afrika und in Indien angebaute Korbblütlerart; bis 2 m hohe, einjährige, gelbblühende Pflanze, deren Samen (**Negersamen**) ein Öl liefern, das in den Anbaugebieten als Speiseöl, in Europa als Brenn- und Schmieröl bzw. zur Seifenherstellung verwendet wird.

Ramus (Mrz. Rami) [lat.], in der Anatomie: Ast, Zweig eines Nervs, einer Arterie, Vene; astartiger Teil eines Knochens.

Rana [lat.], Gatt. der ↑Frösche mit über 20 Arten.

Ranales [lat.], svw. ↑Vielfrüchtler.

Randblüten, am Rande des Blütenkörbchens der Korbblütler stehende Einzelblüten mit häufig von den übrigen Blüten abweichender Gestalt und Färbung; z. B. als stark vergrößerte Röhrenblüten (bei der Flockenblume) oder vielfach als vergrößerte, lang ausgezogene Zungenblüten die anders gefärbten, radiärröhrenförmigen Scheibenblüten umgebend, wobei das Köpfchen eine einzelne Blüte vortäuschen kann (z. B. Gänseblümchen, Aster, Sonnenblume). R. sind häufig steril oder nur ♀.

Randwanzen (Lederwanzen, Coreidae), 2000 Arten umfassende Fam. weltweit verbreiteter, bis 3 cm langer, meist trop. Landwanzen; mit seitl. überstehendem, nicht von den Vorderflügeln bedecktem, etwas aufwärts gebogenem Hinterleibsrand; durch vorherrschende gelb- bis schwarzbraune Farbtöne und durch die Struktur der Körperdecke oft von lederartigem Aussehen.

Rangordnung, die soziale Hierarchie bei Tieren (und Menschen) durch Regelung der auf die einzelnen Angehörigen einer Gruppe entfallenden Rechte und Pflichten. Die **biogene Rangordnung** (bei niederen Tieren) beruht auf einer Vorprogrammierung im ↑Instinkt,

die **soziogene Rangordnung** auf einem individuellen Kennen der Gruppenmitglieder. Die an der Spitze der Gruppen stehenden Tiere (meist starke und erfahrene Exemplare) genießen gewisse Vorrechte (z. B. beim Paarungsverhalten oder an der Futterstelle bzw. Tränke), können aber auch bestimmte Pflichten innehaben (z. B. Anführerrolle oder Wächterfunktion). Das ranghöchste Tier wird Alphatier, das rangniedrigste Omegatier genannt. Die in der Ranghöhe anderen Gruppen-Mgl. überlegenen Tiere bezeichnet man als dominant. - R.verhältnisse kommen bes. bei sozial lebenden Tieren vor und tragen v. a. zur Stabilisierung der sozialen Beziehungen bei, haben aber auch andere Auswirkungen (z. B. im eugen. Sinn beim Paarungsvorrecht des Alphatiers). Besteht innerhalb von Gruppen eine R., dann bleiben Streitigkeiten im wesentl. auf die Begründung bzw. Änderung der R. selbst (z. B. während der Eingliederung heranwachsender Jungtiere) beschränkt.

Ranidae [lat.] ↑ Frösche.

Ranke, Johannes, * Thurnau bei Kulmbach 23. Aug. 1836, † München 26. Juli 1916, dt. Anthropologe. - Prof. in München; Arbei-

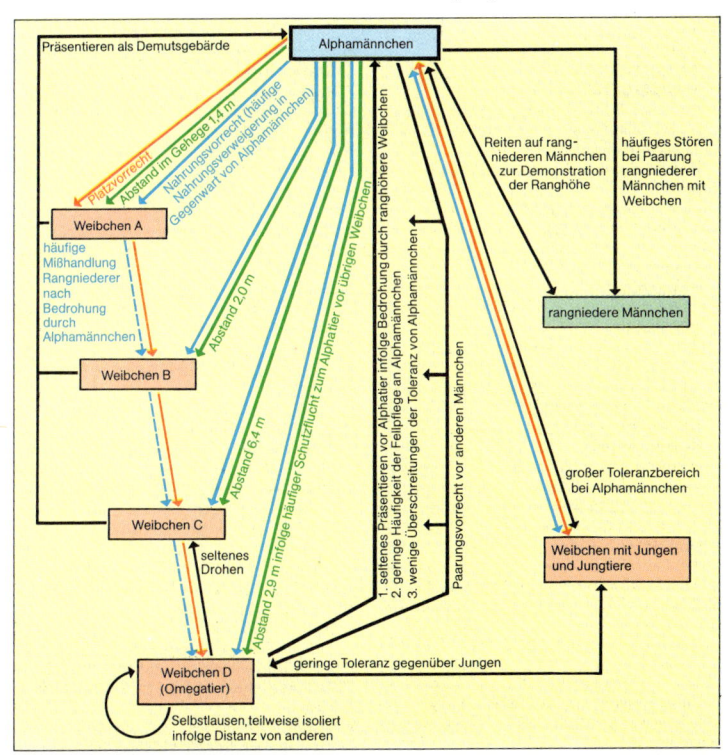

Rangordnungsverhältnisse bei Paarung, Nahrungsaufnahme, Arbeitsteilung und anderen Verhaltensweisen bei Pavianen

Ranken

ten bes. über Schädelformen; schrieb u. a. das Lehrbuch „Der Mensch" (2 Bde., 1886/87).

Ranken, fadenförmige, meist verlängerte, verzweigte oder unverzweigte Klammerorgane verschiedener höherer Pflanzen. R. dienen der Befestigung der Sproßsysteme an fremden Stützen. Je nach ihrer Herkunft aus den verschiedenen Organen unterscheidet man: **Sproßranken,** wobei Haupt- (Weinrebe) oder Seitensprosse (Passionsblume) die R. bilden; **Blattranken,** bei denen ganze Blätter zu R. reduziert sind (Rhachis-R. beim Kürbis) oder Teile davon (Blattstiel-R. bei der Kapuzinerkresse); **Wurzelranken** bei trop. Lianen (Vanille).

Rankenfüßer (Cirripedia), Unterklasse der Krebstiere mit über 800 kleinen bis 80 cm langen, fast ausnahmslos meerbewohnenden, meist zwittrigen Arten; festsitzend oder parasit., nur die Larven freischwimmend; Körper von der typ. Krebstiergestalt stark abweichend, wenig gegliedert, stark verkürzt, häufig mit Panzer aus Kalkschildern; Brustbeine zu rankenartigen Fangarmen umgestaltet, mit denen die Nahrung herbeigestrudelt wird.

Rankenpflanzen (Fadenranker) ↑ Lianen.

Ranunculaceae [lat.], svw. ↑ Hahnenfußgewächse.

Ranunculus [lat.], svw. ↑ Hahnenfuß.

Ranunkel [lat.] ↑ Hahnenfuß.

Ranvier-Schnürring [frz. rā'vje; nach dem frz. Histologen L. A. Ranvier, * 1835, † 1922] ↑ Nervenzelle.

Ranzenkrebse (Peracarida), Überordnung der Höheren Krebse mit über 8 000 kleinen bis mittelgroßen Arten im Meer, Süßwasser und auf dem Land; Entwicklung ohne Larvenstadium; bekannteste Ordnungen: ↑ Asseln und ↑ Flohkrebse.

Ranzzeit (Rollzeit) ↑ Brunst.

Rapfen (Schied, Oderlachs, Rappe, Mülpe, Aspius aspius), bis etwa 60 cm (im Osten bis über 80 cm) langer, schlanker Karpfenfisch in M- und O-Europa; Oberseite schwärzl. olivgrün, Körperseiten silbrig; lebt erwachsen räuberisch; bes. in O-Europa bed. Speisefisch.

Raphanus [griech.] ↑ Rettich.

Raphiapalme [Malagassi/lat.] (Bastpalme, Raphiabastpalme, Raphia), trop. Palmengatt. mit rd. 40 Arten; baumförmige Fiederpalmen mit kurzen, dicken Stämmen und bis über 15 m langen Blättern.

Raphidenbündel [griech./dt.], in den Vakuolen pflanzl. Zellen zu Bündeln zusammenliegende, schwerlösl. Kristallnadeln **(Raphiden)** aus Calciumoxalat; Stoffwechselendprodukte.

Rappe, Pferd mit schwarzem Haarkleid (auch mit weißen Abzeichen); einzige Varietät ist der im Sommer tiefschwarze *Sommer-R.,* dessen Fell im Winter schwarzbraun ist.

Rappen, Stengelanteil des Fruchtstands der Weinrebe.

Raps [niederdt.] (Colza, Reps, Kohlsaat, Kohlraps, Brassica napus var. napus), 60–120 cm hoher Kreuzblütler mit gelben Blüten und blaugrünen Blättern; in Kultur einjährig als **Sommerraps** (f. annua) oder als **Winterraps** (f. biennis) ausgesät, wobei letzterer in Deutschland wegen des höheren Samenertrags bevorzugt angebaut wird. Der R. ist neben dem Rübsen die wichtigste einheim. Ölpflanze. Die heutigen Hauptanbaugebiete liegen in China und Indien. - Die Samen des R. enthalten etwa 40 % Öl (**Rapsöl, Rüböl**), das durch Pressen oder Extraktion gewonnen und als Speiseöl sowie zu techn. Zwecken verwendet wird. Der als Rückstand anfallende **Rapskuchen** ist ein Futtermittel. - Abb. S. 318.

Rapserdfloh ↑ Flohkäfer.

Rapsglanzkäfer, Bez. für mehrere Arten in der holarkt. Region verbreiteter, 1,5–2,5 mm langer, metall. bläulichgrün schimmernder Glanzkäfer, die bes. an Raps und Rübsen schädl. werden.

Rapskuchen ↑ Raps.

Rapsöl ↑ Raps.

Rapsrüßler (Kohlschotenrüßler, Ceutorrhynchus assimilis), in Europa verbreiteter (nach N-Amerika eingeschleppter), etwa 3 mm langer, dicht mit grauen Haarschuppen besetzter Rüsselkäfer; Schädling an Raps.

Raptatores [lat.], svw. ↑ Raubvögel.

Rapunzel [mittellat.], svw. Gemeiner Feldsalat († Feldsalat).

◆ svw. ↑ Teufelskralle.

◆ (Gelbe R.) svw. Gemeine Nachtkerze († Nachtkerze).

Rasen, in der *Biologie* Bez. für gleichförmigen, dichten, niedrigen, flächendeckenden Bewuchs, z. B. von Bakterien, Algen, Pilzen, Moosen, Hufeisenwürmern u. a. Kleinlebewesen.

◆ in der *Vegetationskunde* Bez. für v. a. aus Gräsern gebildete Pflanzengesellschaften, z. B. Trocken- und Magerrasen auf flachgründigen, trockenen, meist künstl. entwaldeten Felshängen, alpine R.gesellschaften unter der Baumgrenze.

◆ in der *Landschaftsgärtnerei* Bez. für künstl. zusammengestellte Grasdecken für Zier- und Nutzzwecke in Parks, Anlagen, Gärten, auf Sport- und Spielplätzen. Die häufigsten R.gräser sind in je nach Verwendung ausgewählten Mischungen: Weidelgras, Wiesenschwingel, Wiesenrispengras und Straußgras.

Rasenameise (Tetramorium caespitum), in Europa überall häufig vorkommende, braune bis grauschwarze Art der Knotenameisen; Arbeiterinnen 2,5–3,5 mm, Geschlechtstiere 6–8 mm lang. Sie baut ihre Nester unterirdisch. an Waldrändern, in Steppengebieten (unter Steinen) und in Grasgelände.

Rasse [italien.-frz.], in der *Systematik* svw. Unterart.

◆ in der *Züchtungsforschung* nicht immer eindeutig gefaßter Begriff als Bez. für Formen-

gruppen mit kennzeichnenden, gleichen Merkmalen. Die Übergänge zw. einzelnen R. sind meist fließend und daher nicht scharf zu ziehen; sie werden insbes. durch R.mischung verwischt, da Angehörige verschiedener R. ein und derselben Art unbegrenzt untereinander fortpflanzungsfähig sind. Deshalb wird die R. zur Erhaltung ihrer (erwünschten) Merkmale in sexueller Isolation gehalten; hinzu kommen laufende Kontrollen, wie z. B. Saatgutkontrolle, Zuchtwahl gemäß Körordnung und Herdbuch
♦ in der *Anthropologie* ↑ Menschenrassen.

Rassel (Klapper), Hornringe am Schwanzende von Klapperschlangen.

Rassenkreis, in der *biolog. Systematik* svw. ↑ Formenkreis.
♦ in der *Anthropologie* svw. Groß- oder Hauptrasse (↑ Menschenrassen).

Rassenkunde, Forschungsbereich der biolog. Anthropologie, der sich v. a. mit der Entstehung, (geograph.) Verbreitung und Variabilität, Charakterisierung bzw. Typisierung und Klassifizierung der ↑ Menschenrassen befaßt.

Rassenstandard (Rassestandard), internat. anerkannte verbindl. Rassenbeschreibung einer bestimmten Rasse, v. a. nichtlandw. Haustiere (Liebhaberrasse), z. B. von Haushunden, Hauskaninchen und Haustauben.

Rattanpalme (Daemonorops), mit den Rotangpalmen nahe verwandte Palmengatt. mit rd. 80 Arten im trop. Asien; schlanke, aufrechte und kletternde Palmen mit gefiederten Blättern.

Ratten, (Rattus) Gatt. der Echtmäuse mit zahlr. urspr. ost- und südostasiat. Arten; Körperlänge etwa 10–30 cm, Schwanz meist länger. Viele R.arten sind äußerst anpassungsfähig und extrem wenig spezialisiert, daher sind einige Arten heute weltweit verbreitet. R. besiedeln Lebensräume jeglicher Art. Verschiedene R.arten sind gefürchtete Vorratsschädlinge und Überträger von Krankheiten (z. B. Pest). Die meisten R. sind ausgeprägte Allesfresser. Einheim. Arten sind die Hausratte und die Wanderratte. Die **Hausratte** (Dachratte, Rattus rattus) hat eine Körperlänge von 16–23 cm; Schwanz stets über körperlang, Kopf zieml. schmal mit relativ großen Ohren; Färbung grauschwarz bis braungrau, mit wenig aufgehellter bis weißer Unterseite; in kühleren Zonen meist eng an menschl. Siedlungen gebunden (oft auch auf Schiffen: *Schiffsratte*). - Von den zahlr. systemat. teilweise umstrittenen Unterarten sind am bekanntesten: *Siedlungshausratte* (Rattus rattus rattus): in M-Europa sehr stark an Gebäude gebunden; grauschwarz mit etwas hellerer Bauchseite; *Fruchtratte* (Rattus rattus frugivorus): braungrau mit weißer Unterseite, in Gebäuden und freilebend; *Alexandriner Hausratte* (Rattus rattus alexandrinus): braungrau mit grauer Unterseite. Die fast rein dämmerungs- und nachtaktive Hausratte lebt gesellig. Sie gräbt kaum, andererseits klettert und springt sie sehr gut. Sie bewohnt die oberen Gebäudeteile (bes. Speicher). - Die **Wanderratte** (Rattus norvegicus) hat eine Körperlänge von etwa 22–30 cm, Schwanz 18–22 cm, Ohren kurz; Färbung meist dunkelgraubraun mit weißlichgrauer Unterseite, auch dunkel schieferfarben bis fast schwarz mit braungrauer Unterseite; vorwiegend an und in menschl. Siedlungen (vorwiegend in Gebäuden), aber auch völlig freilebend (v. a. an Gewässern, Gräben, Mülldeponien u. ä.); gesellig er, vorwiegend dämmerungs- und nachtaktiver Allesfresser (auch räuber. und zuweilen kannibal.), der sehr gut schwimmen und springen kann.
Die aus hygien. (Seuchengefahr) und wirtsch. Gründen (Vernichtung von Vorräten) notwendige Rattenbekämpfung erfolgt durch chem. Mittel, mechan. mit Hilfe von Fallen (Ködergifte), im Freiland auch durch Einsatz von Räucherpatronen. - Abb. S. 318.
♦ Bez. für zahlr. Vertreter aus verschiedenen Säugetierfam., v. a. der Nagetiere, die nicht zur Gatt. Rattus gehören: u. a. Biber-, Bisam-, Hamster-, Taschen-, Beutel-, Reisratten.

Rattenflöhe, Bez. für verschiedene (bes. trop. verbreitete) blutsaugende Floharten, die als Überträger der Pest und des Fleckfiebers bekannt sind; unter ihnen v. a. der **Ind. Rattenfloh** (*Pestfloh*, Xenopsylla cheopis), in den Tropen und Subtropen verbreitet, 1,5–2,5 mm groß, und der **Europ. Rattenfloh** (Nosopsyllus fasciatus), weltweit verbreitet, 1,5–2,5 mm lang, saugt v. a. an Haus-, Wanderratten.

Rattenkänguruhs (Känguruhratten, Potoroinae), Unterfam. etwa rattenförmiger, kaninchengroßer Känguruhs mit Arten in Australien und Tasmanien; am bekanntesten die **Kaninchenkänguruhs** (Potoruhs, Potorous; überwiegend nachtaktiv; laufen zeitweise auf vier Beinen).

Rattenkönig, Ratten, die mit den Schwänzen, auch den Hinterbeinen, aneinanderhängen; ein solches Gebilde entsteht durch längeres sehr enges Beieinanderliegen der Rattenjungen im Nest, wobei die Schwanzhaare durch Schmutz und Exkremente fest miteinander verkleben.

Rattenschlangen, (Rattennattern, Asiat. R., Ptyas) Gatt. etwa 2,5 m langer, schlanker, sehr flinker, ungiftiger Nattern in S- und SO-Asien. Bekannt ist v. a. die **Ind. Rattenschlange** (Dhaman, Ptyas mucosus), verbreitet von Afghanistan bis S-China und Java; überwiegend braun mit schwarzer Zeichnung, wird manchmal von Schlangenbeschwörern als „Kobra" vorgeführt.
♦ (Zaocys) Gatt. schlanker, sehr flinker, ungiftiger, oft leuchtend bunt gezeichneter Nattern in SO- und O-Asien, darunter die bis 3,7 m lange **Gekielte Rattennatter** (Zaocys carinatus), die größte ungiftige Natter überhaupt.

Rattenschwänze

Rattenschwänze, svw. ↑Grenadierfische.

Rattus [nlat.] ↑Ratten.

Ratz, volkstüml. Bez. für den Waldiltis (↑Iltisse).

Raubameisen, Bez. für Ameisen, die aus den Nestern anderer Ameisenarten Larven und Puppen rauben und die daraus schlüpfenden Tiere für sich als sog. Hilfsameisen arbeiten lassen. Bekannteste einheim. Arten sind die **Blutrote Raubameise** (Raptiformica sanguinea) und die gänzl. auf ihre „Sklaven" angewiesenen ↑Amazonenameisen.

Raubbeutler (Dasyuridae), Fam. mausbis hundegroßer Beuteltiere (Körperlänge etwa 5–110 cm) mit knapp 50 Arten in der austral. Region; mit kurzen bis mittellangen Beinen; Gebiß raubtierartig, Ernährungsweise räuberisch. Zu den R. gehören Beutelmäuse, Beutelmarder und der Beutelwolf.

Räuber, svw. ↑Episiten.

Räuber-Beute-Verhältnis (Episitie, Episitismus), die Beziehung zw. Räuber (↑Episiten) und Beutetier in einem bestimmten Biotop, wobei es, v. a. wenn es sich beim Räuber um einen Nahrungsspezialisten handelt, in bezug auf die Populationsdichte der beiden Kontrahenten zu einer Schwankung um einen bestimmten Mittelwert, d. h. zu einer Art Gleichgewichtszustand kommt.

Raubfische, Bez. für Fische, die Jagd auf andere Fische machen und sich v. a. von diesen ernähren; z. B. Hecht, Raubwels, Kabeljau und viele Haifischarten.

Raubfliegen (Habichtsfliegen, Jagdfliegen, Asilidae), weltweit verbreitete, rd. 5 000 (6 bis 30 mm lange) oft stark behaarte Arten umfassende Fliegenfam. (Gruppe Spaltschlüpfer); machen Jagd auf vorbeifliegende kleinere Insekten, die sie später aussaugen. Die Larven leben räuber. oder saprophag in verrottetem Material. Am bekanntesten sind Mordfliegen und Wolfsfliegen.

Raubkäfer, svw. ↑Kurzflügler.

Raubmöwen (Stercorariidae), Fam. bis etwa 60 cm langer, kräftiger, vorwiegend braun gefärbter Möwenvögel mit vier Arten in hohen Breiten der N- und S-Halbkugel; einzeln oder in kleinen Kolonien brütende Vögel mit hakig gekrümmtem Oberschnabel, die fischfangenden Vögeln die Beute abjagen, Vogelnester plündern und auch Aas fressen. Zu den R. gehören v. a. **Skua** (Stercorarius skua; 60 cm lang, hell- bis dunkelbraun) und **Schmarotzerraubmöwe** (Stercorarius parasiticus; 50 cm lang, oberseits dunkelbraun und unterseits weiß oder einfarbig dunkel).

Raubseeschwalbe ↑Seeschwalben.

Raubspinnen (Jagdspinnen, Pisauridae), Fam. der Spinnen mit rd. 400 Arten, davon zwei einheimisch; weben keine Netze; ♀♀ tragen ihren großen, runden Eikokon zw. den Mundwerkzeugen mit umher; bekannt v. a. die **Listspinne** (Dolomedes fimbriatus), rotbraun, 12–18 mm Körperlänge, in Au- und Bruchwäldern und auf der Oberfläche von pflanzenreichen Gewässern (taucht bei Gefahr unter).

Raubtiere (Karnivoren, Carnivora), seit dem Paläozän bekannte, heute mit rund 250 Arten fast weltweit verbreitete Ordnung etwa 0,2–6,5 m langer Säugetiere; in allen Lebensräumen lebende, tag- und nachtaktive Tiere, deren Gebiß durch stark entwickelte Eckzähne und meist scharfe Reißzähne (Backenzähne) gekennzeichnet ist und bei der Mehrzahl der R. (vorwiegend Fleischfresser) dem Töten und Aufreißen größerer Säugetiere dient. Daneben gibt es Allesfresser (z. B. Braunbär), überwiegende bis fakultative Aasfresser (z. B. Schakale, Hyänen) und Pflanzenfresser (z. B. Bambusbär, Wickelbär). Die Sinnesorgane der R. sind hoch entwickelt, bes. der Geruchs- und Gehörsinn. - R. halten keinen echten Winterschlaf, wohl aber eine

Raps. Blüten

Wanderratte

Rauhhai

Raubmöwen. Skua

Raubwürger

Winterruhe (z. B. Bären). - Üblicherweise versteht man unter R. die **Landraubtiere** (Fissipedia), bei denen man acht Fam. unterscheidet: Hundeartige, Bären, Kleinbären, Bambusbären, Marder, Schleichkatzen, Hyänen und Katzen. Die Robben werden als **Wasserraubtiere** (Pinnipedia) von den R. meist als selbständige Ordnung abgetrennt.

Raubvögel (Raptatores), fachsprachl. nicht mehr verwendete zusammenfassende Bez. für Greifvögel und Eulen.

Raubwanzen (Schreitwanzen, Reduviidae), mit über 3000 Arten weit verbreitete Fam. mittelgroßer bis großer ↑Landwanzen; leben räuber. von Insekten, z. T. auch blutsaugend an Säugetieren und am Menschen, in den Tropen u. U. als Krankheitsüberträger. Unter den einheim. Arten ist am bekanntesten die **Staubwanze** (Kotwanze, Große R., Reduvius personatus); bis 18 mm lang, dunkelbraun bis schwarz; kann sehr schmerzhaft stechen; lebt in Gebäuden; Larven durch Beschichtung mit Staubteilchen kaum erkennbar.

Raubwild, wm. Bez. für alle jagdbaren Tiere, die dem *Nutzwild* (für den menschl. Genuß geeignetes Wild) nachstellen, z. B. Rotfuchs, Iltis, Wiesel.

Raubwürger (Grauwürger, Lanius excubitor), bis knapp 25 cm langer, mit Ausnahme des schwarzen Augenstreifs, der schwarzen Flügel und des ebenso gefärbten Schwanzes oberseits grauer, unterseits weißl. Singvogel der Fam. Würger; v. a. an Waldrändern und in Feldgehölzen N-Afrikas, großer Teile Eurasiens und weiter Gebiete N-Amerikas; macht im Rüttelflug (nach Turmfalkenart) Jagd auf Mäuse, Kleinvögel, kleine Reptilien u. a.; Nest aus Dornzweigen, bes. in Dornbüschen; vorwiegend Standvogel.

Rauchschwalbe ↑Schwalben.
Räudemilben, svw. ↑Krätzmilben.
Rauhblattaster, svw. Neuenglische Aster (↑Aster).

Rauhblattgewächse (Boretschgewächse, Borretschgewächse, Boraginaceae), weltweit verbreitete Fam. der zweikeimblättrigen Pflanzen mit rd. 2000 Arten in rd. 100 Gatt.; Bäume, Sträucher oder Kräuter mit schraubig angeordneten, ungeteilten, stark borstig behaarten Blättern und in wickeligen Blütenständen stehenden Blüten. Bekannte Gatt. sind Beinwell, Lungenkraut, Natternkopf.

Rauhblättriger Almrausch, svw. ↑Behaarte Alpenrose.

Rauhe Gänsekresse ↑Gänsekresse.

Rauhfußbussard (Buteo lagopus), bis etwa 60 cm langer Bussard v. a. in Tundren und Gebirgen N-Eurasiens und des nördl. N-Amerika; unterscheidet sich vom Mäusebussard durch helleren, dunkel längsgestreiften Kopf und Hals, bis auf die Zehen befiederte Läufe und breite, schwarze Endbinde am weißl. Schwanz; Nest auf Bäumen oder Klippen; Zugvogel.

Rauhfußhühner (Tetraoninae), Unterfam. bis fast 90 cm langer Hühnervögel (Fam. ↑Fasanenartige) mir rd. 20 Arten in Wäldern und Steppen N-Amerikas sowie des nördl. und gemäßigten Eurasiens; vorwiegend Insekten und Pflanzenteile fressende, schlecht fliegende Bodenvögel mit kräftigem, kurzem Schnabel und voll befiederten Läufen. - Zu den R. gehören u. a. ↑Auerhuhn, ↑Birkhuhn, **Haselhuhn** (Tetrastes bonasia, rd. 35 cm groß, lebt in N-Asien und Europa; Gefieder rostbraun bis grau, dunkel und weißl. gezeichnet, ♂ mit kleiner Kopfhaube), ↑Schneehühner und ↑Präriehuhn.

rauhfüßig, befiederte Beine aufweisend; von manchen Vögeln (z. B. Rauhfußbussard, Rauhfußhühner) gesagt.

Rauhfußkauz (Aegolius funereus), etwa 25 cm langer Kauz (↑Eulenvögel).

Rauhhaar (Wirrhaar), Bez. für eine mehr oder weniger abstehende, drahtartig harte, rauhe Behaarung bei Hunden.

Rauhhaardackel ↑Dackel.
Rauhhaarfoxterrier ↑Foxterrier.

Rauhhai (Walhai, Rhincodon typus), bis über 15 m langer, in großen Rudeln lebender Haifisch in allen (überwiegend trop.) Meeren; bräunl., mit weißer Fleckung, an den Körper-

Rauke

seiten zwei bis drei Längskiele; Maul endständig, groß, mit dichtstehenden, kleinen Zähnen; harmloser Planktonfresser.

Rauke [zu lat. eruca „Senfkohl"] (Sisymbrium), Gatt. der Kreuzblütler mit rd. 80 Arten auf der Nordhalbkugel und in S-Amerika; eine bekannte Art ist die ↑ Besenrauke.

räumliches Sehen (plastisches Sehen), dreidimensionale visuelle Wahrnehmung von Objekten auf Grund des ↑ binokularen Sehens, das unterstützt bzw. auf größere Entfernungen substituiert wird durch die Wahrnehmung der Verteilung von Licht und Schatten, der perspektiv. Verkürzung und der Farbenperspektive.

Raupen (Erucae), die polypoden, oft (z. B. bei den Bärenspinnern) mit Haaren (↑ auch Brennhaare) oder Borsten versehenen, z. T. bes. bunten Larven der Schmetterlinge; besitzen kauende Mundwerkzeuge, zu Spinndrüsen umgewandelte Labialdrüsen und gewöhnl. drei kurze, unvollständig gegliederte, einklauige Beinpaare an den Brustsegmenten, je ein Stummelbeinpaar am 3.–6. Hinterleibssegment (bei den Afterraupen ist nur das erste beinlos) und ein Paar Nachschieber am 10. Segment. Die Zahl der Abdominalfüße kann verrringert sein. Verschiedene R. (z. B. die des Goldafters) leben gesellig, z. T. in *R.nestern* aus zusammengesponnenen Blättern, in denen sie auch überwintern können. Die R. ernähren sich meist von pflanzl. Substanz, manche sind Parasiten.

Raupenfliegen (Tachiniden, Tachinidae), weltweit verbreitete Fliegenfam. (Gruppe Deckelschlüpfer) mit über 5 000 (einheim. rd. 500) meist mittelgroßen Arten. Die Larven leben entoparasit. in Raupen und anderen Entwicklungsstadien von Insekten (dadurch Forstnützlinge).

Rauschbeere (Moorbeere, Trunkelbeere, Vaccinium uliginosum), Heidekrautgewächs im nördl. Europa, in Asien und N-Amerika; auf Hochmooren, im Gebirge auch auf trockenen Böden; sommergrüner, bis fast 1 m hoher Strauch mit 1–3 cm langen, eiförmigen Blättern und schwarzblauen, süßl. schmeckenden Beeren die, in größeren Mengen genossen, Schwindelgefühl und Lähmungserscheinungen hervorrufen können.

Rauschzeit ↑ Brunst.

Raute [lat.], (Ruta) Gatt. der Rautengewächse mit rd. 60 Arten, v. a. im Mittelmeergebiet; Kräuter oder Halbsträucher mit meist zusammengesetzte Öldrüsen enthaltenden Blättern und gelben oder grünl. Blüten. Die bekannteste Art ist die **Weinraute** (Gartenraute, Ruta graveolens), bis 50 cm hoch, aromat. duftend, bläulich-grüne Blätter und gelbe Blüten; Heil- und Gewürzpflanze.
◆ Bez. für verschiedene nicht mit den Rautengewächsen verwandte Pflanzen, z. B. Goldraute (↑ Goldrute).

Rautengewächse (Weinrautengewächse, Rutaceae), Fam. zweikeimblättriger Pflanzen mit 1600 Arten in 150 Gatt. in allen wärmeren Gebieten der Erde, v. a. jedoch in S-Afrika und Australien; Bäume oder Sträucher, selten Kräuter, mit schraubig angeordneten, durch Öldrüsen durchscheinend punktiert erscheinenden Blättern und unterschiedl. gestalteten, meist regelmäßigen Blüten; bekannte Gatt. sind ↑ Zitruspflanzen, ↑ Raute.

Rautenschmelzschupper, svw. ↑ Knochenhechte.

Rauvolfia (Rauwolfia) [nach dem dt. Botaniker L. Rauwolf, *1540 (?), †1596], weltweit verbreitete, nur in Australien fehlende Gatt. der Hundsgiftgewächse mit rd. 90 Arten. Die bekannteste Art ist die in Indien bekannte *R. serpentina*, ein kleiner, rötl. blühender Strauch, dessen Wurzeln Rauwolfiaalkaloide enthalten. Heute wird diese Art zunehmend durch *R. vomitaria*, einen Baum mit höherem Alkaloidgehalt, verdrängt.

Ravenala [Malagassi], Gatt. der Bananengewächse mit der einzigen Art **Baum der Reisenden** (Ravenala madagascariensis), 3–6 m hoch, mit fächerartig ausgebreiteten Blättern und weißen Blüten; in Madagaskar.